D1645225

Александра Бруштейн

Дорога уходит в даль...

В рассветный час

Весна

УДК 821.161.1
ББК 84(2Рос=Рус)6
Б89

Рисунок на обложке
К. Почтенной

Бруштейн, А. Я.

Б89 Дорога уходит в даль...; В рассветный час; Весна : [автобиографическая трилогия, повести] / Александра Бруштейн; рис. на обл. К. Почтенной. — Москва : Издательство АСТ, 2021. — 860, [4] с. — (Золотая классика — детям!).

ISBN 978-5-17-133481-9.

Александра Яковлевна Бруштейн (1884-1968) — советская писательница, родившаяся в переломные годы на рубеже столетий, с удивительной точностью отразила то непростое время в автобиографической трилогии о Сашеньке Яновской. Назревшие проблемы общества находили живой отклик в Сашиной душе. Пытаясь побороть социальную несправедливость, она помогала словом и делом нищим и обездоленным — всем тем, от кого так легко отмахнуться.

В наше издание вошли все три повести о Сашеньке Яновской — «Дорога уходит в даль...», «В рассветный час», «Весна».

Для среднего школьного возраста.

УДК 821.161.1
ББК 84(2Рос=Рус)6

Книга первая

ДОРОГА УХОДИТ В ДАЛЬ...

Памяти моих родителей
посвящаю эту книгу.

Автор

Глава первая

ВОСКРЕСНОЕ УТРО

Я у мамы и папы одна. Ни братьев у меня, ни сестер. И это уже — пропащее дело! Даже если у нас еще родится кто-нибудь — мальчик или девочка, все равно, — мне-то от этого никакого проку! Мне сейчас уже девять лет, а им будет — нисколько. Как с ними играть? А когда они меня догонят, дорастут до девяти лет, мне-то уже будет целых восемнадцать... Опять неинтересно будет мне с ними!.. Вот если бы они теперь, сейчас были моими однолетками!

Я беру с маминого столика маленькое — размером с книгу — трехстворчатое зеркало. Открываю все три створки — из них смотрят на меня с одинаковым любопытством три совершенно одинаковые растрепанные девочки с бантом, сползающим на один глаз. Я воображаю, будто это мои сестры.

— Здрасте! — киваю я им.

И все три девочки очень приветливо кивают мне, тряся своими бантами. Неслышно, одними губами, они тоже говорят: «Здрасте»...

Можно, конечно, еще и высунуть язык, провести им по губам справа налево и обратно, можно даже попробовать дотянуться кончиком языка до носа — зеркальные девочки в точности повторят все эти движения. Но ведь неинтересно! Вот если бы я закивала «Да, да!», а которая-нибудь из зеркальных девочек замотала бы головой «Нет, нет!». Или другая из них засмеялась бы, когда я не смеюсь, а третья вдруг вовсе взяла бы да ушла!

Гораздо интереснее та девочка, которая смотрит на меня с блестящего выпуклого бока самовара. Хотя у нее все тот же бант, сползающий на один глаз, но все-таки она одновременно и похожа на меня и — не совсем. Придвинешься к ней лицом — у самоварной девочки лицо расплывается, становится круглым, как решето, щеки распухают — очень смешно, я так не умею. Откинешь голову назад — лицо у самоварной девочки вытягивается вверх, становится худенькое-худенькое, и вдруг из ее головы начинает расти другая голова, точь-в-точь такая же, только опрокинутая волосами вниз, подбородком вверх, — это еще смешнее!

— Ты что? — говорю я самоварной девочке очень грозно.

Но тут в комнату входит мама и, конечно, портит всю игру!

— Опять ты гримасничаешь перед самоваром! Как мартышка!

— Мне скучно... — обиженно бубню я под нос.

— Поди играть с фрейлейн Цецильхен.

На это я не отвечаю — я жду, пока мама выйдет из комнаты. Тогда я говорю не громко, но с громадной убежденностью:

— Фрейлейн Цецильхен дура!

И еще раз, еще громче — мама-то ведь успела отойти далеко! — я повторяю с удовольствием:

— Цецильхен дура! Ужасная!

Конечно, мне так говорить о взрослых не следовало бы... Но фрейлейн Цецильхен, немка, живущая у нас и обучающая меня немецкому языку, в самом деле очень глупая. Вот уже полгода, как она приехала к нам из Кенигсберга; за это время я выучилась бойко сыпать по-немецки и даже читать, а Цецильхен все еще не знает самых простых русских слов: «хлеб», «вода», «к черту». В своей вязаной пелерине Цецильхен очень похожа на соседского пудселька, которого водят гулять в пальтишке с карманчиком и с помпончиками. Цецильхен только не лает, как он. У Цецильхен безмятежные голубые глаза, как у куклы, и кудрявая белокурая головка.

Кудри делаются с вечера: смоченные волосы накручиваются перед сном на полоски газетной бумаги. Дело нехитрое — так раскудрявить можно кого угодно, хоть бабушку мою, хоть дворника Матвея, даже бахрому диванной подушки.

Разговаривать с Цецильхен скучно, она ничего интересного не знает! О чем ее ни спроси, она только беспомощно разводит пухлыми розовыми ручками: «Ах, Боже в небе! Откуда же я должна знать такое?»

А я вот именно обожаю задавать вопросы! Папа мой говорит, что вопросы созревают в моей голове, как крыжовник на кусте. Обязательно ли все люди умирают или не обязательно? Почему зимой нет мух? Что такое громоотвод? Кто сильнее — лев или кит? Вафли делают в Африке, да? Так почему же их называют «вафли», а не «вафри»? Кто такая Брамапутра — хорошая она или плохая? Зачем людям «прибивают» оспу?

Только один человек умеет ответить на все мои вопросы или объяснить, почему тот или другой из них «дурацкий». Это папа. К сожалению, у папы для меня почти нет времени. Он врач. То он торопится к больному или в госпиталь, то он сейчас только вернулся оттуда — очень усталый...

Вот и сегодня, в воскресенье, рано утром папа приехал домой такой измученный — сделал трудную операцию, провел при больном бессонную ночь, — что мама нарезает ему завтрак на кусочки: у папы от усталости не слушаются руки.

Позавтракав, папа ложится поспать в столовой на диване, укрывшись старой енотовой шубой. Все в доме ходят на цыпочках и говорят шепотом, даже горластая Юзéфа — моя старая няня, ставшая кухаркой после водворения у нас фрейлейн Цецильхен. Юзефа сидит на кухне, чистит кастрюлю и ворчит на той смеси русского языка с белорусским и польским, на какой говорит большинство населения нашего края:

— Другий доктор за такую пра́цу (работу) в золотых подштанниках ходил бы!

В кухне сидит полотер Ра́фал, очень осведомленная личность с огромными связями во всех слоях общества. Даже Юзефа считается с мнением Рафала! И он тоже подтверждает, что да, за такую работу — «Я же вижу! Господи Иисусе, и когда только он спит?» — другой доктор на золоте ел бы!

Свирепо закусив губу и словно желая стереть в порошок кастрюлю — зачем она не золотая, а только медная? — Юзефа яростно шипит:

— Я скóльки разóв ему говорила: богатых лечить надо, богатых!

— А он? — интересуется полотер.

— Как глухой! — вздыхает Юзефа. — Никого не слушает. Ко всем бедакам, ко всем бедолагам ездит. А бедаки что платят? Вот что яны платят! — И пальцы Юзефы, выпачканные в самоварной мази, показывают здоровенный кукиш.

— Какая жаль!.. — вежливо качает головой полотер Рафал. — Богатые и бедные — это же две большие разницы!

— А то нет! — отзывается Юзефа.

Сегодня, в воскресенье, Рафал явился без щеток и без ведра с мастикой — только уговориться, когда ему прийти натирать полы. Юзефа принимает его в кухне, как гостя, и он чинно пьет чай, наливая его в блюдечко.

— А може, — говорит Рафал осторожно, — може, не умеет ваш доктор богатых лечить?

— Не умеет? Он? — Юзефа смертельно оскорблена. — А когда Дроздова, генеральша, разродиться не могла, кто помог? Все тутейшие доктора спугалися, — из Петербургу главного профессора по железной дороге привезли, так ён только головой покрутил. «Не берусь, сказал, не имею отваги!» А наш взял — раз-раз, и готово! Сделал репарацию (так Юзефа называет операцию) — родила генеральша, сама здорова, и ребеночек у ей живой!

Наступает пауза — слышно только, как старательно полотер Рафал втягивает в себя чай.

— А за гэтых Дроздовых, — говорит он вдруг, — вы, тетечко, не ударяйтеся, пожалейте свою сердцу. Я у их мало что не десять годов подлоги (полы) натираю. У их свою заработанную копейку из горла вырывать надо!..

Папа спит часа полтора. Он накрыт шубой с головой. Рядом с диваном, на стуле, — папины очки. Поникшие дужки их — как оглобельки саней, из которых выпряжен конь.

Терпеливо, как всегда, я подкарауливаю папино пробуждение. Вот он откидывает с головы шубу, мигает невидящими, очень близорукими глазами:

— Ты тут, Пуговица?.. Стой, стой, очки раздавишь! Назрели вопросы? Ну, сыпь свой крыжовник!

Вот тут наступает мой час! Иногда это полчаса, иногда и того меньше, папу ждут больные. Но сколько бы их ни было — это самые чудесные минуты!

Папа отвечает на мои вопросы серьезно, подробно (из чего делают стекло? что такое скарлатина? и т. п.). На иные говорит просто: «Этого я не знаю» (он, оказывается, знает не все на свете!), на другие: «Ну, это глупости!» На вафли-вафри папа хохочет:

— Значит, вазелин делают в Азии?

От иных вопросов папа отмахивается:

— Об этом мы с тобой поговорим, когда у тебя коса вырастет!

Вырастет она, коса моя! Через сто лет!.. Я украдкой трогаю растрепанный кудрявый мох, растущий во все стороны на моей голове, — Юзефа называет это «кудлы»... Неужели мне ждать, пока «кудлы» вырастут в косу?

Не обходится дело и без «домовладельческого вопроса», как называет его папа. У нас с ним это вроде игры.

Давно, когда я еще была совсем маленькая, я как-то спросила:

— Папа! У доктора Петрашкевича свой дом, и у доктора Малиновского, и у доктора Стембо тоже... А у тебя? Почему у тебя нет дома?

Тогда, давно, папа сказал, как всегда — не то в шутку, не то всерьез, — что и у него тоже есть собственный дом, только такой маленький, что его пока еще не видно... Почему? Да потому, что он еще не вырос, вот так, как не успевший еще проклюнуться из земли гриб масленок.

Я тогда же предлагала разные способы заставить папин дом расти побыстрее — например, откапывать его лопатой или поливать из лейки.

— Ну, вот еще! — сказал папа. — Дом — не огурец, он от сырости пропадет!

Потом тема собственного дома как-то забылась, да и я узнала наверняка, что дома не растут, их строят.

Но тут я опять почему-то спрашиваю, будет ли у папы хоть когда-нибудь свой собственный дом.

— Здрасте, давно не видались! — смеется папа. — Да на что он тебе нужен, этот дом? Тебе жить негде? Ты под дождем мокнешь?

Гремя посудой, в столовую входит Юзефа.

— От, Юзефо, — обращается к ней папа, — хочет моя дочка́ (он произносит по-белорусски: «дочка́»), чтобы у меня свой дом был.

— А что ж? И умница! — хвалит меня Юзефа. — Хоть малюсенький, да свой. Коровку бы завели, курочек, огородик еще... свое молочко, свои яички...

— Как думаете, Юзефо, будет у меня свой дом?

— У вас бу-у-удет! — словно проснувшись от мечтаний, зловеще цедит Юзефа сквозь зубы. — Вчерась опять такий файный (шикарный) пан приходил вас к больному звать, а вас и не було́ — у каких-то бедаков всю ночь танцевали!

— Я там не танцевал, — смеется папа. — Я сделал там очень редкую операцию, Юзефо! — И папа добавляет, словно уж для самого себя: — Красиво сделал! Как французские хирурги говорят: элегантно.

— Красивую репарацию... Алегантную... — Юзефа еле сдерживает возмущение. — А заплатили они вам?

— Они хотели заплатить, — мягко говорит папа.

— А вы руками замахали: не надо, не надо?

— Они сказали: «Нехай пан доктор подождет хвилечку — мы в ссудную кассу сбегаем, самовар заложим. И заплатим пану доктору полтинник». Что же, по-вашему, надо было взять у них этот полтинник?

— А чего ж! — не сдается Юзефа. — Як будут у них деньги, они самовар обратно из ссудной кассы выкупят.

Тут папа сердится:

— Стара́я уж вы, Юзефо, а говорите такое глупство! Когда вы это видали, чтоб из ссудной кассы вещи обратно возвращались? Что́ к ростовщику в лапы попало, то уж у него и останется! А вы хотите, чтоб я у людей последнее отнимал?

Юзефа не отвечает папе. Она обращается ко мне.

— Будет у твоего батьки дом! — говорит она с горечью. — Будет у него дом, побачишь! На три аршина, хороший домик...

Что-то в ее словах мне смутно не нравится... Так не нравится, что вот — расплакалась бы... Но в эту минуту раздается пушечный выстрел: это с горы, над городом, гремит старинная пушка, ежедневно возвещающая жителям полдень.

Папа срывается с дивана:

— Двенадцать часов! Меня в госпитале ждут!

Дальше — вихрь! Голову — под кран, очки — на нос, схватил пальто и сумку с инструментами, нахлобучил шляпу — и нет папы! Улетел!

— Не человек! — говорит Юзефа. — Антипка!

Я обижаюсь: Антипкой в нашем крае зовут нечистую силу — домового, чертей.

— Ты за что моего папу Антипкой зовешь?

— А чи ж не Антипка? Был и сгинул!

Мы с мамой и Юзефой смотрим в окно, как папа садится на извозчика. Он уже занес ногу на подножку пролетки, но вдруг, пошарив в карманах пальто, почти бегом возвращается домой.

— Что-нибудь забыл, — догадывается мама.

Юзефа беззвучно трясется от смеха:

— У яво завсегда: что не на ём растет — забудет!

И верно! Папа забыл палку и носовой платок. Палки дома не оказывается, — видно, он оставил ее там, где провел ночь. Зато с носовым платком ложная тревога: мама положила ему по платку в оба кармана пиджака. А он искал платок — и, конечно, не нашел! — в карманах пальто.

Мы стоим в передней, улыбаясь папиной рассеянности, но уже над моей головой раздается голос фрейлейн Цецильхен:

— А теперь, чтобы наша девочка не скучала, мы будем немножко веселиться!

И Цецильхен уводит меня за руку из передней. За нашей спиной я слышу мрачный голос Юзефы:

— Ухапил волк овечку...

Приведя в нашу комнату, фрейлейн Цецильхен усаживает меня на стул, а сама садится на другой.

— Альхен, — говорит она взволнованным голосом, — вчера тебя укладывала спать Узефи (так Цецильхен называет Юзефу). Ты помолилась вчера на ночь, Альхен?

— Н-не помню... — отвечаю я и сильно краснею при этом, потому что я, конечно, не молилась.

С тех пор как к нам приехала фрейлейн Цецильхен, она завела новую моду: перед тем как заснуть, я должна стать на колени в своей кровати и сказать по-немецки молитву:

День прошел. Иду ко сну.
Крепко глазки я сомкну.
Боже! Взгляд Твоих очей
Над кроваткой будь моей!

Когда меня укладывает спать сама фрейлейн Цецильхен, избежать молитвы невозможно. Когда же со мной Юзефа, она относится к этому так же критически, как ко всему, что исходит от «немкини». Незачем «болботать» на непонятном языке неизвестно что! Ну, а папа и мама сами не молятся и, конечно, не учат этому и меня.

— Та-ак... — Фрейлейн Цецильхен печально качает головой. — Значит, ты вчера не молилась на ночь... Не болтай ногами, это неприлично!.. Ну, а какой сегодня день, Альхен, это ты знаешь?

— Воскресенье.

— Да, — подтверждает фрейлейн Цецильхен торжественно, — сегодня воскресенье. Божий день! В вашем доме он, правда, не соблюдается — твой папа, да простит ему Бог, работает в праздники, как в будни...

— Если папа не будет работать в праздники, его больные умрут!

Фрейлейн Цецильхен, вероятно, ради воскресенья, Божьего дня, пропускает мимо ушей мою «русскую грубость».

— Да, не все соблюдают Божьи дни, — говорит она, устремив глаза в потолок. — Но я соблюдаю. И я сегодня была в нашей кирхе. Ах, пастор Бринк сказал такую проповедь, такую проповедь!.. Все плакали!

Фрейлейн Цецильхен и сейчас готова заплакать. Глаза ее краснеют, нос тоже, уши тоже.

— Знаешь ли ты, дитя, про жертвоприношение Авраама? (Фрейлейн Цецильхен произносит по-немецки: «Абрахам».)

— Нет, — отвечаю я угрюмо. — Не знаю.

— Боже, прости этим людям!.. Ребенок не знает даже Библии! Ну, я тебе сейчас расскажу. Жил-был человек, его звали Абрахам. У него был один-единственный сын, замечательно удачный юноша, Исаак. И Абрахам любил своего сына больше всего на свете!

Я слушаю уже почти с интересом.

— А Бог, милый, добрый Господь Бог, любил Абрахама больше всех людей! Потому что Абрахам был очень, очень хороший и порядочный человек... И Бог сказал: «Абрахам! Я возлюбил тебя больше всех людей, и я приказываю, чтобы ты принес мне в жертву своего единственного, своего возлюбленного сына Исаака!»

— Это как же — в жертву? — недоумеваю я. — Что это значит: принеси мне в жертву своего сына?

Фрейлейн Цецильхен объясняет восторженным голосом:

— Это значит: «Убей своего сына! Убей его во славу своего Господа!»

— И этот Абрахам убил сына? — Я еле выговариваю эти слова, до того мне страшен их смысл.

— Да! Абрахам взял своего сына, связал его по ногам и рукам, как жертвенное животное, и уже занес было над ним нож, чтобы заколоть его, но...

— Но... — повторяю я невольно с ужасом и надеждой.

— ...но Бог послал своего ангела, и тот остановил руку Абрахама, занесенную над сыном! — торжествующе заключает рассказ фрейлейн Цецильхен.

Я шумно вздыхаю. Мне легче — не убил он сына! Но я не все понимаю в этом рассказе.

— А зачем это было нужно Богу, чтобы Абрахам убил своего сына?

— Бог хотел проверить, как сильно предан ему Абрахам. И пастор Бринк сегодня в своей проповеди сказал нам: «Мы все должны быть готовы отдать Богу самое дорогое, самое любимое...» Не дергай себя за ухо — воспитанные дети так не делают! Сложи руки на коленях.

Я молчу. Я думаю. Потом говорю с железной уверенностью:

— Никогда в жизни мой папа не связал бы мне руки и ноги, как жертвенному животному, чтобы убить меня! И мама тоже никогда!

— Твои родители, Альхен, не очень верят в Бога... Но ты должна верить! Должна!

«Должна, должна»... Как я могу верить в него, когда он такой ужасный! На картинке в молитвеннике у фрейлейн Цецильхен Бог нарисован сидящим посреди облаков, и бородища у него похожа на взбитые сливки: белая, густая, пышная. Глаза у этого Бога пронзительные и злые.

Фрейлейн Цецильхен рассказывает мне о нем каждое воскресенье, после возвращения из кирхи, и всегда что-нибудь нехорошее! То он разрушил два города, то превратил женщину в соляной столб, то выкинул еще какую-нибудь злую шутку... Фрейлейн Цецильхен сама видела, как Бог убил на месте одного парня! И, думаете, за что? Была гроза, сверкала молния, гремел гром — в общем, самое простое дело, но Цецильхен уверяет, будто гроза — это голос самого Бога... И вот какой-то озорной парень, стоя под деревом, вдруг, вместо того чтобы смиренно молиться, громко захохотал (Цецильхен видела, как сверкали его белые зубы) и крикнул... Ох, что он крикнул!.. И сразу молния ударила в то дерево, под которым он укрывался, дерево рухнуло и придавило парня насмерть!

— А что он крикнул? За что Бог его убил?

— О Господи Боже, что он крикнул! — И, закрыв в страхе глаза, Цецильхен говорит очень тихо: — Гремел гром, а парень крикнул со смехом: «Боженька играет в кегли!»

За такой пустяк — и смерть парню?

— Это электричество! — пытаюсь я объяснить фрейлейн Цецильхен. — Мне папа говорил: молния — это электричество... и в грозу не надо стоять под деревьями...

Но разве Цецильхен что-нибудь втолкуешь! Всяких страшных историй Цецильхен рассказывала мне много. Но такого, как с этим Абрахамом, еще ни разу! «Убей своего сына, потому что я тебя очень люблю!» Бедный Абрахам наплакался, наверно. И Исаак этот, горемычный, тоже, верно, плакал и кричал: «Не надо! Не надо меня убивать!» Хорошо еще, что ангел успел отвести Абрахаму руку с занесенным ножом! А вдруг ангел зазевался бы? Ведь даже поезда опаздывают! Часы и те отстают! Нет, нет, очень злой этот Бог, очень противный! И я его терпеть не могу — вот!

Приблизительно так я выкладываю фрейлейн Цецильхен. Она печально вздыхает и гладит меня по голове:

— Бедное дитя... Бедное, бедное дитя...

Но я словно удила закусила. Почему это такое я вдруг «бедное дитя»? У меня папа — не Абрахам, он меня ни за что не убьет!

— Нет, ты бедное дитя, — говорит Цецильхен взволнованным голосом, — потому что людей, которые не верят в бога, сажают в тюрьму. И тебя тоже посадят в тюрьму, когда ты вырастешь... если только ты не поймешь, какие глупости ты говоришь... Ну, а теперь будем немножко веселиться!

И вот мы с фрейлейн Цецильхен веселимся. Мы поем песенку, весь смысл которой построен на каламбуре: по-немецки слово «фергиссмайннихт» означает и «незабудка» и «не забудь меня».

Мы поем:

> Расцветала под горой
> Фергиссмайннихт (незабудка)!
> Я сказала: «Милый мой —
> Фергисс-майн-нихт (не забудь меня)!»

Потом, взявшись за руки и составив хоровод из двух человек, мы кружимся и поем:

> Рингель, рингель, розенкранц!
> Рингель, рингель, райн!..

Цецильхен поет таким тоненьким голоском, что кажется — вот-вот он обломится, как острие иголочки! Мы кружимся сперва влево, потом вправо, потом опять и опять в обратные стороны. Конца этому веселью не предвидится. «Рингель, рингель, розенкранц! Рингель, рингель, райн!»

Наконец у Цецильхен начинает, слава богу, кружиться голова. Прикрыв глаза рукой с изящно оттопыренным мизинчиком, Цецильхен грациозно опускается в кресло. Но только я хочу воспользоваться этой удачей и исчезнуть, как Цецильхен раскрывает глаза и снова вцепляется в меня, как кошка в мышь.

— Ах, нэ-э! Ах, нэ-э! — говорит она певуче и перехватывает меня у двери. — Теперь я научу тебя говорить одно красивенькое-красивенькое стихотвореньице!

Вид у меня, вероятно, несчастный. Я явно не интересуюсь «стихотвореньицем». Поэтому Цецильхен пытается воздействовать на мое честолюбие:

— Придут гости — и ты будешь говорить это перед ними... И все скажут: «Ах, какая умная девочка!»

Я напоминаю ей, что гости были вчера и ничего я перед ними не читала. А если нужно, могла бы прочесть «Песнь о вещем Олеге»... Пожалуйста!

— Но ведь это по-русски! — не унимается Цецильхен. — А я тебя научу немецкому стихотвореньицу... Ну, будем же веселиться!

«Стихотвореньице» фрейлейн Цецильхен, если перевести его на русский язык, звучало бы примерно так:

Люби, пока любви достанет!
Люби, пока хватает сил!
Ведь день настанет, день настанет —
И ты заплачешь у могил!

— Да, да, — со вздохом поясняет Цецильхен. — Когда умерли мои мама и папа, я так плакала, что все даже удивлялись! Вот увидишь, когда твои папа и мама умрут, ты тоже будешь очень сильно плакать.

Я не хочу, чтобы мои папа и мама умерли! Я соплю носом, я сейчас зареву на весь дом... Поэтому фрейлейн Цецильхен переводит веселье в другое русло.

— Хочешь, я покажу тебе фотографии в моем альбоме?.. Вот это — дядя жены моего двоюродного брата. Очень богатый господин — имеет собственное кафе в Мемеле! И кафе называется так красиво: «В зеленом саду»! И каждый день, с двенадцати часов, там играет музыка! Ах, совсем как в театре!

Это тянется долго...

— А вот фрау директор Высшей школы дочерей, где я училась в Кенигсберге. Ах, фрау директор была такая добрая!.. Видишь, у нее брошка? Настоящие бриллианты!

Два раза я отпрашиваюсь в уборную и запираюсь там, словно за мной гонятся все эти незнакомые немцы и немки, чужие зятья и племянницы с выпученными глазами и настоящими бриллиантами.

Так проходит часа два.

И вдруг звонок у входной двери, длинный, громкий, — папин звонок. Папа входит в комнату в ту минуту, когда фрейлейн Цецильхен со слезами в голосе рассказывает, как у ее дяди в Инстербурге был пожар и в горящем доме забыли чудную, очень дорогую куклу, но добрый пожарный вынес куклу из огня! И доброму пожарному дали «на чай» целую марку!

— Едем! — говорит папа. — За мной прислали бричку от Шабановых из Броварни. Едем к Рите и Зое. Хочешь, Пуговка?

Хочу ли я прервать веселье с фрейлейн Цецильхен! Я чувствую себя той куклой, которую папа, как добрый пожарный, вызволил из огня!

Мама и Юзефа помогают мне быстро вымыть руки, надеть чистенькое платье, вдевают свежий бант в мои «кудлы».

Мама напутствует меня:

— Веди себя хорошо. Не ешь много сладкого... Яков, когда будете уезжать оттуда, посмотри, чтоб ребенок не был разгоряченный, потный.

— Ногами не тупоти, — вторит маме Юзефа, — новую обувку стопчешь... Не садись абы куда — посмотри прежде, чисто или нет...

Фрейлейн Цецильхен берется за свою шляпку:

— Должна ли я сопровождать вас, господин доктор?

Косясь краем глаза на мое перепуганное лицо, папа отвечает с такой изысканной вежливостью, словно он — тот величественный господин из альбома Цецильхен, владелец собственного кафе в Мемеле, под прелестным названием «В зеленом саду», где с двенадцати часов играет музыка:

— Благодарю вас сердечно, фрейлейн, но в бричке всего два места.

И мы уезжаем... Рингель, рингель, розенкранц!

Глава вторая

СПЕКТАКЛЬ-КОНЦЕРТ

Броварня — пивоваренный завод верстах в восьми — десяти от города. Владельцы завода, Шабановы, давние наши знакомые и папины пациенты. Но к подружкам моим Зое и Рите Шабановым я попадаю не часто, только когда у них в доме кто заболеет: тогда за папой присылают бричку.

Мы едем втроем: папа, я и шабановский кучер Ян, которого папа называет «Ян Молчаливый». Даже с папой, которого Ян уважает — папа вылечил его жену, — Ян ни в какие разговоры не вступает, ограничиваясь неопределенными междометиями. Он и не поворачивается к нам лицом — нам видна только спина его парусинового балахона на козлах брички.

— Как живете, Яне? Ничего? — спрашивает папа.

— Эге...

— Жена здорова?

— Ага...

— А дети? Небось большие уже?

— Ого-го!

Иногда, впрочем, по каким-то неожиданным поводам Ян вдруг произносит целые фразы. Например, у одного из прохожих на улице ветер сорвал с головы шляпу, шляпа катится по земле, а сам прохожий, как все люди в таких случаях, хватается обеими руками за голову.

— От-то дурень! — укоризненно говорит Ян. — Шляпу держал бы, не голову!..

Но обычно высказывания Яна обращены непонятно к кому. Вернее всего, он говорит сам с собой, отвечает собственным мыслям. «Эх, — вдруг говорит он в пространство, — не велики те псы, не велики и собаки!» или еще что-нибудь в этом же роде. Чаще же всего Ян негромко и однообразно напевает, монотонно, в одну дуду:

М-та, ту́-та!
М-та, тута, тула-юла!
М-та, ту-та, тула-ю!..

Но это пение Ян разрешает себе лишь за городом, в городе же он песен не поет — он знает приличия. Раз как-то, проезжая по пустынной окраинной улице, папа спросил Яна, почему он сегодня не поет. На это Ян не ответил ни «эге», ни «ага», а неожиданно спросил:

— А я пьяный или что?!

Мы едем. Бричку трясет на булыжной мостовой (резиновых шин мы еще не знаем). В бричке что-то стонет, скрипит, иногда ёкает. Но мне кажется, что мы мчимся со сказочной быстротой! Одна за другой остаются позади нас улицы, костелы, губернаторский дворец, скверы. Бессильно отстал от нас золоченый крендель турецкой булочной Чолакова, кабанья голова над колбасной Китца и огромное изображение пенсне с синими стеклами над магазином оптика Малецкого. Вот проехали и аптеку «Под лебедем». Кажется, будто даже «ринннштоки» — сточные канавы вдоль тротуаров (канализации в городе тоже еще нет) — быстрее мчат свои грязные, мутные воды нам вдогонку.

Бричка наша с грохотом несется все дальше и дальше, и вдруг наступает тишина! Бричка не остановилась, но грохот умолк — замолчала под колесами булыжная мостовая: кончился город, бричка, бесшумно подпрыгивая, катится по мягкой земле проселочной дороги.

По обеим сторонам — луга, начинающие зеленеть. Краски этой ранней зелени так чисты, так обновочно-нарядны, как платье из нестиранного еще ситца. Мир, такой тесный в городе, сразу становится огромным и сладко пахнет оживающей землей. Прямо над нашими головами плывет в небе облачко, белое, круглое, как кочешок цветной капусты, только прожилки в нем не зеленые, а голубые: из небесной синевы.

— Дыши! — командует папа. — Глубже дыши! До самого пупа!

Я дышу добросовестно, даже кладу руку на живот, чтобы проверить, доходит воздух до пупа или нет. Кругом так тихо, так солнечно и радостно, что я даже забываю задать папе неотложный вопрос: если Земля вертится, то почему мы не сваливаемся с нее в те минуты, когда оказываемся повернутыми на ней головой вниз? И кстати: почему мухи ходят вниз головой по потолку и не падают?

Ян на козлах тихонько тянет: «М-та, тута, тула-юла...»

Минут десять мы стоим: в бричке что-то разладилось. Ян чинит. Бричка остановилась около чьего-то небольшого сада. Через забор лезут весенние веточки крыжовника с царапающимися, как у котенка, коготками.

И вот мы въезжаем в широкий мощеный двор Шабановых. Наш приезд вызывает, как всегда в деревне, шумный переполох и суетню. Люди выглядывают из окон, топочут, сбегая по лестнице, хлопают дверями, бегут с веранды к нашей бричке. Тут же вертятся и весело лают все броварнинские собаки. И даже издали смотрит на эту суматоху, хотя и с очень презрительным видом, броварнинский аист. Удивительная птица этот аист: совсем ручной, запросто приходит на веранду, никого не боится. По-русски он не понимает, только по-польски. Его и зовут ласковым польским словом «боцюсь», это значит «аистенок».

— Приехала! Умница! — бросается мне на шею Зоя.

Рита огревает меня ладонью по спине:

— Молодчина! Я знала, что ты приедешь!

— Это гениально! Просто гениально! — тявкающим голосом надрывается Зои-Ритина тетя Женя.

В доме Шабановых, как во всех домах на свете, свой собственный запах: пахнет солодом — от пивоваренного завода, яблоками — из кладовки, свежим тестом и корицей — из кухни и немного — собаками. От одного приезда в Броварню до другого запах этот забывается, и его узнаешь, как старого знакомого. Есть, впрочем, и еще одно, что я успеваю забыть между поездками к Шабановым, а приехав, всякий раз вспоминаю с огорчением: Зоя и Рита ревнуют меня друг к другу.

Еще по дороге в дом хорошенькая, кудрявая Зоя успевает язвительно шепнуть мне:

— Ты, конечно, только к своей ненаглядной Риточке приехала!

А смуглая Рита, мрачно набычившись, словно она собирается бодаться, больно щиплет мою руку:

— Помни: или я, или Зойка!

Как будто нельзя играть всем троим вместе!

— Нет, это провиденциально! Просто провиденциально! — восторженно тявкает тетя Женя. Золотое пенсне слетает с ее носика и повисает на шнурочке.

Тетя Женя целый год училась в Петербурге на Бестужевских курсах, и наша Юзефа уверяет, будто тете Жене там «мозги спортили». Я не совсем представляю себе, как это можно испортить человеку мозги. Сломали? Сунули туда гвоздь или шпильку? Но одно несомненно: тетя Женя сыплет всегда непонятными словами, никто не говорит так, как она.

— У нас сегодня спектакль-концерт! — объясняет тетя Женя папе. — Я, знаете, написала для них маленькую пьеску — называется «Три рыцаря». Историческую. Из жизни Средних веков... Рыцаря Счастливой Звезды будет играть Зоенька, Рыцаря Львиное Сердце — Риточка. А вот Рыцаря Печального Образа должна была играть соседская девочка, но она час тому назад заболела. Можете себе представить, наш спектакль оказался под угрозой! — Тетя Женя всплескивает руками и взвизгивает: — Фатально! Просто фатально!

Теперь, с моим приездом, все устраивается: Рыцаря Печального Образа буду играть я. Меня уверяют, что роль маленькая, выучить ее легко, можно даже в крайнем случае написать роль на клочке бумаги и читать ее по «шпаргалке». От этого я, конечно, гордо отказываюсь — я выучу наизусть, не бойтесь!

— А ты не испугаешься перед публикой? — волнуется тетя Женя.

— Не испугаюсь!

Откуда у меня такая нахальная уверенность, непонятно. Я ведь не только никогда до этого не играла ни в каких спектаклях, но и почти не бывала в театре. Когда я была еще совсем маленькая — мне не было пяти лет, я еще не умела читать, — меня однажды взяли в театр на праздничный утренник. Мама сказала: «Будут представлять «Бедность не порок».

Я поняла это как «Бедный Снеповрóк».

В театре мне больше всего понравилось, что поехали мы туда на извозчичьих санках, а в антракте мама дала мне шоколадку. Неизгладимое впечатление произвело на меня, когда стали длинной палкой зажигать газовые горелки — электричества в то время в городе еще не было, квартиры освещались керосиновыми лампами или свечами. Но в ту минуту, когда занавес — он казался мне до этого неподвижной стеной — вдруг толчками и рывками полез вверх, на меня напал какой-то восторженный столбняк, как если бы я увидела, что дома на улице пустились в пляс или люди полетели, как птицы, по воздуху! Мама потом рассказывала, что я весь спектакль просидела ошеломленная, даже вопросов не задавала никаких.

Поняла я в пьесе очень мало. Запомнилось мне, как Коршунов говорил Любе: «Я вас буду в люлечке качать! У меня жена в золоте ходила!» Дома на вопрос папы: «Ну, что было в театре?» я ответила: «Очень...»

Потом попыталась рассказать ему:

«Люба там была. Она хотела на Мите жениться. А старик пришел — ужасно богатый! — и говорит ей: «Я вас буду в люлечке качать, у меня жена в золотых подштанниках ходила...»

Вот когда сказались Юзефины представления о богатстве!

Потом, пристроившись поудобнее к папиному плечу, я добавила с огорчением: «А бедного Снепорока не показали почему-то...» И заснула.

А вот сейчас мне придется самой играть на сцене! Играть Рыцаря Печального Образа в пьесе «Три рыцаря» сочинения Зои-Ритиной тети Жени. Роль в самом деле несложная, через десять минут я знаю ее назубок. Я должна выйти в отгороженную часть гостиной — это называется «на сцену» — и, поклонившись зрителям, сказать «грустным-грустным» голосом:

«Я — Рыцарь Печального Образа. Я никогда не смеюсь. Я всегда страдаю и плачу. Даже цветы при виде меня вянут и с деревьев осыпается листва. Жизнь потеряла для меня всякую цену с тех пор, как моя обожаемая супруга Изабелла безвременно сошла в могилу».

Потом опять поклониться и уйти. Вот и весь Рыцарь Печального Образа! Сказать по правде, я немножко разочарована. Я думала, что буду настоящий рыцарь: мне дадут латы и меч, я буду совершать подвиги... У нас дома есть Пушкин, и я не один раз перечитала «Скупого рыцаря». Вот бы это сыграть, как сидит отвратительный старик в подвале при свечах и считает свои страшные деньги!.. Или прочитать стихотворение «Жил на свете рыцарь бедный»! Я, правда, не очень понимаю это стихотворение, но, когда начинаю читать, мне чудится, будто я плыву в лодке по реке... А тетя Женя сочинила, чтоб я «грустным-грустным» голосом сказала, что ах, ах, как печально, умерла моя Изабелла... Такое впору бы сочинить нашей фрейлейн Цецильхен! «Фергисс-майн-нихт!»

Пока идут приготовления к спектаклю, я пробираюсь в столовую, где сидит мой папа в обществе Владимира Ивановича и Серафимы Павловны Шабановых.

— Ну-с, — говорит папа, — зачем я вам сегодня понадобился?

Серафима Павловна, которая перемывает чайную посуду, отрывается от этого дела и, прижимая к груди мокрое чайное полотенце, отвечает папе грустно-грустно, как Рыцарь Печального Образа:

— Яков Ефимович... Для меня прежде всего Бог, а потом — сию минуту! — вы. Сколько уж раз вы моих детей спасали, спасите и теперь. Чем хотите лечите, только вылечите!

— Да от чего их лечить, Серафима Павловна, голубушка? Здоровые дети...

Серафима Павловна опускается на стул и начинает плакать. Не найдя своего носового платка, она вытаскивает платок из кармана мужа и горестно сморкается.

— Яков Ефимович! — говорит она с легкими всхлипываниями. — Ни-ка-ко-го аппетиту нет у детей! Не едят ни-че-го! По десять копеек плачу им за каждый стакан молока, только пусть пьют! Вот до чего дошло!

Владимир Иванович высоко поднимает плечи и ожесточенно пыхтит трубкой.

— Умалишотка! — Он сердито кивает папе на жену. — Восемь стаканов молока в день выдувают дети, — по сорок копеек каждой за это. Да у меня на заводе рабочий того не получает!

Владимир Иванович очень волосатый. Такое впечатление, что волосы его уже и девать некуда, они запиханы куда попало: в нос, в уши... А сросшиеся брови — как толстая, мохнатая гусеница, изогнувшаяся над глазами.

Серафима Павловна, положив круглый, как яблоко, подбородок на круглую руку, скорбно смотрит на папу:

— Яков Ефимович!..

— Ну хорошо... — Папа достает из кармана записную книжечку и карандаш. — Прошу вас, Серафима Павловна, перечислить мне по порядку, что именно ваши дети съедают за день.

— Утречком, — старательно припоминает Серафима Павловна, — подают им в постельку парного молочка...

— Выпивают?

— По десять копеек за стакан... Это в восемь. А в девять — завтрак: какао, яички — свеженькие, из-под курочек, — сметана, творожок, сыр, ветчина... И обязательно одно горячее блюдо!

— Это в девять, — отмечает папа в книжечке. — А дальше?

— В одиннадцать опять молоко...

— По гривеннику за стакан?

— Иначе не пьют! — вздыхает Серафима Павловна. — А в час — обед. Обыкновенный: три-четыре блюда. В три —

опять по стаканчику молочка. А в пять — чай... ну, булочки сладкие, печенье, варенье, фрукты свежие, летом, конечно, ягоды...

— В одиннадцать — молоко, в час — обед, в три — опять молоко, а в пять — чай, — записывает папа.

— А в семь — ужин. В девять — молоко, и спать... И всё!

У папы дрожат губы и подбородок: это он удерживается от смеха.

— Итого, — заключает папа, — они у вас едят каждые два часа.

— Едят они! — Глаза Серафимы Павловны наливаются слезами. — Кусочек того, капельку этого, здесь глоточек отопьют, там вилкой поковыряют, размажут, раздрызгают по тарелке, и всё!.. Яков Ефимович, дорогой, ну скажите, вы ученый человек, чего им еще нужно, детям моим?

И вдруг папа начинает хохотать. Он хохочет, нагнув голову, словно собираясь долбануть носом собственное колено. Он весь сотрясается и плачет крупными слезами, слезы застилают его очки, как дождевые капли — оконное стекло.

— Чего им еще нужно при таком питании? — переспрашивает он сквозь смех. — Второй желудок им нужен! Не может один желудок все это переварить!

— Я ж говорю: умалишотка! — хохочет и Владимир Иванович.

— Вот что, Серафима Павловна... — Папа уже серьезен, даже строг. — Вы хотите от меня совета? Так вот: уменьшить детям порции вдвое и кормить их реже. Восемь раз в сутки даже грудных детей не кормят.

Серафима Павловна внимательно слушает. Однако папино предложение ей, видно, не нравится, у нее какая-то другая мысль.

— А что, Яков Ефимович, — пододвигает она свой стул, как бы собираясь поговорить о чем-то более секретном, — что, если я буду звать к обеду, к ужину двух-трех, ну, вроде гостей... хотя бы детей наших рабочих? Понимаете, для компании, для аппетиту, а? Как вы скажете?

— А что ж! — одобрительно отзывается папа. — У тех-то ребят аппетит, наверно, хороший, — может, ваши с ними вместе лучше есть будут.

— Ты придумаешь! Умалишотка! — недовольно ворчит Владимир Иванович. — Босоту рябчиками кормить!

— Зачем же рябчиками? — оправдывается Серафима Павловна. — Им простое кушанье дадут — картошку, селедку... Только за одним столом сидеть будут, вот и всё.

— Ну, кончен вопрос! — Папа хлопает себя рукой по коленке. — Вы хотели, чтобы я мамашу вашу посмотрел, вот и покажите ее. А потом — видите там, за забором? — меня еще другие больные ждут.

Но тут Владимир Иванович предостерегающе поднимает мохнатый, как репейник, указательный палец:

— Яков Ефимович! Помните наш уговор: хотите моих рабочих лечить — ваше дело! Только ваше!

— А чье ж еще? — удивляется папа.

— Не мое! — резко отрубает Владимир Иванович.

— А конечно ж, не ваше. Я врач, мне и лечить...

Брови Владимира Ивановича шевелятся, как щетки. Вот-вот смахнут моего папу, как метелка соринку.

— А платить? — грозно допытывается Владимир Иванович. — Я вам сто раз говорил: я не буду!

— А я с вас когда-нибудь за лечение ваших рабочих платы требовал? Требовал, да? — говорит папа уже с раздражением.

Серафима Павловна ласково кладет свою руку на папину и нежно заглядывает ему в глаза:

— Яков Ефимович, ну зачем вы это делаете? Такой доктор, господи... Вам бы генерал-губернатора лечить, а вы с нищими возитесь. На что они вам дались?

— Серафима Павловна! Я присягу приносил!

— Прися-а-гу? — недоверчиво переспрашивает Владимир Иванович, высоко поднимая гусеницу своих бровей.

— Присягу, да! — подтверждает папа. — Когда Военно-медицинскую академию кончал. Торжественную присягу: обещаю поступать так-то и так-то. И был в той присяге пункт. Слушайте! — Папа поднимает вверх указательный палец, заляпанный йодом палец хирурга с коротко подстриженным ногтем: — «...И не отказывать во врачебной помощи никому, кто бы ко мне за ней ни обратился». Вот!

Я все еще сижу в уголке дивана, обо мне забыли. Я смотрю на моего папу. Он стоит между супругами Шабановыми, худой, подвижный, с печальными и насмешливыми глазами, с поднятым вверх разноцветным указательным пальцем... Отличный папа!

Но Владимир Иванович не сдается:

— Ну хорошо, присяга там, пято, десято... Но ведь, говорят, вы всю Новгородскую слободку лечите, а там же одни воры живут! Во-ры! Что же, для вас и вор — человек?

— Так ведь на лбу-то у него не написано, вор он или граф, — говорит папа. — Пришел, зовет меня — я к нему еду... А нищета у него, скажу я вам, такая же, как у ваших рабочих... И знаете, Владимир Иванович, ведь если бы у него был выбор, вором быть или графом, думаете, он бы воровство выбрал?

— У него другой выбор, — упрямо настаивает Владимир Иванович, глядя в пол, — работать или воровать!

— Так ведь не для всех же есть она, работа! — почти кричит папа. — А для кого работы нет, для тех один выбор: подыхай с голоду или воруй!

— Так... — грозно говорит Владимир Иванович. — Воров, значит, жалеете?

— Нет! — твердо отвечает папа. — Если вы, Владимир Иванович, вы, богатый человек, украдете — в тюрьму вас! Без жалости! Украду я, человек с образованием, с профессией, — и меня в тюрьму! Вот, — папа показывает на меня, — дочка моя знает: нитки чужой, копейки тронуть не смеет! Она сыта, одета, в тепле, ее воспитывают, учат... Если она украдет, я первый полицию позову! Но если темный, безграмотный человек, для которого нигде нет работы, украдет кусок хлеба для своих голодных детей...

— Ну? — рычит Владимир Иванович.

— Сам встану и собой его от полиции заслоню! Понимаете? Сам!

Серафима Павловна бестолково поворачивается то к мужу, то к папе:

— Ну что, в самом деле... Володя! Яков Ефимович! Как маленькие! Только сойдетесь — и начинаете спорить... И ведь каждый раз!

В эту минуту меня приходят звать: тетя Женя одевает участников спектакля. Сейчас она превращает в старика того мальчика, который будет читать пролог к пьеске «Три рыцаря». Тетя Женя старательно приклеивает ему яичным желтком длинную бороду из ваты. Я пока сажусь в сторонке. Думаю о том, что я только что слышала, — о папиных словах, — и вдруг мне вспоминается... Такое неприятное, такое досадное!..

Был у нас с папой случай, очень нехороший. У хозяев дачи, где мы жили летом, был огромный фруктовый сад. Хозяин сдавал сад в аренду садовнику. С самой весны садовник, его жена и все дети, кроме младшенького, грудного, работали от зари до зари, чтобы собрать за лето побольше фруктов, — они их продавали. Как-то соседские дети позвали меня с собой «воровать яблоки», то есть потихоньку от садовника собирать под яблонями зеленую подгнившую падалицу. Я принесла домой в подоле пять зеленых яблочек с гнилью на боку, твердых, как камешки. Дома папа только что приехал из города и сел на балконе обедать. Я вбежала, с торжеством показала свои яблоки.

— Это я сама! Сама украла!

Папа встал из-за стола:

— Что такое? Ты украла?

Мой восторг перед собственным молодечеством сразу обмяк.

— Пойдем! — Папа стал спускаться по ступенькам балкона.

Я поплелась за ним. Яблочки в моем подоле глухо постукивали друг о друга здоровыми половинками. Мои сандальки, легкие и быстрые, вдруг стали тяжелыми, как ведра...

Мы подошли к шалашу садовника. Вся семья уставилась на нас вопросительно и даже встревоженно: у папы был очень зловещий вид.

— Ну? — сказал мне папа. — Говори!

— А что говорить? — прошептала я.

— Сама должна знать... Ну?

Я высыпала яблочки из подола:

— Вот. Это ваши. Я взяла...

Я посмотрела на папу: всё? Папа отрицательно мотнул головой: нет, не всё. Я поняла, чего он хочет, но — ох, как это было трудно сказать!

— Простите, пожалуйста... Я больше никогда...

Тут я заревела, громко, в голос. Слезы бежали из глаз, в горле что-то само икало. Сейчас же за мной заплакали дети садовника — верно, очень уж я аппетитно ревела! — и даже самый маленький, дремавший на коленях у матери, заорал так, словно его положили на раскаленную сковородку!

Попрощавшись с садовником и его женой, папа пошел домой. Я шла за ним, как трусит нашкодивший цуцик с виновато опущенным хвостом.

— Папа... Папочка...

Но он не оборачивался. Как глухой.

— Вот что, — сказал он наконец, — запомни, пожалуйста, на всю жизнь: ни одной чужой копейки, нитки чужой, куска чужого никогда не смей брать! А теперь — не ходи за мной... И не попадайся мне на глаза... ну, хоть до вечера. Мне на тебя смотреть противно.

Невеселые эти воспоминания я перебираю в уме, сидя в Зои-Ритиной детской, в ожидании, пока тетя Женя станет превращать меня в Рыцаря Печального Образа.

Тетя Женя совсем не похожа на свою сестру Серафиму Павловну. Та — крупная, полная, устойчивая, как массивное, неподвижное кресло. А тетя Женя худая, стремительная, как пустая качалка, которую кто-то, идя мимо, задел ногой, и она качается на холостом ходу. Все у нее валится из рук, пенсне поминутно слетает с носа, на руке звенит браслетка из серебряных гривенников. И говорят обе сестры по-разному. Серафима Павловна медленно, басовито воркует, как сытый голубь, а тетя Женя повизгивает, оглушая собеседника непонятными словами.

Но вот усилиями тети Жени мальчик превращен в глубокого старика с длинной белой бородой — как у Бога в молитвеннике фрейлейн Цецильхен!

— Только, Гриша, заклинаю тебя всем святым, — просит тетя Женя, — не трогай бороду руками, чтобы не отвалилась!

Гриша божится, что не дотронется до бороды, и успокоенная тетя Женя начинает одевать Зою и Риту.

Моя очередь одеваться еще не скоро. Я сижу в кресле и думаю. Случай с ворованными яблоками почему-то приводит мне на память другую размолвку мою с папой...

Я тогда еще была совсем маленькая — лет пяти, не больше. Мне подарили ко дню рождения чудесную куклу — говорящую! Потянешь за один шнурочек на кукольном животике, кукла скрипит: «Уа! Уа!» — это значит: «Ма-ма!» Потянешь за другой шнурочек, кукла опять верещит: «Уа! Уа!» — это означает: «Па-па!» В общем, кукла говорила не очень богато, но я была в восторге, и мне казалось, что это очень похоже на человеческую речь.

Пришла я с этой куклой — я с ней не расставалась! — в гости к бабушке и дедушке, родителям моего папы. Они жили в большом старом доме, где двор всегда был переполнен детьми. С самого утра эти дети, как юркие горошины из надорванного стручка, выкатывались во двор из своих жилищ: из подвалов, из мансард под крышей, из тесных, темных каморок. Дети были босые, оборванные. Отцы их работали на фабриках, в мастерских, и когда у отцов была работа — у детей был хлеб, иногда даже с головкой лука или куском селедки. Но часто работы у отцов не было, дети голодали. Бабушка моя зазывала таких детей к себе, кормила их чем могла.

— Ребенок должен кушать... — ворчала бабушка про себя. — Есть у отца работа или нет — разве ребенок виноватый? Ребенок должен расти...

Игрушек у этих детей не было. Они играли щепками, камешками, летом — стручками акаций. Девочки нянчили и баюкали поленья дров, заботливо закутанные в тряпки.

Так вот, пришла я к бабушке и дедушке, посадила свою чудесную говорящую куклу на окно (квартира была во втором этаже) и вдруг вижу — под окном, во дворе, собралась кучка девочек. Как зачарованные, они не сводят глаз с моей куклы. Я приподняла куклу, чтобы девочки могли лучше рассмотреть ее, стала поворачивать куклу так, чтобы они могли разглядеть ее со всех сторон. Потом стала тянуть за шнурочки, чтобы кукла «заговорила». Девочки смеялись, одна захлопала в ладоши, другие подхватили. Вдруг чья-то рука резко вырвала у меня куклу. Я обернулась — позади меня стоял папа, и такой злой, рассерженный, что я обомлела. С сердцем выхватив у меня куклу, папа размахнулся, чтобы вышвырнуть ее в окно на вымощенный камнями двор.

— Яков! Разобьешь...

Это подоспела бабушка. Она крепко держала папу за руку.

Папа опомнился. Посмотрел на меня, на куклу, на девочек во дворе. И вдруг, словно обрадовавшись, крикнул в раскрытое окно:

— Девочки! Бегите сюда, скорее!

И когда девочки вбежали в комнату:

— Вот, девочки, моя дочка дарит вам куклу. У нее есть дома другая.

— Та кукла не умеет говорить! — прошептала я с отчаянием.

— Ничего, научится! — отмахнулся от меня папа. — Берите, девочки!

— Насовсем? — пискнула тоненьким голоском самая маленькая из девочек, кудрявенькая, с босыми ножками.

— Насовсем! — И папа протянул кудрявенькой куклу.

Девочки опешили, даже попятились к двери.

— Бери, бери, — настаивал папа.

Кудрявенькая протянула руки, папа положил на них мою «говорящую». Девочка оглянулась на своих подружек — они не сводили с куклы восторженных глаз. Кудрявенькая посмотрела на папу пристально, словно хотела понять, не шутит ли он, можно ли ему верить.

И — поверила. Поверила и широко, как другу, улыбнулась папе. Потом она сказала, словно пропела, все тем же тоненьким голоском:

— Ой, кукла! Кукла!

И, приблизив куклу к своему лицу, кудрявенькая, выпятив губы трубочкой, неожиданно загудела басом:

— У, ты моя хорошенькая! У, ты моя золотенькая!

И убежала вместе с другими девочками, унося мою «говорящую». Быстро удалялось топанье босых пяток по полу. Потом смолкло.

Папа вышел из комнаты, даже не поглядев в мою сторону.

— За что папа на меня рассердился? — плакала я, уткнувшись в бабушкин фартук. — Что я сделала такого?

— Как «что»? — удивилась бабушка. — А зачем ты хвалилась куклой перед этими детьми? «Вот какая у меня кукла! А у вас такой нет!» Ай, как стыдно! Ай, как некрасиво! — огорчалась бабушка.

Через полчаса девочки прибежали снова. Кудрявенькая подала мне куклу:

— Вот. Спасибо. Мы уже поиграли.

— Вы не бойтесь, мы осторожненько, — вставила другая девочка, постарше. — Мы ничего не спачкали — мы руки вымыли.

Вернулись мы все-таки с папой домой без куклы. Папа настоял на том, что кукла подарена девочкам, — ну значит, она теперь ихняя, и всё.

Все это проносится в моей памяти, пока я смотрю, как тетя Женя одевает Зою, и дожидаюсь своей очереди.

— Зоенька, солнышко! — умоляет тетя Женя. — Не перепутай то слово, заклинаю!

— «Атмоф-сера» — да, тетя Женя?

— Наказание мое! Не «атмофсера», а «атмосфера». Атмосфера! Не перепутай!

Зоя и Рита уже одеты. На обеих — мальчишечьи штанишки. Зоя до пояса закутана переливчатым блесточным шарфом, как кольчугой, а на кудрявых волосах надета шапочка со сверкающей елочной звездой. Ну прелесть Рыцарь Счастливой Звезды!

У Риты на голове — феска, на плечах — красная пелеринка. Нарисованы черные усы. В общем, сразу видно: кровожадная личность — Рыцарь Львиное Сердце.

Тетя Женя начинает одевать меня, и настроение у меня портится с каждой секундой. Мальчишечьих штанишек мне не дают — тетя Женя хочет, чтобы у меня был «подавляюще унылый вид», а в штанишках это, по ее мнению, не получится. Поэтому поверх моего платья на меня напяливают длиннополый черный капот тети Жени — я в нем моментально тону, как в омуте! Голову мне туго и гладко повязывают черненьким платочком — нельзя же, чтобы у Рыцаря Печального Образа торчали во все стороны «кудлы»! А в то место на затылке, где платочек стянут в узелок, тетя Женя втыкает мне длинное черное страусовое перо — такие перья колышутся на спинах коней, везущих похоронные колесницы.

— Прекрасно! — говорит тетя Женя, склонив голову набок и оглядывая меня с головы до ног. — Очень, очень стильно!

Уж не знаю, стильно или нет (надо будет спросить у папы, что это еще за «стильно» такое!), но, взглянув в большое зеркало, я себе самой ужас до чего не нравлюсь! В необъятном капоте тети Жени я похожа на длинный черный восклицательный знак, а страусовое перо кажется воткнутым в мою голову, как в чернильницу! Ходить в тети Женином капоте невозможно — наступаешь сама себе на полы и спотыкаешься. Пока, в ожидании выхода на сцену, я подбираю со всех сторон фалды капота — так Юзефа подтыкает юбку перед тем, как мыть пол, — и держу этот шлейф руками.

— Когда пойдешь на сцену, — напоминает мне тетя Женя, — не забудь опустить полы капота.

Ну конечно, опущу, не забуду. Маленькая я, что ли?

Первой, сияя елочной звездой, выпархивает на сцену Зоя. Зал полон. Вся семья Шабановых, соседи, прислуга встречают хорошенького Рыцаря Счастливой Звезды аплодисментами. Стоя у чуть притворенной двери в гостиную, я бы тоже от души аплодировала, но руки у меня были заняты фалдами тети Жениного капота.

— Аплодируешь? — шипит Рита. — Зоечке своей драгоценной?

Между тем на сцене Зоя бойко, «радостно-радостно», как ее учила тетя Женя, говорит свой монолог:

— Я — Рыцарь Счастливой Звезды! В моем чудном замке царит ат-моф-се-ра счастья, все сияет и сверкает, все поет и цветет. Жизнь протекает вечным праздником в балах и рыцарских турнирах в честь моей возлюбленной графини Элеоноры!

Окончив этот монолог, Зоя раскланивается со зрителями и убегает. Ее провожают восторженные хлопки. Никто, конечно, не заметил перепутанной «атмофсеры».

— Теперь ты, Рита! — командует тетя Женя.

Рита вылетает на сцену так стремительно, словно ею выстрелили из рогатки! Это тоже производит отличное впечатление на зрителей. Слышны аплодисменты и одобрительные возгласы:

— Ого!

— Казак-девчонка!

Рита начинает грозным голосом:

— Я — Рыцарь Львиное Сердце!

Она выпаливает это оглушительно громко и с таким вызовом, словно хочет сказать:

«Да, да! Львиное Сердце! А кому не нравится, может убираться вон! Не заплачем!»

Зрители стихают. А Рита продолжает, яростно рубя воздух кулаком:

— Моя отрада — сражения и битвы! Я налетаю на врагов, как ястреб! Мой добрый меч рубит им головы, мой верный конь топчет их бездыханные тела! Так служу я моему королю и моей прекрасной даме!

Рита кончила. Гром аплодисментов!

— Иди, Сашенька! — говорит мне тетя Женя. — Теперь ты...

Я выхожу на сцену. Мое появление вызывает такой хохот зрителей, что я в недоумении останавливаюсь.

— Капот! — слышу я из-за двери трагический шепот тети Жени. — Опусти полы!

Только тут я спохватываюсь, что стою перед зрителями, подхватив со всех сторон руками полы своего злополучного капота, словно собралась переходить вброд ручей! Я поспешно опускаю полы капота и иду вперед. Но бурная веселость в зрительном зале не утихает — вероятно, моя унылая черная фигура очень смешна.

— Похоронная процессия едет!

— Нет, нет! Ксендз в черной сутане!

И тут происходит самая большая беда. Я делаю два шага, чтобы раскланяться и начать произносить «грустным-грустным» голосом свой монолог, но, наступив на свой капот, падаю, растянувшись во весь рост на полу... Смех вспыхивает еще громче! Я упрямо делаю попытку встать снова и пройти расстояние до края сцены, но снова падаю, беспомощно барахтаясь на полу, лежа на животе.

— Как жаба! — восторженно кричит кто-то из зрителей.

Тогда я решаю: не встану! Скажу свой монолог лежа, — какая разница? И, все так же распластавшись лягушкой, я начинаю говорить. Но от волнения и огорчения я перепутываю слова и говорю «грустно-грустно»:

— Я — Пецарь Рычального Образа...

Зрители уже не смеются — они стонут, они плачут от смеха!

Мне, конечно, очень хочется заплакать... Но тут я вдруг замечаю среди зрителей моего папу! Он смотрит на меня с тем лицом, с каким он обычно говорит мне: «Ненавижу плакс!» И слезы сразу высыхают на моих глазах. У меня мелькает мысль: уползти со сцены на четвереньках, тем более что иначе я все равно не могу сделать шагу, не спотыкаясь о капот и не падая все снова и снова.

Я смотрю на папу. Это длится секунду или две, но я понимаю, что уползти по-собачьи нехорошо, что раз я взялась сказать какие-то слова, я должна сказать их во что бы то ни стало. Капот мешает мне? А ну его совсем, этот капот! В один миг я расстегиваю пуговицы капота, он остается лежать на полу, я в собственном платье и с пером на голове подхожу к краю сцены, кланяюсь и начинаю говорить, слегка задыхаясь:

Жил на свете рыцарь бедный,
Молчаливый и простой,
С виду сумрачный и бледный,
Духом смелый и прямой...

Никто в зале не смеется. Пушкин — это Пушкин. И если не все понимают трагедию бедного рыцаря (я ведь и сама ее толком не понимаю!), то все чувствуют музыку пушкинского стиха.

Почему я вдруг читаю не то, что мне назначено, — не про бедную покойницу Изабеллу, а Пушкина, — не знаю. Может быть, оттого, что я боюсь опять напутать («Пецарь Рычального Образа»!), а может быть, мне невольно захотелось как бы омыться светлыми струями пушкинской поэзии от всех перенесенных неприятностей и унижений... Но зрители аплодируют так же непосредственно, как за несколько минут до этого смеялись надо мной.

Все кричат: «Автора! Автора!» Тетя Женя, автор «исторической пьески о трех рыцарях из времен Средних веков», выходит на вызовы одна, без Пушкина. От скромности и смущения лицо у тети Жени красное, как борщ, который забыли заправить сметаной. Тетя Женя раскланивается, грациозно прижимая руки к сердцу, ее пенсне летает на шнурочке, как привязанный мотылек...

Потом начинаются концертные номера. Соседка-барышня поет романс. Она так напирает на буквы «ч» и «щ», словно прачка шлепает вальком по мокрому белью:

ЛуЧЫ зари прогнали ноЧЫ мрак,
И в небе звездоЧки итЧЭзли...

Пока певица старается, за сценой происходит бурная драма. Вовик Тележкин, который должен сейчас выйти играть на скрипке, вдруг испугался и не хочет выступать! Мама Вовика уговаривает его, умоляет, почти плачет, но Вовик, закрыв глаза и судорожно выпятив ощеренную нижнюю челюсть, упирается:

— Н-н-нет!

— Вовик, золотце, рыбка моя... — Мама осыпает его нежными словами и поцелуями.

— Н-н-нет! У меня там одно фа не выходит.

— Вовик, мама просит... Ты совсем не любишь свою маму!..

— Н-н-нет!

Зрители в зале уже прослушали романс про «веЧЭрние луЧЫ», они ждут скрипача, аплодируют и топают ногами. Но Вовик упрямо трясет головой:

— Нет!

Тогда к Вовику подходит Рита и, как всегда хмуро набычившись, говорит ему:

— Сию минуту ступай играть, идиот!

И удивительно — Вовик как миленький отправляется со своей скрипкой на сцену! Мама его вздыхает, словно ее вытащили из воды.

Вовик усердно пиликает. Но в середине пьески, очевидно дойдя до того фа, которое у него «не выходит», Вовик умолкает, беспомощно озирается и, тряся головой, кричит:

— Н-н-нет!

И опрометью бежит со сцены.

Спектакль-концерт окончен.

Глава третья

ЗВАНЫЙ УЖИН

Зрители все разошлись. Осталась только я — папа ходит по хатам рабочего поселка.

В детской Риты и Зои накрыт стол. Одна половина стола заставлена разнообразной едой. Тут первая бледно-розовая парниковая редиска, горшок со сметаной, сардины, отливающие жемчужно-опаловым блеском, пирожки, жареная курица, прижавшая под мышкой, как портфель, собственный пупок. На другой половине стола — несколько селедок в селедочнице и большая миска с вареной картошкой.

Мы с Зоей и Ритой усаживаемся за первой — обильной — половиной стола. Я проголодалась — ведь мы с папой выехали из дому, не успев пообедать. Рита и Зоя наперебой предлагают мне то одно, то другое, накладывая мне на тарелку всякую еду. Сами же они — правду говорила папе Серафима Павловна — есть не хотят. Зоя лениво хрупает вынутую из вазы за хвост редиску. Рита разломила пополам пирожок и не стала есть.

— С мясом... — делает она гримаску.

Только что я собралась приняться за еду, как в комнату входит Серафима Павловна, веселая, с хитроватой искринкой в глазах («Вот как я хорошо подстроила!»). За Серафимой Павловной входят два мальчика лет десяти и смущенно останавливаются у дверей, переминаясь босыми ногами.

— Девочки, принимайте гостей! — объявляет Серафима Павловна. — Если вы и сами будете кушать, они будут приходить к вам каждый день. Как тебя зовут, мальчик?

— Колька... Николай... — Мальчишка краснеет не только лицом, но и кожей на коротко выстриженной белесой голове.

Эта голова почему-то привлекает к себе тревожное внимание Серафимы Павловны.

— Что это у тебя, Коля, с волосами?

— Мамка скоблила... — объясняет он. — Звестное дело, не умеет она... Не пикирмахер...

Голова Кольки в самом деле носит следы домашних ножниц: вся в лесенках и беспорядочных просеках.

Серафима Павловна успокаивается: слава богу, не колтун у мальчика или, сохрани бог, парша!

— А как тебя звать? — обращается она ко второму мальчику, в длиннейшей, видно отцовской, рубахе с закатанными рукавами.

При взгляде на него я сразу вспоминаю, как я только что тонула в капоте тети Жени!

— Антось... — называет себя мальчик.

Но тут позади раздается звонкий голосок:

— А я — Франка!

И между обоими мальчиками протискивается веселое лицо девочки лет семи. У нее круглая головка, очень подвижная, поворачивающаяся то к одному, то к другому, как у воробышка или синички. В косицу вплетен обрывок чистой тряпочки.

— Ага! Франка! — повторяет девочка.

— Да ты откуда взялась? — смеется Серафима Павловна. — Я тебя раньше не видела.

— А я с ими. С хлопчиками...

Франка стоит впереди мальчиков. От смущения и застенчивости она чешет одну босую ногу о другую и все время быстрыми «воробышковыми» движениями поворачивает круглую головку ко всем присутствующим. Что-то светлое и доверчивое есть во Франкиных глазах и веселом лице. На руках у Франки — девчушка лет полутора, очень похожая на Франку круглой головкой и глазами. Таскать ее на руках, видимо, нелегко, и Франка стоит, несколько откинувшись назад для равновесия.

— Ну, матушка, — разводит руками Серафима Павловна, — ребенка притащила! Ты бы еще козу привела... Или поросенка!

— Не, пани! Нема у нас ани козы, ани порося... — Франка докладывает это с таким счастливым, сияющим лицом, как если бы она говорила: «Есть! Есть! И коза и поросенок — все у нас есть!» — А то — моя сёстра Зоська! — показывает она на девочку, которую держит на руках.

И вдруг, видимо, испугавшись, что с Зоськой ее не пустят дальше порога этой красивой комнаты, заставленной игрушками, Франка плачет. Но и слезы, брызнувшие из ее глаз, какие-то светлые, даже веселые, как солнечный дождик!

— Не гоните меня, пани! Зоська будет тихонько-тихонько!..

— Оставь ее, мама! — просит Зоя. — Мы потом будем играть с ее малышкой, наденем на нее платье и чепчик моей куклы Маргариты!

— Почему твоей Маргариты? — сердится Рита. — Почему не моей Софи?

— Ладно! — разрешает Серафима Павловна. — Садитесь все за стол. Вот сюда. — Она показывает на ту половину стола, где стоят селедки и картошка. — Только уговор:

если Зоенька и Риточка хотят, чтобы к ним ходили каждый день, они тоже будут хорошо кушать... Да, девочки?

Осветив всех своей доброй улыбкой, Серафима Павловна уходит из комнаты.

Неожиданные гости — Коля, Антось и Франка со своей сестренкой — быстро садятся за стол.

— Кушайте, пожалуйста, — любезно приглашает Зоя, как дама, принимающая гостей.

Но гости и без «пожалуйста» принимаются за еду.

Антось, который у них вроде как за старшего, делит картошку и селедки по трем тарелкам. Он делает это быстро, точно, справедливо, как артельный староста, — порции совершенно равные! Оставшуюся картофелину и кусок селедки он кладет на Франкину тарелку: для Зоськи.

Мы с Зоей и Ритой не едим. Мы смотрим.

Зоя и Рита, перекормленные дети, для которых еда — надоевшее, неприятное дело, хуже наказания, во все глаза смотрят на этих ребят, весело, жадно уминающих картошку с селедкой.

И хотя я расту в семье, где нет культа еды, меня к еде не принуждают, и я нередко вижу, как едят люди, проголодавшиеся после работы, едят со здоровым аппетитом, — но вот этого, что сейчас развертывается перед моими глазами, я тоже еще никогда не видела! Это — голод, застарелый, привычный голод, вряд ли когда-либо утоляемый досыта...

Франка ест сама и с материнской нежностью кормит Зоську. Если Франка случайно замешкается, Зоська требовательно тянется ручонками и кричит: «Дай, дай, дай!» Иногда она даже пытается залезть пальчиками во Франкин рот, чтобы вырвать оттуда еду: «Дай, дай, дай!»

Картошка убывает с поразительной быстротой, селедок уже нет.

Вот уже съедено все, подобраны крошки развалившихся картофелин. Коля, Антось и Франка сидят неподвижно, не сводя глаз с еды, поставленной на нашем конце стола. Они еще не сыты.

— Что же ты не ешь? — радушно спрашивает Зоя, показывая на мою тарелку, полную еды, к которой я еще не притронулась.

— Не хочется...

Мне в самом деле больше не хочется. Расхотелось. Смутное чувство подавило мой голод. Я еще не умею ни назвать, ни понять, что это — стыд. Мне стыдно есть перед голодными...

— Можно, — шепчу я Зое, — я отдам им то, что у меня на тарелке?

— Почему ты у Зойки спрашиваешь? — запальчиво говорит Рита. — Она здесь не хозяйка!

Но, не дожидаясь ответа, я ставлю свою тарелку с едой перед Антосем — пусть он разделит между всеми остальными.

— Я отдам им пирожки? — полувопросительно говорит Зоя.

— Конечно! — пожимает плечами Рита. — С мясом же... Пирожки мгновенно исчезают, как весенний снег, растаявший на солнце.

И тут начинается настоящий азарт! Зоя и Рита с увлечением накладывают на тарелки гостей сметану, куски курицы. Гости съедают редиску вместе с торчащими из нее хвостиками малокровной парниковой ботвы. Выражение озабоченности, бывшее на их лицах, когда они садились за стол, сменяется сиянием удовольствия.

Колька порозовел, у него залоснился нос. Но всех ярче переживает наслаждение едой Франка. Она вся светится радостью, часто хохочет, прикрывая при этом рот кулаком, чтобы ни одна крошка не выпала из жующего рта. Зоська, наевшись сметаны, сразу приваливается дремать к плечу Франки. Она во сне сопит от удовольствия и бормочет «м-м-м», как сытый медвежонок.

Все подъедено. Вчистую!

Зоя перекладывает с опустевших тарелок гостей на наши тарелки куриные кости и все, что говорит об участии гостей в ужине, который был предназначен не для них. Я смотрю на нее вопросительно — зачем она это делает?

— Знаешь, наша мама, она такая... Она может рассердиться, — рассудительно объясняет мне Зоя. — Она ведь хочет, чтобы ели мы с Риткой, а не чужие дети.

Ребята сыты. Может быть, в первый раз в жизни они так наелись. Они удовлетворенно откидываются на спинки стульев. Антось похлопывает себя рукой по животу:

— Сыт пуп — наел круп...

И все хохочут.

— А я могу загадку сказать, — говорит Колька. — «Хожу я босиком, хотя я в сапогах, хожу на голове, хотя я на ногах»... Кто отгадает?

Таких умных среди нас не оказывается, никто не отгадывает.

И Колька с торжеством говорит разгадку: сапожный гвоздь!

Потом мальчики веселятся, запуская какой-то особенный Ритин волчок, который поет низко, как струна контрабаса.

Поиграть с Зосенькой ребятам не удается — она спит. Уговариваются, что завтра Франка принесет ее пораньше. Зосеньку выкупают в кукольной ванночке и оденут в кукольное платье...

Вошедшая Серафима Павловна с интересом оглядывает стол. Отлично — на Зоиной и Ритиной тарелках куриные кости, следы сметаны. Очевидно, девочки ели вместе со всеми. И она рада: затея ее удалась!

— Ну, ребята, теперь ступайте домой...

Колька говорит по-русски: «Спасибо». Антось и Франка благодарят по-польски. Уходя, Антось останавливается в дверях:

— Завтра приходить?

В глазах всех троих ребят — тревога и надежда.

Глава четвертая

МЫ С ПАПОЙ КУТИМ!

Мы едем из Броварни в город.

Неподвижна на козлах парусиновая спина кучера Яна. Неподвижен сумеречный воздух. На светлом еще небе висит серп месяца, беленький и чистенький, как только что срезанный ножницами детский ноготок.

С болота налево от дороги доносится непрерывное гуденье, густое и жалобное, как стон. Я знаю, что это вечерний хор лягушек, но мне всегда думается: не могут маленькие лягушки греметь таким трубным гласом! Нет, это стонет вся земля: «Лю-у-уди! Бегите-е-е! Беда-а-а!»

...Пятьдесят лет спустя я поеду этой же дорогой в первый вечер войны — 22 июня 1941 года. Вагон уличного автобуса, набитый женщинами и детьми, повезет меня домой, в Москву. По обочинам дороги люди будут бежать — прочь, прочь от наступающих фашистов! — в воздухе будет стоять плач уносимых матерями детей, жалобное мычание и блеянье угоняемой от врагов скотины... И трубный хор лягушек, густой, тягучий, и земля, содрогающаяся под тысячами ног, будут предостерегать: «Лю-у-уди! Беги-и-ите! Беда-а-а!..»

Я не задаю папе никаких вопросов — я вижу, как он устал, сидит, призакрыв глаза и поклевывая носом. Ведь он не спал всю вчерашнюю ночь — оперировал тяжелую больную. Вернувшись домой, поспал часа полтора, потом уехал в госпиталь, потом в Броварню, где несколько часов ходил из хаты в хату. И даже не обедал в этот день: не успел.

Но все-таки есть один неотложный вопрос!

— Папа, почему Владимир Иванович сказал Серафиме Павловне «умалишотка»? Что это значит?

Папа отвечает не очень охотно:

— Это значит «ума лишенная»... Так называют сумасшедших.

Я прислоняюсь головой к папиному плечу. От папы, как всегда, сильно пахнет карболкой и другими докторскими запахами. В минуты большой нежности я даже называю папу «карболочкой». Юзефа бранит за это — виданное ли дело, чтобы ребенок называл отца собачьей кличкой!

— Карболочка! Знаешь, мне очень хочется есть...

— Разве тебя в гостях не накормили? — удивляется папа.

Я рассказываю папе, как Серафима Павловна привела Колю, Антося и Франку с Зосенькой...

— Они были голодные, папа, просто ужас! Рита и Зоя отдали им весь ужин. И знаешь, папа, Зосенька — такая малютка! — умеет селедку есть!

Тут происходит целый ряд удивительных, небывалых вещей! Бричка останавливается, неподвижная и молчаливая спина Яна делает полный поворот, и Ян, веселый, хохочущий Ян, даже перекидывает одну ногу к нам в бричку!

— Всё зъели? — спрашивает Ян, с восторгом мотая головой. — Ничего панам не оставили? От лайда́ки (бездельники) дети, бодай их!

— Их еще и на завтра позвали, — говорю я, — и на послезавтра.

Ян мрачнеет:

— А вот прознает барыня, что ейных детей нищие объели... Унюхает она, як бога кохам, унюхает! Она тем нищим таку баню затопит! Панским детям, известно, забавка, игрушка — голодных кормить!

Ян перекидывает ногу обратно через грядку брички и снова трогает вожжи. По своему обыкновению, он бубнит, ни к кому не обращаясь:

— Играются панские дети... Играл волк с кобылой, одни копыта от ней осталися!..

— Давай, папа, — предлагаю я, — когда въедем в город, купим чего-нибудь поесть!

Но папа приходит в смятение:

— То есть как это — купим! В магазине?

У каждого человека есть свои слабости и странности. У папы их много, и иные из них смешные, непонятные. Например, папа ненавидит, ну просто ненавидит заходить в магазины, прицениваться, покупать, он даже словно боится этого! Это, наверно, оттого, что он рассеянный, даже немного выключенный из окружающей жизни. Он всегда углублен в какие-то свои мысли — о больных, об операциях, о научных докладах в Обществе врачей. Всякую свободную минуту папа читает газеты, журналы, книги, последние новинки медицинской литературы. Пойти в магазин — значит оторваться от всего этого интересного и думать о скучнейших вещах: взять этот галстук, в полоску, или тот, в горошинку? Велеть отрезать этого сукна, черного, или того, серого? Да еще, может быть, торговаться: нет, это дорого, больше рубля семидесяти пяти копеек не дам... Как-то папа отправился покупать себе шляпу, то есть, конечно, не по собственной воле, а мама просто погнала его:

— Что у тебя за шляпа? Посмотри сам — гнездо воронье!

— А ничего! Больные мои не жалуются...

Но мама настаивала, и он пошел.

В магазине, рассказывал потом папа, приказчик выложил перед ним на прилавок чуть ли не десять шляп!

— Раскладывает, понимаешь, и раскладывает, говорит и говорит... Это — фетр, это — кастор, это — котелок, это — борсалино какое-то или бормалино, — итальянская шляпа, высший шик! Смотрю я на эти десять шляп, и такое у меня чувство, словно не одна у меня голова, а десять, и во всех головах отчаянная мигрень... Я ткнул пальцем в первую попавшуюся, — это и была борсалина или бормалина, как ее там звать, — самая дорогая потом оказалась!.. «Вот эту, говорю, заверните, пожалуйста»... А приказчик все не отстает! «Разрешите примерить?» Я чуть не заплакал: «Не надо примерять, не надо, я на глаз вижу, что она мне как раз впору!..» Приказчик завернул, я схватил эту шляпу, прибежал с ней домой, — а шляпа-то, проклятая, мала оказалась! Сидит у меня на затылке, как муха на арбузе!

С того замечательного случая мама совершенно отстранила папу от всяких покупок. Что можно, покупает для него сама. Все, что надо примерять, присылают из магазина к нам домой. Под зорким глазом мамы папа терпит примерку, хотя и ворчит. Сам он ни в какие магазины не ходит и даже не знает, где и что продают.

Вот и теперь, когда я предложила купить чего-нибудь съестного, папа смотрит на меня потерянными глазами.

— В магазин? — бормочет он. — Дайте, пожалуйста, две котлеты... Или не котлеты — другое что-нибудь?

— Нет, нет, папочка! — успокаиваю я. — Зачем в магазин? Можно купить бубликов прямо на улице, у торговок. Сейчас вечером продают свежие, горячие...

Папа сразу веселеет:

— Бублики! И не в магазине? Замечательно! Горячие бублики... Кутим, Пуговка!

Город встречает нас оглушительным грохотом булыжной мостовой. Словно она, мостовая, соскучилась без нас и радостно ржет: «Ура! Воротились! Ур-р-ра!»

— Вот! Видишь, папа? Что я говорила!

На ближайшем углу, около сквера, прямо на тротуаре, — маленький торговый «толчок»: несколько торговок с корзинками. В корзинках — тепло укрытые, чтобы не остывали, бублики, пляцки, осыпанные маком. Тут же — семечки черные, подсолнуховые, и белые, тыквенные, вареные бобы и ириски. Ириски — товар люкс: по копейке за штуку! Они бережно прикрыты бумажкой от уличной пыли.

У первой же от угла бубличницы, старухи Ханы — я ее знаю, она ходит со своим товаром по квартирам тоже, заходит и к нам, — мы с папой покупаем целую гору бубликов. Они в самом деле горячие, золотистые, пузатенькие, с крохотной круглой дырочкой, размером с куриный глаз.

— Кушайте на здоровье! — Хана смотрит на нас измученными глазами и улыбается нам усталой, грустной улыбкой. — Кушайте и живите сто двадцать лет... И вы, господин доктор, и ваши дети, и дети детей ваших...

— За что мне такой долгий век? — удивляется папа.

— За то, — серьезно отвечает Хана, — что вы мою дочку вынули из гроба — вот так, вот этими вашими руками вынули, — и велели ей: «Живи!»

— И живет она? — интересуется папа.

— А как же! Конечно, живет, лучше б ей, бедной, помереть! Каждый год — по ребенку, муж — без работы... Вот — хожу с моими бубликами с утра до ночи... А можно прокормить этим шестерых деток и троих взрослых?.. Я вас спрашиваю!

Бóльшую часть бубликов мы отдаем шабановскому кучеру Яну: я опускаю бублики в карманы его парусинового балахона.

— Спасибо. Детям отвезу... — кланяется Ян.

Папу осеняет внезапная мысль:

— Пуговка! Кутить так уж кутить... Отпустим Яна в Броварню, а сами пойдем домой пешком! А? Подумай — прогулка! Это же замечательно!

Еще бы — прогулка с папой! Это не то что ежедневное мученье с Цецильхен... «Не вози ногами, не взрывай пыль! Не поднимай с тротуара цветок, — может быть, у того, кто его обронил, были бородавки на руках...»

Ян уезжает в Броварню. Мы чинно идем по улице.

— Папа, можно я возьму тебя под руку, как большая? «Кто это там идет?» — «Это идет доктор Яновский с какой-то незнакомой дамой!» Папа, а как же мы будем есть бублики на улице? Фрейлейн Цецильхен говорит — это неприлично.

— А бог с ней, с Цецильхен! — отмахивается папа.

— Нет, мама тоже не позволяет есть на улице.

— Гм!.. И мама тоже? — Папа беспомощно щурит близорукие глаза. — А вон там, кажется, скамейка, да? И дерево... Что это такое?

— Это Театральный сквер. Разве ты его не знаешь, папа?

— Ну, откуда мне знать! Я же всегда тороплюсь, езжу на извозчике, по сторонам не гляжу... Занимай скамейку, живо!

Ну вот, мы и в сквере. Это не улица, тут можно есть.

И мы с аппетитом уминаем свои бублики. Скамейка наша стоит под высоким деревом.

— Клен... — говорю я с полным ртом. — И цветет... Слышишь, папа, как пахнет? Кисленьким-кисленьким! Узнаешь?

— Нет... не узнаю... — признается папа словно с грустью. — Я, знаешь, редко встречаюсь с ними... с этими самыми... ну, с кленами... Я уже забыл, как они пахнут. Это я сегодня с тобой так закутил!

— А раньше? Когда ты не был доктором? Когда ты еще учился?

— Ну, тогда — сама говоришь — я учился.

— День и ночь?

— Нет, ночью я спал. Правда, ночь иногда бывала очень коротенькая... Надо было работать, много работать! Мой отец — твой дедушка — посылал мне пятнадцать рублей в месяц, шутка? Они с бабушкой отрывали их от себя с кровью... Когда я уезжал в Петербург, в Военно-медицинскую академию, отец подарил мне свой старый кошелек со сломанным замочком. Кошелек лежал у меня на столе, раззявившись, как голодный... Я иногда дразнил его: «Колбасы хочешь? Хлеба? Я тоже хочу, — потерпим оба...» И я учился. Ох, как учился! Ну, и медицина, братец ты мой, — серьезная наука, ее абы как изучить нельзя. Кончишь академию, и дадут тебе в руки не что-нибудь, не куклу, а жизни человеческие!..

Мы молча жуем бублики. Папа усталый, но довольный. Я смутно понимаю, что этот сквер, куда я каждый день прихожу с Цецильхен катать серсо или прыгать через веревочку, для папы — событие, почти не встречающееся в его трудовой жизни.

— Мы еще с тобой когда-нибудь в цирк сходим. Или в театр! — мечтает папа. — А в день твоего рождения я в этом году с утра и до вечера буду дома... Буду плясать с твоими подругами и играть в эти... как их... «Барыня прислала сто рублей»... Да?

— Да-а-а... — тяну я недоверчиво. — Каждый год ты это обещаешь! И — ни разу, ни разу...

— Да, ни разу! — грустно соглашается папа. — Всё больные, понимаешь. Не бросить же их! Но, может быть, в этом году...

— Папа! А про Абрахама ты знаешь? Про то, как Бог велел ему зарезать собственного сына?

— А тебе кто это наболтал?

— Цецильхен рассказывала...

— Удив-вительно! — сердится папа. — Удив-вительно, каким вздором некоторые люди набивают детские головы!..

На небе всходит вечерняя звезда. Она сидит на кресте соседнего костела, словно ее укрепили на верхушке рождественской елки. В прозрачных вечерних сумерках все кажется нарисованным на картинке: и костел со звездой на кресте, и кованая чугунная ограда сквера, и маленький «толчок» на углу с торговками, похожими на страшных ведьм и волшебниц.

— Папа! Ты Владимира Ивановича не любишь?

Думая о чем-то другом, папа рассеянно переспрашивает:

— Я Владимира Ивановича не... Какого Владимира Ивановича?

— Ну, пап, ты не слушаешь!.. Шабанова, Владимира Ивановича, Зои-Ритиного папу... Ты его не любишь?

— Почему ты так думаешь?

— А вы с ним всегда спорите, кричите друг на друга... Ты его не любишь?

— Видишь ли... — начинает папа и, вдруг оборвав, неожиданно соглашается: — А и вправду не люблю. За что его любить? Что он такое хорошее делает, чтоб его любить? Кто он такой?

— У него пивоваренный завод, — рассудительно повторяю я то, что, я слыхала, говорят о Владимире Ивановиче Шабанове взрослые. — Он пивовар.

— Пи-во-вар! — насмешливо растягивает папа это слово. — Рабочие варят ему пиво! Он им за это платит гривенники и двугривенные, и только я один знаю, как они живут, его рабочие, — в нищете и болезнях... А Шабанов продает это пиво за сотни и тысячи... Пи-во-вар! — Тут папа вдруг спохватывается: — Ох, о чем я с тобой, цыпленком, говорю! В общем, Шабанов такой, как все другие. Есть и похуже, чем он!.. Ты смотри держись хороших людей. К хорошим тянись!.. Я ведь когда-нибудь умру, вот с хорошими людьми ты не будешь сиротой.

Бывает, сахар лежит на дне чашки с чаем. Отхлебнешь — не сладко. Но чуть помешаешь ложечкой, как вкус сахара наполняет весь чай, доходит до самых верхних его слоев... Так папины слова о возможной его смерти, словно помешав ложечкой в моей душе, подняли в ней то, что, видимо, лежало на дне с самого утра, а может быть, и дольше: чьи-то чужие, горькие слова, не ставшие еще моей собственной мыслью, моим собственным опасением, — нестерпимая горечь наполняет меня до краев.

— Папа, — говорю я тихонько, — какой дом, Юзефа говорит, у тебя будет... в три аршина?

— Да ну! — отмахивается папа. — Юзефины сказки!

Но я продолжаю допрос:

— Три аршина — это ведь маленький дом?

— Н-небольшой... — признает папа.

— Как же мы все там поместимся?

— Нет... — неохотно роняет папа. — Я там буду один. Без вас.

— А мы?

— Вы будете приходить ко мне в гости... Вот ты придешь к этому домику и скажешь тихонько — можно даже не вслух, а мысленно: «Папа, это я твоя дочка... Пуговица... Я живу честно, никого не обижаю, работаю, хорошие люди меня уважают...» И всё. Подумаешь так — и пойдешь себе...

В моей памяти всплывают слова «стихотвореньица», которое мне утром говорила Цецильхен:

Ведь день настанет, день настанет,
И ты заплачешь у могил...

— Что-о такое? — возмущенно всматривается в меня папа. — Она сейчас начнет поливать улицы! А она помнит, что я ненавижу плакс?

— Она помнит... — Я судорожно подавляю слезы. — Только... папочка, дорогой, ты умрешь?

— Ох, какая глупая! И я тоже дурак... — сердится папа. — Не смей плакать, я еще не скоро умру: мне тридцать шесть лет.

— Ну, вот видишь! — говорю я с отчаянием. — Сам говоришь, что ты старик!

Я делаю невыразимые усилия, чтобы не плакать, чтобы папа не сказал с презрением: «Ненавижу плакс!» Сдерживаемые слезы, как люди, запертые в доме на ключ, толкаются, ищут выхода: щиплют глаза, щекочут горло, даже отдаются иголочками в пальцах, которыми я судорожно цепляюсь за папину руку.

Папа обнимает меня:

— С чего ты все это взяла? Почему ты об этом думаешь?

— Юзефа сказала про дом в три аршина...

— Юзефа — полоумная старуха.

— Фрейлейн Цецильхен научила меня стихам... — И я читаю папе «стихотвореньице».

— Ну, знаешь, — возмущается папа, — Цецильхен твоя...

— Я знаю. Она дура! — подтверждаю я.

— Гм!.. Этого я не сказал... — растерялся папа.

— Но ты это думаешь. Думаешь, думаешь, думаешь! — стараюсь я помешать папе говорить. — Ведь думаешь?

Это я спрашиваю в упор, и папа не может солгать.

— Ну, положим... иногда думаю... Но, в общем, Цецильхен сказала тебе правду: все люди умирают. Что ж тут особенного? И знаешь, смерть хватает все больше тех, которые ничего не делают, сидят на месте, как студень. А я всегда на ногах, я работаю, — ей за мной не угнаться!.. Я еще, знаешь, поживу!.. Ну, как? Она успокоилась, она не брызгает?

— Успокоилась. Не брызгает...

Но мы еще несколько минут сидим, как прежде, — папа обнимает меня, я крепко прижимаюсь к нему. Вероятно, это одна из тех минут, когда мы особенно явно чувствуем, как сильно любим друг друга.

Папа мой, папа!.. Через пятьдесят лет после этого вечера, когда мы с тобой «кутили», тебя, 85-летнего старика, расстреляли фашисты, занявшие наш город. Ты не получил даже того трехаршинного домика, который тебе сулила Юзефа, и я не знаю, где тебя схоронили. Мне некуда прийти сказать тебе, что я живу честно, никого не обижаю, что я тружусь и хорошие люди меня уважают... Я говорю тебе это — здесь.

— Пора домой, — говорит папа, — а не хочется!

Мне тоже не хочется.

И вдруг откуда-то издалека слышен негромкий приближающийся голос:

— Сах-х-харно мор-р-рожено!

Этот голос я узнаю стразу, еще даже не видя, кто кричит-выкликает. Да это и не обычный выкрик всех мороженщиков — бум! бум! тра-та-там! Этот голос словно выпевает свое «сахарно морожено», выпевает, как песню, ласковым, задушевным тенорком.

— Андрей! — вскакиваю я со скамейки. — Андрей-мороженщик приехал!

На дорожке сквера показывается человек с великаньей головой: это его кадка. Он идет, чуть подтанцовывая, чтобы удержать в равновесии на голове эту большую круглую зеленую бадью.

— Андрей! — бросаюсь я к нему. — Здравствуйте, Андрей!

Андрей неторопливо снимает с головы кадку и ставит ее на землю. Как всегда при этом, он на секунду словно разминает затекшую шею. Приложив руку щитком к глазам, он всматривается в меня:

— Никак, Сашурка-бедокурка! Она самая!

Чуть ли не всех людей в городе Андрей-мороженщик знает и зовет кличками, им самим придуманными. Меня — «Сашурка-бедокурка». Моего дядю Мишу — «Миша — серые штаны». Дачную соседку нашу, которую Андрей побаивается, он шепотом называет «Тещей», а генеральшу Щиголеву, очень шумно сердитую даму, Андрей тоже шепотом называет «Щи кипят».

Почему-то почти все мороженщики, появляющиеся в нашем городе с первыми теплыми днями, — не местные, а пришлые, и главным образом из Тверской губернии. Андрей тоже оттуда. Он крестьянин, но лошади своей у него нет, земли — всего полнадела. «А ртов-то, ртов!» — рассказывает иногда Андрей и при этом безнадежно машет рукой. Для того чтобы прокормить все эти рты, Андрей ежегодно приезжает в наш город на четыре-пять теплых месяцев года, шагая — или, как он говорит, «шастая» — по городским улицам и дачным местностям. В остальное время года Андрей занят каким-то другим отхожим промыслом, и тоже не в своей деревне.

Андрея в городе любят. И мороженое у него, говорят, вкуснее, чем у других мороженщиков, и человек он милый, приветливый. Я Андрея просто обожаю, и не только за мороженое, но за ласковость обращения, в особенности с детьми, за мягкий, певучий голос, за вкусно рассыпающийся говорок, какой редко услышишь в нашем крае, за смешные словечки и прибаутки.

И вот он, Андрей! Опять приехал! Как всегда, черная жилетка надета у него на линялую рубаху, некогда сшитую из розового ситца. Поддевку Андрей надевает только в конце августа, когда перед отъездом обходит своих должников. В эти дни он ходит уже без своей кадки, а из кармана у него выглядывает книжечка: в ней никому, кроме самого Андрея, не понятными иероглифами обозначено, сколько за лето наели в долг мороженого оболтусы-гимназисты, кадеты, юнкера, сыновья «Тещи» и других. В эти дни должники-оболтусы прячутся, и Андрей имеет дело только с разгневанными мамашами. Но честность Андрея настолько общеизвестна, что даже генеральша «Щи кипят» платит не споря. Записано у Андрея в книжечке — значит, столько оболтусы и наели в долг, значит, столько и платить. А сыновьям можно надрать уши и потом.

Зеленую кадку с мороженым Андрей носит на голове, поверх шляпы извозчичьего фасона, похожей на сплющенный цилиндр с твердым плоским верхом. Кадка тяжела. Из года в год Андрей все сильнее жалуется на головокружение, на то, что глаза видят хуже, а одно ухо вовсе не стало слышать.

— Чем потчевать прикажете, господин доктор?

— А что есть, Андрей? Что есть? — приплясываю я перед ним на одной ноге.

— Да почитай что и ничего... К вечеру дело, расторговался я за день. Было сливочное — кондитерское и простое — да крем-бруля. Одной только крем-бруля и осталось на донышке... Остатки сладки... Прикажете-с?

— Конечно! — говорит папа. — Мы нынче с дочкой кутим. Давайте эту самую крем-брулю!

Андрей развязывает и снимает широкое, малинового цвета полотенце, укрывающее кадку сверху. Как старые знакомые, возникают в кадке три высоких круглых медных цилиндра с крышками, обложенных обычно льдом и солью. Между цилиндрами стоит стопка блюдец и костяные ложечки. Тут же — большая ложка с полушариями на обоих концах. Ловко орудуя этой ложкой, Андрей скатывает для нас шарики мороженого.

— А мы вас бубликами угостим! — говорит папа, пододвигаясь, чтобы дать Андрею место на скамье.

Андрей садится. Уличный фонарь освещает его уже немолодое лицо, чуть тронутое следами оспы. В резких морщинах от крыльев носа ко рту блестят капельки пота. Андрей ест бублик с удовольствием — видно, устал и рад отдохнуть после трудового дня. На лице у папы то же удовольствие от отдыха, оттого, что он едва ли не в первый раз за всю мою жизнь «кутит» со мной в сквере, где никто его не теребит, не торопит, никуда не увозит.

Под уличным фонарем нам отчетливо виден маленький «толчок» на углу — торговки, сидящие со своими корзинками прямо на тротуаре, у края сточной канавки. Слышно, как они предлагают свои товары прохожим, как переругиваются между собой:

— Геть студа! (Вон отсюда!)

— У, яка пани пулковница! Сама геть!..

Мы сидим на своей скамеечке под кленом. Внезапно Андрей говорит негромко и задумчиво:

— А и горько ж тут народ живет, господин доктор!..

— А у вас, Андрей, в ваших местах, лучше?

Андрей смущенно улыбается:

— Кабы у нас лучше было, зачем бы я от своего дома сюда подался — за тыщу верст щи через забор шляпой хлебать?

— Значит, и у вас плохо?

— Да как бы это получше сказать... Живем, как говорится, хлеб жуем, а хлеба-то и не хватает! В два кваса живем: один — как вода, а другой и пожиже воды бывает...

Снова молчание, и снова его прерывает Андрей:

— Вот только у нас, господин доктор, все одинакие. Русские то есть... А тут — Господи милостивый! — все разные, и все — друг на друга! Русские говорят: «Это всё поляки мутят!» Поляки опять же: «А зачем русские к нам пришли?

Здесь наше царство было!» А литовцы обижаются: «Не польское, говорят, здесь царство было, а наше, литовское!» А уж жидов...

— Евреев, Андрей! — поправляет папа. — «Жид» — это злое слово...

— Виноват, господин доктор, — оправдывается Андрей. — Все так, и я за всеми... Так вот, евреев этих здесь вроде как и за людей не считают! Почем зря всякий обижает...

В эту минуту в другом конце сквера появляется на дорожке человек в черной форменной шинели. На плечах — там, где у военных полагается быть погонам или эполетам, — у него свитые жгутом оранжевые шнурки. На одном боку — большой револьвер, на другом — плоская шашка. Посмотреть на его бледное лицо, на его глубоко запавшие бесцветные глаза — подумаешь: больной он, бедняга, безобидный человек. Но из рукавов шинели выглядывают страшные кулачищи, за которые его ненавидит весь город. Это городовой, прозванный «Кулаком» не столько из-за фамилии «Кулакович», сколько из-за этих его кулачищ, которыми он бьет намертво. Кулак — взяточник, злой пес, грубый хам с беззащитным населением, жестокий истязатель арестованных. Он идет по дорожке медленно, крадущейся походкой хищника. Как кошка, подстерегающая мышь.

— Кулак! — первым узнает его издали Андрей и так резко вскакивает, таким рывком задвигает за скамейку свою кадку, что с клена над нашими головами какая-то пичуга, сонно бормотнув и пискнув, улетает на другое дерево.

— Побегу торговок упрежу! — соображает Андрей. — Постережешь кадку, Сашурка?

Он быстро и ловко перемахивает через невысокую сквозную ограду сквера и бежит к «толчку».

Кулак идет мимо нас с папой. Глаза его зорко всматриваются в «толчок» на углу. На секунду он останавливается.

— Четверть девятого! — орет Кулак и, придерживая плоскую шашку, бьющую на бегу по его ногам, мчится собачьей рысью к месту преступления: после восьми часов вечера всякая торговля воспрещается.

Но Андрей опередил Кулака, и его предостерегающий крик: «Кулак идет!» — вызывает на «толчке» то же смятение и кутерьму, какие возникают на вокзальной платформе при появлении поезда. Торговки, торопливо срываясь с тротуара, подхватывают свои корзинки и бегут врассыпную. Одна только Хана, старая и хромая, не успела встать на ноги и продолжает сидеть рядом со своими двумя корзинками. Одну из этих корзин быстро схватил Андрей-мороженщик и скрылся с нею за углом. Вторая корзинка осталась рядом с Ханой на краю тротуара.

На «толчке» стало совсем пустынно. Фонарь освещает только сидящую старуху, с усилием пытающуюся встать, и ее корзинку.

— Торговать? В непоказанное время? — гаркает над головой Ханы городовой Кулак.

Старуха поднимает голову. «Ну на, ударь, бей!» — говорят ее измученные глаза.

И Кулак в самом деле ударяет изо всей силы ногой по Ханиной корзинке с бубликами. Корзинка покорно опрокидывается набок, словно собираясь выплюнуть все содержимое в протекающую мимо тротуара канаву. Я невольно ахаю. Но в мутную, грязную воду канавы падают один, другой, третий золотистые бублики и плывут, как три маленькие луны, — и это всё. Больше в корзине бубликов нет. А вторую корзину только что спас Андрей-мороженщик — унес ее куда-то.

Разъяренный Кулак пинает сапогом и Хану. Она успевает закрыть руками лицо — ведь с синяком под глазом она не сможет завтра выйти на улицу продавать свои бублики...

Кулак уходит, высоко поднимая плечи со жгутами из туго свитых оранжевых шнурков.

Все это происходит молниеносно и разыгрывается в течение нескольких секунд, не больше.

Тогда из-за угла осторожно выныривает Андрей-мороженщик. Унесенной им корзинки уже нет у него в руке. Он нагибается над плачущей Ханой.

— Вставай, баушк! — журчит он своим ласковым тенорком. — Чего туточка на тротуваре сидеть?

— Корзинка моя... Бублики там... — бормочет Хана. — Пропала...

— Цела она, баушк, корзинка твоя. И бублики целы. Я их тут, за углом, у добрых людей поставил. Сейчас кадку захвачу, и пойдем за бубликами твоими...

— Вы только подумайте!.. — вдруг всплескивает руками Хана. — Такое слава богу, такое слава богу — он же меня даже не оштрафовал, этот Кулак, чтоб ему сгореть!..

— Сгорит! — уверяет Андрей. И, прощаясь с нами, говорит: — Господину доктору — почтение! Сберегла кадку, Сашурка-бедокурка? Умница!

Андрей удаляется по вечерней улице, подтанцовывая под тяжестью кадки, покачивающейся на его голове. Рядом с ним, припадая на хромую ногу, плетется старуха бубличница Хана.

Оставшись одни на скамейке, мы с папой почему-то не спешим заговорить, и молчание тягостно нам. У папы лицо погрустнело, даже осунулось.

— Папа... — говорю я. — Папа, почему... почему так плохо? И эти дети у Шабановых: Антось, Колька и Франка с Зосенькой... Они ведь были голодные, да, папа?.. И Хана... И Кулак!.. Почему это, папа?

Папа отвечает не сразу. И говорит то, что я терпеть не могу слышать:

— Про это мы еще поговорим с тобой, когда у тебя коса вырастет...

Это последняя капля за весь пестрый день! Я больше не думаю о том, что папа ненавидит плакс. Я горько плачу.

— Папа, — и слезы катятся у меня по лицу, попадая в рот, еще сохранивший сладость недавно съеденного мороженого «крем-бруля», — папа, почему ты не заступился за Хану?

— А что я мог сделать, по-твоему?

— Крикнуть Кулаку: «Не смейте бить!»

— Ужасно бы меня Кулак испугался! — невесело шутит папа.

— Ну, убить его! Чтоб он помнил!

— А чем убить? Бубликом, да? И что же, Кулак, думаешь, один? Их тысячи. Одного убьешь — людям не станет легче...

Папа встает со скамейки:

— Лечить — вот все, что я могу... Ну, пойдем, Пуговка, поздно уже.

Мы идем домой, и у меня впервые рождается мысль: «Папа может — не все...» Думать это очень горько.

Когда мы входим с папой домой, мама под лампой раскладывает пасьянс. Она смотрит на меня в сильнейшем удивлении, потом подводит меня к зеркалу: «Посмотри на себя!» Я вижу: по всему моему лицу — грязные подтеки от слез, пальцы слиплись от мороженого, «кудлы» всклокочены. Пальто — ни моего, ни папиного — нету: мы забыли их в бричке Яна, и он увез их обратно к Шабановым, в Броварню.

— Где вы так долго были? — спрашивает мама тихим голосом, словно мы — больные.

— Мы с папой кутили, — объясняю я.

Папа уже исчез — его сразу увезли к больному. Срочный случай!

Фрейлейн Цецильхен уже спит, она любит ложиться рано. Юзефа укладывает меня спать. Умывая и причесывая меня, она все время ворчит по адресу фрейлейн Цецильхен — она ее ненавидит!

— Привезли немкиню (немку)! Ни кудлы ребенку расчесать, ни помыть. Хоть ложись ребенок з хразными нохами в постелю, ей что?

Юзефа вносит зажженную лампу в комнату, где мы спим с Цецильхен. Я ложусь, конечно, без всякой молитвы. А Цецильхен, полупроснувшись от света, на миг приоткрывает мутные от дремы глаза и нежно, сонно бормочет:

— Фергисс-майн-нихт...

И тут же снова засыпает.

— А бодай тебя! — сплевывает Юзефа с сердцем и гасит лампу.

Перед моими засыпающими глазами, как каждый вечер, разворачивается, расстилается громадный ковер, весь в точечку, в точечку, в точечку. Ковер плывет куда-то вверх. Потом он начинает плыть в обратную сторону, вниз, — сверкающие точечки, точечки, точечки словно несутся в пропасть. Потом... потом я засыпаю и больше ничего не вижу.

Глава пятая
В ГОСТЯХ У СКУПОГО РЫЦАРЯ

На следующее утро, в понедельник, я просыпаюсь позже обычного: не в восемь, а в девять часов утра. Ведь я вчера легла поздно — ездила с папой в Броварню, а потом мы с ним в Театральном сквере кутили: ели бублики и крем-брюле.

Я тороплюсь одеваться, натягиваю один чулок наизнанку, путаюсь в тесемках и пуговицах. Мне очень хотелось бы не умываться — ведь поздно-то, поздно как! — но разве Юзефу переспоришь? Она стоит надо мной с полотенцем в руках и командует:

— Переверни пончошку (чулок) на другу сторону! Правое ухо в мыле, смой!

— Мы с Сонечкой Михальчук сговорились встретиться в Ботаническом саду! — взмаливаюсь я жалобно.

— Не блоха твоя Сонечка, не ускакнет!

В спешке я не сразу замечаю, что в доме что-то происходит, вернее — произошло утром, пока я спала. Но, когда я причесываю свои «кудлы», Юзефа успевает шепнуть мне с торжеством:

— Папа с немкиней промовку имел!

— Про что?

— Уж ён знаеть, про что! И немкиня тоже знаеть... Видишь?

В самом деле, фрейлейн Цецильхен, сидя у стола, что-то пишет. Глаза у нее покрасневшие, носик припух — она недавно плакала. Время от времени она задумывается, прижимая к губам платочек, — фестончики его вышиты гладью еще под руководством самой фрау директор Высшей школы дочерей в Кенигсберге!

Когда я подхожу к Цецильхен, чтобы поздороваться, она смотрит на меня, глаза ее наполняются слезами, она грустно шепчет:

— Ах, Зашинка... Ах, дорогая Зашинка...

Это что-то новое. Фрейлейн Цецильхен не любит моего имени «Сашенька» (язык сломать можно!) и называет меня «Альхен».

Затем Цецильхен обнимает меня и прижимает к себе мою кудлатую голову. Мне неудобно, лицо мое почти лежит на столе, и я невольно успеваю прочитать адрес на конверте — крупными буквами: МЕМЕЛЬ.

Отпустив мою голову, Цецильхен указывает мне на конверт и говорит горько:

— Вот. Пишу ему... Дяде жены моего двоюродного брата. У него в Мемеле собственное кафе... Под названием «В зеленом саду»... Когда у нас дома был семейный совет, ехать мне в Россию или не ехать, этот дядя говорил: «Не надо! Пусть сидит дома!» О, как он был прав! Теперь я пишу ему, пусть он мне что-нибудь посоветует...

У двери в столовую я немного медлю — оттуда слышен голос папы:

— Да перестань волноваться! Если ты сама не умеешь никому сказать «нет» или «вы этого не умеете», так предоставь это мне!

— Но я боюсь, что ты не так сказал, — пытается возразить мама.

— Я был вежлив, как учитель танцев... Но я сказал ей, что не надо браться за то, чего не умеешь делать, вот и всё! А нам с тобой надо подумать о настоящем учителе: ребенок способный, любознательный...

Но тут в столовую вхожу я, и разговор сразу иссякает, словно самоварная струя после того, как привернули кран.

Весь день настроение у нас в доме напряженное. Цецильхен со скорбными глазами строчит письма. Гулять со мной в этот день некому. Мама занялась укладкой зимних вещей в нафталин, Юзефа на кухне рубит сечкой мясо, овощи и, по обыкновению, ворчит как нанятая:

— Чи ж я им не говорила? Смотрите, говорила, кого берете! Нет, привезли дуру ребенка учить!

Я взбираюсь на подоконник в передней — оттуда видны окна квартиры, где живет знакомая девочка, Любочка Зильберберг. Раскрываю окно настежь и зову сперва не очень громко:

— Люба! Люба!

Потом громче:

— Любочка-а-а! Юбочка-а-а!

Потом:

— Любка-а! Юбка-а!

И, совсем расшалившись, кричу во весь голос:

— Любочка! Юбочка! Бочка! Очка! Чка! Ка! А!

Наконец одно из окон Любочкиной квартиры чуть-чуть приоткрывается. В узенькую щель виден бледный носик Любочки Зильберберг и белокурая прядка ее волос.

— Что ты кричишь? — сердито бросает она в оконную щель.

— Мне скучно, — говорю я откровенно. — А тебе?

— Тоже.

— А что ты делаешь?

— Ничего, — грустно признается Любочка. — Сидю себе.

— Так приходи ко мне играть!

— Нельзя, — вздыхает Любочка. — И не зови меня! Мне к окошку подходить не велено: я простудюсь...

— Ну, хочешь, я к тебе приду? — предлагаю я великодушно.

Любочка кивает: «Приходи!»

Я соскакиваю с подоконника. Но... надо еще, чтобы мне разрешили идти к Любочке в гости. Ведь я вчера ездила с папой к Шабановым, а мама считает, что ходить каждый день по гостям не к чему. И папа тоже так думает. Так что меня могут и не отпустить к Любочке.

К счастью, папы нет дома, мама тоже куда-то ушла. Значит, можно ни у кого не спрашиваться. Да ведь и иду я не на какую-нибудь другую улицу, а к Любочке, соседке, живущей на одном дворе с нами. Зайду на полчасика, поиграем во что-нибудь — и прибегу домой.

А мне, по правде сказать, интересно побывать у Любочки: я у нее еще никогда не была. Я ее вообще никогда не видела иначе, как в окне. Родители Любочки совсем недавно купили тот дом, в котором мы живем, и переселились в одну из квартир. До сих пор на воротах дома висела табличка: «ДОМ БР. (то есть братьев) АДАМОВИЧ». А теперь ее заменили другой: «ДОМ К-ХИ (то есть купчихи) А. ЗИЛЬБЕРБЕРГ». «К-ха» — это Любочкина мама.

На двери, ведущей с улицы к Зильбербергам, — вывеска. Белыми буквами по черному фону:

ССУДНАЯ КАССА

Мне интересно, что делается там, куда (как папа говорил Юзефе) люди несут закладывать самовары. Я храбро вхожу с улицы в ссудную кассу. Это — помещение, похожее на магазин, с аккуратно сложенными на полках самыми разнообразными предметами. Тут и в самом деле самовар — даже несколько самоваров, — и мандолина, и кастрюли, и посуда. На вешалке висят шубы, мужские костюмы, женские платья. В углу — два велосипеда и детская колясочка. Над всем этим — надпись: «Продается». Помещение перегорожено прилавками, тоже как в магазинах. В одном месте прилавка — откидная доска, чтобы можно было входить за прилавок и выходить из-за него.

За прилавком сидит человек. Я его знаю, видела из окна, это Любочкин папа. Забрав в горсть курчавую темную бороду и сосредоточенно покусывая ее, он совершенно поглощен чтением книги. Услыхав, что кто-то вошел, он неторопливо откладывает книгу в сторону, встает и, упершись обеими руками в прилавок, приветливо обращается ко мне:

— Чем могу служить, барышня?

Но в эту минуту из внутренней двери, ведущей, вероятно, в их квартиру, выбегает Любочка:

— Папа, это моя гостья...

Папа Зильберберг мгновенно теряет ко мне всякий интерес и снова садится за прерванное чтение. А Любочка, взяв мою руку, увлекает меня за собой в ту дверь, из которой она появилась. Там, оказывается, лестница, по которой мы попадаем в квартиру Зильбербергов. Прежде чем войти туда, Любочка деловито спрашивает:

— Ноги у тебя чистые? Потому что у нас паркеты...

Мы входим сперва в комнату с зелеными бархатными портьерами на окнах и дверях. Великолепный письменный стол поразительной чистоты. На нем — очень красивая чернильница: бронзовый медведь обнимает лапами древесный пень. Чернильница — без чернил. На столе — ни одного карандаша, ни одной ручки. Однако мое внимание привлекает не это, а два внушительных книжных шкафа, битком набитых книгами.

— Твои книги?

— Нет! — Любочка энергично мотает головой. — Я не люблю читать. Это папины...

— А можно посмотреть?

— Только через стекла. Шкафы заперты, а ключи у мамы.

Я чувствую уважение к Любочкиному папе. Вон у него сколько книг! И, даже сидя в своей ссудной кассе, он читает! Я говорю это Любочке, но она меня разочаровывает:

— Нет, папа этих книжек не читает. А там внизу, в кассе, у него молитвенник. Папа у нас очень набожный, — добавляет Любочка с гордостью. — Всякую свободную минуту он молится!

Бог с ним, с Любочкиным папой! Он, оказывается, как Цецильхен, сидит над молитвенником. Наверно, тоже про Абрахама читает!

— Эти книги, со шкафами вместе, папа достал по случаю. Немецкие, французские, английские. Найдется покупатель — папа продаст... Ну, идем дальше!

Мы входим в следующую комнату.

— Это зал! — торжественно возглашает Любочка.

Мебель в зале обита голубым шелком, выглядывающим из-под чехлов сурового цвета. Паркетный пол блестит, как ледяное поле катка. А на окнах удивительные занавеси: с вышитыми на них разноцветными попугаями — розовыми, синими, зелеными, — летающими, сидящими на ветках.

— А кто у вас играет? — спрашиваю я, показывая на большой концертный рояль с хрустальными копытцами под каждой ножкой. — Ты играешь?

Это я спрашиваю с уважением: мне музыка не дается! Мама учит меня играть на фортепьяно, и это стоит нам обеим немало слез. Мама приходит в отчаяние от моей музыкальной тупости. Сама она играет хорошо, а брат ее, мой дядя Миша, даже очень хорошо. Только я одна никудышная в музыке.

Любочка смеется.

— Нет, — говорит она, — я играть совсем не умею. И учиться не хочу... Очень мне это нужно!

— Кто же играет на этом рояле?

— Никто. Папа его по случаю достал...

Из зала мы входим в почти темную столовую. Стены в ней заставлены массивными буфетами, полубуфетами, горками. Сквозь стеклянные их дверцы сверкает хрустальная, серебряная, вызолоченная посуда.

Любочка остановилась, следя за впечатлением, какое производит на меня это великолепие. А я стою и думаю: где я все это уже видела? Где-то в темноте... при слабом свете мерцали золото, серебро... Где это было? Или рассказывал мне кто-то об этом? Или читала я? Не могу вспомнить... Но только знаю: было это.

— Вы тут едите? — спрашиваю я почти шепотом.

— Не-е... Это парадная столовая. Если придут когда-нибудь очень важные гости, тогда стол накроют здесь. А мы тут, рядом.

И Любочка вводит меня в соседнюю небольшую комнату с обыкновенной мебелью — кушеткой, небольшим обеденным столом, венскими стульями, простым шкафчиком вместо буфета.

— Мы тут кушаем, — объясняет Любочка, — чтоб не пачкать в парадной столовой. Понимаешь?

Мы с Любочкой сидим на кушетке и разглядываем друг друга. Мы ведь, собственно, в первый раз встречаемся. До сих пор мы только переговаривались через окно.

У Любочки лицо бледненькое и какое-то кисленькое, невеселое. На шее у ней повязано что-то вроде компресса.

— У тебя горло болит?

— Да нет! — говорит Любочка с досадой. — Это все мама... Боится, что я простудюсь. Сегодня выдумала, будто я ночью так кашляла, что у нее сердце разрывалось! А я сплю и даже не слыхала, что я кашляю. Разве это может быть?

Дальше Любочка изливает передо мной свои огорчения:

— Мама всегда боится, что я простудюсь. Все дети ходят уже по улице в одних платьях, одна я хожу в драповом пальте, в вязаных рейтузах и гамашах! А уж зимой... — Любочка с отчаянием машет рукой. — И ведь подумай — ничего не помогает! Я все-таки нет-нет да и простудюсь! То горло болит, то насморк...

— Это оттого, что тебя кутают, — говорю я авторитетно. — Мой папа доктор, и он не велит, чтоб меня кутали. И велит, чтоб я бегала босиком. Даже зимой я каждый день бегаю босиком целый час!

— По снегу? — ужасается Любочка.

— Нет, дома, — смеюсь я. — По полу. А летом, если на даче, так и по земле... Целые дни! Это очень весело: земля тепленькая, трава щекотная... И, знаешь, я ведь в самом деле почти никогда не простуживаюсь.

Любочка смотрит на меня, пораженная. Подумать только: я хожу босиком! Так смотрела бы она, наверно, на людоеда: ох, он ест человечину!

— Ты нарочно... — говорит она недоверчиво. — Приличные дети не бегают босиком. Они же не нищие! — И вдруг с интересом спрашивает: — А какое мороженое ты ешь? Холодное?

— Обыкновенное... — недоумеваю я.

— А для меня, — Любочка чуть не плачет, — блюдце с мороженым ставят на край плиты. Когда оно растает, я пью тепленькую жижицу...

В общем, у Любочки неинтересно. Ни в прятки, ни в жмурки играть нельзя — негде. В парадных комнатах это запрещено. Есть еще две тесные комнатушки — в одной спят Любочкины папа и мама, в другой — она сама. В общем, прятаться негде. У Любочки, правда, много игрушек, но чуть возьмешь которую-нибудь в руки, Любочка начинает тревожно зудеть:

— Осторожно! Не урони! Не сломай! Это очень дорогая кукла! Заграничная!

Я делаю последнюю попытку поддержать разговор:

— Любочка, а ты учишься?

— Немножко. Мама боится, что я слабенькая...

— А в гимназию ты поступишь?

— Ой, нет! — даже пугается Любочка. — В гимназии много девочек, я еще от них чем-нибудь заразюсь! Корью, скарлатиной... Спаси бог!

— Как же ты будешь, без гимназии?

— Подумаешь! Мама говорит, при наших средствах можно нанять каких хочешь учителей, чтоб они приходили к нам домой.

Приблизившись ко мне, Любочка добавляет «секретным голосом»:

— Мы богатые. Папа скоро свою банкирскую контору откроет.

В общем — скучно. Я прощаюсь и ухожу.

Спустившись с лестницы, я открываю дверь в ссудную кассу, чтобы выйти через нее на улицу, но останавливаюсь и невольно вслушиваюсь.

Любочкин папа занят с посетительницей. На меня они не обращают внимания.

— За это колечко, пани, — говорит Любочкин папа, — могу вам дать максимóм два рубля. Максимóм!

— Оно стоило пять, — тихо говорит женщина.

— Переплатили, пани! Красная цена — три рубля за новое. А ведь вы его уже не один год носили — стерлось! Предлагаю справедливую цену: два рубля. Будете платить мне по двадцать копеек прóценту в месяц. Удерживаю вперед за три месяца прóценту — шестьдесят копеек. Итого можете получить сейчас один рубль сорок копеек.

И Любочкин папа берется за свою конторку, чтобы взять из нее деньги.

— Пане, — просит женщина. — Это же мое венчальное кольцо. Подумайте, пане!

— А что мне думать? Это не мое, а ваше венчальное кольцо, — вы и думайте! Сейчас я вам отсчитаю один рубль сорок копеек, а через три месяца вы принесете мне два рубля и получите обратно свое колечко. А не принесете — имею право взять кольцо себе... или продать... как хочу! Моя воля!

— Получу я его, как же! — с горечью говорит женщина. — Все свои вещи я сюда к вам перетаскала! В последний раз сахарницу серебряную, вызолоченную... Вон она стоит на полке, выставлена на продажу. А что я обратно выкупила? Ничего!

— Это уж, пани, не я виноватый, что вы не могли выкупить в срок свои вещи! Все Бог, его воля...

Любочкин папа выкладывает на прилавок деньги. Женщина, сосчитав, кладет их в кошелек и уходит. Любочкин папа снова углубляется в свой молитвенник. Меня он не замечает.

Я стою неподвижно и с усилием вспоминаю... Где я все-таки это уже видела? Темную комнату... золото, серебро... и женщина просила, на коленях просила, говорила, что не может отдать долг...

И вдруг в памяти встают стихи:

Тут есть дублон старинный... Вот он. Нынче
Вдова мне отдала его, но прежде
С тремя детьми полдня перед окном
Она стояла на коленях, воя...

Пушкин... «Скупой рыцарь»... Любочкин папа — как пушкинский барон в своем подвале! Наверно, он ходит по своим комнатам со свечой или лампой и любуется вещами, которые он «достал».

Эта женщина в ссудной кассе не плакала, не стояла на коленях, не выла... Она взяла рубль сорок копеек за вещь, которая стоила пять рублей. Любочкин папа небрежно бросил ее венчальное кольцо в ящик...

Глава шестая

ЕЩЕ ОДИН ПОДВАЛ

Тихонько выскальзываю из ссудной кассы. По улице спешат люди неизвестно куда, едут извозчичьи пролетки, под которые сохрани бог попасть, ругаются дворники. По тротуарам, элегантно поднимая шлейфы платьев, идут нарядные дамы, скользят между прохожими черные, как вороны, католические священники — ксендзы, на углах просят милостыню нищие в лохмотьях, шныряют уличные воришки, норовящие вытащить из чьего-либо кармана кошелек — портмоне... Кстати, у меня в кармане десять копеек, сумма немалая: на это можно купить целую кучу обыкновенных картинок, или переводных, или большой лист бумажных кукол для вырезывания.

В витрине писчебумажного магазина — с ума сойти, какая красота! Среди карандашей, тетрадей, пеналов — большой развернутый лист вырезных картинок. Вверху листа — заглавие: «Ромео и Джулия». Под каждой нарисованной фигуркой напечатано ее имя. Ослепительная красавица в подвенечном наряде — Джулия. Она протягивает руки к невозможно прелестному юноше в красном костюме и черном плаще — Ромео. Рядом нарисован молодой человек, весь в голубом, — принц Париж. Толстая, румяная женщина — кормилица, старая дама в темном платье и ее муж — граф и графиня Каплет. Старый священник в коричневой рясе — фра Лоренцо. И еще много всяких других, таких же великолепных.

Картинки напечатаны аляповато, неряшливо, краска местами выходит за пределы рисунка, отчего, например, у Джулии пальцев на руках не десять, а больше. Но я совершенно заворожена и ничего этого не замечаю. Никогда в жизни я не видела такой красоты!

Вхожу в лавку, спрашиваю, сколько стоит... А вдруг дороже, чем десять копеек?

— Последняя новость, дорогая барышня, только что получили! — И толстая лавочница, очень похожая на рисунок с подписью «Кормилица», услужливо расстилает передо мной целый рулон листов «Ромео и Джулия». — Десять копеек за лист! Это надо вырезать ножницами, наклеить на картончик — и пожалуйста!

Кто-то из покупателей замечает, что десять копеек дороговато.

— Дорого? — взвивается лавочница. — Вы понятия не имеете, что делается в высшем свете с этими картинками! Там все просто с ума посходили через это!

Я выхожу из лавки. В руках у меня свернутый в трубочку лист «Ромео и Джулии». Не могу удержаться — останавливаюсь посреди тротуара и снова любуюсь чудесными картинками... Незаметно для себя самой держу голову в том горделивом полуобороте, с каким изображена красавица Джулия. При моих «кудлах» это выглядит, вероятно, страшно смешно!

— Па-а-звольте, мармазель! Па-азвольте па-а-сматреть! — И перед моими глазами вырастает рука пьяного мужчины. Он хочет вырвать у меня лист с «Ромео и Джулией»!

Сильнее прижимаю к груди свое сокровище и невольно подаюсь назад. Но пьяный продолжает наступать, прижимая меня к воротам соседнего дома.

— Очень дивные картинки, мармазель-стриказель ди бараньи ножки... — бормочет он. И, внезапно приблизив ко мне лицо, шипит: — Отдавай, дура, портмонет! А не то ка-ак дам!

Впервые за свою короткую жизнь я вижу так близко пьяного! С криком отшатываюсь, проскальзываю в ворота соседнего дома, бегу через первый, потом через второй двор. Мне кажется, что я кричу страшным голосом, но это не так. Рот у меня в самом деле открыт, как у рыбы, вытащенной из воды, но из него не вырывается даже слабого писка. Крик словно замерз от ужаса в моем горле.

Юркнув за бочку, подставленную под водосточную трубу, я начинаю немного успокаиваться. От бочки пахнет плесенью и дождевой водой — это спокойные, не враждебные запахи. Вор, вероятно, отстал, потерял мой след. Выглядываю из-за бочки — во дворе никого. Только слышу, как нежный детский голосок поет польскую песенку:

> Э-гей! Цыгане толпой веселой
> Бродят беспечно по нашим селам...

Страх мой начинает утихать. Я соображаю: это дом Гружевских, отсюда два шага до того дома, где живем мы. Постою еще немного здесь, в безопасности, за бочкой, и побегу домой.

А детский голосок поет. В песне цыган гордо говорит девушке:

«С пером на шляпе, в плаще шелкóвом,
Слушай, дивчина, мое ты слово:
Люби не графа, люби не пана —
С ласковым сердцем найди цыгана!»

Откуда доносится голосок? Из окон дома? Нет, он идет словно из-под земли. Я хочу узнать, кто это поет. Голосок такой легкий, светлый... Я иду туда, откуда он вытекает, как ручеек из-под земли...

Так подхожу я к темному отверстию в стене почти на уровне ног. Голосок несомненно струится оттуда! И цыган, про которого поется, кончает песню:

«Нет у цыгана ни земли, ни хаты,
Но он свободный! Но он — богатый!
Над ним не свищет нагайка пана...
Куда ни взглянет — земля цыгана!»

Подхожу вплотную к черному отверстию. Оно похоже на вход в звериную нору, какие я видела на картинках в детских книжках. Какой милый, какой нежный голос! Так должна петь красавица Джулия...

— Кто тут поет? — спрашиваю я, нагнувшись к темному отверстию входа.

Секунда молчания, потом детский голос говорит:

— Ну, я пою... А что, нельзя?

— Ой, нет, наверно, можно! — говорю я с жаром. — Вы так чýдно поете!

Голосок, помолчав, говорит снова:

— А зачем ты говоришь «вы»? Я тут одна... А ты кто?

— Я Сашенька... Сашенька Яновская...

— А я Юлька... Заходи, — приглашает голосок. — Заходи до нас... Видишь лестницу? Только осторожно!

К этому времени я успеваю разглядеть, что от черного отверстия входа идет вниз, в темноту погреба, лестница. Но не такая, как в обыкновенных домах — с перилами, со ступеньками, по которым люди всходят и сходят, выпрямившись во весь рост, переступая одними только ногами, — нет, это такая лестница, какую приставляют к деревьям в садах или к слуховым окнам чердаков: две слегка наклонные стойки с поперечными перекладинами. Лазить по такой лестнице можно, только если одновременно, переступая ногами, цепляться еще и руками за верхние перекладины.

Стою в нерешительности. Мне страшно спускаться по такой лестнице, да еще куда-то в темноту, где неизвестно кто и непонятно что!

— Юлька, — прошу я робко, — а ты не можешь помочь мне сойти?

Снизу из погреба, — короткий смешок и короткий ответ:

— Нет, не могу.

Я все стою, переминаясь с ноги на ногу. Очень боязно... Но в эту минуту во двор входит мой давешний вор! Теперь он веселый, смеется, но от этого он кажется мне еще более страшным!

Не стоит и говорить, что я мгновенно, да еще так быстро, как только могу, начинаю спускаться по лестнице.

— Не так идешь! — кричит мне снизу Юлька. — Задом иди! Задом!

Это означает, что спускаться надо, повернувшись ко всему на свете спиной, а к лестнице и ее ступенькам — лицом. К сожалению, я поступаю как раз наоборот: спускаюсь боком, держась руками за одну перекладину и нашаривая ногой, на какую нижнюю перекладину стать. Страх подхлестывает меня — я боюсь, что вор тоже меня увидел и сейчас прибежит! Сердце колотится сильно, толчками, руки-ноги соскальзывают с перекладин.

Всего обиднее мне то, что Юлька ничего не делает, чтобы помочь мне спуститься по лестнице! Ведь сама звала меня... Так хорошо поет, а какая недобрая девочка!

Кончается мой спуск самым плачевным образом: поскользнувшись, я скатываюсь кубарем с последних трех перекладин. При этом я проезжаю по ним спиной и задом и пребольно об них стукаюсь.

В общем, вид не геройский. Я сижу на полу у подножья лестницы и всхлипываю.

— Ну что ты, что ты плачешь? — говорит Юлькин голосок. — Подойди ко мне.

— Не вижу в темноте... — ною я. — Помоги мне!.. А то я опять упаду...

— Я ж тебе сказала, что не могу! Встань сама с полу и подойди ко мне...

Глаза мои уже немного привыкли к темноте, и я кое-что начинаю различать, тем более что в стакане, поставленном на ящике, плавает в лампадном масле зажженный фитилек.

Всматриваюсь... Я в погребе. В таких погребах продают фрукты, картофель. Но это погреб пустой. Потому-то он и кажется особенно большим. У стены — топчан, на котором, укрытая тряпьем, лежит Юлька. Около топчана — большой опрокинутый ящик — это стол и маленький ящик — стул. Свет от фитилька такой слабенький, что он колеблется от малейшего движения и даже от громкого слова. Потому свет ложится на все полосами — то ярче, то бледнее... В погребе какой-то странный запах. Не могу вспомнить, чем это пахнет...

— Ну как, успокоилась? — спрашивает Юлька.

И такой ласковый у нее голос, что я вот именно сразу успокаиваюсь!

Я разглядываю Юльку. Она тоже в упор и очень пристально всматривается в меня. У Юльки очень бледное лицо, такое серьезное и неулыбчивое, какое не часто увидишь даже у взрослых. Темные волосы острижены, как у мальчишки. Очень темные тоненькие, словно нарисованные, брови над серыми глазами. И очень пряменький нос, тоже какой-то серьезный и даже требовательный. На бледной щеке — большая темная родинка. Я принимаю ее за муху и даже протягиваю руку, чтобы ее согнать!

И тут Юлька в первый раз улыбается. Так весело, так светло улыбается, что и мне становится веселее.

— Это не муха! — показывает она на свою родинку. — Ее согнать нельзя: не улетит.

Юлька улыбается еще шире. Становится видно, что два передних зуба у нее надеты друг на друга «набекрень».

В общем, Юлька нравится мне страшно. Кажется, и я ей тоже довольно нравлюсь.

— Садись! — показывает она мне на маленький ящик. — Как ты сюда попала?

Я рассказываю про пьяного рыжего вора, как он кричал: «Отдавай портмонет!» (я умалчиваю о том, что он при этом называл меня еще и дурой), как я его испугалась и сейчас еще боюсь: вдруг он во дворе подкарауливает меня?

— Не... — успокаивает меня Юлька. — Это рыжий Вацек. Я его знаю, он к нам ходит. И вовсе он не вор, просто пугает, и то только когда выпьет.

Чем здесь все-таки пахнет? У Шабановых пахнет главным образом едой: «Кушайте, кушайте, самое важное в жизни — побольше кушать!» От папы пахнет лекарствами, всего сильнее карболкой: «А ну-ка, ну-ка, кто тут болен, я сейчас посмотрю!» От нарядных дам пахнет духами. От Юзефы — кухней... Чем же это пахнет здесь, в погребе у Юльки? Здесь пахнет затхлостью, нежилью. Вспомнила, вспомнила! Так пахнет от нового платья или белья, только что принесенного портнихой или белошвейкой. Мама всегда просит Юзефу повесить эти новые вещи на балконе, пока у них не выветрится запах.

«А чего ж там запах! — удивляется Юзефа. — Звестное дело, не енаральша шила: бедностью пахнет...»

В погребе, где живет Юлька, пахнет бедностью.

— Хочешь, я тебе картинки подарю? — Я протягиваю Юльке заветный лист с «Ромео и Джулией».

Юлька цепенеет от восторга.

— Матерь Божия! — качает она головой, как взрослая. — Какие красивые люди! И как одеты!

Я объясняю Юльке, что это надо вырезать ножницами — осторожненько, в точности по рисунку! — наклеить фигурки на картон и играть с ними.

— Не... — Юлька отдает мне лист.

— Ты не хочешь?

— А где я тот картон возьму? И еще клей...

— Ну, хочешь, я дома все вырежу, наклею и принесу тебе... Хочешь?

Юлька смотрит мне в глаза пристально, очень грустно:

— Не... Не придешь ты... Все говорят: приду, принесу... И никто не приходит! Мама говорит: кому весело с калекой?

— С калекой? — переспрашиваю я.

— Ах да, ты не знаешь... — спохватывается Юлька. — Ну вот, смотри!

Юлька отбрасывает в сторону тряпье, которое служит ей одеялом. При неверном, полосатом свете ночника я вижу Юлькины ноги. Конечно, это ноги. На них пальцы с ногтями, подошвы, всё как у людей, и все-таки — ах, что это за ноги! Никогда я таких не видела. Худые, тонкие, как макароны, на щиколотках круглые опухоли, как браслеты, а коленки выпячены вперед и в стороны, словно вывихнуты.

Я невольно подбираю ближе к себе мои собственные ноги. Как-то неловко, что они здоровые, могут бегать...

— Ты ходить нисколько не можешь? — спрашиваю я тихо, словно боюсь разбудить или потревожить горестные ноги Юльки.

— Не... Нисколько!

— Это такая болезнь, да? — догадываюсь я.

Но Юлька отвечает строго, словно повторяя слова кого-то очень умного, очень уважаемого:

— Нет. Не болезнь. Ксендз Недзвецкий говорит: это Бог меня наказал.

— За что?

— Не знаю. Разве люди могут понимать то, что делает Бог? Ксендз Недзвецкий говорит — надо молиться утром и вечером: «Боженька, Боженька, верни мне ноги!» И дома молиться, и в костеле.

— Знаешь что? — предлагаю я робко. — Мой папа доктор. Я приведу его сюда, пусть он тебя вылечит.

— Э!.. — небрежно отмахивается Юлька. — Что доктор может? Ничего! Мама хочет поползти на коленях аж до самого Кальварийского костела — это много верст ползти надо, — тогда, может быть, Боженька пожалеет нас и я стану здоровая... Только у мамы времени нет, — вздыхает Юлька. — То она ходит работать по людям — белье стирает, ну, всякую работу делает, — то она бегает по городу ищет работы... Вот и сегодня побежала, с самого утра!

Мы с Юлькой некоторое время молчим. Я даже подумываю о том, что мне пора уходить. Но в это время в погребе становится еще темнее — кто-то заслонил собой отверстие, выходящее во двор. Кто-то быстро, уверенно спускается по перекладинам лестницы.

— Мама! — радуется Юлька. — Мамця моя!..

Руки Юлькиной мамы обнимают Юльку, гладят ее волосы, лицо, плечи, быстрым движением проводят по ее безжизненным ногам, которые не могут ходить.

Потом Юлькина мама поворачивается ко мне и вопросительно смотрит на Юльку.

— Это Сашенька! — объясняет Юлька.

— Какая еще «Сашенька»? — Юлькина мама смотрит на меня недоверчиво, даже недружелюбно.

— Яновская... — шепчу я.

— Мама, она будет ко мне приходить. В гости! — заступается за меня Юлька.

— Ах, она будет приходить? В гости? — насмешливо переспрашивает Юлькина мама.

— Будет! — упрямо настаивает Юлька. — Она придет. И картинки принесет!

— Ах, она еще и картинки принесет? — продолжает издеваться Юлькина мама.

Этого я уже не могу вынести!

— Если я сказала: «Приду и принесу», — голос мой дрожит от обиды, как фитиль в ночнике, — значит, я приду и принесу, да!

Юлькина мама испытующе смотрит на меня, потом на Юльку, которая заглядывает ей в глаза, словно прося ее быть со мной поласковее.

— Ну, посмотрим... — И Юлькина мама опускается на топчан рядом с девочкой.

Юлька благодарно трется щекой о материнскую руку.

— Нашла, мамця, работу?

— Нет... — с горечью отзывается мать. — Нигде ничего нету. У Левицких — такое огорчение! — вчера была уборка, полы мыли, окна, а я и не знала, другую наняли. У Морачевских белье недавно стирали. В одном доме велели прийти после дня святого Георгия, в другом — в день святого «Никогда»...

В подвале тихо. От слов Юлькиной мамы пахнет горем, пахнет голодом.

— Цурэчка! (Доченька!) А покушать я тебе все-таки принесла!

И Томашова (так, по мужу, зовут Юлькину мать) ставит на стол узелок, закутанный в старенький, потерявший цвет вязаный платок, с такими движениями, словно она говорит, как фокусник: «Вот-вот! Сейчас-сейчас! Раз, два, три — готово!» Томашова достает из узла черный котелок, прикрытый большой краюхой хлеба.

— Ой! — восторженно кричит Юлька. — Хлеб!

— А в котелке — борщ! — сияет Томашова. — Хороший, мясной! Кухарка Морачевских — дай Боже ей здоровья! — налила больше половины котелка. И еще положила в борщ — видишь, что?

— Косточка... Мозговая! — Юлька даже порозовела от радости.

— Кушай, кушай! — Томашова дает ей ложку.

Но Юлька отрицательно качает головой:

— Без тебя не буду!

— Ну, и я поем...

Мать и дочь черпают ложками борщ из котелка. Но я вижу — Томашова зачерпывает борщ реже, чем Юлька.

Борщ съеден, Томашова подносит котелок к губам Юльки:

— Выпей все, до последней капли!

Юлька обгладывает косточку — глодать, впрочем, нечего, косточка голая, как ветка, с которой содрали кору. Потом она стучит косточкой по чистой бумажке, которую мать положила на ящик, — из косточки вываливается на бумажку небольшой комок мозга.

— Пополам! — командует Юлька. — Тебе и мне.

— Да я его и на дух не терплю, этот мозг! — уверяет Томашова.

— Мамця!

— Вот як Бога кохам, никогда я этот мозг не ем!

— Мамця!

— Еще когда я девчонкой была, всегда, бывало, младшему братишке мозговую кость отдавала! Кушай, кушай все...

Юлька съедает с бумажки костный мозг. Потом, приложив к губам круглое отверстие в кости и щелкая языком, она старается высосать остаток мозга, засевший в глубине кости. Это ей удается, и она с восторгом съедает всё.

— Цурэчка моя... — Томашова смотрит на Юльку затуманенными глазами. — Чего бы только не дала я... чего бы не сделала... Только бы выросла ты, перепелочка моя! Только бы стала ходить...

Набравшись храбрости, я говорю:

— Надо показать ее доктору... Доктор вылечит!

— Ах, доктор? — Томашова снова насмешлива и недружелюбна ко мне. — А где я возьму полтинник для доктора? А доктор лекарство пропишет — опять плати: аптекарю! Я за стирку двадцать копеек в день получаю. И не всякий день у меня работа есть...

— Мой папа с вас денег не возьмет! — горячо уверяю я.

— Не слыхала я, — ворчит Томашова, вымывая котелок и ложки, — не слыхала про таких докторов, чтобы даром лечили!

Юлька, послюнив худенький палец, тщательно подбирает с ящика немногие оставшиеся хлебные крошки. Ворвавшийся было ненадолго в подвал запах еды — борща, хлеба — уже испарился без остатка.

— Носила я Юльку к одному доктору, — рассказывает Томашова. — На курорт, сказал, везите, к морю. Давайте ей свежие яички, мясо и бульон... Нет уж! Я ее на днях к Острабрамской Божьей Матери понесу. Целый день с нею на коленях перед иконой стоять буду. Молиться буду, плакать буду!.. Ксендз Недзвецкий говорит: Божия Матерь сделает чудо — поправится Юлька!..

— Буду ходить, мамця? Ногами?

— Будешь ходить, цурэчка! Бегать будешь!..

Тихонько простившись с Юлькой («Завтра прибегу — с картинками!») и вежливо поклонившись ее маме (она на мой поклон не отвечает), я ухожу из погреба. Поднимаюсь по лестнице гораздо лучше, чем давеча спустилась, — без всяких неприятностей.

Выхожу на улицу — ох, какими светлыми кажутся мне весенние сумерки после темного погреба, освещаемого полосатым светом фитилька! Пахнет свежестью — только что, видно, прошел теплый, весенний дождик. Пахнет почками, распускающимися на чахлых деревцах вдоль уличного тротуара. Из открытых дверей магазинов вырываются десятки интересных запахов. Откуда-то доносится смех, где-то во дворе звучит песня. Издалека слышно, как в городском саду духовой оркестр играет вальс «Дунайские волны»... От улицы пахнет жизнью!

Толстая булочница, пани Гринцевич, бросает на тротуар горсть хлебных крошек, на них набрасываются воробьи и синицы... Мне вспоминается, как Юлька, послюнив худенький палец, собирала с ящика хлебные крошки...

Я бегу домой.

Впервые замечаю: почти во всех домах — крохотные оконца на уровне тротуара. Теперь я знаю, что это окна подвалов, где живут люди. Такие, как Юлька и ее мама.

В тот вечер, как на грех, папа возвращается домой так поздно, что я уже лежу в постели и с величайшими усилиями стараюсь не заснуть.

— Ой, папочка! Я так тебя ждала... Если у кого ссудная касса, так это Скупой Рыцарь?

— Нет. Это ростовщик.

Папа устало опускается на стул около моей кровати.

— Папа! А если у человека ноги — как макароны и он совсем нисколько не может ходить, ты такого лечишь? Чтоб он ходил, как все люди...

— Пуговка! — говорит папа с укором. — Я все-таки думал, что ты умнее. Как я могу тебе на это ответить? Я же должен сам видеть, что за человек, что за ноги, почему они не ходят... Пусть мне покажут этого человека.

— А ее мать не хочет!

— Чья мать? Чего не хочет?

— Юлькина... Девочки Юльки мать... Она не хочет, чтоб Юльку лечил доктор!

— А не хочет, так из-за чего нам с тобой волноваться?

— Юлькина мать хочет, чтоб Юльку Боженька вылечил!

— Фью-у-у-у! — свистит папа и встает, чтобы идти в столовую: он сегодня еще не обедал.

— Папа... — Я удерживаю его за руку. — Посмотри Юлькины ноги! Пожалуйста!

— Нет.

— Почему, папа? Почему ты не хочешь?

— Как же я тебе объясню, когда у тебя мозги пуговичные! Ну, попробуй все-таки понять. У меня с Боженькой разделение труда: или он, или я. Вместе мы не лечим. Понимаешь?

Я не очень понимаю. Неясные, смутные мысли толпятся в моей голове, беспокойные, как вода, которая вот-вот закипит в кастрюле. Вот-вот поймаю... Вот-вот пойму...

Но тут я засыпаю.

А на следующее — прохладное, туманное — утро я вбегаю во двор, где живет Юлька. В коробочке я несу ей все фигурки с листа «Ромео и Джулия», вырезанные, наклеенные на картон, и даже с картонными подставочками, чтобы они могли стоять на столе (я встала рано, чтобы успеть все это сделать). Но уже издали вижу, что отверстие, ведущее в их погреб, закрыто чем-то вроде ставня с большим висячим замком.

— Нету их! — объясняет мне соседка, высунувшаяся из соседнего оконца. — Унесла Томашова свою Юльку! К Острабрамской Божией Матери понесла...

Глава седьмая

ОЧЕНЬ ПЕСТРЫЙ ДЕНЬ

Из Юлькиного двора я возвращаюсь очень подавленная. Я хорошо знаю и живо представляю себе, что́ происходит там, куда Юлькина мама понесла свою калеку-девочку.

Острабрамская (по-русски — Островоротная) улица, как река, запруженная плотиной, перерезана поперечной стеной и большими старинными воротами: стена соединяет обе стороны улицы. Это и есть Остра Брама — Острые Ворота. Узкая Острабрамская улица вливается в эти ворота, как под мост, и снова, вылившись из них, течет дальше. Ворота глубокие и двухэтажные. В верхнем их этаже, над самым проездом, помещается часовня с чудотворной католической иконой Острабрамской Божией Матери.

Икона почти всегда скрыта завесами. Только в часы богослужения завесы откидываются; в теплые месяцы распахиваются и большие зеркальные окна. Из часовни льются тогда глубокие звуки невидимого органа, и в мерцании множества свечей видна чудотворная икона. На иконе изображена Острабрамская Божия Матерь: склонив голову, украшенную драгоценным венцом, и прижимая к груди руки, Божия Матерь не то молится, не то прислушивается к чему-то.

Говорят, будто Острабрамская Божия Матерь творит чудеса: исцеляет больных — люди, разбитые параличом, начинают ходить, слепые прозревают. Правда, случаев такого исцеления никто в городе сам, своими глазами, никогда не видел, но ксендз Недзвецкий — ксендз нашего прихода, тот самый, которого так слушается Юлькина мать (и Юзефа его уважает, и полотер Рафал тоже!), — так вот этот ксендз Недзвецкий говорит, что Острабрамская Божия Матерь исцеляет теперь больных реже, чем в былое время, потому что сами люди стали хуже, слабо верят в Бога, вообще очень испортились... Но, может быть, Острабрамская Божия Матерь все-таки исцелит Юльку?

Левый тротуар Острабрамской улицы начинается от костела Святой Терезии. Тут, прямо на улице, стоят столики, покрытые зеленым сукном, и монахини в больших рогатых чепцах, похожие на сушеные грибы, продают здесь крестики, четки, иконки, молитвенники. А дальше, за этими столиками, — на каменных плитах тротуара стоят на коленях молящиеся. Иные из них молятся даже не на коленях, а распростершись во весь рост ничком. Юзефа говорит, это значит: «Острабрамская Божия Матерь, вот я лежу перед тобой на земле, — услышь, исполни мою мольбу!» Некоторые богомольцы стоят и лежат так целыми часами, глаза их устремлены на часовню с иконой. Они часто крестятся, иногда с силой ударяют себя в грудь, губы их быстро-быстро шевелятся, что-то шепчут, они не видят ничего вокруг себя, не чувствуют холода каменных плит тротуара.

Вот так, наверно, стоит сейчас Юлькина мама со своей дочкой. А может быть, лежит с нею, распростершись на каменных плитах?.. День сегодня холодный, сумрачный, небо все в облаках, таких грязно-белых, как вата, пролежавшая всю зиму между оконными рамами. Только бы не было дождя!

Юзефа как раз занимается окнами. Отскоблив ножом замазку и бумажные проклейки, она выбрасывает вату и моет окна. С самой осени они были заперты и теперь раскрываются с легким треском облегчения.

В доме тихо. Папы, конечно, нету. Цецильхен куда-то ушла, маме нездоровится, и она лежит у себя. Я расставляю на столе фигурки, вырезанные из «Ромео и Джулии», заставляю их здороваться: «Здрасте, как вы поживаете?» — или расходиться в разные стороны: «Прощайте, я уезжаю в Брамапутру!»

Юзефа делает то, что вчера начала делать мама: переводит квартиру на летнее положение. Я это очень люблю! Убирают в нафталин все, что мешает жить и бегать, — ковры, занавески. Везде — самый роскошный беспорядок: в папином кабинете, где обычно сохрани бог забыть не то что куклу, а хотя бы один кубик, теперь все сдвинуто с места, и посреди комнаты нахально раззявил пасть большой обшарпанный сундук — он уже сожрал ковер, сейчас проглотит папину шубу. На мебель надеты чехлы, это тоже отлично: с них пятна отстирываются в раз-два-три, не то что с мебельной обивки! Комнаты кажутся просторнее, чем зимой, в них как-то по-весеннему гулко. Юзефа моет окна, макая тряпку в ведро с водой, и промытые стекла кажутся веселыми, как деревья после дождя...

Ох, что-то там с Юлькой!..

Ну вот, так я и знала! Ветер сдунул со стола все мои фигурки, и две из них, графиня Каплет и граф Монтекки, упали в ведро с водой!

Я уношу все свое хозяйство к маме и там сосредоточенно стараюсь обсушить обоих утопленников, выловленных мною из ведра.

— Что там у тебя? — спрашивает мама.

Я показываю ей фигурки из «Ромео и Джулии». Но мама почему-то не восхищается ими.

— Какой вздор! — говорит она. — Почему «Джулия»? Почему «Каплет»? Что с нее каплет? И еще какой-то «принц Париж»!

Можно подумать, что это я придумала для них имена!

— А как же их звать?

— Во-первых, не Джулия, а Джульетта...

— Разве это не все равно? — удивляюсь я.

— Нет, не все равно! — упрямо настаивает мама. — Я тебе сейчас расскажу эту историю, и ты поймешь, что в ней нельзя изменить ни одной буквы... А впрочем, ты, пожалуй, этого не поймешь... — начинает сомневаться мама.

Я клянусь, божусь, уверяю, что все пойму!

И мама рассказывает мне то, что всякий человек, однажды узнав, помнит всю жизнь до самой смерти.

— В итальянском городе Вероне жили две семьи: семья Монтекки и семья Капулетти... И они смертельно враждовали между собой!

— Как это — смертельно?

— Ну, они по всякому поводу затевали ссоры, драки, нападали друг на друга, даже убивали...

— Умалишоты? — догадываюсь я.

— Нет, просто это было очень давно, несколько сот лет тому назад, а тогда люди имели привычку решать все споры оружием. И до того они между собой враждовали, эти Монтекки и Капулетти, что даже слуги их, чуть, бывало, сойдутся, начинают драться!

— Совсем дураки какие-то!

— Слушай дальше. В семье Капулетти была дочка, Джульетта. А в семье Монтекки — сын, Ромео.

— Вот эти, да? — показываю я на фигурки. — И они тоже дрались и ссорились?

— Нет! — говорит мама очень серьезно, даже торжественно. — Нет, они полюбили друг друга. Полюбили больше всего на свете. Они хотели пожениться. Но ведь их семьи были во вражде! Ромео и Джульетта не смели даже заикнуться о своей женитьбе — там сейчас же началась бы такая кутерьма, такая резня! Им бы не позволили пожениться...

— И они не поженились?

— Они поженились! Вот этот, — мама показывает на фигурку с подписью «фра Лоренцо», — этот был священник, и он тайком обвенчал их...

— Молодец! — говорю я бумажной фигурке. — Молодец, фра Лоренцо!

— Но в тот же вечер, — продолжает мама, — случилась страшная беда! Молодые люди из семьи Капулетти затеяли ссору с Ромео и его приятелями, пошли в ход шпаги, и Ромео, защищаясь, убил в драке двоюродного брата Джульетты!..

Я слушаю, боясь пропустить хоть одно слово.

— Тогда веронский герцог — он у них был вроде царя — повелел изгнать Ромео из города. «Уходи куда хочешь, живи где хочешь, но не смей появляться в нашем городе Вероне!»

— А Джульетта?

— А Джульетту ее родители решили выдать замуж вот за этого, за принца Париса... Что было делать Джульетте? Ведь она-то знала, что у нее есть муж — Ромео! Их обвенчал фра Лоренцо. Но она не могла бежать к Ромео, как он не смел примчаться к ней в Верону, откуда его изгнали... Ну вот, ты сломала карандаш!.. Пожалуйста, перестань портить вещи!

Я прижимаю мамины руки к своему лицу. Я не могу выговорить ни одного слова...

— И вот назначили свадьбу Джульетты с принцем Парисом... Но тут опять пришел на помощь фра Лоренцо. Он предложил Джульетте выпить такой напиток, от которого она сделается совсем как мертвая: холодная, ничего не будет слышать, видеть, чувствовать... Как мертвая!

— Но это будет «как будто»?

— Да, это будет «как будто», только на несколько часов, а потом она опять оживет. Но пока все поверят, что она умерла, ее положат в гроб и снесут в подземелье, где ставят гробы со всеми покойниками...

— Ой!

— А фра Лоренцо тем временем пошлет гонца к Ромео, чтобы тот сейчас же мчался в Верону и поспел к той минуте, когда Джульетта оживет... Когда действие напитка прекратится, Джульетта очнется, увидит Ромео, который уже будет ждать ее пробуждения. Они скроются вместе и будут жить где-нибудь, где их никто не знает. И будут счастливы...

Я вздыхаю с таким облегчением, я так весело хлопаю в ладоши, что маме жалко разрушить мою радость.

— Все, мамочка?.. Так все и случилось?..

Мама смотрит в окно и неохотно отзывается:

— Да, в общем... Почти все...

— Почему почти? А что было еще?

— Так ведь фра Лоренцо только придумал это... А вышло-то не так!..

— А как? — пугаюсь я.

— Джульетта согласилась выпить напиток. Она стала как мертвая, ее положили в гроб и снесли в подземелье... Но гонец, которого фра Лоренцо послал к Ромео, чтобы все ему объяснить, этот гонец не застал Ромео!.. Потому что до Ромео еще раньше дошла весть о том, что его Джульетта умерла. Жить без Джульетты Ромео не мог. Он купил флакон яду и помчался в Верону, чтобы выпить этот яд около гроба своей Джульетты...

— А фра Лоренцо не объяснил ему?

— Ромео не встретился с фра Лоренцо. Он пришел ночью в подземелье, увидел мертвую Джульетту в гробу. Ромео не знал, что она скоро оживет, он выпил яд и умер...

— А Джульетта? — спрашиваю я «насморочным» голосом.

— Джульетта скоро очнулась. Ей было страшно ночью в подземелье среди гробов, но она думала: «Сейчас придет Ромео!» — и радовалась! Но Ромео лежал мертвый около ее гроба. Тогда Джульетта взяла его кинжал и закололась... Потому что жить без Ромео она не могла так же, как он не мог жить без нее.

— А эти? Эти? — показываю я с ненавистью на супругов Монтекки и супругов Капулетти.

— Когда они прибежали в подземелье, фра Лоренцо сказал им: «Вот что наделала ваша бессмысленная вражда! Вы сами убили своих детей!»

Я долго молчу, потом говорю с огорчением:

— А я еще давеча вытащила этих проклятых дураков из ведра!

И тут же, уйдя в соседнюю комнату, яростно топлю в Юзефином ведре все четыре бумажные фигурки супругов Капулетти и Монтекки! Легкие бумажные фигурки всё снова всплывают на поверхность, и я свирепо стараюсь затолкать их шваброй поглубже, на самое дно ведра. Пусть тонут! Так им и надо!

— Что это вы делаете? — раздается над моей головой мужской голос, такой густой и низкий, как будто он идет не из горла, а из-под ног своего обладателя.

Я оборачиваюсь. Надо мной стоит незнакомый человек, до того занятный, что я мгновенно забываю о злополучных родителях Ромео и Джульетты. У незнакомца совершенно круглое лицо, как луна, вышитая на спине у клоуна (я видела недавно в цирке). Это круглое незнакомое лицо без бороды и усов кажется таким мягким, ласковым, что хочется его потрогать пальцами! На этом ласковом лице словно не хватает кожи, так что всегда закрыты либо рот, либо глаза. Когда незнакомец улыбается, глаза пользуются тем, что освободилась кожа, закрывавшая рот, и закрываются. Он и сейчас, разговаривая со мной, улыбается. И такая у него приветливая, заразительная улыбка, что и у меня вдруг расплывается рот до ушей!

— А кто вы такой? — спрашиваю я.

— Я пришел к вам в гости...

— В гости? А папы нет, он в госпитале... И мама лежит...

— Знаю, — говорит незнакомец. — Но я пришел в гости к вам, Саша Яновская.

Никто никогда не говорит мне «Саша», — я даже сама говорю о себе, что я «Сашенька», и, когда пишу письмо кому-нибудь из моих дядей или теток, подписываюсь: «Твоя любящая Сашенька». А этот незнакомец называет меня «Саша Яновская»! Это звучит для меня торжественно, словно бы гость говорил мне, как денщик говорит нашему соседу-офицеру: «Ваше благородие»... И потом, этот взрослый человек пришел в гости — к кому? Ко мне!

Я важно усаживаюсь на диван и величественным жестом

предлагаю незнакомцу сесть в кресло. Потом я говорю самым «взрослым голосом»:

— Как вы поживаете? Как ваше здоровье?

Однако, вместо того чтобы ответить, как полагается взрослому человеку: «Мерси, ничего себе, а вы?» — гость вдруг говорит:

— А вы бы лучше спросили, как меня зовут... Павлом Григорьевичем меня зовут.

Я делаю последнюю судорожную попытку двинуть разговор по «взрослому» руслу:

— Павел Григорьевич? Очень красивое имя!..

Но Павел Григорьевич вдруг подмигивает на ведро:

— А что это вы делали там с ведром, когда я пришел? Вы были так заняты... я даже боялся вам помешать!

— Это так... пустяки, — объясняю я, снисходительно махнув рукой. — Просто надо было утопить нескольких человек... Ужасно подлых!

— Зачем?

— А чтоб они больше не делали ничего плохого!

— Так-так-так...

Павел Григорьевич кивает одобрительно. Очевидно, он тоже считает, что подлецам нельзя позволять делать подлости.

Но тут взгляд Павла Григорьевича падает на только что вымытое Юзефой окно, и он качает головой уже неодобрительно. Окно в самом деле вымыто плохо. Юзефа не успела протереть его как следует — ей надо было бежать на кухню, чтобы помешать супу выкипеть, жаркому — подгореть, молоку — уйти, — и окно осталось в неровных полосах.

Павел Григорьевич встает с кресла, подходит к окну, быстро достает из кармана газету и необыкновенно ловко, умело протирает этой газетой стекла. Можно подумать, что он всю жизнь только этим и занимался! Стекла сразу благодарно светлеют, как сияющие человеческие глаза.

— К-к-как вы это хорошо умеете! — восхищаюсь я.

И тут выясняется, Павел Григорьевич умеет... Ох, чего только он не умеет! Он умеет засеять поле рожью и, когда рожь поспеет, сжать ее серпом. Умеет класть заплаты на сапоги. Он умеет поставить избушку, — правда, как он сам говорит, «кривоватенькую», — и даже сложить в ней печку. Умеет ставить капкан на зверя, стрелять дичь, ловить рыбу, он умеет даже печь хлеб! Впрочем, это, по-моему, не очень нужное дело: гораздо проще купить хлеб в булочной. Услыхав это мое соображение, Павел Григорьевич смеется; на его лице, похожем на полную луну, показываются ровные белые зубы, а глаза сразу исчезают в освободившихся складках кожи.

— Ох, Саша Яновская, вы думаете, везде есть булочные?!

Оказывается, Павел Григорьевич живал в таких местах, где нет ни булочных, ни кондитерских, ни колбасных, даже почты нет! И людей тоже почти нет на много верст кругом!

— Ко мне-то все-таки люди приезжали... даже издалека.. Лечиться приезжали...

— Значит, вы доктор?

— Нет. Не совсем доктор. Я почти доктор... Учился на медицинском факультете, только доучиться мне не пришлось. Но я доучусь! Через два-три года доучусь и буду совсем настоящий доктор... Вот какая вы хитрая, Саша Яновская! — Павел Григорьевич грозит мне пальцем. — Все выспросили, что́ я умею, а про себя ничего не рассказали. Ну, выкладывайте, — вы-то что умеете?

Ну вот... Что я умею? Ничего я не умею... Ох, если бы я умела петь, или плавать, или еще что-нибудь выдающееся! Что же мне ответить? Что я умею играть в крокет, прыгать через веревочку, ловить сеткой бабочек? Это всякий дурак умеет...

Я смущенно молчу, теребя бахрому диванной подушки.

— Понимаю! — серьезно говорит Павел Григорьевич. — Вы умеете ковырять диван. И — топить подлых людей в ведре с водой... Ну, а, например, читать? Писать?

Я хватаюсь за это, как утопающий за корягу.

— Умею! Конечно, умею! Очень даже умею!

— А ну, прочитайте мне что-нибудь... что-нибудь ваше любимое!

Я иду к этажерке с моими книгами. Любимое? Там много книг, и почти все — любимые. Среди них есть одна, синенькая, и называется она очень скучно: «Галерея детских портретов». Но это совсем не скучная книга, наоборот! Там описано детство разных людей из взрослых книжек:

Наташа Ростова и брат ее Петя — из книги «Война и мир»; Илюша Обломов и Андрей Штольц — из «Обломова»; Марфенька и Верочка — из книги «Обрыв» и другие еще.

— Ну, прочитайте мне вслух что-нибудь очень хорошее, — просит Павел Григорьевич.

Что мне прочитать? Я очень люблю рассказ о Пете Ростове. Во время нашествия Наполеона на Россию Петя Ростов, совсем молоденький, почти мальчик, пошел добровольцем в армию. Он был добрый ко всем, ласковый, раздаривал все, что имел: перочинный ножик, кофейник, изюм. «Отличный изюм, берите, — говорил он, — без косточек». Он жалел пленного мальчишку-барабанщика... А сам какой храбрый был! Ночью, переодетый во французский мундир, поехал с другим офицером в разведку — прямо в неприятельский лагерь!.. А на следующее утро в боевой схватке с французами Петя Ростов был убит...

Об этом я и читаю Павлу Григорьевичу:

— «...Ура! — закричал Петя и, не медля ни одной минуты, поскакал к тому месту, откуда слышались выстрелы и где гуще был пороховой дым. Послышался залп, провизжали пустые и во что-то шлепнувшиеся пули... Петя скакал на своей лошади... странно и быстро махал обеими руками и все дальше и дальше сбивался с седла на одну сторону. Лошадь, набежав на тлевший в утреннем свете костер, уперлась, и Петя тяжело упал на мокрую землю... Пуля пробила ему голову... Денисов... подъехал к Пете, слез с лошади и дрожащими руками повернул к себе запачканное грязью и кровью, уже побледневшее лицо Пети. «Я привык что-нибудь сладкое. Отличный изюм, берите весь», — вспомнилось ему...»

Когда я читаю про себя, глазами, это описание гибели Пети, я — что таить? — всегда плачу. Но Павлу Григорьевичу я читаю это даже без дрожи в голосе: что-то подсказывает мне, что Павел Григорьевич, как папа, «ненавидит плакс».

— Ай да Саша Яновская! — Павел Григорьевич, видимо, доволен. — Читаете вы хорошо. Ну, а как пишете?

— Хуже... Неважно пишу... — признаюсь я.

Павел Григорьевич диктует мне несколько предложений. Потом смотрит, что я написала.

— Ошибок, правда, нет, но почерк! Ох, какой почерк! Как курица лапкой нашкарябала...

Павел Григорьевич задает мне несколько арифметических задач. Решаю я их не очень блестяще. В общем, Павел Григорьевич почему-то устраивает мне настоящий экзамен.

В разгар моих арифметических затруднений в комнату входит папа.

— Ну как? — спрашивает он у Павла Григорьевича. — Познакомились с моей Пуговкой?

— Даже, кажется, подружились! Правда, Саша? И знает она довольно много... Я приду завтра в десять утра — это будет наш первый урок. Думаю, что в августе ее примут в гимназию...

Так вот зачем приходил Павел Григорьевич и расспрашивал, что́ я умею! Какой хитрющий — я и не поняла ничего... Я очень радуюсь, что у меня будет такой учитель, с таким милым лицом, похожим на круглую луну! И столько он умеет такого, чего никто не умеет, и в стольких местах побывал, где никто не бывал!..

Но после ухода Павла Григорьевича у нас разыгрывается настоящая трагедия.

Все мы сели за стол, даже мама, накинув халат, сидит с нами. Из кухни с суповой миской в руках появляется Юзефа. Она ставит миску на обеденный стол с такой яростью, что по поверхности супа идут мелкие волны. Потом низко кланяется сперва папе, потом маме и мрачно говорит:

— Прощайте! Ухожу от вас...

— Почему? — спрашивают одновременно и папа и мама, не выражая, впрочем, никакого испуга или отчаяния, потому что Юзефа задает такие представления довольно часто.

— Ухожу, и все! Не хочу арештантов видеть!

И Юзефа начинает плакать, горестно качаясь из стороны в сторону. Я бросаюсь к ней:

— Юзенька, дорогая! Не уходи!

Обнимая меня и качаясь со мной, Юзефа причитает:

— Ох ты, моя курочка, беленькая моя, шурпатенькая моя! Я тебя берегла, я тебя растила, я тебя годовала-пестовала... Нет, плоха Юзефа — привезли немкиню: «На́, немкиня, мордуй ребенка!» А теперь еще и арестанта позвали: «На́, арештант, учи ребенка!» А уж арештант, ён нау-у-учит! — завывает Юзефа.

— Перестаньте, Юзефо! — стучит папа вилкой о стол. — Какой арештант? Что вы такое плетете?

— Арештант! Арештант! — кричит Юзефа с азартом. — И не стукайте на меня вилкой! Мне соседская Ольга сказала: «Наняли твои господа учителя-арештанта! Его из студентов прогнали, ён против самого царя бунтовался! Три года у Сибири держали — у самом снегу жил, арештант! И в Бога не веруеть, вот какой...»

Юзефа плачет, вытирая глаза одним концом своего платка, а нос — другим концом.

А папа и мама смеются!

Я совсем теряюсь: кому же верить?

Юзефа перестает плакать так же неожиданно, как начала. Похватав со стола опустевшие тарелки и суповую миску, она уносит их на кухню. Затем возвращается и ставит на стол второе блюдо.

— Давайте расчет, ухожу!

— Глупости! — посмеивается папа. — Я вас знаю, никуда вы не уйдете...

— А може, и не уйду... — неожиданно спокойно соглашается Юзефа. — Ребенок несчастный, хиба ж я ее брошу? Но-о-о-о только! — Юзефа грозно поднимает палец. — Як себе хо́чете, а икону у меня в кухне снять не дам!

— Да кто ее снимать будет, вашу икону, Юзефа? — спрашивает мама.

— Тот арештант снимет, учитель ваш новый! — И Юзефа шумно убегает на кухню.

Конечно, вопросов у меня целая телега! Кто такой Павел Григорьевич, почему он все умеет, почему он жил там, где люди не живут, за что Юзефа называет его «арештант»? И еще, и еще, и еще...

Но папа ложится спать — не у кого спрашивать (мама таких вещей не знает). А главное, у меня самой нет времени: надо бежать к Юльке — наверно, Томашова уже вернулась с ней домой.

Я кладу в один карман все бумажные фигурки из «Ромео и Джульетты», за вычетом утопленных мной в ведре супругов Монтекки и Капулетти. В другой карман я прячу все лакомства, какие я накопила для Юльки со вчерашнего вечера: яблоко, три печенья, одну шоколадную конфету и несколько леденцовых «ландринок» (одну, шоколадную, я не выдержала — съела вчера сама). Мчусь к Юльке стремглав... В голове нет-нет да мелькает мысль: а вдруг Острабрамская Божия Матерь сотворила чудо — исцелила Юльку? Вдруг Юлька уже ходит, как все люди?

Еще со двора я вижу, что ставень над погребом, где живет Юлька, открыт: они уже дома! Очень осторожно спускаюсь по лестнице — во-первых, чтоб не упасть, а во-вторых, я все-таки побаиваюсь Юлькиной мамы: вдруг она меня прогонит?

Но Юлькина мама встречает меня неожиданно ласково. Правда, она на меня не смотрит — она не отрывает глаз от Юльки, которая лежит на топчане так же, как и вчера. Говорит Юлькина мама тоже не со мной, а с Юлькой, но говорит обо мне.

— Юлечко, сердце мое любимое! Вот и подружка твоя пришла... Весь вчерашний вечер ты ее поминала... Юлечко, коханочка моя, посмотри на свою подружку! Вот она здесь — видишь?

Но Юлька лежит неподвижно, закинув голову назад. Не шевелится, ничего не говорит.

Я протягиваю ей яблоко.

— Смотри, Юлечко, — яблоко! Какое яблоко! Хочешь? Скушай шматочек яблока, рыбка моя! — умоляет Томашова.

Рот Юльки полуоткрыт, видны передние зубки, надетые друг на друга «набекрень». Но Юлька не ест яблока, она как будто даже не видит его! Глаза ее открыты, но не узнают никого.

Где я видела такие глаза, словно затянутые пленочкой? Ах да, летом, на даче, мальчики поймали сову, и она смотрела не видя, как слепая...

— Смотри, девочка! — показывает мне Юлькина мать. — Мы с самого утра были под Острой Брамой, мы целый день молились, и вот какие у Юлечки стали розовенькие щечки... Как цветы в саду... Она выздоровеет, я тебе говорю, выздоровеет! Посмотри, какие у нее розочки на щечках!

Я дотрагиваюсь рукой до Юлькиной щеки — она горячая-горячая, от нее пышет жаром!

Вдруг Юлька поворачивает голову и говорит сипло, еле слышно:

— Пить... Мамця, пить...

Но тут же ее всю сотрясает такой лающий, хриплый кашель, что даже мне становится понятно: Юлька больна. Очень больна...

— Перепелочка моя... Попей, попей. Тут соседи, дай им Боже здоровья, чаю принесли... Сладкий, тепленький... Пей, доченька...

Юлька с трудом отпивает глоток — и снова откидывается на подушку. И снова глаза ее не видят. И все снова из груди ее рвется этот страшный кашель, а голос Томашовой, словно желая потушить его огонь, льет и льет ласковые польские слова, нежное воркование материнской боли. Но и Томашова понимает, что случилась новая беда.

— Матерь Божия! — говорит Томашова с отчаянием. — Матерь Божия, почему ты не пожалела моего ребенка? Сколько часов лежали мы перед тобой на камнях!.. Как я молилась, как я плакала! А звездочка моя еще хуже заболела, Матерь Божия!..

Когда папа, проснувшись, открывает глаза, я, по обыкновению, уже сижу около дивана и жду его пробуждения. Но на этот раз я ни о чем его не спрашиваю, я только прошу:

— Карболочка... пойдем к Юльке! Юлька ужасно больна...

— А реветь зачем? — ворчит папа, привычно быстро одеваясь... — Я с утра до ночи только то и делаю, что хожу к Юлькам, Манькам, Гришкам, и незачем для этого плакать!

Когда мы подходим к погребу Томашовой, я предупреждаю:

— Осторожно, папа... Там такая странная лестница...

— Подумаешь! — огрызается пала. — Я и не по таким еще хожу! Я привык.

Погреб Томашовой полон людей. Все соседи жалеют Юльку, и все дают медицинские советы! Папа просит всех посторонних уйти. Все расходятся.

— Пане доктоже... — виновато говорит Томашова. — У нас тут не светло... — И она показывает на слабенький огонек ночника.

— А я со своей люстрой хожу. — Папа достает из сумки свечу, зажигает ее и подает Томашовой. — Посветите, пожалуйста.

Через полчаса мы с папой идем домой.

— Папа... — прошу я. — Скажи что-нибудь!

Папа отвечает не сразу.

— Если слона положить чуть ли не на целый день на холодные камни, так и слон простудится... Как бы не оказалось воспаление легких у твоей Юльки!.. Да еще крупозное.

Я не спрашиваю, что такое воспаление легких, да еще крупозное... Я понимаю: это очень плохо.

Глава восьмая

ЮЛЬКА БОЛЬНА

Папины опасения в самом деле подтверждаются: с Юлькой плохо. У нее крупозное воспаление легких. Уже несколько дней Юлька горит огнем, температура все время около сорока градусов — то чуть-чуть ниже этого, то чуть-чуть выше.

— Свечечка моя! — горюет над Юлькой Томашова. — Догорает моя свечечка!..

Кашель продолжается, мучительный, с острым колотьем в боку. Те румяные «розочки» на Юлькиных щеках, которым Томашова так радовалась в первый день болезни, исчезли. Юлька очень бледна, почти желтая. Она ничего не говорит, только порой просит пить, иногда без слов, лишь шевеля сухими губами. Юзефа приносит Юльке от нас бульон, молоко, клюквенный морс, который Юлька пьет словно бы даже с удовольствием. Чаще всего Юлька в полусознании, порою вовсе в беспамятстве, иногда бредит: бормочет бессвязно, зовет свою «мамцю».

— Я здесь, Юлечко! — с тоской говорит Томашова. — Здесь, около тебя.

Но Юлька ее не видит и не узнает.

Папа бывает у Юльки утром и вечером. Он хотел поместить ее в больницу — ничего не вышло: нет мест. В госпиталь, где работает папа, Юльку устроить нельзя: госпиталь хирургический.

Томашова, со своей стороны, наотрез отказывается от того, чтобы Юльку положили в больницу.

— Больница! — говорит она с отвращением. — Это ж трупярня (мертвецкая). Только покойников туда складать, а не живых! Пусть при мне Юлька будет. Умрет — ну, умрет. И я с ней вместе.

Я прибегаю к Юльке каждую свободную минуту. Но свободных минут у меня теперь стало меньше. У нас дома произошло два события.

Первое — уехала фрейлейн Цецильхен! После нескольких дней, когда она, заливаясь слезами, писала письма своим богатым и знатным родственникам, фрейлейн Цецильхен получила ответ из Мемеля — и снова засияла, как радуга! В письме было написано так:

«Дорогая кузина!

Получив твое письмо, мы посоветовались с дядей моей жены, господином Турау (Паркштрассе, 8, кафе «В зеленом саду»). Он сказал так: «Я всегда был против того, чтобы Цецилия поехала в нецивилизованную страну учить маленьких дикарей немецкому языку. К сожалению, я, как всегда, оказался прав. Но я имею намерение расширить мое дело и открыть филиал моего кафе на курорте Шварцорт. Я предлагаю Цецилии место кассирши в этом новом кафе. О своем согласии пусть уведомит меня незамедлительно».

Так сказал нам уважаемый дядя моей жены, господин Эрнст Турау. Мы с женой думаем, что это — счастье, за которое ты должна ухватиться обеими руками. Мы даже советуем тебе прислать свое согласие телеграммой: телеграфируй одно слово «согласна», это не так уж дорого и очень ускорит дело. Советуем также выехать н е м е д л е н н о.

Прими поклоны и поцелуй от меня и моей жены.

Твой кузен Отто Шульмейстер».

После получения этого письма фрейлейн Цецильхен бурно расцвела радостью, уложила свои вещи, назвала меня в последний раз «Зашинка, сердечко мое» — и уехала к своему знаменитому дяде. С этого самого дня я уже больше не пою «Рингель, рингель, розенкранц» и «Фергисс-майн-нихт». Богу перед сном я тоже больше не молюсь.

Зато теперь ко мне ежедневно ходит учитель Павел Григорьевич, и я его просто ужас до чего люблю, потому что он замечательный человек.

Уже с первых дней занятий я стала допытываться у папы, почему Юзефа говорит, что Павел Григорьевич «арештант» и что это значит. После нескольких напрасных попыток отложить обсуждение этого вопроса до тех сказочных времен, когда мои «кудлы» вырастут в косу, папа объяснил мне все. Объяснил так хорошо и просто, что я сразу поняла.

Оказывается, Павел Григорьевич был студентом-медиком в Петербурге. И был «против правительства». А правительство, как я поняла со слов папы, — это царь, министры, жандармы, полиция (городовой Кулак — тоже правительство). Павел Григорьевич хотел, чтобы людям жилось лучше, чтобы Юльки не хирели в погребах, чтобы Франки, Антоси и Кольки не голодали, чтобы все были грамотные и веселые. А правительство этого не хочет! И оно исключило Павла Григорьевича из Военно-медицинской академии и посадило его в тюрьму, а потом выслало его дальше, чем в Сибирь, — в Якутскую область. Там, в Якутии, так холодно, что плюнешь — и плевок замерзает на лету! Там Павел Григорьевич пробыл несколько лет, а потом его выслали в наш город. Это называется: выслали под надзор полиции.

— И полиция следит за Павлом Григорьевичем, — говорит папа, понизив голос, — куда он ходит, что делает, с кем водится... Следит — и доносит!

— Правительству? — шепчу я.

— Да. Ты смотри, Пуговка, никому ничего о Павле Григорьевиче не рассказывай. Ты уж, слава богу, не маленькая, можешь понимать, что из-за твоей болтовни могут Павлу Григорьевичу неприятности быть.

В первый раз в моей жизни папа признает, что я уже не маленькая!

— Да, да! — повторяет он. — Ты уже большая, скоро в гимназию поступишь... Так что запомни: про Павла Григорьевича держи язык за зубами, не подведи хорошего человека.

Держать язык за зубами... Значит, не звонить про то, про что не надо, да? Я стискиваю зубы — язык лежит за зубами, как собачка, свернувшаяся позади забора. Я пробую, не раскрывая рта, не разжимая зубов, не двигая языком, сказать: «Павел Григорьевич против правительства», — ничего не выходит, одно мычание, и все. Очень хорошо! Вот так я и буду хранить Павел-Григорьевичевы секреты, чтобы никто о них не узнал.

Уроки Павла Григорьевича — одно удовольствие! Учусь я с радостью. Урок длится два часа. После первого часа (это всегда арифметика) делается перерыв. Мама приносит нам чаю с бутербродами и вареньем (Юзефа наотрез отказывается прислуживать «арештанту»). Мы с Павлом Григорьевичем завтракаем и разговариваем. Потом учимся второй час — русский язык. Мое любимое — стихи, чтение, пересказы, даже диктовка, даже грамматика, — все интересно! После второго часа урок кончается, но Павел Григорьевич почти всегда зовет меня гулять. Мы ходим по улицам, сидим на набережной, иногда поднимаемся на невысокие горы, окружавшие наш город. Павел Григорьевич рассказывает много интересного, я слушаю, и голова у меня разбухает, как губка. Я уже знаю очень много из того, что преподают не только в первом классе, куда я пойду экзаменоваться в августе, но и из того, что проходят во втором, третьем, даже четвертом классах: по географии, истории, ботанике, зоологии.

Павел Григорьевич не только хороший учитель, но хороший человек. Услыхав от меня про болезнь Юльки, Павел Григорьевич заходит к Томашовой ежедневно, иногда по два и три раза в день. Утром и вечером, перед приходом туда папы, Павел Григорьевич измеряет и записывает Юлькину температуру. Папа шутя зовет Павла Григорьевича «куратором» — так в университетских клиниках называют студентов-медиков, которым поручено наблюдение за определенными больными. Павел Григорьевич следит за Юлькиным дыханием, за ее кашлем, за тем, приходит ли Юлька в сознание и надолго ли. По назначению папы Павел Григорьевич ставит Юльке банки. А самое главное — он очень подбадривает Томашову, Юлькину мать. Перед папой она немного робеет, а Павел Григорьевич с его добрым лицом, на котором всегда открыто только что-нибудь одно — либо рот, либо глаза, — такой простой, такой свой, это очень согревает Томашову.

В первый день Павел Григорьевич сразу предложил Томашовой перебраться с Юлькой до ее выздоровления в его комнату.

— А как же вы? — удивилась Томашова.

— Ну, я на это время к товарищу перейду...

Но Томашова отказалась. Ничего, идет весна, даже в их погребе становится уже тепло. И не надо трогать Юльку с места... Каждое движение причиняет ей боль, вызывает этот страшный кашель!

Теперь, когда я прихожу, Томашова уже не сердится, она даже радуется. Это оттого, что при виде меня в Юлькиных глазах ненадолго пробегают искорки сознания — такие слабенькие, словно где-то далеко, ночью, в глубине темного леса, чиркнули спичкой, — и тут же погасают.

— Узнала! Узнала тебя Юлька! Обрадовалась, что ты пришла... — шепчет Томашова.

Я принесла Юльке свою «главную» куклу (то есть самую новую). Эта кукла почему-то не имеет прочного имени. Мне подарили ее к елке, и фрейлейн Цецильхен предложила для нее имя «Зельма». Юзефа тотчас же — назло «немкине»! — переименовала Зельму — в «Шельму». Мне не нравится ни то, ни другое имя, — так кукла и живет безымянная. Зато у другой моей куклы есть и имя и фамилия: Люба Лимонад. Я ее очень жалею, потому что она калека:

у нее только полголовы! Прежде на Любе был роскошный парик с двумя золотистыми косами. Но как-то в пылу игры парик вдруг отклеился. Я его спрятала, чтобы снести Любу в починку, а теперь вот ни за что не могу вспомнить, куда я сунула этот парик! Так и осталась у бедной Любы голова, с которой словно отпилили верхнюю половину черепа. Голова зияет, как большая пустая кружка! Папа однажды, поддразнивая меня, сказал:

— Эх, хорошо бы из такой головы пить летом холодный лимонад!

И все стали звать горемычную куклу Люба Лимонад, но сама Люба, по-видимому, не горюет — лицо у нее такое же счастливое и глупое, каким было и под париком с золотыми косами. Я, конечно, усердно ищу, шарю — где этот проклятый парик? — но пока без толку.

Когда я принесла Юльке в подарок Зельму-Шельму (мама позволила подарить), Юлька на миг пришла в себя, взяла куклу, потом провела, как слепая, пальцем по ее лицу и внятно сказала:

— Личико...

И тут же снова впала в забытье.

Так тянутся один за другим длинные, тоскливые дни.

Приходят соседки, приносят Юльке кто кисленькой капустки, кто огуречного рассола. Пришла как-то старая бубличница Хана, принесла бублик:

— Совсем-совсем тепленький! Пусть девочка скушает и будет здорова!

Папа не позволяет, чтобы около Юльки скоплялось много людей с улицы. Но, когда Томашовой надо отлучиться, кто-нибудь вместо нее сидит около Юльки. Как-то прихожу — Томашовой нет, а около Юлькиного топчана сидит... Вот так встреча! Мой «рыжий вор», тот самый, что вырывал у меня из рук картинки, называя меня «мармазель», и шипел: «Отдай, дура, портмонет!»

На этот раз я его не пугаюсь. Он сидит около Юльки, глядя на ее истаявшее лицо, и с огорчением качает головой. Я сажусь на другой ящик. И вдруг «рыжий вор» обращается ко мне:

— Говорила мне Юлька — спугались вы меня... А ведь это я тогда для смеху! Вот ей-богу, честное слово!

Я молчу. Хороший «смех»!

— Меня в тот день с фабрики прогнали. Без работы остался... Ну, выпил, конечно. И баловался на улице... А я портмонетов ни у кого не отнимаю. Ей-богу, вот вам крест!

Он оглядывает меня очень добродушно с ног до головы и добавляет:

— Да и откудова у вас будет он, тот портмонет! Ведь вы ж еще не человек, а жабка (лягушонок)...

Я оскорбленно соплю носом. Приятно это слышать, что ты лягушонок? Но я пересиливаю обиду.

— А теперь, — спрашиваю я, — вы работу получили?

— Ну, а як же! — смеется рыжий. — Каждый вечер на балу у генерал-губернатора краковяк танцую! Бывает, конечно, что и у полицмейстера, но только не ниже!.. Кулак приглашает, на коленях просит — не иду!

И вдруг он становится серьезным и говорит невесело:

— Где ее возьмешь, работу? Первое мая на носу — хозяева вовсе с ума посходили: всех добрых хлопцев — геть за ворота!

Мы молчим. Я думаю. «Сегодня же спрошу у папы — или лучше у Павла Григорьевича, — почему, когда первое мая на носу, хозяева сходят с ума и гонят всех добрых хлопцев «геть за ворота».

А рыжий уже мечтает вслух:

— Мне бы такая работа в охоту: зубным врачом! Ух, пересчитал бы я городовому Кулаку все зубы, до единого! Чтоб он, как старая бабулька, корку хлебную сосал, а разжевать не мог! Мня, мня... Пя, пя, пя...

Рыжий смеется. И я смеюсь. Ох, хорошо бы, чтоб кто-нибудь отплатил городовому Кулаку за все его издевательства над людьми!

— А хозяину моему, — мечтает рыжий, — вырвал бы я зубы изо рта и пересадил бы те зубы ему на спину. Смеху бы! А?

Неожиданно, словно разбуженная нашим разговором, приходит в себя Юлька.

— Ваць... — узнает она рыжего.

И Ваць радуется этому, как ребенок.

— Юлька!.. — Он гладит ее руку, и рядом с его здоровенной ручищей Юлькина ручонка — как обезьянья лапка. — Я зубной врач, Юленька...

Но Юлька уже снова не узнает и не слышит.

По лестнице быстро спускается Томашова.

— Спасибо, Вацек, что посидел тут. Теперь ступай. Скоро придет доктор, он не велит, чтоб тут много народу толкалось...

И Вацек покорно убирается восвояси.

Однако приходит не папа, а совсем новый для меня человек. Немолодой, с проседью, с очень рябым лицом. От папы я знаю, что, если людям не «прибивают оспу», они заболевают страшной болезнью. Очень многие умирают от этой болезни, а кто и выживает, остается чаще всего изуродованным: лицо все в светлых дырочках, как губка. Эти дырочки остаются навсегда, до самой смерти, свести их нельзя ничем. Про рябого человека, сказал мне папа, в народе говорят, что у него на лице черт горох молотил.

Пришедший к Томашовой рябой человек одет чисто, аккуратно подстрижен... У него большие, добрые руки, вызывающие доверие.

— Добрый день, Анеля Ивановна! — говорит он Томашовой.

Томашова отвечает не сразу.

— Как же вы меня нашли, Степан Антонович? — спрашивает она очень тихо.

— Искал, Анеля Ивановна... Может, и не стал бы я вам надоедать, да вот прослышал, с Юленькой беда... Надо же такому приключиться!

И Степан Антонович смотрит на Юльку с таким искренним огорчением, что я уже не замечаю уродливых оспин на его лице — оно кажется мне очень красивым!

Томашова подходит к Степану Антоновичу, смотрит на него синими глазами.

— Беда какая... беда... — И, прислонившись к его плечу, она горько всхлипывает.

— Анеля Ивановна, голубушка моя... Может, надо чего-нибудь? Так я... господи, вы только скажите!

Но Томашова уже снова овладела собой:

— Ничего не надо, Степан Антонович. Идите себе, сейчас доктор придет, идите!

— Может, денег? На лекарства.

— Доктор приносит лекарства... Идите себе!

— Ну, а приходить? Хоть наведываться можно мне?

— Можно...

Степан Антонович быстро уходит, почему-то словно обрадованный.

И сразу же после его ухода в погреб спускаются папа, Павел Григорьевич, а за ними обоими, кряхтя, ковыляет по ступенькам старичок, военный доктор Иван Константинович Рогов.

— Не лестница, — ворчит он, — цирк! Упражнение на турнике!..

Ивана Константиновича я знаю, он бывает у нас дома. Он — друг моего покойного дедушки.

Иван Константинович — низенький и очень толстый. Одна-две пуговицы на его военном сюртуке всегда расстегнуты. Как-то я спросила:

— Иван Константинович, почему у вас две пуговицы на сюртуке расстегнуты?

— Пузо не позволяет... — вздохнул Иван Константинович. — Тесно!

Мама сделала мне страшные глаза и предложила идти к моим игрушкам. Но Иван Константинович Рогов за меня заступился:

— Зачем такую распрекрасную девицу гоните, Елена Семеновна, милая вы душа? Правильно ребенок замечает: у военного человека, что́ сюртук, что́ китель, что́ мундир — все должно быть застегнуто! На все пуговицы! Но вот пузо мое от тесноты страдает... Так уж у добрых людей я своему пузу поблажку даю...

Папа показывает:

— Вот, Иван Константинович, это наша больная. А это ее мать.

— Что ж, — посмотрим вашу больную, — говорит Иван Константинович Рогов.

Но в эту минуту в погреб начинает спускаться еще один человек. Это ксендз Недзвецкий. Я его хорошо знаю в лицо. Юзефа много раз с восторженным уважением показывала мне его и на улице и в костеле. Ксендз Недзвецкий очень красив, он, как в книгах пишут, «картинно красив». Высокий, стройный, как крепкое дерево, серебряная голова, гордо откинутая назад, резко выделяется на фоне черной сутаны. Большие серые глаза, пронзительные и недобрые, как у Бога, нарисованного в молитвеннике фрейлейн Цецильхен. На очень белой левой руке ксендза намотаны четки. Правой рукой он иногда дотрагивается до креста на своей груди.

Ксендз Недзвецкий останавливается на середине лестницы и сверху вниз оглядывает властным взглядом всех находящихся в погребе.

— Да славится Иисус Христос!.. — говорит он звучным голосом.

На это откликается одна только Томашова.

— Во веки веков... аминь... — говорит она тихо.

Папа, доктор Рогов и Павел Григорьевич молчат.

— Кто эти люди? — показывает на них ксендз, обращаясь к Томашовой.

— Про́ше ксендза... — шелестит Томашова. — Это доктора. Они лечат мою дочку...

Позади ксендза Недзвецкого виден до половины туловища еще один человек. Он в торжественном облачении — в стихаре, из-под которого видны спускающиеся по ступенькам ноги в заплатанных сапогах. Это причетник с колокольчиком и дарохранительницей.

Ксендз Недзвецкий спускается с двух последних ступенек лестницы и идет прямо на папу, доктора Рогова и Павла Григорьевича. Он идет так решительно и твердо, как человек, привыкший к тому, чтобы все перед ним расступались. Но даже маленький, толстенький Иван Константинович не только не отступает перед ксендзом, но решительным движением застегивает две заветные пуговицы на своем сюртуке и смотрит на ксендза почти воинственно. О папе и Павле

Григорьевиче и говорить нечего — они словно не замечают надвигающегося на них ксендза.

Откинув назад серебряную голову и гневно раздувая ноздри, ксендз Недзвецкий говорит по-польски:

— Я пришел, чтобы причастить, исповедовать умирающую девочку и напутствовать ее в иной мир. Прошу пропустить к ней святые дары!

Услыхав слова «умирающую девочку», «напутствовать ее в иной мир», Томашова начинает судорожно ловить ртом воздух, словно вытащенная из воды рыба. Павел Григорьевич поддерживает зашатавшуюся Томашову.

— Про́ше ксендза... — говорит ксендзу папа тоже по-польски, говорит вежливо и очень спокойно, но рука его так крепко сжимает трубочку для выслушивания Юлькиных легких, что на всех пальцах побелели косточки суставов. — Про́ше ксендза, мы — врачи. Девочку еще рано напутствовать в другой мир. Мы ее лечим, и мы надеемся, что она поживет еще и в этом мире. И мы очень просим, чтобы нам не мешали делать наше дело!

Папа, Павел Григорьевич и Иван Константинович стоят стеной перед Юлькиным топчаном. Ксендз Недзвецкий чувствует себя в неловком положении — не драться же ему с этими людьми! Тогда он делает последний «выпад»: плавно и величественно опустившись на колени, он начинает молиться вслух. Слов молитвы я не понимаю: он молится по-латыни. Но голос у ксендза бархатный, жесты, с которыми он ударяет себя в грудь и осеняет крестным знамением, живописно-величавы.

Ксендз молится долго, словно испытывая терпение врачей. Затем он встает с колен и говорит Томашовой:

— Вот я помолился о твоей дочке. От всего сердца я просил Бога и Божию Матерь исцелить больную. Если ей станет лучше — завтра или даже, может быть, сегодня ночью, — то это будет не от них, — он показывает на врачей, — не от их жалкой учености, а от Божьего милосердия, услышавшего мою молитву!

И он уходит, прямой, гневный, не удостаивая Томашову даже взглядом.

Томашова делает движение, чтобы побежать вслед за ксендзом. Потом она смотрит на папу, на Павла Григорьевича, на старика Ивана Константиновича, который уже успел снова расстегнуть свои две пуговицы, и застывает на месте.

Врачи долго, очень бережно и осторожно осматривают и выслушивают Юльку. Лица у них серьезные. Понять, что они говорят, нельзя, — они говорят полусловами, да еще непонятными, докторскими.

— Что ж, — говорит наконец Иван Константинович, — подождем денька два. Подождем кризиса...

— Если бы она лежала в больнице, — с огорчением говорит папа, — было бы спокойнее. А тут — как на улице: всякий может прийти, всякий может напортить... напугать...

Мне почему-то кажется, что папа имеет в виду ксендза Недзвецкого. Очевидно, и Павел Григорьевич думает об этом и понимает папу с полуслова.

— Яков Ефимович, — говорит он, — я останусь здесь дежурить до утра. На меня-то вы полагаетесь?

Папа смотрит на Павла Григорьевича так, словно ему очень хочется ласково погладить его круглое лицо.

Павел Григорьевич провожает нас до ворот.

— До свиданья, голубчик! — говорит ему папа. — Такой вы молодчинище!

— Нет, это вы молодчинище! — возражает Павел Григорьевич. — Вы — предводитель всех молодчинищ!

— А и верно: он молодчина! — хлопает папу по плечу старичок Иван Константинович. — Другие врачи меня к платным больным зовут, и я иду без всякого удовольствия. А этот рыжеусый, — Иван Константинович трогает папу за ус, — он меня только по чердакам да подвалам таскает, где мне и пятака не платят, и я, старый болван, черт побери мои калоши с сапогами, иду за ним, как барышня за женихом!..

Ксендз Недзвецкий поторопился, когда предусмотрительно приписал своей молитве улучшение, могущее произойти у Юльки «завтра или даже сегодня ночью».

Ни ночь, ни последующий день и ночь не приносят улучшения.

Так проходят два дня, самые страшные за все время.

Прибежав к Юльке к концу второго дня, я пугаюсь ее вида.

Она так исхудала, что нос у нее заострился, руки похожи на спички, обтянутые кожей. Лицо не только бледное, а какое-то даже синеватое.

— Посмотри на ее ногти! — с ужасом говорит Томашова. — Совсем синие... как у покойника...

В это время приходит рябой Степан Антонович. Он теперь появляется в погребе часто, но всегда ненадолго, всегда куда-то спешит, и сама Томашова всегда напоминает ему, что надо уходить, что его могут «хватиться». Но, когда приходит Степан Антонович, Томашова перестает качаться от горя, она протягивает к нему руки, словно просит помочь. Степан Антонович гладит Томашову по голове, как девочку. Мимоходом он всегда быстро делает что-нибудь нужное — выносит ведро или приносит свежей воды из колодца. И уходит.

— Сегодня! — говорит Павлу Григорьевичу папа, осмотрев Юльку. — Вот увидите, сегодня надо ждать кризиса... А пока введите ей камфару.

Когда мы с папой идем домой, я, конечно, пристаю к нему: что такое кризис?

— Это перелом, — объясняет папа. — В некоторых болезнях на известный день наступает перелом: или к выздоровлению, или...

— К чему «или»? Папа, к чему?

Кризис в самом деле начинается в тот же вечер. При Юльке бессменно дежурит Павел Григорьевич. Тут же, конечно, Томашова и Степан Антонович. Последний принес с собой три полотенца и две простыни. Это очень кстати, потому что Юлька вдруг начинает так сильно потеть, что Павел Григорьевич и Томашова еле успевают вытирать ее чем-нибудь досуха. За ночь температура резко падает, Юлька спокойно спит и дышит ровно.

Кризис прошел благополучно, теперь она начнет выздоравливать.

Когда я днем прибегаю, Юлька уже не смотрит невидящими, совиными глазами. Она узнает меня и даже силится улыбнуться. Говорить она еще не может из-за слабости.

— Юлечко!.. — Томашова смотрит на Юльку и словно боится верить, что беда миновала.

В погреб спускается Степан Антонович. Он принес завязанную кисейкой кастрюльку. В ней — кисель с молоком. Сев около Юльки, он аккуратненько, не пачкая, кормит Юльку с ложечки киселем.

— Вкусно, Юленька?

Юлька слабо мигает.

— А теперь, — говорит папа, — спать! Все — и Юлька и Томашова — спать! Павел Григорьевич, сколько ночей вы не спали? Ступайте спать! Я каждый день хоть часок, да сплю! Мне ведь редко приходится ночью спать спокойно... Меня только этот дневной сон и спасает.

— Нет! — внезапно говорит Томашова. — Вас, пане доктор, другое спасает...

— Да? — смеется папа. — А что же, по-вашему, меня спасает?

— А то, — Томашова низко кланяется папе, — то, что вы людям — нужный человек...

Глава девятая

НОВЫЕ ЛЮДИ, НОВЫЕ БЕДЫ

Для того чтобы я не забыла немецкого языка, ко мне ежедневно приходит на один час учительница — фрейлейн Эмма Прейзинг. С первого взгляда она почему-то кажется мне похожей на плотно забитый ящик. Гладкие стенки, крепко приколоченные планки, что́ в этом ящике, неизвестно, — может быть, он и вовсе пустой. Ничего не видно в пустых серых глазах. Улыбаться фрейлейн Эмма, по-видимому, не умеет или не любит. Руки у нее неласковые, как палки. Она монотонно, в одну дуду, диктует мне по-немецки:

«Собака лает. Пчела жужжит. Кошка ловит мышей. Роза благоухает...»

Это очень скучно. Единственное, что в первый день немного оживляет диктовку, — это то, что после каждой фразы фрейлейн Эмма говорит непонятное для меня (и, по-моему, неприличное!) слово «пукт».

«Мы учимся читать. Пукт. Моего маленького брата зовут Карл. Пукт. Я иду в сад. Пукт».

Я добросовестно пишу везде немецкими буквами это непонятное «пукт»... Но когда диктовка кончается, то оказывается, что это слово произносится «пунктум» и означает «точка»: фрейлейн Эмма диктует фразы вместе со знаками препинания.

Вошедшая в комнату мама весело смеется над моей простотой. Но фрейлейн Эмма даже глазом не моргает, бровью не шевелит. Ей ничего не смешно — ящик, заколоченный ящик, а не человек! Но вот через несколько дней ящик спрашивает меня во время урока:

— Скажи-ка, когда ты написала в диктовке двадцать раз слово «пукт», ты сделала это нарочно?

Глаза фрейлейн Эммы смотрят на меня из ящика, как пробочники, — они сверлят меня насквозь.

— Нет, я это сделала не нарочно. Я не знала слово «пунктум» и написала «пукт»: мне так послышалось.

Пробочники продолжают сверлить меня:

— Ты говоришь правду?

Тут я обижаюсь:

— Я всегда говорю правду!

— А ты знаешь, что такое «правда»?

Еще новое дело! Знаю ли я, что такое правда!

— Конечно, знаю. Правда — это когда говорят то, что есть, а неправда — это когда выдумывают из головы...

— Нет! — протестует ящик. — Такая правда — очень маленькая правда. Ее можно носить в кармане, как носовой платок. А настоящая правда — как солнце!.. Посмотри!

И повелительным жестом фрейлейн Эмма показывает мне на небо за окном. Небо в больших белых облаках, облепляющих солнце, как куски пышного теста. Вот они совсем закрыли солнце, как тесто скрывает начинку вареника, но тут же в облачном тесте открывается дырочка, и солнечный луч проливается из нее, как капелька сверкающего варенья.

Еще минута — и солнце выплывает из облаков, словно отметая их прочь.

— Вот правда! Ее нельзя скрыть — она прорвется сквозь все покровы! Она проест железо, как кислота! Она уничтожит, она сожжет все, что посмеет стать на ее пути!.. Вот что такое правда!

Батюшки! Куда девался заколоченный ящик? Он раскрывается — глаза фрейлейн Эммы сверкают, они уже не тускло-серые, а карие.

— Сейчас я расскажу тебе про Ивиковых журавлей. Это баллада Шиллера... Слушай!

И я слушаю.

— В Греции жил поэт Ивик, чудный поэт, его все любили. Но однажды в глухом лесу, где не было ни одного человека — запомни: ни одного человека! — на Ивика напали убийцы. Раненый, умирающий Ивик услыхал, как в небе кричат журавли, и позвал их:

Вы, журавли под небесами,
Я вас в свидетели зову!
Да грянет, привлеченный вами,
Зевесов гром на их главу!

(«А Зевес был у греков самый первый, самый главный бог», — поясняет попутно фрейлейн Эмма.)

— Ивика убили, и люди вскоре нашли его труп, — продолжает она рассказывать. — Никто не видел, не слыхал, как его убивали, никто этого не знал, никто не мог назвать убийц. Казалось, правда навеки схоронена в лесу... Но вот на большом народном празднике, куда стеклись отовсюду тысячи людей, над головами толпы проплыли стаи журавлей. И какой-то человек шутливо подмигнул своему спутнику: «Видишь? Ивиковы журавли!» Кто-то из стоявших рядом услыхал имя любимого поэта Ивика. «Ивик! Почему Ивик? Кто назвал это имя?» И у всех мелькнула мысль: «Эти люди что-то знают об убийстве. Задержите их! Допросите их!»

К суду, и тот, кто молвил слово,
И тот, кем он внимаем был!

Убийц схватили, их привели к судьям.

И тщетный плач был их ответом;
И смерть была им приговор.

Видишь? Правда не осталась скрытой в лесу, — говорит фрейлейн Эмма радостно, с торжеством. И голос у нее уже не скрипит, а звенит, и руку она красиво, мягко подняла вверх. — Правда прилетела на журавлиных крыльях, журавли пропели людям правду, и в ней сознался нечаянно сам убийца! Вот что такое правда!

Несколько секунд фрейлейн Эмма молчит, а я смотрю на нее с удивлением, почти с восхищением. В заколоченном ящике оказался человек, живой, правдолюбивый и, наверно, хороший!.. Но тут же фрейлейн Эмма гасит свет в своих глазах — они уже не карие, а свинцово-серые, как шляпки гвоздей, которыми заколочен ящик. Мне даже кажется, что я слышу щелканье захлопнутой крышки... И, заканчивая урок, фрейлейн Эмма говорит прежним, чужим, скрипучим голосом:

— Вот — отсюда до сих пор — списать. Просклонять письменно слова: роза, стул, дом... До свиданья!

И ящик уходит.

Настает наконец день, когда папа приходит к Юльке в последний раз — она уже выздоровела.

— Господин доктор, — робко просит Томашова, — как вы у нас сегодня в последний раз, посмотрите Юлечкины ноги! Может, вы что-нибудь придумаете. Чтоб ходила она ногами, как все люди...

Осмотрев Юльку, папа задумывается и долго молчит. Молчим и мы все кругом. Смотрим на папу и молчим...

Томашова горько улыбается:

— Уж я вижу, господин доктор... Вы тоже думаете, что ее надо везти на курорт, к морю!

— Нет, я не об этом думаю... Конечно, ничего не скажешь, море — неплохое дело. Но что попусту говорить? А вот если бы вы могли уехать с Юлькой в деревню... на воздух, на солнце... Вы не можете получить такую работу?

Томашова отрицательно качает головой:

— В деревню?.. Значит, батрачкой? В панское имение или на фольварк... Ох, это каторга! Платят осенью, когда все работы кончены, сразу за все лето. А лето у них считается до октября, «до белых мушек», — значит, когда снег пойдет... Работать заставляют по шестнадцати часов в сутки, а когда и больше. Кормят хуже, чем собак... А с ребенком и вовсе не возьмут!

И опять все молчат. Думают.

Наконец папа встает:

— Посмотрим, Томашова, подождем... Вдруг что-нибудь... Есть такая замечательная вещь: «вдруг».

Мы идем с папой домой. Садимся в столовой, смотрим друг на друга. Папа невеселый.

— Папа, — говорю я неуверенно, — помнишь, в Театральном сквере ты говорил: «Лечить их — вот все, что я могу...» Помнишь?

— Помню.

— Так почему же ты не можешь вылечить Юлькины ноги?

— Я ж тебе не говорил, что я всё могу вылечить... Всякая болезнь имеет причину, понимаешь? Если эту причину устранить, больной может выздороветь. А Юлькины ноги — это рахит...

— Рахит... — повторяю я. — А у рахита нельзя устранить причину?

Папа отвечает не сразу.

— Причина рахита — это голодная жизнь, в темном погребе, без солнца, без воздуха... Разве я, врач, могу устранить это?

Помолчав, я вспоминаю:

— А Павел Григорьевич может это устранить?

— Павел Григорьевич? — удивляется папа.

— Ну да! Ты мне сам сказал, что Павел Григорьевич борется с правительством, чтобы Юльки не хирели в погребах... Ты сам так сказал, я помню! Ну, он борется, а может он это?

— Нет, — говорит папа. — Пока еще не может... Ох, растабарываю с тобой, а меня больные ждут!

И папа уходит. Уходит все такой же невеселый.

В последующие дни все идет, как всегда. Томашова ходит на работу, Юлька лежит. Я прихожу к ней играть. И нам очень весело вместе!

Степан Антонович тоже бывает у Томашовой. Иногда по нескольку раз на дню. Забегает он ненадолго, — оказывается, он служит в ресторане лакеем (или, как теперь называют, официантом). Посетители ресторана, когда им нужно подозвать лакея, стучат ножом по стакану или тарелке и кричат: «Человек!» Некоторые даже выговаривают это слово так: «Че-а-эк!»

В ресторане работа с рассвета и до поздней ночи. И по воскресеньям — как в будни. Вот почему Степан Антонович всегда торопится.

Как-то мы с Юлькой, одни в погребе, играем с куклой Зельмой-Шельмой. Юлька — будто куклина мама, а я — глупая-преглупая нянька: ничего не умею, чуть не сварила «рабенка» в ванне; чуть не утопила его в кадке с дождевой водой — «пусть рабенок поплавает». Я придумываю всё новые нянькины глупости, делаю идиотское лицо, говорю, раззявив рот:

— А Зельмочка наша на завтрак мух накушалась... Вку-у-ус-ные!

Юлька хохочет, как в театре.

В самый разгар игры приходит ксендз Недзвецкий. Юлька умолкает на полуслове и смотрит на него со страхом.

Не обращая внимания на меня, словно я — веник или валяющаяся на полу бумажка, ксендз усаживается около Юльки. Он ласково гладит ее стриженую голову своей белой, красивой, холеной рукой и спрашивает по-польски:

— Ты уже выздоровела, дитя?

— Да... — шепчет Юлька.

— Господь Бог — да славится имя его! — пожалел тебя... А где твоя мать?

— На работу пошла... белье стирать...

— А-а-а...

Наступает короткое молчание.

Потом ксендз Недзвецкий вдруг показывает на меня:

— Не забывают вас добрые люди... навещают?

Юлька молчит.

— Ну, а тот... — голос ксендза становится вкрадчивым, — тот, рябой, из ресторана... бывает у вас?

Юлька не отвечает. Ксендз Недзвецкий повторяет свой вопрос: ходит к Томашовой рябой из ресторана, то есть Степан Антонович, или не ходит?

К великому удивлению, Юлька отвечает неправду:

— Не знаю...

— Как ты можешь не знать, кто у вас бывает? — недовольно говорит ксендз.

— Я больная когда была, ничего кругом не видела. И теперь не вижу — сплю много...

— Спишь?

— Да, да... Он приходит — а я сплю. Проснусь — он ушел!

— Ага! — торжествует ксендз. — Значит, все-таки ходит он к вам, этот осповатый!

Бедная Юлька нечаянно выболтала, чего не надо. Но почему это надо скрывать? Я ничего не понимаю.

— Ты хотела солгать — твой ангел-хранитель не допустил этого! А ты знаешь, — в голосе ксендза слышится гроза, — ты знаешь, что будет на том свете с теми, которые лгут? Черти заставят их в аду лизать языком раскаленные сковороды!

Юлька плачет навзрыд, уткнувшись носом в Зельму-Шельму. Я сижу в углу на ящике и тоже плачу. Не потому, что я боюсь чертей или раскаленных сковород, — папа уже давно сказал мне, что это глупости, что нет ни «того света», ни чертей. Я плачу оттого, что надо бы крикнуть ксендзу Недзвецкому: «Убирайтесь вон!» — а я молчу и презираю себя за трусость.

Наконец ксендз уходит.

Мы сидим с Юлькой обнявшись на ее топчане и плачем. Я чувствую худые ребрышки Юльки — как у цыпленка! —

легкость, почти невесомость ее тела, вижу ее мертвые, неподвижные ноги, едва различимые под одеялом. Как не стыдно Недзвецкому обижать Юльку!

И тут Юлька рассказывает мне все их семейные тайны.

Степан Антонович очень хороший. Невозможно даже сказать, до чего хороший! «И непьющий! Капли в рот не берет!» — добавляет Юлька тем взрослым тоном, каким говорит о таких вещах Юзефа. Жена Степана Антоновича умерла давно, детей у них не было. Степан Антонович хочет жениться на Юлькиной «мамце», он очень ее любит. Он и Юльку любит, Юлька один раз сама слыхала, как Степан Антонович говорил «мамце»: «Анеля Ивановна! Вы боитесь, я буду для Юленьки вотчим? Я буду для нее самый дорогой отец!»

— Золотой человек Степан Антонович, брильянтовый! Мамця тоже его любит... но ксендз Недзвецкий запрещает мамце выходить замуж за Степана Антоновича!

— Почему?

— Русский он, Степан Антонович. Ксендз говорит: «Как же ты, полька, католичка, пойдешь за русского, за «кацапа»? Бог тебя за это проклянет!» Ну, и вот...

— Что «вот»?

— Забоялась мамця ксендза... — говорит Юлька со вздохом. — Мы оттуда потихесеньку выехали, где раньше жили. Перебрались сюда, чтоб Степан Антонович не знал, где мы живем... Но он все-таки разыскал нас! Вот как он нас любит!

— А ты бы хотела, чтобы твоя мама женилась на Степане Антоновиче?

Юлька сидит на своем топчане, подперев голову обеими руками и качаясь из стороны в сторону, как старушка.

— Хотела бы!.. — тянет она нараспев. — Ой, хотела бы!.. Ой, как же я хотела бы!.. А только — что делать с ксендзом Недзвецким?

Я иду от Юльки и напряженно думаю: что делать с ксендзом Недзвецким? Ведь его же не утопишь в ведре, как бумажных Монтекки и Капулетти! Впервые в жизни я стою перед вопросом: что делать с плохими людьми, чтобы они не портили жизнь хорошим?

Дома я застаю переполох. Дверь из квартиры на лестницу отперта. Юзефа мчится мимо меня заплаканная и даже не спрашивает, голодная я или нет. Папины пальто и палка брошены в передней в разные стороны, словно они рассорились и не желают друг друга знать. А главное, папина кожаная сумка с инструментами — до них не разрешается дотрагиваться даже маме, папа всегда сам кипятит их! — эта сумка теперь валяется на подзеркальнике, лежа на боку, как дохлая собака... Застежка ее даже неплотно закрыта!

Иду дальше — полная комната народу! Папа лежит на кровати, около него хлопочут Иван Константинович Рогов и Павел Григорьевич. У доктора Рогова две его любимые пуговицы не расстегнуты только потому, что он вовсе снял сюртук; засучив рукава рубашки, он делает что-то с папиной ногой, которую поддерживает Павел Григорьевич. Что такое стряслось у папы с ногой?

Юзефа бестолково мечется, держа в руках таз с водой и не замечая, что вода проливается ей на ноги и на пол. Мама стоит около кровати и держит папину руку. Каждый раз, как папа охает под руками Ивана Константиновича Рогова, мамины губы болезненно сжимаются, а прекрасные серые глаза закрываются.

— Ну-ка! — поднатуживается Иван Константинович Рогов.

Папа глухо стонет.

— Яков Ефимович! Душа моя! Больно тебе? — чуть не плачет доктор Рогов.

— А вы, Иван Константинович, не вскидывайтесь, как дамочка... — говорит папа, но видно, что ему очень больно. — Давайте делать каждый свое дело. Вы — врач, извольте делать свое дело: вправляйте вывихнутую ногу. Я — больной, и я тоже буду делать свое дело: стонать. И наплевать вам на меня, поняли, Иван Константинович?

Доктор Рогов снова поднатуживается, Павел Григорьевич помогает ему. Раздается не то хруст, не то скрежет, — папа перекашивает нижнюю губу: «Ч-ч-черт!» — и вдруг у всех становятся счастливые лица!

— Молодцы! — радуется папа. — Вправили — лучше не надо... Теперь — шину!

Доктор Рогов и Павел Григорьевич подбинтовывают папину ногу к проволочной шине. Потом кладут ногу на свернутое валиком одеяло, чтобы нога лежала в приподнятом положении.

— Готово! — говорит доктор Рогов, распрямляясь и вытирая вспотевшее лицо. — Фу ты! Всегда говорю: лечить надо чужих, незнакомых, и всё. А когда свой, близкий человек стонет, больно ему, так уж это, черт побери мои калоши с сапогами, впору самому взвыть и убежать!..

— Вот не знал я, Иван Константинович, что вы меня так обожаете! — поддразнивает папа.

И тут он видит меня. Я стою на пороге комнаты, окаменев от ужаса. Видеть папу не на ходу, не на бегу, неподвижным на кровати, с ногой, которая в шине и бинтах похожа на березовую чурку, — это очень страшно...

— Пуговица! — шутливо рычит на меня папа. — Не смей реветь! Мне уже не больно, нисколько... Ты радоваться должна, нам с тобой страшно повезло — я буду лежать дома целых три дня! То-то мы наговоримся...

Папины слова приводят Ивана Константиновича в совершенную ярость.

— Извольте радоваться, он через три дня вставать собирается! Развеселился: вправили ему вывих сустава — и пустите меня, я плясать пойду! А что у тебя и растяжение, и разрывы есть, и внутреннее кровоизлияние большое, — про это ты не думаешь?

Папа делает испуганное лицо:

— Леночка, уведи этого старого крокодила в столовую. Корми его завтраком, а не то он меня живьем сожрет!

Не проходит после этого и часа, как к нам неожиданно приезжает все семейство Шабановых — Владимир Иванович, Серафима Павловна, Рита, Зоя и тетя Женя со своим пенсне, порхающим на шнурочке, как привязанный за лапку мотылек.

Зоя и Рита, по своему обыкновению переругиваясь и шпыняя друг дружку, объясняют мне, что они приехали всей семьей в город за покупками, а потом пойдут смотреть зверей в приезжем зверинце и хотят взять с собой и меня.

— Я не могу с вами идти, — отвечаю я сурово. — У меня папа больной, я при нем сидеть буду.

— Непременно ступай в зверинец, Пуговка! — приказывает папа. — Я очень давно не видал никаких зверей, кроме одной кудлатой обезьяны. — Он шутливо дергает меня за нос. — Пойди в зверинец, погляди, а потом расскажешь мне, что ты там видела.

Несчастный случай — папа повредил ногу — поражает всех. Впечатлительная тетя Женя и сердобольная Серафима Павловна смотрят на папу глазами, распухшими от слез, и бурно обнимают маму.

— Бедная, бедная моя Леночка... — шепчет Серафима Павловна (она училась вместе с мамой в гимназии).

— Боже мой! — взвизгивает тетя Женя. — Видеть такое воплощение энергии, как Яков Ефимович, — и вдруг в полной прострации!.. Это трагедия!

Тетя Женя, по-видимому, совсем не знает простых человеческих слов — только какие-то непонятные.

— Женечка! — вспоминает Серафима Павловна. — Поезжай с девочками по магазинам, сделайте все покупки и возвращайтесь. А мы с Володей здесь побудем.

Тетя Женя, Зоя и Рита уезжают.

Владимир Иванович садится около папиной кровати:

— Ну, как же мне, Яков Ефимович, сегодня с вами разговаривать? Я привык с вами ругаться, но ведь вы больной... нельзя!

— Сделайте одолжение! — предлагает папа. — Я вам и больной сдачи дам. Не стесняйтесь, пожалуйста!

Но Серафима Павловна протестует:

— Нет, нет, не надо! Давайте хоть один раз мирно поболтаем... Расскажите нам, дорогой Яков Ефимович, что это с вами приключилось? Почему?

— Да вот... — притворно вздыхает папа, и я вижу, что глаза у него хитрые-прехитрые. — Вы ведь уже давно меня упрекаете за то, что я лечу бедняков, воров, а не приличных людей... Ну, и вот...

— Ах, вот оно что! — оживляется Владимир Иванович. — Так это вас, значит, босота ваша — воры и нищие так отделали?

— Не совсем... — продолжает вздыхать папа. — Помещик Забе́го, по-вашему, приличный человек?

— Еще бы! Конечно, приличный... И даже всеми уважаемый человек! Граф!

— Вчера ночью, — рассказывает папа, — этот помещик Забего присылает за мной пароконный экипаж, просит приехать: жена у него рожает. Я думаю: пожалуй, пора послушаться друзей и начать лечить одних только приличных людей. Время идет, подрастает у меня дочь, а я все еще как студент, пустяками занимаюсь... Пора поумнеть! Пора обзаводиться солидной врачебной практикой.

— Очень хорошо! — почти в один голос выражают свое одобрение супруги Шабановы.

— Ну вот, еду это я, значит, ночью за город. На полпути, в поле чей-то голос кричит кучеру: «Стах! Стах!» Кучер Стах останавливает коней, — в чем дело? Тот же голос кричит из темноты: «Родила пани! Сама родила! Не надо доктора — акушерка и без доктора справится!» Тут Стах — отлично выдрессировал его пан помещик! — вежливенько говорит мне: «Будьте ласковы, пан доктор, выйдите из экипажа!..» Я, дурак, думаю — наверно, с колесом что-нибудь или с упряжью. Вылезаю из экипажа, а Стах — хлесть по коням! — и умчался!.. Стою один на дороге, темень кругом, как в чернильнице. Покричал разок, другой — никто не откликается... Ну, что тут делать?

— Ох, и артист этот Забего! — вырывается у Владимира Ивановича не то порицание, не то восторг. — Это он, Забего, для того устроил, чтоб не платить доктору... Ох, артист!

— Да, но я, как вы понимаете, не артист, а всего-навсего только очень близорукий врач. Я пошел обратно в город пешком, в темноте, несколько раз падал то в яму, то в канаву.

Потерял золотые очки и никак не мог нашарить их в траве. Потерял шляпу, порвал брюки — в общем, я, вероятно, был прехорошенький... Наконец споткнулся о бревно, да так ловко, что вывихнул ногу и уже не мог идти дальше.

— Господи! — стонет Серафима Павловна. — Да как же вы домой-то попали?

— А вот тут начинается самое интересное! Кучер Стах, как ему было приказано, отвез экипаж в имение Забеги без меня. А сам пошел пешком обратно по дороге — искать меня. Этого уж ему помещик Забего не приказывал, но Стах оказался много приличнее своего барина! С ним пошли еще двое крестьян, батраков Забеги. Они меня нашли, подняли и понесли на руках до города. А уж там Стах сел со мной на извозчика и привез меня сюда, домой. Сейчас, перед вашим приходом, доктор Рогов вправил мне вывихнутый голеностопный сустав... Так-то, Серафима Павловна, лечить «приличных» людей иногда — дорогое удовольствие!

— Видите ли, Яков Ефимович... — начинает Владимир Иванович, шевеля бровями-щетками.

Но папа перебивает его:

— Да что мне видеть-то? Вы меня попрекаете тем, что я «нищих» лечу... Так ведь именно они, бедняки мои, — они и есть приличные люди! Бывает, сделаешь операцию в крестьянской избе, денег они, конечно, не платят, нету ведь у них денег, бог с ними! А через полгода приезжает незнакомый мужик — не могу я их всех упомнить, да с иными из них я и сговориться-то не могу: литовцы, а я по-литовски говорить не умею! — так вот, приезжает незнакомый мужик и протягивает мне курицу или горшок с медом... И я беру. Да, беру, хотя и курицу терпеть не могу, а меду и на дух не переношу. Беру и думаю: полгода — иногда больше! — помнил человек сделанное ему добро и мечтал сказать за это добро «спасибо»!

Владимир Иванович сердито сопит. У него шевелятся не только брови и усы, но, кажется, колеблются даже волосы в носу и ушах.

Владимир Иванович очень разозлен и сдерживается только потому, что Серафима Павловна умоляющими глазами указывает на папину больную ногу.

— Ну ладно! — изрекает он. — Нищие так нищие.

Но папа словно на салазках под раскат поехал!

— И вовсе они не нищие! На паперти не стоят, милостыни не просят... Они работают!

— Да уж ладно, говорю... — пытается отвести ссору Владимир Иванович, но вдруг взрывается: — Работают они! Рабочие! Пожалуйста, лечите их, целуйтесь с ними, зовите их к себе на блины. Ну, а воры? Воры-то ведь не работают!

— А работа для всех есть? — кипятится папа. — А что делать тому, для кого работы не хватает? Бывает, что и вору перепадет работа, тогда он не ворует! Но ведь сами понимаете, — развращает человека воровская жизнь, легкие деньги, отвыкает он от труда... Вот так и втягиваются люди, и уж не вытащишь их из этого болота... Аминь!

— В общем, «вполне приличные люди»! — ехидно говорит Владимир Иванович.

В передней раздается звонок. Слышно, как Юзефа отпирает дверь, впускает кого-то, смутно слышен доносящийся оттуда разговор. Наконец появляется Юзефа и мрачно докладывает:

— Якийсь там Забега... до вас пришел.

— Ага!

— Вот видите!

Это торжествуют Владимир Иванович и Серафима Павловна.

— Граф Забего приехал извиниться перед вами! А вы говорили!

— Павел Григорьевич, — просит папа, — выясните, голубчик, в чем там дело...

Павел Григорьевич уходит в переднюю и через несколько минут возвращается, держа в руках конвертик.

— Там лакей от графа Забего... Привез письмецо...

— Ага! — радуются Шабановы. — В конвертике, наверно, деньги за визит... Ясно, недоразумение вышло... А вы говорили бог знает что!

В конверте оказывается визитная карточка. На белом глянцевитом кусочке картона напечатано по-польски:

ГРАФ КАРОЛЬ ЗАБЕГО —

и приписано от руки тоже по-польски: «Извиняется за происшедшее недоразумение».

Папа читает это вслух.

— Ничего не скажешь! — изрекает Владимир Иванович. — Забего — джентльмен!

Папа переглядывается с Павлом Григорьевичем.

— Павел Григорьевич, скажите лакею Забеги, чтобы он передал своему барину... Да нет, не передаст он, побоится... Пусть подождет несколько минут! Пуговка, дай мне перо и чернила.

И папа пишет поперек графской визитной карточки, сообщающей, что «граф Кароль Забего извиняется»:

«Доктор медицины Яков Яновский в ваших извинениях не нуждается».

Этот папин ответ кладут в конверт и передают графскому лакею.

Супруги Шабановы сидят, окаменев от изумления.

— Умрете... — говорит Владимир Иванович. — Помяните мое слово: умрете...

— А вы — нет? — хохочет папа. — Вы такое средство придумали, чтоб не умереть?

— На соломе помрете, вот что!

— Знаете, Владимир Иванович, что на соломе помирать, что на бархате — все одно, удовольствие слабенькое...

— Леночка, — шепчет Серафима Ивановна, обнимая маму, — Леночка, он у тебя все-таки с сумасшедшинкой!

Владимир Иванович смотрит на папу с сожалением:

— Я вам торжественно заявляю, Яков Ефимович: если бы вы не такой превосходнейший доктор были, я бы... я бы...

— Вы бы меня к себе и на порог не пускали! — серьезно подхватывает папа.

Тут вдруг на всех нападает неудержимый хохот! Первым заливается сам папа. Хохочет Павел Григорьевич, открыв свои великолепные зубы и спрятав глаза в складках кожи. Хохочут все остальные.

— Над чем вы смеетесь? — прорывается у папы сквозь хохот. — Сами не знаете! — Папа вытирает слезы. — А я вот знаю, над чем я смеюсь... Был у меня такой случай. Пришел за мной ночью человек: «Ради бога, доктор, скорее, скорее, жена рожает». Ну, одним словом, знакомая музыка. Едем мы с ним на извозчичьих санях, везет он меня на Новгородскую слободку, которую вы так не любите, Владимир Иванович...

— Ясно: вор. Все они там, на этой слободке, живут.

— Вор ли, нет ли, этого я в точности сказать не могу, но было в этом человеке что-то... В глаза не глядит, часто озирается... Ну, одним словом, это был не граф Забего! Я, впрочем, тогда об этом не задумывался: ехал полусонный — сами понимаете, морозной ночью в теплой постели веселее...

— Ну, а дальше что?

— А дальше прыгает на ходу кто-то на задний полоз саней — и хвать с меня меховую шапку! И ищи-свищи — нет его! И шапки нет!

— Вот-вот! — злорадствует Владимир Иванович. — Так вам и надо! И что же вы?

— Рассердился. Очень. Ведь мороз градусов двадцать! Кричу извозчику: «Заворачивай обратно, не поеду! У меня шапка не краденая, за нее трудовые деньги плачены!..» И что бы вы думали? Выскакивает мой спутник из саней, становится на колени в снег — и ка-а-ак заплачет: «Доктор, доктор дорогой! Что́ шапка, найдем мы вашу шапку... А жена-то моя, а ребеночек ведь помру-у-ут!»

— И вы размякли и поехали к нему?! — спрашивает с ужасом Серафима Павловна.

— Конечно, поехал. Закутал голову вязаным шарфом и поехал. А что было дальше, пусть Леночка вам расскажет.

Мама кончает папин рассказ:

— Уехал Яков в ту ночь к этой больной. Мы все спим. Вдруг тихонько скребутся у входной двери. Часа в два ночи. Юзефа не впускает, спрашивает через цепочку: «Кто?»

А там какие-то двое просовывают под цепочку меховую шапку. «Возьмите, докторова шапка!» — и убежали!

— Это они, воры эти, — у них ведь круговая порука! — у кого-нибудь украли и вам принесли... вместо вашей... — брезгливо роняет Владимир Иванович.

— Нет-с! У них хоть, вероятно, и существует круговая порука, но шапка эта была моя собственная! Рассказывай дальше, Леночка!

— Его вещи подменить нельзя, — продолжает мама. — Вы же знаете, какой он рассеянный, — я, где можно, с изнанки вышиваю красными нитками: «Доктор Я. Я.». И на шапке эта метка была. Юзефа побежала было за этими людьми — где там! И след замело... Стоим мы с Юзефой друг против друга, смотрим на эту шапку, и вдруг Юзефа как заголосит: «Убили нашего доктора! Убили и шапку домой принесли!» Побежали мы обе в полицию, носимся по полицейским участкам, требуем, чтоб сию минуту искали они Якова!.. Ну, в полиции не торопятся. Пока протрут глаза, пока всё запишут в протокол... Юзефа их поливает: «Лайдаки вы, бодай вас! Разбойников покрываете! Сию минуту ищите нашего доктора, а не то я тут у вас всё разнесу!..» Приходим наконец утром домой, уже часов восемь-девять было, а Яков, оказывается, уже вернулся и спит в столовой!..

— Да-с! — Папа весело подмигивает. — А вот граф Забего мне ни шляпу, ни золотых очков не вернул и не вернет!

— Папа, — вдруг спрашиваю я (обо мне все забыли), — а жена этого человека, к которому ты тогда поехал, — она выздоровела?

— Ох, эти дети! — смеется Серафима Павловна. — Чем Сашенька интересуется!

— Нет, она права... — И папа подзывает меня к себе: — Правильно, Пуговка! Не в шапке дело, пропади она совсем, а в жизни человеческой. Эта женщина родила при мне великолепного мальчишку, и больше я их никогда не видал, — значит, они живы и здоровы, не то прибежали бы ко мне...

Павел Григорьевич прощается — он идет в госпиталь. Папа говорит ему все, что надо передать в госпитале, и Павел Григорьевич уходит. Пока мама и Серафима Павловна отходят к платяному шкафу и обсуждают мамино новое платье, Владимир Иванович негромко спрашивает:

— Яков Ефимович, этот молодой человек, что сейчас ушел, — кто он такой?

— Учитель. Сашурку нашу в гимназию готовит.

— Из поднадзорных?

— Да. Студент-медик. В госпитале помогает мне. Очень дельный.

— Уж вы и выберете учителя для девочки!.. Каторжник бывший?

— Нет. Сослан был в Якутскую область, отбыл срок и вернулся... А чем он, собственно, интересует вас, Владимир Иванович?

— Что-то я его несколько раз у нас в Броварне видел... То около завода, то около хат, где мои рабочие живут...

Папа объясняет Владимиру Ивановичу, что Павел Григорьевич недурно рисует — бродит по окрестностям, зарисовывает пейзажи...

— Скажите этому господину... — Голос Владимира Ивановича звучит почти угрожающе. — Скажите ему, чтобы ко мне в Броварню не шатался! А не то я на нем так-к-кой пейзаж разрисую!..

— А вы это ему сами скажите! — предлагает папа. — И не задавайте мне загадок. Что вы всем этим хотите сказать?

— А то, что все эти ваши ссыльные, поднадзорные, ну, одним словом, господа революционеры, они рабочих мутят. Желательно им почему-то, чтобы первого мая все рабочие бастовали! А мне всякий день забастовки — просто нож в горло: Пасха скоро, сколько людям пива нужно, представляете? Эта ихняя забастовка мне пасхальное пиво зарежет. Убытки — представляете? Рабочему день бастовать — ну, не получит он за этот день свои двадцать — тридцать копеек, не поест один день, что ему, он привык! А мне это — сотни, тысячи рублей, шутите?

Папа не успевает ответить — в комнату с веселым щебетом влетают Рита, Зоя и тетя Женя. На Зое и Рите новенькие, только что купленные шляпки из светлой соломки, вокруг тульи изящно выложены гирляндой искусственные ветки, листья — как живые! На ногах у девочек «бронзовые» туфельки, тоже новенькие. Рита и Зоя скользят, кружатся по полу, чувствуя себя нарядными, хорошенькими. Все мы любуемся ими.

— Весна... — с умилением глядит на них тетя Женя. — Примавэра... Боттичелли...

Уж эта тетя Женя! Не может сказать попросту: «Ах, какая прелесть! Ужасно красиво!»

— Едем! Едем в зверинец!

По папиному настоянию мама тоже едет со мной в зверинец. Мы там пробудем часа два-три, а папа пока поспит. Ох и отоспится он, бедный, в эти несколько дней!

Когда мы спускаемся с лестницы, тетя Женя говорит Серафиме Павловне:

— Я нарочно не купила девочкам шляпок с цветами или с лентами. Бантики, васильки, ромашки — это банально, это носят жук и жаба. А эти гирлянды листьев — посмотри, как изысканно!

По дороге в зверинец я спрашиваю у Риты и Зои:

— А как те дети, которые приходили тогда к вам ужинать? Ну, Франка с Зосенькой, Антось, Колька...

— Ах, эти... — вспоминает Зоя.

— Ходят они к вам?

— Нет! — отрезает Рита. — Больше не ходят.

— Почему?

Сестры переглядываются, и Зоя, скорчив смешную гримаску, отвечает:

— Надоели.

Глава десятая
ЗВЕРИНЕЦ

На краю большой пустой базарной площади, среди непролазной весенней грязи, навозных куч, оброненной с возов соломы, поставлена громадная палатка. Словно зверолов, накинув этот брезент, накрыл им множество зверей. Из-под брезента доносятся звуки шарманки, рычание хищников, визг и крики обезьян. На боках палатки, словно отпотевших от пятен, разводов грязи и сырости, налеплены яркие афиши: «Африканские львы» (прыгают через обручи, затянутые бумагой), «Бенгальские тигры» (стоят на задних лапах), «Индийский слон» (с высоко поднятым хоботом), «Самая большая в мире змея-удав» (обвивающая ствол пальмы). Перед афишами толпятся мальчишки, зеваки.

Большая толпа посетителей сразу оттирает нас от Шабановых.

При входе в зверинец словно погружаешься в густое, душное облако почти невыносимой вони. Я стараюсь не дышать носом и думаю: «Ох, как же, должно быть, воняет в Африке или в индийских джунглях — ведь там зверей еще гораздо больше!..»

Звери — в клетках, поставленных друг к другу очень близко; и самые клетки очень тесные. Некоторые звери явно томятся в этой тесноте — например, белый медведь (ближе к выходу, где холодно, стоят клетки с северными зверями; звери из жарких стран занимают середину палатки). Белый медведь, кстати, почти не белый, до того он грязный, словно валялся во всех лужах, его шерсть прямо побурела от грязи. В клетке белого медведя стоит что-то похожее на большую цинковую ванну с грязной водой. Эта ванна занимает три четверти клетки, а сам медведь неподвижно стоит рядом, тоскливо качаясь из стороны в сторону, как маятник. В ванную он при нас не полез ни разу — что за удовольствие, если не только плавать, но даже двигаться в ней для него, вероятно, невозможно! Глаз белого медведя не видно, они теряются, как в траве, в его грязно-белой шерсти.

Зато у соседа его, северного оленя, глаза большие, выпуклые, смотрят печально и даже, как мне кажется, укоризненно: «Вот, ходите вы все мимо моей клетки, а я стой как дурак!» А неподвижен он оттого, что клетка тесная и огромные ветвистые его рога не позволяют ему двигаться, — он и стоит, как дама в слишком большой шляпе!

Очень смешные обыкновенные медведи — они борются друг с другом, неуклюже перекувыркиваются через голову, протягивают сквозь прутья лапы, как бы прося подачки. Кто-то дал одному из медведей бутылку с молоком, и он, осторожно держа ее обеими лапами, сосет молоко. Молоко в бутылке убывает — медведь запрокидывает назад голову и высасывает все до последней капли, аккуратненько, не облившись!

А вот — очень большая клетка, самая большая во всем зверинце. Перед ней — толпа ребят и взрослых, смех, крик. Это обезьянья клетка. В нее выходят дверцы нескольких десятков маленьких, тесных клеток, в которых сидят обезьянки, подогнув под себя ноги, что-то жуя, часто мигая полузакрытыми веками глаз. А в большой клетке спит крупная коричневая обезьяна.

— Это Кларочка! — объясняет старый лысый служитель. — Она у нас вроде няньки или учительницы. Очень любит маленьких обезьянков нянчить. Даже бывает, если в публике женщина с дитём на руках, наша Кларочка тянет к ней лапы: дай, мол, покачаю я твое дитё!

Лысый служитель заводит беседу с обезьянками:

— Морковочку жуете, Петенька? Ну, жуйте, жуйте, приятного вам аппетиту! А вы, Сонечка, — обращается он к маленькой мартышке, у которой в руках блестит осколок зеркальца, — ох и кокетка же! Всё в зеркало глядитесь, всё красотой своей не налюбуетесь!

Толпа ребят около обезьяньих клеток радостно смеется на каждую остроту лысого служителя.

— А это вот наш красавец Чарля. Поздоровайся, Чарля, поручкайся с почтеннейшей публикой!

И большой сонный гамадрил с шерстью, стоящей венцом вокруг головы, равнодушно протягивает, не вставая с места, черную лапу сквозь прутья клетки: нате, мол, пожмите, поздоровайтесь со мной, если уж вам так приспичило, а мне все равно!

Я невольно прижимаюсь к маме, мне ужасно не хочется пожимать черную Чарлину лапу! Мы с мамой облюбовали маленькую темненькую мартышечку; мама просовывает в ее клетку морковку. Увидев это, другая обезьянка, из соседней клетки, быстро вытягивает лапку и старается перехватить морковку.

— Э, нет, Манечка! — отгоняет ее служитель. — Непорядок-с; не тебе дадено, а Катюше. Большой зверь, замуж пора, а маленькую Катюшку обижаешь! Стыдно-с!

Две крошки уистити заняты очень серьезным делом: одна ищет на другой блох.

— Это у них самое главное уважение! — объясняет лысый служитель. — Они и человека, если полюбят, обязательно на нем блох ищут. Вот глядите!

Отперев одну из клеток, служитель выпускает обезьянку резуса, которая одним прыжком садится к нему на плечо.

— Вот! Имею честь представить: обезьяна резус, зовут Марья Ивановна! Марья Ивановна, благодетельница, спасите, заедают меня блохи.

Марья Ивановна внимательно разглядывает глазками и быстро обшаривает лапкой лысую голову служителя. Секунду она растерянно смотрит по сторонам: что же это за существо, у которого нет шерсти на голове? Но тут же она осторожно расстегивает на служителе рубаху, обнажая его сильно волосатую грудь, и спокойно шарит лапкой, ища там блох! Публика в восторге аплодирует.

— А теперь, — заявляет служитель, — внимание! Сбор всех частей! Всеобщая мобилизация! Проснитесь, Кларочка, будет вам сейчас работа! Эй, эй, обезьянья нация, сюда!

И он отпирает дверцы всех обезьяньих клеток. Обезьянки весело прыгают в большую клетку, где спит обезьяна «няня» Клара, начинают возиться, прыгать, кататься по земле, драться, визжать так, что в голове звенит.

Тут начинается «работа» обезьяны Клары! Неторопливо, с достоинством она ходит среди обезьянок, как воспитатель. Она разнимает дерущихся, без всякого раздражения раздает затрещины и зуботычины, иногда такие сильные, что пострадавшие зверюшки с визгом катятся на пол кувырком. При этом Клара, как ребенка, качает на руках самую маленькую из всех обезьянок. Публика в восхищении от замечательных педагогических способностей «няни» Клары.

— Ай да Клара!

— Браво, Клара!

Лысый служитель показывает последний «номер». Страшно выпучив глаза, он кричит диким голосом:

— Кузьма Иваныч идет! Кузьма! Кузьма! — и открывает в глубине еще одну дверцу, до сих пор запертую.

Мгновенно все стадо обезьянок, даже та, маленькая, которую Клара качала на руках, побросав свои обезьяньи дела, прекратив драки, стремглав улепетывает в свои маленькие клетки! Служитель быстро запирает их на задвижку. А из открытой им в глубине дверцы входит в большую клетку Кузьма Иваныч — обезьяна павиан с задом, красным, как клюква. Выйдя на середину клетки, Кузьма Иваныч ударяет ногой в пол и рычит страшно и картаво:

«Р-ра-а-а-а-а!»

Все обезьянки в своих клетках с ужасом прислушиваются к этому злобному воинственному крику. Две маленькие уистити уже не ищут друг на друге блох — страшно испуганные, они прижимаются одна к другой, зарывая мордочки друг другу в шерстку.

— Что, Кузьма Иваныч? — спрашивает лысый служитель. — Опоздал, брат, а? Народ-то весь — тю-тю! Ну, покажи почтеннейшей публике свою злость!

Кузьма Иваныч, вцепившись обеими лапами в прутья клетки, трясет их так, что они содрогаются сверху донизу. При этом Кузьма Иваныч снова ожесточенно орет свое:

«Р-ра-а-а-а-а!»

«Няня» Клара смотрит на Кузьму сурово, неодобрительно. Вероятно, она сердится на него, зачем он разогнал и распугал маленьких обезьянок. Спокойно и неторопливо, как она делает все, Клара подходит к Кузьме, берет его за плечи, отрывает от прутьев клетки и с самым невозмутимым видом отпускает ему здоровенную оплеуху!

Всё вокруг замирает — сейчас начнется страшный поединок между Кузьмой Иванычем и Кларой! Но Кузьма уклоняется от боя, он явно боится Клары. Он поворачивается к ней спиной и уходит в свою клетку, продолжая глухо рычать. Но теперь его картавое «р-ра-а-а-а» никого не пугает. Публика восторженно аплодирует Кларе:

— Молодец, Клара! Брава-а-а!

Лысый служитель запирает за Кузьмой Иванычем дверцу его клетки.

— И труслив же ты, Кузьма! Смотреть противно... А Клара — ничего не скажешь — справедливая дамочка!

И вот мы с мамой стоим перед клетками хищных зверей. Африканский лев какой-то нескладный. Из-за большущей гривы, похожей на свалявшуюся желтую паклю в рваном диване, голова его выглядит гораздо большей, чем туловище. Вместе со львом сидит львица, на конце ее хвоста «помпончик», как на моей туфле.

Тигр, полосатый, как желтый арбуз, кажется гораздо более причесанным, и трехцветная шерсть его блестит — наверное, он, как кошка, вылизывает каждое утро всю шкуру языком. Пантера и леопард почему-то так мечутся в своих клетках, что их трудно рассмотреть.

От клетки льва и тигра я долго не отхожу. Ни тот ни другой ни на кого не смотрят, поймать их взгляд невозможно. Наверно, все мы, публика, представляемся им чем-то чепуховым, вроде мух. Я все время ощущаю: они — чужие, они — враги. Скажем, если бы могли говорить обыкновенные животные — собаки, кошки, лошади, коровы, даже куры и воробьи, — они бы, наверно, говорили по-русски. Даже грязно-белый медведь и печальный северный олень тоже, вероятно, говорили бы по-русски — ну, разве что немного с иностранным акцентом — или если уж не по-русски, то на каком-нибудь таком иностранном языке, которому можно научиться. Но если бы заговорили лев, тигр, пантера, леопард, — ох, наверно, они заорали бы что-нибудь нечеловеческое, страшное. Они — чужие людям, они — враги!

— Дедушка-а-а... — хнычет рядом с нами маленький мальчугашка, — дедушка, я хочу покормить булочкой этого тигеря...

Дедушка, маленький старый еврей в картузе, по виду ремесленник, схватывает внука на руки и шипит на него:

— Не лезь к тигерю! Он тебе голову откусит!

Но самое великолепное — это слон! Вот, говорят, «неуклюжий, как слон», «громоздкий, как слон». Однако этот слон, первый живой слон, увиденный мною в жизни, кажется мне невыразимо грациозным! Он покачивается, словно в такт какой-то мелодии, которую он один слышит, а хоботом своим он помахивает, как гигантским цветком. Я протягиваю ему булку, слон осторожно опускает ко мне хобот, на конце хобота — круглая вмятина, похожая на чашечку, и какой-то присосок, вроде пальца. Честно говоря, мне немножко страшно, но слон так осторожно берет булку, прижимая ее пальцевидным присоском, чтобы не выронить, что я не успеваю даже испугаться — хобот уже поднял мою булку высоко и направляет ее в треугольный рот слона.

Около клетки с зеброй мы снова встречаемся с тем стареньким дедушкой в картузе, который только что грозил внуку, что «тигерь» откусит ему голову.

— Видишь это полосатое? — говорит он внуку. — Так это зеберь... — И, обращаясь уже к моей маме, старичок добавляет: — Этот зеберь, я вам скажу, мадам, — это пункт в пункт человеческая жизня... Черная полоса — горе, а за ней белая полоса — радость, и так до самой смерти! И потому, когда начинается белая полоса, надо идти по ней медленно, тупу-тупу-тупочки, надо пить ее маленькими глотками, как вино...

— А когда потом приходит черная полоса, — с улыбкой спрашивает мама, — что делать тогда?

— Тогда, — очень решительно отвечает старичок в картузе, — надо нахлобучить шапку поглубже, на самые глаза, поднять воротник повыше ушей, застегнуться на все пуговицы — и фью-ю-ю! — бегом по черной полосе, чтоб скорей пробежать ее! И самое главное, мадам, — старичок наставительно поднимает узловатый палец, — когда бежишь по черной полосе, надо все время помнить: за нею придет светлая полоса... Непременно придет!

Старичок, вероятно, говорил бы еще долго, но его прерывает отчаянный рев, слышный во всем зверинце. Это не «р-ра-а-а-а» обезьяны Кузьмы Иваныча и не львиный рык, — это кричит Рита Шабанова:

— Шляпка-а-а! Шляпка-а-а!

И тут же крики Риты покрываются хохотом публики и аплодисментами... Опять хохот, аплодисменты — и рев Риты.

Толкаясь, извиняясь, проскальзывая между людьми, мы с мамой бежим на крики Риты и застаем необыкновенную картину. Плача и крича: «Шляпка-а-а!», Рита топает ногами и грозит слону кулаком. Польстившись на гирлянду искусственных листьев на тулье шляпы, слон («Он любит зелень», — объясняет лысый служитель), протянув хобот, сорвал с Ритиной головы шляпку и засунул было ее в свой треугольный рот. Почувствовав что-то несъедобное, он бросил шляпку на землю, и ее подают Рите. Но боже мой, какой вид имеет злополучная шляпка: измятая, изжеванная, вся в слюне...

— Паршивый слон! — плачет Рита, яростно топая ногами. — Я тебя в полицию посажу!

— Золотце мое... — унимает Риту Серафима Павловна, вытирая ей слезы, обнимая и целуя ее. — Сейчас поедем в магазин, купим точь-в-точь такую же шляпку! Еще лучше купим!

— Лучше, чем у Зойки? — спрашивает Рита, переставая плакать.

Серафима Павловна и тетя Женя сулят ей шляпку, «лучшую, чем у Зойки», и Рита успокаивается.

Пронзительный звонок возвещает начало «кормления зверей». Хищники — львы, тигры, леопард, пантера — высоко подскакивая, хватают подаваемые им на вилах кровавые куски мяса. Рыча друг на друга, они разрывают мясо в клочья, сокрушают кости так легко, словно грызут леденцы! Не видно, чтобы еда доставляла им удовольствие, — морды их насуплены и свирепы...

«Враги!» — опять думаю я.

Бедный северный олень скучно жует данную ему еду, и глаза его говорят: «Какая гадость!» Зато белый медведь, получив порцию свежей рыбы, пожирает ее, даже урча от удовольствия.

После кормления зверей наступает самое интересное. Лысый служитель звонит в колокольчик и зычно объявляет, что сейчас начнется представление. Для начала господин

Чхупхутчхинду (служитель выговаривает это имя неразборчиво), знаменитый дрессировщик из города Бомбея, покажет чудеса дрессировки слона.

На маленькую эстрадку под торжественную музыку выходит уже знакомый нам слон. На нем — богато расшитое золотом седло с домиком. В этом домике на спине слона выезжает на эстрадку старичок в восточной одежде, с лицом и руками коричневого цвета. Это тот самый дрессировщик из города Бомбея, о котором объявлял лысый служитель.

При его появлении среди публики слышны реплики:

— Негр!

— Чего там негр? Эфиоп это!

— Какой там эфиоп? Не видишь — индеец!

Рядом с нами старушка крестится, говоря негромко:

— Какой ни есть, а нехристь...

Все эти разговоры очень возмущают уже знакомого нам старичка в картузе.

— Вот люди! Непременно им надо знать, чи это индеец, чи это индейский петух! А я смотрю на него и думаю: это приличный человек — он не крадет, он работает как умеет. А что он черный, или желтый, или фейолетовый, или полосатый, или стрекатый, — какое мое дело?

Слон опускается на колени, и старик из Бомбея, выйдя из домика, раскланивается с публикой. Наверно, он индиец, иначе зачем бы ему забираться в город Бомбей? Он не черный и не «фейолетовый» — он смугло-кофейного цвета и, по-моему, очень славный старичок. Приложив к губам дудочку, он играет что-то протяжно-грустное, и слон медленно приплясывает в такт, осторожно переставляя огромные ноги. Индиец все ускоряет свою песенку, переводя ее в веселое звучание, и слон все быстрее переступает ногами и поводит хоботом.

Потом кофейный старичок воздевает руки к небу, из горла его льются гортанные звуки — похоже, что он молится. И слон тоже поднимает вверх голову и хобот, но делает он это не очень охотно, и мне вспоминается, как фрейлейн Цецильхен по вечерам заставляла меня молиться: «День прошел, иду ко сну, крепко глазки я сомкну...»

— И какому же это он богу молится? — интересуется дама в шляпке.

— Ну, «какому, какому»!.. — пожимает плечами акцизный чиновник. — Своему, конечно, басурманскому богу...

Дрессировщик показывает все новое искусство своего слона. Слон бьет в барабан, звонит в колокольчик, жонглирует стулом и проделывает еще много других номеров. Наконец кофейный старичок подходит к краю эстрадки и обращается к зрителям на ломаном русском языке, сильно наперченном буквой «х». Он просит, чтобы одна дама (он произносит «одхин дхама») — «не муж-ч-хин, нет, нет, — дхама, женчин», — чтобы женщина взошла на эстраду, и тогда слон скажет ей «один прекр-х-асный слов»...

Легким движением смуглых рук дрессировщик делает приглашающий жест:

— Сюда, сюда!.. Один женчин!..

Но проходит секунда, две, три — и ни одна «женчин» не выражает желания идти на эстраду. Глаза индийского старика с кофейной кожей становятся грустные, испуганные, в них почти отчаяние. Он беспомощно оглядывается. Ведь срывается, срывается номер!

— Один дама... Один женчин... Сюда!

Это он просит упавшим голосом, почти тихо. Мы с мамой стоим около самой эстрады. И вдруг неожиданно для самой себя я говорю громко, протягивая руки:

— Я... я пойду!

Мама обомлела, она даже не успевает удержать меня хоть за рукав. Старый индиец, просияв, поднимает меня под мышки на эстраду и ставит на стул:

— Нич-х-его... Мерси... Не надо боисся...

Он отдает короткий приказ слону и вкладывает ему что-то в хобот... Слон опускается на передние колени — и протягивает ко мне хобот с букетиком весенних цветов.

Публика аплодирует — ей понравилось.

Старый индиец говорит мне с улыбкой:

— Мой с-х-лон говорить: вы есть самый прек-х-расный дама!

Надо что-то сказать ему — поблагодарить за цветы, — наконец, попрощаться, что ли. Взрослые это умеют — мама бы сказала очень мило все, что нужно... Но я, конечно, этого не умею! Я привстаю и от души целую его в щеку кофейного цвета. И, как всегда, когда волнуюсь, говорю одно вместо другого: не «спасибо за цветы», а «с добрым утром»!

Публика смеется и аплодирует.

Слон и старик уходят с эстрады.

Тут всеобщее внимание переключается на другое: лысый служитель объявляет, что сейчас знаменитая укротительница «мадмазель» Ирма войдет в клетку и покажет высшую школу дрессировки хищных зверей. В заключение чего «мадмазель» Ирма исполнит «смертный номер»: вложит свою голову в пасть льва Альфреда.

Публика спешит к клеткам хищников, чтобы увидеть эти чудеса. Около пустой эстрады остаемся только мы с мамой, да Шабановы, да тот старенький дедушка с внучком, объяснявший маме, что такое «зеберь».

— Леночка... — говорит маме потрясенная, перепуганная Серафима Павловна, — это же... Дорогая моя, это же просто не знаю что! Такая послушная, скромная девочка, и вдруг... Это она в отца, Якова Ефимовича, такая отчаянная растет!

Рита пренебрежительно вздергивает плечом:

— Подумаешь, какая смелая! Я бы тоже пошла на эстраду, но я этого паршивого слона ненавижу: он мою шляпку сжевал! Не хочу иметь с ним дела!

Зоя увлекает мать, тетю Женю и Риту к клеткам хищников: смотреть «смертный номер».

Мама от волнения не может вымолвить ни слова. Она только непрерывно расстегивает и застегивает пуговицу на своей левой перчатке.

— Зачем ты это сделала? — спрашивает она наконец. — Я чуть не умерла от страха! Ну зачем ты это сделала?

— Не знаю... — признаюсь я от души. — Мамочка, не сердись... Такой умный слон! И старичок этот, индиец, стоит, просит: «Один дама... один женчин!», а никто не идет к нему...

Старичок в картузе, держа за руку внука, подходит к маме:

— Вы, мадам, не огорчайтесь... У вас неплохой ребенок растет! Я, знаете, не ученый человек, но я — переплетчик, я читаю много книг, и я кое-что понимаю в жизни! Вот — все тут говорили: «эфиоп», «басурман», а кто его пожалел? Ребенок...

— Дедушка-а-а... — ноет мальчугашка. — Пойдем... Там главный лев кому-то голову откусит! Пойдем!

Мы с мамой остались одни.

— Я уже и не знаю — может, нам лучше домой пойти! Ты еще полезешь в клетку ко льву и будешь с ним целоваться...

— Ой, нет, нет! Я этих львов и тигров ужасно боюсь! Идем смотреть...

Клетка львов ярко освещена несколькими керосиновыми лампами. В клетке появляется «мадмазель» Ирма. Она одета в такой ослепительный костюм, что поначалу кажется мне самой прекрасной красавицей. На голове ее, на белокурых волосах, сверкает яркий султан из золотых нитей. Все ее платье обшито блестками, свет их дрожит и переливается. как река на солнце. Только постепенно я начинаю прозревать, что укротительница не такая уж красавица, каких изображают на конфетных коробках. Под великолепно молодыми белокурыми волосами у нее староватое, в складках и морщинах лицо, желтое, как шафран! Женщина, видимо, больна желтухой. Из сильно открытого платья выглядывают тощие желтые-желтые ключицы, такого же цвета и руки, видные до плеч.

— А и же-о-олтая же немка! — раздается в толпе.

В руках укротительницы, сильных, мускулистых, хлыст, и она щелкает им, словно стреляет. Она не бьет зверей, но, вероятно, они знают вкус этого хлыста, потому что недоверчиво и чуть боязливо косятся на него. Выкрикивая какие-то непонятные короткие слова, вроде «Ап!», «Па!», укротительница заставляет хищников бегать вокруг нее, прыгать сквозь обруч. Ни на одну секунду не спускает она с них глаз и ни на одну секунду не поворачивается к ним спиной. Но бесстрашие ее изумительно! Она треплет косматые головы хищников, таскает их за хвосты, играет с ними, как с котятами.

Наконец наступает «смертный номер»: сняв с головы золотой султан, укротительница обеими руками раскрывает страшную пасть льва Альфреда... Сейчас она вложит в эту пасть свою бесшабашную голову!..

Дальше я уже ничего не вижу: я закрываю глаза и прижимаю их к маминой руке. Я слышу, как в мертвой тишине замирает вся публика — ни звука, ни слова, ни шороха! Затем, словно освободившись от тревоги, зрители аплодируют!

— Не съел! — радостно кричит кто-то рядом с нами.

Я открываю глаза. «Смертный номер» окончен. Сверкая снова надетым золотым султаном, кивая головой на желтой шее, укротительница, уже вышедшая из клетки, раскланивается с публикой.

— Мама... — шепчу я. — Как это было? Я ведь не видела... Я, знаешь, закрыла глаза...

Это я говорю с чувством виноватости: все-таки я трусиха!

— Как это было, мамочка?

И мама отвечает мне шепотом:

— Не знаю. Я тоже закрыла глаза...

Когда мы выходим из зверинца, позади нас — певучий женский голос:

— Ну станет лев этакие желтые кости глотать, когда ему только что перед тем мало-мало что не десять фунтов мяса отвалили. И какого мяса! Кострец первый сорт!

Домой мы приезжаем вместе с Шабановыми. Они у нас обедают. И Рита и Зоя отлично едят вместе со всеми, без гримас и капризов.

— Леночка! — восхищается Серафима Павловна. — Ты смотри, как мои девочки у тебя славно кушают! Просто чудо!

— Никакого чуда нет! — кричит папа из другой комнаты. — Просто проголодались дети, и у них появился естественный аппетит... Вы, Серафима Павловна, продержали бы их денек на голодной диете, они бы у вас гвозди ели, без всякой горчицы!

— Бог знает что вы говорите, Яков Ефимович! — смеется и ужасается Серафима Павловна.

Обед проходит весело и оживленно. Только я молчу, словно разучилась говорить. Я молчу и думаю, думаю...

— Пуговка! — снова кричит папа. — Почему я твоего голоса не слышу?

— Не трогайте ее, Яков Ефимович! — И Серафима Павловна ласково гладит меня своей теплой, толстой рукой. — Она все-таки, наверно, испугалась слона... Да, Сашуня?

Ну как мне объяснить, что я уже забыла думать и о слоне и о кофейном старичке из города Бомбея! Все мои мысли, все мои восторги — с укротительницей львов и тигров. Вот это смелость, вот это геройство! Я уж не помню, какой на ней был попугайный наряд, как смешно и жалобно торчали ее тощие, желтые ключицы. Я думаю только о том, что никто из тех, кого я знаю, не полез бы в клетку к диким зверям, где одно лишь неловкое движение укротительницы — и смерть ей! Укротительница Ирма кажется мне ослепительной, прекрасной героиней... Мысли бегут у меня в голове быстрей, чем крупинки соли из солонки, которую я нечаянно опрокинула на колени Серафимы Павловны. В моей душе зреют решения, от которых у меня самой замирает сердце... Я не могу дождаться, когда кончится этот несносный обед!

После обеда взрослые Шабановы уезжают за последними покупками, Рита и Зоя остаются у нас. Мама сидит около папы. Мы, три девочки, забрались с ногами на диван в столовой и сумерничаем.

— Рита... — говорю я неуверенно. — Зоя... Я сейчас скажу вам одну страшную тайну...

— Ой! — И обе девочки с любопытством пододвигаются ко мне. — Честное слово, тайну?

— Да. Но только если вы мне настоящие, самые настоящие друзья! А если нет, не скажу: вы разболтаете.

Зоя и Рита божатся, клянутся («Как я маму люблю!»), крестятся — они настоящие, самые настоящие друзья, они не разболтают.

Меня вдруг осеняет:

— Знаете, что? Мы должны доказать друг другу нашу дружбу! Вот, я читала, Наташа Ростова доказала другой девочке, Соне, свою любовь: она накалила на огне линейку и приложила к руке. Остался знак на всю жизнь! Вот какие они были друзья! Настоящие!

— Ну-у-у... — разочарованно тянет Зоя. — Еще жечься... живьем!

Но Рите этот план нравится. Она только хочет уточнить подробности:

— А чем мы будем жечься? Линейка-то ведь у тебя, наверно, деревянная?

— Деревянная, да.

— Ну, вот видишь... — Зоя рассудительно качает головой. — Одни глупости у тебя в голове... К слону зачем-то полезла... Полоумная!

Но Рита радостно бьет в ладоши:

— Нет, нет! Я придумала!.. Мы положим в ложечку кусок сахару, нагреем его на лампе, а когда сахар закипит, приложим эту жижу к руке. Вот!

План в самом деле такой простой и доступный, что даже Зоя соглашается принять в этом участие. Захватив чайную ложку и кусок сахару, мы бежим в переднюю, где можно растопить сахар, держа ложку над настольной керосиновой лампой.

— Только, чур, — ты первая придумала, тебе первой жечься! — говорят они мне.

Очень хорошо! Сейчас я им докажу, что я настоящий друг и мне для друзей ничего не страшно и ничего не жалко!

Мы стоим вокруг лампы, Зоя держит на огне ложку с сахаром.

— Кажется, уже горячо... — говорит она.

— Нет, нет! — азартно возражает Рита. — Сахар должен закипеть! Чтобы от него пар шел!

Наконец сахар закипает, от него идет пар. Я засучиваю левый рукав и храбро прикладываю руку — ниже запястья, тем местом, где мы теперь носим ручные часы, — к кипящей сахарной жиже... В ту же минуту меня пронизывает нестерпимая боль, мне даже чудится, будто запахло горелым мясом!

Хочется закричать в голос и отдернуть руку, но я стоически выдерживаю еще несколько секунд. Потом, тихонько застонав, отдергиваю руку.

— Больно тебе? — Зоя чуть не плачет от сочувствия.

— Н-н-нет... Не очень...

Это неправда. Мне так больно, как еще никогда в жизни! Мы разглядываем ранку — слезла кожа, видно что-то красное, рука сразу вспухает.

— Теперь ты, Рита!

Мы снова нагреваем над лампой сахар в ложке. Когда над сахаром показывается легкий пар, Рита прикладывает к горячей жиже руку, но не той стороной, что я, не там, где кожа нежная и чувствительная, а самой загрубелой частью: краем ладони.

— Вовсе не так уж больно! Все ты врешь! — говорит Рита, разглядывая легкое покраснение на месте своего ожога.

— Вот что! — говорит Зоя хмуро. — Больше сахар не разогревайте, потому что я жечься не буду. Не буду, и всё!

— Ах, та-ак? — взвизгивает Рита. — Мне — жечься, а ты не хочешь?

— Не хочу!

— Так я маме скажу! — грозится Рита.

— Говори! Мама тебя уложит в постельку и будет тебя две недели лекарствами пичкать: «Ах, бедная Риточка, ручку обожгла!» Ты этого хочешь? — спрашивает Зоя с насмешкой.

Нет, Рита этого, конечно, не хочет.

— Ну, Зойка, подожди ты у меня! — шипит она. — Я тебе это припомню!

Чтобы переменить неприятный разговор, Зоя спрашивает, какую же это тайну я обещала им рассказать.

Я молчу.

— Наверно, глупости какие-нибудь! — подзадоривает меня Рита.

— Да, глупости, — соглашаюсь я.

— А может, серьезное что-нибудь? — допытывается Зоя.

— Да, серьезное... — подтверждаю я снова.

Не могу же я им сказать, что у меня сильно ноет обожженная рука, что мне очень горько их вероломство (обе согласились «доказать дружбу» — и одна чуть дотронулась до горячей жижи, а другая вовсе уклонилась!) и что меня буквально распирает моя тайна: хочется рассказать, а некому!

— Так не расскажешь тайну?

— Нет, — говорю я твердо. — Потому что вы — не настоящие друзья.

Когда Шабановы наконец уезжают в Броварню, я прощаюсь с Ритой и Зоей холодно. Кончена дружба, как отрезана.

Я хочу пойти к папе и рассказать все ему. Но мама говорит, что папа заснул и его не надо будить. Кстати, мама заявляет, что мне тоже надо лечь пораньше — день был очень утомительный. Когда Юзефа укладывает меня спать, она обнаруживает ожог на моей руке и приходит в ужас. Она готова бежать к маме, будить папу, звать доктора Рогова, бить в набат...

— Юзенька, — умоляю я ее, — Юзенька, не поднимай скандала, не пугай папу и маму! Мне совсем не больно.

— Брешешь! От — вся рука вспухла! Матерь Божия, и что это за ребенок такой, что это за паскудство такое, почему она, бодай ее, лезет куда не надо!..

Мы сторговываемся на том, что она приложит мне к руке содовый компресс — до утра, а там будет видно. Но тайна моя так и рвется из души!

— Юзенька, я тебе расскажу один большой секрет...

— Разбила что-нибудь? Платок носовой потеряла?

— Да нет же! Юзенька, дорогая, я решила: когда я вырасту большая, я буду укротительницей зверей...

Юзефа понимает это по-своему:

— А чего ж? И умница! Купим с тобой земли кусочек, хату поставим, заведем коня, коровку, свинку, ну, птицу всякую... Свое молочко, свои яички...

Под эти Юзефины мечтания я засыпаю. Сплю я плохо — болит обожженная рука. Засыпаю на короткие минуты, и мне снится все одно и то же: за мной гонится огненный султан укротительницы Ирмы и, догнав, больно впивается мне в руку.

Шрам от этого ожога сохранился у меня на всю жизнь. Еле различимый, виден он на моей руке и сегодня.

Глава одиннадцатая
«ПОГОВОРИМ О ГЕРОЙСТВЕ!»

Я все время думаю об укротительнице Ирме. В мире, думается мне, живут два сорта людей. Одни — их, вероятно, очень немного! — как Ирма, не боятся даже львов и тигров. Другие — их большинство — на это не способны. Среди них есть очень хорошие люди, например, такие, как мой папа или Павел Григорьевич. Но все-таки они живут, думаю я, серенькой жизнью: утром встают, моются мылом, чистят зубы порошком, целый день делают свои скучноватые дела (например, папа лечит больных), потом обедают, посыпают суп укропом, помнят, в какой руке надо держать вилку, а в какой нож, потом ужинают и ложатся спать... Нет, я так жить не хочу. Я хочу жить, как укротительница Ирма. Потому что это — настоящая героическая жизнь, полная опасностей и страшных приключений. В общем, укротительница Ирма представляется мне орлицей, а остальные люди — букашками.

С папой мне на следующее утро поговорить об этом не удается — у него полна комната его товарищей, врачей. Все они разглядывают его ногу, и все говорят одно и то же — то, что папа и сам знает: что у него вывих голеностопного сустава и надо полежать. Папе, наверно, скучно это слушать, но что поделаешь? Нельзя же показывать людям, что они надоели своим участием и вниманием!

И подумать только, что еще два дня тому назад я сама мечтала быть когда-нибудь врачом! Нечего сказать, интересное занятие! «Раскройте рот, скажите «а-а-а...», «Дышите, не дышите...», «Что вы ели вчера вечером?», «Какая была утренняя температура?» Неужели мне всерьез хотелось заниматься такой скукой? Да, хотелось. Но золотой султан укротительницы Ирмы заслонил это желание, и ее щелкающий бич перечеркнул все мои серенькие мечты.

Пока папа и мама заняты с врачами, я бегу к Юльке. Вот кому надо рассказать обо всем!

Но у Юльки жизнь оказывается повернутой по-новому, и я успеваю только проститься с нею: ее увозят! Во дворе, у входа в их погреб, стоит ручная тележка, на которую складывают вещи Томашовой. Рыжий Вацек занят этой укладкой и очень озабочен — хоть и мало у них вещей, но надо уложить все так, чтобы не вывалить по дороге, тем более что среди вещей будет сидеть и сама Юлька. В ожидании, пока Вацек кончит укладку вещей в тележку, Юлька, одетая, закутанная в платок, сидит во дворе, на завалинке у одной из дверей, крепко прижимая к себе куклу Зельму-Шельму.

— Переезжаем! — сияет Юлька. — В Ботаническом саду будем жить. Мамця там работать будет.

Оказывается, ресторан, где служит Степан Антонович, переезжает на весну и лето в городской Ботанический сад. Томашова нанялась в ресторан судомойкой. При этом летнем ресторане есть каморка, где можно жить. Юльку будут с утра выносить в сад, и она будет до вечера на воздухе, на солнце, — «помнишь, твой отец говорил мамце, что мне это нужно, — я тогда ходить начну». Но осуществил все это, придумал, устроил, конечно, Степан Антонович.

— Там нам будет хорошо-о-о! — радуется Юлька. — Степан Антонович говорит: там будет у нас много чего кушать! Приходят люди в ресторан, обедают и не все съедают, а хлеб всегда остается и суп тоже... И знаешь, — шепчет мне Юлька, открывая в счастливой улыбке милые передние зубки, надетые «набекрень», — мамця и Степан Антонович уже решили: они поженятся.

Но вот Вацек окончил укладку вещей. Как раз в эту минуту во двор, как всегда торопливо, почти вбегает Степан Антонович. Он берет Юльку на руки, сажает на тележку меж двух подушек, заботливо подтыкает со всех сторон одеяло, чтоб не дуло.

Вацек берется за ручки тележки...

— Н-ну!.. — говорит он решительно и делает страшное лицо, словно собирается кувырнуть тележку вместе с Юлькой. Потом он запевает приятным голосом:

Сядем в почтовую
Карету скорей!
Гони, брат, живее
Серых лошадей!

Вацек катит «почтовую карету» к воротам на улицу. Между подушками видно счастливое, порозовевшее лицо Юльки. Она машет мне сковородкой.

— Приходи до нас! — кричит она. — В Ботанический сад приходи!

— Счастливо! — машет ей вслед Степан Антонович.

Томашова крепко обнимает меня:

— Скажи, девочка, отцу и тому, другому, молодому, что ходил за Юлькой, когда она была больна... Скажи им, что я, Томашова, — их вечная слуга!

Домой я прихожу невеселая. Вот я и осталась без друзей. Зоя и Рита?.. Об их вероломстве я и вспоминать не хочу. Это не настоящие друзья. А теперь уехала и Юлька...

Дома меня уже дожидается Павел Григорьевич, который пришел заниматься со мной.

Входя, я слышу, как папа говорит Павлу Григорьевичу:

— Смотрите, будьте осторожней. Я вас предупредил...

— Спасибо...

— Не будете вы осторожны, не будете! Знаю я вас! — вздыхает папа.

— А вот и ошиблись: буду!

При моем приходе разговор обрывается.

Папа просит, чтобы урок происходил у него в комнате, так как ему скучно лежать.

— Вот мы вас сейчас повеселим! — обещает Павел Григорьевич.

Ох и веселим же мы папу этим уроком! Вернее, я одна веселю его, потому что Павел Григорьевич только смотрит на меня в сильнейшем удивлении, словно видит меня первый раз в жизни!

Начинаем мы, как обычно, с арифметики. С этой наукой у меня и всегда-то не слишком дружественные отношения, но сегодня... На вопросы я отвечаю или неверно, или невпопад. Я не могу решить ни одной самой пустой задачки, и все ответы на примеры у меня ошибочны. Павел Григорьевич наконец не выдерживает:

— Да что с ней сегодня? Какая муха ее укусила?

И тут, словно и вправду меня укусила какая-нибудь из тех противных мух, блестящих, зеленоватых или цвета мыльных пузырей, какие летают летом, я говорю Павлу Григорьевичу — и папе! — что мне совершенно ни к чему заниматься арифметикой, мне не нужна эта арифметика, я прекрасно проживу без всякой арифметики. То, что я собираюсь делать в жизни, не имеет никакого отношения к арифметике, со встречными поездами, с бассейнами и трубами, с купцами, которые купили семьдесят аршин сукна или восемь ящиков мыла...

— А можно у тебя спросить, — очень серьезно говорит папа, — что же это такое ты собираешься делать в жизни? Это не секрет?

— От мамы пока секрет: она взволнуется, заплачет. Ну, понимаешь, женщина... Но от тебя не секрет. И от Павла Григорьевича тоже не секрет. Я бы вам раньше сказала, да тут с утра были твои доктора.

— Так что же ты собираешься делать?

Я не смотрю ни на папу, ни на Павла Григорьевича. Я смотрю мимо них, в пустой угол комнаты, где нечего видеть. Перед моими глазами сверкает золотой султан и переливающееся блестками платье — среди львов и тигров.

— Я хочу, — и, пожалуйста, не отговаривайте меня, это не поможет! — я хочу быть укротительницей диких зверей... — Это я выпаливаю очень твердо.

Папа и Павел Григорьевич не переглядываются, не смеются.

Папа тихонько барабанит пальцами по одеялу.

— Так... А почему, собственно, тебе это хочется?

— Потому что укротительница смелая. Она — герой!

— Смелая? Да, конечно. Даже очень смелая, это я признаю. И восхищаюсь ее смелостью. И всякий признает и восхищается. Но герой? Нет, она не герой.

Я смотрю на папу пораженная — я не понимаю: что он, шутит?

— Укротительница зверей — не герой?

— Нет. Не герой.

— Ой, папа, что ты говоришь! Ты вошел бы в клетку со львами и тиграми?

— Нет. Не вошел бы.

Я торжествую:

— Вот видишь! А говоришь: она не герой! А сам не вошел бы! Значит, боишься?

— Конечно, боюсь. Разве я тебе сказал, что я такой же смелый человек, как эта укротительница? Я этого не говорил. Таких бесстрашных людей, может быть, только одного на тысячи и найдешь. Но ведь кому нужна эта смелость? Зачем укротительница три раза в день входит в клетку с хищниками? Если бы она, рискуя жизнью, спасла этим кого-нибудь — безоружного человека, ребенка, ну, хоть корову, что ли, — это было бы геройство! А так — бросать свое мужество на ветер, на потеху ротозеев... Ну подумай сама: в чем тут геройство?

Павел Григорьевич молчит, но я чувствую, что он тоже согласен с папой.

— Знаете что, друзья мои? — вдруг начинает папа. — Если уж зашел у нас этот разговор, то давайте поговорим о геройстве. Об этом нужно поговорить, нужно... Павел Григорьевич, бог с ней, с арифметикой! Она от нас не уйдет... Вы разрешаете занять урок под этот разговор?

Павел Григорьевич молча кивает.

— Так вот, пусть каждый из нас расскажет о каком-нибудь герое, которого он сам знал. Кто первый? Ты, Леночка?

В пылу разговора я и не заметила, как в комнату вошла мама и слушала все, что мы говорили. Она берет со своего столика небольшую фотографию в рамочке и подает ее мне. Я не понимаю, зачем мама мне это показывает: я отлично знаю эту фотографию и изображенного на ней военного, его грустные глаза и грудь, увешанную орденами и медалями. Под стеклом рамки фотография обклеена бледными, выцветшими засушенными фиалками.

— Знаешь, кто это? — спрашивает мама.

— Конечно! Это мой покойный дедушка...

— Да. И мой отец... — Мама любовно протирает стекло и рамочку. — Видишь, у него на груди четыре Георгия — «за храбрость»...

— Ты мне никогда не говорила...

— Думала: подрастешь — скажу.

— А за что дедушке дали это?

— Он был военный врач. Наградили его в турецкую кампанию — с турками мы тогда воевали... И в приказе военного командования было сказано: «Наградить штабс-лекаря (врачей тогда лекарями звали) Семена Михайловича Яблонкина за самоотверженную подачу помощи раненым под сильным огнем неприятеля». И так четыре раза — после четырех сражений — награждали моего папу, твоего дедушку!

— «Под сильным огнем неприятеля»? — переспрашиваю я. — Это что значит?

— А то, — поясняет папа, — неприятель палил из пушек, раненые падали, а дедушка твой не сидел поодаль в безопасности, не ждал, пока их принесут к нему. Он был хирург и знал, что важно оказать раненому помощь как можно скорее. Он лез в самый огонь, выносил раненых из боя, перевязывал их тут же, на месте... Смелый был человек дедушка твой Семен Михайлович и герой: сотни жизней спас! Не о себе думал — о людях...

Проходит несколько секунд молчания. Потом я говорю, ни к кому не обращаясь:

— Я вчера руку растопленным сахаром прижгла... Я хотела Рите и Зое свою дружбу доказать... Это глупо, да?

— Очень, — подтверждает папа. — Павел Григорьевич, дорогой, поглядите, что у этой дурынды на руке.

Пока Павел Григорьевич снимает Юзефин бинт, очищает ранку и присыпает ее ксероформом (очень вонючее сухое лекарство!), я вспоминаю:

— Папа, а ты когда-нибудь видел героя?

— А как же! Вот недалеко вспоминать — три дня тому назад к нам в госпиталь обожженного человека привезли. Пожарного, топорника. Трех человек из горящего дома вынес. И тогда вдруг оказалось, что в запертой квартире осталось двое ребят. Дом уже весь пламенем охватило, вот-вот рухнет... Пожарный снова полез в дом, нашел детей — они почти уже задохлись. Выбраться с ними было трудно — внутренняя лестница уже обвалилась, — пожарный выбросил детей из окна, а внизу люди их на тюфяк подхватили. А вслед за детьми и пожарный выбросился. Очень тяжелые ожоги у него, не знаю, выживет ли... Вы к нему сегодня в госпитале заходили, Павел Григорьевич?

— Заходил, конечно. Немного получше ему, но положение очень тяжелое...

— Что ж? — обращается папа ко мне. — Вот тебе герой, которого я видел три дня тому назад. Не герой, нет?

— Герой... — соглашаюсь я тихонько. — Герой, да... А вы, Павел Григорьевич, вы когда-нибудь видели? Сами, своими глазами живого героя, да?

Павел Григорьевич отвечает не сразу. Он словно и не слыхал моего вопроса. Глаза его смотрят поверх наших голов, лицо задумчиво и строго.

— Ты спрашиваешь (он уже давно не говорит мне «вы»), видел ли я героев? Ох, и как много! Я расскажу тебе только о троих. Они погибли на моих глазах. И любил я их больше, чем всех других, и помню их всегда...

С чего же бы это мне начать? Давай с самого простого. Ночью, часа этак в три, в квартире раздается звонок. Когда ночью звонят к вам, никто не беспокоится: ясно, пришли звать Якова Ефимовича к больному, так? Но когда в Петербурге звонят ночью в квартиру, где хозяйка сдает комнату студенту (а студент этот — я), это тревожно! Хозяйка квартиры спрашивает через запертую дверь: «Кто там?» — и чей-то голос отвечает: «Телеграмма»... А это уже совсем плохо! Это значит: пришли с обыском.

Хозяйка отпирает, и ко мне вваливаются околоточный, городовые, дворники. Топот в комнате, как на свадьбе! Нижние жильцы сердито стучат ко мне в пол: «Спать не даете!»

А свадьба в моей комнате пышная, жаль, плясать некому. Правда, не «с генералом» свадьба, а только с жандармским офицером, но все-таки веселье — пыль столбом! По всему полу раскиданы мои вещи и книги, постель перерыта, тюфяк вспорот, обои со стен содраны, приподняты половицы... Старались, не гуляли!

Старания полиции оказываются не напрасными: у меня найдена революционная литература. «Следуйте за нами!» И вот я уже заперт в петербургской тюрьме, которая называется «Кресты»...

Тут давай, Сашенька, пропустим несколько страниц. Тюрьма как тюрьма, об этом я тебе расскажу в другой раз. Сижу я в ней довольно долго, пока в один непрелестный день выходит решение моей судьбы: сослать Розанова Павла Григорьевича на пять лет в Среднеколымск, Якутской области.

Что такое Среднеколымск? Об этом мы, ссылаемые туда, знали гораздо меньше, чем, например, о каком-нибудь Рио-де-Жанейро. Да что — мы! Не знало об этом даже правительство. Мать одного из ссылаемых добилась в Петербурге приема у какого-то высокого начальника и спросила у него, что такое Среднеколымск. Начальник этот ответил ей с любезной улыбкой:

«О Среднеколымске нам, сударыня, известно только одно: что там людям жить невозможно. — И добавил уже без улыбки: — Поэтому-то мы и ссылаем туда революционеров».

И вот мы, группа из нескольких десятков ссыльных, идем из Петербурга в Якутск. Идем по этапу, то есть почти исключительно пешком. Путь не близкий, десять — пятнадцать тысяч верст... Мы идем и смотрим не на небо, не на то, мимо чего лежит наш путь, а под ноги себе. Под ногами у нас зимой — снег, летом — пыль и песок, осенью и весной мы месим ногами такую грязь, такую раскисшую глину, что порою наше пешее следование на время прерывается — в ожидании, пока дороги подмерзнут или, наоборот, высохнут. Рядом с нами едут телеги — «фуры» — с нашими вещами. Заболевшим или вконец измученным ссыльным иногда разрешается присесть на такую фуру. Так идем мы не дни, а месяцы, много месяцев, почти год...

Дошагаем до какого-нибудь города — нас размещают в местной тюрьме. Грязь, вонь, холод, клопы, а все-таки хоть крыша над головой, хоть отдых ноющим от ходьбы ногам... Отдохнем в этом райском уголке — нас гонят дальше, шагаем снова до следующего города, до следующей тюрьмы.

На фурах ехали рядом с нами не только вещи, на них следовали за мужьями в ссылку жены с детьми, невесты... Вот когда я понял, какое чудо, какая радость — дети! Наверное, никто так не радуется детям, как ссыльный революционер, шагающий по этапу! Ты только вообрази: снег, мороз, грязь, дождь, размытая глина, по которой разъезжаются ноги, загаженные тюремные нары с клопами, хамство и ругань конвойных, а весной по обочинам дороги из-под тающего снега возникают человеческие трупы беглых и бродяг, и называются эти трупы страшным именем «подснежники»... Ну как тут не лепиться сердцем к едущим на фурах детям, как не смотреть в их ясные глаза, как не отогреваться милой чистотой этих глаз! Возьму, бывало, на руки которого-нибудь из ребятенков, — мать не хочет давать: «Вам и без него тяжело шагать!»

Запахну его в свою шубу, прижму к себе тепло-тепло... Иду и думаю:

«Когда мы победим — а мы победим! — когда мы будем строить новый мир — а мы его построим! — тогда самое драгоценное богатство наше будут дети и им — самая щедрая наша забота...»

Павел Григорьевич ненадолго замолкает. Он — не с нами, он далеко в прошлом, он несет по снежной дороге ребенка и думает о будущем.

— Тебе хочется услышать про героев? Потерпи, скоро будут и герои. А пока — о друзьях, о тех, кого я полюбил больше всех.

Первый из них — Зотов. Коля Зотов... Вот был парень! Студент, как и я, веселый, шутник, придумщик! Пригонят нас, бывало, в какой-нибудь город, запрут в нетопленой, насквозь выстуженной тюрьме, — нет, мол, дров, и баста! Но не пройдет и получаса, как Коля Зотов, подбив товарищей, с песнями лихо разбирает деревянные тюремные нары, топит печь, — тепло, весело. За таким парнем хоть на луну пойдешь, не оглянешься! С Колей Зотовым следовала в ссылку его невеста Женя, такая же революционерка, такая же сосланная, как он. Все мы полюбили ее, как родную.

Вторым другом был Альберт Львович Гаусман. Взглянешь в его глаза, ласковые, теплые, заботливые, — и на душе как-то светлее. Альберт Львович Гаусман был среди нас одним из самых образованных. Каждую свободную минуту, иногда в самой неожиданной, неподходящей обстановке — на этапе, в пересыльной тюрьме, — Гаусман доставал книгу и говорил фразу, которую ему в детстве говаривал каждый день его учитель: «Открой книгу на том месте, где ты вчера заложил закладку, и читай дальше!»

Мы, молодые, получили от Альберта Львовича очень много. «Читать, хлопцы, читать! — говорил он нам. — Революционер должен быть самым образованным человеком!»

За Гаусманом следовали в ссылку жена с дочуркой Наденькой.

И третьего друга-товарища запомнил я на всю жизнь: Льва Матвеевича Когана-Бернштейна. С виду совсем молодой, с чуть сонными глазами, с детским складом слегка оттопыренных добрых губ. Но выскажи неправильную мысль — и Коган-Бернштейн налетит на тебя, как коршун, перья полетят! А через минуту снова весело смеется над шутками Коли Зотова, играет со своим сынишкой Митюшкой. И не поверишь, что у этого молодого человека за плечами уже более пяти лет тюрьмы, что его уже ссылали в Сибирь, сдавали в солдаты за революционную работу!

Так вот и шли мы по дорогам и трактам — от Петербурга до Якутска — почти целый год!

— И все время пешком? — с ужасом спрашивает мама.

— Да, почти все время... Ну конечно, через реки — через Волгу, Обь, Енисей — пешком не пройдешь, тут нас перевозили на особых баржах. Иногда удавалось делать небольшие перегоны и по железной дороге. Но короткие. И не часто.

Ну вот, прибыли мы наконец в Якутск. Разрешили нам поселиться на вольных квартирах. Ожили — обрадовались чистоте, человеческому жилью, возможности дать отдых истерзанным ногам...

— Но ведь вы могли убежать! — удивляется папа.

Павел Григорьевич покачал головой:

— Нет, не могли... Оттуда убежать можно только на верную смерть в непроходимых лесах, болотах... Оттуда поистине «хоть три года скачи — ни до какого государства не доскачешь», не добежишь, не доползешь!

Надеялись мы, что нам разрешат пожить в Якутске хоть месяц, два. Ведь нам предстояло шагать еще дальше — больше двух тысяч верст, то есть не меньше двух с половиной месяцев! Надо было также закупить в Якутске полушубки, пимы, белье. Этот последний отрезок пути — от Якутска до Среднеколымска — пролегал по местам почти ненаселенным. Надо было взять с собою из Якутска на каждого из нас по два с половиной пуда хлеба, сколько-то мяса, масла, кирпичного чаю, сахару и по столько же на каждого из наших конвойных: кормить их в пути любезно предоставляли нам.

Однако нам не разрешили ни задержаться в Якутске, ни сделать те покупки, без которых нас ожидала в пути верная смерть! Через несколько дней объявили, что нас отправляют дальше.

Что было делать? Мы решили подать якутскому губернатору Осташкину заявление: так, мол, и так, — если отправка наша не будет отсрочена, то мы (в особенности женщины и дети) не доедем до места назначения: погибнем в пути от голода и холода.

«Зря мы подаем это прошение, товарищи!.. — говорил Коля Зотов. — Зря кланяемся губернатору!.. Я мальчишкой в Крыму тем баловался, что поймаю, бывало, змею и вырву у нее ядовитые зубы! Так вот верьте мне: царский губернатор — это такая змея, у которой зубов все равно не вырвешь!»

Против подачи прошения губернатору возражали и Гаусман и Коган-Бернштейн, хотя за обоими следовали жены и дети. Они тоже считали, что никаких результатов, кроме унижения, это обращение к губернатору не даст.

Однако бумагу мы все-таки подали — уж очень было жаль женщин и детей!

Правы оказались наши товарищи — зря подали мы прошение: губернатору не было жалко ни женщин, ни детей... Он приказал передать нам, ссыльным, что ответ мы получим от него на следующий день. Пусть, мол, все ссыльные соберутся у кого-нибудь одного, туда и будет послан ответ.

Тревожно было на душе у всех нас... Но того, что случилось на следующий день, никто даже и предвидеть не мог!

Мы собрались на квартире у одного из ссыльных. Нам приказали выйти всем во двор перед домом и ждать ответа там. И тут пришел ответ! Вооруженный отряд под командой двух офицеров налетел на нас и стал в нас, безоружных, стрелять. Шестеро ссыльных были убиты на месте, многие были ранены. Нет, неверно я сказал — не все мы были безоружны: кое у кого оказалось оружие, они отстреливались яростно, но, к сожалению, неудачно...

Всех оставшихся в живых погнали в тюрьму, раненых — в тюремную больницу. Среди них был Коган-Бернштейн, которому прострелили ногу. В ту же ночь в тюремной больнице скончалась одна из ссыльных женщин, получившая тяжелую штыковую рану в живот.

Из Петербурга прислали приказ: судить нас за «бунт» со всей строгостью — военным судом.

А в чем был «бунт»? Мы просили отсрочить наш отъезд!

Суд был — одна комедия... Людей судили на основании лживых показаний полупьяных тюремщиков. Почти все мы получили удлинение срока ссылки. А трех человек приговорили к смертной казни через повешение: Гаусмана, Когана-Бернштейна и... Колю Зотова.

Павел Григорьевич, помолчав, продолжает с болью:

— Ночью под окнами наших тюремных камер начали строить виселицу. Маленькой дочке Гаусмана, Наденьке, нездоровилось, она капризничала и плакала:

«Мама! Скажи, чтобы перестали стучать...»

А Митюшка, сынок Когана-Бернштейна, спал, как наигравшийся котенок, и ничего не слышал...

Утром я зашел в камеру Гаусмана. Он посмотрел на меня своими удивительно добрыми глазами, улыбнулся и сказал:

«Ну, вспомним в последний раз завет старого учителя моего детства... «Вынь закладку из книги там, где ты заложил ее вчера, — и закрой книгу. Навсегда»... А вы, молодые, помните: учиться и учиться!»

Мы крепко обнялись. Молча. Без слов.

В ночь на восьмое августа их повесили. Мы стояли у окон наших камер и смотрели на них — в последний раз. И каждый из них поклонился нашим окнам в последний раз. Когана-Бернштейна несли к виселице на кровати: простреленная нога еще не зажила, и он не мог ходить. Кровать поставили под виселицей, и Когана-Бернштейна приподняли, чтобы продеть его голову в петлю.

— И вы смотрели на это? — спрашивает мама шепотом.

— Да. Смотрели. Чтобы запомнить. Чтобы никогда не забывать...

— Как страшно, господи!.. — Это вырывается у мамы, как вздох.

— Так страшно, что даже тюремщики наши не остались безучастными к этой зверской расправе! — говорит Павел Григорьевич. — Смотритель тюрьмы Николаев, здоровенный мужчина, вошел после казни в одну из наших камер, вошел как-то боком, он шатался, как пьяный, и рухнул на пол. Мы думали: что такое с ним? Это был обморок...

Ну, теперь осталось досказать последнее... Я прочитаю вам (правда, на память, — уж вы простите, если будут какие-нибудь мелкие неточности) отрывки из тех писем, которые эти люди написали перед казнью... Я помню их наизусть.

Лев Матвеевич Коган-Бернштейн написал нам, своим товарищам: «Простимся заочно, дорогие друзья и товарищи, и пусть наше последнее прощание будет озарено надеждой на лучшее будущее нашей бедной, бедной, горячо любимой родины... Оставьте мертвых мертвецам, — кто знает, может быть, вы доживете до той счастливой минуты, когда освобожденная родина вместе с вами отпразднует великий праздник свободы!.. Тогда, друзья, помяните добрым словом и нас... Что до меня, то я умру на том месте, на котором в наше время пристойно умирать честному человеку. Я умру с чистой совестью и с сознанием, что до конца оставался верен своему долгу и своим убеждениям... А может ли быть лучшая, более счастливая смерть?»

Павел Григорьевич молчит, но мы все смотрим на него, все ждем, не расскажет ли он еще чего-нибудь. И он в самом деле продолжает:

— Это были железные, несокрушимые люди. Они умерли, не дрогнув, как настоящие революционеры... А как нежно писали своим родным! Коля Зотов оставил письмо отцу: «Папа, дорогой мой папа, обними меня, прости меня, в чем я был неправ, поцелуй меня! Ты самый дорогой, мой папа! Не у многих есть такие отцы-друзья, такие папы!.. Поклонись от меня могилке мамы!»

Невесте своей, Жене, Коля Зотов письма не оставил: все слова любви и ласки, какие перед смертью можно сказать любимой девушке, товарищу, революционерке, он сказал ей устно в последние часы, которые им разрешили провести вместе.

А Коган-Бернштейн написал письмо своему маленькому сыну, где называл его: «Дорогой мой, родной, голубенький сынишка Митюшка»... Ну вот... Всё!

Помолчав, Павел Григорьевич добавляет:

— Всем нам, оставшимся в живых, разрешили купить теплую одежду и продукты... Все-таки разрешили...

Я подхожу к нему, беру его за руку. Смотрю на него, словно в первый раз вижу!

— Павел Григорьевич... — бормочу я. — Ох, Павел Григорьевич...

Папа всматривается в меня:

— Пуговка! Ты не плачешь?

— Нет. Не плачу.

Сейчас, вспоминая свое детство, я не могу вспомнить, чтобы после этого случая папа хоть раз сказал мне: «Ненавижу плакс!» Рассказ Павла Григорьевича, словно горячее дыхание костра, навсегда опалил мое сердце и высушил дешевые слезы ребячьих обид, пустяковых огорчений...

Глава двенадцатая

ПОЛЬ. ЮЛЬКИНО НОВОСЕЛЬЕ

С этого памятного дня я заболеваю мечтой о геройстве!

Теперь, более шестидесяти лет спустя, я уже очень хорошо знаю, что в детстве и юности эта болезнь — почти неизбежная. Как корь! Но у одних она проходит, даже бесследно проходит: уголок души, где жила тяга к героическому, с годами зарастает, как тот «родничок» на темени у грудных детей, — мяконький пятачок между черепными костями, — где, дотронувшись рукой, ощущаешь, как под пальцами бьется пульс. К годовалому возрасту этот «родничок» на голове обычно затвердевает, закостеневает, как и весь череп. Вот совершенно так же зарастает с возрастом у юных людей и «родничок» героики в душе. Но, вероятно, у всякого человека сохраняется на всю жизнь память о том, как в детстве и юности его манила мечта совершить что-нибудь прекрасное, героическое — подвиг! Ну, если не самому совершить, то хоть увидеть, как это делают другие. Хоть услышать о чьем-нибудь подвиге, хоть прочитать в книге о том, как совершают подвиги те редкие люди, которые сохраняют в душе «родничок» героики навсегда, до самой смерти!

После памятного разговора о героическом — о дедушке Семене Михайловиче, о пожарном, спасшем людей из огня, — и в особенности после рассказа Павла Григорьевича о героях-революционерах — «родничок» героики в моей душе начинает бурлить, как ручей, размытый ливнем. Я с утра до вечера только о том и мечтаю, как бы мне заступиться за кого-нибудь, кого обижают, или спасти кого-нибудь, кто погибает...

Мне, конечно, хочется быть всем сразу: и врачом на поле боя, и пожарным среди пламени и дыма, и в особенности — революционером!

Мама читает мне вслух из «Войны и мира» не только о Пете Ростове, о котором я читала в моей синенькой книжечке, но и о других героях, о боях и сражениях с Наполеоном. Еще читает мне мама вслух из книги, которой ее наградили, когда она кончила гимназию: «Записки о севастопольской обороне»... У меня мурашки бегают по спине, когда я слышу, как однажды адмирал Нахимов, защитник Севастополя, прибыл на береговые позиции. Его надо было проводить в какое-то место, и это хотели сделать так, чтобы он шел под укрытием, в глубоких траншеях. Но Нахимов насупился и сказал своим провожатым: «Вы что, в первый раз меня видите? Так извольте запомнить: я Нахимов-с! И по трущобам не хожу-с!» И пошел, выпрямившись во весь рост, со спокойно и уверенно поднятой головой. А кругом падали снаряды, свистели пули...

Папа рассказывает мне много о героях науки. О том, как наука боролась против религии, как религия старалась задушить науку. Религия доказывала, что наука не нужна человеку: знает все один Бог, а человек должен лишь верить в Бога и молиться ему. Папа рассказывает, как католические священники и монахи преследовали итальянского ученого Джордано Бруно. За то, что Джордано Бруно утверждал: Земля вертится вокруг Солнца, а не наоборот, как учила религия, смелого ученого сожгли живым на костре.

Я не только слушаю то, что мне читают и рассказывают, — я читаю сама, читаю запоем, с жадностью. Почти ежедневно я беру новые книги в библиотеке, куда меня записала мама. Читаю все, что попадается под руку дома из книг мамы и папы. Они сердятся на меня за это, но я не могу удержаться! Все это, как хворост, брошенный в костер, поддерживает и разжигает во мне героические мечты.

В это время в нашу семью входит новый человек.

Для того чтобы я научилась французскому языку, мама приглашает приходящую учительницу, француженку мадемуазель Полину Пикар.

Мадемуазель Полина Пикар не хочет быть приходящей учительницей: она предлагает заниматься со мной по-французски три часа ежедневно за стол и комнату. Мама на это соглашается.

Юзефа относится к этой затее резко враждебно:

— Немкиня! Французинка! Нужные они нам, как нарыв в пупке... У ребенка голова, а не бочка! Лопнет голова — от помяните Юзефино слово!

Когда Юзефа впервые видит француженку Полину Пикар, она уходит на кухню и там яростно сплевывает:

— Сухой компот!

Надо признать, что это очень метко. Полина Пикар удивительно напоминает сухие фрукты для компота: сморщенные вишни и чернослив, свернувшиеся спиралью тонкие полоски яблока, чуть ссохшуюся курагу. Но так же, как сухие фрукты при варке компота разглаживаются, наливаются соком, так и Полина Пикар, стоит ей только почувствовать себя уютно, становится совсем другой! Черные глазки ее блестят, зубы весело скалятся, нос задорно и насмешливо двигается, как у кролика, и вся Полина Пикар становится удивительно милой!

Вскоре она перебирается к нам. Вещей у нее оказывается совсем немного — один чемодан. Но зато у нее есть то, что она сразу представляет Юзефе:

— Моя семейства!

«Семейства» Полины Пикар — это, во-первых, большая пальма, высокая, раскидистая, очень хорошо ухоженная. Полина Пикар вырастила ее из посаженной много лет назад в землю финиковой косточки. А во-вторых, — маленький попугайчик, которого зовут Кики. Попугайчик — пожилой, тихий, голоса не подает. Он тусклого, блеклого серо-зеленого цвета и слепой на один глаз: на этом глазу у него катаракта. У людей такую слепоту оперируют легко — мой дядя Гриша, врач-окулист, делает это ежедневно, — но у птиц это невозможно, потому что, объясняет Полина Пикар, у врачей нет таких крохотных инструментов, годных для маленьких птичьих глаз. Из-за слепоты попугайчик Кики держит головку как-то странно, словно ему продуло шею, — это оттого, что он поворачивается ко всему своим зрячим глазом. Живет он в комнате на свободе, перелетая, куда хочет, — все в пределах этой одной комнаты. Когда его хозяйка зачем-либо выходит, она поет попугайчику первую фразу «Марсельезы»: «Вперед, вперед, сыны отчизны!» И Кики послушно влетает в свою клетку в углу комнаты.

В первый же день я узнаю от Полины Пикар, что у нее есть брат-близнец, которого назвали при рождении Поль. Но впоследствии оказалось, что Поль — нежный и робкий, как девочка, в то время как Полина — озорная и смелая, как мальчишка. Поэтому родные стали звать Поля — Полиной, а Полину — Полем.

— Если ты мне понравишься, — говорит Полина, — я позволю тебе называть меня «Поль». А тебя зовут «Саш»? Это мне очень удобно: мою любимую воспитанницу звали «Маш»... Теперь она уже замужем!..

Я влюбляюсь в Полину Пикар с первого часа: все у нее — не как у всех людей! У нее есть зонтик, который одновременно и стульчик. Есть у нее и мандолина. Играть на ней Полина не умеет, но когда она проводит рукой по струнам, то дрожащий, переливающийся звук напоминает ей родину — у них это очень распространенный инструмент. На дне чемодана лежат книги Полины, но не божественные, как у Цецильхен (и про Абрахама и Бога Полина тоже никогда не говорит!).

— Я тебе почитаю из этих книжек, — говорит Полина. — Это стихи. Человек должен любить стихи, если он — не верблюд и не корова...

Потом она рассказывает мне разные удивительные истории. У нее нет родителей, они умерли в раннем ее детстве, она их даже не помнит. Полину и Поля вырастили две старые тетушки: Анни и Мари. Но так как («Ты понимаешь, Саш, не правда ли?») каждый человек хочет иметь маму и папу, то Поль и Полина называли тетушку Мари — мамой, а тетушку Анни — папой. Теперь и мама-Мари и папа-Анни уже умерли...

Но когда оказывается, что Полина в детстве пошла в снежную бурю искать в горах заблудившегося Поля, нашла его и вместе с ним еле добралась потом до дому, где обе тетушки — тетушка-мама и тетушка-папа — совсем ошалели от страха, тут, конечно, мое сердце завоевано Полиной окончательно! Вот какой она герой, эта компотная старушка!

Затем Полина неожиданно меняет тему разговора, и я чуть не теряю возможность добиться ее расположения.

— Скажи, пожалуйста, Саш, кто чистит твою обувь?

— Юзефа. Моя няня.

— И платье, да?

— Да. И платье.

— А кто пришивает тебе пуговицы, штопает чулки? Тоже Жозефин? (Так Полина называет Юзефу.)

— Нет. Это делает мама.

— А кто стелет твою постель? Кто моет тебе спину в ванне?

— Тоже мама... или Юзефа...

Полина смотрит на меня с отвращением:

— Это ужасно! Это стыдно! Человек должен все делать для себя сам. Иначе он не человек, а глупая кукла... Пойдем!

Полина заставляет меня тут же принести ваксу, щетки и при ней, на ее глазах, вычистить мои черные ботинки. Это очень трудно. Щетки выскальзывают из рук, ботинки падают на пол, но Полина очень терпелива и подбадривает меня:

— Ничего, ничего... Никто не рождается с умными руками. У тебя они еще глуповатые, но не беда, поумнеют...

Потом я чищу платяной щеткой свое пальто, которое висит в передней. Конечно, я сразу отрываю вешалку, и Полина заставляет меня ее пришить.

Юзефа демонстративно уходит в кухню. Слышно, как она там бубнит:

— Обрыдливо мне на это глядеть!

Но я очень довольна! Правда, пальто и ботинки вычищены, вероятно, не бог весть как и руки у меня в ваксе, немножко ваксы попало каким-то образом на щеку, но все-таки я начинаю входить во вкус самостоятельности, самообслуживания. Я очень стараюсь, Полина поощрительно гладит меня по голове.

А когда вечером я рассказываю ей, что я буду врачом, или пожарным, или еще кем-нибудь, кто нужен людям, Полина кладет мне руку на плечо и зовет:

— Кики!

Кики немедленно прилетает и садится на другое мое плечо. Повернув голову, он очень серьезно смотрит на меня своим единственным зрячим глазом.

— Кажется, ты хорошая девочка, Саш... Я буду тебя любить. И Кики тоже будет тебя любить... Можешь называть меня «Поль» и говорить мне «ты»...

Милый Поль! Сколько она знает замечательных героических историй своего народа! Она рассказывает мне о рыцаре Роланде. Враги предали его, и он оказался с горсточкой своих воинов в Ронсевальском ущелье, где на них напали враги. Роланд и его воины дрались, как львы, но врагов было гораздо больше, они были сильнее. Трижды трубил Роланд в свой рог «Олифант» и все надеялся, что король услышит звук его рога и пришлет подмогу. Роланд трубил с такой силой, с таким напряжением, что кровь хлынула у него из носа и ушей, но король не услыхал. Роланд продолжал биться с врагами, и, только смертельно раненный, чувствуя, что конец его близок, он раздробил свою шпагу о камни — не доставайся врагу! — и погиб вместе со всеми своими воинами.

И еще рассказывает мне Поль о Жанне д'Арк. Она была простая французская пастушка из деревни Домреми. Когда на Францию напали англичане, Жанна д'Арк повела французские войска в бой, они разбили врагов и изгнали их из Франции. Сама Жанна умерла геройски — ее сожгли на костре, — но она спасла свою страну и свой народ!

Есть только одна вещь — я не делюсь ею даже с Полем: это история, которую рассказывал нам Павел Григорьевич. Папа мне сказал, что я не должна никому говорить об этом, чтобы не наделать неприятностей Павлу Григорьевичу.

— Знаешь что, Поль? — говорю я как-то вечером, когда обе мы лежим в своих постелях и Поль уже потушила лампу. — Знаешь, все-таки очень грустно, что я не могу сделать ничего геройского!..

Поль ворчливо напоминает мне, что я все еще очень неуклюже мою перед сном собственные ноги — опрокидываю таз, плохо вытираю ноги полотенцем.

— Вот что значит привычка, чтоб твоя няня все еще чуть ли не пеленала тебя!

Я молчу. Поль, конечно, права. Но все-таки...

— Поль, а сколько лет было тебе, когда ты спасла своего брата в горах... во время снежной бури?

— Допустим, мне было тогда столько лет, сколько теперь тебе, — ну, что из этого? У тебя нет брата, ты живешь в местности, где нет гор, и здесь не бывает снежных ураганов!

Да, это тоже правда, конечно. Но все-таки...

— Вот что я тебе скажу, дурачок! — Поль говорит очень серьезно. — Не ходи по улицам с таким лицом, будто ты ищешь, где тот костер, на котором тебя могут сжечь, или где тот ребенок, которого ты можешь выловить из реки! На кострах сейчас никого не сжигают, а плавать ты ведь не умеешь?

— Не умею...

Поль тихонько смеется:

— Надо начинать с малого. Маленькое геройство — думаешь, это легко? Например, у тебя болят зубы или живот, или тебя ужалила оса, или даже просто у тебя тесные ботинки, жмут... Можно захныкать и испортить всем настроение, а ты улыбайся! Думаешь, это пустяк? О-ля-ля! Попробуй!

— Ну, такое... — фыркаю я с пренебрежением.

— А что, слишком легко? Ты хочешь потруднее? Так исполняй свой долг — это самое трудное в жизни. У нас, французов, есть поговорка: «Делай что должен, и будь что будет!» Этому человек учится смолоду, даже с детства, — начинает с малых дел и доходит до подвига. Пожарный выносит людей из огня — он исполняет свой долг. Твой дедушка перевязывал раненых под выстрелами — он тоже исполнял свой долг... В общем, вот тебе мое последнее слово: по дороге на костер смотри себе под ноги — не толкни старую женщину, не урони на землю ребенка, не отдави лапу собаке... Поняла? Ну, спать, спать, спать!

Я слышу скрип матрацных пружин: Поль повернулась лицом к стене.

* * *

На следующее утро Поль уходит — по утрам она дает уроки в городе. Приходит Павел Григорьевич, мы занимаемся, а после урока он предлагает мне идти с ним в Ботанический сад — искать Юльку. Я шумно радуюсь — я не видала Юльку с тех пор, как они переехали, да и Павел Григорьевич в последнее время все занят, не ходит со мной гулять после уроков, и я без него очень соскучилась. Двойная радость: с Павлом Григорьевичем — к Юльке!

Ботанический сад — очень красивый, тенистый городской сад, но почему его прозвали «Ботаническим», никому не известно. Жители нашего города называют его сокращенно «Ботаникой»: «Пойдем в Ботанику», «В Ботанике сегодня гулянье с музыкой!» Никакой ученой ботаники, никаких растений, ни редкостных, ни даже самых обыкновенных, в Ботаническом саду нет. В нем растут одни только каштановые деревья, очень старые, огромные, разросшиеся так густо, что каждое дерево похоже на корабль. Весной каштановые деревья цветут: их покрывают сотни, тысячи цветочных гроздьев, но не висячих, а стоящих прямо, тянущихся вверх, как зажженные свечи на рождественских елках. Осенью на этих деревьях созревают каштаны. Есть их нельзя, они несъедобные, но красивы они удивительно! Каждый плод каштана заключен в зеленую коробочку — кожуру, утыканную мелкими, мягкими, неколющимися иголочками. Созревшие каштаны падают с деревьев на землю, при этом зеленые их коробочки лопаются. В каждой коробочке лежат один-два каштана, крупных, влажных, матовых, как лошадиные глаза. Падая и разбиваясь о землю, коробочки каштанов издают глухой звук, словно где-то далеко-далеко стреляют из пушек.

Мы с Павлом Григорьевичем обходим весь сад, все аллеи, все дорожки — Юльки нигде не видно!

Тогда мы выходим на реку. Юркая извилистая речка Вилейка огибает сад, делая около него петлю, перед тем как впасть в реку Вилию. Между садом и рекой тянется песчаная береговая отмель. Здесь, среди беспорядочно растущих кустов, ветел и ив, сорной травы, брошенного кое-где хлама полулежит неподалеку от воды Юлька на разостланном под ней одеяле. С нею — Зельма-Шельма. Юлька загорела, порозовела, Зельма-Шельма слиняла на солнце. Обеим это на пользу: Юлька выглядит поздоровевшей, а Зельма-Шельма как бы возмужала и повзрослела. У нее уже не прежнее безмятежно-глупое розовое лицо, которое ничего не выражало. Теперь она имеет вид постаревший, усталый, словно долго шла пешком или очень огорчена чем-то. Хочется спросить у нее, как у человека: «Где ты была? Что с тобой случилось? Что ты видела нового?»

Юлька радуется нашему приходу чуть не до слез. Взяв мою руку и руку Павла Григорьевича, прикладывает их к своим щекам. Она усаживает нас рядом с собой на одеяло и спешит выложить нам все свои новости.

Прежде всего — вот: река! Юлька никогда прежде не видела реки. И какая река! То она золотая, то она серебряная, то — в плохую погоду — она словно подергивается гусиной кожей... А кругом что растет! Смотрите!

Юлька видит это тоже в первый раз в жизни.

— Тут есть травинки — смотри, смотри, Сашенька, — такие нежные, как шелк, ими можно было бы вышивать! И есть вон там, — Юлька боязливо показывает на заросли крапивы, — злая трава, жжется, как огонь! А это — видишь? — травка, с нее свисают шарики, похожие на капельки воды...

— Это называется «божьи слезки», — объясняю я.

— А вокруг — лопухи. Видишь, сколько?

Когда солнце начинает слишком припекать, Юлька срывает несколько листьев лопуха, скрепляет их прутиками — это ее Степан Антонович научил! — и пожалуйста: это зеленая шляпа! Или зонтик! Радостно смеясь, Юлька показывает нам свою лопуховую шляпу-зонтик.

— И, знаешь, эта шляпа по нескольку дней не вянет!

С восхищением показывает мне Юлька чистотел с желтыми цветочками. Из надломленных его стеблей выступают густые капли желтого сока. Степан Антонович говорит, что чистотел начисто сводит бородавки. Только ни у него, ни у мамци, ни у Юльки нет бородавок.

— У тебя есть бородавки, Сашенька?

— Нет... — говорю я с огорчением.

Так было бы интересно мазать бородавку чистотелом, пока она не сойдет!

Живут они с мамцей, рассказывает Юлька, чу́дно! Им дали комнатку с окном! Еды вволю: и хлеб, и суп, и мясо из супа. Бывают в ресторане такие посетители, что даже вот по этакому куску пирожного оставляют, не доевши! Лакеи в ресторане — хорошие люди. Они очень уважают Степана Антоновича и к мамце тоже хорошо относятся. Некоторые из них даже сами отдают мамце для Юльки то, что остается от посетителей на тарелках! Не все, конечно, так делают, только холостые. Потому что у кого дома свои дети есть, сама понимаешь, они, конечно, о своих детях думают. А старший повар дал на днях мамце для Юльки пирожок (Юлька произносит «пуружок»). Вкусный!

Юлька перескакивает с предмета на предмет — ведь мы давно не виделись, почти целую неделю, накопилось много новостей.

— Ох, совсем забыла! — вспоминает Юлька. — Вчера я видела в траве живую жабочку... Да, да, живую, и она ка-а-ак вскокнет!

— Значит, все хорошо? — спрашивает Павел Григорьевич.

Тут Юлька почему-то вянет.

— Хорошо... — говорит она негромко и боязливо косится на группу прибрежных кустов.

Там что-то шевелится.

Павел Григорьевич берет обеими руками Юлькину голову и смотрит ей в глаза:

— А ну, всю правду! Что нехорошо?

— Мальчишки иногда прибегают... Не каждый день, не каждый день!..

— Какие мальчишки?

— Нехорошие... Ругаются... Грозятся: бросим в воду, как лягуху!

Ох, вот оно! Обижают Юльку — надо заступиться. Я вскакиваю на ноги так стремительно, словно села на муравейник. Сорвав целый куст крапивы — сразу больно обстрекало обе руки, — я размахиваю им над головой и кричу:

— А ну! А ну! Пусть только сунутся!

Но Павел Григорьевич не разделяет моего воинственного пыла:

— Сядь и не горлань без толку. — Затем он громко окликает: — Э-эй! Хлопцы! Эй!

Из прибрежных кустов выглядывают три мальчишеские головы, очень растрепанные, с замурзанными лицами. Два мальчика постарше, один маленький. Они смотрят на Павла Григорьевича с неопределенным выражением — не то хотят подойти, не то не хотят, но вернее, что не подойдут.

Достав из кармана горсть семечек, Павел Григорьевич спокойно пересыпает их из одной руки в другую:

— Кто хочет семечек? Кому семечек?

Это, видимо, разрешает сомнения мальчиков. Пугливо, настороженно — может, подойдут, а может, порх, и улетят, — они медленно приближаются к нам.

Спокойно и приветливо, как все, что он делает, Павел Григорьевич оделяет их семечками, которые они тут же принимаются лузгать. Лузгают и молчаливо соревнуются: кто доплюнет шелухой до реки.

— Ну, кто у вас главный? — спрашивает Павел Григорьевич.

— Я! — вскидывает на него дерзкие глаза мальчишка лет двенадцати с копной спутанных светлых, почти белых волос.

— Ты главный?

— Я!

— Он, он! — подтверждают остальные двое.

— Так вот, — Павел Григорьевич резко отчеканивает каждое слово, — ты полковник, понимаешь?.. Как стоишь! — рявкает вдруг Павел Григорьевич так грозно, что мы с Юлькой, испугавшись, хватаем друг друга за руки. — Стань как следует, когда с тобой говорит старший в чине!.. Ну!

Мальчик озадачен, но приказание выполняет: вытягивается по-военному, руки по швам.

— Отдай честь как полагается! Что ты, военный или старая баба?

Мальчику очень нравится этот разговор. Он лихо и четко отдает честь, Павел Григорьевич тоже козыряет ему в ответ.

— Итак, ты полковник. — Это Павел Григорьевич говорит строго и деловито.

Конечно, мальчик понимает, что это игра. Но как увлекательно!

Ту же церемонию Павел Григорьевич повторяет со вторым мальчиком, которого производит в ротмистры.

Приходит очередь третьего. Он еще маленький, лет шести, но стоит перед Павлом Григорьевичем вытянувшись и смотрит ему прямо в глаза. Павел Григорьевич молча разглядывает малыша и, видимо, старается подыскать для него подходящее воинское звание.

Желая помочь Павлу Григорьевичу, малыш негромко подсказывает ему:

— Я хочу — анаралом!

Двое старших улыбаются. Они бы расхохотались во все горло, но они уже чувствуют себя не простыми, обыкновенными людьми, а военными: это требует сдержанности, выправки. Только один снисходительно говорит малышу:

— Сопли утри, анарал!

— Да... — по-прежнему серьезно, без улыбки подтверждает Павел Григорьевич. — С соплями под носом я в армию принять не могу. Вытри нос — будешь подпоручиком.

Малыш доволен. Все-таки — воинское звание!

— А теперь — слушать мою команду: охранять эту девочку! — Павел Григорьевич показывает на Юльку. — Твой отец что делает? — обращается он к «полковнику».

— Работает. На лесопилке...

— А твой?

— Тоже на лесопилке, — отвечает «ротмистр».

— А мой нигде... — огорченно докладывает «подпоручик». — Работал, работал на щиколадной фабрике, а онегдысь пришел домой: нету, говорит, работы, рассчитали... — И, помолчав, добавляет: — И хлеба тоже нету...

Все молчат. Все знают, какая это беда, когда нет работы, когда отец приходит домой и говорит: «Рассчитали»...

Юлька деловито роется в своих пожитках, сложенных на одеяле, что-то нашаривает в них.

— Кушать хочешь? — говорит она «подпоручику».

— Ага...

— Нá, ешь... — Юлька протягивает ему кусок хлеба. — Ешь, у меня еще кусочек остался. И вот еще — возьми... — дает она мальчику маленький кусок вываренной в супе говядины.

Мальчик протянул было руку — и тут же отдернул. Он смотрит на Павла Григорьевича:

— А можно?

Невыразимая грусть проходит по веселому, похожему на круглую луну лицу Павла Григорьевича. Но он спокойно отвечает:

— Можно. Только сперва утри нос.

Пока «подпоручик» ест хлеб и осторожно, медленно наслаждается, разделяя мясо на волокна, Павел Григорьевич снова обращается к мальчикам:

— Мать этой девочки тоже работает. И тоже, бывает, сидит без хлеба... А Юлька больная, не может ходить. И бывают такие злыдни, что им и больную не жалко обидеть... Ведь бывают?

Мальчики скромно молчат.

— Значит, я даю вам приказ: охраняйте Юльку, не давайте ее в обиду.

— Ладно, — отвечает старший («полковник»).

Павел Григорьевич хмурится:

— Что это за ответ «ладно»? Чтоб я этого штатского слова и не слыхал от вас! Надо говорить: «Рады стараться, ваше превосходительство!» И не вразброд, а все разом, в один голос!

— Рады стараться, ваше превосходительство! — гаркают мальчишки не очень стройно.

— А теперь, — командует Павел Григорьевич, — налево кругом, шагом марш!

«Полковник», «ротмистр» и «подпоручик» делают не слишком слаженный поворот и, браво шагая не в ногу, скрываются в кустах.

Юлька смотрит на Павла Григорьевича с восхищением:

— Ох, как вы!..

— А откуда вы все это знаете? — интересуюсь я. — Как их называть, как они должны вам отвечать и всё?

— А я и не знаю! — смеется Павел Григорьевич. — Так, приблизительно, слыхал... Ты, Юля, теперь живи спокойно: они тебя больше обижать не будут.

Забегая вперед, скажу — Павел Григорьевич оказался прав: Юльку больше не обижали. Обижать стало некому — обидчики превратились в защитников. Мы приходили то с Павлом Григорьевичем, то с Полем почти каждый день — Юлька рассказывала нам, что мальчики обстругали из щепок «сабли», повесили их через плечо. Они приходили к Юльке по нескольку раз в день и спрашивали, не обижает ли ее кто.

После ухода мальчиков собираемся уходить и мы с Павлом Григорьевичем. Но Юлька вдруг вспоминает:

— А посмотрите, какие у меня теперь стали ноги!

Павел Григорьевич осматривает Юлькины ноги.

— Потолстели, правда? — радуется Юлька.

— Да, потолстели. Потому что окрепли. Старайся побольше подставлять их под солнечные лучи. Солнце, чистый воздух — это твое лечение!

— А еду забыли? — напоминает Юлька. — Я же теперь всякий день сыта. И знаете, я уже могу немно-о-ожечко, на одну секундочку, упираться ногами, когда мамця меня держит или Степан Антонович!

Внезапно Юлька хватает меня за руку:

— Смотри! Смотри!

Я таращусь, пытаюсь увидеть — и ничего не вижу.

— Да нет, не туда! По траве... Смотри, прыгает, прыгает!

По траве в самом деле что-то прыгает: прыгнет — и остановится, прыгнет — и припадет на одну ногу. Совсем как хромая бубличница Хана... Нет, это птица! Большая черная птица...

— Ворона!.. — соображаю я. — Но почему она бежит вприпрыжку, а не летит?

Непонятно подскакивая, останавливаясь, ковыляя, ворона движется прямо на нас!

— Ой, Саша, я боюсь этой черной птицы! — чуть не плачет Юлька.

Едва я успеваю подобрать с земли прут, чтобы отогнать ворону, как Юлька, более зоркая, чем я, удерживает мою руку:

— Нет, нет, не трогай ее! Она сама от кого-то убегает...

И мы совершенно явственно видим, что за вороной, припадая к земле, крадется большая кошка, полосатая, как тигр.

— Кипрейская кошка... — шепчет Юлька. — Я знаю, такая у наших соседей была.

Кошка делает прыжок и почти настигает ворону. Но та, в свою очередь, делает отчаянный прыжок и оказывается около моих ног. Юлька вскрикивает. Кошка останавливается в нескольких шагах. Она вся изогнулась и так явно нацеливается на ворону, что нет сомнения: она хочет схватить ее и съесть! Да, но почему ворона не улетает? Ведь самое, казалось бы, простое — оторвалась от земли, полетела и села на высокое дерево! Лови тогда, кошка!

Нет, ворона какая-то странная. Она не улетает, она жмется к моей ноге, словно хочет укрыться, спрятаться от проклятой «кипрейской» кошки.

Надо сказать правду: я тоже боюсь этой вороны. Ужасно, до смерти боюсь... И вместе с тем что-то не позволяет мне отогнать ее прутом, который я продолжаю сжимать в руке!

— Кошку! — кричит Юлька. — Кошку гони!

Я взмахиваю прутом — кошка отпрыгивает. Но мы видим, что она, отбежав, останавливается, не спуская глаз с вороны.

— Что у вас тут? — подходит к нам Павел Григорьевич, ходивший по берегу и любовавшийся рекой.

— Кошка... — бормочу я в смятении,

— Кипрейская кошка! — поправляет Юлька. — Они ужасно злые!

— Гонится за вороной... Наверно, хочет съесть!

— А ворона почему не улетает? Она и сама хочет, чтоб кошка откусила ей голову?

— Нет, она не хочет, она убегает... Только это какая-то сумасшедшая ворона... Бегает, прыгает, а не летает!

Павел Григорьевич берет злополучную ворону в руки. Самое странное, что ворона — ей бы радоваться, ведь Павел Григорьевич спасает ее от кошки! — отчаянно трепыхается и даже пытается злобно клюнуть его руку.

— Э-эх, бедняга! — говорит Павел Григорьевич, разглядывая птицу. — Куда ей летать! Ей кто-то крылья подрезал...

Вот почему ворона не может летать! У нее вместо крыльев какие-то культяпки, как ласты у тюленя. Если бы она даже захотела их развернуть, все равно полететь она не могла бы: они не подняли бы ее на воздух.

— Калека... — тихонько отзывается Юлька.

— Ничего! — успокаивает Павел Григорьевич. — У нее еще отрастут крылья, она еще полетит! А только что с ней делать? Здесь ее оставлять нельзя, ее съедят кошки — не эта, так другая... Я завяжу ее в носовой платок... Ох, клюется, негодяйка, и больно! Ну, готово, идем!

Он завязывает ворону в платок, и мы уходим, унося спасенную нами от кошки птицу.

Глава тринадцатая

У ИВАНА КОНСТАНТИНОВИЧА. БЕЗРУКИЙ ХУДОЖНИК

Мы идем с Павлом Григорьевичем домой. Ворона, завязанная в носовой платок, ведет себя поначалу довольно смирно, так что мы о ней вроде как забываем и разговариваем о чем-то другом. Но все-таки ворона нет-нет да и напоминает о себе.

— Клюется, окаянная! — вздыхает Павел Григорьевич. — Я бы положил ее в карман, да она там задохнется.

— Лучше в мою шляпу, — предлагаю я. — Ей там будет очень удобно.

Кладем ворону на дно моей соломенной шляпы, завязываем в платок. Не знаю, удобно ли ей там, но клевать ей там как будто нечего. Впрочем, через некоторое время мы обнаруживаем, что она проклюнула небольшую дырку в соломе.

— Вот клюв! — сердится Павел Григорьевич. — Сверло, а не клюв!

Мы уже почти у дома, теперь осталось недолго.

Но тут перед нами встает вопрос, очень трудный, почти неразрешимый: что делать дальше с вороной? Куда ее нести?

Павел Григорьевич останавливается в раздумье и, сдвинув шляпу на лоб, в растерянности чешет затылок:

— Понимаешь... Моя хозяйка такую птицу в дом не впустит! Ни за что!

Что до меня, то мне впору запустить в затылок обе руки! В пылу борьбы с кошкой и спасения калеки-вороны я совсем забыла одну из папиных странностей: он не переносит в доме никаких животных. Канарейку, чтобы пела в клетке, молчаливого попугайчика Кики, никогда не покидающего нашей комнаты, — ну, это еще туда-сюда... Но эту страшную птицу, которая рвется из рук, норовит пребольно долбануть клювом, — папа ее возненавидит с первого взгляда. Это будет неслыханная война!

Мы стоим с Павлом Григорьевичем, нерешительно смотрим друг на друга, переминаемся с ноги на ногу... И вдруг ворона — в первый раз за все время — испускает крик на всю улицу:

«Кар-р-р-х! Кар-р-р-х!»

Около нас начинают собираться мальчишки. Они стараются заглянуть в узелок, которой держит в руке Павел Григорьевич и откуда доносится все более громкое карканье. Понемногу мы обрастаем целой толпой. Кое-кто на ходу спрашивает:

— Задавило когось?

— Вора споймали?

Мы с трудом проталкиваемся к нашим воротам и, добравшись до лестницы, опять стоим и смотрим друг на друга, с немым вопросом: «Куда же девать ворону?»

В это время слышно приближающееся постукивание по ступеням лестницы. Это возвращается домой с уроков Поль со своим зонтиком-стульчиком.

— Поль! — радуюсь я. — Поль что-нибудь да придумает!

Конечно, это нелепая надежда. Что может придумать Поль? Выбросить ворону на улицу, где ее замучают мальчишки или съедят кошки, немыслимо. Нести ее к Павлу Григорьевичу — нельзя. Взять ее к нам, где ворона встретится с папой или заклюет бедного, кроткого Кики, — тоже...

Так что же с нею делать? Просто не придумаешь!

— Я знаю! — говорит Поль. — Понесем ее на кухню. Жозефин ничего не скажет. Мы накормим эту бедную птицу мясом — она кричит от голода! — а пока она будет есть, неужели мы, три головы, не придумаем ничего умного? Придумаем!

Но — увы! — ворона в самом деле голодна, она с жадностью хватает кусочки сырого мяса, которые ей дает Юзефа; в кухню приходит еще и мама, нас уже не три, а пять голов, и все-таки мы ничего не можем придумать!

Пока ворона ест, Поль успела рассмотреть, что одна нога у нее сломана. Вот почему при первом взгляде на нее мне сразу вспомнилась хромая бубличница Хана!

— Я думаю, — говорит наконец мама, — оставить ее у нас невозможно: папа рассердится. Ее нужно отнести к Ивану Константиновичу Рогову. Он ее возьмет к себе и вылечит...

Мы страшно торопимся: надо скорее пообедать и унести ворону из дому раньше, чем папа проснется, — он спит у себя после бессонной ночи, — а проснуться он может очень скоро. Временно мы укладываем ворону в корзинку с крышкой и ставим ее в уголок.

Пока мы обедаем, я раза три выбегаю из-за стола, чтобы перепрятать корзинку с вороной в разные места. То мне кажется, что корзинка стоит на сквозняке и несчастная ворона может простудиться, — я перетаскиваю корзинку с вороной в переднюю. Через пять минут я с ужасом думаю: а вдруг кто-нибудь украдет ворону? И я переношу ее в самое укромное, по-моему, место — в ванную комнату. Там я ставлю корзинку внутрь ванны. Теперь я спокойна — до вечера сюда никто не придет... А тем временем мы унесем ворону к Ивану Константиновичу — и все будет улажено.

Мы обедаем в столовой, переговариваясь шепотом, чтобы не разбудить папу.

— Не возись так долго... — говорит мне мама. — Ведь нам еще нужно отнести ворону к Ивану Константиновичу. Ешь скорее!

И вдруг раздаются звуки, от которых у всех нас, как пишут в книгах, «кровь застывает в жилах»! Звуки несутся из ванной — пронзительное воронье карканье и отчаянные крики папы:

— Что? Что это такое? Кто это принес? Уберите! Сию минуту уберите!

Папа вбегает в столовую. Он без пиджака, в рубашке с засученными рукавами и без очков, — он ничего не видит и никого не узнает...

— Там, в ванной, что-то орет!..

Конечно, это наша злополучная ворона! Папа, проснувшись, пошел освежить под краном лицо и руки (и как же я не предвидела этого!), но только он нагнулся над ванной, ворона, очевидно, нашла самым уместным закаркать во все воронье горло: «Кар-р-р-х! Кар-р-р-х!»

Господи, сколько забот и неприятностей из-за одной вороны!

Мы с мамой схватываем корзинку с вороной и бежим к Ивану Константиновичу.

Уже входя с улицы в переднюю квартиры доктора Рогова, мы слышим отчаянные крики:

— Простите!.. Пустите!.. Простите!.. Больше не буду!

Можно подумать, что здесь кого-то наказывают, секут, мучают. Но и мама и я понимаем, в чем дело, и спешим в комнату, откуда доносятся вопли. Это кричит Сингапур, большой бело-розовый попугай, которого Ивану Константиновичу его друг, моряк, привез из Сингапура (оттого его так и назвали). Надо сказать, что у этого Сингапура отвратительный характер, это очень злая и хитрая птица. Посмотришь на него — красавец! Погладишь его бело-розовую спинку — и вся ладонь покрывается словно нежной и легкой летучей пудрой. Целые дни Сингапура не выпускают из большой клетки, где он, сидя в кольце, бормочет всякие глупости. То вдруг запоет из оперы «Фауст»:

«Расскажите вы ей, цветы мои...»

То пищит тонким голосом:

«Ах, какой вздор-р-р! Какие глупости!»

То вдруг орет басом:

«Молчать!»

Когда Сингапура выпускают из клетки, он сразу теряет в своей красоте, потому что тут становится видно, какой он неуклюжий и нескладный на ходу: лапы у него кривые, он ходит переваливаясь, нетвердо и для равновесия помогает себе еще и клювом, которым тоже упирается в пол. Но самая главная беда в том, что Сингапур обожает долбануть кого-нибудь — преимущественно в ногу. Мужчинам, у которых на ногах толстые ботинки, Сингапур не страшен. Но когда у Ивана Константиновича гости, Сингапур прокрадывается под обеденный стол, облюбует там женскую ногу в туфле или детскую в сандалии — и долб своим твердым клювом, острым на конце! Бывали случаи, когда попугаев клюв, прорвав чулок, долбал этаким манером ногу до крови! Сингапур долбанет — и быстро-быстро улепетывает на своих кривых лапах, упираясь носом в пол.

Водятся за Сингапуром еще и другие грехи. От его клюва очень страдает бульдог доктора Рогова — Бокс. От старости Бокс часто засыпает, и уж Сингапур не пропустит случая клюнуть Бокса в спину или живот. Бокс просыпается, лает с подвыванием, бросается на Сингапура, но тот, как настоящий предатель, боя не принимает, а улепетывает в свою клетку!

В общем, Сингапур боится только одного — гладкой полированной крышки рояля. В наказание за злопыхательские выходки Иван Константинович ставит Сингапура на рояль. Почему-то гладкая, блестящая поверхность нагоняет на Сингапура ужас. Он даже не пытается двигаться по ней, шевелить лапами или подгребать клювом. Он стоит на рояле, как на льду, и истошным голосом орет:

«Простите!.. Простите!.. Пустите!.. Не буду!..»

Дав ему вволю накричаться, Иван Константинович сажает его в клетку, приговаривая стих Некрасова:

И вот тебе, коршун, награда
За жизнь воровскую твою!

Очутившись в клетке, Сингапур сразу забывает все происшедшее. Иван Константинович уверяет, что попугай — самое глупое существо в природе: он запоминает только звуки, которые слышит. В клетке Сингапур веселеет, начинает кувыркаться в своем кольце, орать: «Солдатушки, бравы р-р-ребятушки!» — и молоть всякий вздор. Прежний хозяин научил его кричать: «А вот дурак пришел!» — и бывают случаи, когда приходящие к доктору Рогову впервые малознакомые люди останавливаются, ошеломленные, слыша человеческий голос, гнусаво и хрипло говорящий: «А вот дурак пришел! Дурак пришел!»

У доктора Рогова — очень странная квартира, такой нет ни у кого! В ней везде живут всякие животные. Попугай Сингапур и бульдог Бокс — это так, пустяки, да и у других бывают же собаки и попугаи. Но у Ивана Константиновича не меньше восьми — десяти аквариумов и террариумов, он сам их делает. В одном живут черепахи: Красавица и Черный Панцирь. В других аквариумах — саламандры, рыбки и всякий водяной народ. И есть зеленые жабы. Этого террариума, я, по правде сказать, побаиваюсь.

— Оттого что я врач, — говорит Иван Константинович, — я всегда очень хорошо вникаю, понимаю, что́ именно нужно животному или даже растению, чего им недостает, отчего они хиреют и болеют. И я лечу их, да иногда так хорошо, что сам удивляюсь, честное слово!

Как-то одна из его жаб, самая маленькая, заболела странной болезнью: она зачервивела, была вся в мелких-мелких червячках. Иван Константинович очень долго думал, искал причину болезни, прикидывал, чем бы лечить жабу, — и вылечил! Он очень любит эту свою исцеленную пациентку, называет ее Милочкой. Вот и сейчас он осторожно вынимает ее из террариума и, держа на ладони, показывает нам.

— Ты погляди, — говорит он мне, — погляди, как она на меня смотрит! Она узнает меня, она помнит, что я ее вылечил... Погляди, какие у нее благодарные глаза! Что Сингапур? Дурак этот Сингапур, беспамятная, глупая птица! Разве его можно сравнить с Милочкой?

Милочка сидит очень спокойно на ладони Ивана Константиновича, как на большом листке болотной кувшинки. Она ярко-зеленая, с круглыми глазками, выпученными, как стекла очков. Ничего особенного эти глаза не выражают. Но она в самом деле, по-видимому, узнает доктора Рогова, не убегает от него, идет к нему в руки.

За домом, где живет Иван Константинович, был прежде небольшой заброшенный пустырь, заросший лопухом, крапивой, чернобыльником. Соседи сбрасывали туда весь мусор: черепки посуды, дырявый матрац, пустые бутылки — все, что люди выкидывают на свалку. Иван Константинович в свободные свои часы расчистил этот клочок земли и в несколько лет вырастил на нем небольшой сад. Причудливые клумбы, веселые желтые дорожки, удивительной красоты розы, все сорта ягод: крыжовник янтарный и красноватый, смородина ярко-красная, черная и бледно-розовая, яблоки, груши, черешни, сливы — зеленовато-желтые ренклоды и малиновые с дымчатым налетом. И все это Иван Константинович посадил своими руками.

— Садовника нанять — это всякий богатый дурак может! Нет, ты сам! Сам приди на пустырь и преврати его в сад! — говорит Иван Константинович.

Я очень люблю ходить к Ивану Константиновичу. И не только из-за того, что он щедро одаряет своих гостей цветами и фруктами. Нет, больше всего я люблю «помогать»! Полоть, поливать, подавать Ивану Константиновичу рассаду, саженец за саженцем. Помогать ему приятно, потому что он к этому относится серьезно. Я ненавижу — просто ненавижу! — когда дома в ответ на мое предложение: «Можно, я помогу прибрать комнату?» или: «Можно, я помогу накрыть на стол для гостей?» — мне говорят: «Ну хорошо, вот возьми эту вилку и отнеси ее на кухню Юзефе». При этом мне всегда ужасно обидно: ведь я хотела помочь, быть полезной, а мне дали поноску, как пуделю! У доктора Рогова такое никогда не возможно. Он даже не дожидается, чтобы я попросилась помогать, — он просто дает мне какое-нибудь дело всерьез, нужное дело: «Вот тебе инструмент — выполи им всю сорную траву с этой дорожки, да с корнями, чтобы она больше не вырастала, потом смети, что́ выкорчевала со всей дорожки, в одну кучу. Поняла?» Был такой случай. Дорожка была длинная, солнце припекало, я устала передвигаться, сидя на корточках, и аккуратно выпалывать сорную траву вместе с корешками, иногда очень длинными. Пот лил с меня большими каплями, попадал в глаза и ел их, как мыло, руки ныли, ноги немели. Я поглядывала издали на доктора Рогова: «Неужели он забыл обо мне?» Но он не забыл — он изредка смотрел в мою сторону и, не улыбаясь, кивал мне: «Хорошо. Продолжай». Когда я расчистила всю дорожку, сгребла лопаткой в кучу все вырванные сорняки, Иван Константинович посмотрел и сказал: «Молодец!» Ох, я была горда этой похвалой!

Иван Константинович — старый холостяк. Ни жены, ни детей у него нет и никогда не было. Своих зверей, птиц, рыб, свои цветы и деревья Иван Константинович мог бы называть так, как Поль называет свою пальму и своего попугайчика: «Моя семейства».

Как-то я услыхала обрывок разговора между мамой и папой.

— Бедный!.. — сказала про кого-то мама. — Говорят, он ее очень любил.

— Надо думать, что любил, если уж из-за нее ни на ком другом не женился, — подтвердил папа.

— А почему, собственно, они не поженились?

— К ней генерал посватался. А Иван Константинович был молодой врач, только что окончил академию, — ни денег, ни положения. Ну, родители и выдали ее за генерала...

Тут я поняла, что мама и папа говорят о докторе Рогове.

Однажды в альбоме Ивана Константиновича — старом, крытом облезлым плюшем, где были только фотографии военных с усами, с бородами, — я увидела портрет молодой девушки. Она не была ни красавицей, ни раскрасавицей, но было в ней такое грустное обаяние, такая ласковая милота́, что вот смотрела бы на нее и смотрела не отрываясь. Одета она была по-старинному, как моя бабушка, мать мамы, на старой фотографии. На гладко причесанной головке была надета круглая плоская шапочка с пряжкой над серединой чистого лба. Из-под шапочки глядели совсем юные, почти детские, но уже печальные глаза. Платье широкое-широкое, рукава такие же, на шее — черная бархотка с медальончиком. А руки лежали на коленях покорно и беспомощно...

Очень она мне понравилась, эта девушка!

Разглядывая портрет, я не заметила, что за моей спиной стоит Иван Константинович.

— Кто это? — спросила я про портрет. — Милая какая!

Иван Константинович взял у меня из рук альбом и смотрел на портрет незнакомки.

— Милая. Да... — сказал он, закрывая альбом и пряча его в стол. — Хорошая была, царствие ей небесное! — и перекрестился.

— А она умерла? — огорчилась я.

Иван Константинович ничего не ответил. Взял меня за руку и тихонько вывел в соседнюю комнату. Запер за нами дверь, словно не желая беспокоить незнакомку из альбома. В тот же вечер, прощаясь со мной, он сказал:

— Когда ты вырастешь, станешь большая барышня, невеста, я расскажу тебе про одну девицу. Милую, хорошую... и горькую... Чтобы ты не делала в жизни глупостей и не упускала своего счастья.

Иван Константинович живет не один. При нем — денщик. Военным врачам, как вообще всем офицерам русской армии, полагаются денщики из нестроевых солдат.

Жизнь этих денщиков чаще всего очень нерадостная. Оторванные от семьи, от дома, от привычной работы, денщики, молодые парни, работают в офицерских семьях за кухарку, за горничную, за няньку. Они стряпают, моют и натирают полы, стирают, гладят, крахмалят белье, нянчат офицерских детей.

Жалованье денщику не полагается, а командовать им, ругать и даже бить могут все: и его благородие барин-офицер, и ее благородие барыня, и их благородия барчуки. И жаловаться денщик не может — некому жаловаться.

Немудрено, что все денщики, попадающие к Ивану Константиновичу Рогову, привязываются к нему, как к родному отцу. Не то чтобы Иван Константинович был с ними ласков, называл Ванятками и Гришутками. Нет, он и кричит, выпучив глаза, как вареный рак, и даже ногами топает, если что не так.

— Человеку ничего прощать нельзя! — уверяет он. — Человека надо учить, и с него надо требовать! Тогда он и будет человеком!

Но денщик знает: Иван Константинович его не обидит. Денщик Никифор, которому недавно вышел срок, уезжая от Ивана Константиновича, плакал навзрыд. Сейчас у Ивана Константиновича новый денщик — татарин Шарафутдинов. Он почти не знает русского языка.

— Беды́ мне с тобой, Шарафут! — сокрушается Иван Константинович. — Учи тебя еще и говорить, как маленького... Ну, кто я есть, скажи!

Шарафутдинов беспомощно поводит миндалевидными восточными глазами и отвечает — не сразу, с запинкой:

— Благородиям...

Подумав, он поправляется:

— Ихням благородиям...

Но за глаза Шарафутдинов уточняет, называя Ивана Константиновича:

— Та барин, кото́ра то́льста...

...Надев очки, Иван Константинович начинает осмотр принесенной нами вороны. Для этого он помещает ее в особый станочек — он сам его придумал и построил для птиц. Из этого станочка ворона не может вырваться, она стоит в нем совершенно неподвижно. Иван Константинович осматривает ее лапу, с огорчением цокает и качает головой:

— Ну конечно, перелом! Эх, ты-и-и!.. — говорит он вороне укоризненно. — Вот именно, что ворона! И как это тебя угораздило? Пьяная ты, что ли, была? Подралась?

Всё объясняют подрезанные крылья. Не то из озорства, не то для того, чтобы ворона не улетела, кто-то подрезал ей крылья. А она — возможно, забыв об этом, возможно, не понимая, что это значит, — попыталась улететь, например, с верхнего этажа: с балкона или из окна, и, полетев камнем на землю, сломала при этом лапу. Можно, конечно, предположить и так, что лапу ей сломала та кошка, которую мы с Юлькой отогнали. Так или иначе — лапа сломана...

Иван Константинович осторожно и аккуратно накладывает на воронью лапу неподвижную повязку, прибинтовывает к ней плоские палочки, как хирургические шины. Ворона все время ведет себя отвратительно! Она не только орет и каркает самым оглушительным образом, но все пытается клевать пальцы врача, а клюв у нее — ой-ой-ой! Но Иван Константинович ловко увертывается, и воронья лапа оказывается перевязанной крепко и надежно.

Затем ворону помещают в особую клетку, где она не может двигаться, здесь она будет находиться, пока у нее не срастется перелом.

— А потом? — спрашиваю я.

— Потом подождем, пока у нее подрастут крылья.

— А потом?

— А потом она улетит и забудет о нас.

— Жалко... — говорю я, помолчав.

— Нет, не жалко — мы тоже о ней забудем!..

На обратном пути от Ивана Константиновича мы идем с мамой по Большой улице. У дома Харькевича мы, по моей просьбе, останавливаемся. В этом доме есть одна квартира, в которой постоянно останавливаются и дают свои представления все приезжающие в наш город — в афишах всегда сказано «на самое непродолжительное время» — фокусники и другие заезжие артисты. У подъезда этого дома всегда висят громадные плакаты с надписью: «Спешите! Спешите! Чудо природы! Неразрешимая загадка! Всего на несколько дней!», и яркими красками намалеваны эти чудеса природы и неразрешимые загадки: сросшиеся близнецы, женщина с бородой и т. д.

Сегодня около подъезда висят плакаты: «Чудо-художник рисует ногами», и, по обыкновению, сообщается: «Спешите! Спешите! Всего 3 дня!»

Конечно, я жалобно прошу:

— Ма-а-ма...

И, конечно, мы поднимаемся по лестнице, уплачиваем пятнадцать копеек — десять за маму и пять за меня.

В большой комнате — это зал представлений — перед маленькими подмостками стоят в три ряда стулья. Народу не много.

— Не знаю, не знаю... — недоверчиво говорит сидящий рядом с нами почтово-телеграфный чиновник. — Бог его знает, интересно ли...

— Поглядим, тогда будем знать, — рассудительно отзывается его спутница.

— Вот я вам скажу, я в Санкт-Петербурге видал — в саду «Аркадия»... Там актерка на лошади выезжала. Лежит на спине у коня, к хвосту головой, а волосы у ней распущены и песок подметают! Вот это было произведение искусства! Не абы что!

Раздается звонок. Кто-то играет на пианино: блям-блям-блям. Публика рассаживается на стульях.

На подмостки, где стоит большой мольберт и стул, выходит человек с измятой физиономией, похожей на изжеванный окурок папиросы. Мотнув головой, как лошадь, отгоняющая этим движением слепней, он громко прокашливается и начинает говорить.

— Почтеннейшая публика, — заводит он удивительно жидким и скучным голосом, без всяких знаков препинания, — сейчас вы увидите величайшее чудо необъяснимую загадку природы художника лишившегося обеих рук отрезанных по самые плечи вообще говоря безвыходная трагедия но вот что делает Бог художник этот научился рисовать ногами и вы сейчас убедитесь в этом сами.

Мотнув еще раз головой, человек с измятым лицом обращается к кому-то невидимому для публики:

— Маэстро, публика просит вас выйти и показать ваше искусство.

На подмостки выходит высокий, стройный человек с симпатичным лицом. Оба рукава его пиджака совершенно пусты сверху донизу, и концы рукавов заложены в оба кармана.

Это и есть безрукий художник. Он кланяется зрителям без улыбки, с достоинством. Человек с мятым лицом снимает с художника пиджак и показывает публике, что руки в самом деле отсутствуют, — они вроде как подрезаны под корень, не осталось даже самой маленькой культи.

Художник садится на стул перед мольбертом. Движением ног одна об другую он сбрасывает с себя туфли.

— Миша! — говорит он тоном приказа.

Человек с мятым лицом (он и есть «Миша») вставляет кусок угля в пальцы ноги художника. И художник начинает рисовать ногой.

Сперва на мольберте появляется что-то вроде извилистой речки. По обе стороны ее возникают деревья, — нет, это не речка, а дорожка в лесу. Потом из-за деревьев появляется солнце. Всё.

— Дорога уходит в даль... — объясняет художник. — Это пейзаж.

Миша снимает с мольберта лист с пейзажем. Под ним оказывается другой лист, чистый. На этом листе художник все тем же способом — углем, зажатым между пальцами ноги, — резкими чертами набрасывает лицо: маленькое ухо, маленький глаз, толстый носище, похожий на свиной пятак, — в общем, преотвратительная харя!

— Его степенство купец первой гильдии Тит Титыч Толстопузов! — объявляет художник. — Портрет-карикатура.

За этим следует последний рисунок: жирная женская морда, утонувшая в двойных и тройных подбородках, с заплывшими жиром глазами, в повойнике: «Благоверная супруга Тита Титыча, купчиха Хавронья Сидоровна».

Зрители смеются, хлопают.

Художник встает, нашаривает ногами туфли. Измятолицый Миша, показывая на рисунки, сделанные только что художником, предлагает желающим приобрести их.

Желающих не оказывается.

— Недорого... Купите! — предлагает Миша.

Художник стоит неподвижно. Глаза его опущены. Губы крепко сжаты.

— А сколько? — вдруг спрашиваю я.

Мама очень решительно берет меня за руку.

Миша с изжеванным лицом бросается к нам:

— Дешево... По сорок копеек за рисунок... Ладно — хотите, отдадим за тридцать. Идет?

Я смотрю на маму умоляющими глазами.

— Мамочка!..

Мама платит Мише тридцать копеек.

Художник подходит к краю подмостков:

— Который из рисунков вы желали бы приобрести?

Вот когда мама показывает всю разницу между своим тактичным умением всегда и везде сказать и сделать то, что нужно, и моим неумением! Подняв на художника свои прекрасные глаза, мама говорит с хорошей улыбкой:

— Я прошу, чтобы господин художник сам выбрал рисунок для моей дочки...

Художник смотрит на маму, потом на меня. Вероятно, ему передается мое волнение и мое восхищение перед ним, потому что глаза его теплеют, он говорит очень сердечно и просто:

— Пусть маленькая барышня возьмет рисунок «Дорога уходит в даль...». Когда я еще был художником, — а я был настоящим художником, прошу мне поверить! — это была моя любимая тема: «Всё — вперед, всё — в даль! Идешь — не падай, упал — встань, расшибся — не хнычь. Всё — вперед! Всё — в даль!..»

На улице мама говорит мне, не то сердясь, не то смеясь:

— Я с тобой больше никуда не пойду!

— Почему?

— Потому что ты — невозможная, — говорит мама торжественно. — Ты — самая невоспитанная девочка на свете! Я еще удивляюсь, как ты не полезла целоваться с этим бедным художником, как с тем индийцем!

— Ну, мамочка, индиец — это же совсем другое... Я его поцеловала потому... да, потому, что он же не понимает слов!.. А художник — какой молодец, правда? Как ты думаешь, он герой?

— Надоела ты мне со своими героями! И ходи по-человечески, не забегай вперед меня, не заглядывай мне в глаза, не наступай мне на носки туфель...

Не стоит, вероятно, и говорить о том, что, придя домой, я первым делом разуваюсь, вдеваю между пальцев правой ноги карандаш и пытаюсь для начала если не нарисовать что-нибудь — рисую я и рукой очень плохо! — то хотя бы написать свое имя. Увы, у меня ничего не получается! Пробую сделать это левой ногой — такой же результат. Вот когда до меня доходит, как трудно, как невообразимо трудно было художнику научиться рисовать ногой!

Рисунок художника углем на бумаге «Дорога уходит вдаль...» заделали в рамку под стекло и повесили в моей комнате. В течение ряда лет, утром, открывая глаза, я видела дорогу среди деревьев, из-за которых вставало солнце, и вспоминала слова художника: «Упал — встань. Расшибся — не хнычь. Дорога уходит в даль, дорога идет вперед!» Это были мужественные слова мужественного человека. Увечье не победило его — он победил свое увечье. Он не растерялся, не пал духом, он не просил милостыню, как просят калеки, он работал как мог. Если бы он жил теперь, в наше время, в Советской стране, его мужеству, его сильной и умной воле нашлось бы лучшее применение. Но тогда, более шестидесяти лет назад, у него не могло быть сознания, что он хоть чем-нибудь нужен людям. Может быть, оттого его тогда обрадовало, что кто-то хочет приобрести его рисунок, что девочка с бантом на кудлатой голове смотрит на него с уважением и восторгом. Художник сказал мне свои замечательные слова как напутствие, а я запомнила их на всю жизнь — как завет воли к сопротивлению.

Ох, как пригодились мне в жизни эти слова!

Глава четырнадцатая

19 АПРЕЛЯ — 1 МАЯ

Утро. Делать мне нечего, не стоит ничего начинать, сейчас придется бросить: Павел Григорьевич должен прийти на урок. Чтобы чем-нибудь заняться, я делаю всякие краткосрочные дела: поливаю цветы в цветочных горшках, насыпаю корму канарейке, читаю наоборот справа налево видные в окно уличные вывески: «акетпа» — вместо «аптека», «яанчолуб» — вместо «булочная». Потом сажусь за свой столик и просматриваю работу, приготовленную для Павла Григорьевича. Мне не нравится, что буква «о» у меня везде как гладкое яйцо, и я всюду приписываю к ней петельку — она становится похожа на фасоль, это гораздо интереснее. Сделав и это многополезное дело, я вспоминаю, что можно еще сорвать с календаря вчерашний листок и прочитать то, что напечатано на нем с изнанки.

А Павел Григорьевич, видно, где-то задерживается!.. Нету его и нету!

Тут же, в комнате, папа читает номер медицинского журнала, только что принесенный почтальоном. Читает папа, как он всегда все делает: на лету, на бегу, между двумя операциями. Читает, не присаживаясь, стоя, в шляпе и держа в руке свою сумку с инструментами (он ждет — доктор Рогов должен прийти, чтобы отправиться вместе с папой куда-то к больному).

Я срываю с календаря листок со вчерашним числом: 18 апреля. Внизу в скобках маленькими буковками и цифирками напечатано: 30 апреля. Под сорванным вчерашним листком сегодняшнее число — 19 апреля, — и опять под этим в скобках мелконько напечатано: 1 мая.

— Папа! Почему крупно — девятнадцатое апреля, а малюсенькими буковками — первое мая?

У папы удивительная способность: одновременно и читать, и слышать, что ему говорят, и отвечать на это! Только отвечает он коротко, словно рубит ответ на куски.

— За границей... — говорит он, перелистывая страницу, — другой календарь... На двенадцать дней позднее, чем у нас.

— А почему?

Папа дочитал журнал, кладет его на стол:

— Ну, это я так, на бегу, рассказать не могу. В общем, мы отстаем от заграничного календаря на двенадцать дней. И каждые сто лет эта разница увеличивается на один день. С 1900 года мы уже будем отставать на тринадцать дней.

— Очень странно! — удивляюсь я. — У нас сегодня еще только девятнадцатое апреля, а у них уже первое мая!..

На изнанке сорванного календарного листка, как всегда, напечатано множество сообщений: пословицы, почему-то всегда либо неинтересные, вроде «Февраль заморозит, а март отпустит», либо общеизвестные, как «Ученье — свет, неученье — тьма», медицинские советы («Простейшее средство от детских поносов»), меню обеда («Щи суточные говяжьи, бараний бок с кашей, мороженое») и, наконец, — загадочная строка: «Погода по Брюсу: дождь». Эти предсказания погоды почему-то никогда не сбываются!

— Папа, кто такой Брюс?

Папа, который уже пошел было к двери, но по дороге, заметив какую-то книгу, уткнулся в нее, очень спокойно отвечает мне:

— А черт его знает, кто такой Брюс!

— Тут, в календаре, сказано: «Погода по Брюсу: дождь»..

— А-а-а... — вспоминает папа, продолжая читать книгу. — Это при Петре Великом... ученый был. Предсказывал погоду... Двести лет назад...

— Как же он мог двести лет назад предсказать, что сегодня будет дождь?

— Ну вот, оттого никакого дождя сегодня и нет! И вообще, не приставай с пустяками, очень интересная статья попалась...

Пока мы с папой разговариваем — вернее, пока папа отстреливается от моих вопросов, — Юзефа прибирает комнату. Юзефа сердита. Впрочем, она ведь редко бывает настроена благодушно, но сегодня она как-то особенно яростно бушует. Переставляет мебель со стуком, стирает пыль со статуэтки Пушкина с таким ожесточением, словно собирается отломить Пушкину голову.

— Учителя своего дожидаешься? — спрашивает Юзефа.

— Да.

— Не дожидай. Не прийдеть твой арештант. Не прийдеть ён, бедны-ы-ы-й...

И Юзефа вдруг начинает плакать!

Обычно Юзефины слезы не слишком пугают меня. У Юзефы, как папа говорит, глаза на болоте. Только копни — и мокро. Но то, что Юзефа так горько плачет о Павле Григорьевиче, которого она терпеть не может, называет «арештантом», приписывает ему всякие вины и прегрешения, — это поражает меня как громом.

— Что с моим учителем? — бормочу я в испуге. — Случилось что-нибудь? Беда какая-нибудь?

— Не случилось, так случится! — И частые слезинки бегут по морщинам Юзефиного лица, как ручейки по давно промытым руслам.

С трудом удается добиться от нее рассказа о том, что́ она знает. Знает она только то, что сегодня ей говорили на базаре кухарки, — а они все ссылаются то на «покоёву» (горничную) пристава, то на кухарку «жандармского пулковника».

— Да что они стрекочут, все эти покоёвы и кухарки? — начинает тревожиться папа.

— Они не стрекочут, они не болбочут, — строго объясняет папе Юзефа, — они правду говорят. Прислуга всегда все знает! И они говорят, что сегодня фабричные бросят работу и вместе с арештантами — такими, как наш учитель! — пойдут по улицам с красным флагом, будут кричать, что не надо царя, не надо нам панов — сами будем пановать. А полицейские — чтоб они подохли все до единого, и не завтра, а сей минут! — уже пронюхали про это. Кто-то — чтоб ему гореть в огне, и не один-два дня, а сто лет! — сказал полиции об этом. Как пойдут фабричные и арештанты по улице, так полиция и казаки нападут на них, будут их бить «дисциплинками» (нагайками), стрелять в них будут! Для того им ныне рано выдали «стрелы» (боевые патроны) и по лафитнику водки на каждого... Всех они поубивают! И нашего, бедного, убьют! Насмерть!

Рыдая, Юзефа сердито ставит статуэтку Пушкина носом в угол и уходит на кухню.

— Папа, ты про это слыхал?

— Слыхал... — отзывается папа угрюмо. — А вот ты — сделай такое одолжение! — ты ничего не слыхала и ничего не знаешь, поняла? Не смей ни с кем об этом говорить, чтоб от твоей болтовни людям неприятностей не было. Даже со мной об этом не говори!

— Папа... — снова начинаю я, помолчав. — А ты заметил, как Юзефа... ведь она же Павла Григорьевича не любит, она его всегда ругает!

— Юзефа — редкостный человек. Золотой. Цены ей нет. Исковерканный, искалеченный — ведь тридцать лет тому назад она еще была крепостная! А сердце у нее большое, хорошее, оно хочет лепиться к людям, любить их, жалеть, тревожиться о них... И к Павлу Григорьевичу она потому переменилась, что ему грозит опасность...

В передней раздается сильный, продолжительный звонок, за ним второй, третий — такие же... В комнату входит Владимир Иванович Шабанов. Входит, уже сразу чем-то разозленный, нагнув голову, словно собирается бодаться, — ну совсем как его дочка Рита, когда она рассердится!

Даже не здороваясь, он сразу обращается к папе с вызовом, с раздражением:

— Ну, что я вам тогда говорил, а?

— Это я могу спросить у вас, Владимир Иванович: «Что такое вы мне говорили, что я должен помнить?» И, кстати, когда — «тогда»?

— Да про забастовку же, господи, беспамятный какой!

— А-а-а... — неопределенно тянет папа.

— Забастовали ведь мерзавцы, стоит мой завод! И у Кушнарева забастовали, и на конфетной фабрике «Амброзия», и кожевники, и лесопилка... Ну как же! — все более разъяряясь, продолжает Владимир Иванович. — Раз в прошлом году первого мая в Варшаве бастовали, и в Белостоке, и еще где-то дураки нашлись, — так как же моим окаянцам отстать? — при этом Владимир Иванович очень смешно приседает, разводя руками.

Папа молчит.

— И если б еще только забастовали они! — распаляется Владимир Иванович. — А то ведь вваливаются сегодня ко мне двое оборванцев — из моих рабочих! — и подают мне своими грязными лапами бумагу. «Мы, говорят, делегаты от рабочих, и в бумаге — наши требования!» Понимаете — тре-бо-ва-ни-я!

— Чего же они от вас требуют? — спрашивает папа каким-то несвойственным ему, бесцветным голосом, словно спрашивает он из вежливости, а на самом деле это вовсе не интересно.

— Вот-вот, именно, именно! — И Владимир Иванович начинает загибать пальцы. — Повышения платы — раз! Сокращения рабочего дня — два! Улучшения условий труда — сетку им оградительную поставить! Можете себе представить? И еще, и еще, и еще...

— Ну, плата у вас рабочим... — начинает папа.

— ...такая, как везде. Такая, как везде!

— Слушайте, Владимир Иванович... Я же условия жизни ваших рабочих не хуже вас знаю... Калечатся они — а они калечатся очень часто! — кто их лечит? Я лечу! И я вам — вспомните! — об этой предохранительной сетке говорил много раз. А плата... Ну подумайте сами, может человек жить с семьей — на три-четыре рубля в месяц? А у вас есть рабочие и с таким низким заработком!

— А не может жить, так пускай отправляется к чертовой матери! — отрезает Владимир Иванович. — К черту! Нужен он мне!

— Владимир Иванович! — строго говорит папа, показывая глазами на меня. — Тут ребенок, выбирайте выражения!

— Ничего! Пускай и ребенок знает! Мы должны теперь воспитывать детей так, чтобы они этих скотов-рабочих могли потом в кулаке держать. Ритка моя сегодня так прямо и выпалила: «Поезжай, папка, к губернатору — пускай присылает солдат с пушкой, пускай всю эту мразь перестреляют!» Так прямо и сказала! Огонь девка!

Папа кладет мне руку на голову. Я стою, прислонившись к нему, и чувствую, физически чувствую, как противен ему Владимир Иванович и весь этот разговор.

— Моей дочери это не нужно, Владимир Иванович... У меня рабочих нет. У нее тоже не будет.

Владимир Иванович щурит глаза:

— А революции вы не боитесь, Яков Ефимович?

— Почему мне ее бояться? Врач и революции нужен, будьте спокойны!

— Та-ак? — зловеще тянет Шабанов. — Пускай будет революция, пускай погибнет святая Русь, — все равно, да?

Папа начинает раздражаться. Сейчас разыграется скандал.

— Вам, Владимир Иванович, не святую Русь жалко, а доходов своих!

— Нет-с, Яков Ефимович! Я русский человек! — Владимир Иванович с азартом ударяет себя в грудь.

— Можете не бить себя по бумажнику, — предостерегает папа, — я вам и так верю, что вы русский человек.

— Русский, да-с! Вам, евреям, этого, конечно, не понять. Подумаешь, как он меня напугал! «Не могут ваши рабочие на такую маленькую плату жить»! Ха! Не могут жить, так пусть околевают! Я не заплáчу!

— Вон! — кричит папа с таким бешенством, что я в ужасе вцепляюсь в его руку. — Вон отсюда!

Владимир Иванович тоже, видно, пугается. Бочком, бочком он протискивается в дверь и исчезает.

В комнату входит Павел Григорьевич — он, видно, пришел с черного хода, потому и не встретился с Шабановым.

— Что у вас тут происходит?

— Да ничего... — Папа немного смущен своей яростной вспышкой. — Поворковали мы немного с Шабановым...

Пока папа рассказывает содержание этого «воркованья», Юзефа приносит Павлу Григорьевичу чай, бутерброды и варенье. Это до сих пор всегда делала мама — Юзефа отказывалась обслуживать «арештанта».

— Кушайте, пане учителю! Кушайте! — И в порыве доброго чувства Юзефа проводит рукой по его плечу.

— Спасибо, мамаша... — Павел Григорьевич крепко жмет Юзефину руку.

Юзефа растерянно смотрит на всех нас, на свою руку, на Павла Григорьевича и, всхлипнув, убегает.

Павел Григорьевич почти не притрагивается к еде и чаю, хотя Юзефа принесла ему самого «парадного» варенья — абрикосового. Его подают только самым дорогим гостям.

— Павел Григорьевич, — спрашивает папа негромко, — бастуют?

— Да. На ряде фабрик. Вы уж простите, Яков Ефимович, я сегодня с Сашенькой заниматься не успею...

Слышен оглушительный топот сапог. Юзефа вводит солдата — это Шарафутдинов, денщик доктора Рогова.

Шарафутдинов показывает на окно и говорит:

— Там. Та барин, котора тольста.

Это означает, что страдающий одышкой Иван Константинович прислал Шарафутдинова наверх сказать папе, что он, Иван Константинович, ждет папу на улице.

Юзефа уводит Шарафутдинова. Перед тем как уйти за ними, папа останавливается.

— Павел Григорьевич, — говорит он, — никто ведь не знает, как развернутся сегодня события, правда? Так вот, если будут пострадавшие, в госпиталь никого не привозите: там уже получен приказ (я сам, своими глазами, читал его вчера вечером) немедленно препровождать таких в тюремную больницу.

— Я так и думал, — говорит Павел Григорьевич. — Но все-таки спасибо, что сказали... Будем знать!

— А пострадавших, если они будут, размещайте по частным квартирам — и немедленно посылайте за мной. Только пусть говорят, что от вас. Я приду в любое время дня и ночи, можете быть уверены!

— Я в вас и не сомневаюсь, Яков Ефимович!

Павел Григорьевич говорит это улыбаясь, но он смотрит на папу серьезным взглядом.

— До свидания, Александра Яковлевна! — говорит Павел Григорьевич, и я не сразу соображаю, что это он ко мне обращается. — Расти большая. Расти умная. А главное — расти хорошая... Да?

— Да... — отвечаю я и не плачу, только губы у меня дрожат.

Папа и Павел Григорьевич обнимаются, словно прощаются надолго. Потом папа уходит.

Павел Григорьевич обнимает меня и Юзефу.

— Маме поклонись! — наказывает он мне.

Он уходит. Юзефа крестит его спину быстрыми-быстрыми крестиками.

Вот таким, как в то утро, — в пиджаке, надетом на вылинявшую синюю сатиновую косоворотку, подпоясанную шнурком; с добрым и веселым лицом, похожим на круглую луну; уходившим, может быть, на смерть так, словно он уходит в лавочку за папиросами, — таким и запомнила я навсегда моего первого в жизни учителя.

Глава пятнадцатая
ПАПА И ПОЛЬ ГУЛЯЮТ ПРИ ЛУНЕ

День тянется без конца. Если смотреть в окно на улицу, то ничего особенного в городе не происходит. Едут извозчики, идут пешеходы, на углу висит афиша городского театра: «Сумасшествие от любви». Продают подснежники и первые лиловые анемоны, мохнатые, словно они надели шубки мехом наизнанку. Вот проехал доктор Стембо в изящной пролетке с английской упряжью — с оглоблями, концы которых выгнуты врозь и наружу. За ним прогремела телега, на которой свалены длинные железные полосы; концы их волочатся по земле и, подпрыгивая, грохочут по мостовой. Неторопливо проплыла закрытая карета «бискупа» — католического епископа. Многие прохожие останавливаются и набожно крестятся на эту карету, а сидящий в ней тощенький старичок старательно осеняет крестным знамением улицу направо и налево.

— Бискуп... — крестится и Юзефа, но делает она это рассеянно, мысли ее давно далеко.

Приходит ко мне на урок ящик — фрейлейн Эмма. Как каждый день, я сперва читаю вслух из хрестоматии: «Был сильный мороз. Карльхен, Амальхен и Паульхен очень жалели бедных воробышков, которые прыгали по снегу и, наверно, очень хотели кушать...» Потом я пишу диктовку: «Цветы благоухают — пукт. Наша мама очень добрая — пукт» и т.д. В заключение ящик декламирует мне очередную балладу Шиллера, как на грех, удивительно неинтересную.

А может быть, просто я сегодня слушаю рассеянно? Как сквозь сон, я слышу, что какой-то Фридолин был верным слугой своей госпожи, графини фон Заверн. Такая невнимательная слушательница, конечно, не вдохновляет фрейлейн Эмму, и она ни на минуту не превращается из ящика в живого человека. Так протекает весь урок. Когда фрейлейн Эмма наконец уходит, я чувствую такое облегчение, словно у меня гора с плеч свалилась.

И снова мы с Юзефой сидим на подоконнике и смотрим на улицу. А там все так же мирно. На балкончике над аптекой Родзевича жена аптекаря, повязав голову косыночкой и разостлав два газетных листа, пересаживает фикус из глиняного горшка в более вместительную деревянную кадку. Сидящая рядом с аптекаршей большая серая кошка невозмутимо спокойно вылизывает свой бок.

Папа весь день забегает чуть ли не каждый час домой. Не раздеваясь, спрашивает:

— Ну, что?

— Ничего... — отвечает мама.

Папа нервничает, он даже и со мной говорит раздраженно.

— Папа, почему Павел Григорьевич назвал меня Александрой Яковлевной?

— А ты разве Мария Ивановна?

Несколько раз в течение этого дня за окном по улице, гарцуя, проносятся небольшие отряды казаков.

— С нагайками... — шепчет мама.

— А это, голубенькая, скажу вам, не русское оружие! — разъясняет Иван Константинович Рогов. — Это — от ногайских татар заимствовано... Сотни лет тому назад! Нет, не русское оружие...

— Чье бы ни было... — бормочет папа. — А если полоснет, так на ногах не устоишь! Ведь в такой нагайке, в ременном конце, свинчатка вплетена!

— Ну, будем надеяться, казаки только для устрашения по улицам ездят, — успокаивает Иван Константинович.

Однако эти надежды не сбываются. Уже со второй половины дня по городу ползут, распространяются слухи. Слухи противоречивы — одни говорят, что на Анктоколе, другие,

что на Большой Погулянке, — но все слухи сходятся н
одном: на одной из улиц забастовщикам удалось сбиться
колонну. Они двинулись рядами по улице, подняли малень
кое красное знамя и запели запрещенную правительство
революционную песню. Тут на них налетели казаки. Наезжая
конями на людей, казаки смяли шествие рабочих и пустил
в ход нагайки. Песня оборвалась, красное знамя исчезло
Толпа рассеялась, даже помятых и побитых нагайками увел
товарищи, — полиция схватила только тех, кого увести был
невозможно: сильно оглушенных нагайками, сшибленны
конями. Все это длилось, говорят люди, буквально не больше
пяти — десяти минут. Подробностей никто не знает.

Пришедший полотер Рафал на кухне рассказывает:

— Стоим мы с кумом коло его дома, и бежит это один
рукой за плечо держится, а с-под пальцев у его — кап-кап
кап-кап! Красное, вроде вишневая наливка. Даже около на
в пыль капнуло, ей-богу, сам видел!

Ожидание каких-нибудь вестей от Павла Григорьевич
становится невыносимым. На улице темнеет. Из городского сада доносится духовой оркестр — веселая увертюра и
«Прекрасной Елены».

И вдруг в передней звонок! Мы все опрометью мчимся
туда.

— Хто? — спрашивает Юзефа через дверь. — Хто та
бразгаеть у звонок?

Мальчишеский голос отвечает:

— Свой. Отоприте.

Пока вошедший стоит к нам спиной, запирая входну
дверь, я узнаю надетый на нем знакомый пиджак.

— Павел Григорьевич!

Однако вошедший поворачивается к нам лицом, и это —
мальчик, подросток, с дерзкими глазами под лохматой бело-
курой копной...

— Я не Павел Григорьевич.

— А где он?

— Там... — Мальчишка неопределенно машет рукой.

Я узнаю мальчика. Это его Павел Григорьевич на дня
произвел в «полковники».

— Жив он? Жив? — нетерпеливо спрашивает папа.

— Живо-ой! Письмо прислал. Кто тут у вас доктор? В собственные руки...

Папа читает записку. Мы понимаем — Павел Григорьевич прислал мальчика за папой. Где-то есть раненые, и мальчик покажет папе дорогу. Юзефа уже снимает с вешалки папино пальто, шляпу и палку.

Но папа словно и не собирается идти!

— Идете? — уже нетерпеливо спрашивает мальчик.

— Нет. Тут написано, чтоб я сперва тебя осмотрел. Скидай пиджак, поглядим, что у тебя.

Мальчик неохотно снимает пиджак Павла Григорьевича, и мы еле удерживаемся от крика.

Юзефа всплескивает руками:

— Матерь Божия!..

— Кто же тебя так?

— Казак. Нагайкой.

Вся рубашка мальчика висит на нем клочьями. По спине, как длинный красный червь, изогнутый, переходящий за плечо, тянется свежий, еще кровоточащий рубец. Все то, что осталось от рубашки, насквозь пропитано кровью.

Теперь понятно, почему Павел Григорьевич, посылая мальчишку, надел на него свой пиджак: в истерзанной рубахе, исхлестанного нагайкой, окровавленного мальчишку сразу бы задержали!

Папа перевязывает мальчика, Поль очень ловко и умело помогает, мама приносит «полковнику» папину рубашку.

— Молодец! — говорит папа. — Хлопнул бы я тебя по плечу, как мужчину, да нельзя: больно будет.

— А теперь идем! — серьезно говорит «полковник».

— Нет. Ты мне адрес скажешь, а сам здесь останешься. Юзефа тебя спать уложит. Ты устал — ведь с утра, наверное, бегаешь? — и голоден, и рубец, наверно, горит... Ну, говори адрес.

— Все верно! — смеется мальчик. — И устал я, и голодный, и рубец, бодай его, горит, как огонь, а только не останусь я здесь: приказ мне дан, понимаете вы это?

Юзефа сторговывается с мальчиком: она дает ему громадный кусок хлеба, намазанный маслом, с двумя холодными котлетами.

— Як граф! — говорит он с набитым ртом.

Тут возникает затруднение. Ехать на извозчике папе нельзя, чтоб не «провалить» те квартиры, где скрыли пострадавших. Значит, надо идти пешком, не спуская глаз с идущего впереди мальчика, а ведь папа в темноте плохо видит и плохо ориентируется.

— Я пойду! — говорит Поль. — Я возьму мосье под руку, и мы пойдем под музыку, как двое влюбленных!..

Это вызывает всеобщий смех, и громче всех смеется сама Поль! Конечно, это единственный выход.

Все-таки мама, пошептавшись с папой, говорит Полю:

— Мадемаузель Полина... Мой муж хочет, чтобы я напомнила вам... Идя с ним по этому делу, вы рискуете... Вас могут арестовать!

Поль смеется:

— Пальму мою вы поливать будете? И Кики моему горсточку зерен и листок салату вы по утрам дадите? А больше мне не за кого бояться.

Папа одевается. Поль берет свой зонтик-стульчик.

Первым уходит мальчик-«полковник».

— Ничего, старая, не журись! — прощается он с Юзефой. — Все хорошо!

— Да уж, хорошо! — горько говорит Юзефа. — Похлестали казаки людей, как крапиву...

— Не надо... — перебивает ее мальчик. — Наши все веселые, все радуются... Никогда такой забастовки не было! Красный флаг подняли, песню запели... Ну, я иду, буду ждать у ворот.

И, кивнув всем нам, мальчик убегает. За ним выходят папа и Поль.

Мы бросаемся к окну, что выходит на улицу. Медленно, наслаждаясь своим «графским» бутербродом, проходит по тротуару под фонарем наш «полковник». А за ним, в нескольких шагах, степенной, «прогулочной» походкой Поль ведет под руку папу, постукивая о тротуар своим зонтиком-стульчиком...

Рано утром, чуть только начинает рассветать, я просыпаюсь оттого, что кто-то щекочет мне щеку. Это Кики, попугайчик, сидит на подушке около моего лица. Вчера вечером, когда Поль уходила с папой, она, по обыкновению, спела начало «Марсельезы»: «Вперед, вперед, сыны отчизны!» — и Кики безропотно скрылся в клетке. Сегодня, проснувшись рано, он, как всегда, вылетел из клетки и опустился на подушку Поля, но Поля там не было! Очень огорченный, он полетел ко мне и разбудил меня.

Поля нет. Они с папой еще не возвращались. Со вчерашнего вечера.

Зрячий глаз попугайчика Кики смотрит на меня с таким человеческим недоумением и даже печалью, что я совсем теряюсь. В самом деле, где же Поль? И где же папа?

В эту минуту Поль входит в комнату. Лицо ее, доброе, старушечье лицо, очень утомлено. Оказывается, она самоотверженно водила папу всю ночь по улицам из одной незнакомой квартиры в другую, — всюду, где укрывали пострадавших. «И в какие лачуги, Саш, — если б ты видела! Все где-то на окраинах»...

— Знаешь, — говорит она, откинувшись на спинку кресла и вытянув усталые ноги, — твой отец — может быть, он сумасшедший, но это удивительный человек! Я ведь только ходила с ним, — ну, кой-где пришлось помочь, — подержать свечу или лампу, в общем, пустяки, — и то устала, а он всю ночь работал!

Входит мама. Она советует Полю немедленно лечь.

— А мой кофе? — словно даже пугается Поль. — Утренний кофе — священное дело! У нас, французов, — добавляет она смеясь, — часы еды — о, это свято! Я часто думаю: вот так, как ваш муж, — обедать ночью, ужинать днем... нет, француз этого не мог бы!

— Даже если он хирург? — улыбается мама.

— Вероятно, наши хирурги назначают время операций между едой... — серьезно говорит Поль. — И я думаю, что так широко лечить людей бесплатно — этого наши хирурги не делают!..

— Ну хорошо, сейчас я пришлю вам кофе, вы выпьете его в постели! — И мама уходит.

В самом деле, кофе и завтрак приносит Полю — Юзефа!

Я глазам своим не верю! Юзефа, которая еще два дня назад кляла Поля на чем свет стоит, с самым приветливым видом ставит завтрак на стул около кровати Поля, говорит ласково-ласково:

— Ешьте, пани... Ешьте на здоровье!

И, понимая мое удивление, Юзефа, словно извиняясь, объясняет:

— А чего ж? Она все-таки пожондная (порядочная) французинка, ничего не скажешь. Всю ночь водила нашего пана доктора по всему городу... Другая забоялась бы! Я бы, конечно, не забоялась, пошла бы, но — ух, я бы так лаяла тех казаков, я бы так проклинала тую полицию, что нас бы обоих арестовали, и с паном доктором вместе!..

С этого дня мы начинаем ждать Павла Григорьевича. Мы ждем его, а он не приходит!

В первый и второй день папа говорит:

— Умница Павел Григорьевич! Отсиживается где-то, не показывается... По городу идут аресты за арестами, — пусть не попадается на глаза.

Но проходит третий день без Павла Григорьевича, наступает четвертый... Папа уже ничего не говорит, он очень озабочен и встревожен.

На каждый звонок в переднюю бежит весь дом. Но Павла Григорьевича нет как нет...

Юзефа не перестает с утра до ночи ворчать и клясть полицию и «жандаров». Она от всей души жалеет, что не может подсыпать им в кушанье мышьяку. Она желает им всяких несчастий, начиная с «холеры в бок».

Наконец в вечер четвертого дня к нам приходит женщина — маленькая, худенькая — и говорит маме:

— Простите, пожалуйста... Я — Анна Борисовна... жена Павла Григорьевича... учителя вашей дочки...

Папа, оказывается, знает Анну Борисовну — он видел ее в ту ночь, когда оказывал помощь пострадавшим.

Но Анна Борисовна знает всех нас — по рассказам Павла Григорьевича:

— Вы Елена Семеновна, да? А это Сашенька? А это Юзефа?

Она знает и про Поля и даже про попугайчика Кики!

Юзефа совершенно счастлива тем, что Павел Григорьевич рассказывал о ней своей жене.

— Так и сказал: «Юзефа»? Да?

Все стараются как только могут выразить Анне Борисовне свои чувства. Ей жмут руки, ее усаживают за стол, Юзефа приносит все, что есть вкусного в доме.

Анна Борисовна смотрит на нас с улыбкой, растроганная.

— Я вижу, здесь моего Павла любят... Да, Сашенька?

— Ужасно! — отвечаю я. — Просто до невозможности любим!

Потом, помолчав, добавляю тихо:

— И всегда будем любить... Всю жизнь...

Никто не спрашивает о Павле Григорьевиче, где он, что с ним. Но Анна Борисовна читает эти вопросы в наших глазах и отвечает на них. Новости, принесенные ею, печальны: Павла Григорьевича арестовали еще три дня назад. Где он находится, Анна Борисовна не знает. Она обегала, как она говорит, «все кутузки и каталажки» — все полицейские участки, — Павла Григорьевича нигде нет. И это тревожно. Это значит, объясняет Анна Борисовна, что его посадили не с теми, кого подержат, подержат несколько дней в полиции и выпустят. Павлу Григорьевичу хотят, видимо, «пришить дело». Ведь он ссыльный, высланный под надзор полиции, ему всякое лыко в строку, у него всякая вина наособицу виновата. Очевидно, его содержат в городской тюрьме. Но справок в тюрьме никому и никаких не дают, ни на какие вопросы отвечать не желают...

Тюрьма! Я очень хорошо знаю это место, это странного вида строение, которое словно вылезает из реки Вилии на Антоколе. Что там, за каменной оградой, не видно; может быть, там большой, высокий дом, в котором заперты заключенные, а может быть, что-нибудь другое. Но когда идешь по антокольскому берегу реки, то тюрьма похожа на вылезающую из воды голову чудовища, и круглые в своей верхней части ворота — словно громадный глаз этого страшного зверя. Глаз этот смотрит злобно и не обещает ничего хорошего...

И вот там, за этим глазом, сидит запертый Павел Григорьевич! И мы ничего не можем сделать для него!

— Постойте! — вдруг вспоминает папа. — Давайте вспоминать, кто у меня лечится из «тюремщиков»... Или из жандармских... Вспомнил, вспомнил! Фон Литтен... Полковник фон Литтен... Я лечил его жену, и оба они без конца звонили обо мне по городу, какой я хороший врач... Завтра поеду к фон Литтену и все узнаю!

— Яков Ефимович, — говорит Анна Борисовна, — как бы не было у вас неприятностей...

— Никаких! Какие неприятности, помилуйте? У меня дочь, ей дает уроки учитель такой-то, экзамены на носу, а учитель исчез! Говорят, арестован... Я хочу знать, где он и что с ним... Все логично и законно!

Маленькая, худенькая Анна Борисовна одета очень скромно, почти бедно, но удивительно аккуратно. Булавочка с красной головкой, закалывающая ее воротничок, воткнута так, что невозможно представить себе ее иначе: именно в этом месте — и нигде больше. Нельзя себе вообразить, чтоб ее маленькая черная шляпка была надета боком или съехала на затылок. Манжетки на рукавах отутюжены гладко-гладко, так же, как гладко причесана и ее черноволосая голова.

— Мне бы, главное, узнать, где именно содержится Павел. Тогда уж можно будет снести ему передачу, хлопотать о свидании.

Мама кладет руку на худенькие руки Анны Борисовны:

— Сколько вам хлопот... маленькая вы такая!

Анна Борисовна задерживает мамину руку:

— Елена Семеновна! Когда я выходила замуж за Павла, я знала, на что я иду. Жена революционера — ох, это беспокойно...

— Воображаю, как вы волновались, когда Павел Григорьевич был в ссылке, в Якутии!

Анна Борисовна тихо смеется:

— Да нет! Не волновалась. Я была с ним — там... А с ним самое тяжелое легко, самое страшное не пугает... Такой он человек!

— Мы с мужем часто говорим, — вспоминает мама, — про Павла Григорьевича: он столько вынес, столько пережил, — как он мог сохранить это удивительное спокойствие, это доброе, круглое лицо...

— Как луна, да? — радуется Анна Борисовна. — Товарищи звали его Месяц Месяцович... Помните, в «Сказке о мертвой царевне»? А знаете, почему Павел такой жизнерадостный, спокойный? Потому что он видит далеко, очень далеко вперед!

И, видя, что папа и мама смотрят на нее не понимая (обо мне, к счастью, все забыли и не прогоняют меня в мою комнату!), Анна Борисовна поясняет:

— Вот четыре дня тому назад в вашем городе забастовало несколько сот рабочих. Всего несколько сот... Добьются они чего-нибудь? Неизвестно; да если и добьются, то каких-нибудь ничтожных уступок. Стоило ли им бастовать? — подумают многие, ох, многие! Из этих нескольких сот забастовщиков человек сто вышли на улицу, устроили демонстрацию... Можно подумать: «Горсточка! Что они могут? Спели всего несколько тактов революционной песни, подняли маленькое красное знамя, оно продержалось в воздухе над толпой всего несколько минут». А Павел все время помнит, что в этом городе это случилось в первый раз, — раньше здесь такого никогда не бывало! Павел глядит вперед — в будущем году будут бастовать уже не сотни, а тысячи, на улицы выйдет толпа! Те рабочие, что бастовали сейчас, те, что вышли на улицу, — вы думаете, они это забудут? Не забудут! Это для них — школа революционной борьбы... И Павел видит это далеко вперед!

Маленькая Анна Борисовна говорит так сильно, так горячо... Она тоже видит — видит далеко вперед. Этому научил ее Павел Григорьевич — Месяц Месяцович.

Глава шестнадцатая

ГДЕ ЖЕ ПАВЕЛ ГРИГОРЬЕВИЧ?

О Павле Григорьевиче все еще ничего не известно: полковник фон Литтен, к которому хочет обратиться папа, уехал из города на несколько дней.

Я прихожу в Ботанику к Юльке. Я не была у нее с самого мая — пока было неизвестно, что́ с Павлом Григорьевичем. Не хотелось ее огорчать — она ведь так любит Павла Григорьевича. Он так заботливо ходил за ней, когда она была больна!

Я мчусь по берегу к реке и издали вижу фигурку Юльки. Она полулежит на своем одеяле и так горестно подпирает голову худеньким кулачком, что за версту ясно: она все знает. Она, оказывается, знает больше, чем я.

— Был у нас твой татка... — говорит она. — В ту самую ночь был. К нам двоих побитых принесли, татка твой их и лечил. А потом ушел на квартиру к Степану Антоновичу — туда тоже двоих положили...

И совсем тихо, горестно Юлька добавляет:

— А Павел Григорьевич сгинул... Никто не знает где...

— Мой папа его ищет.

Юлька оживляется:

— Твой татка! Ну, он найдет... — Но тут же она снова потухает. — И Вацек пропал, — знаешь, рыжий. И еще много людей, ты их не знаешь... Тот мальчик, помнишь, Павел Григорьевич его пулковником назвал? Он ко мне теперь за хлебом ходит, — у него отец на лесопилке работал, — арестовали отца... — И Юлька рассудительно добавляет: — У нас теперь хлеба довольно. Что ж не дать тому, у кого нет? Нам же люди, помнишь, как помогали?..

Как-то само собой так получается, что вместо Павла Григорьевича со мной теперь занимается Анна Борисовна. Проэкзаменовав меня по всем предметам, она утверждает, что «Павел» подготовил меня хорошо: я знаю не только то, что требуется по программе, но даже значительно больше. Поэтому Анна Борисовна повторяет со мной пройденное.

А так как это не очень увлекательно, то она очень многое мне рассказывает — и по истории, и по географии, и по литературе.

Но самое интересное для меня — то, что Анна Борисовна рассказывает «из жизни». Как и Павел Григорьевич, она очень часто ходит со мной гулять. Мы подолгу сидим над рекой — на скамеечке или на камнях, — и Анна Борисовна рассказывает. Очень интересно, как они с Павлом Григорьевичем поженились. Он был студент-медик в Петербурге, Анна Борисовна училась там же — на женских курсах. До его ареста они изредка встречались у общих знакомых. Когда Павла Григорьевича арестовали и посадили в петербургскую тюрьму «Кресты», то оказалось, что некому ходить к нему в тюрьму на «свидания с близкими», некому носить ему передачи: все это разрешалось только матерям, женам, невестам или сестрам. Мать вы или нет, жена или не жена, сестра ли — все это можно доказать только по паспорту. А невеста — вот отличное звание, не требующее доказательств, доступное для всякой девушки. Поэтому, когда арестовывали кого-нибудь холостого и бессемейного, товарищи спешно подыскивали ему такую мнимую невесту, которая ходила бы к нему в тюрьму, носила передачи, а если можно, и передавала бы ему с воли сведения от товарищей, а от него — товарищам на волю. У Павла Григорьевича не было ни матери, ни жены, ни сестры, ни невесты. Вот Анна Борисовна, по просьбе товарищей, и объявила тюремному начальству, что она — невеста заключенного в «Крестах» студента Павла Григорьевича Розанова и просит свидания с ним.

Когда Павлу Григорьевичу объявили в тюрьме, что к нему пришла на свидание невеста, он на миг опешил: кто бы это мог быть? Над этим же он ломал голову, идя в помещение для свиданий. Одно он понимал ясно: кто бы это ни пришел к нему, хоть ангел с колонны на площади перед Зимним дворцом, он, Павел Григорьевич, не должен выказать ни малейшего удивления, наоборот — он должен держать себя так, как будто это самая настоящая его невеста! Анна Борисовна, со своей стороны, помнила, что именно так же должна держаться и она.

Свидания происходили в тюрьмах так: в одну клетку, зарешеченную от пола до потолка, впускали заключенного, а в другую, такую же, вводили его посетителя. Между решетками обеих клеток был проход, вроде коридорчика, по которому все время шагал тюремный надзиратель, для того чтобы слушать все разговоры. Впрочем, никаких тайн говорить все равно было нельзя — свидание с близкими давалось одновременно многим заключенным, все они кричали очень громко (ведь между ними и посетителями две решетки и проход!) — какие уж тут можно было говорить секреты в этом гаме и грохоте да еще при надзирателе.

Когда Павел Григорьевич увидел в клетке для посетителей Анну Борисовну, он закричал веселым голосом: «Нюрочка! Здравствуй, дорогая!» И хотя до тех пор они были очень мало знакомы, называли друг друга по имени-отчеству и на «вы», но и Анна Борисовна закричала ему во весь голос: «Здравствуй, Пашенька!»

— Вот тут, — рассказывает мне Анна Борисовна, — когда я увидела его, похудевшего, побледневшего, но все такого же спокойного, ласково-приветливого, я поняла, что всегда я его любила, моего Месяца Месяцовича... И я опять повторила, глядя ему в глаза: «Здравствуй, Пашенька...»

Разговор между «женихом» и «невестой» продолжался, и Анна Борисовна заметила, что каждый раз, как тюремный надзиратель уходил в самый конец прохода между клетками, Павел Григорьевич кричал ей что-нибудь — все об одном и том же. В первый раз он крикнул ей: «А ты живешь все там же — в конце третьей линии?» — хотя она там не жила и он это знал. Когда через несколько минут тюремный надзиратель снова оказался в наибольшей отдаленности от них, Павел Григорьевич крикнул: «А кресло в твоей комнате все то же? Я его всегда вспоминаю!» А между тем в комнате, где жила Анна Борисовна, не было никакого кресла! Да и Павел Григорьевич никогда, ни одного раза у нее не был! Что же он хотел сказать этими словами?

Вернувшись из тюрьмы после свидания, Анна Борисовна рассказала об этом товарищам. Кто-то вспомнил, что в конце 3-й линии Васильевского острова жил студент-филолог, которого тоже арестовали одновременно с Павлом Григорьевичем. Товарищи отправились на его бывшую квартиру, поговорили там с хозяйкой. Это оказалась хорошая, сочувствующая женщина. С ее согласия и при ее участии товарищи сделали то, что прозевали сделать жандармы при обыске: вспороли снизу стоявшее в этой комнате мягкое кресло, и в нем оказалось много нелегальной литературы.

Ходила, ходила мнимая невеста Анна Борисовна к Павлу Григорьевичу в тюрьму на свидания, и они все больше и больше привязывались друг к другу. Когда ему вышел приговор — ссылка в Якутскую область, — они обвенчались в тюрьме, и Анна Борисовна пошла за ним в ссылку. Недаром Павел Григорьевич называл маленькую, хрупкую жену: «Зернышко мое!» «Зернышко» верно и преданно катилось за ним по тяжелым дорогам его жизни — по этапам, по трудному, почти непроходимому в течение большей части года сибирскому гужевому тракту, отбыло с ним всю ссылку. Только когда якутская ссылка кончилась и Павла Григорьевича выслали под надзор полиции в наш город, Анна Борисовна уехала на время: повидаться со своими родными. Накануне 1 мая Анна Борисовна приехала к мужу, в наш город, потому-то Павел Григорьевич и не успел познакомить ее с нами.

Теперь «Зернышку» снова предстоит катиться по новым путям, и пока неизвестно, по каким и куда.

Но вот вернулся фон Литтен, и папа собирается ехать к нему — поговорить о Павле Григорьевиче.

Не знаю, полон ли папа радужных надежд, верит ли он в то, что все пойдет как по маслу, — он узна́ет у фон Литтена, где содержится Павел Григорьевич, что ему угрожает, а главное, добьется какого-нибудь улучшения его участи. Думаю, что папа на это не надеется и что он в отвратительном настроении, потому что, одеваясь и собираясь, папа поет. Голос у папы до невыносимости плохой, слуха ни на копейку, сам папа говорит, что поет он, только когда сердит на весь мир, — «разве можно с таким голосом петь для того, чтобы доставить людям удовольствие?». Но вот папа уже собрался и выходит к нам, в соседнюю комнату, где кроме нас с мамой сидит также и Анна Борисовна. Папа почему-то подмигивает нам и говорит тем нестерпимо бодреньким голоском, каким цирковые клоуны заявляют: «Ух, я рад! У меня тетенька вчерась подохла!..» Папа говорит, конечно, не это, но совершенно таким же тоном: «Ну, вы, друзья, тут посидите, а я живым делом слетаю!» — и даже делает какое-то довольно неуклюжее танцевальное па! Все мы аплодируем папиному балетному искусству и идем провожать его в переднюю. Когда папа выходит на лестницу, Юзефа, по своему обыкновению, крестит его спину мелкими-мелкими крестиками.

Мы остаемся ждать папиного возвращения. Спокойнее всех Анна Борисовна. Она диктует мне диктант, потом поправляет ошибки, потом дает мне решить арифметический пример из задачника. Я решаю. Случайно оторвавшись от своего примера, смотрю на Анну Борисовну — она сидит, опустив руки на колени и глядя в одну точку. Никого, кроме нас с ней, в комнате нет, и она может свободно расправить душу, ни о ком не думая. Такая в ней — ощутимая для меня, девочки! — тревога, такая боль, что я не решаюсь броситься к ней, обнять ее. Я опускаю глаза на свой пример и продолжаю решать его, не глядя на Анну Борисовну.

Через час с небольшим возвращается домой папа. Он уже даже не поет и не шутит «веселеньким» голоском. Он садится к столу и говорит, ни к кому не обращаясь:

— Скотина! Подлая, бесчувственная скотина!

Потом, немного отойдя, папа рассказывает нам, чтó именно произошло у жандармского полковника. Фон Литтен, лощеный и блестящий, как всегда, принял папу очень любезно и приветливо. После обычных фраз: «Сколько лет, сколько зим!», «Ну, как поживаете?» — и т. д., папа начал рассказывать о том, с чем он пришел. По мере того как папа говорил, ему казалось, что фон Литтен запирается от него на все замки — сперва запер глаза, остались одни дверцы. Потом запер улыбку, все лицо, даже руки заложил в карманы, так что и рук не стало видно. Потом он спросил у папы:

— Я не совсем понимаю... Что именно вас интересует: кто будет учить вашу дочку или судьба прежнего учителя, господина Розанова?

Папа сказал, что его интересуют оба вопроса.

Фон Литтен помолчал, повертел пресс-папье пальцами с великолепно отточенными ногтями, потом почему-то протянул папе ручку, лежавшую на письменном приборе:

— Взгляните в стеклышко: вид Исаакиевского собора в Петербурге. В таком крохотном размере! Очень искусно сделано.

Папа сказал, что он близорук, а его очки искажают такие вещи.

Тогда фон Литтен сказал:

— Пригласите для дочки нового учителя... Вот все, что я могу вам сказать. А о судьбе господина Розанова не беспокойтесь, с ним будет поступлено по закону.

И встал. Разговор, мол, кончен.

Папа ушел. Всё.

Мы долго сидим молча. Потом папа и мама начинают перебирать всех, к кому можно обратиться по делу Павла Григорьевича. Я не преувеличу, если скажу, что этот разговор длится с перерывами до вечера. Называется какая-нибудь фамилия и тут же отвергается: нет, этот не захочет хлопотать за «политического», за революционера.

Уже под вечер папа говорит:

— Ничего не поделаешь, пойду к доктору Королькевичу. Черт с ним...

— Яков!.. — удивляется мама. — Ты же ему руки не подаешь!

Мама говорит правду. Королькевич — тюремный врач, и папа не подает ему руки. Это надо объяснить, потому что сегодняшнему читателю это непонятно.

В каждой тюрьме царской России полагался по штату врач. Были среди них редкие исключения — люди, которые выбирали эту должность, чтобы самоотверженно внести хоть какое-нибудь облегчение в жизнь политических заключенных: положить больного революционера в тюремный лазарет, где пища была чуть получше, добиться возможности давать рыбий жир тем, кому грозила цинга, и т. п. В другой книжке я напишу о таком враче-подвижнике, докторе Эйхгольце, — он всю жизнь проработал в тюрьмах и острогах и, в частности, облегчал возможность сохранить жизнь узников одной из самых страшных царских крепостей — Шлиссельбургской каторжной тюрьмы.

Но такие люди были очень большой редкостью. Обычный же тип тюремного врача составлял врач-чинуша, врач-слуга и холоп, скажем прямо — врач-тюремщик. Больше всего такой врач боялся, чтоб его не заподозрили в сочувствии к узникам-революционерам, в желании помочь им хоть чем-нибудь. Такие тюремные врачи очень спокойно исполняли свою обязанность: присутствовать при смертной казни — тут врач должен был официально констатировать смерть казненного — и при телесных наказаниях, когда врач должен был определять, сколько розог может вынести тот или другой из тех, кто подвергался экзекуции, порке розгами и т. п.

Королькевич принадлежал именно к этому типу тюремных врачей. Передовая врачебная общественность всеми средствами выражала таким врачам свое презрение, вот почему папа при встрече не подавал доктору Королькевичу руки.

Оттого так удивляется мама, когда папа вдруг заявляет, что он пойдет к доктору Королькевичу.

— Яков Ефимович... — говорит вдруг Анна Борисовна, которая все время молчала. — Не надо, дорогой Яков Ефимович... Не надо вам унижать перед этой гадиной ни себя, ни Павла... Подождем еще, посмотрим. А унижаться не будем... Верно я говорю?

Папа смотрит на Анну Борисовну.

— Верно, милая... — говорит он не сразу. — Подождем — может быть, что и узнаем.

Узнаём мы на следующий же день! Узнаём, где именно находится в заключении Павел Григорьевич. Проникает в эту тайну — умница! — Анна Борисовна. Она нанимает лодку, и, по ее просьбе, лодочник Левон (он в этих делах очень опытный человек!) катает ее по реке Вилии от места стоянок лодок до Антокольской тюрьмы и обратно. Каждый раз, когда лодка едет мимо окон тюремных камер, выходящих на Вилию, лодочник Левон замедляет ход. Зарешеченные окна тюремных камер облеплены заключенными, ожидающими, не проедут ли по реке их родные и близкие, но Павла Григорьевича среди этих заключенных нет.

— Еще заезд сделаем, а? — спрашивает лодочник.

Анна Борисовна уже почти потеряла надежду. Но вдруг — почему-то! — решает: «Была не была — в последний раз!»

И на этот раз в окне одной из камер она отчетливо видит Павла Григорьевича, который машет ей синим платком!.. Его круглое лицо! Его сверкающие зубы!

Нашелся!

Для начала это уже очень много.

На следующий день Юзефа приносит новость: «покоёва» (горничная) «жандармского пулковника» (то есть фон Литтена) рассказывала на базаре, что жена полковника вчера внезапно захворала.

— Очень страшно больна! — радостно сообщает Юзефа. — Есть правда, есть она! Так и надо этой собаке Литкину (фамилия фон Литтена в Юзефином произношении)! Так ему, змею, и надо!

Жена фон Литтена больна, около нее трое врачей. Папу не пригласили.

Анна Борисовна огорченно замечает:

— Вот вы, Яков Ефимович, из-за нас потеряли выгодного больного...

— А ну его к черту! — беспечно говорит папа. — Стану я о нем плакать! Да и не обойдутся они без меня. Помяните мое слово, не обойдутся!

Однако проходит еще день, два, три — фон Литтен «обходится» без папы. «Покоёва» рассказывает кухаркам на базаре, что «пани пулковица» лежит без сознания, что врачи все время спорят о том, нужна ли операция или можно обойтись без нее. Вечером третьего дня дают срочную телеграмму известному хирургу, университетскому профессору в немецком городе Кенигсберге. Профессор приезжает со своим ассистентом.

Все эти дни Анна Борисовна ежедневно в определенный час плывет в лодке по Вилии мимо тюрьмы и видит Павла Григорьевича. Приходит она после того такая радостная и счастливая, что мы ею любуемся. Поль говорит:

— Поглядеть на такую любовь — уже счастье! — И добавляет: — Совсем как я и мой Кики...

Мне становится грустно. Я впервые понимаю, что не всякого человека, не всякую жизнь озаряет такая большая любовь... Бедная Поль! У нее, верно, этого не было... Грустно, когда в итоге всей жизни у человека есть только «моя семейства»: пальма в горшке и одноглазый попугайчик в клетке.

Поздно вечером за папой приезжают: его просят срочно приехать к фон Литтенам. Там он застает весь ученый синклит: известного хирурга — профессора из Кенигсберга, трех местных врачей — и вместе с ними осматривает больную. Потом приезжая знаменитость пьет чай с коньяком и без особого уважения говорит о местных врачах: они-де в своей нерешительности думали обойтись без операции — и пропустили все сроки. Теперь операция уже почти безнадежна, по крайней мере он, профессор Штубе, делать ее не берется: риск огромный, шансы на успех ничтожные. Профессор Штубе просит дать ему возможность отдохнуть до поезда и доставить его утром на вокзал. Гонорар пусть вручат его ассистенту. После этого он ложится спать. Три местных врача, пошептавшись между собой, как гуси в камышах, заявляют фон Литтену, что немецкая знаменитость ошибается: они не пропустили срока для операции — они считали операцию невозможной и безнадежной с самого начала. Конечно, можно оперировать больную и сейчас, но полковник ведь слышал, что сказал профессор Штубе! Стоит ли мучить женщину? Они, врачи, сделали все, что могли, их совесть чиста. Получив гонорар, они тоже уходят.

Папа и фон Литтен остаются одни.

— Доктор... — шепчет фон Литтен, словно ужас схватил его железными пальцами за горло. — Доктор... Я вас умоляю...

— Пошлите немедленно за доктором Роговым и за фельдшерицей Соллогуб, только как можно скорее! — говорит папа. — Положение в самом деле отчаянное... Я ничего вам не обещаю, но я сделаю операцию.

Всю ночь до рассвета идет борьба со смертью. За пульсом больной, за наркозом следит доктор Рогов. Александра Викентьевна Соллогуб, фельдшерица, которая работает с папой уже около десяти лет в госпитале, имеет на этот раз добавочную нагрузку: она не только быстрыми, точными движениями подает папе все, что ему нужно, и делает это раньше, чем он успевает попросить тот или другой инструмент, вату, бинт, — она еще непрерывно обтирает лигнином папино лицо, по которому все время струится пот. Напряжение, волнение, усталость капают с папиного лица, как слезы.

Проснувшись утром, немецкая знаменитость спрашивает у бонны фон Литтенов, подающей ему завтрак:

— Фрау фон Литтен скончалась?

— Нет! — весело отвечает бонна. — Совершенно даже наоборот: она ожила.

Немецкий хирург, позавтракав, осторожно входит в комнату больной. Она спит, но не мертвым, а живым, хотя еще и очень тяжелым сном. Но у немецкого хирурга хороший, наметанный глаз: он видит, что теперь больная еще может оправиться и жить.

Около больной, не сводя с нее глаз, сидит Александра Викентьевна Соллогуб. Она делает профессору знак, чтобы он ушел — сейчас больной нужен покой.

Профессор на цыпочках выходит в соседнюю гостиную. Там на полукруглой, как сосиска, кушетке спит мертвым сном худой рыжеусый человек. Это папа. В первый раз в жизни у него не хватило сил добраться до дому — он заснул тут же, где оперировал.

Когда он просыпается, к нему подходит фон Литтен. Он еще тоже не «отошел» от всего, что пережил за эти пять дней: что-то человеческое еще бьется, как жилка, сквозь его лоск и казенную любезность. Он подает папе конверт:

— По этой записке, доктор, родные господина Розанова получат у начальника тюрьмы право на свидания и передачи.

— Полковник, — говорит папа, — можете вы сказать мне, какое наказание ждет господина Розанова?

— Вероятно, высылка в какой-нибудь другой город... Это решится в течение ближайшего месяца... Могу вам еще сказать, что выслан он будет не по этапу, а по проходному свидетельству... Это значит, что ему можно будет поехать туда по железной дороге.

— Последняя просьба, полковник. Вы сами сегодня имели возможность убедиться в том, как хорошо, когда врач знает свое дело... Господин Розанов имеет почти законченное врачебное образование, он талантлив. Он работал у меня здесь в госпитале как практикант... Сделайте правильное дело: вышлите его в такой город, где есть медицинский факультет...

— То есть как это? — растерянно говорит фон Литтен. — В Петербург? В Москву?

— О нет, зачем! Можно скромнее... В Казань, например... Или в Харьков...

Фон Литтен сосредоточенно думает:

— Что ж, это мысль... Не обещаю, ничего не обещаю, — предостерегающе поднимает он руку, — но подумаю.

— До свидания! — говорит папа.

— Честь имею кланяться! — отчеканивает полковник фон Литтен.

Глава семнадцатая

ДРЕВНИЦКИЙ

Дни идут, они даже бегут быстро, вприпрыжку; как шаловливые дети, Анна Борисовна ходит в тюрьму на свидания, носит туда передачи. В передачах деятельное участие принимают Юзефа и мама — жарят котлеты, пекут булки. Скоро, вероятно, судьба Павла Григорьевича решится и они с Анной Борисовной уедут из нашего города. Об этом я думаю с грустью.

К Юльке я хожу через день. Отца мальчика-«полковника» выпустили из тюрьмы, он уже работает. А про Вацека ничего не известно, и Юлька очень горюет.

— Я Вацека так люблю, так люблю... — тихонько и жалобно говорит Юлька. — Ну, вот почти так сильно, как тебя, Саша!

Мне радостно слышать эти слова. Еще три месяца тому назад мы с Юлькой по этому случаю обнялись бы, поцелова-

лись, может быть, даже заплакали! Но, ох, сколько мы пере-
кили за эти три месяца! Как мы повзрослели... Я протягиваю
руку и крепко пожимаю Юлькину.

— Ого! — замечаю я. — У тебя руки крепкие стали...

Юлька вообще очень поправилась. Она уже не лежит, а
чаще сидит на своем одеяле. Почти совершенно пропали опу-
холи-браслеты на ее руках и ногах. Сами ноги хотя все еще не
ходят, но уже не похожи на серые, размоченные макароны, в
них появилась какая-то жизнь. Юлька уже слегка шевелит
ими. Папа уверяет, что Юлька скоро начнет ходить.

Еще одна перемена появилась в Юльке, перемена, связанная, вероятно, с влиянием на нее Степана Антоновича:
она стала смелее. Степан Антонович очень любит Юльку, а
уж как она любит его! Когда он иногда на минуточку прибегает к ней на берег реки, Юлька вся светится радостью.

— Таточку! — говорит она. — Татусю! — и крепко обнимает его за шею.

Вероятно, от общения со Степаном Антоновичем Юлька
стала гораздо лучше говорить по-русски — и правильнее, и
слов у нее стало больше. Например, как-то, говоря о Павле
Григорьевиче, Юлька очень четко выговорила по-русски:

— Он спра-вед-ливый человек!

Теперь у нас с Юлькой появилась новая игра: афиши.
Юлька собирает афиши. У входа в ресторан каждый день
наклеивают новые афиши, и вечером Степан Антонович
приносит их Юльке. Бывает так, что расклейщик и утром
дает Степану Антоновичу одну лишнюю афишу для Юльки.
По этим афишам я учу Юльку читать. Юлька старательно
прочитывает заглавие пьесы, сперва просто складывая буквы
в слоги и слоги — в слова. Потом она начинает разбирать
смысл прочитанных слов и чаще всего остается недовольна.

— «Пу-те-ше-стви-е на лу-ну»... Вот какое глупство! Чи
ж она близко, та луна? На чем туда ехать?

Или:

— «Пре-жде скон-ча-лись, по-том по-венча-лись»...
А кто же их, покойников, венчал, а?

Бывают и такие афиши: «ВСЕМИРНО ИЗВЕСТНЫЙ
ДОКТОР ЧЕРНОЙ И БЕЛОЙ МАГИИ РОБЕРТ ЛЕНЦ».

На афише изображен плотный мужчина с баками, во фраке, лацканы которого увешаны всевозможными орденами и звездами. Афиша перечисляет эти знаки отличия: орден Льва и Солнца, пожалованный господину Роберту Ленцу его величеством шахом персидским, орден, пожалованный индийским магараджей, и так далее без конца. Я с удовольствием отмечаю, что таких Георгиевских крестов за храбрость, какие были у моего дедушки Семена Михайловича, у доктора Роберта Ленца нет. Мы с Юлькой долго пытаемся разгадать, что могут значить слова «белая и черная магия». Афиша перечисляет все, что покажет «уважаемой публике» доктор Роберт Ленц: он покажет таинственные исчезновения и появления людей и предметов — по знаку его палочки из дощатого пола будут расти великолепные растения, он сготовит «яичницу в шляпе» любого человека из публики, а затем яичница превратится в букеты цветов, которые господин Роберт Ленц будет иметь удовольствие поднести всем присутствующим дамам...

«Спешите! Спешите! Одна-единственная гастроль!»

Прочитав афишу, мы с Юлькой молчим — мы совершенно раздавлены чудесностью всего того, что делает господин Роберт Ленц. Потом Юлька, тряхнув головой, робко замечает:

— Может, брехня, а?

— Не знаю... Я спрошу у папы.

— Во-во, спроси!

Но спросить у папы мне не удается, потому что в этот день его нет дома до поздней ночи, а назавтра... Ох, назавтра в нашу жизнь, Юлькину и мою, входит новая афиша, и с нею врывается к нам целый мир волнений, тревог, восторгов!

...ДРЕВНИЦКИЙ!..

...ДРЕВНИЦКИЙ!..

...ДРЕВНИЦКИЙ!..

Это новое имя, никому доселе не ведомое, выкрикивают все афиши, наклеенные на афишных щитах, тумбах и даже просто на стенах домов.

Люди подходят к афишам — что это еще за Древницкий? Люди читают афиши — на всех лицах сильное недоумение.

Люди шевелят губами, словно спотыкаясь о непривычные, непонятные слова... В афишах сказано, что такого-то числа такого-то года — ВПЕРВЫЕ! НЕБЫВАЛО! НОВО! — известный воздухоплаватель Древницкий совершит над нашим городом полет на воздушном шаре и спустится на землю при помощи парашюта. Взлет состоится в городском Ботаническом саду. Вход на взлетную площадку платный, но дети моложе десяти лет, учащиеся в форме и нижние чины платят половину.

На афишах яркими красками изображено нечто вроде гигантской груши, парящей в воздухе хвостиком вниз и одетой в сетку для мячика. Это и есть воздушный шар. Под ним, к узкому концу сетки, подвешена плетеная корзинка, а в ней стоит крохотный по сравнению с размером воздушного шара человечек. Руки его подняты вверх словно для приветствия. Тут же, рядом, изображен человек, летящий по воздуху под огромным раскрытым зонтиком, — это парашют.

Итак, оказывается, этот Древницкий — так, по крайней мере, уверяет афиша — будет *летать по воздуху*!

В те далекие времена — около семидесяти лет назад — никто из обыкновенных людей даже не представлял себе, чтобы человек мог летать. Летали только герои в сказках. Ну, те вообще жили с такими удобствами, каких не знали простые смертные: с коврами-самолетами, скатертями-самобранками, волшебными лампами Аладдина. Но в обыкновенной, всамделишной жизни летать было невозможно; считалось, что «до этого человек еще не дошел». Правда, на Всемирной Парижской выставке 1890 года желающие могли за определенную плату подниматься в воздух на привязном воздушном шаре. Но о других полетах что-то не было слышно.

Основным и главным способом передвижения в нашем городе, как почти во всех провинциальных городах, были в то время собственные ноги. Век был пешеходный. Об автомобилях тогда не мечтали еще даже короли. У людей со средствами были собственные коляски. За деньги можно было ездить и на извозчиках — «ваньках»: это были пролетки с высоченными ступеньками и узким, всегда запыленным сиденьем для двоих. Эти пролетки тащили утомленные жизнью клячи; они неторопливо переступали старчески мохнатыми ногами, похожими на обомшелые лесные коряги. В самом извозчике главную часть веса составляла его «упаковка»: тяжелый длиннополый кучерской армяк с устрашающим тумбообразным нагромождением складок на заду. В нашем дворе жил извозчик. В армяке он был похож только что не на Илью Муромца, а когда снимал армяк, было такое впечатление, словно сняли кожу с громадного апельсина, а внутри оказалось одно зернышко: небольшой, щуплый человечек.

Ехали пролетки медленно. Порой извозчик делал вид, будто сейчас ка-ак подхлестнет свою лошадь! Лошадь при этом притворялась, будто она сейчас ка-ак понесется вскачь! Но это была невинная комедия, никого не обманывавшая. Несколько оживлялся извозчик лишь тогда, когда въезжал в какую-нибудь особенно извилистую, червеобразную старинную улочку. Ведь, въезжая в нее, он не видел, что делается в противоположном ее конце! Поэтому извозчик, въезжая, оглушительно орал и гикал, чтобы предупредить одновременный въезд встречного извозчика с противоположного конца улочки. Иногда столкновения все-таки происходили, и это было почти катастрофой: разъехаться в этих узеньких старинных улочках нашего города столкнувшиеся извозчики не могли, уступить дорогу, попятившись назад, ни один их них не соглашался. Оба долго препирались, неистово ругаясь. Для тех седоков, которые торопились — например, на вокзал, к поезду, это было настоящим бедствием!

Так передвигались в то время в нашем городе, да, вероятно, и во всех российских городах. Десятки — в собственных экипажах, сотни — на извозчиках, тысячи и десятки тысяч горожан — «на своих на двоих»: пешком.

И вдруг какой-то Древницкий собирается лететь! Лететь по воздуху! Как птицы!

— Мне Степан Антонович обещал: он меня на скамейку посадит, я все увижу! — говорит Юлька. — Это же у нас на Ботанике будет!

Дома я спрашиваю у папы: разве может человек летать по воздуху?

— Может! — говорит папа. — Это еще начало: человек может только подниматься в воздух. Направлять свой полет, как делают птицы, он не может: шар летит не по воле человека, а по воле ветра, а спускается человек с парашютом. Видела — на афише нарисован желтый зонтик? Это парашют.

— Какой же он, этот воздушный шар? — растерянно спрашиваю я.

— А ты игрушечные воздушные шарики — вербные, разноцветные — знаешь? Если выпустить его из рук, он улетит вверх, в облака, да? А если перед тем прикрепить к нему бумажную куколку, он с куколкой полетит. И будет лететь до тех пор, пока из него не выйдет весь воздух, тогда он упадет на землю...

— Так то же куколка!

— А Древницкий полетит не на маленьком игрушечном шарике, а на громадном шарище, наполненном нагретым воздухом. Когда воздуха в шаре останется уже мало, Древницкий спустится с парашютом.

— И как только он может! — говорю я все еще недоверчиво.

— Может! Человек все может! Человек такое может, что нам с тобой, Пуговка, и во сне не снится... Вот теперь воздух завоевывает. И что ты думаешь? Завоюет!.. Люди будут садиться в воздушные шары, как на извозчика!

Возвещенный афишами полет Древницкого перебудоражил весь город! Кто может, покупает билет в Ботанический сад, чтобы видеть самый взлет воздушного шара с воздухоплавателем. У кого нет денег на билет, те карабкаются на деревья, на балконы, на крыши домов, на колокольни церквей и костелов.

Мы идем в Ботанический сад всей семьей — и мама, и Поль, и Анна Борисовна, и я. Даже папе неожиданно повезло: его никуда не вызвали к больному, и он идет с нами.

В Ботаническом саду, на большом кругу, где зимой устраивается каток, разожжен гигантский костер. Над костром тихо покачивается громадный матерчатый шар: он медленно наполняется нагретым воздухом, как спеющая ягода наливается соками. С шара спускаются канатные лямки-петли, за эти лямки солдаты удерживают шар руками и ногами, чтобы он не улетел.

А рядом с костром, из которого шар набирает нагретый воздух, стоит сам воздухоплаватель — Древницкий... Только посмотреть на него, и сразу видно: вот смелый, бесстрашный человек, герой! У Древницкого прекрасное, мужественное лицо, зоркие и внимательные глаза под низко надвинутым широким козырьком фуражки. Невозможно представить себе, чтобы Древницкий мог растеряться, прийти в отчаяние, побледнеть от страха, заметаться: «Ах, ах, что мне делать?..» Мы с Юлькой, сидя рядом на садовой скамье, смотрим на Древницкого, как и все дети в этой огромной толпе, с восторгом, мы уже любим этого незнакомого человека, мы верим, что он сделает невозможное: он полетит! И мы всей душой желаем ему удачи... Я тихонько пожимаю руку папе. Я знаю, он чувствует то же, что и я.

Но вот шар уже наполнился нагретым воздухом, стал круглым, упругим, как мяч великана.

Древницкий с улыбкой снимает фуражку, раскланивается с толпой людей, не сводящих с него глаз, легко прыгает в корзинку, привязанную к шару (она называется «гондола»). Кто-то бросает Древницкому белую розу. Он кланяется и вдевает ее в петлицу. Затем он дает солдатам команду: отпустить те канатные лямки-петли, которые они удерживают руками и ногами. Солдаты отпускают лямки, шар вздрагивает, и как созревшая ягода отделяется от стебелька, так он взмывает над костром — и несется ввысь!.. К облакам!

Большинство людей, живущих сегодня на свете, застали уже хотя бы ранние зачатки настоящей авиации. Люди уже привыкли к тому, что летать по воздуху — будничное, обыденное дело: в самолет люди садятся если не «как на извозчика», по предсказанию моего папы, то как в большой междугородний автобус. И людям, живущим в наши дни, уже трудно представить себе то чувство, с каким шестьдесят с лишним лет назад мы смотрели первые полеты на неуправляемых воздушных шарах. Ведь миллионы лет человечество жило, не отрываясь от земли! А тут вдруг отдельные смельчаки, герои — может быть, безумцы! — опрокидывают все принятые понятия и летят, летят, как птицы, — только без надежных птичьих крыльев и хвоста, — летят, рискуя жизнью... Я уверена, что те немногие очень старые люди, которые это видели, навсегда запомнили чувство, возникшее у них в первую минуту, когда на их глазах шар отделился от земли: *чувство чуда!*

Шар с Древницким взвивается все выше, и вся толпа единой грудью кричит: «Ур-р-ра!» Кричат не только зрители в Ботаническом саду — кричит весь народ, люди на деревьях, на колокольнях, на крышах и даже просто идущие по улицам: ведь шар летит высоко, он виден далеко вокруг! Он виден отовсюду.

Кричат мама и Анна Борисовна. Поль не только кричит «ура», она аплодирует шару и приветственно машет ему своим неразлучным зонтиком-стульчиком. Она плачет от радости и повторяет сквозь слезы: «Я это видела! Я это видела!»

Никто из нас не замечает того, что происходит с Юлькой. Она сперва, как все мы, хлопает и кричит «ура» так сильно, что у нее краснеют лицо и шея. А потом она сползает со скамьи и идет! Юлька рванулась и идет своими неокрепшими ногами, вчера еще не ходившими, за воздушным шаром, за Древницким! Она качается, как травинка, она делает всего несколько неверных шагов. Первой замечает это мама. Она бросается к Юльке как раз вовремя, чтобы подхватить ее, иначе Юлька грохнулась бы на землю.

Юльку сажают на скамейку. Она смотрит на шар и повторяет счастливым голосом:

— Я хожу! Я хожу!

Глава восемнадцатая

ЕЩЕ О ДРЕВНИЦКОМ

То, что сейчас описано, заняло всего несколько коротеньких минут. Но еще не отгремели крики и аплодисменты, как становится ясно, что случилось страшное несчастье. На одном из канатов-лямок, за которые солдаты перед взлетом удерживали шар на земле, теперь явственно видно — висит человек! Немедленно по толпе бежит догадка: один из солдат не успел выпростать ноги из канатной лямки и его подняло вместе с шаром. На фоне светлого летнего неба шар поднимается все выше и выше, неся двоих: один стоит в гондоле шара, другой в и с и т на канатной лямке.

Только что было шумно, радостно, люди кричали, аплодировали. Сейчас словно громадной крышкой прикрыло весь круг, на котором стоит толпа, и все замолкло. Люди стоят как оглушенные неожиданностью несчастья, молчаливые, растерянные.

Что будет?

Затем сразу вспыхивают споры, догадки, предположения. Все разговаривают друг с другом, как знакомые. Каждый хочет услышать от другого что-нибудь ободряющее, утешительное.

— Папа, — шепчу я, — Древницкий не может спуститься с шаром обратно?

— Не может. Шар-то ведь неуправляемый. Не Древницкий его ведет куда хочет, а шар несет Древницкого по ветру...

— Ничего с Древницким не случится! — очень уверенно и громко говорит рядом с нами какой-то господин в элегантной шляпе-котелке, надетой чуть-чуть набок.

Немедленно вокруг него образуется кольцо людей.

— По-вашему, все кончится благополучно?

— Для Древницкого? Конечно! Сейчас он спустится с парашютом, и все будет отлично.

— Вы думаете, Древницкий спустится с парашютом?

— А как же иначе! — говорит шляпа-котелок. — Ведь он понимает не хуже нас с вами, что не воспользоваться сейчас парашютом — это же верная смерть! Нет, он спустится с парашютом!

— А солдат? — спрашивает папа, и я слышу по голосу, как он волнуется.

— Ну, солдату, конечно, аминь! — спокойно заявляет шляпа-котелок. — Древницкий спустится с парашютом, из шара вытечет последний воздух, и солдат загремит на землю. С такой высоты, представляете?

— Значит, вы думаете, Федор Викторович, — спрашивает папа (он, оказывается, знает шляпу-котелок), — вы думаете, Древницкий бросит солдата на произвол судьбы? Погибай, мол, да?

— А конечное дело так! — раздается знакомый голос, и в группе людей, окружающих Федора Викторовича, мы видим Владимира Ивановича Шабанова. Мы не видели его с самого 1 мая, когда они поссорились с папой. Сейчас Шабанов смотрит на папу злыми глазами, хотя обращает свои слова не к нему, а к Федору Викторовичу. — Правильно рассуждаете, Федор Викторович! Спасти солдата Древницкий все равно не может, а себя спасти может, если спустится с парашютом. Он это и сделает. Своя, знаете, рубашка ближе к телу... — заканчивает Шабанов со смешком.

Тут папа говорит, ни к кому не обращаясь:

— Есть две отвратительные поговорки: «Моя хата с краю!» и «Своя рубашка ближе к телу!». Если бы все думали так, человечество до сих пор жило бы в пещерах, одевалось в звериные шкуры и разговаривало ударами дубины!

В группе вокруг нас смех, сочувственный папе.

— Правильно! — говорит какой-то человек, пожимая папе руку. — Правильно, доктор!

— А в Древницкого я верю! — продолжает папа. — Он героический человек, он не станет усыплять свою совесть обывательскими поговорочками... И вон — смотрите! — шар еще виден, маленький-маленький, как булавочная головка... А никто с него с парашютом не спускается!

Проходит еще минута, другая — булавочная головка совсем исчезает из виду.

— Ну, друзья мои, — обращается к нам папа, — мне пора в госпиталь. А вы как? Я вам советую — побудьте здесь, в саду, еще часок-другой. Здесь раньше всего станет известно, что с Древницким. Я из госпиталя тоже приеду сюда, к вам. Дома-то ведь мы от одной неизвестности истомимся!

Мы остаемся в саду. Юлька дремлет на скамейке — она все-таки пережила большое волнение, настолько сильное, что даже начала ходить. Сейчас она от всего этого скисла и заснула, положив голову на колени Анны Борисовны. Мы все тоже молчим.

Большинство зрителей остались, как и мы, в Ботаническом саду: дожидаться известий о Древницком и солдате.

Ожидание тянется мучительно. Время от времени происходит ложная тревога, как на вокзалах, когда кто-нибудь кричит: «Идет! Поезд идет!» — и все бросаются подхватывать свои узлы и чемоданы. Так и тут: где-то кто-то что-то выкрикивает, все устремляются туда, а оказывается — одни пустяки. О Древницком и о солдате ни слуху ни духу. Как в воду канули.

Приезжает папа, сидит с нами, тоже томится.

И вдруг крик:

— Подъехали! Подъехали!

— Идут сюда!

Появление Древницкого и солдата вызывает целую бурю криков и аплодисментов. Их ведут на веранду ресторана. Сквозь толпу к папе протискивается какой-то человек:

— Доктор, пожалуйста, посмотрите, что с Древницким... Пожалуйста, за мной, на веранду... Пропустите, господа!

Толпа расступается, папа идет на веранду ресторана, ведя за руку меня. Я иду за папой, ничего не видя, кроме Древницкого.

— Спасибо, доктор, — говорит папе Древницкий, — у меня пустяки, ссадины... А вот спутнику моему, солдату Путырчику, нужна помощь.

У Путырчика все цело, ничего не сломано, не вывихнуто, но он какой-то странный. Неподвижный взгляд, как бы отсутствующий... Смотрит в одну точку. Он не сразу откликается даже на свою фамилию и будто не понимает, что ему говорят.

— Путырчик, друг, — говорит Древницкий, — на́, выпей — душа оттает...

Путырчик осушает рюмку, утирает губы краем ладони, но не становится ни веселее, ни живее.

— А как я тебе кричал, когда мы летели, помнишь?

Путырчик, помолчав, отвечает:

— Ваше благородие до мене кричали: «Держись кре́пчай! Не отпускай вяровку! Держись кре́пчай, а то пропадешь...»

— И ты держался?

— А як же ж! Сказано було: «Держись кре́пчай», — я й держаусь...

Путырчика увозят в казарму.

— Плох он, доктор? — спрашивает Древницкий.

— Не очень хорош,— соглашается папа. — Может, отойдет, конечно... Но, видно, потрясение было чрезмерным.

Пока папа смазывает йодом и перевязывает ссадины на его руках, Древницкий рассказывает, что с ними произошло. Когда Древницкий обнаружил, что на петле висит солдат, он испугался, как бы солдат не выпустил из рук каната: он бы тогда сразу грохнулся на землю. Оттого он и кричал солдату все время: «Держись крепче, не то пропадешь!»

— Даже голос сорвал кричавши! — шутливо жалуется Древницкий.

Потом, когда из шара вытек весь воздух, пустая оболочка шара, похожая на выжатый лимон, стремительно падая, понесла их на землю. Вот тут им повезло: оболочка шара упала на деревья пригородного леса. Только это их и спасло...

— Честно говоря, — признается Древницкий, — я сегодня живым остаться не чаял!

— А почему вы не спустились с парашютом?

— Бросив солдата?! — В голосе Древницкого звучит удивление. — Бросив его одного на верную смерть? — И, помолчав, добавляет: — Нет. Я так поступить не мог.

Прощаясь с папой, Древницкий спрашивает:

— Сколько я должен вам, господин доктор?

— Вы с ума сошли! — сердится папа. — Неужели вы не понимаете, что вы меня оскорбляете!

— Милый, не надо! — обнимает его Древницкий. — Я же не хотел... Может, еще увидимся когда-нибудь, я буду рад!

Он прощается и со мной. Вынув из петлицы завядшую белую розу, он дарит ее мне. И мы уходим.

— Папа, — спрашиваю я, — почему ты повел меня с собой?

— Я хотел, чтобы ты посмотрела на Древницкого. Это нужно видеть. И — запомнить.

Мы с папой возвращаемся к своим. Юлька, словно завороженная, смотрит на полумертвую розу в моей руке.

— Это Древницкого цветок?

— Древницкого! — говорю я гордо. — Он мне дал!.. Я засушу... на память...

Невольно я взглядываю на папу... Он смотрит на меня пристально, неотрывно и что-то не очень ласково.

Конечно, я понимаю, о чем думает папа. Но, ох, до чего мне жалко отдать этот цветок!

— Возьми, Юлька...

Когда мы уже подходим к своему дому, папа говорит мне:

— Если бы ты сегодня не отдала Юльке цветка, это было бы для меня... ну, как тебе сказать... горе, да, да, самое настоящее горе!.. Потому что я бы думал, что ты самая злая жадюга из всех самых злых жадюг!

Папины опасения относительно солдата, нечаянного спутника Древницкого, оправдались. Когда на следующий день был опубликован приказ военного командования: «Рядовой такого-то полка Путырчик за проявленные им смелость и присутствие духа награждается двадцатью рублями», — бедняга Путырчик уже не воспользовался этой наградой: от всего пережитого он сошел с ума.

Несколько дней спустя афиши возвещают новый полет Древницкого. Первый полет, в котором он показал себя таким благородным человеком, он считает для себя, воздухоплавателя, неудачей и во что бы то ни стало хочет «выправить линию».

Ох, этот второй полет наносит ему новый удар!

Перед самым взлетом из-за чьей-то неосторожности шар воспламеняется от костра и сгорает буквально в несколько минут на глазах у всех зрителей и самого Древницкого. Вот когда все видят, что и Древницкий может побледнеть... Он смотрит на гибель своего шара, и кровь явственно отливает от его смелого лица.

Стоимость такого шара, наверно, очень велика, а доходы от публичных полетов ничтожны. Ведь девять тысяч населения смотрят полеты бесплатно: они видны отовсюду. Плата за вход на взлетную площадку, вероятно, едва покрывает расходы воздухоплавателя по найму этой площадки, по наполнению шара, охране его и т. д.

...Шар сгорел. Толпа стоит молчаливая. Сам Древницкий ловно оцепенел. Кто-то из зрителей снимает с головы фуражку, кладет в нее деньги: «Древницкому — на новый шар!» I фуражка идет из рук в руки. Видно, как она плывет по толпе, ловно челнок. Люди дают охотно, горячо. Кое-кто из женщин, лача, кладут в фуражку вынутые из ушей недорогие серьги, нятые с пальцев колечки с бирюзой... Фуражка несколько аз возвращается наполненная и снова, пустая, идет в плавание.

Через некоторое время Древницкий совершает у нас олет уже на новом шаре. Трудно даже описать волнение рителей и их восторг, когда полет проходит великолепо, — что называется, без сучка без задоринки. Толпа несет древницкого на руках по аллеям Ботанического сада — веранде ресторана. Древницкого буквально засыпают розаи. Увидев в толпе папу, Древницкий протягивает ему целую хапку роз:

— Здравствуйте, доктор! А это для дочки!

Я слышу где-то неподалеку, в толпе, голос Риты Шабановой:

— Мама! Древницкий опять Сашке Яновской розы поарил!

И тут же ясный голос Зои, протяжный и ленивый:

— А тебе завидно, да?*

---

* С тех пор я больше не видела полетов Древницкого. Но имя его стречалось нередко на страницах газет. Часто в них рассказывалось случаях, когда смелый воздухоплаватель спасался лишь чудом. А в снове этого чуда всегда лежала героическая смелость Древницкого, его аходчивость и выдержка. Как-то в Риге его парашют отнесло далеко в оре, и Древницкий уцелел только благодаря надетому перед полетом робковому поясу, давшему ему возможность продержаться на воде до ех пор, пока подоспела спасательная лодка. В другой раз, в Петербурге, рыгнув с парашютом, Древницкий едва не погиб, опустившись на рамвайные электрические провода. После 1914 года имя Древницкого овершенно заглохло. Казалось, изгладилась всякая память о нем. Фаилия его не упоминалась ни в одной из энциклопедий, предназначенных ля широкого читателя. Даже специалисты — научные работники, в частости, по истории воздухоплавания — не знали о нем почти ничего. Когда я бращалась к ним с вопросами о судьбе Древницкого, они ничего не могли ообщить мне, — наоборот, они радовались возможности услышать от меня виденных мною в детстве полетах Древницкого.

Несколько лет тому назад журнал «Пионер» напечатал мой рассказ о ерое моего детства, воздухоплавателе Древницком. Советские школьники —

Глава девятнадцатая

МЫ ПРОЩАЕМСЯ С ПАВЛОМ ГРИГОРЬЕВИЧЕМ

На последнем полете Древницкого Анна Борисовна н присутствовала, хотя и собиралась быть. Но, когда мы воз вращаемся домой, Юзефа встречает нас сияющая, как начи щенный медный подсвечник:

— Учителя нашего выпустили!

Мы все набрасываемся на Юзефу с вопросами, но он знает только, что прибегала «учителька» (Анна Борисовна что она была «такая рáдая, такая рáдая!..».

— «Юзефочко, говорит, дорогой вы человек! Мужа мс его сегодня выпустили с острога! Пошел свидетельство вы правлять, сегодня ночью, говорит, уезжаем!..» Так и сказал «Юзефочко, дорогой человек!» — повторяет Юзефа растрс ганно.

Приходит и Анна Борисовна. От радости она немног растерянна, словно боится верить счастью. Она объясняе что Павла Григорьевича действительно выпустили — дал

удивительное, чудесное племя! Они не только написали мне много писем но в буквальном смысле слова «прочесали» все, что можно, в поиска следов Древницкого. Но не помогла и удивительная напористость советски школьников-пионеров: так же, как и я, они не отыскали никаких следо И было грустно думать, что этот замечательный герой, один из пионерс русского воздухоплавания и парашютизма, безвозвратно забыт... Даж инициалы его имени и отчества не были известны никому!

Однако в самое последнее время все это неожиданно повернулос иначе!

Один из моих читателей, студент (ныне ленинградский инженер) Г. Черненко, заинтересовавшись судьбой и личностью Древницкого, посвяти несколько лет поискам этого героического воздухоплавателя и парашютист собрал большой и интересный материал. Отсылая интересующихся к то книге, которую Г. Т. Черненко готовит для печати, я скажу лишь о том, чт имеет непосредственное отношение к настоящей моей книге. Древницк было два брата, Станислав и Юзеф. Оба — выдающиеся воздухоплавател и парашютисты. Все то, что читатель прочитал здесь в этой моей книг относится, оказывается, к Станиславу Маврикиевичу Древницкому старшему, рано погибшему при воздухоплавательной катастрофе.

му в полицейском управлении так называемое «проходное свидетельство» в Харьков.

Фон Литтен исполнил свое обещание!

— А как же вы успеете до ночи уложиться? — беспокоится мама.

— Да какие у нас пожитки, Елена Семеновна! Уже все уложили...

— А почему вы пришли без Павла Григорьевича? Посидели бы с нами последний вечерок!

— Да это все Павел мудрит: говорит, что это неконспиративно, что мы вас можем подвести...

— Вот что, дорогая моя Анна Борисовна: за нас можете не беспокоиться — пока фон Литтен сидит на своем месте, будьте спокойны, он себе не враг. Ни один волос не упадет с моей головы. Сию минуту ступайте за Павлом Григорьевичем! — командует папа.

Павел Григорьевич и Анна Борисовна приходят скоро — уже со всеми вещами: прямо от нас они отправятся на вокзал. Павел Григорьевич отлично выглядит. Словно и не сидел в тюрьме!

— Я же каждый день дышал воздухом у окна в ожидании, когда моя Анна Борисовна поплывет мимо тюрьмы на лодке!

Анна Борисовна и Павел Григорьевич смотрят друг на друга так, словно разговаривают глазами:

«Да?»

«Ну конечно!»

«Навсегда?»

«А то как же!»

«Ну вот и отлично!»

Павел Григорьевич говорит маме:

— А какие котлеты, какие роскошные булки посылали мне вы, Елена Семеновна и Юзефа! Я просто обжирался!

— Не верьте ему, Елена Семеновна! — смеется Анна Борисовна. — Он, наверное, всю тюрьму кормил вашими гостинцами, я его знаю!

Трудно даже описать, как все в доме радуются возвращению Павла Григорьевича! Правда, за этим возвращением через часок-другой настанет разлука — может быть, навсегда, — но пока это радость, от которой, кажется, даже лампы горят веселее.

Поль подходит к Павлу Григорьевичу и просит его на минуту зайти в нашу комнату. Павел Григорьевич исполняет ее просьбу, и одноглазка Кики сразу вспархивает к нему на плечо.

— О, Кики такой умный! Он безошибочно узнаёт, кто хороший, кто нет... И он радуется, когда видит хороших людей!..

Мы сидим за столом. Папа прежде всего дает Павлу Григорьевичу письма к тем своим товарищам по Военно-медицинской академии, которые работают сейчас в Харькове, — врачам, университетским преподавателям. Потом разговор становится общим, все смеются, чокаются (мама достала заветную вишневку!), пьют чай с абрикосовым вареньем Юзефиной варки...

Настает пора расставаться: время ехать на вокзал.

— Будешь нас помнить, Сашенька?

— Всю жизнь! — обещаю я.

И ведь правда: я навсегда запомнила этих людей — Павла Григорьевича, первого революционера, увиденного мною в жизни, и милое, чудесное Зернышко, Анну Борисовну. И почему-то в моей памяти Павел Григорьевич переплелся с Древницким. Разные, а какие похожие! Оба смелые, оба героические, оба любят людей больше, чем себя, оба видят далеко-далеко вперед! Один, летая на неуправляемой тряпке, видит впереди завоевание воздуха. Другой, ведя работу среди горсточки фабричных рабочих, видит впереди революцию!..

— Ты не спишь? — Это папа присел около моей кровати.

— Не сплю... Думаю... Папа, а ты — не революционер?

— Нет, Пуговка. Не революционер.

— Почему?

— Почему? — медленно повторяет папа мой вопрос. — Вероятно, революционер должен быть лучше, смелее, чем я... Он должен быть героем! Ведь они — только у начала своего пути. Их мало, а путь этот, пока они победят, им придется вымостить своими костями... Это будет трудно и долго. Помогать им — вот все, что я могу...

— А победят они?

— Победят. Непременно.

Мы еще молчим недолго. Мне немножко горько думать, что мой папа — он сам это сейчас сказал! — беднее душой, чем революционеры, что он не герой, а просто хороший человек.

— Папа... Я бы хотела, чтобы ты сделал что-нибудь очень хорошее!

— Например?

— Ну, например, пошел — и убил царя!

— Ох, какая Пуговка, какая глупая Пуговица!.. — посмеивается папа. — Настоящие революционеры — такие, как Павел Григорьевич, — этого не делают... Они царей не убивают!

— Почему?

— А вот почему — об этом мы поговорим тогда, когда...

Вот оно: так я и знала!

— ... когда у тебя коса вырастет!

Глава двадцатая
СВАДЬБА

Коса — она, конечно, очень долго растет. Но маленькая косичка, в несколько сантиметров, такая, чтобы в нее можно было вплести ленточку, — такая у меня к концу лета все-таки уже есть. Это очень приятно. Я поворачиваю голову то вправо, то влево, словно трясу надетыми на уши сережками из вишен! Косичка при этом, правда, не бьет меня по ушам (это еще когда-а-а будет!), но я ощущаю ее у себя на затылке... Это тоже приятно!

В один прекрасный день, когда мы с Юлькой сидим на обычном месте, на берегу реки, куда ее каждое утро приносит Степан Антонович, Юлька говорит мне:

— Завтра придешь?

— Приду.

— Нет, ты приходи н е п р е м е н н о. В двенадцать часов, — настаивает Юлька.

— А что?

— Так... — И Юлька делает загадочное и таинственное лицо. Ясно: она знает какой-то секрет.

Однако сохранить тайну до конца она не может.

— Свадьба у нас завтра... — говорит она, сияя. — Мамця со Степаном Антоновичем венчаться идут... Приходи в двенадцать часов. И не сюда — меня здесь не будет. К ресторану приходи, к черному ходу, где наша комнатка... И еще Юзефе скажи, чтоб с тобой пришла! Непременно!

Пока Юлька была больна, ее мать очень подружилась с Юзефой. Она даже называет Юзефу «тетечкой».

— Мы и татку твоего хотели пригласить, да не смеем...

— Папа непременно пришел бы! — горячо уверяю я. — Но в двенадцать часов он в госпитале.

Когда я ухожу, Юлька кричит мне вслед:

— Не забудь: завтра в двенадцать с черного хода! И Юзефа чтобы тоже!

Я очень радуюсь этому приглашению, хотя со словом «свадьба» у меня связаны не очень приятные воспоминания. Я была на свадьбе только один раз в жизни. Выходила замуж двоюродная сестра моей мамы. Я была еще маленькая — лет шести. Дома было много суматохи — одевались, готовились ехать на свадьбу. Пришел дамский парикмахер пан Теодор; он стал завивать маме локоны горячими щипцами, это было ужасно интересно. Пан Теодор нагревал щипцы на керосинке, потом пробовал нагревшиеся щипцы сперва о собственное ухо, о палец, предварительно послюнив его, и, наконец, о кусок газеты, отчего в комнате плыл запах паленой бумаги.

Завивая мамины локоны, пан Теодор все время восхищался маминой красотой:

— Урода! Ах, яка урода!

Я было хотела обидеться за свою маму, но оказалось, что по-польски «урода» означает прелесть, очарование!

Продолжая уверять, что мама первая «урода» во всем городе, пан Теодор сделал ей замысловатую прическу и ушел. Мама надела новое платье, отделанное букетиками искусственных фиалок. Она вправду была очень красива!

В это время приехал папа.

— Про́шу пана — храк! — сказала Юзефа, помогая папе надеть какой-то диковинный костюм.

Но, когда папа надел его, я просто огорчилась. Мама такая нарядная и красивая, а папа оделся каким-то шутом гороховым! Что это за костюм? Спереди кургузый, а сзади с раздвоенным хвостиком!

— Папа, — взмолилась я, чуть не плача. — Сними эту гадость! Мы же на свадьбу едем, там тебя все засмеют. Подумают, что ты нарочно...

— Это фрак, — сказал папа очень невесело (ему, видно, самому не нравился его костюм). — На свадьбу, понимаешь, полагается мужчинам надевать фрак... А тебе не нравится? Нет... Мне, брат, тоже не нравится...

— А чего ж там «не нравится»! — сказала Юзефа. — Храк — и храк. Усе настоящие паны храки надевают... А чем наш пан доктор хуже?

Меня тоже принарядили, надели на меня мое любимое платье, — а любила я его за то, что в нем был карман, и даже глубокий. Мне всегда попадало за то, что я теряю носовые платки, а тут как раз было куда класть платок.

Одевая и меня, Юзефа сказала шутя:

— На свадьбу идешь, шурпочка моя, а няню свою не берешь? Будешь там вкусные вещи кушать, а Юзефе — фига?

Я стала горячо протестовать:

— Юзенька, что мне там вкусного дадут, я тебе все-все принесу! Все в карман спрячу — для тебя. Честное слово!

Юзефа посмеивалась:

— Ну, смотри не забудь! Ты ж у меня безголовая.

Юзефа, конечно, шутила, но — я же дала честное слово! И я добросовестно запихала в карман все, чем меня угощали на свадьбе. Карман скоро отяжелел, он крепко ударялся о мой бок, — а главное, он очень заметно оттопыривался. Конечно, мама скоро заметила этот оттопыренный карман и, отведя меня в сторонку, стала его опорожнять... Чего только в нем не оказалось! Груша, сливы, конфеты, а на самом дне — нежное, хрупкое, вконец раздавленное пирожное со взбитыми сливками и вареньем...

Мама была в ужасе.

— Откуда это у тебя?

— Я обещала принести домой Юзефе все, что мне дадут... — чуть не плакала я.

— Какие глупости!

— Ничего не глупости, я честное слово дала!

Кое-как мама вытерла платком мой перепачканный внутри карман, велела мне съесть тут же, при ней, все то, что осталось нераздавленным.

— А жениха и невесту ты поздравила? Видишь, все поздравляют, ступай и ты.

Очень сконфуженная, я протискалась сквозь толпу поздравлявших гостей, подошла к жениху и невесте, сунула каждому из них руку и, как всегда в минуты больших волнений, сказала, перепутывая слова: не «поздравляю вас», а «мерси» — то есть благодарю.

На счастье, тут подошел папа. Я прижалась к нему и от знакомого, милого запаха карболки сразу успокоилась.

— Ничего, брат, бывает... — посмеивался папа. — А теперь все-таки подойди к жениху и невесте и скажи по-людски: «Поздравляю!» А то они подумают, что ты идиотка!

В общем, никакого удовольствия мне та свадьба не доставила. Даже вспомнить неприятно!

Но это было давно.

Теперь я уже большая, скоро пойду экзаменоваться в первый класс! Теперь я уже, конечно, лучше умею вести себя на людях. И потому мне очень обидно, что мама, отправляя меня с Юзефой на свадьбу Юлькиной мамы и Степана Антоновича, говорит мне «с намеком»:

— Только, пожалуйста, не пихай ничего в карман и, когда будешь поздравлять новобрачных, не скажи вместо «поздравляю!» — «с Новым годом».

Удивительная у взрослых способность помнить сто лет всякую чепуху!

Мы с Юзефой (она — нарядная, с шалью на плечах) долго ищем черный ход в садовый ресторан — мы ведь никогда не бывали там даже и с парадного хода.

Но вдруг мы видим: идут по аллейке к ресторану новобрачные — Анеля Ивановна и Степан Антонович — и застываем на месте! Не то чтобы такие уж они были нарядные и великолепные, — дело совсем не в этом. Они идут по аллейке не под ручку, как чинно прогуливаются в праздник мужья и жены, — нет, они держатся за руки, как дети! Анеля Ивановна — чуть притулившись к крепкой руке Степана Антоновича, а он — останавливаясь по временам, чтобы поглядеть на нее...

Они идут с ч а с т л и в ы е. Это понимаю даже я.

Тут из какой-то боковой двери — это и есть черный ход в ресторан — высыпает группа мужчин во фраках. Один из них посадил к себе на плечо Юльку. Открывая в радостной улыбке милые передние зубки, надетые «набекрень», Юлька машет рукой и кричит:

— Мамця! Таточка!

Но тут Юзефа начинает почему-то проявлять признаки беспокойства.

— Якись паны... — бормочет она. — В храках! Куды ж я з ими пойду?

Но уже Анеля Ивановна увидела нас, расцеловала и вместе со Степаном Антоновичем ведет нас к себе.

В это время в группе «панов», одетых во фраки, появляется повар в белом фартуке и колпаке. За ним — Гануся, тоже судомойка ресторана, такая же, как Анеля Ивановна. Гануся, видно, сейчас от лохани, с подоткнутой юбкой. Она бесцеремонно расталкивает мужчин во фраках и бросается целовать новобрачных. Она плачет от радости за них, но не касается их своими разведенными в стороны мокрыми руками.

Анеля Ивановна и Степан Антонович целуются с судомойкой Ганусей, с поваром и со всеми господами во фраках.

Но тут старик повар предостерегающе поднимает указательный палец:

— Хлопцы, в зал!

И все господа во фраках опрометью бегут в ресторан. Анеля Ивановна приводит нас с Юзефой в каморочку, где живут они с Юлькой, — под лестницей, со скошенным потолком. Степан Антонович тоже надевает фрак и уходит в ресторанный зал. Анеля Ивановна быстро сменяет празднич-ное платье на свою каждодневную затрапезку и становится в кухне рядом с Ганусей у лохани. И все становится таким, как каждый день... Нет, все-таки не все!

— Юлечко! — кричит Анеля Ивановна, и синие глаза ее сияют. — Юлечко, угощай дорогих гостей.

Юлька угощает нас конфетами и яблоками.

Анеля Ивановна вбегает на секунду к нам.

— Тетечко! — просит она Юзефу. — Может, вы выпьете килишек (рюмочку)?

И убегает.

Выпив «килишек», Юзефа с удовольствием крякает. Потом она спрашивает Юльку, кто были те паны, которые дожидались новобрачных у входа.

— Так это ж наши лакеи! — отвечает Юлька.

— А почему на них храки надеты?

— Ну как же! В хорошем ресторане лакей всегда во фраке! — объясняет Юлька. — Видели того, кто меня на руках держал? Это Станислав, старший лакей. У него аж два фрака: на будни и на праздник. Ох, он и бережет их! Ведь без фрака его в приличный ресторан не возьмут.

Мимо каморки Анели Ивановны все время пробегают туда и обратно лакеи с подносами, уставленными кушаньями и бутылками, которые они несут посетителям в зал. Из зала доносится музыка — скрипка и рояль. Но, наверно, — на-верно! — в зале не так весело, как здесь, в каморке под лест-ницей, куда время от времени вбегают на секунду то Анеля Ивановна, то Степан Антонович.

В одну какую-то минуту они появляются оба, словно ка-кое-то счастливое облако, соединив, внесло их одновремен-но. Они весело кивают нам, — сейчас они убегут...

— Горько! — раздается от двери веселый мужской го-лос. — Горько!

И за спиной новобрачных появляется Вацек! Тот Вацек, который пропал с самого 1 мая!

Он стоит в дверях, рыжий, худющий, заросший, но весе-лый, как всегда, и улыбается во весь рот!

— Ваць... — узнает Юлька и восторженно хлопает в ладоши. — Ты пришел?

— Да. Пришел.

— Откуда? — ахает Анеля Ивановна.

— Оттуда. Все расскажу подробно, когда меня накормят. Знаете, в тюрьме был очень плохой ресторан... Но послушайте, — что́ я вам сейчас сказал? Я сказал: «Горько!»

— Горько-о-о! — подхватывают из кухни. — Горько!

Степан Антонович наливает вина в две рюмочки. Берет одну себе, другую подает Анеле Ивановне. Они выпивают вино, глядя неотрывно друг другу в глаза. Потом Степан Антонович кладет руки на плечи Анели Ивановны, они целуются, и Степан Антонович ласково прижимает ее голову к своей щеке. Все это длится одну секунду...

— Степа! — кричат Степану Антоновичу. — Бифштекс на девятый столик! И консоме с пирожком — на одиннадцатый.

И все разбегаются, каждый к своей работе...

— Ну, какая была свадьба? — спрашивает меня дома мама.

— Чу́дная! — говорю я.

Я и сегодня думаю, что эта свадьба была чудная. Одна из самых чудесных свадеб, какие я видела в жизни. Потому что — счастливая!

Глава двадцать первая

ЭКЗАМЕН

Приходит 5 августа, и меня ведут на экзамен. Не в женскую гимназию, а в институт. Институт этот считается выше, чем гимназия. Из-за этого института у нас дома идут жаркие споры с утра до ночи!

— Всё твои выдумки! — говорит мама папе. — В женской гимназии ей будет лучше: там таких, как она, много, и отношение лучше.

Я настораживаюсь: каких это «таких, как я»? Чем я особенная?

Но папа в этом вопросе просто как скала!

— В институте учебная программа больше!

— Подумаешь, программа... — пренебрежительно говорит мама. — Ты бы ее еще в мужскую гимназию отдал, там программа еще больше.

— И отдал бы! Да не берут туда девочек... А в институте программа по математике значительно большая, чем в женской гимназии: проходят даже небольшой курс тригонометрии.

— Тригонометрия... необходимо это для девочки!.. — пожимает мама плечами.

Папа вдруг сердится:

— Да! Необходимо! Без математики нет мышления, а без мышления нет человека!

В итоге этих споров победил папа: мои бумаги подали в институт. Когда знакомые, в особенности моего возраста, спрашивают, почему в институт, почему не в гимназию, мне как-то неловко. Что я могу ответить? Что без математики нет мышления, а без мышления нет человека? Я отвечаю скромненько: так хочет папа, а он, наверно, лучше знает...

Скажу здесь к слову. С тех пор прошло более шестидесяти лет, и я свято чту память о моем отце. Он прожил долгую, хорошую жизнь, он не раз совершал поступки, которые можно смело назвать героическими (об этом я расскажу в другой книге), он умер, презирая своих палачей, не унизившись перед ними ни на секунду. Но вот в этом — в выборе учебного заведения для своей единственной дочки — он был не прав. Я проучилась в этом проклятом институте семь лет, я перенесла в нем много унижений и несправедливостей. А математика, как там ее преподавали, была такой же суррогат, как желудевый кофе... И математике и мышлению я научилась уже гораздо позже, в высшем учебном заведении, а в особенности в жизни.

5 августа мы с мамой отправляемся в институт на экзамен. Когда мы уходим, папы нет дома — его в четыре часа утра позвали к больному и он еще не возвращался.

Он оставил мне записку, нацарапанную его неразборчивым почерком:

...Пуговка!

1) Спокойненько, спокойненько!

2) Думать! Не подумав, не отвечай — скажешь глупость!

3) Если очень перепугаешься, вспомни Муция Сцеволу или маленького спартанца с лисицей: им было хуже, но они не подали и виду.

А в общем — все будет хорошо!

Папа

Меня провожает весь дом — Юзефа, Поль, одноглазка Кики. Из всех окон машут соседи. Карман у меня набит, как подушка: все дали мне что-нибудь «на счастье». Юзефа — завернутый в бумажку кусочек какой-то сухой черной гадости («Это священное!»), Поль — морскую раковинку, мама — фарфоровую фигурку зайчика. Старая Хана принесла нам утреннюю порцию бубликов, и один из них, самый золотистый и пузатый, она просит меня положить в карман «на счастье».

От всей этой торжественности мое волнение все усиливается. У меня нет в голове ни одной веселой, смешной мысли! Одно трепыхание и страх!

Мы идем с мамой по улицам. Страх мой перед экзаменом все растет: меня даже слегка тошнит, и у меня начинает болеть живот — не сильно, а как-то тягуче, тоскливо. И совершенно непонятно, почему на улицах всё — как всегда! У сквера стоит «халвишник»; его обступили мальчишки, они умоляют дать им облизать нож, которым он отрезает покупателям халву. Из часового магазина хозяин выбежал за ушедшим было покупателем, которого он боится упустить:

— Верьте совести! Себе в убыток: за три рубля семьдесят копеек отдаю. Берете?

В дверях галантерейных лавок приказчицы зазывают покупателей на разные голоса, выхваливая по-польски свой товар:

— Парасолики! Бутики! Кошули! Корунки! Встонжки розмаиты! (Зонтики! Ботинки! Рубашки! Кружева! Ленты разные!)

А я иду в институт на экзамен. Как на смерть... Хорошо папе писать про Муция Сцеволу — тот говорил с врагом, бесстрашно положив руку в огонь, рука горела, но Муций был спокоен! И про маленького спартанца тоже — лисица, которую он скрыл в складках своего платья, прогрызла и порвала ему когтями живот, но он ничем не обнаружил этого перед учителем в школе... так я же тоже не обнаруживаю! У меня живот разбаливается все пуще, я ведь молчу! Но экзамена я все-таки боюсь... Я тихонько пожимаю мамину руку, но у мамы рука холодная как лед, и, кажется, она боится за меня еще больше, чем я сама.

В писчебумажном магазине мама покупает мне карандаш и две тетради: одну в линейку — для русского и одну в клеточку — для арифметики. Узнав, что я иду экзаменоваться, лавочница ахает: «Ну, в добрый час! Счастливо!» — и дарит мне картинку. На ней изящная женская рука двумя хрупкими пальчиками держит пудовый букет роз и незабудок. Красота!

Но вот мы пришли. Длинное трехэтажное здание с безбровыми — без наличников — окнами. Окна до половины закрашены белой краской и похожи на бельмастые глаза базарных слепцов.

В вестибюле мы встречаемся с Серафимой Павловной Шабановой, Зоей и Ритой. Мама и Серафима Павловна встречаются сердечно — все-таки они подруги с детства, а что мужья ссорятся, ну, это их мужское дело. Добродушная толстушка Зоя тоже радостно меня обнимает. Рита, кивнув мне головой, убегает с какими-то девочками, с которыми она только что здесь познакомилась. Мы с Зоей идем вверх по узорной, словно кружевной, чугунной лестнице. На площадке я оборачиваюсь назад — мама стоит в вестибюле вместе со всеми остальными мамами и смотрит мне вслед. У нее в руках моя шляпка с двумя ленточками сзади. Шляпка подпрыгивает, ленточки дрожат — это у мамы от волнения трясутся руки. Бедная моя мама...

Мы с Зоей идем наверх. В двух огромных, сходящихся под прямым углом коридорах — широких, хоть на тройке ездить! — много девочек, всего больше маленьких, экзаменующихся в первый и приготовительный классы.

— Ты боишься? — спрашиваю я у Зои.

Она смотрит на меня своими красивыми безмятежными глазами:

— Ну, вот еще... Чего же бояться?

— Вдруг срежемся?

— Мы с Риткой не срежемся! — уверенно говорит Зоя. — С нами сама Ирина Андреевна занималась... Каждый день ее к нам в Броварню возили и обратно в город увозили. И стоили, знаешь, эти уроки недешево!

— А кто это Ирина Андреевна?

— Не знаешь? — удивляется Зоя. — Учительница первого класса... Нет, мы не срежемся!

К нам подбегает Рита:

— Зойка, я места́ заняла. На первой парте!

— И для Саши?

Рита быстро шепчет что-то Зое. Но так громко, что я отчетливо слышу:

— Она же в другом классе будет. С жидовками...

В эту минуту раздается звонок — длинный, сверлящий воздух. Классные дамы и учительницы — их несколько человек — командуют:

— По классам, медам!.. По классам!

И разводят нас по классам.

Рита ошиблась — меня ввели в тот же класс, где и они с Зоей. Сижу, обалделая, растерянная... Почему я «с жидовками»? Почему мы все «медамы»?..

— Медам! — обращается к нам одна из учительниц. — Вы должны сидеть тихо, не переговариваться между собой, не возить ногами, не стучать пюпитрами... Сейчас мы начинаем устный экзамен по русскому языку... Шамшева Елена! Прошу подойти к столу.

Одна за другой вызываемые девочки подходят к столику, за которым сидят три учительницы. Каждая девочка читает вслух отрывок из хрестоматии. Одни читают свободно, осмысленно, другие — еле-еле, медленно, запинаясь. Потом каждой девочке дают сделать устно грамматический разбор предложений, — предложения все очень простые, например: «Дети побежали в лес» («дети» — подлежащее, «побежали» — сказуемое, «в лес» — обстоятельство места).

В общем, экзамен очень легкий, ну просто самые пустяки спрашивают! Я веселею, у меня перестает болеть живот, и я даже с нетерпением жду своей очереди. Но меня почему-то пока не спрашивают.

Зоя отвечает прилично. Читает не очень бегло, но разбор предложений делает правильно. Зато с Ритой получается очень нехорошо: она плохо читает, только что не по складам, а разбирая предложение «Ночью дети спят», говорит, что «ночью» — это определение. Потом поправляется: «Нет, это обстоятельство места». Миловидная учительница с синими глазками — это, верно, и есть та самая Ирина Андреевна, которая давала им уроки, — очень волнуется. Она ласково и мягко уговаривает Риту «подумать», «вспомнить», задает ей наводящее вопросы, но Рите это мало помогает. Тогда Ирина Андреевна предлагает ей прочитать наизусть стихотворение или басню.

Рита, прокашлявшись, читает:

Чиж и голубь
Басня Крылова
Чиза жахлопнула...

Девочки дружно смеются. Я не смеюсь. Я-то ведь хорошо знаю, как это бывает, когда от волнения говоришь не то, что хочешь!

— Нехорошо, медам! — укоряет их Ирина Андреевна. Она волнуется, лицо у нее пошло пятнами. — Нехорошо смеяться! Шабанова просто оговорилась, это со всяким может случиться... Читайте сначала, Шабанова! Читайте спокойно, не волнуйтесь...

Но не тут-то было! Бедная Рита — она ведь проваливается и знает, что проваливается! — волнуется и от волнения без конца повторяет все ту же обмолвку:

— Чиза жахлопнула злодейка-западня...

На этом ответ Риты кончается. Мне ее ужасно жалко — ведь ее не примут! Когда ей говорят: «Ну, садитесь, Шабанова», — я делаю ей приглашающий жест: сядь, мол, рядом со мной, на свободное место. Но Рита молниеносно быстро показывает мне язык и садится на свое прежнее место. Можно подумать, что не она провалилась и я ее за это жалею, а я провалилась и она меня за это презирает!

А меня всё не спрашивают. Я уже очень устала сидеть смирно и вслушиваться в чужие ответы. У меня самой в голове начинают путаться все «образы действий» и дополнения, стихи, басни и прозаические отрывки... На какую-то секунду мне вдруг страшно хочется спать. Я с ужасом думаю: как же я буду отвечать, если я так раскисла?

Ирина Андреевна объявляет нам, что сейчас будет перемена — можно выйти в коридор. А потом всем уже спрошенным девочкам — перейти в соседний класс, там они будут писать диктовку, а потом — экзаменоваться по арифметике. А те девочки, которых еще не проэкзаменовали по русскому языку, пусть возвращаются после перемены сюда, в этот класс: их будут экзаменовать тут.

Со всех ног бегу к маме — пусть не волнуется, меня еще не экзаменовали. И пусть будет спокойна: экзаменуют очень, очень легко!

— Ну, не так уж легко! — вздыхает Серафима Павловна (они с мамой сидят в вестибюле рядышком). — Риточку мою просто ужас как строго спрашивали!

Я молчу. Я ведь слышала, как экзаменовали Риту и как она отвечала. Просто вчуже было неловко.

Звонок снова зовет нас наверх. С той необыкновенной легкостью, с какой дети привыкают к новому месту, к новой обстановке, я уже чувствую себя в институте как дома. Поднимаюсь легко, бегом вверх по лестнице, сделанной словно из чугунного кружева, — а в первый раз я шла по ней со страхом! — мне нравятся широкие, залитые солнцем сводчатые коридоры, глубокие ниши с окнами, замазанными до половины белой краской.

Неэкзаменованных девочек вместе со мной всего семь человек. И все они — еврейки: Фейгель, Гуз, Айзенштейн и другие.

Начинается экзамен, и я просто ушам не верю. То же чтение вслух, но не коротеньких рассказиков из хрестоматии, а больших, сложных литературных отрывков. Самые разнообразные вопросы по содержанию прочитанного. Разбор не только по частям предложения, но и по частям речи. И еще, и еще, и еще.

В отрывке, который читает первая из экзаменуемых девочек, Айзенштейн, встречаются слова: «побывал во всех частях света». Учительница спрашивает:

— А сколько частей света вы знаете?

Айзенштейн отвечает:

— Пьять...

Ирина Андреевна иронически переглядывается с другой учительницей. Но третья из них, пожилая, с желтым лицом, на котором очень ярко выделяются умные глаза, такие горячие, что, кажется, тронь — руку обожжешь, без всякой насмешки поправляет Айзенштейн:

— Надо говорить не «пьять», а пять...

Меня экзаменуют последней. Мне дают читать кусочек монолога Чацкого из «Горя от ума».

> Французик из Бордо, надсаживая грудь,
> Собрал вокруг себя род веча...

Я очень люблю «Горе от ума» — мы это читали с мамой, — мне приятно встретить знакомые стихи. Я читаю их с удовольствием. Хорошенькая Ирина Андреевна (учительница Риты и Зои) слушает меня со скучающе-безразличной миной. Но учительница с желтым лицом и горячими глазами (ее зовут Анна Дмитриевна) смотрит на меня и одобрительно кивает головой. «Так, так... хорошо».

Потом меня спрашивают, что такое «французик», что такое «Бордо» и какие еще города я знаю во Франции. Я знаю их много — от Поля! — и перечисляю. Что значит «надсаживая грудь»? Что такое «вече»?.. С разбором я тоже справилась вполне прилично.

Не буду рассказывать о дальнейшем ходе экзаменов. Скажу только одно: как выяснилось потом, мы писали не ту диктовку, что все остальные девочки, и решали не те задачи, что они, а гораздо более трудные. Все шесть девочек, которые экзаменовались вместе со мной, отвечали, казалось мне, хорошо. Во всяком случае, ни одна из них не плела такой чепухи, как Рита Шабанова. У меня было впечатление, что все эти шесть девочек отвечали лучше, чем я, в особенности по арифметике.

Экзамен кончился, нам велят идти домой: списки принятых будут вывешены завтра.

На одну минуту мы — все семь девочек — останавливаемся на верхней площадке лестницы. Смотрим друг на друга.

— Не примут нас... — чуть слышно почти шепчет Фейгель, тоненькая девочка с громадными грустными глазами.

— Почему не примут?

Фейгель устало улыбается и крепко жмет мне руку. Все мы прощаемся друг с другом и бежим вниз — к мамам. Бедные мамы — изволновались, измучились...

Первое, что мне бросается в глаза в вестибюле, — это Рита Шабанова, заливающаяся слезами на коленях у Серафимы Павловны. От рева, от икающих всхлипываний у Риты пошла кровь носом. Мама и перепуганная Серафима Павловна, запрокинув Рите голову, прикладывают ей к переносице платки, смоченные в холодной воде.

А Рита ревет в голос!

— Риточка, солнышко мое, да не убивайся ты так! Ведь неизвестно еще... Примут тебя, примут, рыбуленька моя... Поверь мне, уж я знаю!

Рита, плача, гудит низко, как басовая струна:

— Я сама не желаю!.. Нужен он мне, этот паршивый институт!..

Когда кровотечение из Ритиного носа прекращается, ей обтирают мокрым платком запачканное лицо, и Серафима Павловна предлагает:

— Давайте сейчас же в кондитерскую! Мороженое есть!

Мама отказывается — нас, наверно, ждет дома папа, — и мы прощаемся с Шабановыми. С Зоей я расстаюсь дружелюбно, она все-таки добренький теленок, но с Ритой мы еле прощаемся.

— Тебя тоже не примут, не воображай! — говорит она мне со злым торжеством. — Не примут!

— Почему? — невольно вырывается у меня.

— Потому что «потому» кончается на «у»! Из всех вас, кого отдельно экзаменовали, ни одной не примут! Мне сама учительница говорила, Ирина Андреевна, она знает... Не примут вас никого!

— Не слушай Ритку! — неторопливо журчит сдобным голосом Зоя. — Она от злости все врет... Ничего ей Ирина Андреевна не говорила!..

— Нет, говорила, говорила, говорила!..

Мы с мамой уходим.

Нас обгоняет шабановская бричка, и Рита, высунувшись, еще раз бросает мне:

— Не примут!

Мы медленно идем по улице. Я рассказываю маме все, как было, — весь экзамен, все, что спрашивали. Я рассказываю не так, как обычно, «не тараторно», а медленно, вдумываясь сама в то, что вспоминаю.

— Ты устала? — спрашивает мама.

Я отрицательно качаю головой. Дело не в том, что я устала. Конечно, я и устала тоже, но самое главное — я еще сама не могу понять ту печаль, ту горечь, к которой сегодня впервые прикоснулась моя душа.

На площадке лестницы, перед дверью в нашу квартиру, мы с мамой впервые за весь этот суматошный и напряженный день оказываемся одни. Вдвоем. Мы смотрим друг на друга и крепко обнимаемся.

Запах мамы... Все забывает человек, только не это... Потому что это — запах спокойствия, прибежища в беде. Запах, в котором растворяется оскорбительная горечь всего, что пережито мною в этот первый день самостоятельной жизни...

— Ничего не поделаешь... — шепчет мама. — Вот так оно и есть...

На следующий день в списке принятых в первый класс на букву «Я» мы читаем: «Яновская Александра». Это я. На букву «Ш» приняты Шабановы — Зоя и Маргарита. Но Рита — в приготовительный класс. На букву «Ф» — Фейгель Мария.

* * *

19 августа, накануне начала уроков, я стою у нас в квартире посреди комнаты, как рождественская елка! Но что елка с ее побрякушками и даже с большой звездой на верхушке, что это все по сравнению с моим великолепием!

На мне коричневое форменное платье, очень длинное (сшито «на рост»!) и черный фартук. Платье, как полагается по институтским правилам, лишено малейших признаков легкомысленных складок на плечах (рукава «буфф» запрещены), а форменный фартук с прямым нагрудником — без всяких бретелек, перекинутых через плечи, без оборок и пелеринок. Все прямое, ничем не приукрашенное, как больничный халат.

Тем не менее все домашние стоят вокруг меня, любуясь мной, как лучезарным видением!

Даже соседи пришли полюбоваться, даже Кики, которого принесла Поль, садится ко мне на плечо, заглядывая мне в лицо своим единственным глазом.

Нет, конечно, только одного человека: папы. Но вот приходит и он вместе со старым доктором Роговым.

За Иваном Константиновичем идет Шарафутдинов, он держит на вытянутых руках огромный арбуз, полосатый, как матрац. Иван Константинович при виде меня застегивает заветные две пуговки на своем мундире и вытягивается, как на параде: «Нашей ученице — многая лета!»

А Юзефа, пуская умиленную слезу, вздыхает, оглядывая меня критическим глазом:

— А и худенькая ж! Як шпрота копченая...

Назавтра, в десятом часу утра, я вхожу в свой первый класс. В нем — парты. В углу — Бог с лампадкой. На стене — царь в рамке. На полу — плевательница.

Это мой новый мир. Я проживу в нем семь лет.

Москва, 1955 год

Конец первой книги

Книга вторая

В РАССВЕТНЫЙ ЧАС

Глава первая

СВОЕЙ ДОРОГОЙ

— Спать! — командует мама.

— Мамочка...

— Ничего не «мамочка»! Спать!

— Но ведь сейчас только восемь... Я всегда до девяти!

— Тебе надо хорошенько выспаться! — отчеканивает мама с необычной для нее твердостью. — Чтобы завтра не проспать, не опоздать, сохрани бог, на уроки!

Конечно, это серьезный довод. И я подчиняюсь, хотя и очень неохотно.

— Все равно не засну... — ворчу я, укладываясь в постель. — Как я могу заснуть в восемь часов! Цыпленок я, что ли?

С этой мыслью — «все равно не засну!» — я лежу в постели. Поль, моя учительница французского языка, тоже почему-то улеглась в такую рань, одновременно со мной. Она очень волнуется за меня, даже несколько раз в течение этого дня принималась сосать лепешечки из своей заветной коробки. Эти лепешки — ужасно невкусные! — сделаны из сока дерева эвкалипт. Такое красивое название, и такие противные на вкус лепешки! Они, собственно говоря, предназначены для лечения людей от кашля, но Поль принимает их от всех болезней: от головной боли, от сердцебиения, даже от ангины и расстройства желудка. Поль уверяет, что эвкалиптовые лепешки — «совершенно волшебное лекарство!».

В общем, учиться пойду завтра я, а волнуется из-за этого весь дом! И не только Поль без конца ворочается в постели и сосет свои лепешечки. Даже маленький Кики, блекло-зеленый попугайчик, слепой на один глаз, — даже он сегодня почему-то не засыпает, шебаршит в своей клетке. При этом он издает порою тихие «звучки́», словно жалуется:

«Где мой глаз? Почему у меня только один глаз?»

В другое время Поль сказала бы с гордостью: «О, Кики такой умный! Он все понимает — как человек!»

Но сегодня Поль даже не замечает этого. Она так волнуется, что ей не до Кики...

Дверь в столовую открыта, и, лежа в кровати, я вижу все, что там делается. Мама за столом раскладывает пасьянс, но совершенно ясно, что карты ее не интересуют и она в них почти не смотрит. Порой она неожиданно задумывается и неподвижно глядит в одну точку. По другую сторону стола сидит наш старый друг доктор Рогов, Иван Константинович. Он тоже раскладывает свой любимый пасьянс «Могила Наполеона» (он только этот один пасьянс и знает) и тоже часто отрывается от карт, словно его тревожат другие мысли. Папа ходит по столовой — взад-вперед, взад-вперед. А Юзефа отчаянно, на всю квартиру, гремит в кухне посудой и утварью, поминутно роняя на пол то одно, то другое. Грохоту — на весь дом!

— Юзефа! — просит мама мягко. — Не гремите кастрюлями!

— А когда ж яны — бодай их, тыи каструли! — сами з рук рвутся! Як живые...

— Яков... — пробует мама остановить папино вышагивание по столовой. — Перестань метаться, как леопард в клетке!

— «Яков ты, Яков, цвет ты наш маков...» — вдруг напевает Иван Константинович. — Не мечись как угорелый. Ребенок и без того волнуется.

— Вспомни, как ты когда-то сам в первый раз пошел в гимназию, — напоминает мама.

Папа, по своему обыкновению, присвистывает:

— Фью-ю-ю! Это же было совсем другое дело!

— Почему «другое»?

— Потому, что я был пятнадцатилетний парень, почти взрослый. Моя мать хотела, чтобы я непременно стал ученым раввином. Меня учили всякой религиозной премудрости, а я мечтал учиться светским наукам — и в особенности математике и медицине!

— Вот! — радуется Иван Константинович. — В рифму со мной! Я в Военно-медицинскую академию из духовной семинарии подался. Меня папаша с мамашей в священники прочили... Как же ты все-таки, Яков Ефимович, в гимназию попал?

— Не попал бы! — говорит папа. — Не попал бы, если бы не мой отец. Он был целиком на моей стороне. Он нанял мне учителя — гимназиста последнего класса, и тот за три рубля в месяц занимался со мной потихоньку от моей матери, у нас на чердаке. Мышей там было! Как-то мыши изгрызли латинскую и греческую грамматики Кюнера и Ходобая, и я, почти взрослый, заплакал, балда, навзрыд. Как ребенок!.. Отец ничего не сказал, только вздохнул — это ж было бедствие, катастрофа! — и стал шарить по карманам. Выложил всю обнаруженную наличность — шестьдесят две копейки! — и дал мне. «На, сбегай в лавку, купи новые книжки...»

Лежа в постели, не подавая голоса, я внимательно слушаю папин рассказ. Я думаю о своем дедушке — папином отце. Этот дедушка ведь совсем неученый, только грамотный, а вот понимал, что детей надо учить, что для этого ничего не жалко. Молодец дедушка! Когда они с бабушкой вернутся с дачи в город, я ему скажу, что он хороший и я его люблю.

— Ну, в общем, — рассказывает папа в столовой, — я благополучно одолел меньше чем за два года курс четырех классов гимназии — и выдержал экзамен экстерном при Учебном округе. Это было почти чудо: никто там экзаменов не выдерживал, всех резали. Но я все-таки получил круглые пятерки: и за латынь, и за греческий, и по математике, и по всем предметам, — и мне дали свидетельство от Учебного округа. С этим свидетельством отец поехал — будто бы по делу! — в город Мариамполь, и там меня приняли в пятый класс местной гимназии...

— Почему в Мариамполе? — удивляется Рогов. — Почему не здесь, в своем городе?

— Что вы, что вы! — Папа, смеясь, машет рукой. — Здесь мамаша не дала бы мне учиться. Нет, отец разработал хи-и-итрый стратегический план! Мы с ним тайком перетаскали на чердак все мои книги и вещи. Отец, потихоньку от матери, купил мне на толкучке подержанную гимназическую форму: брюки, блузу с поясом, шинель, фуражку с гербом. Все это мы связали в узел. Поздно вечером отец посадил меня в поезд, идущий в Мариамполь. В вагоне он обошел всех пассажиров, всякому поклонился и сказал: «Вот это — Яков, мой сын, он едет учиться. Будьте ласковы, присмотрите за мальчиком». А кондуктору отец дал гривенник: «Имейте в виду, мальчик у меня такой: если он начнет читать книжку, он до Парижа доедет! Так уж вы, пожалуйста, высадите его раньше: в Мариамполе!»

— Ну, и как ты доехал? — интересуется мама.

— Ох, лучше не спрашивай! Я ведь в первый раз в жизни ехал по железной дороге... Меня тошнило и мутило, как на океанском пароходе!

— А в Мариамполе как ты устроился?

— Роскошно! Я высадился со своим узелком и с семью рублями, которые мне дал отец. Нашел «ученическую квартиру», где за пять рублей в месяц давали угол и стол таким бессемейным гимназистам, как я. И зажил почти как принц!

— Почему только почти? — не выдержав, подаю я голос из своей комнаты.

— Смотри ты, она не спит!

— Ты скажи мне, почему только *почти* как принц, папа, и я сию минуту усну!

— Да потому, что ведь принцы, насколько мне известно, не учатся в мариампольской гимназии, — по крайней мере, при мне там не было среди учеников ни одного принца. Ну, и конечно, принцы вряд ли живут на «ученических квартирах», не едят одну только картошку с селедкой... В общем, я думаю, что принцам ученье достается лучше, чем нашему брату.

— А учился ты хорошо, папа?

— Да как же иначе? — удивляется папа. — Я поступил прямо в пятый класс, проучился четыре года и кончил гимназию с медалью. Без медали меня не приняли бы в университет.

— Молодец! — хвалю я.

— Не я молодец, а мой отец: он моей головой пробил дверь к ученью всем моим шести младшим братьям.

— А как же бабушка?

— Бабушка поплакала, погоревала — и смирилась. Теперь она даже рада, гордится тем, что четверо из нас уже кончили университет и «вышли в люди». Остальные трое еще учатся... — Но тут, вдруг спохватившись, папа сердито кричит мне: — Да будешь ты наконец спать или нет? — и притворяет дверь из столовой.

Я благоразумно умолкаю.

«Все равно мне так рано не уснуть!» — продолжаю я думать. Кровать моя стоит у окна, и я вижу спокойное, глубокое ночное небо. Луна висит в небе, как золотая дыня. Я вижу на ней глаза, нос, рот... Конечно, я знаю, что это горы на далекой луне, но до чего это похоже на человеческое лицо! Бывают вечера, когда луна смотрит на землю весело, добродушно — вот-вот улыбнется и подмигнет! А иногда у луны лицо недовольное и обиженно поджаты губы.

Сегодня луна очень ласковая и доброжелательная. На нее просто приятно глядеть. «Конечно... я... так рано... не усну...» — продолжает вертеться у меня в голове. Луна закрывается легким облачком, как шарфиком. Потом из глаз луны выкатываются крупные слезы, похожие на перевернутые вниз головой запятые. Потом луны уже не видно, а идет дождик, такой тепленький, будто небо плачет супом! Капли этого дождя-супа падают на мое лицо, скатываются ко мне за ухо, за ворот моей ночной рубашки и пахнут чем-то очень знакомым и уютным... Кухней, плитой, свежемолотым кофе... Юзефой!

Это и в самом деле Юзефа, моя старая няня. Стоя на коленях около кровати, она чуть-чуть касается меня рукой, загрубелой от работы, шершавой от стирки. При этом она еле слышно шепчет на том языке, на котором молятся в костелах и который сама Юзефа не без гордости называет «латыньским». Впрочем, латинских слов Юзефа знает только два: «Патер ностер» («Отче наш»), а за этим следует перечисление Христа, всех католических богородиц и святых:

— Патер ностер... Езус Христос... Матка боска Острабрамска, Ченстоховска... — бормочет Юзефа. Это она призывает мне в помощь всех небесных заступников, продолжая кропить меня слезами.

— Юзенька... — бормочу я сквозь сон, — как ты мокро плачешь...

И снова закрываю глаза, снова меня качает на сонной волне. Но тут вдруг будто кто крикнул мне в ухо: «Юзефа плачет!» Я раскрываю глаза, мне больше не хочется спать.

— Юзенька! Тебя кто-нибудь обижает?

— Нихто мене не забижает... Тебя, шурпочку мою, не забидел бы кто там, у кляссе... Смотри, будут бить — не давайся!

Никакими уверениями невозможно поколебать Юзефину убежденность в том, что в институте («у кляссе») детей бьют. Бьют и учат, учат и бьют.

Я начинаю повторять все давно уже приведенные доводы: теперь в школах не бьют — если бы там били, разве папа и мама отдали бы меня туда? — и т. д. Но вдруг замолкаю на полуслове, на меня нападает страх: опоздаю! Вон уже как светло, уже утро, — опоздаю на первый урок в институт!

Срываюсь в ужасе с кровати:

— Который час?

Нет, не опоздаю: сейчас только семь часов утра. Уроки начинаются в 9 с половиной, а ходу от нашего дома до института всего минут десять, да и то если останавливаться перед каждым магазином и засматриваться на все витрины! Времени еще много!

Все-таки на всякий случай: а вдруг что-нибудь меня задержит? Вдруг улицу перегородят телеги или марширующие солдаты? — я начинаю мыться и одеваться. Так поспешно, что все валится у меня из рук.

Скорее, скорее, уже десять минут восьмого!

Когда человек торопится, вещи, словно нарочно, стараются мешать ему. Где моя левая туфля? Куда она убежала? Ведь это же безобразие: у человека две ноги — и почему-то только одна туфля! Я с негодованием повторяю по адресу своих туфель то, что постоянно твердит наш друг, старый доктор Иван Константинович Рогов, когда он на что-нибудь или кого-нибудь рассердится:

— Это хамство, милостивые государи! Да-с!

К счастью, «милостивая государыня» — левая туфля моя — отыскалась: она почему-то засунулась за ножку кровати. С форменным коричневым платьем — новая беда: оно почему-то застегивается на спине! Ну что за глупая выдумка портнихи! Застегивать платье на спине — этак можно целый час проканителиться. И, по-моему, когда я примеряла платье, застежки были сделаны по-людски, спереди...

— Да ты надела платье задом наперед! — показывает мама.

— А то — добре! — серьезно уверяет Юзефа. — Наизнанку надеть платье — плохо. А задом наперед — добрый знак!

Все мои вещи еще с вечера уложены в большой, вместительный кожаный ранец с мохнатой, ворсистой крышкой из жеребячьей шкуры.

Мне, конечно, немного досадно, почему у меня ранец, как у мальчишек, а не изящная сумка для книг и тетрадок, как у большинства девочек-учениц, встречающихся на улице. Но ранец — это папина причуда, докторская. Сумку-де надо носить на одной руке, а от этого у девочек позвоночник искривляется на ту именно сторону. Конечно, если папа говорит, так это, наверно, правда, и позвоночник в самом деле искривляется. Но все-таки мне хотелось бы шагать в школу с легонькой сумкой, висящей на руке. И еще бы я хотела — мое давнишнее затаенное мечтание! — чтоб по спине у меня спускалась длинная коса... Ох, косой мне все еще не приходится хвастать! На затылке у меня малютка-косюля с бантиком — все равно как если бы сплели косу из весенних стебельков травы, только что пробившихся из-под земли.

Зато в ранце у меня множество сокровищ, новеньких, еще не опробованных. Книжки, тетрадки со вложенными в них четырехугольниками промокашек — от всего этого вкусно пахнет клеем. Карандаши, перья, резинка — одна половинка ее светлая, другая темная: под карандаш и под чернила. Ручка, на которую насажена петушиная головка. Когда пишешь, то головка эта качается, словно приговаривает: «Так, так, так... Пиши, пиши, пиши... Очень, очень, очень прекрасно!» Пенал, подарок Поля, — мечта, а не пенал! На деревянной крышке его выжжено изображение роскошного зайца. Выжигали, видимо, не очень большие искусники: рот и нос зайца слились воедино — похоже, что заяц с аппетитом сосет свой собственный нос, а удивленные раскосые заячьи глаза будто говорят: «Смотри ты! Обыкновенный нос, а как вкусно!»

В боковом кармане ранца лежит завернутый в пергаментную бумагу мой завтрак — я буду есть его на большой перемене: между третьим и четвертым уроками.

— Я положила тебе побольше, — говорит мама. — Захочешь — угостишь какую-нибудь подружку.

— Сама ешь! У них — свое, у тебя — свое! — сердится Юзефа и с укором обращается к маме: — Вы ей эту моду не показывайте: подружков кормить! Она тогда сразу все отдаст и голодная бегать будет.

Только одной вещи нет у меня в ранце (а ее-то мне ох как хотелось бы иметь!): перочинного ножа! Когда обсуждался вопрос о перочинном ноже, Поль стояла за то, что ножик — полезная вещь и надо купить мне ножик. Но Юзефа начала так плакать, так божиться, так кричать «по-латыньски»: «Езус Мария, матка боска Острабрамска, Ченстоховска», что мама заколебалась.

— Зачем ребенку ножик? — возмущалась Юзефа. — Что яна — разбойник или что? Да яна ж — маленькая: дайте ей ножик, яна домой без пальцев придет!

Так ножа и не купили.

Папа смотрит на часы.

— Без четверти девять... Пора!

— Да? — говорит вошедший в комнату высокий крепкий старик с густой раздвоенной каштановой бородой, в которой не видно ни одного седого волоса. — Да? Ребенок пойдет в первый раз в жизни учиться без своего дедушки? Очень мерси вам, дорогие дети, но я — не согласный!

— Дедушка! — бросаюсь я к нему на шею. — Миленький!

Это тот дедушка мой, папин отец, о котором папа рассказывал вчера вечером Ивану Константиновичу и маме. Тот дедушка, который, урезывая себя и бабушку во всем, добился университетского образования для всех своих семерых сыновей.

— Дедушка пришел! — прыгаю я вокруг него.

— Дедушка пришел, — подхватывает дедушка, — не с пустыми руками: он принес внучке подарок!

И на протянутой ко мне широкой дедушкиной ладони я вижу... отличный перочинный ножик!

Пока идут препирательства из-за того, нужен девочке ножик или не нужен, и вопли Юзефы, что этим ножиком я обязательно отрежу себе нос, папа снова смотрит на часы:

— Без десяти минут девять... Пора!

И одновременным движением мама берется за свою шляпку, а Юзефа набрасывает на голову платок. Дедушка тоже берет шляпу и палку.

— Куда? — прищуривается папа. — Куда вы все собрались? Вы хотите проводить ее в институт? «За ручку» — да? Может, еще на руках понесете ее?

— Так яна ж маленькая... — жалобно возражает Юзефа.

— Она уже не маленькая! — твердо отрезает папа. — Она идет учиться.

— Яков... — нерешительно начинает мама.

Но папа властно перебивает ее:

— Она пойдет одна. И — все.

— Но она может попасть под извозчика...

— Непременно! — гремит папа. — Если она привыкнет, чтобы ее водили «за ручку», она непременно попадет под извозчика в первый же раз, как очутится на улице одна. Она должна учиться быть взрослой.

Юзефа с сердцем срывает с головы платок и убегает на кухню. Там она — я знаю — плюнет в сердцах и заплачет:

— Нехай дитя зарежется... нехай яво звóзчик задавит — им чтó!

Но мне папины слова очень нравятся.

— Ты сегодня пойдешь своей дорогой... Понимаешь, Пуговка? И с тобой не будет ни мамы, ни меня, ни дедушки, ни Юзефы, ни мадемуазель Полины — никого. Ты сама будешь отвечать за все, что делаешь. И не держаться за мамину юбку или за Юзефин фартук... Сама надевай ранец! Не помогайте ей! — сердится папа. — Ну вот, молодец! А теперь попрощайся, и в добрый час...

Все провожают меня в переднюю. Все, кроме Юзефы, которая заперлась на ключ в кухне и, наверно, горько плачет.

Я через дверь прошу ее выйти, но она не откликается.

У мамы полные глаза слез. Поль крепко жмет мне руку.

— Бонн шанс! (Счастливо!) — говорит она мне и тихо, на ухо, добавляет: — Твой отец сказал тебе все, что я думаю... Как будто он читал мои мысли!

Дедушка обнимает меня:

— Другой твой дедушка, отец твоей мамы, — он был ученый человек! — он бы тебе сегодня сказал, наверно, какую-нибудь «алгебру»... Или что «птичка Божия знает», или что она, бедная, чего-то там не знает... Ну, а я — простой дедушка. И я тебе только скажу: будь здорова, будь умная и будь хорошая. Больше я от тебя ничего не хочу!

Я берусь за ручки двери. Сейчас уйду.

— Стой, стой! — вдруг спохватывается папа и быстро уводит меня в свой кабинет. — Помни: не врать! Никогда не врать!

И, погрозив перед моим носом своим разноцветным «хирургическим» пальцем, с которого уже невозможно смыть следы йода и ляписа, папа поворачивает меня за плечи и подталкивает в переднюю.

— Вещи-и-и! — раздается вдруг из кухни рыдающий голос Юзефы. — Вещи берегчи надо: за них деньги плачены, не черепья!

Выйдя на улицу и задрав голову, я смотрю наверх, на наши окна. В них — папа, мама, дедушка. В окне нашей комнаты —

Поль и Кики, мечущийся в своей клетке. В окне кухни — распухшее от слез лицо Юзефы. Папа многозначительно поднимает свой пестрый указательный палец, это означает: «Помни: не врать!» Я понимающе киваю папе и всем. Юзефа машет мне чайным полотенцем и кричит:

— Вещи... И через улицу ходи остру-у-ужненько!

Я шагаю по улице. Не спеша, как взрослая. На витрины магазинов не гляжу. Даже на витрину магазина «Детский рай». Даже на окно кондитерской, где выставлен громадный фарфоровый лебедь; вся его спина густо нафарширована множеством крупных конфет в пестрых, бахромчатых бумажках — совсем как панталонцы у кур-брамапуток.

Я не смотрю по сторонам, не хочу отвлекаться от моего пути. Но, пройдя мимо кондитерской, я вдруг останавливаюсь. Я чувствую неодолимое желание ненадолго — совсем ненадолго, на две-три минуты! — отклониться от прямой дороги, сделать ма-а-аленький крючок, чтобы повидать одного человека... Мне бы надо свернуть от кондитерской налево, а я иду направо, где сейчас же за углом находится чайный магазин известной фирмы «К. и С. Попов с сыновьями». В этом магазине у меня есть друг, и мне совершенно необходимо показаться ему во всем великолепии коричневого форменного платья, ученического фартука, моего нового ранца с книжками — ну, словом, во всем блеске. Этот друг мой — китаец, настоящий живой китаец Ван Дибо. Его привезли в прошлом году специально для рекламы — чтоб люди шли покупать чай и кофе только в этот магазин. И покупатели в самом деле повалили валом. Всякий покупал хоть осьмушку чаю или кофе, хоть полфунта сахару — и при этом глазел на живого китайца. Так и стоит с тех пор Ван Дибо в магазине с утра до вечера, рослый, статный, в вышитом синем китайском халате. Голова у него обрита наголо, только на затылке оставлены волосы, заплетенные в длинную косу ниже поясницы. Ох, мне бы такую!

Ван Дибо немножко говорит по-русски. Произносит он слова мягко, голос у него добрый, ласковый. И на всех покупателей, входящих в магазин, Ван Дибо смотрит умными раскосыми глазами и всем улыбается одинаковой казенно-приветливой улыбкой. Ведь он для того и нанят, чтобы привлекать покупателей!

Так же смотрел всегда Ван Дибо и на меня, когда я приходила с мамой в магазин. Ван Дибо кланялся нам, когда мы входили и выходили, и, пока продавец отвешивал и заворачивал нам товар, — а иногда это делал и сам Ван Дибо, он быстро научился этому нехитрому искусству, — Ван Дибо ласково улыбался нам, как всем покупателям.

Но однажды все неожиданно изменилось. Мама как-то обратила внимание на то, что у Ван Дибо очень грустный, совсем больной вид. Он улыбался, как всегда, но улыбка была вымученная, запавшие глаза смотрели страдальчески, лицо было в испарине. Мама спросила Ван Дибо, не болен ли он. Опасливо оглядываясь на управляющего магазином, Ван Дибо стал торопливо бормотать:

— Холёсо... Сё холёсо, мадама...

Был уже вечер, торговый день кончался.

Управляющий надел пальто, шляпу и ушел из магазина. Тогда Ван Дибо оживился — он, видимо, боялся управляющего, — а продавец сказал маме, что у Ван Дибо на руке «гугля агромадная — от какая!». Сам Ван Дибо мялся, улыбка у него была похожа на гримасу, но показать маме свою больную руку стеснялся.

— От-т-то дурень! — сердился на него продавец. — Откусит барыня твою лапу, что ли?

Тогда мама предложила, чтобы Ван Дибо показал больную руку папе. Это, конечно, была очень правильная мысль, но... Тут встал новый вопрос: каким образом попадет Ван Дибо к нам на квартиру? Ему строжайше воспрещено не только выходить на улицу, но даже стоять на пороге магазина, где его может увидеть с улицы всякий и каждый. Управляющий ежедневно повторяет это Ван Дибо:

«Зачем тебя, китайсу, сюды привезли, а? Чтоб люди на тебя задарма шары пучили? Не-е-ет! Желаете живого китайсу видеть — пожалуйте-с! В магазин-с! Вошли, купили чего ни то, — вот он вам, живой китайса, смотрите в свое удовольствие!»

Так и живет Ван Дибо в темном чулане позади магазина и *никогда* не выходит на улицу. Если он сейчас пойдет вместе с нами, немедленно сбегутся сотни людей. Нам и не пробиться будет сквозь эту толпу, и, уж конечно, управляющий магазином завтра же узнает о запретном путешествии Ван Дибо по улицам города. Скандал будет неописуемый!

Как же поступить?

Все предлагали разные способы сделать Ван Дибо неразличимым среди уличных прохожих. Самое умное придумала жена продавца, пришедшая за своим мужем: пусть Ван Дибо наденет ее широкое, длинное пальто.

— А коса-то? Куда косу девать?

— А под мой платок, — спокойно предложила жена продавца.

Так и сделали. Ван Дибо, в пальто и повязанный платком, совершенно похож на женщину, только очень огромную ростом.

— Мадама... — говорил он про самого себя, тыча себя пальцем в грудь.

Продавец и его жена остались в магазине дожидаться возвращения Ван Дибо, а он ушел с нами.

На всякий случай мы вели Ван Дибо плохо освещенными переулочками.

Все прошло благополучно. Только у самого нашего подъезда Ван Дибо споткнулся, платок соскользнул с его головы, и тяжелая черная коса змеей сползла на его спину.

— Саляпа!.. — испуганно вздыхал Ван Дибо. — Саляпа упаль...

Но при женском пальто коса не обращала на себя внимания, да и никого вокруг не было. Мы быстро вошли в наш подъезд.

У Ван Дибо оказалась на руке флегмона, глубокая, уже назревшая. Он терпел больше недели и молчал — боялся управляющего. Папа вскрыл ему флегмону, выпустил много гноя, перевязал руку. Ван Дибо сразу повеселел и без конца кланялся:

— Пасиба, докта! Пасиба!

Проводить его обратно в магазин вызвалась Поль. Юзефа наотрез отказалась.

— Я этих желтых румунцев боюсь! — повторяла она. — Румунцы, я знаю, они такие... Только отвернись, а он тебе голову — ам! — и откусил.

С того случая у нас с Ван Дибо дружба. Когда я прихожу в магазин, он меня радостно приветствует:

— Маленьки докта пилисол!

Ну, разве можно не показаться такому другу в торжественный день моей жизни? Нет, пойду. На одну минуточку.

Подходя к чайному магазину, гадаю: увижу я Ван Дибо или не увижу? Если управляющий уже явился, то я Ван Дибо не увижу, потому что при нем Ван Дибо не позволено даже приближаться к двери на улицу. На мое счастье, управляющего магазином еще нет, и Ван Дибо, примостившись бочком, опасливо выглядывает на улицу, как белка из дупла, готовый юркнуть и скрыться.

Увидев меня, Ван Дибо, по обыкновению, радостно меня приветствует.

— Ван Дибо... — говорю я. — Видите?

И поворачиваюсь вокруг себя, чтобы Ван Дибо мог разглядеть меня со всех сторон.

Ван Дибо с восхищением цокает языком:

— Ой, каласива, каласива!

— Я, Ван Дибо, учиться иду!

— Ну, уциси, уциси! Будеси бальсой докта!

Но в эту минуту Ван Дибо внезапно ныряет в полумрак магазина. Наверно, его зоркие глаза заметили издали приближение грозного управляющего.

Я снова иду налево, по направлению к институту. Останавливаюсь на противоположном тротуаре и пристально разглядываю это длинное, скучное здание. Непроницаемо и отчужденно смотрят на мир окна, закрашенные до половины белой масляной краской. Ни одной раскрытой форточки, ни одного выставленного на солнце цветочного горшка, ни одного выглядывающего из окна человеческого лица... В подъезде — глубокая, темная ниша, похожая на запавший рот древней бабы-яги. И массивная входная дверь враждебно скалится медным кольцом, как последним уцелевшим зубом.

Сейчас перейду улицу. Сейчас войду в подъезд института...

Глава вторая

ПЕРВЫЕ ПОДРУГИ, ПЕРВЫЕ УРОКИ

— Здравствуй... — слышу я вдруг негромкий голос. — Ты меня узнаешь?

Ну конечно, я узнаю ее! Это Фейгель, та девочка, которая экзаменовалась вместе со мной и так хорошо отвечала по всем предметам. Я радостно смотрю на Фейгель: вот я, значит, и не одна!

Тогда, во время экзаменов, Фейгель показалась мне усталой, словно несущей на себе непосильную тяжесть. Но в тот день мы все устали от непривычного волнения и напряжения — я, наверно, была такая же измученная, как она. А сегодня в Фейгель ничего этого нет. Глаза, правда, грустные, но, наверно, они всегда такие. А в остальном у нее такое лицо, как у всех людей.

— Почему ты здесь стоишь? — спрашивает она.

— А ты?

— Нет, я хотела спросить, почему ты не входишь в институт? — поправляется Фейгель.

— А ты? — отвечаю я и смотрю на нее с улыбкой.

Ведь мы обе отлично знаем, что мешает нам перейти через улицу и войти в подъезд института: мы робеем, нам даже немного страшно... и одиноко... все близкие нам люди остались дома. И по этой же причине мы так обрадовались друг другу, что сперва заулыбались, а потом начинаем смеяться. На нас нападает внезапный беспричинный «смехунчик». Прохожие оглядываются на нас: стоят две девочки в форменных коричневых платьях, крепко держась за руки, и заливаются смехом, глядя друг другу в глаза. У Фейгель от смеха выступили на больших темных глазах слезы.

— Ты плачешь? — пугаюсь я.

— Нет, нет! — успокаивает меня Фейгель. — Это у меня всегда такой смех.

— А как тебя зовут?

— Маней. А тебя — я знаю! — Сашей... Ну, пойдем, скоро начнутся уроки.

Мы переходим улицу. У темной глубокой двери с медным кольцом я снова останавливаюсь:

— Постоим одну секундочку, хорошо?

Маня соглашается. Ей, видно, тоже страшно взяться за медное кольцо.

Др-р-р! Др-р-р! — барабанит вдруг дробь по моему ранцу, словно его общелкали целой пригоршней орехов.

Я вздрагиваю от неожиданности!

Быстро оборачиваюсь: позади меня стоит невысокая толстенькая девочка в черном чепчике, обшитом черными кружевами и скрывающем всю ее голову. Девочка что-то с аппетитом жует и весело смеется.

— Это я! Я по твоему горбу барабаню. А почему у тебя ранец? Разве ты солдат или гимназист? — продолжает она, смеясь.

Смеяться мне не хочется. Сердиться или обижаться тоже не хочется. Поэтому я просто объясняю:

— Если носишь книжки в ранце, за плечами, спина всегда будет прямая.

— Глупости какие! — продолжает смеяться девочка в черном чепчике. Она уже прожевала то, что́ у нее было во рту, и куснула новую порцию от того, что она держит в горсти.

— Вовсе не глупости! Это мой папа говорит.

— А откуда он знает, твой папа?

— А оттуда, что он — доктор.

Толстенькая девочка в черном чепчике миролюбиво уступает:

— Ну, если доктор, тогда, может, и вправду так. Ладно, носи ранец, я разрешаю!

Она делает величественный королевский жест. Говорит она чуть шепеляво: не «разрешаю», а «разрешяю», и губы складывает трубочкой вверх к носу. Все это у нее выходит так добродушно-мило, что и я, и Маня Фейгель (я вижу это) просто очарованы ею.

— А мой папа знаешь кто? — продолжает она. — Норейко! Сам Норейко!.. Знаешь ресторан на Большой улице?

Мои познания в области ресторанов очень скудные. Я знаю только ресторан в Ботаническом саду: там служит лакеем отчим моей подружки Юльки и судомойкой — ее мать. А больше я никаких ресторанов даже и назвать не могу.

Толстушка в черном чепчике смотрит на меня с самым настоящим сожалением.

— Не знаешь ресторан Норейко? Не знаешь? Вот смешно! (Она произносит «смишьно».) Никогда такой дурноватой девочки не видела! Ну, одним словом, у моего папы самый большой ресторан в городе. А я — папина дочка, Меля Норейко. Меля — значит Мелания. А тебя как зовут?.. Сашей?.. А тебя? — обращается она к Фейгель. — Маней? А кто твой папа?

— Мой папа — учитель, — отвечает Маня так твердо и уверенно, что я чувствую: она рада, что ее папа учитель, она любит своего отца и гордится им.

И мне это почему-то приятно.

— Ну, вот что, пичужки... (Меля, по своему обыкновению, вытягивает губы трубочкой к носу, и у нее выходит «пичюжьки».) А в каком классе вы будете учиться? — И она деловито засовывает за щеку конфетку.

— В первом! — отвечаем мы в один голос.

— Ну, тогда ступайте за мной — я тоже в первом — и делайте тють-в-тють все, что я!

С удивляющим нас бесстрашием толстенькая Меля Норейко берется за тяжелое медное кольцо входной двери и широко распахивает ее перед нами.

— Аллэ! — командует она. — Да что вы стоите, как глупые куклы? Входите!

И вот мы в большой темноватой швейцарской. Куда ни посмотришь, вешалки для верхнего платья, над каждой вешалкой надпись: III кл., V кл. и т. д. Меля уверенно ведет нас в самый угол швейцарской — там наша вешалка: I кл.

2-е отд., то есть первый класс второе отделение. У соседней вешалки — I кл. 1-е отд. — я вижу снимающую пальто Зою Шабанову: она будет учиться в первом отделении.

Между вешалками снуют женщины в полосатых холщовых платьях. Они помогают девочкам-ученицам раздеваться, вешают их пальто и шляпы.

— Это полосатки! — объясняет нам Меля Норейко и, завидев издали идущую по швейцарской пожилую сухопарую женщину в синем платье учительницы или классной дамы, Меля быстро, едва не поперхнувшись, проглатывает очередную конфетку и шепчет нам: — А это «синявка»! Ее Дрыгалкой зовут.

Сухопарая «синявка», у которой такая странная, смешная кличка, уже стоит около нас и, укоризненно качая маленькой головкой, говорит Меле:

— Ну конечно, это Норейко! Удивительно шумная особа! Отчего вы не раздеваетесь, Норейко? Вы не знаете правила? «Не задерживаться в швейцарской! Раздеться — или одеться — и уходить наверх или на улицу!»

— Я, Евгения Ивановна, новеньким помогаю, — отвечает Меля благонравненьким голоском. — Они же, Евгения Ивановна, просто ничего не знают, — даже смишно! — я их всему учу!

Оказывается, у Дрыгалки есть и человеческое имя: Евгения Ивановна.

Дрыгалка грозит Меле тощеньким пальчиком:

— Ну, ну!.. Смотрите!.. — и идет прочь от нас.

Мы смотрим ей вслед... Ну конечно, она — Дрыгалка! Это очень меткая кличка. Она движется какой-то подпрыгивающей, подрыгивающей походочкой, плечи ее при этом вздрагивают, локти, прижатые к туловищу, дергаются, головка тряско дрожит...

— Ну, девочки, идем! — командует Меля.

И она ведет нас по узорной чугунной лестнице наверх, во второй этаж. На стыке двух длиннейших коридоров, в том месте, где более узкий коридор вливается под прямым углом в более широкий, стоит очень большой письменный стол.

— Директорский стол! — шепчет нам Меля Норейко и показывает глазами на человека, сидящего за этим столом.

Человек этот одет в синий вицмундир учебного ведомства, из-под бархатного лацкана вицмундира выглядывает половина большой звезды, сверкающей серебром и эмалью. На шее — под подбородком — у него орден. Человек сидит неподвижно — кажется, он дремлет сидя; глаза его закрыты, а щеки, какие-то неправдоподобно красные, осыпаны целыми выводками желтых прыщиков, как грибами-поганками. Нос у него тоже красный, даже красно-сизый. Все остальное лицо, за вычетом носа и щек, нездорово-желтого цвета, измятое, как квёлая репа.

— Директор... — шепчет нам Меля. — Тупицын...

Около директорского стола две-три неподвижные фигуры «синявок», окаменевших в благоговейном страхе, как бы не потревожить директора в его дремоте.

Меля Норейко старается как можно быстрее и беззвучнее миновать директорский стол и проскользнуть в коридор направо, увлекая за собой и меня с Маней Фейгель.

Но тут — вдруг! — начинаются пугающие чудеса. За спиной дремлющего директора раздаются странные звуки — сперва сип, потом хрип, потом все нарастающий гул, потом — щелк! — и медленно, ритмично сменяющиеся торжественные удары часов. Только тут мы замечаем, что за спиной директора висят на стене круглые часы — это они и бьют.

Сам директор, словно проснувшись от дремоты, медленно раскрывает глаза, а потом яростно выпучивает их, уставившись на нас, как вареный рак. Нас с Маней охватывает настоящий ужас. Он еще усиливается оттого, что Меля Норейко испуганно шепчет нам:

— Мака́йте! Да мака́йте же!

Мы не понимаем, чего она от нас хочет. Чтоб мы махали? Кому махать — директору? Чем махать?

Маня Фейгель делает слабую попытку изобразить пальцами правой руки нечто вроде приветственного жеста, такого робкого, что невозможно понять, что она, собственно говоря, хочет этим выразить.

Но тут сама Меля, не переставая шипеть на нас «макайте!» — опускается в глубоком реверансе, словно в воду ныряет. Тогда и мы как умеем делаем реверанс (у нас он получается очень коряво). Затем, схватив за руки, Меля быстро увлекает нас за собой в небольшой темноватый боковой коридорчик.

Там она обрушивается на нас:

— Я вам говорю, я вам шепчу «макáйте», а вы стоите, как глупые куклы!

— А кому махать?

— Да не махать! Господи, твоя воля, никогда таких дурноватых детей не видала! — искренне возмущается Меля. — Не махать, а макать! Понимаете? Макать, макать — ну, свечкой макать! Соображаете вы?

Вероятно, у нас очень растерянные лица, потому что, глядя на нас, Меля начинает громко хохотать. Потом она объясняет: «макать свечкой» — значит делать реверанс при встрече с начальством.

— Кого ни увидите в коридоре — учителя, «синявку», — макайте свечкой, вот так! Директора встретите или начальницу — макайте глубоко... Видели, как я сейчас директору макнула? — с торжественной хвастливостью напоминает нам Меля. — Ну, теперь поняли, пичюжьки?

— А откуда ты все правила знаешь? — спрашиваю я, глядя на Мелю с величайшим удивлением.

— А оттуда, что я — второгодница! — выпаливает она с такой гордостью, как если бы она говорила: «Я — академик!»

Мы с Маней смущенно переглядываемся. По нашим понятиям, быть второгодницей — это ужасно, это позор!

— Дурочки! — смеется Меля. — Ну вот совсем глупышьки! Вы думаете, меня оставили на второй год потому, что я плохо училась? Нич-чего подобного! Вот смотрите...

Меля рывком стаскивает с головы черный чепчик с черными кружевцами. Мы видим ее голову, остриженную наголо.

— У меня в прошлом году сперва корь была, потом — скарлатина. Три месяца я больная лежала... Ну, потом, конечно, уже мне не нагнать было, что пропустила... И волосы стали очень выпадать, пришлось остричь, два раза, совсем напрочь. Второй раз вчера остригли — это уж в последний раз. Теперь волосы будут расти хорошо, густо!

Все это Меля рассказывает, быстро-быстро вертя на указательном пальце свой чепчик. Потом с маху напяливает его обратно на голову.

И как раз в эту минуту начинается пронзительный звон. Оглушительный, непрекращающийся, несмолкающий, он заполняет все здание. С того места, где мы стоим, мы видим и самого «звонаря». Это — служитель Степан, мужчина среднего возраста, с могучими усами, мирно лежащими на пышных и коротких баках, похожих на две котлетки. Этот человек одет в форменную куртку с металлическими пуговками. И звонит он не просто так — «дали звонок в лапу!» — нет, он то держит звонок над головой, то вертит им, так что получается нечто вроде трелей.

— Звонок! — кричит Меля. — Бежим в класс!

Мы спешим по коридорам, по которым в разных направлениях бегут на первый урок девочки всех классов.

Мы добежали до своего класса — и попадаем в царство Дрыгалки! Наша классная дама — Дрыгалка.

— Дети! — говорит Дрыгалка нам, рассевшимся на партах как попало, «как селось». — Встаньте, дети! Перед ученьем надо помолиться. Пусть читает молитву... ну, хотя бы Горбова!

Горбова, высоконькая, чернявая, выходит из-за парты, становится впереди всего класса. Мы тоже все встаем. Обратившись лицом к иконе, Горбова осеняет себя крестом. То же делают и остальные девочки и сама Дрыгалка.

— «Преблагий Господи! — начинает молитву Горбова. — Ниспошли нам благодать духа Твоего святого...»

Горбова сказала последние слова молитвы и трижды перекрестилась. Перекрестились все остальные девочки и Дрыгалка. Горбова возвращается на свое место.

Молитва кончена, сейчас начнется урок.

— Дети! — снова обращается к нам Дрыгалка. — Достаньте свои дневники.

Мы выполняем приказание, но делаем это с сильнейшим стуком и грохотом. Стучат откинутые половинки пюпитров на партах, кое у кого падают книжки на пол. Вынутые нами дневники — без всякой злой воли с нашей стороны! — громко стучат, ложась на парты.

— Дети! — стонет Дрыгалка с укором. — Ну разве можно так шуметь, когда вас целых тридцать четыре человека?! Вы должны помнить, что вы — приличные, воспитанные девочки, а не какие-нибудь уличные оборванки. Каждую вещь надо брать в руки осторожно, класть на парту бесшумно... Ну, положите дневники обратно в сумки и выньте их снова — осторожно и тихо.

Это «осторожное и тихое» доставание дневников мы повторяем несколько раз — до тех пор, пока оно наконец получается относительно осторожным и приблизительно тихим.

И вот перед нами лежат на парте наши дневники — тоненькие тетрадки в твердых переплетах с белой наклейкой.

— Напишите на белой наклейке, там, где точки, — предлагает нам Дрыгалка, — «ученицы первого класса» и ваше имя и фамилию... Написали? Теперь откройте дневник... Какой сегодня день?

— Суббота! Суббота! — нестройно галдим мы.

Мученически сморщившись, Дрыгалка хватается за виски:

— Боже мой! Тише! Не все враз!

Потом, успокоившись, она продолжает:

— Найдите в дневнике субботу... Нашли? Так, пишите названия сегодняшних уроков, я буду диктовать. Первый урок — свободный. Второй — рисование. Третий урок — арифметика. Четвертый — танцевание. Пятый — французский язык. Записали?

— Записали.

— Итак... — продолжает Дрыгалка. — Какой у нас сегодня первый урок?

Весь класс вразнобой кричит:

— Свободный! Свободный!

Дрыгалка со страдальческим выражением затыкает уши пальцами:

— Господи! Оглушили! Разве можно говорить всем сразу! Я задала вам вопрос, и кто хочет ответить, пусть поднимет руку...

Вырастает целая рощица тоненьких ребячьих рук: все хотят ответить на вопрос Дрыгалки.

Дрыгалка медленно переводит взгляд с одной девочки на другую.

— Н-ну-с... Я спросила: какой у нас сегодня первый урок? А отвечать будет... ммм... ммм... Вот вы отвечайте! — обращается она к красивой рослой девочке с длинной темной косой. — Встаньте, откиньте бесшумно пюпитр и отвечайте: какой у нас первый урок?

Девочка послушно встает и совершенно неожиданно громыхает гулким басом, как из пустой бочки:

— Свободный!

Дрыгалка печально качает головой:

— Я вас спросила: «Какой у нас сегодня первый урок?» А вы рявкаете: «Свободный!» — Дрыгалка очень похоже передразнила басовитый голос девочки. — Надо отвечать полным ответом: «Евгения Ивановна, сегодня первый урок — свободный». Повторите!

Я немножко знаю эту девочку, мы иногда встречались с нею в сквере. Ей одиннадцать лет, но она высокая, крупная, как четырнадцатилетняя. У нее большие темные глаза, задумчивые и добрые, и сама она хорошая, милая. Ее зовут Варя Забелина.

— Евгения Ивановна, — повторяет Варя своим оглушительным басом, — у нас сегодня первый урок — свободный.

— Вот теперь хорошо! — милостиво кивает Дрыгалка. — Надо бы только не так громко... Бас — это не дамский голос.

Свободный урок Дрыгалка использует прежде всего для того, чтобы сделать перекличку и таким образом познакомиться со всеми нами. Каждая девочка, выкликнутая Дрыгалкой по списку, встает в своей парте и стоит, как перед фотографом. Дрыгалка несколько мгновений смотрит на нее, словно запечатлевая ее в своей памяти. Затем кивает, говорит: «Садитесь», — и вызывает другую, следующую по алфавиту. В дальнейшие дни мы убеждаемся в том, что память у Дрыгалки поразительная! Она запомнила всех с одной переклички и никогда не ошибается.

После переклички она начинает отбирать нас по росту. Две девочки совершенно одинакового роста — это пара, а каждая следующая пара иногда такая же, а иногда чуть-чуть, хотя бы на самую малость, выше предыдущей.

Вот тут со мной случается первое печальное происшествие — я не попадаю в одну пару ни с Маней, ни с Мелей. Это меня так огорчает, что я, не выдержав, говорю Дрыгалке тихо, горестно:

— А я хотела с Фейгель... Или с Норейко...

Дрыгалка бросается на меня, как хорек на цыпленка, и говорит протяжно, с насмешкой:

— Ах, вы хоте-е-ели? Скажите, пожалуйста! Так вот, запомните: хотеть можно дома. А здесь надо слушаться. И — больше ничего. Ни-че-го! — отчеканивает Дрыгалка, словно наступая ногой на мои ребячьи фантазии и испытывая от этого явное удовольствие. — Ни-че-го! Поняли вы мои слова?

Стоящие около меня Меля и Маня смотрят на меня с испугом, как если бы я на их глазах упала в реку. Меля наступает мне на ногу — это чтобы я молчала и не спорила. Маня незаметно гладит пальцы моей опущенной руки.

— Вы меня поняли?

Дрыгалка стоит передо мной прямая, вытянувшаяся вверх, и правая рука ее, вся усыпанная коричневыми веснушками, пестрая, как кукушечье яйцо, прижимает к груди колечко от часовой цепочки. На одну какую-то долю секунды в моей памяти всплывает воспоминание, как я, совсем еще маленькая, забралась под балкон дачи и увидела там издохшую лягушку. Лягушка, вся вытянувшись, лежала зеленой спинкой вниз и зеленовато-белым брюшком вверх. Правая верхняя лапка ее была прижата к грудке. Почему-то Дрыгалка с ее пестрой рукой, прижатой к груди, напоминает мне ту издохшую лягушку.

— Вы меня поняли? — настойчиво повторяет Дрыгалка.

Я молчу. Понимаю, что это молчание выглядит, как упрямство, как каприз, но не могу выжать из себя ни одного слова.

В классе очень тихо. Все девочки глядят на нас.

Несколько секунд мы с Дрыгалкой смотрим друг на друга, глаза в глаза. Это — поединок...

Еще секунда — и я опускаю глаза.

— Поняли? — В голосе Дрыгалки звучит торжество.

Чуть слышно, почти шепотом, я отвечаю:

— Поняла.

— Полным ответом! — приказывает Дрыгалка. — Полным ответом!

И я бормочу полным ответом:

— Евгения Ивановна, я поняла...

Это неправда. Я поняла далеко не все. Лишь много лет спустя я пойму, что это был только первый шаг Дрыгалки к тому, чтобы согнуть, искалечить меня так, как когда-то, вероятно, согнули, искалечили в такой же школе ее самое.

Но я не хочу этого! Мысленно я повторяю только одно слово: «Папа... папа... папа...»

В этом слове очень многое. Это значит: «Видишь, папа, какая Дрыгалка злая тиранка?» Это означает: «Папа, ты бы, наверно, не опустил глаз, а я вот опустила, отвела их, как виноватая, хотя я ни в чем не виновата, я ничего не сделала плохого. Я — малодушная, да, папа?»

Дрыгалка уже отошла от меня. Она продолжает подбирать девочек и ставить их в пары по росту, но при этом она все еще говорит с величайшим презрением по моему адресу:

— Она хоте-е-ела сидеть по своему выбору! Скажите пожалуйста! Она хоте-е-ела!

Меля быстро-быстро шепчет мне:

— Что ты с Дрыгой в разговоры лезешь! Ну какая, право, дурноватая, ей-богу... Смеешь-шься, шьто ли?

И быстро ускользает в сторону от меня.

Со мной в пару Дрыгалка ставит девочку — глаз ее не видно, они опущены вниз.

— Вот ваша пара!

Я так огорчена, что даже не смотрю на свою «пару» — ну ее! Не хочу ее видеть! При перекличке Дрыгалка назвала ее: «Кандаурова Екатерина» — вот все, что я о ней знаю. Какая-то она растрепанная, всклокоченная... Бог с ней совсем!

Издали я обмениваюсь взглядом с Маней и Мелей. Черные глаза Мани печальны, она тоже хотела быть моей «парой». Меля делает мне свирепое лицо. Я понимаю: это чтобы я не «лезла в разговоры», не спорила с Дрыгалкой.

Потом Дрыгалка рассаживает нас по партам — пара за парой, пара за парой. Девочки побольше ростом сидят на задних партах, девочки поменьше — впереди. Потом Дрыгалка учит нас вставать и кланяться при входе преподавателей. Плавно! Тихо! Бесшумно приподнимать пюпитр, не выпуская его из рук, чтоб он не стукнул о парту, затем снова садиться, все так же тихо и плавно.

— Встаньте! Тихо-плавно... Садитесь! Тихо-плавно... — командует Дрыгалка, и мы без конца встаем и садимся, встаем и садимся.

Нужно признать правду — к тому времени, как из коридора доносится звонок и свободный урок кончается, усилия Дрыгалки уже достигли порядочных успехов. Мы — уже не стадо, нестройное, разноростное, шумное, громыхающее пюпитрами. Мы — класс, построенный по росту, наученный тому, как надо отвечать полным ответом, как вставать, здороваться с «господами преподавателями» и плавно опускаться на место, не стуча пюпитрами, не шаркая ногами, не роняя на пол ни книг, ни тетрадей.

Все-таки звонок, возвещающий «маленькую перемену» — между первым и вторым уроком, — мы все воспринимаем как облегчение, как освобождение. Все мы — кто больше, кто меньше — изрядно «озябли» от холода, напущенного на нас Дрыгалкой и ее муштрой:

«Встать — сесть! Плавно-бесшумно! Сесть — встать! Плавно-тихо!»

Вряд ли которая-нибудь из девочек отдает себе ясный отчет в том, как сильно поразила ее эта первая встреча со школой. Но каждая из нас — даже, может быть, бессознательно — чувствует разочарование. Так вон он, значит, какой, этот институт! Ничего в нем нет увлекательного, все очень просто, даже чуть скучновато...

Во время первой перемены мы снова сходимся вместе — Меля, Маня и я. Взявшись под руки, мы ходим по коридорам. Меля ест булочку-розанчик (в булочных нашего города их называют «гамбурками») с копченой колбасой и поучает нас — «несмышьленышей»:

— Не надо киснуть, пичюжьки... Конешьно, Дрыга — она ж-жяба, ничего не поделаешь. Но ведь здесь и другие есть, не одна Дрыга!

«Ох! — думается мне. — Есть ли они здесь, эти «другие»?»

Но на следующем уроке — рисования — мы с радостью видим одного из этих «других»!

В класс входит очень высокий, очень прямой старик, — и мы сразу смотрим на него радостными глазами уже потому, что он напоминает нам что-то очень веселое и желанное. На кого он похож? Ох, знаю, знаю — на деда-мороза! Если бы деда-мороза одеть в синий учительский вицмундир, вот и был бы наш учитель рисования! Только у деда-мороза нос картошкой, красный от декабрьского холода, а у нашего учителя рисования прекрасная голова, красиво откинутая назад, с красивым, прямым носом и зоркими, орлиными глазами. Волосы и борода у учителя седые, белые, только около рта они чуть-чуть отдают желтизной — наверно, от табака.

— Здравствуйте, милые девицы! — говорит дед-мороз в учительском вицмундире. — Я ваш учитель рисования, Виктор Михайлович Резанов. Художник.

На миг вспоминаю безрукого художника (других художников я никогда не видела), и от этого Виктор Михайлович кажется мне еще милее.

А он уже оглядывает нас молодыми, пронзительными глазами, словно высматривает, кто из нас та, способная, талантливая, ради которой стоит возиться с остальными тридцатью тремя тупицами.

— Что же, милые девицы? Давайте рисовать! А?

И так как Дрыгалка зачем-то вышла, весь класс радостно грохает:

— Рисовать! Рисовать! Давайте!

Виктор Михайлович вызывает нас по очереди и заказывает каждой, что именно она должна сейчас нарисовать мелом на доске.

— Вот вы, беленькая, нарисуйте корабль...

Или:

— А вы, черненькая, изобразите... ну, что бы такое?.. А, знаю, — кошку!

Корабль — с парусами! — нарисованный «беленькой», похож на мотылька. Кошка — ее изобразила Варя Забелина — вообще ни на что не похожа. Но Виктор Михайлович смотрит на эти рисунки, склонив набок свою белоснежно-седую голову, говорит поощрительно, даже негромко мурлычет, как большой белый кот:

— Ммм... Н-нич-чего... Ничего-о...

Я с ужасом думаю: ох, вот сейчас я осрамлюсь, ох, как это будет стыдно!..

— Н-ну-с... — приглашает меня жестом Виктор Михайлович. — Нарисуйте-ка селедку!

Иду к доске, беру мел и начинаю работать. Рыбка под моим мелком смотрит в профиль — одним глазом. Я делаю на ее спине закорюку — это плавник! — очень старательно вырисовываю раздвоенный хвостик. Смотрю, чего-то еще недостает. Ах, да, этак рыбка выглядит плавающей, как и всякая другая, как окунь или ерш, а ведь Виктор Михайлович заказал мне именно селедку. Недолго думая пририсовываю к ней селедочницу и вдобавок окружаю селедку целым рядом аккуратненьких колечек.

— Гм... — всматривается Виктор Михайлович. — Рыбка, да... А почему же это она едет в лодке?

— Это не лодка, — объясняю я. — Это селедочница... Селедка на селедочнице...

— Ишь ты! — удивляется Виктор Михайлович. — А что же это за колечки вокруг нее?

— Лук! — уточняю я. — И еще вот... сейчас...

Быстро пририсовываю ко рту селедки какую-то длинную, разветвленную запятую.

— Да-а... — понимающе кивает Виктор Михайлович. — Селедка папиросу курит.

— Нет... — почти шепчу я в полном отчаянии. — Это у нее во рту петрушка...

Девочки взрываются хохотом. Смеется и сам Виктор Михайлович. Но во всем этом нет ничего обидного, — я ведь и сама знаю, что рисование мне не дается.

Возвратившаяся в класс Дрыгалка, сидя за своим столиком, смотрит на мой рисунок, неодобрительно поджав губки.

— Какие-то нелепые остроты! — пожимает она сухонькими плечиками.

— Э, нет, не скажите! — заступается за меня Виктор Михайлович. — Рисунок, конечно, не так чтобы уж очень... Но фантазия какая! И — наблюдательность: лук, петрушка...

Дальше — урок арифметики. У учителя, Федора Никитича Круглова, голова в седеющих рыжих волосах, прямых и жестких, на макушке торчит упрямый хохолок, который Федор Никитич часто пытается пригладить рукой. Близко сдвинутые глаза сидят глубоко под узеньким лбом — совсем как у гориллы на рисунке в книге Брема «Жизнь животных». Но лицо у Федора Никитича — не злое.

Просмотрев весь список учениц, Федор Никитич останавливается на последней фамилии — моей! — и громко вызывает:

— Яновская Александра!.. Прошу к доске.

Задача, которую я должна решить, — самая пустяковая. Я ее решаю, а потом объясняю вслух ход решения.

— Гм... — говорит Круглов, рассматривая то, что я нацарапала мелом на доске, и выслушав мои объяснения. — Задача решена правильно. Но — почерк! Не цифры, а иероглифы... Это что? — тычет он указкой в одну из цифр.

— Четверка...

— Четверка? Это пожарный, а не четверка! Пожарный с топором или с крючком — вот это что! Садитесь.

Федор Никитич возвращается к своему столу, пододвигает к себе журнал, на секунду задумывается.

— За решение задачи я бы вам поставил пятерку... — говорит он, словно соображая вслух. — Но из-за пожарников этих не могу поставить больше чем четыре с минусом.

Четыре с минусом... Первая моя отметка — четыре с минусом!

Федор Никитич берет перо и собирается вписать отметку в журнал.

— Нет! — говорит он, глядя на меня своими «горилльими» глазами из-под нависшего над ними узкого лба. — Нет, и четверки с минусом поставить не могу. А тройку тоже не поставишь: мало. Четыре с двумя минусами — вот это будет справедливая отметка!

Четыре с двумя минусами... А дома-то, дома думают, что я здесь ловлю пятерки сачком, как бабочек!

Весь урок проходит для меня как-то смутно. Вслушиваться в то, что говорит Федор Никитич, что отвечают девочки, мне неинтересно: я это знаю. А моя собственная четверка с двумя минусами давит меня непереносимо. В книгах часто пишут: «Она сидела, глотая слезы...» Я не глотаю слез, да и как это можно делать, если слезы льются из глаз, а глотать их надо вовсе горлом? Но я сижу, пришибленная своей неудачей. Я не обижаюсь на Федора Никитича — конечно, он прав. Ведь и Павел Григорьевич, и Анна Борисовна сто раз говорили мне, что у меня невозможный почерк. Но все-таки мне ужасно грустно...

После урока ко мне подбегают Меля и Маня.

— Ну, что ты скисла? — с упреком говорит Меля. — Радуйся! Четверку получила!

— Да... С двумя минусами... — говорю я горько.

— Все равно четверка! Мало тебе?

— Мало.

— Да ведь четверка — это «хорошо»!

— А мой папа говорит: надо все делать отлично!

— Ну, знаешь, твой папа! Его послушать, так надо ранец на спине таскать и на одни пятерки учиться... Что за жизнь!

Маня хочет предотвратить ссору. Она мягко вставляет:

— Мой папа тоже так думает: «Что делаешь — как можно лучше делай!»

Меля не хочет ссориться.

— Ладно! — говорит она мне. — Сейчас у нас большая перемена, покушаешь — успокоишься. А после большой перемены — урок танцев, вот ты и совсем развеселишься.

Большая перемена. Из всех классов высыпают девочки, у всех в руках пакетики с завтраком; все едят, разгуливая по коридорам. Но Меле это не нравится. Она хочет завтракать с удобствами.

— Нет-нет! На ходу и собаки не едят!.. Пичюжьки, за мной! — командует Меля и ведет нас в боковой коридорчик, где в темном уголке около приготовительного класса стоит большая скамья. Мы усаживаемся.

Когда мы с Мелей уходили из класса в начале большой перемены, мне показалось, что моя «пара», Кандаурова, провожает нас тоскливым взглядом. Но мне некогда думать об этом — перемена короткая, надо успеть позавтракать. Меля раскрывает корзиночку, где у нее находятся изрядные запасы еды. Она бережно и аккуратно, как-то очень аппетитно раскладывает все на большом листе бумаги и, откинув руку назад, словно прицеливаясь, негромко бормочет:

— Н-ну-с... Посмотрим, что́ тут есть... — И вдруг тихонько напевает: — «Смотрите здесь, смотрите там! Нравится ли это вам?..» Это, пичюжьки, такая песенка, я слыхала... Ну, мне нравится вот эта семга! Очень славненькая семужька, Фомушька, Еремушька... Потом поедим телятинки... А на десерт — пирожные! Ну, восподи баслави!

И она с аппетитом начинает поглощать бутерброды с семгой.

— Я, понимаете, деточки, уж-ж-жясная обжёра! Люблю покушять!..

Меля могла бы нам этого и не говорить — мы с Маней уже раньше заметили это.

Некоторое время мы все едим молча: с полным ртом не разговоришься. Меля ест, прямо сказать, с упоением. На нее даже интересно смотреть. Съев семгу, она облизывает пальцы, потом вытирает их бумажкой и берется за телятину. Пирожных у нее два: наполеон и трубочка с кремом.

Она протягивает их нам на ладони:

— Которое раньше съесть, которое — потом, а?

— А какое тебе больше нравится, с того и начинай.

— Оба нравятся! — говорит Меля даже со вздохом, но, подумав, берется за наполеон.

Мы с Маней тоже доедаем свой завтрак.

Меля съела пирожное наполеон и принимается за трубочку с кремом. Но, едва надкусив, она корчит гримаску:

— Крем скис... Фу, какая гадость!

С размаху Меля ловко бросает пирожное в мусорный ящик. Слышно, как оно мягко шмякается о стенку ящика.

— Сколько раз я тете говорила, — капризно тянет слова Меля, — не давай мне пирожных с кремом! А она забывает! Не может запомнить, — смишьно!

Глава третья

А ПЕРВЫЙ ДЕНЬ ВСЕ ДЛИТСЯ!..

Урок танцев происходит в актовом зале. Зал — большой, торжественный, по-нежилому холодноватый. В одной стене — много окон, выходящих в сад. На противоположной стене — огромные портреты бывших царей: Александра Первого, Николая Первого, Александра Второго. Поперечную стену, прямо против входа в зал, занимает портрет нынешнего царя — Александра Третьего. Это белокурый мужчина громадного роста, тучный, с холодными, равнодушными, воловьими глазами. Все царские портреты — в широких золоченых рамах. Немного отступя от царей, висит портрет поменьше — на нем изображена очень красивая и нарядная женщина. Меля объясняет нам, что это великая княгиня Мария Павловна, покровительница нашего института. Под портретом великой княгини висит небольшой овальный портрет молодой красавицы с лицом горбоносым и надменным. Это, говорит Меля, наша попечительница, жена генерал-губернатора нашего края Оржевского.

Мы входим в зал парами — впереди нас идет Дрыгалка. Паркет в зале ослепительный, как ледяное поле катка. Даже

страшно: «Вот поскользнусь! Вот упаду!» Вероятно, так ж
чувствует себя Сингапур, попугай доктора Рогова, когда ег
в наказание ставят на гладко полированную крышку рояля.

Дрыгалка расставляет нас поодиночке — на некоторо
расстоянии друг от друга. Мы стоим, как шахматы на доске
как посаженные в землю маленькие елочки.

— Как начну-у-ут играть! Как пойде-е-ем плясать! —
чуть слышно говорит стоящая позади меня Меля Норейко.

Ну что тут смешного, в этих Мелиных словах? Ровн
ничего. Но мне вдруг становится так смешно, что я начинаю
неудержимо хохотать.

— Тише, медам! — командует Дрыгалка. — Тише! Сей
час придет госпожа преподавательница...

И так как смех все не оставляет меня, я вся трясусь —
как мне кажется, беззвучно, — то Дрыгалка начинает ис
кать, откуда исходит этот неприличный смех. Вся вытянув
шись вверх, как змейка, она поводит удлиненной головкой
стараясь охватить всю группу построенных для урока де
вочек.

— Ах, вот это кому так смешно... Яновская! Почему вы
смеетесь?

Смех замирает у меня в горле.

— Что вас насмешило, Яновская? Может быть, кто-нибудь сказал вам что-нибудь смешное?

Конечно, сказал. Меля сказала. И если бы мне задали
этот вопрос еще сегодня утром, когда я пришла сюда, я бы
от чистого сердца сказала правду: «Да, меня насмешила Норейко». Но трех часов, проведенных в институте, оказалось
достаточно, чтобы совершенно ясно понять: здесь нельзя
говорить правду. Если я скажу, Дрыгалка, может быть, отва-
лится от меня, но она присосется к Меле, будет ее бранить...
может быть, даже накажет... Нет, нельзя здесь говорить
правду! А папа-то, папа... Как он нынче утром грозил мне
своим разноцветным «хирургическим» пальцем: «Помни:
не врать! Никогда не врать!.. Только одну правду говори!»
Скажешь тут правду, как же!

— Кто вас так насмешил, Яновская?.. Не хотите отвечать? Ну, тогда пеняйте на себя: ступайте в угол!

Я смотрю на Дрыгалку растерянно. Почему в угол? В какой угол?

Вытянув руку с длинным, сухим, изящно подстриженным ногтем указательного пальца, — ох, как он не похож на папин! — Дрыгалка показывает, в какой угол мне надо стать.

— Постойте в углу и подумайте над своим неуместным смехом.

Почти ничего не соображая, я становлюсь в угол.

Носком ботинка Дрыгалка брезгливо тычет в оброненный мною на пол носовой платок. Платок — хорошенький, вышитый, мамин. Мама дала мне его «на счастье». Я подбираю его с зеркального паркета — нечего сказать, хорошо «счастье»! — и снова возвращаюсь в угол.

— Да, да, — говорит Дрыгалка с насмешкой. — Поплачьте в платочек, это вам будет полезно!

Ну, нет! Этого не будет, не увидит Дрыгалка моих слез, дудки! «Ненавижу плакс!» — говорит папа, когда я реву по пустякам. Но уж таких плакс, которые унижаются перед всякими дрыгалками, — таких я сама презираю! И я стою в углу, внешне изо всех сил стараясь сохранить спокойное лицо. Не плакать! Не дать Дрыгалке возможности торжествовать! Но мыслью-то ведь я понимаю: меня поставили в угол, это позор! Весь класс стоит на середине зала, как одно многоголовое целое, а меня отщепили, как лучину откалывают топором от полена, и отшвырнули в угол. Я стою в углу, осрамленная, ошельмованная. Всякий входящий в зал сразу увидит и поймет: «Ага, вот эта — с косюлей на затылке — это преступница, ее поставили у позорного столба!»

И как раз в эту минуту в зал входит маленькая женщина — «синявка», преподавательница танцев. За нею следует унылая старушка с нотами под мышкой. Это — таперша. Она сразу проходит к роялю.

Я смотрю во все глаза на учительницу танцев — до чего хорошенькая! Как всегда у детей, настроение мое легко переключается с глубокого отчаяния на радостное любопытство. У учительницы танцев — ее зовут Ольгой Дмитриевной — головка напудрена, как парик у маркизы. Головка поворачивается на шее, как цветок маргаритки, и такая же кудрявая,

пушистая, как махровая бело-розовая маргаритка. Веселы
молодые глаза, капризный ребячий рот. Она, наверно, сла
стена, любит конфеты и пирожные, любит смеяться и — на
верно, наверно! — не любит плакать...

Все девочки делают ей реверанс. И я, стоя в углу, тож
делаю реверанс. Ольга Дмитриевна смотрит на меня: что з
чучело стоит отдельно от других?

— Это наказанная! — с удовольствием докладывает е
обо мне Дрыгалка. И, обращаясь ко мне, командует: —
Яновская! Ступайте на свое место. Сейчас начнется урок.

Я прохожу мимо Ольги Дмитриевны, сгорая со стыда
Теперь она не только видела мой позор, когда я стояла в углу
но она даже знает мою фамилию: Яновская!

Однако глаза Ольги Дмитриевны скользят по мне рав
нодушно-безразлично, словно она ничего и не видала, и н
слыхала. Только потом я пойму, что бело-розовая маргаритк
видит ежедневно столько наказанных — за дело и без дела
за вину и без вины, — столько детских слез, столько неспра
ведливостей, что она уже не воспринимает всего этого. Он
не хочет думать об этом, потому что, если задумаешься, тогд
надо либо уходить из института и, значит, лишиться заработ
ка, либо самой страдать и мучиться, желтеть и преждевре
менно стариться, как старятся и сморщиваются остальны
«синявки».

— Начнем, медам! — бодрым голосом говорит Ольг
Дмитриевна.

Но в эту минуту в зал поспешно входит дежурная воспи
тательница (дежурство это каждый день сменяется) — Анто
нина Феликсовна Воронец. Я уже знаю от Мели Норейко, что
Антонину Феликсовну Воронец девочки прозвали Вороной
И она в самом деле зловещая, как ворона. Смотришь на
нее — и кажется, что несчастье притаилось в складках уныло
висящего на ней платья, в тальмочке на ее плечах, даже в
маленьком бубличке пыльно-седых волос, заколотых на ее
затылке. Так и ждешь, что она сейчас каркнет, как ворона
возвестит о приближающемся несчастье.

Остановившись на пороге зала, Ворона в самом деле
возвещает:

— Александра Яковлевна!

На один миг у меня мелькает нелепая мысль: «Это она меня вызывает. Но откуда она знает, что я — Александра Яковлевна?»

Ворона в это время отступила от двери, почтительно пропуская кого-то в зал.

Меля шепчет мне сзади:

— Начальница идет! Макай! Глубже макай!

И я в первый раз вижу начальницу нашего института — Александру Яковлевну Колодкину.

Теперь, когда я вспоминаю А. Я. Колодкину, то понимаю, что в молодости она была, вероятно, очень красива. У нее и в старости сохранилось красивое лицо — в особенности глаза. Лет двадцать спустя я прочитала напечатанные в журнале «Вестник Европы» письма знаменитого писателя И. А. Гончарова к А. Я. Колодкиной, в которую он был влюблен в годы ее молодости. Мне тогда подумалось: «Ох, и сумасшедший же был Гончаров! В Колоду нашу влюбился. Нашел в кого!» Если бы в наши школьные годы кто-нибудь назвал А. Я. Колодкину красивой, мы бы от души посмеялись. Для нас она была только «Колода» — очень тучная, грузная, очень старая старуха, у которой не было видно ни шеи, ни талии, ни ног: голова казалась воткнутой прямо в плечи, верхняя часть туловища — в нижнюю, нижняя — в пол. Какая уж тут красота! К тому же она сама себя видела, очевидно, такою, какой была лет сорок назад — очень юной, очень нежной, очень хрупкой. Все ее движения, выражение лица, улыбка были бы уместны у молоденькой девушки, но совершенно комичны у грузной, старой Колоды!

Медленными, маленькими шажками Колода входит в зал. Платье на ней синее, как у всех «синявок», но не шерстяное, а из красивого, переливчатого шелка. Там, где бы полагалось быть шее, наброшено боа (горжетка) из красивых серых страусовых перьев. По знаку Дрыгалки все девочки «макают» — делают реверанс нестройно и не в лад.

Остановившись перед каре девочек, Колода говорит довольно ласково:

— Здравствуйте, дети! — и улыбается нам так, как улыбалась, вероятно, сорок лет назад, склонив головку на плечо и сделав губки бантиком. — Я ваша начальница, Александра Яковлевна Колодкина.

Дрыгалка и Ворона подставляют Колоде кресло. Она садится и спрашивает:

— Дети! Какой у вас сейчас урок? Ну, вот вы скажите... — обращается она к одной из девочек.

— Танцы... — говорит девочка.

Колода делает непонимающее лицо и с нарочитым недоумением ворочает головой, как буйвол, словно ищет кого-то.

— Кто это говорит? Не понимаю!

— Выйти из рядов! Выйти из рядов! — каркает Ворона, тыча пальцем в ту девочку, которой начальница задала вопрос.

Девочка выходит из рядов. Мне даже страшно смотреть на нее: шутка сказать, одна среди зала и перед самой начальницей!

— Я спрашиваю вас, — повторяет Колода, — какой у вас сейчас урок?

— Танцы... — шелестит девочка.

Колода грациозно разводит руками, похожими на бревна средней толщины:

— Ничего не понимаю! С кем она говорит?

— Реверанс! — подсказывает девочке Дрыгалка. — Сделайте реверанс и отвечайте!

Девочка «макает» и снова говорит еле слышно:

— Танцы...

Колода безнадежно уронила обе руки на колени.

Дрыгалка с мученическим выражением смотрит в потолок.

— Полным ответом! Сколько раз я вам сегодня повторяла: отвечать полным ответом!

Девочка наконец понимает, чего от нее хотят. Она отвечает «полным ответом»:

— Александра Яковлевна, у нас сейчас урок: танцы...

Маленькая пауза. И вдруг — взрыв возмущения Колоды.

— Ничего подобного! Нич-ч-чего подобного! — грохочет она, как гром. — У вас урок танцевания! Здесь не бывает танцев, да... Танцы — это на балу, это — развлечение, да... А у нас — танцевание. Это — урок, наука. Мы будем учить вас танцеванию, чтобы вы стали легкими, изящными. Девушка должна быть грациозна, как фея... Как фея! — повторяет она, закрыв глаза, подняв кверху нос и упоенно поводя головой.

Дрыгалка и Ворона тоже делают восторженные лица.

— Вот сейчас, — продолжает Колода, — когда я вошла в зал, вы все сделали реверанс... Ужасно! Нестройно, неуклюже, да... Как гип-по-потамы!

— Вот именно — гиппопотамы! — каркает Ворона.

— Ольга Дмитриевна! — обращается Колода к учительнице. — Займитесь, пожалуйста, в первую очередь реверансами.

Ольга Дмитриевна приподнимает край своего синего платья, для того чтобы мы видели, как именно делается настоящий реверанс. Мы видим ее грациозные, стройные ноги в прюнелевых ботинках. Левая нога стоит неподвижно, медленно сгибаясь в колене, пока правая нога описывает полукружие и, очутившись позади левой ноги, тоже сгибается в колене. Получается не «макание свечкой», а плавное, грациозное опускание в реверансе.

— Видели? — обращается к нам Колода. — Вот это реверанс, настоящий придворный реверанс! Кто хочет повторить, медам? — обращается Колода к нам с улыбкой, когда-то, вероятно, обворожительной. — Давайте все по порядку! Начиная справа. Пусть каждая по очереди выйдет и встанет передо мной. Прошу!

Девочка, стоящая первой с правого фланга, выходит и останавливается в нескольких шагах от начальницы.

— Представьте себе, — говорит Колода мечтательно, — что вы идете по нашему коридору и встречаете кого-либо из преподавателей, да... Вы делаете реверанс... Покажите, как вы это делаете.

Девочка ныряет в реверансе и делает это неплохо.

Колода одобрительно кивает головой:

— Прилично. Можете идти на свое место... Следующая! Представьте себе, мой дружочек, что вы встретили меня или господина директора, Николая Александровича Тупицына... Как вы нам поклонитесь?

Эта вторая девочка тоже вполне справляется с реверансом. Я с тревогой думаю: «Ох, я так не могу!»

Колода милостиво отпускает ее на место и вызывает третью.

— А вы, — предлагает ей Колода, — вообразите, будто вы идете по коридору и вам навстречу идет ваша попечительница, супруга господина генерал-губернатора, кавалерственная дама, Наталья Петровна Оржевская! — Тут Колода показывает на портрет горбоносой красавицы.

Девочка делает реверанс перед воображаемой «кавалерственной дамой».

Колода недовольно качает головой:

— Тут нужен особенный реверанс! А вы делаете самый простой. Ступайте на место и непременно поупражняйтесь дома, непременно!

Четвертая девочка — это моя «пара», Катя Кандаурова, — получает совершенно ошеломляющее предложение.

— Представьте себе, — говорит Колода, — что вы стоите перед их величествами, да... Перед государем императором и государыней императрицей!.. Представили, да? Ну, сделайте реверанс!

У Кати Кандауровой, которой предложена такая высокая задача, необыкновенно пришибленный и даже какой-то несчастный вид. Голова у нее — вся в вихрах, в которые воткнут круглый розовый гребешок. Вихры стремительно вырываются из-под него во все стороны. Платье на ней измято, словно она во время перемены дралась с целой армией уличных мальчишек. И передник как-то скособочился. Ботинки нечищеные. Очень трудно представить себе Катю Кандаурову стоящей перед царем и царицей!

Но Колода ждет, и Кандаурова начинает мучительно подражать тому «придворному реверансу», какой показала учительница Ольга Дмитриевна. Это оказывается таким трудным делом, и реверанс выходит до того плачевно-неуклюжим, что

ю рядам девочек проносится смешок. Я не смеюсь, а с ужа-
ом думаю о том, что сейчас после Кандауровой моя очередь,
 ох какой корявый крендель вылеплю сейчас я, если меня
аставят кланяться «как будто царю и царице»! Смотрю на
Зарю Забелину, на Маню, — у них тоже лица перепуганные,
ни, наверно, думают о том же.

— Ай-яй-яй! Ай-яй-яй! — укоризненно говорит Канда-
ровой Колода. — Если вы сделаете государю и государыне
акой поклон, то государь император скажет государыне
императрице: «Ах, какая неизящная, какая неграциозная
девочка!»

У меня вертится в голове дерзновенная мысль: где же это
мы можем увидеть государя императора и государыню им-
ператрицу? Только на картинке! Приедут они к нам, что ли?
Или мы полетим на ковре-самолете в Петербург, в царский
дворец? Зачем же нам зря стараться? Ох, папа, папа, а ты,
наверно, думаешь, что меня здесь тригонометрии обучают!

Колода между тем, приложив к глазам лорнет, в упор разглядывает «неизящную, неграциозную» Кандаурову, которая
не умеет делать придворный реверанс.

— Как ваша фамилия?

Еле слышно девочка отвечает:

— Кандаурова...

— Что у вас за голова! — показывает Колода на жесткие
вихры, выбивающиеся из-под круглого розового гребеш-
ка. — Дикобраз! Совершенный дикобраз! И вся вы какая-то
неаккуратная, измятая, да...

— Ужасно! Ужасно! — каркает Ворона.

— Евгения Ивановна! — обращается Колода к Дрыгалке. — Займитесь, пожалуйста, этой воспитанницей... Кандауровой...

Дрыгалка с готовностью кивает:

— Конечно, конечно, Александра Яковлевна!

Она говорит это с такой кровожадной радостью, как волк,
которому поручили «заняться» ягненком. Ох, и наплачется
Кандаурова в Дрыгалкиных лапах!

Наши страхи перед продолжением «придворных реверансов» оказываются напрасными: Колода больше никого

не заставляет кланяться, «как если бы» царю с царицей или кавалерственной даме Оржевской.

— Ну, медам, — обращается к нам Колода с самой очаровательной улыбкой, от которой сорок лет тому назад, наверно, сходили с ума поклонники и даже великий русский писатель Гончаров! — хотя нам с вами и весело (да, уж весело, что и говорить!), но ничего не поделаешь, меня призывают дела. Впрочем, следующий урок в вашем классе — мой французский язык. Итак, до свидания. А бьентó! (До скорой встречи!)

И Колода медленно катится к выходу. Забежав вприпрыжку вперед, Ворона почтительно распахивает перед ней дверь из актового зала в коридор.

После ее ухода по рядам девочек проносится явственный вздох облегчения. Я смотрю на учительницу «танцевания» Ольгу Дмитриевну: ей-то как? Легче без Колоды или нет? Но прелестная пудреная головка и личико, похожие на махровую бело-розовую маргаритку, по-прежнему не отражают никаких чувств.

Минут десять мы еще занимаемся реверансами. Без мыслей о царе и царице и кавалерственной даме реверанс оказывается вовсе не такой трудной наукой. Мы ныряем все сразу, не спуская одновременно глаз с ног Ольги Дмитриевны, которая проделывает перед нами это несложное упражнение. В общем, дело помаленьку идет на лад.

Затем Ольга Дмитриевна показывает нам пять основных танцевальных позиций. Это так же скучно, как реверансы, и так же незамысловато.

Наконец, когда остается всего минут десять до звонка, Ольга Дмитриевна объявляет:

— А теперь потанцуем. Анна Ивановна, будьте добры — польку... Польку, медам! Кто танцует за кавалера, пусть загнет угол фартука.

Таперша Анна Ивановна — она, бедная, наверно, соскучилась, играя все время только одни экзерсисы, — играя польку, весело встряхивает в такт старенькой головой, как заведенная кукла. А девочки — ну, понятно же! — девочки бросаются в эту польку, словно в жаркий день с разбегу в холодную речку! После реверансов, царя и царицы, кавалерственной дамы, после страхов («Ой, сейчас меня заставят делать реверанс!») и унижений («Встаньте в угол!», «Что у вас за голова? Дикобраз!» и т. п.) веселый танец, как вода, смывает с девочек все огорчения и неприятности. Они танцуют весело, самозабвенно. Польку умеют танцевать все. Это простой танец. Даже мой папа и тот, когда был студентом, научился танцевать польку.

Только одна пара не танцует: я и Кандаурова.

Чуть только раздались первые звуки польки, Кандаурова со стоном зажала уши руками. С растрепанной головой, в измятом платье и нечищеных ботинках, она убегает в дальний угол зала, забивается там на крытую чехлом банкетку и с тупым отчаянием смотрит в зеркально натертый паркетный пол.

Мы с Маней бежим за Кандауровой.

Маня взяла Кандаурову за руку, уговаривает ее: «Пойдем, пойдем с нами... Пойдем танцевать...»

Кандаурова только молча трясет головой в знак отказа.

Ольга Дмитриевна не подходит к Кандауровой, даже не смотрит в ее сторону: вероятно, она не хочет расстраиваться, но Дрыгалка уже вприпрыжку мчится к Кандауровой и Мане.

— Это еще что за трагедии вы разыгрываете? Почему вы не танцуете, Кандаурова? И прежде всего встаньте, когда я с вами говорю!

Кандаурова встает и, все так же глядя в пол, отвечает Дрыгалке ровным, как будто безучастным голосом:

— У меня папа умер в среду... Вчера похоронили...

— Ну, а мама у вас есть? — говорит Дрыгалка уже без обычной ядовитости.

— Мама умерла... давно... я ее и не помню...

Мы все сгрудились около Кандауровой и Мани. Маня обнимает ее, что-то тихонько говорит ей на ухо. Мы молчим. Мы потрясены горем Кандауровой и своим бессилием хоть чем-нибудь помочь ей... Ну и, конечно, своей тупой черствостью: ведь никто, кроме Мани, не почувствовал, что с Кандауровой неладно!

Тут раздается звонок — конец уроку танцевания. Ольга Дмитриевна с веселой улыбкой обращается к нам:

— До свидания, медам! Упражняйтесь дома...

Она уходит, неся на стебельковой шее пудреную голов ку-маргаритку. Зато Дрыгалка считает, очевидно, необходимым выразить Кандауровой участие:

— Ну что ж, Кандаурова. Бог дал, Бог и взял вашего папу... Не горюйте!

И тут же, меняя казенно-жалостливый тон на привычный «синявкин», она кричит всем нам:

— В коридор, медам, в коридор! Следующий урок — французский язык.

Маня осторожно ведет под руку Кандаурову.

В коридоре мы видим Ольгу Дмитриевну: она весело хохочет, слушая то, что ей говорит подружка, молодая классная дама Прокофьева.

Я хочу сказать здесь, чтоб не забыть. Сорок лет спустя в Ленинграде — уже после Октябрьской революции — я увидела в трамвае маленькую старушку в аккуратной плюшевой шубке с посветлевшим от времени, словно поседевшим, собольим воротничком. Головка ее была беленькая уже не от пудры, а от старости. Но все так же прямо держалась эта головка на стебельке шеи, все так же безмятежно смотрели слегка выцветшие глаза, и даже увядшие губки были сложены все так же капризно. «Маргаритка! — узнала я ее. — Махровая бело-розовая маргаритка...»

— Здравствуйте, Ольга Дмитриевна... Вы меня не помните? Я — ваша бывшая ученица. Узнаёте?

Она всмотрелась в меня:

— Как же... как же... Ну конечно, узнаю! Я вас очень любила — вы прелестно танцевали.

Она сказала слово «прэлэстно» так, как произносила его когда-то начальница А. Я. Колодкина, которой подражали все «синявки». Колода говорила еще: «будьте любэзны» и «бэзумно, бэзумно!» вместо «безумно». И от этого «прэлэстно», сказанного Ольгой Дмитриевной, во мне сразу возник целый рой воспоминаний: торжественный актовый зал, портреты царей с надутыми глупыми лицами, и зеркальный пол, похоий на ледяное поле катка, и равнодушный, отсутствующий зглял, каким скользили глаза Ольги Дмитриевны по лицам евочек, плачущих, наказанных, испуганных...

Вряд ли она в самом деле меня узнала, — разве можно в ятидесятилетней женщине узнать шестнадцатилетнюю девочку, какой я была, когда кончала институт! Да и танцевала вовсе не «прэлэстно», а, как все другие девочки, скакала озленком под музыку. Это была явная «любэзность», равнодушная «любэзность» старой учительницы, которой нечего казать своей давнишней ученице.

Я не спросила ее ни о чем — зачем? Она тоже меня ни о ем не спросила — ей было неинтересно. Трамвай подошел к становке. Ольга Дмитриевна приветливо кивнула мне и вышла. Она сошла по ступенькам легко и грациозно, совсем не о-старушечьи — а ведь ей было уже лет под семьдесят! — пошла по тротуару, не оглядываясь на трамвай, откуда я ледила за ней глазами: она, вероятно, уже не помнила, что несколько минут перед тем она встретила в трамвае свою алекую молодость...

Я вспоминала ее еще частенько после этой неожиданной стречи. Я восхищалась тем, как удивительно сохранила она глубокой старости очаровательный, хоть и увядший облик ахровой маргаритки. Но вместе с тем мне все время думаось, что это было достигнуто ценой глубочайшего равнодуия к людям. Ведь людей старят не годы — что́ годы! — нас тарит не только свое, но и чужое горе, чужие беды, которые ы переживаем вместе с другими людьми, несправедливость, оторая падает не на нас, а на других людей, а мы порой бесильны помочь. Ольга Дмитриевна прожила жизнь, глядя на ир словно с далекой луны. Это сохранило ее... Для кого? чевидно, не для людей: к людям и их жизни она была раводушна. А если не для людей, не для жизни, то, значит, ни ля кого и ни для чего...

Всю перемену, последнюю в этот день, Маня обнимает андаурову, гладит ее по голове, говорит ей какие-то добые, ласковые слова. Я тоже стою рядом. Сердце у меня азрывается от жалости, но вот... не умею я так нежно, поатерински подойти к Кандауровой. А Маня, вынув из волос

Кандауровой розовый гребешок, расчесывает и разглаж
вает ее вихры, оправляет на ней фартук, вид у Кандауров
становится несколько более благообразным.

Но вот в класс входит Колода. Она прежде всего заста
ляет всех нас по очереди — по скамейкам, как сидим,
читать по нескольку строк из французской хрестомати
Выясняется, что примерно три четверти класса еще не уме
даже читать по-французски. Только шесть или семь девоч
читают, но запинаясь, по складам, видимо не очень поним
смысл прочитанного.

Когда очередь доходит до меня, я читаю бойко и осмы
ленно. Колода смотрит на меня ласково и, прервав мен
спрашивает по-французски:

— Вы говорите по-французски?

— Да.

Она мягко поправляет меня:

— Надо отвечать полным ответом: «Да, сударыня, я г
ворю по-французски».

Я повторяю за ней:

— Да, сударыня, я говорю по-французски.

— У кого вы научились? — продолжает Колода по-фра
цузски.

— Я научилась у француженки, мадемуазель Пикар.

— Она живет в вашей семье?

— Да, она живет в нашей семье.

— Остальные члены вашей семьи тоже знают франц
ский язык?

— Да, моя мать и мой отец говорят по-французски.

Лицо Колоды все светлеет и добреет.

— Чем занимается ваш отец?

— Мой отец — врач.

Тут Колода переходит на русский язык — очевидно, ж
лая, чтоб ее понял весь класс:

— Очень хорошо, Яновская. Я поставила вам пятерку
Садитесь!

Но тут же, словно вспомнив что-то очень важное, о
снова говорит мне по-русски:

— А скажите... какого вы вероисповедания?

— Еврейского.

— Вы неправильно отвечаете. Еврейского вероисповедания нет — ведь нет русского или польского вероисповедания, или немецкого, или татарского, да... Есть православное, римско-католическое, лютеранское, магометанское. Евреи — иудейского вероисповедания. Вот как вы должны отвечать на этот вопрос, да... Садитесь!

Я отправляюсь на свое место и слышу, как Колода (ох, умница!), забыв, что я понимаю по-французски, говорит негромко Дрыгалке и именно по-французски:

— Подумайте! Какая жалость!

На это Дрыгалка шепчет Колоде что-то на ухо. Наверно, про то, что я нахально «хоте-ела» чего-то, и еще про то, что меня пришлось поставить в угол «за неуместный смех». С лица Колоды сходит доброе выражение. Нахалка, шалунья, да еще и «иудейского вероисповедания», — нет, я разонравилась своей начальнице. После меня вызывают Маню Фейгель: она отлично читает французский рассказ и отвечает по-французски на вопросы Колоды.

— Кто вас научил говорить по-французски?

— Мой отец, — отвечает Маня.

Брови Колоды удивленно приподнимаются:

— Откуда ваш отец знает французский язык?

— Мой отец учился в Париже. Окончил Сорбонну...

— Чем же он занимается? — недоумевает Колода.

— Мой отец — учитель.

— В гимназии?

— Нет, — отвечает Маня. — В еврейском двухклассном начальном училище...

Маня не рассказывает Колоде того, что на одной из перемен рассказала мне. Ее отец учился в Париже не от легкой жизни: его не приняли ни в один из восьми университетов России. Он работал, как каторжник, давал уроки, не спал ночами — брал переписку, — скопил денег на дорогу до Парижа и на первый год обучения в Сорбонне. Все годы студенчества он не приезжал домой — не на что было! — а все каникулы проводил во Франции: работал батраком у богатых крестьян, носильщиком на вокзалах, грузчиком на складах,

голодал, бедовал, — но окончил Сорбонну! А когда он вернулся в Россию, то оказалось, что его солидный, не част-
встречающийся у нас диплом никому не нужен! Как еврей
отец Мани не имеет права преподавать в русских школах
только в еврейских двухклассных училищах, где французский, конечно, не преподается. Он и преподает там русски
язык и арифметику. Дает еще и частные уроки, бегает вес
день как белка в колесе. Детей своих — Маню и ее старшего брата — отец учит французскому языку «в свободно
время». А так как «свободного времени» у него нет — о
занят с раннего утра до поздней ночи, — то дети каждое утр
в рассветную рань (иногда еще затемно — зимой, например
провожают отца до его училища — далеко, на другой коне
города! — и по дороге он учит их французскому языку. Рассказывая мне все это на одной из перемен, Маня сказал
с гордостью:

— Мой папа — замечательный учитель!

Сейчас, на уроке Колоды, мы с Маней переглядываемс
издали. Мы довольны: мы получили по пятерке.

Колода рассматривает в лорнет список учениц в школь-
ном журнале и вдруг, остановившись, вызывает:

— Карцева Лидия!

Встает и выходит из-за парты очень высокая девочка —
Лида Карцева. У нее серые глаза, умные и смелые. Губ
сложены треугольником, вершиной вниз — от этого у не
выражение лица чуть насмешливое. Лида Карцева открывает французскую хрестоматию наудачу и читает вслух басн
Лафонтена «Ворона и лисица». Она читает не просто бегло
как делали перед тем мы с Маней, — она читает спокойно —
за автора басни, униженно-льстиво — за лисицу. Весь класс
хотя и не понимает французских слов, слушает Лиду Карцев
с интересом. Мы с Маней, восхищаясь, улыбаемся до ушей
Колода просто наслаждается Лидиным ответом: говори
Лида превосходно, с настоящим парижским акцентом, ка
не говорит и сама Колода.

— Где вы учились французскому языку? — спрашивае
Колода, сияя улыбкой.

— Мы с мамой прожили целый год во Франции. Мама была больна и лечилась там, — спокойно отвечает Лида.

— Чем занимается ваш отец?

— Мой отец — юрист.

— Хорошо, дружочек мой, очень хорошо... Садитесь!

Я смотрю на Лиду не отрываясь, как зачарованная. Как-к-кая удивительная девочка! Какие у нее умные серые глаза! Нет, серо-голубые, — всматриваюсь я. Наверно, она прочитала много книг — и русских, и французских. И с каким достоинством она держится, — не то что все мы! «Все мы» — это я, конечно, имею в виду самое себя: мне очень трудно было не расплакаться, когда Дрыгалка поставила меня в угол. И с какой непринужденностью носит Лида свое коричневое форменное платье! У всех нас — кроме только Мели, но она ведь второгодница, — у всех нас видно, что мы только сегодня впервые надели форму. Она нас смущает, подавляет, стесняет наши движения. А у Лиды, по-видимому, есть счастливый дар держаться в любом костюме так, словно она носит его всю жизнь, от самого рождения. Нет, замечательная девочка Лида Карцева, замечательная! Хорошо бы дружить с такой умной, спокойной подругой! Конечно, я не стану набиваться на дружбу; я буду издали смотреть, как она ведет себя, как поступает, и буду во всем ей подражать. Я тут же пытаюсь для начала сложить губы треугольником, как у Лиды Карцевой, но у меня это не получается.

Глава четвертая

ПЕРВЫЙ ДЕНЬ ОКОНЧЕН

После уроков Дрыгалка не сразу отпускает нас домой. Сперва она диктует нам, что задано к следующему уроку. Потом длинно объясняет: каждая девочка должна принести из дома мешок для калош, стянутый вверху веревочкой или тесемкой, — мешок этот должен висеть на вешалке, на «номере» своей хозяйки. Она диктует нам эти номера. Мой но-

мер оказывается «тринадцатый». Затем черненькая Горбова
читает «молитву по окончании ученья»:

— «Благодарим тебя, Создателю, яко сподобил еси на
благодати Твоея во еже внимати учению. Благослови наши
начальников, родителей и учителей, и всех ведущих нас
познанию блага и подаждь нам силу и крепость для продол
жения учения сего».

Дрыгалка строит нас в пары — пара за парой, пара з
парой! — десять раз повторяет, что внизу, в швейцарской
мы не должны галдеть, заводить между собой длинные раз
говоры: «Одеться — и домой!» Наконец она ведет нас вниз
в швейцарскую. Когда мы уже двинулись, Дрыгалка вдру
спохватывается, останавливает наше начавшееся было ше
ствие:

— Помните! Идти ровно, плавно, не возить ногами, н
шаркать!

Ну, слава богу, тронулись... Но когда мы уже подходим п
коридору к лестнице, ведущей вниз, нам навстречу прибли
жается колонна учениц первого отделения нашего же класса
Их ведет своя классная дама. От всеведущей Мели мы знаем
что ее прозвали Мопсей (очень метко!). Дрыгалка останавли
вает нашу колонну. Мы, второе отделение, стоим и пропуска
ем вперед себя первое отделение. Первые десять пар девоче
не идут вниз по лестнице: они — пансионерки, они живут
самом институте. Лестница не кончается на нашем втором
этаже (здесь только классы, актовый зал и коридоры), он
заворачивает выше, на третий этаж. Там находятся дортуары
(спальни) и другие помещения для пансионерок. Медленно
(«Тихо! Плавно!» — покрикивает на девочек повизгивающим
голосом Мопся) десять пар пансионерок поднимаются п
лестнице на третий этаж. После этого оставшиеся восемь пар
приходящих учениц первого отделения спускаются вниз п
лестнице в швейцарскую. И лишь тогда Дрыгалка ведет вни
нас, второе отделение. Мы должны знать свое место. В пер
вом отделении учатся «сливки» — внучка городского голо
вы, дочка командующего военным округом, дочери богаты
фабрикантов и купцов, а во втором отделении мы. Мы —

«снятое молоко»: дети интеллигенции, младших офицеров, более мелкого купечества.

Внизу, в швейцарской, мы снова обступаем Катю Кандаурову. Она молча схватила руку Мани и прижимает ее к себе, словно это спасательный круг, за который она, утопая, хватается.

— Катенька... — говорит ей Маня. — Ты куда сейчас пойдешь?

— Не знаю... — полушепотом отвечает Кандаурова.

— У тебя дома кто-нибудь есть? — осторожно допытывается Маня.

— Нету... То есть нет, неверно я говорю... Есть муж тети Клани... маминой сестры... Мы с папой к нему въехали, когда папу сюда перевели... Месяц назад...

— А где эта тетя Кланя?

— Умерла. Только муж ее остался, больше никого...

В общем, все приблизительно ясно. Катя Кандаурова месяц назад приехала в наш город с отцом — его перевели сюда на службу из Костромы. Здесь они остановились — пока, временно, у мужа покойной тети Клани. Хотели снять квартирку и устроиться самостоятельно — совсем было уже собрались, даже чемоданы уложили, — но не успели: папа Кати заболел брюшным тифом. Катя осталась одна. Мы не хотим мучить ее расспросами, но мы чувствуем, что она не хочет идти на квартиру мужа тети Клани — вот не хочет и не хочет, это ясно! То ли Кате горько в этой квартире, где все разбросанные вещи напоминают о ее сиротстве, то ли муж тети Клани плохой человек и Катя его не любит, словно боится...

— Даже на похороны папины вчера не пришел он... тети Кланин муж... — вдруг вспоминает Катя.

— Знаешь что, Катя? — говорит Маня, и лицо ее светлеет оттого, что она нашла какое-то решение. — Пойдем ко мне! Ты у нас побудешь, пообедаешь, умоешься хорошенько. Мы с мамой платье твое вызутюжим, почистим... Пойдем, Катя, к нам? У нас и переночуешь.

Катя еще крепче прижимает к себе руки Мани.

— А можно? — говорит она с надеждой. — Мама твоя... и папа... Они не рассердятся? Нет?

— Ну конечно! — уверяет Маня. — Мои мама и папа будут очень рады, вот увидишь... Пойдем, Катя!

Катя так обрадовалась, что прежде всего разражается целой рекой слез. Она плачет так тяжело, что и у всех нас начинает щипать в носу. Еще минута — и мы все зарыдаем...

— Да что тут происходит? — врывается внезапно в наш круг Дрыгалка. — Я думала, они давно разошлись, а они, изволите видеть, еще болтовней занимаются! В чем дело? Опять Кандаурова плачет! Ну, отведите ее кто-нибудь домой — и конец делу. Разойдитесь, медам, разойдитесь!

И тут я понимаю самое главное в Дрыгалке: она нас не любит. Она не любит детей. Все женщины, каких я знаю: моя мама, Поль, Юзефа, Анна Борисовна, Юлькина мать Анеля Ивановна — все они обласкали бы несчастную девочку, согрели ее, может быть, даже заплакали над ее горем. Даже Серафима Павловна погладила бы Кандаурову по голове своей доброй, толстой рукой, даже смешная, восторженная тетя Женя обняла бы ее и сказала какие-нибудь никому не понятные слова. А Дрыгалка только брезгливо повела плечами. Даже тогда, когда Катя Кандаурова сказала, плача, что вчера похоронили отца, рука Дрыгалки не потянулась, чтобы приласкать девочку...

Мы выходим на улицу. Держа Кандаурову за руку, Маня уводит ее в сторону, противоположную дороге к моему дому. Мы группкой остаемся стоять у подъезда института.

— Стойте! Стойте! — вдруг вспомнив что-то, бросается Лида Карцева догонять Маню, уводящую Катю. — Скажи свой адрес, Катя! Я зайду — скажу этому дяде, что ты сегодня не придешь. А не то он может заявить в полицию, что ты пропала... Скажи свой адрес!

— Андреевская улица, дом Клебанова.

— А фамилия дядина какая?

— Полуэктов... А он придет за мной к Мане? — со страхом спрашивает Катя.

— Я ему не скажу! Я ведь и сама не знаю, где Маня живет! — смеется Лида.

— Не ходи! — просит Катя. — Он на тебя накричит, нагрубит...

Лида Карцева вскидывает голову:

— Не накричит. Не нагрубит. Я этого не позволю!

Мне ясно: Лида не даст себя в обиду.

Оставшись с Лидой, я все-таки чувствую, что должна, обязана пойти с ней к Катиному дяде.

— Я пойду с тобой.

— Куда?

— К этому... ну, Кланиному или как его там...

— К Полуэктову! — поправляет Лида со смехом. — Хорошо, идем.

— И я с вами пойду, ладно? — гудит Варя Забелина.

Домик, где живет Полуэктов, находится в глубине одного из дворов по Андреевской улице. Из окошек, заросших снаружи кустами боярышника и черемухи, доносится пение — тенор выводит с пьяным надрывом:

> Невеста была в белом платье,
> Букет был приколот из роз...
> Она на святое распятье
> Тоскливо взирала сквозь слез...

Дверь не заперта. Мы входим в домик и останавливаемся в прихожей.

— Здесь живет господин Полуэктов? — спрашивает Лида таким великолепным «взрослым» голосом, что я прихожу в неописуемый восторг.

Одна из дверей рывком раскрывается. В ней стоит пьяный мужчина в одних брюках, без пиджака и босой. От этого растерзанного костюма еще смешнее кажется величественный жест, с которым он тычет себя в грудь:

— Я — Полуэктов! Чем могу служить и, прежде всего, с кем имею честь?

Лида все так же уверенно заявляет:

— Я — Карцева. Дочь юриста Карцева. Я пришла предупредить вас, что Катя Кандаурова сегодня домой не придет. Она — у хороших людей, и вам о ней беспокоиться не надо.

— А я и не беспокоюсь! — говорит Полуэктов. — Хоть пропади она навсегда — даже, пардон, не почешусь!

— Еще одно, — добавляет Лида с такой спокойной уверенностью, словно она совсем взрослая. — Все имущество Кандауровых, которое находится в вашей квартире, не-при-кос-но-вен-но!

— И вы отвечаете за каждую вещь! — вдруг гудит басом Варя Забелина.

Тут и мне хочется сказать что-нибудь. Но я ничего не могу придумать подходящего и потому повторяю Варины слова.

— Отвечаете, да! — выкрикиваю я неожиданно тоненьким голоском. Как уличный петрушка. Даже самой смешно...

— Можете не продолжать! — говорит Полуэктов, глядя с величайшим презрением на Лиду Карцеву, которая, он понимает, среди нас главная. — Иван Полуэктов, конечно, пьяница, он, может быть, пардон, даже сволочь, но — не вор! — И он шумно, размашисто бьет себя в грудь. — Понятно вам, Миликтриса Кирбитьевна, Сумбека — царица казанская?

— Очень рада за вас, господин Полуэктов! — И Лида с величественным кивком головы уходит, уводя нас за собой.

На улице мы долго хохочем.

— Хороши вы обе! — смеется Лида над Варей и мной. — Одна, как из бочки, грохнула, другая пищит, как мышь!.. Я чуть не прыснула там...

— И откуда ты такие слова знаешь? — удивляюсь я. — Не-при-кос-ни-тельно!

— Не «неприкоснительно», а «неприкосновенно», — поправляет Лида. — Папино слово, юридическое. Разве ты не слыхала от своего папы докторских слов?

— Слыхала, конечно...

— Вот бы и сказала Полуэктову, — вмешивается Варя Забелина. — Берегитесь! Если пропадут вещи Кати Кандауровой, у вас сделается ам-пен-дин-цит!

Мы уходим. Вслед нам из полуэктовского домика летит песня:

Над озером среди тумана
Бродила дева, дева по скалам.
Кляла жестокого тирана,
Хотела жизнь отдать волнам...

На углу мы расстаемся. Я иду домой и все время отгоняю, отталкиваю от себя какие-то невеселые мысли. По мере приближения к нашей улице я иду все медленнее, все медленнее... По лестнице я поднимаюсь так, словно за спиной у меня по крайней мере вязанка дров. Что я расскажу дома? Такой длинный был этот первый день моей самостоятельной дороги, столько в нем было всякого — и хорошего, и плохого. Нет, я расскажу не все сразу; начну с хорошего, — ведь все ждут меня дома радостно, ждут к обеду. И не надо портить им аппетит...

На мой звонок выбегают сразу все — и мама, и Поль, и Юзефа, и даже папа! Меня ведут — все! — переодеваться в домашнее платье, мыть руки и обедать.

— Ну как? Рассказывай, рассказывай!

— Все хорошо... — говорю я.

И рассказываю про все, что было хорошего. Пятерку по французскому языку поставила мне сама начальница. Поль торжествует и умиляется:

— Какая милая дама!

— По арифметике, — продолжаю я, — четверка... — И добавляю с огорчением: — С двумя минусами...

— Ничего! — подбадривает меня папа. — Мы это переживем. Не все ведь сразу.

— Учитель рисования — художник, старый, с белой бородой — чудный! Девочки очень хорошие: Маня Фейгель, Лида Карцева, Варя Забелина. Есть еще Меля Норейко — она веселая, смешная, ужасная обжора...

Что еще было сегодня хорошего? Больше ничего. И, значит, надо рассказывать про все плохое, а это, ох, как трудно, как не хочется!..

Я сижу со всеми за столом. Голова моя клонится все ниже и ниже над тарелкой, словно я собираюсь лакать суп языком, как кошка молоко.

Все молчат.

— Юзефа! — обращается папа к вошедшей из кухни Юзефе. — Вы посолили суп?

— А як же ж! — удивляется Юзефа. — Что я, молодая, что ли, чтоб соль забыть? Солила!

— А вот наша ученица, кажется, собирается посолить суп слезами...

Я понимаю: папа пытается обратить все в шутку. Но в голосе его — тревога.

Мама и Поль смотрят на меня с огорчением.

Но всех сильнее действует все это на Юзефу. Она бросается ко мне, обнимает меня, словно хочет защитить от всех врагов, и, глядя мне в глаза, с отчаянием кричит:

— Били? Кто бил? Скажи, я тому очи повыдираю!

— Перестаньте, Юзефа! Глупости какие! — сердится папа.

Я беру себя в руки и с запинками, с заминками рассказываю все, что было плохого... У нас очень плохая классная дама, очень злая, ее все ненавидят, зовут Дрыгалкой... Дрыгалка на меня кричала: «Здесь вам не полагается хоте-е-еть, здесь нужно слушаться!» Про селедку, которую я нарисовала на доске, Дрыгалка сказала: «Глупые остроты!» — и повела плечом: вот так!.. Перед уроком танцевания Дрыгалка поставила меня в угол: «за неуместный смех!». А когда она спросила, кто же это меня так рассмешил, я *не могла сказать правду*, что меня рассмешила Меля Норейко: ее бы тоже поставили в угол, если б я сказала правду... А ты говоришь, папа: «Правду, правду!» Как ее говорить, правду?.. И еще было плохое: у Кати Кандауровой вчера похоронили отца, она плакала, она такая несчастная, — и ни Дрыгалка, ни учительница танцев даже не пожалели ее... И еще я — юдейская... Что это такое?

— Всё? — спрашивает папа.

— Всё.

— Ну, так перестаньте все над ней страдать! Ничего страшного во всем этом нет.

— Как же нет, Яков? — говорит мама, вытирая платком глаза.

— А так, что нет! Может быть, эта классная дама в самом деле плохой человек, не знаю... Что же, девочка проживет жизнь и не увидит плохих людей? Их очень много на свете! Жаль, что она сталкивается с ними так рано, но что поделаешь?.. А что в школе «надо не хотеть, а слушаться», так ведь это правильно! Подумай, если всякий начнет выкомаривать на свой салтык, что ему «хочется», никакого ученья не будет! И в угол ее поставили за дело — она смеялась во время урока. Я бы, — оговаривается папа, — не ставил детей в угол: по-моему, нехорошо так срамить их, да еще в первый же день. Но ведь у нее могут быть другие мысли, не такие, как у меня, у этой вашей... ну, как ее? Не Дрыгалкой же мне ее звать, есть у нее, наверно, имя и отчество, — Христофора Колумбовна, что ли...

— Евгения Ивановна... А как же, папа, правду? Сам видишь, правду ей говорить нельзя!

Папа задумывается. Молчит. Ох, как ему трудно ответить на этот вопрос!

И вдруг в разговор вступает Поль.

— Помнишь, — говорит она, — как первого мая мсьё лё доктёр ходил всю ночь по квартирам, а там спрятали людей, которых избили полиция и казаки? И я — спасибо ему! — ходила с ним... Ну вот, если бы на следующий день твоего отца позвали в полицию и приказали: «Назовите адреса, по которым вы ходили оказывать помощь!» — как ты думаешь, он назвал бы эти адреса?

— Конечно, нет! Он ни за что не сказал бы!

— Да, не сказал бы, — подтверждает папа. — Потому что тогда всех этих избитых, раненых людей арестовали бы и заперли в тюрьму!

— А что бы ты им сказал, этим полицейским?

— Я бы сказал: «Да отстаньте вы от меня! Какие квартиры? Какие раненые? Я ничего не знаю, я всю ночь спокойно спал дома!»

— Ты солгал бы?

— А по-твоему, надо было сказать правду?

Мы все долго молчим.

Глава пятая

ЧТО ДЕЛАТЬ С КАТЕЙ КАНДАУРОВОЙ?

В понедельник утром — ничего не поделаешь! — я отправляюсь в институт. Торжественных проводов мне уже не устраивают. Папы нет дома — и всю ночь не было: он у больных. Без папы некому напомнить мне о том, что в жизни надо говорить одну только правду. Да и опыт первого дня ученья уже показал нам с папой, что в институте надо говорить правду лишь с оговоркой: «Если это не повредит моим подругам!» Это компромисс, говорит папа, то есть отступление от своих правил, уступка жизни. Когда-нибудь, думает папа, компромиссов больше не будет — будет одна правда и честность.

— А скоро это будет?

— Может быть, и скоро...

Папа говорит это так неуверенно, как если бы он утверждал, будто когда-нибудь на кустах шиповника будут расти пирожки с капустой.

Но все-таки еще вчера вечером мы с папой уточнили: солгать из страха перед Дрыгалкой или Колодой, из страха перед наказанием — нельзя. Это трусость, это стыдно. Солгать из желания получить что-нибудь для своей выгоды — тоже нельзя. Это шкурничество, это тоже стыдно. Говорить неправду можно только в тех случаях, когда от сказанной тобою правды могут пострадать другие люди. Тут надо идти на компромисс. Это и горько, и больно, и тоже, конечно, стыдно, но что поделаешь?

Мама и Поль прощаются со мной молча, крепко целуют меня. Обе они — грустные, словно провожают меня не в институт, а на гильотину. Одна только Юзефа верна себе: она раз десять напоминает мне о том, что вещи надо «берегчи», потому что за них плачены «деньги, а не черепья».

Первые, кого я встречаю в швейцарской, когда вешаю на тринадцатый номер свою шляпенку, — это Маня и Катя Кандаурова. Катю совершенно нельзя узнать! Она чистенькая («Мы с мамой ее в корыте вымыли!» — радостно объясняет

Маня), платье ее и фартук тщательно выглажены, ботинки начищены, как зеркало. Но главная перемена — в ее голове. Теперь Колода уже не скажет, н е м о ж е т сказать, что Катя Кандаурова — дикобраз. Ей старательно вымыли голову, волосы стали мягче и лежат ровненько под розовым гребешком. Все мы, обступив Катю и Маню, говорим о том, какая Катя стала аккуратная, — и все мы этому радуемся. Уж очень она была жалкая в субботу, когда стояла перед Колодой и Дрыгалкой! Теперь этого нет. Нельзя сказать, что Катя Кандаурова веселая — да и с чего бы ей веселиться? — но она спокойна, нет в ней этого пугливого шараханья, как у птенца, который выпал из гнезда и боится, что сейчас на него наступит чья-то нога. Иногда она взглядывает на Маню, и глаза ее словно спрашивают:

«Все будет хорошо, да?»

И Маня отвечает ей без слов матерински-ласковым взглядом своих чудесных глаз, которые никогда не смеются и даже в смехе плачут:

«Да, да, не бойся, все будет хорошо».

Маня рассказывает мне и Лиде, что они написали письмо Катиной тете Ксении, которая живет в другом городе. Тетя Ксения, по словам Кати, хорошая, добрая. Папа ее очень любил, так что и Катя ее любит — так сказать, понаслышке, потому что сама никогда ее не видала. Перед смертью папа написал сестре, прося позаботиться о Кате.

Единственный человек, который словно даже не замечает перемены в Кате Кандауровой, — это Дрыгалка. Конечно, если бы Катя снова явилась в виде Степки-растрепки, Дрыгалка, наверно, заметила бы это, она бы опять сказала какие-нибудь насмешливые и обидные для Кати слова. Но простое, доброе слово ободрения, вроде: «Ну вот, молодец, Кандаурова, совсем другой вид теперь»! — такого Дрыгалка не говорит и никогда не скажет. Она, наверно, и не умеет говорить такого! Окинув Катю быстрым, скользящим взглядом, Дрыгалка только, по своему обыкновению, обиженно поджимает губки. Что означает эта Дрыгалкина мимика — непонятно. Но совершенно ясно: она не выражает ни внимания, ни сочувствия к Кате, ни заботы о ней.

— Знаешь что? — говорит мне Лида Карцева, глядя на меня в упор умными серо-голубыми глазами. — Нехорошо, что о Кате Кандауровой заботятся только Маня и ее семья. Что же мы ей — не подруги, что ли?

— Надо и нам тоже! — гудит басом Варя Забелина.

Мы стоим все в коридоре, в глубокой нише под одним из огромных окон, закрашенных до половины белой краской.

— Можно взять Катю к нам, — говорю я, — только я должна сперва спросить маму, разрешит ли она...

— Нет! — решительно отрезает Лида. — Это не дело, чтобы Катя каждый день из одной семьи в другую переходила.

— Так что же делать?

— Нам надо сложиться, кто сколько может, — предлагает Лида, — и отдать эти деньги Мане. Потихоньку от Кати, понимаете? Чтобы Кате не было обидно.

— И чтобы Мане не было обидно! — вмешивается Варя Забелина. — Это надо на́ набалмошь делать. Я Маню знаю. Ее отец, Илья Абрамович, — учитель. Он мне уроки давал. Бедно живут они... А тут еще — Катя, лишний человек... Нет, надо что-нибудь придумать, чтобы их не обидеть.

И тут, словно ее озарило, Варя предлагает:

— Надо сказать Мане, что нам обидно, почему мы ничем не помогаем Кате. «Нехорошо это, Маня! — надо сказать. — Ты все делаешь для Кати без нас. Мы тоже хотим!»

— Да, это будет правильно! — одобряет Лида. — Давайте после уроков пойдем ко мне. Моя мама, наверно, даст нам денег. А потом пойдем ко всем вам — тоже попросим.

— Моя мама даст наверное! — говорю я.

— И моя бабушка — тоже! — уверена Варя Забелина.

— Ну, а моя тетя, наверно, не даст... — в раздумье качает головой Меля Норейко. — Она ужасно не любит давать...

— Почему?

— Ну, «почему, почему»! Не знаю я почему... Наверно, она немножечко жядная, — объясняет Меля.

Мы и не заметили, как около оконной ниши, где мы стоим, скользнула как тень Дрыгалка.

— Что это вы тут шепчетесь? У нас правило: по углам шептаться нельзя! Это запрещается, медам!

— А мы не шепчемся... Мы громко разговариваем, — говорит Варя.

Во мне поднимается возмущение против Дрыгалки. Да что же это за наказание такое, что она всюду подкрадывается и все запрещает? Этого «нельзя»! Это «не разрешаю»!

Звонок прерывает наш разговор с Дрыгалкой.

— В класс, медам! На урок!

И Дрыгалка стремительно мчится в класс, за нею бегут Варя и Меля.

Мы с Лидой на несколько секунд остаемся стоять в нише.

— Ты — Саша, да? — спрашивает Лида. — Можно, я буду тебя Шурой звать? И, знаешь, давай дружить. Хочешь?

— Очень хочу!

Так началась моя дружба с Лидой Карцевой. Она продолжалась и после окончания института — с перерывами, когда мы оказывались на много лет в разных городах, — но встречались мы неизменно сердечно и тепло.

Катя, как и прежде, сидит на парте рядом со мной. Но теперь я уже не злюсь на это, как в первый день. Ох, как стыдно мне теперь это вспоминать! Наоборот, я стараюсь чем могу выразить доброе отношение к ней. Я показываю ей нужную страницу в учебнике, объясняю ей то, чего она не понимает. У нее нет лишнего пера — я даю ей свое. Вообще стараюсь изо всех сил. (Меля бы сказала: «Ужясно!») Но все-таки так мягко заботиться о Кате, как Маня, не умею я.

Сегодня опять арифметика, и Круглов с глазами, забившимися глубоко под лоб, объясняет так скучно — я все время ловлю себя на том, что не слушаю. Потом идет урок русского языка, его преподает сама Дрыгалка. Это тоже очень скучно, — проходят имя существительное, склонения, падежи и т. д., я это давно знаю, — но тут уж я слушаю внимательно: я знаю, Дрыгалка мне ничего не простит! И в самом деле, она вызывает меня и велит мне просклонять во всех падежах слово «подорожник». Немножко подумав, я отвечаю ей урок, как учили меня Павел Григорьевич и Анна Борисовна:

— Именительный — около тропинки рос подорожник. Родительный — мы увидели в траве листья подорожника. Дательный — мы подошли к подорожнику. Винительный — мы сорвали подорожник. Творительный — мы вернулись домой с подорожником. Предложный — ведь мы знали о подорожнике, что он — целебная трава.

Дрыгалка слушает меня с каменным лицом.

— А звательный падеж где?

Я на секунду задумываюсь, потом отвечаю:

— Звательный — спасибо, подорожник, за то, что ты лечишь людей.

Дрыгалка недовольно сморщивается.

— Всегда у вас какие-то нелепые затеи, Яновская! Надо говорить просто: именительный — так-то, родительный — так-то и так далее. А вы тут целый роман наболтали!

Я послушно затягиваю:

— Именительный и звательный — подорожник. Родительный — подорожника. Дательный — подорожнику. Винительный — подорожник. Творительный — подорожником. Предложный — о подорожнике.

— Ну, вот так правильно, — говорит Дрыгалка.

Но мне не нравится. Правильно, да, но — скучно. И я ничего не вижу из того, о чем говорю. А Павел Григорьевич всегда, что бы мы ни делали — читали, делали грамматический разбор предложения, склоняли, спрягали, — все равно Павел Григорьевич говорил мне:

«Ты видишь все это? — упирая на слово «видишь». — Надо видеть, иначе все мертво и скучно, а сама ты — сорока, больше ничего».

От этого, читая стихотворение Лермонтова «Когда волнуется желтеющая нива», я видела и колыхание спеющей ржи или пшеницы, и лес, качающийся на ветру, и сливу в сизоватом налете, и ландыш, — все это я видела. И подорожник я сегодня видела, когда склоняла, — кустик закругленных листьев с глубокими морщинками, которые с изнанки похожи на жилы, вздувшиеся на трудовых руках, и то, как колышется среди кустика стрелка подорожника, вся в мелких бородавочках. Когда я была маленькая и угощала моих кукол обедом, стрелки подорожника изображали спаржу.

«Пожалуйста, возьмите еще спаржи! — просила я кукол очень вежливо. — Это очень питательно».

Дрыгалка, к сожалению, этого не понимает. Она ничего не видит. Она никого не видит. Она видит только то, на что можно обрушить свою злость.

Урок чистописания — скучный, как дождик на даче. А для меня еще и пренеприятный — все из-за моего несчастного почерка. «Ужасный почерк! Ужасный!» — ахает учитель, и ему вторит Дрыгалка.

— Ужасный! — говорит она и даже закатывает в ужасе глаза. — Просто непозволительный почерк!

Подождите, злыдни вы этакие! Мама еще вчера пригласила учителя. Он будет приходить к нам домой. Начнет он со мной заниматься завтра. Я буду очень стараться — почерк у меня станет прелестный-прелестный! Что вы тогда скажете, злые люди? Вам не к чему будет придраться, вы будете вынуждены молчать, а я буду мысленно насмехаться над вами: «Ха! ха! ха! ха!»

Уроки кончены. Мы выходим на улицу. Ох, как хорошо, как вольно дышится. Но нам некогда наслаждаться золотым августовским днем: мы должны идти к своим мамам, попросить у них денег, а потом отнести эти деньги Мане — для Кати Кандауровой.

Решаем идти сперва к Меле Норейко, потом к Вариной бабушке, к Лидиной маме, а затем к моей.

Идем мы весело, шутим, смеемся. Только Меля почему-то на себя не похожа. Она все время молчит, даже иногда вздыхает. Наконец, не выдержав, она берет меня под руку, чтоб я шла медленнее. Когда мы таким образом немножко отстаем от Лиды и Вари, Меля говорит мне негромко и как-то нерешительно:

— Знаешь что? Я побегу вперед и посмотрю, кто у нас дома, тетя или папа... А?

— А почему? — недоумеваю я. — Разве это не одно и то же?

— Ну да! Одно и то же!.. У меня папа — это одно, а тетя — папиного брата жена — совсем не то же! И мне бы хотелось, понимаешь... Ну, одним словом, гораздо бы лучше, если бы мы застали папу, а не тетю. Я побегу, а?

Меля летит стрелой вперед, к своему дому. А мы идем медленно, мы немного озадачены загадочными Мелиными словами.

Когда мы подходим к дому с большой вывеской «Ресторан Т. Норейко», Меля уже дожидается нас у ворот. Она бросается к нам озабоченная, но довольная:

— Где вы копаетесь? Скорее, скорее!

И, ведя нас во двор дома, Меля тихонько шепчет мне:

— Тетя занята, она грязное белье в стирку отдает. Ресторанное: скатерти, салфетки... А папу я сейчас приведу! Если тетя войдет, вы, смотрите, ничего при ней не говорите!

Все это мне не нравится, но отступать поздно.

Мы входим в квартиру Норейко. Меля вводит нас в маленькую переднюю. В ней нет даже стульев. Из соседней комнаты доносится негромкий голос, мерно считающий:

— Тридцать шесть... тридцать семь... тридцать восемь...

— Подождите здесь, я сию минуту...

Меля в самом деле через минуту-другую приводит к нам толстого человека с добродушным лицом.

— Вот. Это мой папулька... Папулька, это мои колле́жа́нки (соученицы)... Папулька, мне нужны деньги — понимаешь? И не марудь, папулька, — слышишь, тетя уже пятьдесят вторую салфетку считает! Скоро кончит...

— Деньги? — пугается папулька. — А на что тебе деньги?

— Ну, мало ли, папулька, какие у меня расходы? Давай скорее!

Папулька ужасно растерян. У него даже взмокли колечки волос на лбу.

— Полтинник — довольно?

— Папуля! — укоряет его Меля. — Дай канарейку. И поживее — слышишь?

Из соседней комнаты доносится:

— Шестьдесят восемь... шестьдесят девять... семьдесят... семьдесят один... семьдесят два...

— К сотой салфетке подходит! — торопливо шепчет Меля. — Беги скорей к кассирше, возьми у нее канарейку, и конец!

Папулька исчезает на одну-две минуты. Затем, вернувшись, достает зажатую в кулаке измятую рублевую бумажку. Испуганно оглядываясь на дверь, отдает деньги Меле. Меля быстро сует их в карман.

С этой минуты и Меля, и ее папулька преображаются. С их лиц сходит выражение пугливой настороженности. На папулькином лбу разглаживаются морщины. Отец и дочь весело, радостно обнимаются. Меля шутливо пытается головой боднуть отца в живот. Отец и дочка, видно, любят друг друга.

— Дочка у меня, а? — подмигивает нам папулька. — Министерская голова, нет?

Но Меля бесцеремонно выталкивает отца из комнаты:

— В ресторан, папулька! Там лакеи без тебя все разворуют.

Папулька скрывается.

Меля торопливо передает папулькину рублевку Лиде:

— Прячь, прячь скорее!

Между тем в соседней комнате голос, монотонно считавший белье, смолкает. В переднюю, где мы стоим, входит миловидная женщина, толстенькая и кругленькая, как пышка. На лбу у нее — мокрое полотенце, которое она придерживает одной рукой. Другой рукой она запахивает на груди свой растерзанный капот.

— Ох, голова! Ох, голова! — стонет она.

— Болит, тетечку? — участливо спрашивает Меля.

— Не дай бог! Просто на кусочки раскалывается. Пропади оно, это ресторанное белье! Пока считаешь, глаза на лоб вылезут... А это кто? — вдруг замечает нас Мелина тетя. — К кому пришли? Зачем?

— Это, тетечку, мои подруги пришли... В гости...

— Ох, тесно у нас тут!.. Какие уж гости! — неприветливо говорит Мелина тетя. — Тебе обедать надо...

— Мы уходим, — спокойно говорит Лида.

— Нет, зачем же? — слабо протестует госпожа Норейко. — Меля пойдет к нам в столовую комнату, пообедает, а вы ее тут подождите, если хотите... Ступай, Мелюня, там сегодня твое любимое...

Но мы, простившись, выходим на улицу.

— Не понравилась мне эта «тетечка»! — мрачно говорит Варя.

— А папулька этот тоже... Рубля давать не хотел, полтинник предлагал... Вот выжига! А ведь богатый! Ну ладно, идем теперь к Варе, — напоминает Лида.

К Варе идти далеко. Мы успеваем переговорить обо всем. О Дрыгалке, о Колоде, об учителях. Вспоминаем то, что рассказала сегодня Меля (она знает все на свете!): наш теперешний директор, Николай Александрович Тупицын, вступил в эту должность всего год назад, вместо прежнего директора, которого звали Яков Иванович Болвано́вич. Этот прежний директор подписывал бумаги размашисто: «Я. Болван...» — и росчерк. А под этим шла подпись начальницы — Колоды: «А. Я. Колод...» — и тоже росчерк. Получалось: «Я — Болван, а я — Колода».

Так, болтая, смеясь, мы подходим к домику на окраине города.

— Вот. Наш домик, — говорит Варя и смотрит на этот домик так ласково, как на человека.

Это и вправду славненький домик! Не знаю, как выглядит он зимой, но сейчас он густо увит диким виноградом, и конец лета раскрасил листья во все цвета. Тут и зеленые листья, их уже меньше, и розовеющие, и вовсе красные, — красота! Мы входим в калитку и заворачиваем за дом. Там, в садике, на маленькой жаровне стоит таз, в котором варится-поспевает варенье. Около жаровни сидит на стуле старушка и ложкой снимает с варенья пенки.

— Бонжур, мадам Бабакина! — весело приветствует старушку Варя.

— Бонжур, мадемуазель Внучкина! — спокойно отзывается «мадам Бабакина». — О, подружек привела! В самый раз пришли — варенье готово! Из слив... Вон с того дерева собрала я сегодня.

Мы не успеваем оглянуться, как Варина бабушка уже усадила нас за круглый садовый стол, врытый в землю, поставила перед каждой из нас полное блюдце золотисто-янтарного варенья и по куску хлеба.

— Как вкусно! — восхищается Лида.

— До невозможности! — говорю и я с полным ртом.

Варя обнимает свою бабушку:

— Еще бы не вкусно! Кто варил? Варвара Дмитриевна Забелина! Сама Варвара Дмитриевна! Понимаете, пичюжьки?

Варя очень похоже передразнила Мелино «пичюжьки». Это, конечно, опять вызывает смех. Впрочем, в этом чудесном садике, позади дома, увитого разноцветным диким виноградом, да еще за вареньем Вариной бабушки, нам так радостно и весело, что мы смеемся по всякому пустяку и жизнь кажется нам восхитительной. Я смотрю то на Варю, то на ее бабушку — они удивительно похожи друг на друга! Бабушка говорит басом, как Варя, и у обеих — у бабушки и внучки — одинаковые карие глаза, подернутые поволокой, и веки открываются, как створки занавесок, раздвигающиеся не до конца в обе стороны.

— Спасибо, Варвара Дмитриевна! — благодарим мы с Лидой.

— Какая я вам Варвара Дмитриевна! — удивляется старушка. — Бабушкой зовите меня — ведь вы подружки Варины! Сына моего, Вариного отца, товарищи — по морскому корпусу и по плаванию — всегда меня мамой звали. А вы зовите бабушкой, а не то не будет вам больше варенья!

— А ведь мы к тебе по делу пришли, бабушка! — вспоминает Варя.

Выслушав наш рассказ о Кате Кандауровой, которая живет в семье Мани Фейгель, Варвара Дмитриевна говорит растроганно:

— Смотри ты, Илья Абрамович сироту пригрел! Ничья беда мимо него не пройдет... И Маня, видно, в отца растет, добрая... Ну-ка, Варвара, где наш банк?

Варя убегает в дом и тотчас возвращается, неся в руке «банк» — это металлическая коробка из-под печенья «Жорж Борман».

Варвара Дмитриевна открывает коробку, смотрит, сколько в ней денег.

— Гм... Не густо... — вздыхает она. — Ну все-таки, я думаю, рубль мы можем дать, — а, Варвара? Надо бы побольше, да еще долго до пенсии, — вдруг на мель сядем?

— Не будем жадничать, бабушка! Наскребем все два...

Вот у нас уже собрано три рубля. Отлично! Мы прощаемся с бабушкой Варварой Дмитриевной, в которую мы с Лидой успели влюбиться по уши. Мы ей, видно, тоже понравились: она с нами прощается ласково, обнимает и целует нас.

Теперь мы идем к Лидиной маме, Варя тоже идет с нами.

В квартире Лидиных родителей все очень по-барски. Красивая мебель, ковры, много изящных безделушек. Мы стоим в гостиной, в ожидании, пока выйдет к нам Лидина мама. На одной стене большая фотография в красивой рамке — молодая темноволосая женщина в черном платье.

— Это твоя мама? — спрашиваю я.

— Нет, — отвечает Лида. — Это моя тетя. Мамина двоюродная сестра. Поэтесса Мирра Лохвицкая, — слыхали про такую?

— Нет, мы с Варей не слыхали.

— Странно... — удивляется Лида. — Она недавно получила Пушкинскую премию Академии наук. Во всех газетах было напечатано.

Мы смотрим с уважением на портрет поэтессы Мирры Лохвицкой, получившей недавно Пушкинскую премию Академии наук.

— А знаешь, — внезапно говорит Варя, — у нее глаза немножко странные...

— Верно. Сумасшедшие глаза, — спокойно соглашается Лида.

На другой стене висит большой портрет в тяжелой раме — красивая женщина в бальном платье.

— А это твоя мама? — спрашивает Варя.

Лида смеется:

— Нет, это другая моя тетя. Жена моего дяди. И тоже писательница — Мария Крестовская. Ее отец был очень известный писатель — Всеволод Крестовский, он написал роман «Петербургские трущобы». А тетя Маруся — ну, она хуже его пишет, но все-таки известная, ее печатают в толстых журналах. Очень многие читают и любят...

— У тебя есть ее книги?

— Есть, конечно... Могу тебе дать. Хочешь?

Ну конечно, я хочу! Я просто в себя прийти не могу: подумать только, Лида, Лида Карцева, наша ученица, моя подруга, а тетки ее — знаменитые писательницы!

— Так я и знала! Так я и знала! — раздается позади нас капризно-веселый голос. — Они тетками любуются! А на меня, бедную, никто и не смотрит!

Мы оборачиваемся — в дверях стоит женщина, Лидина мама, Мария Николаевна, и до того она красива, что мы смотрим на нее, только что не разинув рты, и от восхищения даже забываем поздороваться.

Лида бросается со всех ног, поддерживает Марию Николаевну и усаживает ее на затейливой формы кушетку, поправляет складки ее красивого домашнего платья. Потом представляет матери нас, своих подруг.

— Значит, эта, большенькая, — Варя Забелина, а это, поменьше, — Шура Яновская? — повторяет Мария Николаевна, вглядываясь в наши оторопелые лица. — А почему они молчат?

А мы молчим оттого, что восхищаемся!

— Как-к-кая вы красивая! — неожиданно вырывается у Вари.

Мария Николаевна смеется.

— Лидушка! — говорит она с упреком. — К тебе гости пришли, почему ты их ничем не угощаешь? В буфете конфеты есть. Принеси!

Мы едим конфеты и излагаем дело, которое привело нас сюда.

Мария Николаевна задумывается.

— Кажется, Лида, — говорит она, — надо на это дать рубля три. Как ты думаешь?

— Я тоже так думаю.

Лида приносит матери ее сумочку. Мария Николаевна дает нам трехрублевку.

Мы встаем, благодарим и уходим. Мария Николаевна сердится:

— Что же вы спешите? Я думала, вы что-нибудь смешное расскажете, а вы вон как... Ну ладно, до следующего раза!

Мы спешим: нам надо еще к моей маме.

У нас неожиданно в сбор денег включается весь дом. Мама дает три рубля. Поль безмолвно кладет на стол полтинник. Юзефа, стоявшая у притолоки и внимательно прислушивавшаяся к разговору, достает из-за пазухи большой платок, на котором все четыре угла завязаны в узелки, развязывает один из узелков, достает из него три медных пятака и кладет их на стол:

— От ще и от мене. Зло́тый (15 копеек)... Сироте на бублики!

Итого 3 рубля 65 копеек. Пришедший дедушка добавляет для ровного счета еще 35 копеек — всего получилось 4 рубля.

В эту минуту слышен оглушительный звонок из передней — папин звонок! И в комнату входит папа.

Папа прибавляет к деньгам, собранным для Кати Кандауровой, еще одну «канарейку». Пришедший с ним Иван Константинович Рогов дает столько же. У нас уже собрано целых 12 рублей! Сумма не маленькая.

— А теперь, девочки, — говорит папа, — ваше дело кончено. Отдать эти деньги Фейгелю должен кто-нибудь другой, иначе обидите хорошего человека. Я его знаю: я — врач того училища, где он работает. Оставайтесь здесь, веселитесь, а главное: никому обо всем этом не говорите! Помните: ни одной душе! Ни одного слова! Вы еще головастики, вы не знаете, — из-за этого могут выйти неприятности. Я потом, мимо едучи, зайду к Фейгелю домой и все ему передам.

— Я бабушке скажу, чтоб в секрете держала! — соображает Варя.

— А я — маме... — озабоченно говорит Лида Карцева. — Она может нечаянно проболтаться.

На том и расстаемся.

Глава шестая

НЕПРИЯТНОСТИ

Странно, все считают, что папа ничего не замечает вокруг себя, ни во что не вникает. Он-де занят только своими мыслями, своими больными, своими книжками, а все остальное до него не доходит...

А вот и неправда! Взять хотя бы этот случай. Мы собрали деньги для Кати Кандауровой, и папа первый сказал нам: «Будьте осторожны, не болтайте зря, — могут быть неприятности».

Папа, как говорится, «словно в воду глядел»! Мы, правда, были осторожны и зря не болтали, но неприятности — и какие! — сваливаются на наши головы уже на следующий день.

Поначалу все идет, как всегда. Только Меля Норейко опаздывает — вбегает в класс хотя и до начала первого урока, но уже после звонка. Дрыгалка оглядывает Мелю с ног до головы и ядовито цедит сквозь зубы:

— Ну конечно...

Меля проходит на свое место. Я успеваю заметить, что глаза у нее красные, заплаканные. Но тут в класс вплывает Колода, начинается урок французского языка, — надо сидеть смирно и не оглядываться по сторонам.

После урока я подхожу к Меле:

— Меля, почему ты...

— Что я? Что? — вдруг набрасывается она на меня с таким озлоблением, что я совсем теряюсь.

— Да нет же... Меля, я только хотела спросить: ты плакала? Что-нибудь случилось? Плохое?

— Ну, и плакала. Ну, и случилось. Ну, и плохое... — И вдруг губы ее вздрагивают, и она говорит тихо и жалобно: — Разве с моей тетей можно жить по-человечески? Для нее что человек, что грязная тарелка — все одно!

На секунду Меля прижимается лбом к моему плечу.

Лоб у нее горячий-горячий.

Мне очень жаль Мелю. Хочу сказать ей что-нибудь приятное, радостное.

— Знаешь, Меля, мы для Кати...

Меля злобно шипит мне в лицо:

— Молчи! Я не знаю, что вы там для Кати... Я с вами не ходила никуда, я дома оставалась! Ничего не знаю и знать не хочу!

Но тут служитель Степан начинает выводить звонком сложные трели — конец перемене. Мы с Мелей бежим в класс.

Дальше все идет, как всегда. Только Меля какая-то беспокойная. И — удивительное дело! — она почти ничего не ест. А ведь мы уже привыкли видеть, что она все время что-нибудь жует... Но сегодня она, словно нехотя, шарит в своей корзиночке с едой, что-то грызет без всякого аппетита — и оставляет корзинку. Больше того, она достает «альбертку» (так называется печенье «Альберт») и протягивает ее Кате Кандауровой:

— Хочешь? Возьми.

Небывалая вещь! Меля ведь никогда никого и ничем не угощает!

Катя, не беря печенья, смотрит, как всегда, на Маню. За несколько последних дней между обеими девочками, Маней и Катей, установились такие отношения, как если бы они были даже не однолетки, одноклассницы, а старшая сестра и младшая. И понимание уже между ними такое, что им не нужно слов, достаточно одного взгляда. Вот и тут: Катя посмотрела на Маню, та ничего не сказала, в лице ее ничто не шевельнулось, но, видно, Катя что-то чутко уловила в Маниных глазах — она не берет «альбертки», предложенной ей Мелей, а только вежливо говорит:

— Спасибо. Мне не хочется.

Когда кончается третий урок и все вскакивают, чтобы бежать из класса в коридор, Дрыгалка предостерегающе поднимает вверх сухой пальчик:

— Одну минуту, медам! Прошу всех оставаться на своих местах.

Все переглядываются, недоумевают: что такое затевает Дрыгалка? Но та уже подошла к закрытой двери из класса в коридор и говорит кому-то очень любезно:

— Прошу вас, сударыня, войдите!

В класс входит дама, толстенькая и кругленькая, как пышка, и расфуфыренная пестро, как попугай. На ней серое шелковое платье, поверх которого наброшена красная кружевная мантилька, на голове шляпа, отделанная искусственными полевыми цветами — ромашками, васильками и маками. В руках, обтянутых шелковыми митенками (перчатками с полупальцами), она держит пестрый зонтик.

Меля, стоявшая около нашей парты, побледнела как мел и отчаянно кричит:

— Тетя!

Только тут мы — Лида, Варя и я — узнаем в смешно разодетой дамочке ту усталую женщину, которую накануне видели в квартире Норейко в растерзанном капоте, с компрессом на голове. Это Мелина тетя...

Сухой пальчик Дрыгалки трепыхается в воздухе весело и победно, как праздничный флажок:

— Одну минуту! Попрошу вас, сударыня, сказать, кто именно из девочек моего класса приходил вчера к вашей племяннице.

Мелина тетя медленно обводит глазами всю толпу девочек. Она внимательно и бесцеремонно всматривается в растерянные, смущенные лица.

— Вот! — обрадованно тычет она пальцем в сторону Лиды Карцевой. — Эта была!

Таким же манером она указывает на Варю Забелину и на меня.

Все мы стоим, переглядываясь непонимающими глазами (Меля бы сказала: «Как глупые куклы!»). Что случилось? В чем мы провинились? И все смотрят на нас, у всех на лицах тот же вопрос.

Зато Дрыгалка весела, словно ей подарили пряник.

— Значит, Карцева, Забелина и Яновская? Прекрасно... Карцева, Забелина, Яновская, извольте после окончания уроков явиться в учительскую!

И, обращаясь к Мелиной тете, Дрыгалка добавляет самым изысканно-вежливым тоном:

— Вас, сударыня, попрошу следовать за мной.

И уводит ее из класса.

Все бросаются к нам с расспросами, но ведь мы и сами ничего не знаем!

— Ну да! — кричат нам. — Не знаете вы! А за что вас после уроков в учительскую зовут?

Но у нас такие искренне растерянные лица, что нам верят: да, мы, видно, вправду ничего не знаем.

Все-таки класс взбудоражен страшно.

Все высыпают в коридор. Я тоже хочу идти вместе со всеми, но Меля удерживает меня за руку в пустеющем классе.

— Подожди... — шепчет она. — Одну минуточку!

Когда мы остаемся одни, Меля говорит мне, придвинув лицо к моему:

— Имей в виду — и Лиде с Варей скажи, — она все врет! Она ничего не знает — ее не было, когда папулька мне «канарейку» дал: она в это время в другой комнате грязное белье считала.

— А зачем ты мне все это говоришь?

— А затем, что и вы никакой рублевки не видали — понимаешь? Не видали вы! И — все... А что там после было — у Лиды, у Вари, у тебя, — про это и я ничего не знаю, я же с вами не ходила. Скажи им, понимаешь?

Резким движением Меля идет к своей парте, ложится, съежившись, на скамейку лицом к спинке и больше как будто не хочет меня замечать.

Но я вижу, что ее что-то давит.

— Меля... — подхожу я к ее парте. — Меля, пойдем в коридор. Завтракать...

Меля поворачивает ко мне голову:

— Я тебе сказала: ступай скажи им! Не теряй времени... Ты ее не знаешь — она такое может наговорить! — С тоской Меля добавляет: — И хоть бы со злости она это делала! Так вот — не злая она. Одна глупость и жадность... Ступай, Саша, скажи девочкам: вы никакой рублевки не видали!

Большая перемена проходит скучно. Я передаю Лиде и Варе то, что велела сказать Меля.

Варя широко раскрывает свои большие глаза с поволокой:

— Нич-ч-чего не понимаю!

— А что понимать-то? — спокойно говорит Лида. — Если спросят, видели ли мы, как Мелин папа дал ей рубль, надо сказать: нет, не видели. И конец. Очень просто.

Может быть, это очень просто, но все-таки и очень сложно. И неприятно тоже. И все время сосет беспокойство: зачем нас зовут в учительскую? Что еще там будет?

Так ходим мы по коридорам, невеселые, всю перемену. Зато Дрыгалка просто неузнаваема! Она носится по институту, как пушинка с тополя. И личико у нее счастливое. Поворачивая из малого коридора в большой, мы видим, как она дает служителю Степану какой-то листок бумаги и строго наказывает:

— Сию минуту ступайте!

— Да как же, барышня, я пойду? А кто без меня звонить будет после четвертого урока и на пятый?.. Не обернусь я за один урок в три места сбегать.

— Пускай Франц вместо вас даст звонок! — говорит Дрыгалка и, увидя нас, быстро уходит.

Варя встревоженно качает головой:

— Это она нам что-то готовит...

— Степку куда-то посылает. В три места... Куда бы это? — гадаю я.

— Очень просто! — серьезно объясняет Лида. — К доктору, к священнику и к гробовщику!

Как ни странно, погребальная шутка Лиды разряжает нашу тревогу и подавленность: мы смеемся.

Когда после окончания уроков мы входим в учительскую, там уже находятся три человека. Три женщины. За большим учительским столом торжественно, как судья, сидит Дрыгалка. На диване — тетя Мели Норейко. В стороне от них, в кресле, — бабушка Вари Забелиной.

— Бабушка... — двинулась было к ней Варя.

Но Дрыгалка делает Варе повелительный жест: не подходить к бабушке! Потом она указывает нам место у стены:

— Стойте здесь!

Мы стоим стайкой, все трое. Лида, как всегда, очень спокойная, я держусь или, вернее, хочу держаться спокойно, но на сердце у меня, как Юзефа говорит, «чевось каламитно». Варя не сводит встревоженных глаз со своей бабушки.

— Бабушка... — не выдерживает она. — Зачем ты сюда пришла?

Старушка отвечает, разводя руками:

— Пригласили...

Дрыгалка стучит карандашом о пепельницу:

— Прошу тишины, медам!

Варвара Дмитриевна искоса скользит по Дрыгалке не слишком восхищенным взглядом. Сегодня Варина бабушка нравится мне еще больше, чем вчера. В стареньком и старомодном черном пальто и черной шляпке «ток», ленты которой завязаны под подбородком, Варвара Дмитриевна держится скромно и с достоинством. Это особенно подчеркивается, когда видишь сидящую на диване расфуфыренную тетю Мели Норейко. Она обмахивается платочком и порой даже стонет:

— Ф-ф-ухх! Жарко...

Никто на это не откликается.

Проходит несколько минут, и в учительскую входит мой папа! Он делает общий поклон. Дрыгалка ему руки не протягивает, только величественным жестом указывает ему на стул около стола. Папа осматривает всех близорукими глазами. Когда его взгляд падает на нас, трех девочек, он начинает всматриваться, прищуриваясь и поправляя очки; я вижу, что он никого из девочек не узнает, хотя видел их у нас только вчера. Это обычная у него рассеянность: бывает, что, встретив на нашей лестнице Юзефу, папа ее не узнает и церемонно раскланивается с ней, по ее словам, «як с чужой пани». Меня он не видит, потому что меня заслоняет Лида Карцева. Я делаю шаг в сторону — и папа узнает меня.

— Здравствуй, дочка! — кивает он мне.

Молодец папа! Понимает, что здесь не надо называть меня по-домашнему «Пуговкой».

— Здравствуй, папа! — говорю я.

Дрыгалка строго поднимает брови:

— Прошу не переговариваться!

Папа секунду смотрит на Дрыгалку и говорит ей с обезоруживающей любезностью:

— Прошу извинить меня... Но мы дома приучаем ее к вежливому обращению.

Я вижу, что и Лида, и Варя, даже Варвара Дмитриевна смотрят на папу добрыми глазами. Я тоже довольна: мой Карболочка здорово «срезал» Дрыгалку!

Тут в учительскую входит новый человек. Я его не знаю. Высокий, с рыжеватой бородкой, чуть тронутой сединой. На некрасивом умном лице выделяются знакомые мне серо-голубые глаза. Смотрю — Лида кивает этому человеку, и он ей тоже. Ясно: это Лидин папа.

Увидев моего папу, незнакомец подходит к нему и дружески пожимает ему руку:

— Якову Ефимовичу!

И папа радуется этой встрече:

— Здравствуйте, Владимир Эпафродитович!

Ну и отчество у Лидиного папы! Сразу не выговоришь!

— Что ж... — говорит Дрыгалка после того, как он тоже садится на стул. — Теперь все в сборе, можно начинать.

— Я был бы очень признателен, если бы мне объяснили, зачем меня так срочно вызвали сюда? — говорит Владимир Эпафродитович.

— Об этом прошу и я, — присоединяется папа.

— И я... — подает голос Варвара Дмитриевна.

— Сию минуту! — соглашается Дрыгалка. — Я думаю, мадам Норейко не откажется рассказать здесь о том, что произошло в их доме... Прошу вас, мадам Норейко!

Мне почему-то кажется, что ручка двери шевелится...

Но мадам Норейко уже рассказывает:

— Ну вот, значит... Вчера или третьёво дни, что ли?.. нет, вчера, вчера... пришли к нам вот эти самые три девочки. Я думала, приличные дети с приличных семейств! А они напали на моего брата и отняли у него рубль денег!

Что она такое плетет, Мелина тетя?

— Прошу прощения... — вежливо вмешивается папа. — Вот вы изволили сказать: «девочки н а п а л и на вашего брата и о т н я л и у него деньги...»

— Ограбили, значит, наши девочки вашего брата! — уточняет Лидин папа очень серьезно, но глаза его улыбаются. — Да, ограбили... — продолжает Лидин папа. — Что же, эти девочки были при оружии?

— Н-н-ет... — задумчиво, словно вспоминая, говорит мадам Норейко. — Ружьев я у них не видала...

Тут мужчины — наши папы, — переглянувшись, смеются. Варвара Дмитриевна улыбается. Мы тоже еле сдерживаем улыбку. Одна Дрыгалка не теряет серьезности, она только становится все злее, как «кусучая» осенняя муха.

— Позвольте, позвольте! — взывает она. — Здесь не театр, смеяться нечему!

— Да, да... — посерьезнев, соглашается Лидин папа. — Здесь не театр. Здесь, по-видимому, насколько я понимаю, судебное разбирательство? В таком случае, разрешите мне, как юристу, вмешаться и задать свидетельнице, госпоже... э-э-э... Норейко, еще один вопрос.

— Пожалуйста, — неохотно соглашается Дрыгалка.

— Госпожа Норейко! Вы утверждаете, что наши девочки напали на вашего брата...

— Ну, не напали — это я так, с ошибкой сказала... Я по-русску не очень... — уступает Мелина тетя. — Они... как это сказать... навалилися на моего брата, стали у него денег просить...

— Вы были свидетельницей этого? — продолжает Владимир Эпафродитович. — Вы это сами видели, своими глазами?

Мадам Норейко нервно теребит взмокший от пота платочек.

Я все смотрю на дверь... Что хотите, а она чуть-чуть приотворяется, потом снова затворяется... Что за чудеса?

— Разрешите мне, в таком случае, задать вопрос самим обвиняемым — этим девочкам, — говорит Карцев и, получив разрешение Дрыгалки (ох, как неохотно она дает это разрешение!), обращается ко мне: — Вот вы, девочка, скажите правду говорит эта дама? — Он показывает на Мелину тетку. — Вы в самом деле отняли у ее брата рубль?

Я так волнуюсь, что сердце у меня стучит на всю комнату! Наверно, даже на улице слышно, как оно стучит — паммм!.. паммм!.. паммм!..

— Это неправда! Мы ничего у него не отнимали.

— Но если она видела это своими глазами? — продолжает Карцев.

— Это тоже неправда! — не выдерживает Лида. — Она пришла в комнату после того, как ее брат уже ушел.

— А другие девочки это подтверждают?

— Подтверждаем! — очень серьезно отвечаем мы с Варей.

— Ну что ж? Все ясно, — подытоживает Лидин папа, обращаясь к Мелиной тетке. — Вас в комнате не было, вы ничего сами не видели. Откуда же вам известно то, что вы здесь утверждаете? Про рубль, отнятый у вашего брата?

— А вот и известно! — с торжеством взвизгивает тетка.

— Откуда?

— От кассирши! — говорит она и смотрит на Карцева уничтожающим взглядом. — Да, от кассирши, вот именно! Пересчитали вечером кассу — рубля не хватает! Кассирша говорит: он взял. Он — брат моего покойного мужа. Мы с ним компаньоны, у нас этого не может быть, чтобы один без другого из кассы хапал. Где же этот рубль? Я не брала. Кассирша говорит: он ха́пнул. И все!

Тут уж мне не кажется, что с дверью творится что-то неладное. Она в самом деле открывается, на секунду в ней мелькает Мелина голова в черном чепчике, и в учительскую входит.. Мелин папулька!

Он одет по-городскому, в пальто, на голове — шляпа-котелок.

— Тадеуш! — кричит ему тетка. — А кто остался в ресторане? Там же все раскрадут, разворуют, господи ты мой боженька!

Но Тадеуш Норейко, красный, как помидор, еще более потный, чем мадам Норейко, выхватывает из кармана рублевку и швыряет ее в лицо своей невестке:

— На! Подавись, жаба!

Он говорит совсем как Меля: «Жяба».

И, обращаясь к присутствующим в комнате людям:

— Компаньонка она моя! За рубль удавится, за злотый кого хотите продаст, мать родную утопит... Хорошо, дочка за мной прибежала: «Иди скорей, папулька, в институт!» Я тут под дверью стоял, я все-о-о слышал! И все она тут набрехала, все! А девочки эти даже близко ко мне не подходили, а не то чтобы на меня нападать!

Перед таким ослепительным посрамлением врагов всем становится ясно, что представление, затеянное Дрыгалкой, провалилось самым жалким образом. Мелина тетка уже не находит возражений и, чтобы скрыть конфуз, вскакивает, словно она вдруг что-то вспомнила:

— Ох, сумасшедший человек! Бросил ресторан — воруйте, кто сколько хочет...

Поспешно раскланявшись с Дрыгалкой, тетка уходит. За ней уходит Мелин папулька.

— Что ж? — говорит папа. — Думаю, и нам можно уходить.

— Судебное разбирательство закончено, — ставит точку Лидин папа.

Дрыгалка порывисто поднимает руку в знак протеста:

— Нет, милостивые государи, не кончено. Я допускаю, что эта дама... может быть... ну, несколько преувеличила, сгустила краски. Но у меня есть собственные наблюдения: эти девочки, несомненно, на опасном пути... они что-то затевают... может быть, собирают между собой деньги на какие-то неизвестные дела!..

— А этого нельзя? — спрашивает папа очень серьезно.

— Нельзя! — отрезает Дрыгалка и даже ударяет ладонью по столу. — Никакие совместные поступки для неизвестных начальству целей воспитанницам не разрешены. Это действие скопом, это беззаконно!

Тут вдруг Варвара Дмитриевна Забелина, о которой все как бы забыли, встает со своего кресла и подходит к столу Дрыгалки. Она очень бледна, и папа спешит подать ей стул.

— А скажите, госпожа классная воспитательница... — обращается она к Дрыгалке, очень волнуясь, и губы у нее дергаются. — Вот эти девочки... разбойницы эти, грабительницы... они вчера у меня свежее варенье с хлебом ели... Это, значит, тоже незаконно, скопом, да? Стыдно-с! — вдруг говорит она густым басом. — Из-за такого вздора вы этих занятых людей от дела оторвали! За мной, старухой, сторожа прислали — хоть бы записку ему дали для меня... Я шла сюда — люди смотрели: старуху, полковницу Забелину, как воровку, сторож ведет!.. Ноги у меня подкашивались — думала, не дойду я, не дойду...

— Бабушка!

Варя в тревоге бросается к Варваре Дмитриевне, быстро достает из ее ридикюля пузырек с каплями. Папа берет у нее пузырек, отсчитывает капли в стакан с водой, поит Варвару Дмитриевну. Она, бледная, совсем сникла, опустилась на стул и тяжело дышит.

— Бабушка... — плачет Варя. — Дорогая... Пойдем, я тебя домой отведу!

— Я сейчас бабушку вашу отвезу, — говорит папа. — Отвезу домой и посижу с ней, пока ей не станет лучше. Хорошо?

— Спасибо... — шепчет с усилием Варвара Дмитриевна.

Папа бережно помогает старушке встать и ведет ее к двери.

Лидин папа, поклонившись, тоже уходит.

Мы остаемся в учительской вместе с Дрыгалкой. Она подходит к окну, стоит к нам спиной — она словно забыла о нас... Но нет, не забыла! Повернув к нам голову, она коротко бросает:

— Можете идти!

Под каменным взглядом ее глаз мы гуськом уходим из учительской. Ох, отольется еще, отольется нам то унижение, которое Дрыгалка вынесла, как она думает, из-за нас, а на самом деле из-за своей собственной злобности и глупости!

Мы выходим на улицу. Там дожидается нас Карцев. Моего папы и Варвары Дмитриевны нет.

— Они уже уехали, — отвечает Лидин папа на наш немой вопрос. — Яков Ефимович увез эту милую старую даму.

Лидин папа прощается с нами и уходит.

— Девочки! — предлагает Лида. — Проводим Варю домой?

Конечно, мы принимаем это предложение с восторгом и идем по улице. Но не тут-то было! Со всех сторон бегут к нам девочки — из нашего класса и из других классов, — взволнованные, красные; они, оказывается, дожидались нас во всех подворотнях, в подъездах домов: хотели узнать, чем кончится «суд» над нами. Они засыпают нас вопросами. Впереди всех бегут к нам Маня, Катя Кандаурова и Меля.

— Ну что? Как?

Катя всхлипывает и жалобно сморкается:

— Мы с Маней так боялись...

Во всех глазах — такая тревога, такое доброе отношение к нам! Дрыгалка прогадала и в этом: она хотела разъединить нас, четырех девочек, а на самом деле самым настоящим образом сдружила нас и друг с другом и со многими из остальных учениц нашего института.

Меля крепко прижимается ко мне.

— Меля, это ты привела своего папу?

— А то кто же?.. Я сразу за ним побежала.

Наконец мы прощаемся с толпой девочек и уходим.

Меля остается и нерешительно смотрит нам вслед.

— Меля! А ты? — окликает Лида. — Что ты стоишь, «как глупая кукла»? Идем с нами — провожать Варю!

— А мне можно? — робко спрашивает Меля.

— А почему же нет?

Меля все так же нерешительно делает несколько медленных шагов.

— Девчонки! — вдруг говорит она. — Вы мне верите? Вы не думаете, что я про вас тетке наболтала, как последняя доносчица — собачья извозчица?

— Да ну тебя! — машем мы все на нее руками. — Никто про тебя ничего плохого не думает, никто!

А Варя, скорчив очень смешную гримасу, говорит, передразнивая любимое выражение Мели:

— Меля! Никогда я такой дурноватой девочки не видала!

Мы все смеемся. А Меля плачет в последний раз за этот день — от радости.

Глава седьмая

ТЕ ЖЕ — И СЕНЕЧКА!

Как-то, несколько месяцев тому назад, Юзефа рассердилась на меня за какое-то мое «дива́чество» (чудачество, озорство) и сказала мне в сердцах:

— Занатто (слишком) распустилась! Звестно дело, один ребенок, одынка! Никто не серчает, никто не ругает... Думаешь, всегда одынкой будешь? Вот скоро мамаша другого ребеночка родит, та еще и сына! От тогда заплачешь...

Я очень обрадовалась! Стала без конца приставать к Юзефе с расспросами: когда же это будет? Когда мама родит нового ребеночка? Откуда Юзефа знает, что он будет сын, а не дочка? Наверно, Юзефе надоели мои приставания, и, чтобы отвязаться от меня, она сказала, что просто пошутила. Я немножко огорчилась: мне очень хотелось иметь брата или сестру. Потом прошло еще сколько-то времени, и я совсем позабыла об этом разговоре. Ну, не будет — значит, и не будет, о чем же еще вспоминать!

Иногда папа говорил мне по разным поводам:

— Не приставай к маме!

Или:

— Не буди маму, дай ей поспать!

Или еще:

— Не толкай маму, не наваливайся на нее! Не позволяй ей наклоняться. И не карабкайся к ней на колени, как на дерево!

Но все это не казалось мне странным. Ну конечно, к маме не надо приставать зря (а я ведь частенько пристаю! да еще по каким пустякам!). Не надо будить маму — это же свинство: человек спит, а ты его будишь! Не надо толкать маму и наваливаться на нее. И нехорошо, чтобы старый человек наклонялся, надо поднять с полу то, что ей нужно. (В глубине души я считаю, что мама очень старая, ей ведь уже целых тридцать лет!)

Не так давно мы коротали вечер втроем: мама, Поль и я. Поль что-то вязала крючком, а мы с мамой играли в «театр». Я надела на себя мамин капот, обвязала голову полотенцем, как чалмой, и орала на весь дом:

— Сюда, сыны ада! Сюда!

Затем, дождавшись, пока прибежали воображаемые сыны ада, я стала тыкать пальцем в сторону мамы и мрачно рычать:

— Эта женщина — враг! Она предаст всех нас! Принесите гранаты, кипящей смолы — мы ее сожжем!

Я старалась изо всех сил, шипела, прыгала, подкрадывалась к маме (все это я незадолго перед тем читала в одной книге), но мама сидела совершенно спокойно, словно она и не слышала моих воплей и криков. Отсутствующими глазами мама уставилась куда-то в сторону самовара, стоящего в углу на столике. Уж не знаю, чем ей этот самовар вдруг так понравился!

Наконец я не выдержала и сказала маме с обидой:

— Ну, почему ты так сидишь, как будто ты меня не видишь и не слышишь? Ты должна ужасно испугаться, упасть на колени. Ты должна просить жалобным голосом: «О великолепный! О роскошный предводитель разбойников! Умоляю вас, пожалейте моих маленьких детей!..» Ну вот, ты вдруг еще и улыбаешься ни с того ни с сего! Твоих маленьких детей хотят бросить в огонь, а тебе хоть бы что!

Мама и Поль смеялись все громче и веселее! Я совсем рассердилась и сказала чуть не со слезами:

— Если бы у меня была сестра... или хоть какой-нибудь завалящий брат... Я бы играла не с тобой, а с ними, и все было бы отлично. Со взрослыми невозможно играть!

— А знаешь, — сказала вдруг мама, перестав смеяться, — у тебя, может быть, скоро будет брат или сестра.

— Правда? — обрадовалась я. — Самая, самая, самая правда?

— Самая, самая, самая! — подтвердила мама.

— Ох, тогда будет настоящая игра!

Тут вмешалась Поль:

— Только не забывай: это будет крохотный-крохотный ребеночек! Он еще не будет ни ходить, ни говорить, ни понимать, что ему говорят.

Моя радость немного слиняла. Но тут же я вспомнила рассказы Поля и спросила:

— А как же ты говорила, у тебя был брат и вы всегда играли вместе во все игры?

— Мы были близнецы, — сказала Поль. — Я была старше моего брата всего на одну минуту. А тебе придется подождать, пока твой брат подрастет.

Я сделала еще одну попытку уладить это дело, попросила маму сделать так, чтобы мой будущий брат (или сестра) были моими близнецами. Мама сказала, что она этого не может.

В общем, я тогда поверила в приращение нашей семьи, но все-таки мне почему-то казалось, что это будет еще о-о-очень не скоро!

В ближайшее после этого воскресенье мама днем, после обеда, чувствует себя нездоровой и ложится в постель. Папа приходит в комнату, где я только что кончила готовить уроки к понедельнику и укладываю в ранец все, что нужно мне к завтрашнему дню. Это правило, которому меня научила Поль: все должно быть уложено накануне, чтобы утром, не задерживаясь, схватить готовый ранец и бежать в институт. Еще Поль требует, чтобы я, ложась спать, не разбрасывала свою одежду и обувь как попало, а связывала все это аккуратно в тючок и клала на стуле около кровати: если ночью, например, пожар, — у тебя все готово, пожалуйста, бери тючок с одеждой и беги!

Папа смотрит на то, как я укладываю в ранец задачник Евтушевского, грамматику Кирпичникова, французский учебник Марго. Глаза у папы отсутствующие, он чем-то озабочен.

— А у мамы... — говорит он, глядя поверх моей головы, — у мамы, по-видимому, ангина...

— Мама больна? — И я бросилась к двери, чтобы бежать к маме.

Папа перехватывает меня на бегу:

— Ох, какая беспокойная! Ангина — это заразительно, нельзя тебе туда. Я даже подумываю, не отправить ли тебя на денек к бабушке и дедушке... А? Подумай, Пуговка, к бабушке, к дедушке! Хочешь?

В другой раз я бы очень обрадовалась... У бабушки и дедушки все мне рады, бабушкины лакомства — замечательные, и все счастливы, если я ем их как можно больше. Но сегодня мне почему-то беспокойно: мама больна, и даже зайти к ней нельзя...

— Папа, а мама выздоровеет? Ангина — это не очень опасно?

— Вздор какой! Ну, переночуешь сегодня там. А может быть, еще сегодня вечером мы пришлем за тобой Юзефу.

Мы с Полем идем к бабушке и дедушке. Я несу свой ранец и замечательную новую книгу — «Серебряные коньки». Поль несет в руке узелок с моей ночной рубашкой, зубной щеткой и другими необходимыми причиндалами. Я прощаюсь с мамой через дверь. Юзефа двадцать раз целует меня, как будто я уезжаю навеки в Африку.

Ни бабушки, ни дедушки мы дома не застаем. В доме есть только их новая служанка, которой я раньше никогда не видала. Глаза у нее добрые, приветливые, немного испуганные. А когда она улыбается, то улыбка эта расплывается полукружьями от подскульев к крыльям рта — мягкая улыбка, ласковая.

Поль уходит — она торопится на урок, — и я остаюсь одна с незнакомой служанкой. По-русски она говорит затрудненно, не сразу подбирая слова, но понять ее можно. Она только неизменно говорит про женщин: «она пришел», а про мужчин: «он пришла». В общем, сговориться можно, тем более что я понимаю по-еврейски.

Заглядывая мне в лицо своими добрыми глазами, служанка спрашивает:

— Може, хóчете кушать? Там один каклет... ув буфет... Га?

— Нет, я обедала... А как ваше имя? — спрашиваю я.

— Ой, не надо! — пугается старуха.

— Почему?

— Вы будете с мене смеяться... — И, неожиданно застыдившись, она даже прикрывает лицо передником.

— Я не буду смеяться... Скажите!

— Мой имя — Дубина.

Никогда я такого имени не слыхала! Это ругательство, а не имя. А старуха, видя мое изумление, объясняет:

— От так... Скольки я живу, — много лет! — все Дубина и Дубина! «Ой, что это за дубина — молоко убежал! Ой, дубина, мясо сгорел! Дубина, обед готов? Дубина, ты купил курицу или ты не купил курицу?» И, знаете, — она тихонько смеется, — я тоже так теперь говорю. Прихожу домой с базар, стучу в дверь, — оттуда спрашивают: «Кто там?» А я говорю: «Это я, Дубина...»

— Так это же не имя! — пытаюсь я объяснить.

Она тихонько смеется про себя.

— А я привык, — говорит она. — От я пошел у полицию... насчет паспорт... Околоточный кричит: «Бася Хавина! Бася Хавина! И где Бася Хавина?» А я сижу, я забыл (она произносит «забул»): Бася Хавина — это же ж я! Я сидел, думал, околоточный меня позовет: «И где Дубина?» Я привык...

— Я вас буду Басей звать, — говорю я.

Она осторожно гладит меня по голове:

— Как себе хо́чете, барышня...

— Бася, мой папа не позволяет, чтоб меня «барышней» звали. И мама тоже не позволяет. Я не барышня, я — Сашенька...

— Шасинька... — повторяет она и вдруг прижимает к себе мою голову. — Шасинька...

В эту минуту возвращается домой бабушка. На наши головы — Басину и мою — изливается целый ливень вопросов, на которые бабушка вовсе не требует ответа. Упреков, на которые она не ждет оправданий или извинений. И, наконец, просьб и приказаний, которые бабушка тут же берется исполнять сама.

— Китценька моя! — радуется она мне. — Ты здесь?

— Да, — начинаю я, — я пришла потому, что папа...

— Что папа? — пугается бабушка. — Он, сохрани Бог, заболел?

— Нет, что ты, бабушка! Папа здоров, только он мне сказал, что мама...

— Боже мой! — перебивает меня бабушка. — Что с мамой? Что ты меня мучаешь? Что с мамой?

Тогда я выпаливаю быстро, залпом, чтоб не дать бабушке перебить меня:

— У мамы болит горло, называется «ангина», она скоро поправится!

Бабушка на секунду замолкает. В глазах у нее какая-то мысль, которою она со мной не делится. Но тут же она обращается к Басе по-еврейски:

— А что с самоваром? Он стоит себе в углу, как городовой, а людям пора чай пить!

Но самовар не стоит в углу, как городовой, — он работает, он вот-вот закипит!

Бабушка в своей хлопотливости делает сразу сто дел. Она развязывает ленты своей шляпки, влезает на табуретку, достает из буфета варенье и свежеиспеченный пирог «струдель», приносит из кладовки печенье, пряники. Блюдца, чашки, ложечки — все вертится в бабушкиных руках, как у фокусника: быстро, ловко, точно.

— Такая гостья! Такая гостья! — не перестает ахать бабушка. — Сколько у меня внучек? У меня только одна внучка!

И вдруг бабушка застывает на месте, в глазах ее ужас, как если бы она увидела, что ее «одна внучка» лежит зарезанная!

— Ой! — хлопает себя бабушка по лбу. — А обедать?

— Бабушка, нет!..

— Ну конечно, нет! Она сегодня не обедала! Сейчас я дам тебе все, все... Минуточку!

Я кричу оглушительно, на весь дом, чтоб перекричать бабушку:

— Нет, я не буду обедать! Я обедала дома!

— Так что же ты молчишь? — укоризненно говорит бабушка. — Я же не знаю, или ты обедала, или ты не обедала!

Я смотрю на бабушку, я даже немножко посмеиваюсь в душе над тем, что она не дает никому договорить, перебивает на полуслове. И вспоминаю один случай, после которого все в семье стали поддразнивать бабушку шутливым вопросом: «Так кушетку сломали? Пополам?»

Случай это вот какой. В нашем городе есть зубной врач, самый лучший из всех — доктор Пальчик. На одной лестнице с его квартирой, только этажом выше, помещается фотографическое ателье Хоновича.

Доктор Пальчик — очень мягкий, на редкость спокойный и немногословный человек, его, кажется, ничем не удивишь! Когда однажды в его квартире внезапно обрушился потолок (самого доктора и его домашних, к счастью, не было дома), то в городе, где очень любили и уважали доктора Пальчика, повторяли в шутку, будто бы доктор, войдя в свою полуразрушенную квартиру, засыпанную обвалившейся штукатуркой, спокойно прошел к своему зубоврачебному креслу с бормашиной и совершенно невозмутимо сказал:

«Кто следующий? Попрошу в кабинет».

И вот однажды доктор Пальчик, отпустив очередного больного, вышел, как всегда, в свою приемную, полную пациентов, ожидающих своей очереди к зубоврачебному креслу с бормашиной, и сказал свое обычное:

«Кто следующий? Попрошу в кабинет».

В эту минуту какая-то женщина, сидевшая в углу на кушетке, крикнула доктору:

«Посмотрите на меня — я сижу хорошо?..»

Доктор Пальчик окинул ее своим взглядом, не знающим удивления, и спокойно ответил:

«Да. Хорошо».

И увел очередного пациента в кабинет. Когда через сколько-то времени доктор отпустил этого пациента и вышел в приемную, чтобы пригласить следующего по очереди, то женщина, сидевшая на кушетке, снова крикнула:

«Так, значит, хорошо я сижу, да?»

И доктор опять добросовестно оглядел ее и невозмутимо сказал:

«Хорошо, да», — и ушел в кабинет.

Так продолжалось часа два. Пациентов было много, доктор выпускал одних из кабинета, приглашал новых, — а женщина на кушетке (она пришла позднее других, и ей пришлось ждать долго) задавала доктору все тот же вопрос, и он безмятежно давал ей все тот же ответ.

Наконец очередь дошла до нее. Доктор Пальчик, выйдя из своего кабинета, сделал ей приглашающий жест.

«Как? — закричала женщина, встав с кушетки и возмущенно наступая на доктора Пальчика. — Я сижу здесь, как дура, целых два часа, а вы еще не сняли с меня фотографию?»

Так объяснились ее предыдущие загадочные вопросы: она ошиблась этажом и сидела два часа у зубного врача, думая, что снимается у фотографа!

Один из моих дядей, Николай, брат папы, придя к бабушке, хотел посмешить ее этой историей.

«Только, мамаша, — дядя Николай предостерегающе поднял указательный палец, — слушай внимательно, не перебивай, не мешай мне говорить!»

«Кто мешает? — обиделась бабушка. — Кто перебивает? Я этого никогда не делаю...»

«Так вот... — начал рассказывать дядя Николай. — К доктору Пальчику пришла на прием какая-то женщина, села у него в гостиной на кушетку...»

«Боже мой! — всплеснула руками бабушка с волнением, с огорчением за доктора Пальчика, с негодованием по адресу этой незнакомой женщины. — И эта нахалка сломала кушетку доктора Пальчика? Пополам?»

Так все близкие и стали с тех пор поддразнивать бабушку сломанной кушеткой.

Пока я сижу за столом («такая гостья, такая гостья!») и уписываю бабушкино угощение, в сенях появляется мальчик лет четырнадцати-пятнадцати, длинный, как жердь, с каким-то «извиняющимся» выражением лица, как если бы он говорил: «Ах, простите, пожалуйста, это я», «Ах, извините, я пришел», «Не сердитесь, я больше не буду»... С необыкновенной старательностью, как все люди, не имеющие калош, он вытирает в передней ноги о половичок.

— Пиня пришел... — говорит бабушка. — Здравствуй, Пиня!

Пиня снимает с себя пальто, до того тесное, словно он снял его с восьмилетнего ребенка, и бережно, осторожно вешает на вешалку.

— Ой, Пиня! Это же пальтишко тебе как раз до пупка! А где твое новое пальто?

— Дождь, — говорит Пиня. — Жалею носить...

Пиня — чужой мальчик, он приехал из местечка Кейданы в наш город учиться. Ни в какое учебное заведение Пиню, конечно, не приняли, да он об этом и не помышлял — чем бы он платил за ученье? Отец Пини, бедняк ремесленник, прислал своего мальчика к дедушке, которого он когда-то знал. Дедушка нашел знакомого гимназиста, который согласился даром обучать Пиню предметам гимназического курса. Кроме того, дедушка обеспечил Пиню обедами в семи знакомых семьях: по воскресеньям Пиня обедает у моих дедушки и бабушки, по понедельникам — у Парнесов, по вторникам — у Сольцев, по средам — у Роммов... И так всю неделю. Жить его пустила к себе (тоже, конечно, даром) восьмая семья: Пиня устроился у них в чуланчике. Деньги на тетради, книги, чернила, на свечку, мыло, баню и другие мелкие расходы дает Пине моя мама. Иногда она дарит ему кое-что из папиного старого белья. Она же дала Пине старое папино пальто, то самое, которое Пиня «жалеет носить» в дождь. Как-то случилось, что у Пини вконец развалились те опорки, которые он гордо называл «башмаки». Это было стихийное бедствие... ну, как наводнение, что ли, которое преградило бы Пине путь к знанию, к жизни. К учителю ходить надо? Ходить обедать каждый день в которую-нибудь из кормящих его семей надо? К счастью, у одних знакомых мама выпросила для Пини старые «штиблеты» их сына...

Таких мальчиков, как Пиня, рвущихся к ученью и отторгнутых от него, слетающихся из темных городков и местечек, как бабочки на летнюю лампу, в нашем городе многие, многие сотни. Они живут голодно, холодно, бездомно, но учатся со свирепой яростью: одолеть! понять! запомнить! Они сдают экстернами экзамены — кто за четыре, кто за восемь классов — при Учебном округе, где их проваливают с деловитой жестокостью, пропуская лишь одного-двух из полусотни. Но на следующий день после провала они подтягивают потуже пояса — и снова ныряют в учебу. Папа всегда говорит мне:

«Выйдет ли из тебя, Пуговка, человек, этого я еще не знаю. Я только х о ч у этого! Но что из этих мальчиков выйдут настоящие люди, в этом у меня нет ни малейшего сомнения».

Сегодня — в воскресенье — Пиня пришел обедать к бабушке. Она усаживает его за стол, наливает и накладывает ему полные тарелки, нарезает для него хлеб толстыми ломтями — ешь, мальчик, не стесняйся!

Отступя немного, бабушка смотрит на меня и Пиню, занятых едой.

— От это хорошо! — говорит она с удовлетворением. — Я люблю детей. Я люблю, чтоб за столом было много детей. У меня было семь детей! Семь мальчиков! И к ним ходили в гости ихние товарищи, другие мальчики, — ой, как было весело!

— Как же их накормить? — спрашивает Пиня почти с ужасом.

— Чай есть? — смеется бабушка. — Хлеб есть? Картофля есть? От все и сыты!

Приходит дедушка. Он что-то говорит бабушке негромко и неразборчиво для меня. Бабушка хватается за голову и бросается к своей шляпке, висящей на вешалке. Дедушка берет бабушку за руку и что-то говорит ей; она покорно отходит от вешалки и садится за стол, где мы сидим с Пиней.

Бабушка очень взволнована.

— Что-нибудь случилось? — пугаюсь я.

— Ничего не случилось, — спокойно говорит дедушка. — Сейчас мы все будем чай пить, потом почитаем газету и ляжем спать... Ну что, что? — говорит он бабушке, снова рванувшейся к своей шляпке. — Я тебе говорю: оставь в покое свой шляпендрон! Завтра утром мы с тобой пойдем и все узнаем... А что это у Пини за книжка?

Дедушка раскрывает Пинин учебник и говорит с уважением:

— Ого! Это же алгебра! Вот какой у нас Пиня!

Я беспокойно перевожу глаза с бабушки на дедушку, с него на нее... Что происходит?

Меня укладывают спать в соседней комнате на диванчике. Я долго не засыпаю — меня мучает беспокойство: как там мама со своей ангиной?

Я лежу и все время вижу, как за обеденным столом под лампой три человека читают — разно и по-разному. Пиня, которому бабушка сказала: «Что тебе жечь свою свечку? Сиди и учись под нашей лампой!» — раскрыв книгу, учится, повторяя что-то про себя, подняв глаза вверх, к потолку, словно клянется в чем-то. В углу правого глаза у Пини нечто вроде бородавки, издали она кажется застывшей черной слезой... Ох, сколько черных и горьких слез прольет Пиня, пока осилит учебу, сдаст экзамены экстерном при Учебном округе и «выйдет в люди»!

Дедушка читает газету. Он вообще только газеты и признает. К книгам он относится как к чему-то, что, может быть, кому-нибудь и нужно, и интересно, но ему, дедушке, нет. Зато газеты он читает, можно прямо сказать, со страстью! Сам он выписывает «Биржевые ведомости», которые и прочитывает утром за чаем. Но он еще ежедневно, заходя к нам, берет и уносит те газеты, которые выписывает папа. Вечером у дедушки — газетный пир! Он снова перечитывает все газеты от доски до доски, он читает и то, что в них написано, и то, что, по его мнению, в них подразумевается, — он читает и строки, и то, что между строк. Он читает «с переживаниями»: то он одобрительно кивает, то укоризненно качает головой; иногда во время чтения у него вырывается по адресу какого-либо государственного деятеля:

— А, чтоб ты пропал, паршивец!

— Дедушка, кого ты ругаешь? — спрашиваю я.

— Да ну... Бисмарка, чтоб его холера взяла!

Бабушка читает свои книги очень сдержанно. А сегодня вечером, когда она, я чувствую, чем-то обеспокоена, губы ее непрерывно движутся: она читает молитвенник.

Утром, когда я просыпаюсь, ни бабушки, ни дедушки дома уже нет. Куда они ушли, Бася не знает.

Классный день проходит, как всегда, скучно и серо. К тому же мне грустно... Мне кажется: все меня забыли и бросили. Никто не пришел ни вчера вечером, ни сегодня утром.

Но после конца уроков я спускаюсь в швейцарскую и застаю там Поля.

— Поль! — радуюсь я. — Ты пришла за мной?

Поль улыбается, но я вижу, что она недавно плакала. Меня снова охватывает беспокойство. Кое-как напяливая на себя пальто, подхожу к Полю близко-близко. Обниматься в присутствии всех девочек неудобно, но я беру добрые, умные руки Поля в свои, прижимаю их к себе:

— Поль... что с мамой?

— Она поправилась! — весело говорит Поль. — Не надевай шляпу задом наперед, дуралей!.. Дома — радость!.. Нет, не скажу: сюрприз!.. Застегни пальто на все пуговицы. Боже мой, какой бестолковый ребенок! Мы сейчас пойдем с тобой в Ботанический сад.

— А почему не домой?

— Домой пока нельзя — там идет уборка. Мы пойдем в Ботанический сад и будем там обедать в ресторане. Вот!

— Там, где работают Юлькины мама и папа?

— Да, там, где работают родители Жюли (так Поль всегда называет Юльку).

Ох, как славно! И Юльку я увижу (я ее уже больше недели не видела), и обедать я буду в ресторане в первый раз в жизни! И еще дома — сюрприз! Одним словом, все как в сказке. Сплошное волшебство — незачем и расспрашивать, почему, отчего, откуда и как. Ведь в сказке когда написано: «В эту минуту появилась прекрасная фея», — не спрашиваешь, с неба ли она упала, на извозчике ли приехала, какие на ней были туфли.

В Ботаническом саду стало как-то прозрачнее — много листьев облетело, на каштанах желтая листва вперемежку с зеленой. Спелые каштановые коробочки со стуком падают с деревьев и разбиваются о землю.

Мы садимся за столик на веранде ресторана. Степан Антонович, отец Юльки, подбегает к нам. С салфеткой, перекинутой через руку, улыбающийся и приветливый, он подает нам меню.

— Как Юля? — спрашиваю я.

— Очень хорошо! — И теплая искорка зажигается в глазах Степана Антоновича. — Она на речке.

Мы с Полем изучаем ресторанное меню.

— Поль! — захлебываюсь я. — Какие названия! Консоме с пирожком! Эскалоп! Ризи-бизи! Тутти-фрутти! Ты когда-нибудь такое слыхала?

— Дурачок! — посмеивается Поль. — Надо смотреть не на название, а на цену. Чтоб не выйти нам с тобой из бюджета!

Мы долго выбираем, нам помогает советами Степан Антонович.

— Степан Антонович! — не выдерживаю я. — Что такое «ризи-бизи»?

— А это рис... Каша рисовая со сладкой подливкой... Прикажете?

Брр! Я терпеть не могу риса. Поль смотрит на меня с веселой насмешкой... Нет, я не хочу «ризи-бизи»!

Наконец все заказано. Два консоме с пирожком, два эскалопа и тутти-фрутти...

Консоме оказывается чистым бульоном, ничем не заправленным, но подают его почему-то не в глубоких тарелках, а в больших белых чашках. Это все-таки интересно! Эскалоп — просто телячий шницель, а тутти-фрутти — обыкновенный компот. Но какие красивые, звучные названия!

Я, конечно, трещу без умолку. Полю приходится то и дело одергивать меня, чтобы я говорила тихо, прилично, не повышая голоса.

— Знаешь, Поль? Жила где-то девушка, ее фамилия была Консоме, мадемуазель Консоме! И у нее родилось двое детей-близнецов. Девочка Тутти и мальчик Фрутти... Да, Поль? А еще через полгода — опять близнецы: Ризи и Бизи.

Расплатившись за обед, мы идем на берег — к Юльке.

Но Юльки там не оказывается. Мы ходим, ищем ее по берегу, заглядываем в прибрежные кусты — нет Юльки!

Наконец она появляется — спешит к нам, слегка ковыляя на нетвердых еще ногах.

— Где ты была, Юля?

Юлька очень смущается:

— Нет, это я тут... так... в одно место...

Только увидев Юльку, я понимаю, как я по ней соскучилась! Смотрю в ее серьезные серые глаза, вижу родинку, похожую на мушку, вижу передние зубы, надетые друг на друга «набекрень», — и радуюсь!

И Юлька тоже радуется мне, все заглядывает в мои глаза, все повторяет: «Ох, Саша, Саша...»

— Что «ох, Саша»? Что я сделала плохого?

— Нет, нет, ты хорошее сделала, ты пришла! Это я говорю «ох, Саша, Саша!» — значит, ох, как я рада!

Поль ходит по берегу, восхищается осенней красой быстрой речки, рябой от опавших листьев. По временам она нагибается, чтобы сорвать осенний цветок.

— Знаешь, Саша, — говорит Юлька, — а ведь мы, наверно, скоро уедем.

— Куда?

— Вот не могу сказать... В этот... как его... нет, забыла, как этот город называется. Там татусенькин брат живет. И он зовет нас приехать до него. Пишет, там будет работа и для татуси и для мамци. Лучше, чем здесь... И там можно будет меня лечить. Какие-то ванны. Чтоб я совсем, совсем здоровая была!

Юлька говорит это, отвернувшись от меня, а я слушаю ее слова и смотрю в землю. Когда мы с Юлькой снова встречаемся взглядом, у нас обеих слезы на глазах.

— Уедете? — говорю я, и мне горько-горько.

— Ага... — всхлипывает Юлька. — Я не через то плачу, что нам будет плохо там, не-е, борони боже! С татусей везде хорошо будет! А только... только потому... — Голос Юльки снижается почти до шепота.

— И я тоже потому... — шепчу я.

Мы обе понимаем: нам будет тяжело расстаться. Словно бы и не очень много времени прошло с того дня, как я, убегая от «вора», попала на чужой двор и впервые услышала чистый голосок Юльки, льющийся из погреба:

> Нет у цыгана ни земли, ни хаты,
> Но он — свободный! Но он — богатый!
> Над ним не свищет нагайка пана...
> Куда ни взглянет — земля цыгана!

Но сколько потом было тревоги и мучительной жалости, когда Юлька умирала от крупозного воспаления легких! И как славно мы с ней играли, когда она выздоровела, как весело бывало нам вместе и в погребе, и здесь, на берегу речки... Здесь по театральным афишам я учила Юльку читать, а Поль научила ее болтать по-французски.. И вот расстаемся — и словно всего этого не было.

— Саша, я тебе скажу один секрет... Видишь там, около ресторана, дом? Это тиятр. Когда вы пришли, я там была. Я туда часто хожу — я ведь уже хорошо могу ходить! — а там поют... Как поют, Саша! Утром они поют в своих платьях, — называется «репетиция». Сторож меня пускает, очень вежливый старичок! Я сховаюсь в уголке и слушаю... И, знаешь, я все, все помню!

И Юлька тихонько напевает своим серебряным голоском:

> Знаешь ли чудный край, где все блеск и краса,
> Там, где розы цветут и лимон золотится?

Странное дело! Песня началась в Юлькином горле, — я видела, как Юлька начала петь, — но звуки полились широко, сильно, их вобрали деревья, словно их отразила поверхность реки... Мне уж кажется, что поет не Юлька, а все кругом! Подошедшая Поль тоже смотрит на Юльку с радостным удивлением.

> Туда, туда, о любимый мой,
> Хотела б я улететь с тобой! —

поет Юлька, и словно золотистые мыльные пузыри, нежно позванивая, вылетают из ее горла. Голос Юльки поднимается высоко-высоко — в самое небо! Он перелетает через зубчатый частокол елей на другом берегу реки и слышен оттуда, пропадая, словно та́я.

Поль и я смотрим с восхищением то на Юльку, то друг на друга.

— Кто научил тебя так петь, Жюли?

— Никто, — говорит Юлька, застенчиво оправляя на себе платьице. — Никто не учил. Это я у них в театре слышала. Называется «Миньона»... Теперь больше не услышу — они на зиму в городской театр переезжают...

— Ох! — спохватывается Поль, взглянув на часы. — Домой, домой, Саш!

По дороге к дому я вдруг вспоминаю:

— Поль, а какой сюрприз ты мне обещала?

Поль делает непроницаемое лицо.

— Помнишь, — говорит она таинственно, — в сказке король попал во время охоты в когти льва и стал просить льва: «Отпусти меня!» А лев говорит: «Хорошо, отпущу, но только обещай отдать мне то, чего ты в своем доме не знаешь!» Помнишь?

— Конечно! И оказалось, что, пока король был на охоте, королева, его жена, родила хорошенькую-хорошенькую девочку, дочку...

Я схватила Поля за руки и радостно заглядываю ей в глаза:

— Поль! У нас дома кто-нибудь родился, да?

— Да! — отвечает Поль, и ее добрые глаза-черносливины влажно блестят. — Сегодня утром, пока ты была в школе, у твоей мамы родился сынок — значит, твой брат.

— А как его зовут?

— Его назвали Семеном — в честь твоего покойного дедушки, отца твоей матери. Но все в доме уже зовут его «Сэнечка», «Сэньюша»...

Я мчусь домой такой рысью, что Поль еле поспевает за мной. Мне не терпится увидеть Сенечку-Сенюшу! Я засыпаю Поля глупейшими вопросами: «А ноги у него есть? А почему, когда рождается ребенок, надо обедать в ресторане?»

— Потому что Жозефин (Юзефа) весь день возилась с малюткой и ей некогда было приготовить обед.

— А почему мы с тобой столько часов слонялись по городу, вместо того чтобы идти домой?

— Только тебя там не хватало! В доме был страшный беспорядок. Надо было все прибрать...

— А почему, когда ты пришла за мной в институт, ты была заплаканная... Была, была! Поль, почему ты плакала? Скажи, почему?

Поль отвечает не сразу:

— Потому что мне было очень жаль твою маму, она так страдала... Очень тяжело рождает женщина ребенка! И еще я боялась: а вдруг твоя мама умрет и маленький мальчик умрет? Я плакала от страха. А потом, когда все обошлось — и мама осталась жива, и мальчик, такой ангелок, тоже остался жив, — ну, тут, конечно, я заплакала от радости! И мы все обнимались: и Жозефин, и мсьё лё доктёр, и я, и старый доктор с его незастегнутыми пуговицами... Только маму твою мы не обнимали, потому что она, бедняжка, еще очень слаба, мы боялись ей повредить.

И вот мы с Полем добежали до дому. Уже на лестнице нам ударяет в нос тяжелый запах лекарств, дезинфекционных средств — карболки, йодоформа. Это меня не очень пугает: так всегда, только слабее, пахнет и от моего папы, и от Ивана Константиновича Рогова, и от всех других хирургов, папиных товарищей.

Из передней я сразу рвусь в мамину комнату, но меня перехватывает Александра Викентьевна Соллогуб, акушерка-фельдшерица, всегда работающая с папой:

— Ш-ш-ш!.. Мама спит!

Тут же, взволнованные, притихшие, сидят дедушка и бабушка. Бабушка вытирает глаза.

И вот из соседней комнаты выплывает Юзефа — она торжественно несет что-то похожее издали на белый торт. Но это не торт! Это маленький, как куколка, совсем маленький человечек, спеленатый и вложенный в красивый пикейный «конвертик». Из конвертика видно только красненькое личико, головка в чепчике с голубыми бантиками. Он мирно спит.

— Тиш-ш-ша! — предостерегающе шипит на меня Юзефа.

— Это он, да? — шепчу я.

— А кто же еще? Звестно дело, ён. Наш Сенечка!

От человечка пахнет чем-то спокойным и милым — нежной кожицей, молоком, мирным сном.

— А поцеловать его можно?

— Нельзя! — говорит подоспевший папа. — Он еще очень маленький, а в нас всех много всякой заразы, мы можем занести и передать ему. Вот не могу уговорить Юзефу, чтобы не дышала на него бациллами, чтоб завязывала нос и рот марлей. Не хочет, старая ма́лпа (обезьяна)! — шутит папа.

— И не хочу! — яростно шепчет Юзефа. — Пускай я ма́лпа, но я не собака, чтоб в наморднике ходить!

Мы с Полем прибежали домой как раз к самому интересному: сейчас Сенечку будут купать! Словно предчувствуя, что с ним собираются что-то делать, он просыпается, открывает глазки — они какого-то неопределенного цвета, белесоватого, с голубизной, но уже сразу видно, что разрез глаз у него как у мамы, очень красивый. Сенечка сморщивает свое крохотное личико, словно ему дали понюхать уксусу, и начинает плакать. Это, собственно, не столько плач, сколько писк. Он разевает беззубый ротишко и скулит:

— Ля-ля-ля-ля-ля...

Его распеленывают. Честное слово, он ненамного больше крупной лягушки или цыпленка! И самое смешное: пальчики его левой ручки сложены в крохотный кукиш! В тот момент, когда его опускают в корыто и начинают поливать теплой водой из ковшика, он сразу перестает верещать. Ему, видно, приятно в теплой ванне. Мне тоже дают ковшик, и я усердно поливаю Сенечку.

— Смотри, на о́чки (глазки) не лей! — предупреждает Юзефа.

Сенечка лежит в корыте с раскрытыми глазками, но они какие-то бессмысленные: он словно никого не видит, не следит взглядом ни за кем.

— Папа... — шепчу я. — А он не слепой, нет?

— Нет. Он отлично видит. Только он еще не умеет видеть. Вот через недельку-другую все будет в порядке...

Сенечку вынимают из корыта. Юзефа держит его на ла-
они, пузиком вниз и осторожно выпивает губами несколько
апель воды с его спинки. При этом она бормочет что-то —
аверно, «по-латыньски».

— Юзенька, что ты делаешь? — не выдерживаю я.

Юзефа смотрит на меня строго и сурово, как умеют смо-
реть только лики святых на иконах.

— От злого глазу! — говорит она. — Чтоб не сглазил кто
ебенка.

Потом она осторожно обсушивает мальчика, завернув
го в мохнатую пеленку. Я слегка касаюсь его маленькой
ожки — она мягкая, как бархатная, а пальчики на нож-
е — кругленькие, как мелкие-мелкие горошинки. Сенечка
ачинает вертеть головенкой направо и налево, словно ищет
его-то беззубым ротиком.

— Жрать захотел, бездельник! — добродушно говорит
апа. — Несите его ужинать!

И Сенечку уносят к маме, которая, лежа в постели, при-
ладывает его к груди. Сенечка сразу очень деловито начина-
т сосать, — видно и слышно, как он мерно глотает.

— Як с кружечки пьет! — восхищается Юзефа.

Мама делает мне знак подойти. Я становлюсь на колени
коло ее кровати. Мама гладит меня по голове и говорит
чень нежно, очень любовно:

— Дочка моя... я все время думаю: «Дети... наши дети...»
Iравда, хорошо?

Как ни странно, я понимаю, что хочет сказать мама. До
их пор она всегда думала: «Дочка... Моя дочка шалит, учит-
я, здорова, больна, надо купить нашей дочке мячик или ска-
алку...» Она не могла думать: «Дети», — у нее была только
дна дочка. А теперь она думает: «Дети... наши дети...» И ей
то приятно!

Мы тихонько выходим из комнаты.

— Папа... — вдруг вспоминаю я. — А откуда такой малюсенький клопик умеет сосать и глотать? Кто его научил?

— Никто, — говорит папа. — Я вижу это ежедневно уже
больше пятнадцати лет. Это чудо. Чудо инстинкта. Мы не

понимаем этого, — а ведь это умеют и щенята, и котята, всякая живая тварь...

Сенечка, наевшись, мирно спит. Я сижу около его коля сочки. Во сне он вдруг причмокнул губкой — может быть ему снится, что он все еще «ужинает»? Я думаю: «Брат. Мо брат...» И мне это радостно.

— Ну, пойдем домой! — говорит дедушка бабушке. — Мы теперь с тобой совсем счастливые: и внучка у нас, внучек...

— Хорошо! — подтверждает и бабушка. — Я любл детей... Когда много детей — это счастье!

Так вошел в мою жизнь Сенечка, милый брат мой. Боль ше шестидесяти лет продолжалась наша дружба. О многом расскажу дальше. Сенечка был весельчак, остроумный бала гур, душа всякого общества, куда бы ни попадал, и все очен любили его. Талантливый инженер, он принимал участие постройке многих наших гидроэлектростанций, начиная Волховстроя. Последняя гидроэлектростанция построена п его проекту недавно — в Румынии. Это было уже после ег смерти.

Глава восьмая

МОЙ «ДУСЯ» КСЕНДЗ!

День начинается с необычного: я ссорюсь с Юзефой, когда на шум приходит мама — то и с мамой!

Не знаю почему, но мама и Юзефа вдруг придумали чтобы я брала с собой ежедневно в институт бутылку мо лока и выпивала его за завтраком на большой перемене Я понимаю, откуда это идет: вчера к маме приезжала с по здравлением Серафима Павловна Шабанова и сказала ей что Риточка и Зоенька ежедневно берут с собой в институ по бутылке молока. Мама огорчилась, почему — ах! — он не такая заботливая мама, как Серафима Павловна! И ту же она придумала, чтобы и я таскала в институт молоко бутылке. Как Зоя и Рита пьют свое молоко, я знаю. Мы хот нимся с Ритой в разных классах (она приготовишка), а с оей в разных отделениях I класса, но я их вижу постоянно. I я видела, как та и другая выливали молоко из бутылки в аковину уборной. Не пьют они его, не хотят!

А я не могу лить молоко в уборную! Во-первых, я не хочу рать дома, будто я выпила, когда я не пила. И во-вторых, помню, как очень давно — мне было тогда лет пять — шалила за столом и опрокинула на скатерть стакан молока. Iапа ужасно на меня рассердился — просто ужасно! Стукнул улаком по столу и крикнул: «Дрянная девчонка, дрянная! .сли бы я мог давать каждому больному ребенку по стакану юлока ежедневно, они бы не болели, как теперь болеют, е умирали! А ты льешь молоко на скатерть! Пошла вон из-а стола!» Рита и Зоя выливают ежедневно в уборную две утылки молока — они при этом смеются! — а я не могу. I помню, как папа кричал на меня...

— Но ведь ты можешь просто выпить это молоко! — го-орит мама.

— Ну, а если я терпеть не могу молока, если я его нена-ижу, если меня тошнит от пенок? — заплакала я. — Что я, рудная, что ли?

Ничто мне не помогло. Юзефа аккуратненько налила мо-юко в бутылку и поставила в уголке моего ранца. Мама го-орит, чтоб я была осторожна и не разбила бутылку. Юзефа спокаивает маму: «Это очень крепкая бутылка! А что пробка лишком маленькая, так я бумаги кругом напихаю!» И все. I ухожу в институт, унося в ранце эту противную бутылку с ротивным молоком, а главное, мне придется его выпить, отому что лгать — дома лгать, маме лгать! — я не хочу. I так огорчена всем этим, что убегаю из дому ни свет ни заря, ще и девяти часов нет.

В институте, поднимаясь по лестнице в коридор, я вижу дущих впереди меня девочек из моего класса: Мартышев-кую и Микошку. Мартышевскую зовут, как меня, Александ-ой, но не Сашей, не Шурой, — таких имен в польском языке ет, — а Олесей или Олюней. Чаще всего ее ласково зовут Мартышечкой, хотя она нисколько не похожа на обезья-у, она очень славненькая. Мартышевская и Микоша идут

впереди меня и негромко переговариваются между собо
по-польски.

— Ниц с тэго не бе́ндзе! (Ничего из этого не выйдет!) –
говорит Микоша.

— Она може так зробиць, як она хце! (Она может та
сделать, как она хочет!)

Я не вслушиваюсь в их разговор. Я все еще очень бо
лезненно переживаю то, что на большой перемене я должн
буду, как грудной ребенок, сосать молоко. Поэтому мне неин
тересно, что там какая-то «она», которой я не знаю, «мо́ж
или не мо́же»... Но позади меня идет человек, которому эт
почему-то, видимо, очень интересно. Тихой, скользящей по
ходочкой Дрыгалка перегоняет меня и берет за плечи Мар
тышевскую и Микошу:

— На каком языке вы разговариваете, медам?

Девочки очень смущенно переглядываются, как если б
их поймали на каком-то очень дурном поступке.

— Я вас спрашиваю, на каком языке вы разговариваете

— По-польски... — тихо признается Олеся Мартышев
ская.

— А вам известно, что это запрещено? — шипит Дры
галка. — Вы живете в России, вы учитесь в русском учебно
заведении. Вы должны говорить т о л ь к о п о - р у с с к и.

Очень горячая и вспыльчивая, Лаурентина Микоша, ка
жется, хочет что-то возразить. Но Олеся Мартышевска
незаметно трогает ее за локоть, и Лаурентина молчит.

Дрыгалка победоносно идет дальше по коридору.

— На своем... на своем родном языке... — задыхаясь о
обиды, шепчет Микоша. — Ведь мы польки! Мы хотим го
ворить по-польски.

Мартышевская гладит ее по плечу:

— Ну, тихо, тихо...

Мы уходим все трое в одну из оконных ниш.

— «По-русски... только по-русски...» — бормочет вн
себя Лаурентина Микоша. — Здесь прежде Польша была
а не Россия!

У меня, вероятно, вид глупый и озадаченный. Я ведь
ничего этого не знаю! И Олеся Мартышевская очень тихо

очти шепотом, все время оглядываясь, не подкрадывается и Дрыгалка, объясняет мне, в чем дело. Было Польское осударство. Потом его насильственно разорвали на три уска и разделили эти куски между Россией, Германией Австрией. Наш город достался России. Но польские пат-иоты не хотели мириться с тем, что уничтожено их государ-тво, и восстали. В нашем крае польское восстание усмирял вирепый царский наместник Муравьев — его прозвали «Му-авьев-вешатель». Он повесил много польских повстанцев, довам их не разрешалось носить траур по казненным мужь-м: чуть только появлялась на улице женщина в трауре, ее адерживали, давали ей в руки метлу и заставляли подметать лицу.

— Тогда же закрыли в нашем городе польский универ-итет, польский театр, польские школы. И вот — ты сама ейчас видела, Саша! — нам, полькам, нельзя говорить на воем родном языке... Только по-русски!

Все это Олеся и Лаурентина рассказывают мне страст-ым, возбужденным шепотом, и я слушаю, взволнованная их ассказом чуть не до слез.

— Только помни: что мы тебе сейчас рассказали — нико-iу, ни одному человеку! — шепчет Олеся.

— Ну, господи! — даже обижаюсь я на их недоверие. — Неужели же я побегу звонить про такое? Ребенок я малень-кий? Или глупая приготовишка?

Я вхожу в класс какая-то вроде оглушенная, у меня в ушах все еще стоит жаркий шепот Олеси и Лаурентины.

В классе никого нет, пусто. Я усаживаюсь за своей пар-ой, горестно подперев голову рукой. Так все нехорошо! И молоко это окаянное... и девочкам-полькам почему-то не позволяют говорить на своем языке!

Дверь из коридора приоткрывается. В нее несмело входят две девочки — не из нашего отделения, а из первого. Обыч-но мы друг к другу в чужое отделение не ходим. Девочки из первого — гордячки, они смотрят на нас, второе отделение, сверху вниз. А мы — самолюбивые, насмешницы, мы не желаем унижаться перед «аристократками»... И вдруг поче-му-то две из первого отделения к нам пожаловали!

Не заметив меня, одна из них спрашивает у другой:

— Думаешь, он сюда придет?

— Ты же видела, прямо сюда пошел! — И вдруг, увиде меня: — Людка! А как же эта?

Людка машет рукой:

— Не беда! Она не наябедничает. Мне Нинка Попов говорила: ее Шурой звать, она ничего девочка...

Мне смешно, что они переговариваются обо мне в моем присутствии. Словно меня нет или я сплю.

— Видишь? — продолжает Люда. — Она смеется. Он ничего плохого не сделает.

Выглянув в коридор, Люда испуганно вскрикивает:

— Идет, Анька! Идет сюда!

И обе девочки застывают в ожидании около классно доски.

Я тоже с любопытством смотрю на дверь: кто же это та идет?

В класс входит сторож-истопник Антон. Он в кожу хе (желтом нагольном тулупе). За спиной у него вязанк дров, которую он сваливает около печки с особым «истоп ническим» шиком и оглушительным грохотом. Кряхтя и даже старчески постанывая от усилия, Антон опускаетс на колени и начинает привычно и ловко топить печку. Н на кого из нас он не смотрит, но я не могу отвести глаз о его головы — никогда я такой головы не видала. Не в том дело, что она лысая, как крокетный шар, — лысина ведь не редкость. Но при этой совершенно лысой голове у Антона борода — как у пушкинского Черномора! Длинная седая борода, растрепанная, как старая швабра. А лысина блестит как начищенный мелом медный поднос. По ее сверкающей желтизне рассыпаны крупные родимые пятна и, как реки на географической карте, разветвленно вьются синевато-серые вены. Сейчас, от усилия при работе, эти вены взбухли и особенно четко пульсируют. Очень интересная голова у истопника Антона!

— Ну! — командует шепотом Люда, подталкивая Аню локтем.

Аня достает из кармана пакетик, перевязанный розовой есемкой, какими в кондитерских перевязывают коробки с онфетами.

— Пожалуйста... — бормочет Аня, вся красная от волнения, протягивая Антону пакетик. — Возьмите...

Антон сердито поворачивает к ней лицо, раскрасневшеся от печки, с гневно сведенными лохматыми бровями. Он очень недоволен.

— Ну, куды? — рычит он. — Куды «возьмите»? Торопыа! Вот затоплю, на ноги встану — тогды и возьму...

Так оно и происходит. Антон кончает свое дело, с усилием встает с колен. Аня протягивает ему свой пакетик с нарядной тесемкой. Не говоря ни слова, даже не взглянув на девочек, Антон берет пакетик рукой, черной от сажи, сует его за пазуу и уходит.

Люда и Аня смотрят ему вслед и посылают воздушные поцелуи его удаляющейся спине.

— Дуся! — говорит Аня с чувством.

— Да! Ужасный дуся! — вторит Люда.

Я смотрю на них во все глаза... О ком они говорят? Кто «дуся»?

Тут обе девочки — Люда и Аня — начинают шептаться. Поскольку они при этом то и дело взглядывают на меня, я понимаю, что речь у них идет обо мне.

— Послушай... — подходит ко мне Люда. — Ты — Шура, да? Я знаю, мне о тебе Нинка Попова говорила.

— У нас к тебе просьба! — перебивает ее Аня. — Понимаешь, мы пансионерки, мы живем здесь, в институте, всегда. И у нас очень мало окурков!

— Ужасно мало! — поясняет Люда. — Откуда здесь быть окуркам? Учителей — таких, чтобы они были мужчины, курили папиросы, — ведь немного. В классах они не курят, в коридоре — тоже, только в учительской, а в учительскую нам ходить запрещено! Вот ты живешь дома — собирай для нас окурки, а?

— Какие окурки? — спрашиваю я, совершенно обалдев.

— Ну, обыкновенные. Окурки. Окурки папирос. Понимаешь?

Я еще больше удивляюсь.

— Вы курите? — спрашиваю.

Обе девочки хохочут. Я, видно, сморозила глупость.

— Нет, мы с Людой не курим, — снисходительно улыбается Аня. — Мы для Антона окурки собираем.

— Потому что мы его обожаем! — торжественно заявляет Люда. — Он — дуся, дивный, правда?

Я молчу. Антон не кажется мне ни «дусей», ни «дивным».

Просто довольно нечистоплотного вида старик со смешной лысиной.

— И еще мы хотели просить тебя... — вспоминает Аня. — Кто живет дома, у того всегда много цветных тесемок от конфетных коробок. А у нас здесь, в институте, откуда возьмешь тесемки? Мы сегодня перевязали окурки для Антона, — видела, какой красивенький пакетик получился? И, представь, последняя ленточка! Больше у нас ни одной нет.

— Приноси нам, Шура, окурки и конфетные тесемочки!

— И, смотри, никому ни слова! То есть девочкам — ничего, можно. А «синявкам» ни-ни!

Я не успеваю ответить, потому что в класс вливается большая группа девочек. Среди них — Меля, Лида и другие мои подружки. Обе мои новые знакомки — Люда и Аня из первого отделения — говорят мне с многозначительным подчеркиванием:

— Так мы будем ждать. Да? Принесешь?

И убегают.

— Это что же ты им принести должна? — строго допытывается у меня Меля.

— Да так... Глупости... — мямлю я.

— Ох, знаю! — И Меля всплескивает руками. — Они ведь Антона, истопника, обожают! Наверно, пристали к тебе, чтобы ты из дома окурки носила?.. А, кстати, — вдруг соображает Меля. — Надо и вам кого-нибудь обожать! Кого вы, пичюжьки, обожать будете?

— Я — никого! — спокойно отзывается Лида. — Моя мама училась в Петербурге, в Смольном институте, она мне про это обожание рассказывала... Глупости все!

Ну хорошо, Лида знает про это от своей мамы и знает, что это глупости. Но мы — Варя Забелина, Маня Фейгель, Катя Кандаурова и я — не знаем, что это за обожание и почему это глупость. И мы смотрим на Мелю вопросительно: мы ждем, что она нам объяснит.

В эту минуту в класс вбегает Оля Владимирова. У нее такая коса, как ни у кого в I классе, — не только в нашем, втором отделении, но и в первом. Если бы у меня была такая коса, ох, я бы все время только и делала, что поводила головой то вправо, то влево... а коса бы, как змея, шевелилась по спине то туда, то сюда! Оля Владимирова нисколько не гордится своей косой, разговаривает со всеми приветливо, лицо у нее милое — вообще хорошая девочка. Сейчас она вбежала в класс, поспешно выложила все из сумки в ящик своей парты и почти бегом направляется обратно к двери в коридор.

— Владимирова! — окликает ее Меля. — Ты — обожать, да?

— Да! — отвечает Оля, стоя уже в дверях класса.

— А кого? — продолжает допытываться Меля.

— Хныкину, пятиклассницу. Ох, медамочки, какая она дуся! — восторженно объясняет Оля. — Ее Лялей звать — ну, и вправду такая лялечка, такая прелесть! А Катя Мышкина обожает ее подругу, Талю Фрей, — мы с Мышкиной за ними ходим... — И Оля убегает в коридор.

— Пойдем, пичужьки! — зовет нас Меля. — Надо вам посмотреть, как это делается.

Мы выходим в коридор, идем до того места, где он поворачивает направо — около директорского стола, — и Меля, у которой, по обыкновению, рот набит едой, показывает нам, мыча нечленораздельно:

— О-о-и...

Мы понимаем — это означает: «Вот они!» Идут по коридору под руку две девочки: одна розовая, как земляничное мороженое, другая — матово-смуглая.

— Хныкина и Фрей! — объясняет нам Меля, прожевав кусок. — А за ними — наши дурынды...

В самом деле, за Хныкиной и Фрей идут, тоже под ручку, Оля Владимирова и Катя Мышкина. Они идут шаг в шаг, неотступно, за своими обожаемыми, не сводя восторженных глаз с их затылков.

— Это они так каждый день ходят? — удивляется Варя Забелина.

— Каждый день и на всех переменах: на маленьких и на больших... Ничего не поделаешь, обожают! И вы выбирайте себе каждая кого-нибудь из старшеклассниц — и обожайте!

— Нет, — говорю я, — мне не хочется.

Оказывается, ни Варе не хочется, ни Мане, ни, конечно (за Маней вслед), Кате Кандауровой тоже не хочется!

— Ну почему? — удивляется Меля. — Почему? Вам это не нравится?

— Скука! — говорю я. — Если бы еще лицом к лицу с ними быть, разговаривать — ну, тогда бы еще куда ни шло...

— Да, «лицом к лицу»! — передразнивает Меля. — Что же, им ходить по коридору всю перемену задом, как раки пятятся? Или ты будешь задом наперед ходить?

— А ты сама почему никого не обожаешь? — спрашивает у Мели Варя Забелина.

— Так я же ж обожяю! — говорит Меля. — Я кушять обожаю! Чтоб спокойненько, не спеша, присесть где-нибудь и кушять свой завтрак.

Мы Мелю понимаем: обожательницам не до еды; сразу, как прозвонят на перемену, они мчатся сломя голову к тем классам, где учатся их обожаемые. А потом ходят за ними. Ходить вовсе не так просто. Надо это делать внимательно: обожаемые остановились и обожательницы тоже останавливаются. Надо ходить скромно, не лезть на глаза, ничего не говорить, но смотреть зорко: если у обожаемой упала книга, или платочек, или еще что-нибудь, надо молниеносно поднять и, застенчиво потупив глаза, подать. Какое уж тут «кушянье», когда все внимание сосредоточено на обожаемых!

— Шаг в шаг, шаг в шаг! — объясняет Меля. — Зашли обожяемые зачем-нибудь в свой класс — стойте под дверью их класса и ждите, когда они опять выйдут. Зашли они в уборную, — и вы в уборную! Шьто же, мне любимое пирожьное в уборной есть?

Мы хохочем.

— А потом, — говорит Меля сурово, — надо ведь еще подарки делать! Цветочки, картинки, конфетки, — а ну их к богу! Вы мою тетю знаете, видели?

— Знаем... — вспоминаем мы не без содрогания. — Видели!

— А можно с такой теткой подарки делать?

Ну, это мы сами понимаем: нельзя. Вообще, в описании Мели, обожание — вещь не веселая, и нас это не прельщает.

— Вот учителей обожать легче! — продолжает Меля. — Это все делают... Ходить за учителем, который твой обожаемый, не надо. А если, например, сейчас будет урок твоего обожаемого учителя, ты навязываешь ему ленточку на карандаш или на ручку, которые у него на столе лежат. И еще ты должна везде про него говорить: «Ах, ах, какой дивный дуся мой Федор Никитич Круглов!»

— Ну уж — Круглов! — возмущаемся мы хором.

— Не хотите Круглова — берите других, — спокойно отвечает Меля.

— Хорошо! Я нашла! — кричит Варя Забелина. — Я Виктора Михайловича обожать буду! Учителя рисования. Чудный старик!

— Ну вот... — огорчаюсь я. — Только я подумала про Виктора Михайловича, а уж ты его взяла!

— Давай пополам его обожать? — миролюбиво предлагает Варя.

— Можешь взять учителя чистописания, — подсказывает Меля.

— Нет, как же я буду его обожать, когда он на каждом уроке говорит про меня: «Что за почерк! Ужасный почерк!» А я вдруг его обожаю! Это будет — вроде я к нему подлизываюсь.

— Можно обожать и не учителя, а учительницу. Дрыгалку хочешь? — дразнит меня Меля. — Колоду хочешь?

Я не хочу ни Дрыгалку, ни Колоду, ни даже учительницу танцевания Ольгу Дмитриевну.

— Ну, знаешь... — Меля разводит руками. — Ты просто капризуля, и все. Всех мы перебрали — никто тебе не нравится! Ну, хочешь, можно кого-нибудь из царей обожать —

они в актовом зале висят. Одни — Александра Первого, другие — Николая Первого обожают.

Мы молчим. Я напряженно думаю. Ну кого бы, кого бы мне обожать? И вдруг с торжеством кричу:

— Нашла! Нашла! Я ксендза обожать буду!

В первую минуту все смотрят на меня, как на полоумную.

— Ксендза? Ксендза Олехновича? За что его обожать? Что ты, ксендза не видала?

Нет, видала. Даже близко видала — например, ксендза Недзвецкого. Но ксендз Недзвецкий красивый, высокий, изящный, а ксендз Олехнович (он преподает Закон Божий девочкам-католичкам) — старенький, облезлый, в нечищеной сутане. И голова продолговатая, бугристая, как перезрелый огурец. А нос у него сизый и вообще лицо бабье, похоже на Юзефино... Нет, кончено, решено: я буду обожать ксендза Олехновича! Поляков обижают — вот я буду ксендза обожать, тем более что за обожаемыми преподавателями не надо ходить по коридорам, не надо ничего им говорить. Просто скажешь кому-нибудь иногда: «Ксендз Олехнович — такой дуся!» — и все. Правда, сказать это про ксендза Олехновича очень трудно — все равно что сказать про старую метлу, что она красавица. Ну, как-нибудь...

Увы! Мое «обожание» ксендза Олехновича кончается в тот же день. Да еще при таких трагических обстоятельствах, что я этого вовек не забуду...

Третий урок — тот, после которого начинается большая перемена, — урок Закона Божия... Эти уроки всегда совместные для обоих отделений нашего класса — и для первого и для второго. Все православные девочки из обоих отделений собираются в первом отделении, и там со всеми ими одновременно занимается православный священник отец Соболевский. А все католички — из обоих отделений — собираются у нас, во втором отделении, и со всеми ими вместе занимается ксендз Олехнович. В нашем классе есть еще несколько так называемых «инославных» девочек: одна немка-лютеранка, две татарки-магометанки и две еврейки — Маня Фейгель и я. Всех нас сажают в нашем втором отделении на последнюю скамейку, и мы присутствуем на уроке ксендза Олехновича. Нам велят сидеть очень тихо; мы можем читать, писать, повторять уроки, но, боже сохрани, нельзя шалить!

Мы не знаем, конечно, что в этом навязанном ксендзу присутствии девочек, посторонних его религии и его национальности, есть, несомненно, что-то оскорбительное для него.

Ведь вот на урок православного Закона Божия нас не сажают! Не хотят обижать священника отца Соболевского. А за что же обижать старенького ксендза?

Ксендзу, наверно, обидно в его уроке все — от начала до конца. Во-первых, он должен преподавать не на родном языке, а по-русски. Говорит он по-русски плохо — может быть, он делает это даже нарочно. «А, вы заставляете меня учить польских детей на чужом языке? Так вот же вам: Да́вид схо́вау камень и по́шед битися з тым Голиа́тэм», — это значит: Давид спрятал камень и вышел на бой с Голиафом.

Наверно, обижает ксендза и то, что на его уроке сидит пять «инославных» девочек. Неужели нельзя было оставить его с одними девочками-католичками, а нас посадить на этот час куда-нибудь в другом месте? И ксендз Олехнович — «мой дуся ксендз»! — явно оскорблен этим. Он старается не смотреть в нашу сторону, но его сизый нос становится каким-то негодующе-фиолетовым.

Нас, пятерых «инославных», это тоже очень смущает и стесняет. Мы стараемся сидеть тихо, как мыши, мы не шепчемся, не переговариваемся — мученье, а не урок! За короткий срок я, кажется, выучила лица моих «инославных» подруг наизусть, до последней черточки. Вот красотка татарка Сонечка Тальковская — самая хорошенькая девочка из всего нашего класса (это Лида Карцева говорит, а Лида понимает, кто хорошенький, а кто нет!); у Сонечки смугло-палевое личико, прелестный носик и такие лукавые, чуть косо разрезанные глазки, как угольки! Другая татарка (в институте надо говорить «магометанка»), Зина Кричинская, по виду ничем не напоминает о своем татарском происхождении. Она блондинка со светлыми волосами, с таким нежно-розовым лицом, как прозрачное брюшко новорожденного щеночка. О ее восточном происхождении говорит только разрез ее глаз, слегка, очень отдаленно, монгольский. Зину Кричинскую я люблю с первого дня — это удивительно милая, тихая девочка, очень добрая и хорошая.

И Соню Тальковскую, и Зину Кричинскую, и Луизу Кнабэ я уже знаю наизусть — рассматривать их мне уже неинтересно. О Мане Фейгель я и не говорю. Что же мне делать, чем заняться, чтоб не шуметь, чтоб не обиделся «мой дуся ксендз»? У меня есть с собой книга — «Давид Копперфильд». Я берусь за чтение и понемногу забываю обо всем на свете.

Я начала читать эту книгу два дня тому назад, и она захватила меня с первых страниц. Счастливая жизнь — маленький Дэви, его милая мама и смешная, добрая няня Пеготти... Потом мама — ну, зачем, зачем она это сделала? — выходит замуж за мистера Мордстона... Все несчастны — и мама, и Пеготти, и маленький Дэви, которого мучают мистер Мордстон и его отвратительная сестра Клара, гадина этакая, я бы ее посадила в собачью будку на цепь! Я бы этих проклятых Мордстонов, я бы их... Я резко поворачиваюсь на своей скамейке — мой ранец отлетает на несколько шагов, и с какими шумом, с каким грохотом, ужас!

«Мой дуся ксендз» смотрит в мою сторону недовольными глазами. Конечно, он думает, что это я нарочно, что я шалю на его уроке... От угрызений совести, от огорчения я просто каменею на своей скамейке. Ранец лежит на полу далеко от меня: встать, чтобы поднять его, — значит опять произвести шум, опять навлечь на себя сердитый взгляд «дуси ксендза», — нет, я на это не решаюсь. Пусть ранец лежит там, где упал, до конца урока...

Сижу неподвижно. Катастрофа с падением моего ранца, кажется, забывается. Я даже снова берусь за «Давида Копперфильда».

И вдруг в классе начинается невероятное оживление. Все вертятся на своих местах, переглядываются, подавляют улыбки, перешептываются... И все смотрят в одно и то же место. Я тоже смотрю туда — и меня охватывает ужас! При падении моего злополучного ранца проклятая бутылка с молоком выскользнула из него и упала несколько дальше, так что ее не сразу увидишь из-за угла парты. Я чуть-чуть привстаю и вижу, что пробка из бутылки выскочила (наверно, Юзефа «напихала» недостаточно бумаги вокруг маленькой пробки) и из горлышка бутылки тонкой струйкой льется по полу молоко. Оно течет по среднему проходу между партами — прямо под стул ксендза. И ксендз замечает это...

Что он мне говорит, ох, что он мне говорит! «Стыдно! Неприличные шалости! Неуважение!» Ну, все слова, какие можно придумать к этому случаю. Я слушаю все это, стоя в своей парте. Ксендз не кричит на меня, не ругает меня, он даже не повышает голоса; он стоит, седой и несчастный, реденькие волоски на его голове — как на корешке редьки. Ксендз отступил от своего стула, под который медленно, неумолимо течет тонкая струйка молока... От всего этого мне еще тяжелее. Поднимаю глаза, — ох! Ксендз смотрит на меня без всякой ненависти, даже как-то грустно, — наверно, он думает: «Вот как нам, полякам, плохо! Всякий ребенок издевается над нами!»

— Простите, пожалуйста... Я нечаянно уронила ранец... а там была бутылка...

Ксендз смотрит на меня испытующе. Он старый человек, он знает людей, и он верит мне. Лицо его смягчается.

— Ну-ну... — говорит он. — Все бывает. Все бывает на белом свете.

В класс каждую минуту может нагрянуть Дрыгалка. И тогда — ох, тогда мне несдобровать!..

Оборачиваюсь к Мане Фейгель... Маня умная, толковая, я всегда во всех бедах бегу к ней. Но Мани нет в классе! Куда она могла деться, она же прежде была на уроке, она сидела позади меня, — как же она смогла пропасть? Не сквозь землю же она провалилась! Ну, все равно все погибло, сейчас прибежит Дрыгалка, и начнется такое!..

Но в класс быстро входит не Дрыгалка, а Маня! В стремительном развороте моих несчастий — падение ранца, раскупорившаяся бутылка, белый ручеек, текущий как раз под стул ксендза, гнев ксендза — я и не заметила, как Маня бесшумно выскользнула из класса (потом все говорили, что и они не видели этого). И вот Маня возвращается. В руках у нее — тряпка (Маня бегала за ней к дежурной горничной — «полосатке»). Быстро, ловко, умело Маня вытирает пол; тряпка вбирает в себя мои «молочные реки», и уже ничего не видно. Пол только немного влажный — там, где текло молоко. Маня прячет тряпку за шкаф, садится на свое место позади меня.

Подоспевшая к концу урока Дрыгалка застает класс в безукоризненном виде: полный порядок, все сидят чинно и тихо, ксендз говорит о том, что нужно выучить к следующему уроку. И — удивительная вещь: ксендз на меня Дрыгалке не жалуется!

С этого часа я ксендза больше не обожаю. И вообще никого не обожаю. Довольно с меня!

И молока мне больше на завтрак не дают.

Глава девятая

«ДЕТСКИЙ РАЙ»

В воскресенье мне предстоит большое удовольствие. Это придумал дядя Мирон — брат папы и третий по счету сын бабушки и дедушки. Он только в этом году окончил университет (он — юрист) и поселился в нашем городе. Я очень люблю этого моего дядю. Все удивляются, — и в самом деле, это немного удивительно, так как у дяди Мирона самый несносный характер, какой только можно придумать! Он всегда брюзжит на всех и на все, ворчит по всякому поводу и даже без всякого повода, ко всему придирается. За этот несносный характер бабушка прозвала дядю Мирона еще в его детстве «старой девой»! А я вот очень люблю дядю Мирона! Не то чтобы на меня не брызгало ни капли Мироновой ворчливости — нет, мне иногда здорово от него попадает! Если он берет меня с собой куда-нибудь — на гулянье в городском саду, в кондитерскую или в магазин, где он покупает мне подарки, — дядя Мирон ни на минуту не перестает делать мне замечания:

«Закрой рот — муха влетит!»

«Как ты ходишь! Ну как она ходит!»
«Не горбись, как будто тебе сто лет!»
«Не говори так громко!»
«Не смейся!»
И так далее, и тому подобное.

Однако на меня все это дяди Мироново словоизвержение не производит никакого впечатления. И по самой простой причине: я не обращаю на все это ни малейшего внимания. Ворчит — ну и пусть себе ворчит! Придирается — ну и на здоровье! Я знаю, крепко знаю и всегда чувствую, что дядя Мирон меня нежнейшим образом любит, что ему со мной приятно, даже иногда весело. А что «не смейся так громко, все лошади на улице заржут в ответ!» — так ведь это только очень смешно, разве можно на это обижаться?

Вот Сенечку, моего маленького братца, дядя Мирон (он сам это говорит!) «еще не любит». Мирон не был в нашем городе больше года (последний курс юридического факультета и государственные экзамены!), приехал не так давно. Меня дядя Мирон знал раньше, за это время я стала старше, — надо думать, умнее, занятнее, — а Сенечка еще только-только родился. Когда дяде Мирону с торжеством показали Сенечку, Мирон посмотрел на него, пожал плечами и сказал: «Кусочек мяса!» Мама тогда очень обиделась и в сердцах даже сказала Мирону, что он как был «старой девой», так и остался. Но я понимаю: когда Сенечка начнет говорить, ходить, он Мирону понравится. А сейчас Сенечка хотя и человечек, но все-таки еще, конечно, довольно бессмысленный человечек, если уж говорить совсем начистоту.

Так вот, сегодня, в ясный, погожий праздничный день, дядя Мирон поведет меня в магазин «Детский рай». Это большой магазин, торгующий игрушками и открывший недавно отделение детских книг. Игрушки «Детского рая» меня, конечно, не очень интересуют, я ведь уже не маленькая. Но книги я люблю, а в «Детском раю», говорят, очень большой выбор замечательных книжек. Ну, словом, я — не против. Я знаю, что дядя Мирон будет все время ворчать, как муха жужжит и бьется в окно:

«Не верти головой!»

«Здрасте, — она шлепнула ногой по луже! Ботинки мн
забрызгала!»

«Не задавай глупых вопросов!»

Но меня это не обижает.

До двенадцати часов дня, когда Мирон обещал зайти з
нами, еще очень много времени. Но, конечно, я уже с десят
часов утра выбегаю в переднюю при всяком звонке: а вдру
дядя Мирон придет раньше, чем предполагал?

Приходит, однако, не Мирон, а другой человек. Очен
интересный, и я встречаю его радостно:

— Господин Амдурский! Здравствуйте!

— Здравствуйте, Шашенька!

Амдурский — маленький-маленький старичок с личи
ком, похожим на печеную репку, и с удивительно живыми
подвижными птичьими глазами, как черные бисеринки. Эт
личико-репка обросло густой черной бородой — ну, совсе
как у карлика или тролля из какой-нибудь сказки! Надеть бы
на его маленькую головку сказочный острый колпачок —
готово! Но у Амдурского на голове не колпачок, а самая ди
ковинная шляпа — она всегда вызывает во мне живейше
любопытство. Очень хочется заглянуть, не спрятаны ли з
полями этой шляпы, например, ласточкины яйца или даж
вылупившиеся уже птенчики, разевающие голодные рты
Но заглянуть в шляпу невозможно: Амдурский береже
ее, как фамильную драгоценность, — не выпускает из ру
когда стоит, и бережно укладывает у себя на коленях, когд
сидит.

Амдурский — сборщик членских взносов в благотво
рительные общества. Сегодня эти слова, может быть, уж
совсем непонятны. В Советской стране нет частной благо
творительности. Государство воспитывает сирот в детских до
мах, призревает стариков, учит детей и юношество в школа
и университетах, лечит больных... А как это было во врем
моего детства, пусть об этом расскажет сам Амдурский —
так, как он рассказал это когда-то мне:

— Понимаете, Шашенька, есть которые богатые (Ам
дурский произносит «бугатые») и которые бедные... Так о
тех, которые богатые, пусть у нас с вами голова не болит, —

м и без нас хорошо! А вот бедные... Умер бедняк, остались иротки — куда им деваться? По улицам ходить, босыми огами по снегу, копейки выпрашивать? Надо бы приют для их — так государства этого не хочет, у нее, у государствы, за ирот сердце не болит. Государства — она только о богатых умает: как бы этим бедненьким богатым получше жилось! ще: живет бедный человек, работает, как последняя скоти- а, а когда он заболеет, никому до него и дела нет! Хочет — усть выздоравливает, а не хочет, так нехай помирает... прожил бедный человек до старости, всю силу из него ра- ота выпила-высосала, куда ему деваться? Дети бедняков не чатся — государства для них школ не открыла и не откроет, й на бедных детей наплевать...

Амдурский бережно снимает с колен свою удивительную іляпу и перекладывает ее на стоящий рядом стул:

— Ну, что с ней делать, с этой государствой? Надо на нее оже наплевать, ничего от нее не ждать, а самим сложиться, то сколько может, и открыть свои больницы, приюты, бо- адельни, школы...

Я хлопаю в ладоши:

— Очень хорошо!

— Да, хорошо, но трудно как! — Амдурский горестно ачает головой. — Каждый человек платит, сколько может, благотворительные общества: один платит аж двенадцать ублей в год, другой платит по десять копеек в месяц. И с тих денег мы имеем два госпиталя, — ваш папаша, дай ог ему здоровья, работает в обоих и денег за это не берет. Імеем богадельню, — ваш дедушка там попечитель, тоже адарма́ много работает! Имеем «дешевую столовую», — а несколько копеек дают там бедняку тарелку супу с хле- ом, кашу. Имеем приюты, имеем школы, только, ох, мало ікол!.. Все — на эти деньги, что люди платят в благотвори- эльные общества! Но нужно же, чтоб кто-нибудь обходил ертвователей и собирал с них взносы, — нет? Ну, так вот: — такой сборщик! Я, Амдурский! И сколько нас таких — то же просто не сосчитать: ведь у русских — свои благо- ворительные общества, у поляков — свои, у немцев — вои...

— Я, Шашенька, — продолжает Амдурский, — не стремлюсь к богатству, пусть оно пропадет! Но я стремлюсь делать хорошее дело. Я получаю за свою работу несколько рублей в месяц — и живу на это с женой, с детьми. Мой средний сын Рувим скоро уже будет наборщиком — он учится в типографии. Живем себе, и хлеба хватает... почти хватает... — поправляется он. — Если посмотреть на меня вот так, не подумавши, конечно, у меня просто райская жизня! Целый день я на воздухе — гуляю из дома в дом. Люди меня — не буду грешить! — уважают ужасно. Я прихожу в дома, и везде говорят: «А, это Амдурский!» Правда, в иных домах это говорят зеленым голосом: «А, это Амдурский. Подумайте, он еще не околел, старая кляча!»

Амдурский умолкает. Я понимаю, что он уже исчерпал передо мной перечень всех радостей, какими дарит его «райская жизня»: целый день на воздухе, люди уважают. Хотя, правда, иные выражают это уважение «зеленым голосом»...

— А что у вас в жизни плохо, господин Амдурский?

— Что у меня в жизни плохо? — переспрашивает он. — Например, ноги... Прежде они не уставали, теперь устают. А ходить... ой, сколько Амдурскому надо ходить! Банкир Шамбедал, например, — ловите его с его взносом на благотворительность! То его нет дома, то у него дома голова болит, то он, извините, ванну принимает... Он, правда, дает на приют ба-а-альшие деньги — шесть рублей в год! — Амдурский даже присвистывает от уважения к этой сумме. — Но вот сколько раз я его просил: «Господин Шамбедал! Имейте жалость к человеку: уплатите сразу хоть за три месяца — один рубль пятьдесят копеек, — чтоб мне не бегать за вашим полтинником каждый месяц!..»

— А он не согласился?

— У-у-у! Он такой шум поднял — я думал, он пупок сорвет от крика! «Вы мне надоели! Вы не понимаете, что такое деньги!» Я ему говорю: «Господин Шамбедал! Не тот понимает, что такое деньги, у кого их много, а вот именно тот, у кого их вовсе нету... И, господин Шамбедал, я же не на себя прошу! Это же на приют! Это для сироток!» Так знаете что он мне ответил, этот грубиян? Он мне ответил: «Подумаешь? Что от моего полтинника у ваших сирот вырастут новые папы и мамы?» Вот что он мне сказал, умник этот!.. А вы спрашиваете, что у меня плохо! И, знаете, у русских есть, например, купец Платонов — богатый ужасно! Так когда к нему приходит русский сборщик — на русскую благотворительность, — так этот сборщик сидит по часу в передней и ждет, пока господин купец Платонов кончит молиться и бить поклоны перед иконами!

Разговор наш прерывает мама. Она приносит Амдурскому свой взнос на приют и еще какой-то пакет, завернутый в газету, и торжественно вручает ему.

— А что это такое? — робко спрашивает Амдурский.

— Разверните! — говорит мама.

Амдурский развертывает пакет так, словно он боится, что там живая змея. А там оказывается шляпа, старая папина шляпа.

— Это вам, Амдурский. Вместо вашего вороньего гнезда. Ходите франтом!

Амдурский приходит в невероятное волнение. Он то хватается за шляпу — «ай-яй-яй, что за шляпа!» — то жмет мамину руку, то мою, то снова любуется шляпой.

— Да вы наденьте, примерьте! — смеется мама.

Наконец Амдурский надевает шляпу... И тут же в буквальном смысле слова исчезает из наших глаз! У папы голова очень большая — и печеная репка Амдурского уходит в нее по самые плечи. Настоящая шапка-невидимка, как в сказках.

— Чудная шляпа... — бормочет Амдурский. — Просто хоть банкиру Шамбедалу в ней ходить. Только, понимаете, семейная... Всей семьей в нее влезать!.. Стойте, стойте, я, кажется, что-то придумал! У вас найдется какая-нито тряпка, чтоб не жалко было? Найдется?

Через несколько минут Амдурский обертывает голову в несколько слоев тряпкой, его крохотная голова становится гораздо больше, круглее.

— Как тыква! — радуется Амдурский. — Просто, я вам скажу, как тыква!

После этой операции папина шляпа становится уже почти впору. Поглядев на себя в зеркало, Амдурский расцветает как круглый желтый подсолнечник. Он что-то бессвязно бормочет — он не находит слов благодарности.

— Гамбурский! (Так Юзефа зовет Амдурского.) Ходи ко мне до кухни, чаю дам!

Я не иду за Амдурским на кухню, чтоб не стеснять его во время еды. Да я знаю наизусть, как это произойдет. Юзефа даст Амдурскому чаю и сахару и несколько ломтей хлеба намазанных маслом. Амдурский выпьет чай, а сахар и бутерброды аккуратно завернет в бумагу.

— Внукам моим, — объяснит он, словно извиняясь. — Сахар, масло — они это видят не часто...

В это время приходит дядя Мирон и сразу начинает ворчать:

— Ну конечно, никто не готов, никто не одет... Жди вас тут до вечера!

И вот мы — мама, Мирон и я — идем в «Детский рай». Вот где дети цепенеют от восторга! Куклы таращат глаза и улыбаются, игрушечные лошадки покачиваются на закругленных полозках, скакалки висят связками, как бублики или сушки, — но меня все это уже не волнует. Зато в книжном отделе просто разбегаются глаза! И эту взяла бы, и ту... нет, третья лучше, а тут продавщица подает толстую книгу, на переплете которой напечатано: «Чарльз Диккенс. «Домби и сын»... Вот она, книга, о которой я давно мечтаю! Дядя Мирон покупает книгу, и мы уходим. Переплет книги чуть режет под мышкой, но мне приятно чувствовать, что это сокровище здесь, со мной. Я иду по улице и мысленно, ликуя, говорю в такт: «Домби! Домби! Домби! «Детский рай»! «Детский рай»! «Детский рай»! Домби, Домби, Домби, Дом!»

Простившись с Мироном, мы с мамой идем дальше вдвоем. Мама сегодня должна зайти обследовать одну портновскую мастерскую. Мама работает в благотворительном обществе, которое отдает детей бедняков в ученье к ремесленникам: портным, сапожникам, столярам. Общество отдает ремесленнику мальчика лет двенадцати, общество платит мастеру по нескольку рублей в месяц: за обучение мальчика и его питание. Постепенно, когда мальчик уже начинает коечему научаться и становится ремесленнику помощником, ежемесячное пособие, которое платит мастеру благотворительное общество, уменьшается: ведь мальчик уже помогает ремесленнику зарабатывать. Когда через 3—4 года ученье кончается, мальчик может уже сам брать работу — на частного заказчика или на магазины: он уже, как говорится, становится «на собственные ноги». Мама, как и другие члены этого благотворительного общества, посещает время от времени несколько своих подопечных, чтобы посмотреть, учат ли их или только загружают по хозяйству, не бьет ли их мастер, кормят ли мальчиков досыта и т. д. Реже, но все-таки бывают среди этих детей не только мальчики, но и девочки: их отдают в ученье к портнихам, золотошвейкам, цветочницам, изготовляющим искусственные цветы для дамских шляп и бальных платьев.

Сейчас мы с мамой идем обследовать, как живет и чему учится мальчик Даня, отданный в ученье к портному Ионелю. Ионель — не очень выдающийся мужской портной, к нам его зовут главным образом, чтоб он сделал починку или перелицовку, взял папин костюм в утюжку. Словом, Ионель — то, что называется «портач», то есть не настоящий мастер своего дела, а, как говорит папа, «ковырялка». У нас дома Ионель на ножах с Юзефой. Юзефа имеет свои правила, от которых отступает только в случае прямого приказания самого папы (с мамой Юзефа в таких случаях считается меньше и не слишком слушается ее). С Ионелем Юзефа ссорится из-за того, что, с ее точки зрения, он человек настолько незначительный, что должен бы ходить к нам не с парадного хода, а с черного. Ионель же боится ходить по черному ходу, как он говорит, «через того коричневого песа» (то есть из-за очень злой собаки наших соседей). Ионель объясняет Юзефе:

— Этот пес, чтоб ему околеть, он какой-то сумасшедший! Он хватает меня за ноги, как будто я жареная курица! Укусит — черт с ним, пусть подавится моим мясом! — но ведь он может порвать мои штаны...

В общем, после вмешательства папы все пришло в порядок, и Ионель ходит не «через злого песа», а по парадной лестнице.

Мы идем с мамой из улочки в улочку; улочки узенькие, как ниточки, — непонятно, как могут проехать по ним телега или извозчичьи дрожки. Домишки убогие, как размокшие в лужах коробочки из-под лекарств.

— Мама! Почему ты отдала этого Даню в ученье к Ионелю? Ионель — такой крикун, такой грубиян... Я его боюсь!

— Он крикун, — соглашается мама, — но он честный человек. И добрый. Он мальчика не обидит. Меня гораздо больше интересует вопрос, чему Ионель его обучит... Он ведь неважный портной.

— Так почему ты не отдала мальчика в ученье к хорошему портному?

— Хорошему портному неинтересны те несколько рублей, которые общество платит за мальчика ежемесячно. Он старается взять умелого помощника, а не такого, которого еще всему учить надо.

Наконец в самой убогой улочке, в самом плохоньком домишке мы находим мастерскую Ионеля. Мы сразу попадаем в небольшую комнатушку, битком набитую людьми. Ионелю принадлежит, как потом выясняется, только половина этой комнаты — тут он и живет и работает вместе с женой, детьми (один из них лежит в люльке) и своим «учеником» Даней. Другую половину комнаты занимает скорняк; мокрые беличьи шкурки, приколоченные гвоздиками к доске, воняют так нестерпимо, что стараешься не дышать носом.

Маминого подопечного, Даню, ученика Ионеля, мы застаем за занятием, очень далеким от портновской учебы: он качает люльку с младенцем.

— Слушайте, Ионель! — говорит мама с упреком. — Как вы считаете, благотворительное общество отдало вам мальчика в няньки? Нет, общество думало, что оно отдает вам мальчика в ученики!

— Госпожа докторша! — спокойно отвечает Ионель. — Что общество думало или чего оно не думало — это его дело. А Данька учится у меня так, как я сам когда-то учился у мастера; я тоже качал люльку, и бегал в лавочку за хлебом, и чего я только не делал! И — сами видите: ничего плохого ко мне не пристало, и я, слава богу, научился портновскому делу! Данька тоже научится. Все.

— Вы, мадам, не сердитесь... — робко говорит жена Ионеля, очень худая женщина с измученным лицом. — Но Данька — такой хороший мальчик, ребенок его так любит, что просто ужас! И он не заснет, пока Данька его немного не покачает...

У Даньки действительно глаза добрые, мягкие. Но я замечаю, что он смотрит добрыми глазами не только на ребенка в люльке, но и на хозяйку. Хозяйка, видимо, женщина хорошая.

— А чему он успел научиться у вас, Ионель? — спрашивает мама. — Что он уже умеет?

— Он умеет раздувать утюги, — загибает Ионель пальцы на руке, — умеет аккуратно пороть, чтоб не испортить, сохрани Бог, материал, умеет зашить, когда я ему показываю: «отсюдова и досюдова»... А что, мало? Я считаю, что на первые месяцы это даже о-очень много!

— А что он ест? — не унимается мама.

У Ионеля раздуваются ноздри. Я боюсь, как бы он не начал кричать на маму.

— Госпожа докторша! Он ест то, что едим я, и моя жена, и наши дети. Вы же можете спросить меня еще: «А он сыт?» Так я вам прямо скажу: нет, не каждый день. Есть у меня работа — он сыт, а нет — так нет. Но такого, чтобы мы что-нибудь ели, а Даньке не давали, этого не бывает. Довольно вам?

Ребенок в люльке заснул. Данька садится так же, как сидит Ионель, как сидят все портные на свете, — по-турецки, поджав ноги, — и начинает очень бережно и осторожно пороть какую-то кацавейку. Худенькое лицо его принимает такое испуганное, опасливое выражение, как если бы он пробирался по доске, переброшенной через реку. Шутка ли, он может, сохрани Бог, сделать дырку в материале!

Чтобы придать разговору более спокойный тон, мама говорит шутливо:

— Даня, Даня! Какой же ты портной, когда все на тебе порвано? Почему не починишь?

Но именно эти мамины слова всего более сердят Ионеля.

— Госпожа докторша! — говорит он мрачно. — Только из уважения к вам я не могу расстегнуть мою жилетку. А то вы бы увидели, какие дыры на моей собственной рубашке. Данька пришел ко мне оборванный — он уйдет от меня оборванный. Думаю, что всю жизнь он проживет оборванцем, таким, как я. Наш брат, голоштанник, только после смерти получает целый саван... в земле!

Я начинаю горячо шептать маме:

— Можно, я подарю этому Дане «Домби и сына»?

Мама передает мой вопрос Ионелю.

— Во-первых, — загибает Ионель пальцы на руке, — для книг у нас нет времени. Во-вторых, нет лишнего керосина. А в-третьих, я бы хотел видеть, как он будет читать вашу книжечку, когда он вообще не умеет читать!

— Так я могу научить его... Пожалуйста! И читать и писать...

— Ой, Божечка ты мой дорогой! — вздыхает Ионель. — Она его будет учить... А когда? — вдруг кричит он свирепо. — Ночью, да? Ночью вы, наверно, спите, и Даньке тоже не грех поспать. Он за день достаточно набегается, и нагопкается, и наработается!

— Ну хорошо! — пытается мама загладить неловкость. — В общем, я вижу, у вас все благополучно... Пойдем, Сашенька! Только тут такой запутанный ход на улицу... Можно, чтобы Даня проводил нас до ворот?

— Хорошо, — соглашается Ионель, и в глазах у него смешинка. — Пусть он идет с вами, и тогда вы уж от него самого узнаете, что ход вовсе не такой запутанный... или что других ходов на свете вообще не бывает.

Мы прощаемся и уходим. Даже во дворе, загаженном гниющими отбросами, воздух кажется освежающим после жилища Ионеля.

Сделав несколько шагов, мама останавливается и спрашивает, положив руку на Данино плечо:

— Даня, скажи мне правду: тебе тут хорошо?

Даня слегка пожимает одним плечом и улыбается своей улыбкой, испуганной и доброй.

— Как это — хорошо? — говорит он. — А кому это бывает хорошо? Я такого никогда не видал... Живу — и все. Бывает гораздо хуже...

— Но тебя не бьют, не обижают?

— Ой, что вы! — Даня словно даже обижен за Ионеля и его семью. — Они — хорошие люди, дай им Бог здоровья. И все-таки я же учусь! Мастер забыл вам сказать: я уже и петли могу метать тоже!

Мама сует Дане что-то в руку:

— Вот. Купи себе семечек... или рожков... или конфеток... Что хочешь! И беги обратно: холодно, а ты без пальто... До свидания!

Даня явно обрадован.

— Спасибо... — говорит он со своей печальной улыбкой. — До свидания!

И бежит домой.

— Спасибо!.. — еще раз слышим мы издали его голос.

Мы идем с мамой молча. Потом мама говорит:

— Ну, теперь только на примерку к моей новой портнихе, мадам Розенсон, — и домой.

И мы прибавляем шагу.

У мадам Розенсон нам открывает дверь девочка лет двенадцати, в коричневом платье с белой пелеринкой, застегивающейся под подбородком. Ее светлые волосы аккуратно заплетены в косу. Девочка вводит нас в гостиную и просит нас подождать «хвилечку»: мадам Розенсон сейчас выйдет.

Гостиная — она же и примерочная — обставлена прилично. На круглом столе навалены горой модные журналы.

— А ты кто? — спрашивает мама у девочки.

— Я, прóшу пани, ученица мадам Розенсон. Стефка.

Мама провожает девочку глазами.

— Ничего не скажешь... — вздыхает она. — Польское благотворительное общество работает лучше, чем мы. Ты заметила, как аккуратно девочка одета, как она хорошо держится? И отдают они детей настоящим мастерам. У мадам Розенсон можно научиться ремеслу: это тебе не Ионель...

Через минуту-другую появляется сама мадам Розенсон. У нее лицо властное и злое; приветливое его выражение похоже на слишком маленькую маску, из-под которой отовсюду вылезают грубость и злость. Мадам Розенсон, видно, сейчас завтракала или обедала: губы у нее в сале, и она облизывает их, как людоедиха.

— Стефка! Марыська! — кричит мадам Розенсон. — На примерку!

Та девочка, которая нас впустила, Стефка, и вторая, одетая точь-в-точь так же, Марыська, вносят на манекене прикроенное и сметанное мамино платье. Когда они на миг открывают дверь из соседней комнаты, оттуда слышно жужжание швейных машинок и видны еще одна-две такие девочки, как Стефка и Марыська.

Мадам Розенсон закалывает и приметывает на маме ее будущее платье. Но я смотрю не на маму и не на платье. Я не отрываясь смотрю на портниху и ее учениц.

Обе девочки стоят: одна — по правую, другая — по левую руку от мадам Розенсон. У Марыськи — заплаканные глаза. И Стефка и Марыська держат в руках булавки, подавая их портнихе, а та берет булавки, не глядя на девочек, только протягивает за ними руку, то правую, то левую.

— Ножницы! — кричит внезапно мадам Розенсон.

И в ту же секунду одна из девочек подает ей ножницы.

— Мел! — гремит портниха через несколько минут.

И тотчас дрожащие пальцы подают ей мелок.

Все это происходит степенно, чинно, но я вдруг начинаю волноваться. Мне все кажется, что вот сейчас мадам Розенсон отпустит Стефке или Марыське пощечину, уколет их булавкой или обругает как-нибудь так ужасно, что невозможно спокойно слушать. Наверно, это мне передается тревога, страх обеих девочек: они смотрят на мадам Розенсон, как кролики на удава...

К счастью, все обходится благополучно. Примерка кончена. Девочки уходят, унося с собой мамино платье.

Одеваясь, мама спрашивает у мадам Розенсон:

— Эти девочки — ваши ученицы?

— Да, ученицы.

— Вы их взяли из благотворительного общества?

— А, Боже избави! — отмахивается обеими руками мадам Розенсон. — На что мне это благотворительное общество? Дадут они мне, кого о н и хотят, платить будут ежемесячно гроши. И еще будут ходить ко мне об-сле-до-ва-те-ли! Совать нос в мои дела... Нужно мне это, как вы думаете, мадам Яновская? Не-ет! Я с а м а выбираю девочек в сиротских приютах или у родителей. Выбираю таких, какие м н е нужны...

Несколько секунд в комнате очень тихо. Мадам Розенсон приумолкла. Мама одевается и с опаской поглядывает на меня, потому что я соплю носом, как паровоз: плохой знак.

Потом мадам Розенсон продолжает свой монолог:

— Чего я хочу? Я хочу, чтобы девочки работали и пикнуть не смели! У меня им хорошо. Первый год я их не кормлю — пусть жрут свое, только чтобы, борони Боже, не запачкали платье или пелеринку: за это я наказываю! Платье и пелеринка — мои. Утром девочки приходят — одеться! Вечером перед уходом — все снять и идти домой в собственном шматье́! И если что не по мне, так никаких обследователей: хочу — прибью, а рука у меня — ого-го, тяжелая! — И мадам Розенсон смеется, как баба-яга, которая только что сожрала очень вкусную живую девочку с пальчик.

Этого смеха я уже не могу вынести. Пока Розенсониха говорила свои гадости, я еще кое-как держалась. Но этот смех щелкнул по мне, как бичом. Я оборачиваюсь к мадам Розенсон и кричу ей с ненавистью, с отвращением:

— Вы противная, злая женщина! Противная, противная!

Мне хотелось бы добавить еще что-нибудь обидное, кусучее. Но, по своей несчастной способности говорить в минуты волнения не то, что мне хочется, я вдруг оглушительно ору на мадам Розенсон:

— Не хочу! Не хочу! Не хочу!

И выбегаю в переднюю. Потом на лестницу.

Я сижу на нижней ступеньке. Сейчас придет мама и скажет мне с огорчением:

«Ты невыносимая! Я тебя больше никуда с собой не возьму!»

И та-та-та, и тра-та-та... Как будто я — скверная девчонка, а не мадам Розенсон — подлая, грубая баба!

Но все поворачивается не совсем так. Мама приходит. Правда, поначалу она говорит то, чего я и ожидала:

— Ты невыносимая! Я тебя больше никуда с собой не возьму!

— Я сама... сама не желаю... Никогда в жизни не пойду к этой проклятой разбойнице!..

Но тут случается неожиданное — мама опускается рядом со мной на ступеньку лестницы, кладет голову ко мне на плечо — и плачет. Плачет, как маленькая. Так, как если бы мадам Розенсон прибила ее!

— Это ужасно, ужасно... — говорит мама сквозь слезы. — Безобразно у нас поставлено это «обучение ремеслам»!

Когда мы уже подходим к нашему дому, я обращаю внимание на то, что у мамы в руках большой сверток.

— Что это, мама?

— Да нет... так... покупка...

Меня вдруг озаряет догадка:

— Мама! Это твое платье? От Розенсон?

— Да. Я взяла его обратно. Заплатила ей и ушла... — И, помолчав, мама добавляет: — Она требовала, чтобы ты перед ней извинилась...

Глава десятая

БОЛЕЗНЬ ЦАРЯ

Через несколько дней после этого, перед четвертым уроком, в класс входит Дрыгалка. Она поднимает вверх свою сухонькую ручку, требуя тишины.

— Дети... — говорит она грустным голосом. — У нас большое горе, дети... Тяжкая болезнь поразила нашего обожаемого монарха, государя императора Александра Александровича... Весь народ молится о его благополучном исцелении... Сегодня после большой перемены уроков больше не будет: в нашей домовой церкви будет отслужено молебствие о здравии государя императора. Все воспитанницы католички и инославные могут идти домой. Православные — остаться на молебствие.

Дрыгалка выходит из класса. Как будто она рассказала о печальном — о болезни царя, — но никто не печалится! Это прежде всего происходит от особенностей самой Дрыгалки. Когда она говорит о чем-нибудь чувствительном, становится еще более заметно, какое у нее бесцветное лицо, бумажный голос, пустые глаза.

В общем, все выслушали Дрыгалкино сообщение, никто не огорчился. Одна только Женя Звягина сказала:

— Бедненький мой царь... Бедненький дуся!

Но Женя Звягина, всем известно, обожает портрет Александра Третьего в актовом зале. Она даже записки ему пишет! В трудные минуты жизни, когда она не выучила какого-нибудь урока и боится, что ее вызовут к доске, Женя пишет на маленьком листочке бумаги:

«Дуся царь, пожалуйста, пусть меня не спрашивают по арифметике, я вчера не успела приготовить».

Эту записочку Женя, подпрыгнув, старается забросить так высоко, чтобы она перелетела поверх громадного портрета и упала позади него. Если это удается и записка не падает обратно, не долетев до цели, — значит, все хорошо: не спросят. Наверное, при осенней и весенней уборке, когда «полосатки» чистят за портретами, оттуда выгребают груды Жениных записочек, адресованных «дусе царю».

Итак, болен царь. Тот самый, о котором поется в песне «Славься»:

Славься, славься, наш русский царь,
Господом данный нам царь-государь!..

Вот этот самый царь-государь Александр Третий болен. Тяжело болен!

Это тянется довольно долго. Сперва его перевозят в Крым, в Ливадию. Там, во дворце, он лежит, окруженный членами своей семьи и самыми знаменитыми врачами.

А по всей огромной России повторяют: «Государь умирает... Государь умирает... Государь умирает...» В газетах пишут, что болезнь государя повергла весь народ в глубочайшую печаль, что церкви переполнены людьми, которые, плача, молятся о здравии государя. Однако это не заметно ни на улицах, ни в церквах, — по крайней мере, никто не выходит из церкви на улицу заплаканный.

Я этого государя никогда не видала. Никуда не выезжала я из нашего города, а, уж конечно, и государь никогда не приезжал к нам. Он живет в Петербурге, в Зимнем дворце. И в загородном дворце — в Гатчине.

Я знаю государя по портретам. Царские портреты висят везде — и на почте, и в кондитерской, и в колбасной. Самый большой портрет — во весь рост — висит в актовом зале нашего института, прямо против входной двери. На всех портретах государь Александр Третий — светловолосый, с выпуклыми воловьими глазами, высокий, очень грузный. Кажется, топни он ногой — и уйдет его нога глубоко в землю! В магазинах продают аляповатые репродукции с картины «Чудесное спасение царской семьи при крушении поезда на станции «Борки». Все «августейшее семейство», как пишут в газетах, изображено на фоне разбитых вагонов: сам государь Александр Третий, рядом с ним маленькая и курносая, как мопсик, государыня Мария Федоровна (бывшая датская принцесса Дагмара) и все их дети. Самая младшая, великая княжна Ольга Александровна, — совсем еще девочка; лицо у нее испуганное, обе руки в страхе прижаты к груди.

Есть семьи, где царский портрет повешен на стену в одной из комнат. У Шабановых государь висит в гостиной, у новой моей подруги Оли Владимировой небольшой портрет царя поставлен на письменном столике. У нас царского портрета нет. В маминой комнате висит портрет ее отца, моего дедушки Семена Михайловича. В папином кабинете на видном месте стоит на столе вделанная в рамку фотография папиного любимого учителя, знаменитого анатома, профессора Грубера. Грубер — очень нахмуренный и сердитый, в очках и белом галстуке. На фотографии он написал крупным круглым почерком по-латыни: «Моему ученику Якову Яновскому».

События в Ливадийском дворце, в далеком Крыму, об-уждаются людьми и в особенности газетами. Наибольший нтерес вызывает сын Александра Третьего, наследник-есаревич Николай Александрович. Ведь если Александр ретий умрет, на трон вступит наследник-цесаревич, он удет царствовать, и его будут называть «Николай Вто-ой». Газеты пишут, что, по настоянию больного Алексан-ра Третьего, в Ливадию прибыла из-за границы невеста аследника-цесаревича, гессен-дармштадтская принцесса лиса. Она отказалась от своей религии, лютеранства, при-яла православие. Портреты «высоконареченных» жениха невесты выставлены в витринах магазинов, напечатаны в урналах и газетах и даже на конфетных коробках. Принцес-а Алиса Гессенская, ныне переименованная в Александру Эедоровну, — красивая, крупная, как лошадь. На портретах на сидит на стуле, прямая и строгая, как «синявка». Лицо у ее неулыбчивое, а странно выдающиеся скулы и холодные лаза придают этому лицу недобрый вид. Около нее на всех ортретах стоит будущий русский царь Николай Второй говорят, их нельзя снимать стоящими рядом — он ниже ее остом). Отец его, тот, что сейчас умирает, гораздо красивее воего курносого сына.

Юзефа, поглядев на портрет нареченных жениха и не-есты, которые не сегодня завтра станут царем и царицей, еожиданно заявляет:

— А и злая же немкиня! Очи, як у волка голодного!

Всех так или иначе интересует новое царствование, ко-орое вот-вот начнется: каково-то оно будет? Забившись в апином кабинете, я слушаю, о чем разговаривают люди, риходящие к папе. Врачи обсуждают болезнь государя Алек-андра Третьего, стараются определить ее течение на основа-ии ежедневных бюллетеней, печатаемых в газетах. В бюл-етенях сообщаются данные за сутки — пульс, температура. Іодписаны бюллетени самыми знаменитыми придворными ейб-медиками. Папины товарищи — врачи — и сам папа читают, что дело плохо и Александр Третий не выживет.

— Подумать только! — говорит Иван Константинович. — Ему всего сорок девять лет...

— Умирали цари и моложе! — мрачно ухает доктор Фи
удивительно похожий на старую сову.

— Ну, уж это только те, что не своей смертью помер
ли, — машет рукой хирург Небогин.

Мне ужасно интересно: как это помирают «не своей
смертью? А чьей же? Чужой? Вот так, как папа, по рассеян
ности, часто приходит домой в чужих калошах?

И еще интересно мне: почему все говорят о возможно
смерти царя так безучастно? Не жаль им его, что ли?

В очередном нашем задушевном разговоре с папой, н
диване, под енотовой шубой, я спрашиваю:

— Папа, а царь этот — старый царь — хороший ил
плохой?

Папа отвечает не сразу:

— Видишь ли, Пуговка... собственно говоря...

— Папа, я это ненавижу!

— Что ты ненавидишь?

— А вот это твое «собственно говоря»! Когда ты начина
ешь тянуть «видишь ли... собственно говоря», — значит, т
не хочешь сказать мне правду.

— А и верно! Я и вправду не очень хочу отвечать на тво
вопрос.

— Почему?

— Потому что ты еще дурочка... Сболтнешь где-нибуд
то, что я тебе скажу, — и готово: тебя исключат из института
меня посадят в тюрьму. Поняла?

— Ну, если ты мне не доверяешь... — И я, захлебнув
шись обидой, начинаю спускать ноги с дивана, чтобы ухо
дить.

— Да сиди ты! — удерживает меня папа. — Я тебе скажу
только смотри — никому!

— Ник-к-кому!

— Так вот... Как бы тебе это сказать...

— Ты — опять? — рычу я и передразниваю папу: — «Ка
бы тебе это сказать...», «Собственно говоря...»

— Да ведь, понимаешь, трудно мне ответить на тако
вопрос. Я сам никогда царем не бывал... Дело это, наверно
трудное... И — противное!

— Твое — лучше?

— А то нет? — удивляется папа. — Самый плохой врачишка все-таки нужен людям. А самый лучший царь... черт его знает, кому он нужен!

— Ты мне не ответил! Я хочу знать: наш старый царь — хороший?

Папа задумывается. Потом говорит не громко, но решительно:

— Плохой. Не только сам никогда ничего хорошего не сделал, но даже из того, что сделал до него отец, — а отец его кое-что сделал толковое, хотя и немного, — Александр Третий вытоптал все хорошее до последней крупинки, а плохое еще умножил.

Я долго молчу. Мне представляется, как тяжелый, огромный Александр Третий, вылезши из портрета в нашем актовом зале, топчет что-то «толковое», что сделал его отец. Вытаптывает ножищами в огромных лакированных сапогах...

— Папа... Павла Григорьевича и Анну Борисовну сослал в Сибирь он?

— Он.

— А товарищей Павла Григорьевича, которых повесили в Якутске, кто приказал казнить? Он?

— Он. И что страна нищая, и крестьяне без земли, и рабочие живут хуже, чем скотина... неграмотные, темные... и что поляков согнули в бараний рог, и литовцев давят, и евреям вздохнуть не дают — он ничего этого даже на каплю не облегчил!

Все. Больше мы с папой об этом не разговариваем.

Болезнь царя затягивается. И каждый день у нас только три урока: после большой перемены вместо уроков служат молебствие в домовой церкви нашего института, а мы — «инославные» — уходим домой. Даже служитель Степа, тот, что дает звонки к урокам и переменам, как-то, чистя дверные ручки, ворчал под нос довольно явственно:

— Богомолебствуем и богомолебствуем — и паки богомолебствуем...

Нехорошо, конечно, радоваться чужой болезни, но надо сказать правду: нам, «инославным», сейчас не жизнь, а мас-

леница: с часу дня мы свободны! Стоит удивительная осень
вся в золоте, тепло почти как поздним летом, и мы ежеднев
но отправляемся на прогулки. Чаще всего ходим группкой
Меля Норейко, Маня Фейгель, Олеся Мартышевская, Зин
Кричинская и я. Такая беда, что Лида Карцева, Варя Забели
на и Катя Кандаурова православные! Из-за этого они не мо
гут ходить с нами, должны выстаивать молебствия в церкви.

В один прекрасный день мы карабкаемся на Замкову
гору. Она возвышается над нашим городом. На ней — бес
форменные остатки старинного замка и почти полность
сохранившаяся башня из красного камня.

Сейчас здесь всегда тихо и пустынно. Мы — вся куч
девочек — очень устали, карабкаясь на гору. В руках у на
большие пестрые букеты разноцветных опавших листьев —
больше всего кленовых. Мы сидим на осенней земле окол
какого-то обломка былого каменного сооружения... част
стены, что ли... с сохранившимся круглым отверстием. Чт
это за отверстие: дозорное окно, из которого следили за при
ближением неприятеля, или бойница, из которой стреляли
Нас охватывает чувство тайны. Мы здесь совсем одни, вокру
тоже не видно ни одного человека... Мы жмемся около ста
рой-старой стены, круглый глаз которой смотрит в прошлое

Вдруг из-за обломка стены слышен мужской голос, глу
бокий, странно-певучий, полный страстного чувства:

Нет, поминутно видеть вас,
Повсюду следовать за вами,
Улыбку уст, движенье глаз
Ловить влюбленными глазами,
Внимать вам долго, понимать
Душой все ваше совершенство,
Пред вами в муках замирать,
Бледнеть и гаснуть... вот блаженство!

Мы словно окаменели. От неожиданности? Оттого что
круглом глазу старой стены есть какая-то жизнь? Нет, боль
ше всего нас захватила та сила чувства, то дыхание большой
любви, о которой почти поет голос за стеной, читающи
письмо Евгения Онегина.

Конечно, Меля так же полна странного и непонятного осторга, как и мы. Но вместе с тем она не стоит, как мы, оясь пошевельнуться, боясь даже перевести дух. Меля ысмотрела на старой стене зацепки, вроде уступчиков, и еслышно, как кошка, вскарабкавшись по ним, взглянула в руглый глаз стены. На лице ее — сильнейшее изумление.)на делает нам призывные знаки, приглашая и нас караб-аться за ней. Но только мы двинулись — из-за стены опять аздается все тот же голос. Теперь он читает — я узнаю с ервых же слов — монолог Чацкого из «Горя от ума». Он итает все так же певуче — ну совсем поет! — но с гневом, яростью оскорбленного чувства:

> Слепец! я в ком искал награду всех трудов!
> Спешил!.. летел! дрожал! вот счастье, думал, близко.
> Пред кем я давеча так страстно и так низко
> Был расточитель нежных слов!..

Мы стоим неподвижно, несмотря на энергичные знаки Лели, зовущей нас лезть к круглому глазу. Замечательное ародейство этого певучего, этого почти поющего голоса за теной погрузило нас в какое-то непонятное оцепенение...

> Вон из Москвы! сюда я больше не ездок.
> Бегу, не оглянусь, пойду искать по свету,
> Где оскорбленному есть чувству уголок!
> Карету мне, карету!

Не сговариваясь, мы все пятеро — даже Меля слезла о своего наблюдательного поста и смешалась с нами — ыбегаем из-за стены с круглым глазом: мы хотим увидеть, видеть глазами того, кто прочитал, почти пропел ам эти отрывки из Пушкина и Грибоедова.

Мы выбежали — смотрим во все глаза: никого! Ни Оне-ина, ни Чацкого... Нет, впрочем, какой-то человек очень обко и застенчиво жмется к тому обломку стены, из-за которой мы только что слушали чудный голос. Этот человек стоит как раз под круглым глазом. Он — юноша лет шестнад-цати-семнадцати, на нем старенькая, обтерханная ученическая шинель, только пуговицы уже не форменные — значит бывший ученик.

Мы идем к нему, все еще завороженные тем, что слышали; нам не верится, что невидимый чтец — этот нескладный парень в обшарпанной бывшей ученической шинели. Но он смотрит на нас — у него прекрасные глаза, необычно удлиненные к вискам, с глубоким, умным взглядом, — и мы понимаем: да, это он сейчас читал!

Мы протягиваем ему свои пестрые осенние букеты из листьев всех расцветок.

Юноша очень смущен.

— В-в-вы эт-то м-м-мне? Ч-ч-что вы? З-за что?

Очень странно слышать: тот же голос — и так сильно заикается!

— Нет, нет! Пожалуйста, возьмите! — просим мы его хором.

Юноша застенчиво пожимает плечами. Потом берет наши цветы и улыбается нам хорошей, дружелюбной улыбкой.

— С-с-п-п-пасибо!

И, неловко поклонившись, он быстро уходит, прижимая к груди наши смешные букеты из листьев. Вот его шинель мелькнула в густой щетке кустов калины, вот он уже спускается с горы — исчез из виду.

Только тут мы словно просыпаемся от сна.

— Певцов... — тихо говорит Меля. — Это Певцов...

И так как имя это нам явно ничего не говорит, Меля поясняет:

— У нас в институте его сестры учатся. Певцовы — Соня и Надя.

— А почему он так странно говорит? — спрашивает кто-то.

— Потому что он — заика. Начнет что-нибудь читать — вот как здесь раньше читал, слыхали? — нисколько не заикается! А простой разговор — трудно ему... И он стесняется, прячется ото всех.

Теперь я знаю: юноша в задрипанной ученической шинели был Илларион Певцов. Он был тяжелый и, как все считали, неизлечимый заика. А он мечтал стать актером! И у него амом деле был талант! Он уходил за город, в лес, взбирался а горы; там он декламировал, читал монологи, отрывки из ьес. Над ним насмехались, считали его полоумным. Но он ревозмог непреодолимое, он сделал невозможное: через ятнадцать — двадцать лет после этой нашей встречи с ним а Замковой горе он стал одним из самых замечательных усских актеров. В обыденной жизни ему так и не удалось до онца избавиться от своего заикания. Но на сцене, когда он увствовал себя не актером Певцовым, а королем Лиром, Іавлом Первым, Чацким, он совершенно перевоплощался: аикание исчезало без следа, он говорил плавно, глубоко, ильно. Бывали, однако, и у него срывы, бывали полосы, коға он не мог играть, потому что лишался силы управлять своей ечью и побеждать ее недостаток. И все же он не отчаивался, него не опускались руки! Когда я думаю о людях сильной оли, сильной страсти к искусству, я всегда вспоминаю его — удесного актера Иллариона Певцова. И мне приятно думать, то наши смешные попугайно-пестрые букеты из осенних листьев были, может статься, первыми цветами, поднесенными му на трудном, но победном пути.

Когда мы в тот день спустились с Замковой горы, во всем ороде уже были расклеены объявления в черной траурной амке: такого-то числа, во столько-то часов государь император, самодержец всероссийский, Александр Третий «в Бозе очил».

— Что это значит: «в Бозе почил»? — спрашиваю я дома папы.

— Значит, умер.

— А почему он умер в Бозе? Он же был в Ливадии! Разве н оттуда переехал в Бозу!

— «В Бозе», — объясняет папа, — это на церковнославянском языке значит: «в Боге». Умер в Боге. Ну, как оворят человеку: «Ступай, милый, с Богом!» Обыкновенные люди умирают просто, а цари отправляются на тот свет «с Богом» — «в Бозе»... Вот и все. Поняла?

Понять-то я поняла, но мне все-таки странно, почему ю-церковнославянски Бога называют так фамильярно: «Бозя»... Как «Кузя» или «Юзя».

Весь день и весь вечер к нам приходят люди. Не то чтобы они были опечалены смертью царя — нет, нисколько! Но все они взволнованны, и у всех один вопрос: что будет? Или вернее: будет что-нибудь или не будет? Никто не уточняет, о чем идет речь, — это, видимо, всем понятно. Дедушка читает газеты, не перестает вздыхать и мрачно крутить головой.

Я сижу тихонько, как мышь, за валиком дивана в папином кабинете. Никто меня не зовет: Поль на уроке, мама и Юзефа купают маленького Сенечку. Я смотрю на людей, приходящих к папе, — иные приходят на десять — пятнадцать минут! — и так как все говорят про одно и то же, непонятное мне, то я развлекаюсь, придумывая: из *чего* сделан этот человек или *как именно* сделан тот? Вот пришел наш сосед, зубной врач Тасселькраут, длинный, как жердь, и я думаю: «Он сделан так, как делают копченого сига, — в спину ему воткнули палку». Сиг-Тасселькраут уже с порога говорит:

— Яков Ефимович! Вы же умный человек...

— По-моему, — отвечает папа, — вы, Семен Захарович, тоже умный человек.

— Нет, скажите: вы что-нибудь знаете?

— Откуда? — удивляется папа.

— Ну, откуда-нибудь...

— Ничего и ниоткуда.

— Но все-таки как вы думаете?

— Как я могу думать, когда я ничего не знаю! — удивляется папа.

Директор музыкальной школы пианист Трощинский, с головой, похожей на щетку, насаженную на человеческие плечи, врывается в папин кабинет, как буря:

— Яков Ефимович!..

— Василий Васильевич, голубчик! Давайте сразу: я ничего не слыхал, ничего не знаю и потому еще ничего пока не думаю.

— Но все-таки вы считаете: можно надеяться на что-нибудь?

— Понятия не имею!

Трощинского сменяет хирург Юндзилл. Он ни из чего не сделан. Вот именно, его еще не сделали! Вроде как начали ребята вылеплять лицо и голову из снега или, может быть, даже скульптор высек резцом эту старческую голову в глыбе камня — и все: больше ничего не успел сделать. Так доктор Юндзилл и двигается — гора горой. Но лицо ему скульптор сделал красивое, умное.

— Коха́ны Якубе (любимый Яков)... — обращается к папе доктор Юндзилл.

Разговор у них идет по-польски, но я понимаю этот язык хорошо.

— Коха́ны Якубе... Видишь, я к тебе пришел...

— Я даже знаю, зачем вы ко мне пришли! — словно поддразнивает его папа.

— Якубе! Ты же сам понимаешь... Кухарку сменяем, кучера сменяем — и то интересуемся: а что собой представляет новая кухарка или новый кучер? А тут ведь дело серьезное! — Он понижает голос: — Новый царь! Жизнь меняется! Хочется, чтоб она стала лучше... Что-то у тебя на лице я не вижу этих ожиданий, этой радости, а?

— А откуда их взять, шано́вный (уважаемый) коллега? — говорит папа невесело. — Есть, знаете, такая русская пословица: «Яблочко от яблоньки недалеко падает!»

— Да... — соглашается Юндзилл. — Яблоня в самом деле была не очень...

Тут в кабинет входит новый человек — невысокого роста, с чем-то вроде абажура над глазами.

— А, — радуется ему папа, — вот кто расскажет нам интересные вещи!.. Вы знакомы с Александром Степановичем, шановный коллега Юндзилл?

Пока доктор Юндзилл обменивается рукопожатием со вновь прибывшим, папа продолжает:

— Александр Степанович Ветлугин — один из самых образованных людей в нашем городе. Историк!

— Преподаете в гимназиях? — спрашивает доктор Юндзилл.

— Нет! — очень резко отстраняет вопрос Александр Степанович. — Для преподавания в гимназиях требуются не только знания — некоторое количество их у меня есть, но и другие добродетели, каковых у меня нет.

Я знаю Александра Степановича и знаю о его бедственной жизни. Взрослые говорят, что его невзлюбило начальство «за смелость и независимость суждений». Я понимаю это так, что Александр Степанович, наверно, не подлаживался к такому начальству, вроде нашей Колоды, и не вторил ей в угоду, как «синявка»: «Ах, прэлэстно, прэлэстно!» И его уволили из гимназии. Он дает частные уроки, но их у него мало, да и обращаются к нему всё больше малоимущие ученики. Папа и мама очень любят Александра Степановича, постоянно зовут его к нам в гости. Но он — гордый человек, приходит редко, отказывается от обеда или чаю: «Благодарствую. Сейчас вкусил дома».

— Александр Степанович! — говорит папа, усаживая его в кресло. — Что вы можете сказать нам по случаю последних событий?

— Что же? Могу помянуть ныне скончавшегося государя Александра Третьего... Только чем поминать-то? — И, прижмурив под абажуром свои больные глаза, Александр Степанович начинает говорить так гладко, словно он читает по книге: — Рождение Александра Третьего было возвещено в три часа дня жителям столицы триста одним выстрелом с бастионов Петропавловской крепости. Вечером того же дня столица была иллюминована... Неведомый поэт напечатал в журнале «Маяк» приветственную оду:

> Наследник ты полсветные державы,
> Младенец Александр! Как много пред тобой
> Светил родных лучами славы
> Осиявают путь земной!..

— Осиявают? — смеется папа.

— Так точно: осиявают. Затем, — продолжает Александр Степанович, — при самом рождении своем Александр Третий был назначен шефом Астраханского карабинерного полка, а самому полку было пожаловано отличие — носить вензель своего державного шефа: офицерам — золотой, нижним чинам — из красного сукна. Вот как будто и все, что я могу сказать об Александре Третьем. По крайней мере, такого, за что мне не нагорело бы от начальства. Да, вот еще при его рождении отец его — позднее Александр Второй — передал в распоряжение санкт-петербургского военного генерал-губернатора три тысячи рублей на «вспомоществование беднейшим жителям столицы...». Все.

— Но... — Доктор Юндзилл смотрит на Александра Степановича с величайшим недоумением. — Но ведь мы... мы хотели бы...

— Александр Степанович, — мягко говорит папа, — мы с доктором Юндзиллом хотели бы услышать от вас не о покойном Александре Третьем, а о новом царе — Николае Втором.

Александр Степанович открывает под своим абажурчиком красные, воспаленные глаза и в упор смотрит на папу:

— Яков Ефимович! Если о царе, чей жизненный путь сегодня уже закончился, я могу сказать вам лишь так немного, то что же можно сообщить о царе, который сегодня только вылупляется из яйца, как цыпленок? Ничего... Имею честь кланяться.

И Александр Степанович быстро уходит. Он и всегда приходит и уходит неожиданно, сегодня он как-то не по-обычному нервничает. А тут еще мама зовет всех чай пить.

— Простите... Тороплюсь по делу... — И нет уже Александра Степановича.

Папа и доктор Юндзилл долго молчат. Потом папа вдруг говорит:

— Что ж, дорогой коллега, подождем еще немного. Завтра, вероятно, будет обнародован манифест нового царя. А вдруг там будет что-нибудь неожиданное? Хорошее?

Доктор Юндзилл тяжело поднимается со стула, кладет свои могучие руки на папины плечи и говорит с хитрой улыбкой:

— Ой, Якубе, Якубе! Таким «веселеньким» голоском, как ты это сейчас сказал, — таким я разговариваю только с самыми безнадежными больными, которых я уже никак не надеюсь вылечить!.. Ну что же, подождем царского манифеста...

Он уходит, папа провожает его в переднюю.

Возвратившись в кабинет, папа застает меня задумавшейся в уголке его дивана. Папа садится к письменному столу.

— Папа... — говорю я. — Я все знаю...

— Все? — спрашивает папа с наигранным удивлением. — Завидую тебе!

— Да, все.

— Какая осведомленность! — балагурит папа. — И какая скромность! «Знаю все»! Не больше и не меньше! Может, скажешь и мне?

— Пожалуйста. Все волнуются из-за того, что новый царь. Какой он будет — хороший, плохой? Так, папа?

— Так, — подтверждает папа очень серьезно. — А еще что?

— А еще... вот тут я немножко не поняла... Все гадают: будет какая-то очень нужная вещь в манифесте или не будет?.. Чего это они ждут, папа, а? Какая это у них желательная штучка?

— «Желательная штучка», — посмеивается папа. — Видишь ли... как бы это тебе сказать?

Я слезаю с дивана и с оскорбленным видом иду к двери.

— Ку-у-уда? — кричит папа. — Сию минуту подойти ко мне!

Я подхожу.

— Ты что это за фокусы показываешь?

— Никаких фокусов я не показываю! — говорю я угрюмо. — А только надо что-нибудь одно. Не хочешь сказать — ну, так и говори: не скажу! И все. А ты начинаешь размазывать: «Видишь ли... собственно говоря... Как бы тебе сказать...» Можно подумать, мне пять лет!

— Да ведь трудно мне объяснить тебе это, тупица ты!

— Ах, я еще и тупица?

— Да постой ты, господи, неугомонная какая! Я обдумываю, как сказать это... Непонятное ведь оно для тебя!

— Если я не пойму, я скажу: объясни еще раз!

— Ну, и кроме того... — Папа водит пальцем перед моим носом. — Секретное ведь это!

— А когда я кому-нибудь твои секреты разбалтывала? Когда? — наседаю я на папу. — Даже Полю — нет! Даже Юльке — и то никогда ничего секретного не рассказывала! А ты говоришь...

— Ну ладно, слушай... А что ты, собственно, хочешь от меня узнать?

— Я хочу узнать, — говорю я упрямо, — что такое люди хотели бы прочитать в этом царском манифесте или как его там...

Папа отвечает, старательно подбирая слова, чтобы мне было понятнее:

— Вот... Люди хотели бы, чтобы царь написал так: «Государство у меня большое. Я один. Мне трудно все делать одному, все понимать, все знать, все уметь, обо всем заботиться. И вот я, царь, хочу, чтобы лучшие люди в государстве помогали мне править». Вот что люди хотели бы прочитать в царском манифесте. Поняла?

— Яков! — говорит дедушка. — Зачем ты говоришь ребенку такое?

— А что ж! — говорю я. — Что тут непонятного? И, по-моему, это все правильно!

Папа смотрит на меня — не пойму как: и любовно, и насмешливо, и грустно. Он прижимает мою голову к себе:

— Ох, Пуговица ты моя, Пуговица... К белью такие пуговицы пришивать... К штанишкам твоим — вот!.. — Отстранив меня от себя, папа смотрит мне в глаза и говорит, но уже словно не мне, а самому себе: — Подумать только! Даже детям понятно, дети считают правильным!..

— А взрослые как считают?

— Это мы с тобой прочитаем в манифесте... Только я — имей в виду! — ни на что не надеюсь...

— Я тоже, — вздыхает дедушка. — Что он, сумасшедший, что ли, царь этот, чтоб самого себя урезывать? Не-е-ет! Он в свою власть зубами вцепится. Знаю я их, очень хорошо знаю!

Кого это дедушка так хорошо знает — царей, что ли? И откуда у него это редкостное знание, я не спрашиваю. Я целиком поглощена разговором папы с дедушкой. Это, собственно говоря, не разговор — каждый из собеседников говорит словно для самого себя. Но я все «наматываю на ус», потому что это имеет прямое отношение к тому, что́ будет в царском манифесте: призовет царь себе помощников из народа, чтобы помогали они ему получше управлять, или не призовет.

— Да... — продолжает папа думать вслух. — Не было такого случая в истории, чтобы цари или короли сделали это сами, по доброй воле...

Мне ужасно хочется спросить: а как это бывает, когда цари отдают свою власть «не по доброй воле»? Но тут вдруг папа вспоминает обо мне — он, видимо, совсем забыл о том, что я тут стою и жадно вслушиваюсь во все разговоры! Папа сердится и свирепо кричит на меня:

— Да уйдешь ты отсюда когда-нибудь или нет? Пристаешь тут, канючишь: «Папа, почему? Папа, отчего? Папа, скажи!» Ступай, пожалуйста, к своим игрушкам!

— К игру-у-ушкам? — тяну я так насмешливо, как только могу. — Сейчас пойду отниму у Сенечки погремушку и буду ею трещать! Или еще попрошу, чтобы меня положили, как Сенечку, в корыто! «Купа-а-атеньки! Купа-а-атеньки!» — передразниваю я Юзефины и мамины приговоры при Сенечкином купании.

Неизвестно, что ответил бы мне на это папа — он так умеет отщелкать, ой! — но тут к нему входит новый посетитель и задает ему все тот же вопрос, какой задавали все предыдущие:

— Яков Ефимович, ну как? Будет что-нибудь, как вы думаете?

— Никак я не думаю! — устало отмахивается папа. — Ничего не будет, не ждите! — И, повернувшись ко мне: — Ступай погуляй около дома... Ты теперь совсем не бываешь на воздухе.

Конечно, я могла бы возразить, что сегодня я целых два часа гуляла с подругами на Замковой горе, а там воздуху сколько угодно: дыши — не хочу! Но мне не хочется пререкаться, да и надоели мне все эти люди, прибегающие к папе все с тем же вопросом: «Будет что-нибудь? Или не будет?»

Я выхожу на улицу. Иду по тротуару и думаю:

«Удивительное дело, никто ничего не знает! Все тормошатся, суетятся, как муравьи в муравейнике, куда воткнули палку... Даже папа и тот сам говорит: «Ничего не знаю»...»

— Здрасте! — слышу я голос позади себя.

Оборачиваюсь — Вацек! Рыжий Вацек! Тот самый, которого арестовали после 1 мая и выпустили в самый день свадьбы Юлькиной мамы и Степана Антоновича. Рыжий, веселый Вацек, друг Юльки. Да что друг Юльки — приятель Павла Григорьевича, их обоих и арестовали тогда в один день.

— Вацек! — радуюсь я ему так, словно сквозь его рыжую голову мне видится круглое, как луна, улыбающееся лицо Месяца Месяцовича, Павла Григорьевича. — Давно я вас не видала. Вот хорошо, что встретила!

— И я тоже радый! — весело отзывается Вацек. — Учителя своего помните?

— Павла Григорьевича? Ну как же!

— Может, пишет он вам когда?

— Пишет, конечно. Он в Харькове. В университете учится. Скоро будет доктором...

— Ну, дай ему Боже! — говорит Вацек сердечно, от души. — Он не вам одной учитель: все мы тут через него, можно сказать, свет увидали... А с Юленькой вы давно не встречалися?

— Давно! — вздыхаю я. — Ходила я к ней на той неделе в Ботанический сад. А там уж никого нету, и ресторан заколочен... Может, и уехали они в другой город? Они ведь собирались уезжать...

— Нет, не уехали еще. Хотите, покажу, где они живут? Тут близенько!..

Юлька радуется очень и мне и Вацеку.

— Ой, Саша, как хорошо! — И тут же спохватывается: — А лучше бы ты вчера пришла!

— Почему?

— У меня вчера конфета была. А сегодня — нету: съела я ее.

Чисто выскобленный стол покрыт газетным листом. Вацек тычет пальцем в напечатанный в газете портрет Николая Второго.

— С обновкой, Юленька, поздравляю! С новым царем! — говорит он насмешливо.

— Разве он плохой? — спрашивает Юлька.

— А пес его знает! — беспечно говорит Вацек. — Плохой, хороший — нам все одно. Хуже нам от него не будет. Ну, куда еще хуже, чем теперь живем?

— Татуся мой говорит: лучше не будет, а хуже всегда может быть! — рассудительно возражает Юлька.

— А вдруг будет лучше? — спрашиваю я.

— Ни! — решительно отрезает Вацек. — Это паны думают — новый царь их позовет, вместе с царем управлять будут! Позовет он их, как же!

И Вацек хохочет так весело, словно это невесть как смешно.

— А вы думаете, не позовет?

Вацек поднимает плечи с преувеличенным удивлением:

— А хоть бы и позвал, так ведь кого позовет? Панов позовет, богатых, вот кого! Не мужика, а барина его! Не меня, а хозяина моего, чтоб он подох! Думаете, Саша, папашу вашего позовут? Борони Боже! Самых богатых панов позовут — не его! А панам рабочий человек — тьфу! Хоть собаки его ешь... Нет, нашему брату, рабочему, не от этого дела добра дожидать надо!

Мне очень хочется спросить у Вацека: а от какого дела можно ждать добра рабочему человеку? Но я стесняюсь. И еще я боюсь, как бы Вацек не послал меня играть моими игрушками, как это сделал час тому назад папа...

С полчасика я сижу у Юльки. Их отъезд должен решиться в ближайшие дни. Конечно, Юлька не уедет, не простившись со мной.

Я иду домой и думаю: Вацек, ясно, ничего хорошего от нового царя не ждет. И сама собой возникает у меня мысль: значит, и Павел Григорьевич тоже, наверно, ничего от царя не ждет...

А от кого они ждут добра?

...И вот он лежит перед нами, утренний газетный лист. Портрет умершего государя Александра Третьего. Портрет нового государя Николая Второго. И — царский манифест:

БОЖИЕЙ МИЛОСТЬЮ

МЫ, НИКОЛАЙ ВТОРЫЙ, ИМПЕРАТОР И САМОДЕРЖЕЦ ВСЕРОССИЙСКИЙ, МОСКОВСКИЙ, КИЕВСКИЙ, ВЛАДИМИРСКИЙ, НОВГОРОДСКИЙ, ЦАРЬ КАЗАНСКИЙ, ЦАРЬ АСТРАХАНСКИЙ, ЦАРЬ ПОЛЬСКИЙ, ЦАРЬ СИБИРСКИЙ, ЦАРЬ ХЕРСОНЕСА ТАВРИЧЕСКОГО, ЦАРЬ ГРУЗИНСКИЙ, ГОСУДАРЬ ПСКОВСКИЙ И ВЕЛИКИЙ КНЯЗЬ СМОЛЕНСКИЙ, ЛИТОВСКИЙ, ВОЛЫНСКИЙ, ПОДОЛЬСКИЙ И ФИНЛЯНДСКИЙ; КНЯЗЬ ЭСТЛЯНДСКИЙ, КУРЛЯНДСКИЙ, ЛИФЛЯНДСКИЙ И СЕМИГАЛЬСКИЙ; САМОГИТСКИЙ, БЕЛОСТОКСКИЙ, КАРЕЛЬСКИЙ, ТВЕРСКИЙ, ЮГОРСКИЙ, ПЕРМСКИЙ, ВЯТСКИЙ, БОЛГАРСКИЙ И ИНЫХ; ГОСУДАРЬ И ВЕЛИКИЙ КНЯЗЬ НОВАГОРОДА, НИЗОВСКИЕ ЗЕМЛИ, ЧЕРНИГОВСКИЙ, РЯЗАНСКИЙ, ПОЛОТСКИЙ, РОСТОВСКИЙ, ЯРОСЛАВСКИЙ, БЕЛОЗЕРСКИЙ, УДОРСКИЙ, ОБДОРСКИЙ, КОНДИЙСКИЙ, ВИТЕБСКИЙ, МСТИСЛАВСКИЙ И ВСЕЯ СЕВЕРНЫЯ СТРАНЫ ПОВЕЛИТЕЛЬ; ГОСУДАРЬ ИВЕРСКИЯ, КАРТАЛИНСКИЯ И КАБАРДИНСКИЯ ЗЕМЛИ И ОБЛАСТИ АРМЕНСКИЯ, ЧЕРКАССКИХ И ГОРСКИХ КНЯЗЕЙ И ИНЫХ НАСЛЕДНЫЙ ГОСУДАРЬ И ОБЛАДАТЕЛЬ; ГОСУДАРЬ ТУРКЕСТАНСКИЙ; НАСЛЕДНИК НОРВЕЖСКИЙ; ГЕРЦОГ ШЛЕЗВИГ-ГОЛСТИНСКИЙ, СТОРМАРНСКИЙ, ДИТМАРСЕНСКИЙ И ОЛЬДЕНБУРГСКИЙ И ПРОЧАЯ, И ПРОЧАЯ, И ПРОЧАЯ — ОБЪЯВЛЯЕМ ВСЕМ ВЕРНЫМ НАШИМ ПОДДАННЫМ...

Я положительно не дышу — вот-вот... вот сейчас будет сказано...

...В БЕСПРЕДЕЛЬНОЙ СЫНОВНЕЙ СКОРБИ НАШЕЙ О НЕВОЗНАГРАДИМОЙ УТРАТЕ...

Дальше идет так непонятно, что я читаю почти по складам:

...ПРОНИКШИСЬ ЗАВЕТАМИ УСОПШЕГО РОДИТЕЛЯ НАШЕГО, ПРИЕМЛЕМ СВЯЩЕННЫЙ ОБЕТ ПРЕД ЛИЦОМ

ВСЕВЫШНЕГО ВСЕГДА ИМЕТЬ ЕДИНОЮ ЦЕЛЬЮ МИРНОЕ ПРЕУСПЕЯНИЕ, МОГУЩЕСТВО И СИЛУ ДОРОГОЙ РОССИИ И УСТРОЕНИЕ СЧАСТЬЯ ВСЕХ НАШИХ ВЕРНОПОДДАННЫХ...

Я даже вспотела, пока все это прочитала. А поняла самую малость...

— Папа! Что это значит?

Папа проявляет все признаки отвратительного настроения духа: он пьет чай с невообразимым шумом, все время вызвякивает что-то ложечкой о подстаканник и упорно молчит.

— Ну, папа же!..

— Что тебе надо? — спрашивает он так, словно я — чужая девочка, которая хватает его на улице за рукав пальто.

— Я не понимаю, что тут написано!

— А что тут понимать? — взрывается папа, как ракета. — Все ясно: он очень огорчен тем, что умер его дорогой папа... Он будет все делать так, как делал его дорогой папа... Для дорогой России... Кланяйтесь дорогой Марье Ивановне!..

— Яков! — говорит мама с упреком. — Ты слышишь, что ты говоришь ребенку?

Я надеваю ранец — мне пора идти в институт. В эту минуту слышен плач проснувшегося Сенечки, и мама устремляется в соседнюю комнату. Мы с папой остаемся одни.

— Папа... — говорю я тихонько. — Значит, ничего не вышло?

— Я же тебе вчера говорил, что не выйдет!

— Не позовут никого, чтобы помогать царю? И людям не станет лучше?

— Не позовут. Не станет лучше.

Я ухожу. Жалко, думаю, что так вышло. Но все-таки, может быть, сегодня успели вписать в манифест еще не все? Может быть, что-нибудь еще объявят потом?

Нет, не объявили. Два месяца спустя царь принимал многочисленные делегации и депутации от всей страны. Некоторые из них осторо-о-ожно, отдале-о-онно намекали царю на то, что́ мне говорил папа. Но у царя была заранее заготовлена ответная речь, где все это называлось «беспочвенными мечтаниями», с которыми надо покончить. Речь эта была написана на листе бумаги и засунута за обшлаг рукава его мундира. От непривычки выступать и пользоваться «шпаргалками» молодой царь нечаянно прочитал не «беспочвенные мечтания», а — «бессмысленные мечтания». Так он и брякнул вслух, громко. Скандал получился на весь мир! В самом деле, в течение всего своего долгого и несчастного царствования Николай всеми мерами боролся против «бессмысленных мечтаний» об ограничении самодержавия, о лучшей жизни для рабочих, о земле для крестьян, об освобождении угнетенных народов. Он боролся с «бессмысленными мечтаниями», а они в конце концов оказались сильнее и победили его! Но это случилось только двадцать два года спустя — в 1917 году.

...Я прихожу в институт, и тут на меня наваливаются очередные неприятности. Во-первых, я — единственная не в трауре: без черной крепововой нашивки на воротничке и манжетах.

Дрыгалка поджимает губки самым ядовитым образом:

— Что же, Яновская, ваша мама не знает, что ли, о кончине нашего обожаемого монарха? Или она не понимает, что это — горе, несчастье для всего государства? Она, может быть, даже не плачет вместе со всей Россией?

Ну, что ей ответить? Правду, как учил папа: «Да, моя мама знает, что умер государь, но она не плачет»? Не-е-ет уж! Я теперь ученая и такой правды не говорю.

Оказывается, по случаю смерти государя занятий не будет целых три дня.

У всех девочек такие счастливые лица, как будто государь не умер, а позвал их на бал к себе во дворец.

Сейчас Дрыгалка продиктует нам то, что задано на следующий день занятий.

И тут на меня обрушивается новая беда!

Мы сидим перед своими раскрытыми дневниками.

Целых три дня в дневнике свободные, белые, пустые. И я, как всегда, против этих неприсутственных дней пишу в своем дневнике три раза подряд: «Праздник... Праздник... Праздник»...

— Что-о такое? — раздается над моей головой не крик, а пронзительный визг.

Это Дрыгалка увидела, что я пишу, и выхватила у меня из-под носа мой злополучный дневник.

— Извольте полюбоваться! Все, все, все! Смотрите! Умер наш государь, а для Яновской — видите? — это праздник!

И та-та-та! И тра-та-та! И доложу госпоже начальнице! И сообщу господину директору! И сбавят по поведению! И прочая, и прочая, и прочая, как пишет новый царь в своем манифесте.

Дневник она мне все-таки вернула.

Ну, слава богу! Три дня, целых три дня — без Дрыгалки. То-то радость!

Зато на исходе этих трех дней меня ожидает грустное известие: пока мы с Полем ходили гулять, в мое отсутствие забегала мать Юльки, Анеля Ивановна. Они внезапно уезжают раньше, чем предполагали: она забежала проститься и оставила мне письмо от Юльки.

Юлька пишет еще очень плохо (читает она уже хорошо, бегло).

Кто-нибудь другой, наверно, даже не разобрал бы этого ее прощального письма, но я ведь — ее учительница, и мне, в общем, все понятно.

Многавжмая Шаська ужаем ужасно хаплап
Спасиба тибе я тибья лублу напышы адвет.

Юля

Это означает:

Многоуважаемая Сашенька! Уезжаем ужасно впопыхах.

Спасибо тебе. Я тебя люблю. Напиши ответ.

Юля

...Прощай, Юленька, подружка моя милая!

Глава одиннадцатая

ВНУКИ ИВАНА КОНСТАНТИНОВИЧА

Юзефа заглядывает в столовую и говорит самым недоброжелательным голосом:

— Пришел...

— Кто пришел? — спрашивает мама.

— А ну тот... як яво?..

— Кто пришел, Юзефа? — терпеливо переспрашивает мама.

— Ну, румунец тот...

Это очень неопределенно: румунцами Юзефа называет всех иностранцев.

— Вот наказание! — вздыхает мама. — Никогда у вас ничего не поймешь! Я вас спрашиваю: кто пришел?

— Вы спрашуете, а я кажу: прийшел! Солдат! Того доктора денщик!

Мама, взволнованная, встает из-за вечернего чайного стола.

— Шарафутдинов? — переспрашивает она. — Ну, пусть войдет.

— Еще дело! — ворчит Юзефа. — Солдата у комнаты пускать! Ён напачкаець, а Юзефа — подтирай?

— Как вам не стыдно, Юзефа! Иван Константинович уже два дня у нас не был — может быть, он болен?.. Шарафутдинов! — зовет мама.

Как всегда, страшно топая, в столовую входит Шарафутдинов. Он чем-то очень расстроен, глаза его смотрят растерянно и обиженно.

— Хадила ана́... — говорит он печально. — Хадила и хадила. Хадила и хадила...

— Кто ходил, Шарафутдинов? — спрашивает мама мягко.

— Ана хадила. Ихням благородиям. Кото́ра то́льста...

Так Шарафутдинов всегда говорит об Иване Константиновиче.

— А куда он ходил? — продолжает допытываться мама. Она очень обеспокоена.

— Туды хадила, сюды хадила, всем улицам хадила. И я хадила, зонтикам носила. А ана — зонтикам не надо, мине прогоняла, ногами так... — Тут Шарафутдинов показывает, как Иван Константинович топал на него ногами.

— А где же он теперь?

— Домой прихадила. Сидит, пла́каит... как рибенка си равно... — И глаза Шарафутдинова наполняются слезами. — Идем, барина! — говорит он маме. — Ихня благородия пла́каит... Идем!..

Тут в передней раздается звонок. Юзефа идет отпирать — и мы слышим голос здоровающегося с ней Ивана Константиновича. Испуганный Шарафутдинов бросается опрометью удирать по черному ходу.

Это в самом деле пришел Иван Константинович. Заглянув в папин кабинет, — папы нет дома, — старый доктор идет в столовую. Мама радушно предлагает Ивану Константиновичу сесть с нами за чайный стол и уже наливает ему его любимую большую чашку, которую он шутя называет «аппекитная». Но он от чая отказывается.

— Я с вами, Елена Семеновна, голубонька моя, потолковать пришел...

Тактичная Поль незаметно уходит, увозя с собой колясочку со спящим Сенечкой. Мама спрашивает меня:

— У тебя уроки не все приготовлены?

Но я уверяю, что приготовлены — все!

Как же я могу уйти, когда так интересно! Иван Константинович «ходила по всем улицам», а потом «плакала» у себя дома... Значит, что-нибудь случилось! Интересное... И я вдруг уйду!

Иван Константинович смотрит на маму своими добрыми медвежьими глазками и вдруг говорит:

— Не угоняйте Сашурку, голубенькая моя Елена Семеновна... Она мне тоже нужна...

И я остаюсь сидеть — законно сидеть! — на своем стуле.

Наступает долгая пауза. Мама преувеличенно хлопотливо перемывает чайные чашки. Иван Константинович подпер голову рукой и сидит, такой грустный, такой несчастный, что просто невозможно смотреть!

Наконец он нарушает молчание:

— Помните, Елена Семеновна, фотографию я вам показывал? Сидит дама, молодая, красивая, руки на колени уронила, — помните, да? И Сашурка эту фотографию как-то у меня увидела, сказала: «Милая какая!..» Помнишь, Сашурка?

Я усиленно киваю. Конечно, помню!

— Я всем говорил про эту даму: нет ее на свете, померла. Она и в самом деле была для меня все равно что покойница. Потому что была она чужая жена, а я ее, скажу вам прямо, любил. Всю жизнь любил...

Иван Константинович умолкает надолго. Мы с мамой не сводим с него глаз. Я даже забываю о своей любимой привычке плести косички из скатертной бахромы, я смотрю на Ивана Константиновича.

— Ну, так вот... — говорит он наконец со вздохом. — Я вам тогда соврал. Соврал, да. Ну, а сегодня... — Иван Константинович натужно глотает, словно хочет проглотить сильную боль. — Сегодня уж это правда: умерла она. Инна Ивановна Хованская... Генеральша Хованская... Инночка Благова — так я ее в юности моей звал... Умерла. Вот прочитайте.

И он протягивает маме письмо.

Мама читает письмо. Читаю и я, просунув голову под маминым локтем.

«Уважаемый Иван Константинович!

Нет, не так... Ваня, милый, дорогой мой Ваня... Больше сорока лет я Вас так не называла, не имела права. Сегодня могу. Муж мой умер, я свободная, я могу написать Вам и назвать Вас так, как целых сорок лет называла Вас только глубоко в сердце моем. Милый, дорогой, любимый мой Ваня! Не судьба нам с Вами увидеться и хоть поплакать вместе о нашей молодости, о нашей любви, о нашем загубленном счастье. Месяц тому назад, на похоронах моего мужа, я простудилась и вот умираю. И я пишу Вам, пока еще не оставило меня сознание, потому что хочу попросить Вас исполнить мою предсмертную просьбу...»

В этом месте я взглядываю на Ивана Константиновича. Он сидит на противоположном конце стола, глаза его смотрят поверх наших голов, а губы — добрые, старческие губы, которыми он пугал меня в детстве, изображая разных кусающихся зверей, — эти губы сейчас шепчут слово за словом то, что мы с мамой тихо про себя читаем в письме Инны Ивановны. Он знает письмо наизусть, и я вижу, глазами вижу и слышу, как его губы шевелятся, шепча слова:

— *«...хочу попросить вас исполнить мою предсмертную просьбу...»*

Мы с мамой читаем дальше:

«...У меня был единственный сын — Леонид. Жена его родила ему двоих детей: сына Леню и дочку Тамару. Родами этой Тамарочки жена сына умерла. Сын мой был этнограф-путешественник, он поехал с экспедицией в Среднюю Азию — и не вернулся, погиб. Дети воспитывались у нас. Теперь Лене 13 лет, Тамарочке — 12. В моем завещании я назначаю их опекуном — Вас. Не отказывайтесь, Ваня, умоляю Вас. Пусть хоть внуки у нас будут общие! И я умру спокойно: никто не воспитает их такими честными, добрыми, благородными, как Вы, потому что Вы сами такой.

Милый Ваня, помните, Вы всегда шутили, что у меня руки «не хваткие», не сильные. И верно — не удержала я наше счастье, не удержала единственного сына, не удержала в себе жизнь, чтобы хоть один разочек повидаться с Вами. Одно удержала я, Ваня, драгоценный мой друг: мою любовь к Вам. Потому что и сегодня, в смертный мой час, люблю Вас, как любила всю жизнь.

Ваша Инна

О средствах не заботьтесь. Леня и Тамара имеют порядочное состояние. Будьте им только опекуном, воспитателем, дедушкой — тогда они вырастут хорошими людьми...»

Мы смотрим с мамой на неровные, кривые строки этого письма, на его прыгающие буквы, местами они разбегаются в разные стороны. Даже я — не говоря уж о маме! — понимаю, что плакать н е л ь з я. Надо щадить Ивана Константиновича.

Так проходит много минут.

— Иван Константинович, — спрашивает мама, — она умерла?

Иван Константинович утвердительно наклоняет седую голову.

— Да... Вместе с этим письмом я получил извещение о смерти, копию с ее последних распоряжений... и все...

Я мысленно вижу перед собой карточку Инны Ивановны, как когда-то увидела ее в альбоме у Ивана Константиновича. В старомодном широком платье и кругленькой шапочке с пряжкой, с печальными, детски удивленными глазами, — а маленькие руки лежат на коленях покойно и беспомощно... Верно она написала про свои руки: ничего такими руками не схватить, не вырвать у жизни, не удержать.

Я подхожу к Ивану Константиновичу, — он по-прежнему смотрит каким-то отсутствующим взглядом, словно в прошлое свое смотрит.

— Иван Константинович! — говорю я. — Девочке-то этой, Тамарочке, десять лет? Как мне...

— Постарше она тебя... Двенадцать ей... Но в первом классе, как ты... Болела, верно, или, может быть, баловали ее... Ну как, будешь ты с ней дружить, с сироткой этой?

— Конечно! Зачем вы спрашиваете?

Иван Константинович собирается завтра выехать в тот город, где живут внуки Инны Ивановны, и привезти их сюда. Здесь мальчика отдадут в гимназию — он учится в кадетском корпусе, — в нашем городе кадетского корпуса нет. Девочку определят к нам в институт. Поль будет заниматься с ними по-французски. А завтра с утра мама и Поль пойдут на квартиру Ивана Константиновича. Они устроят комнаты для детей, Лени и Тамары, чтобы им было уютно, удобно жить. Квартира у Ивана Константиновича большая, но часть ее, чуть ли не в целых три комнаты, занимают его звери — собаки, попугай, аквариумы с рыбами, террариумы с черепахами, саламандрами, лягушками.

— Надо будет этот ваш зверинец потеснить... — говорит мама. — Они у вас чуть не полдома заполонили!

Иван Константинович бережно укладывает письмо Инны Ивановны в конверт, а конверт — в боковой карман. Надо идти домой, а на улице — какая-то сумасшедшая чехарда мокрых хлопьев снега с самыми настоящими струйками дождя.

— Как вы пойдете в такую погоду, Иван Константинович? — тревожится мама, когда мы провожаем его в переднюю. — Остались бы, переждали, пока пройдет дождь со снегом.

Но Иван Константинович уже открыл дверь на лестницу, и мы видим темную фигуру, сидящую на верхней ступеньке. Это Шарафутдинов. Он с грохотом вскакивает и протягивает Ивану Константиновичу зонтик.

— Зонтикам... — говорит он браво, и в его миндалевидных глазах, устремленных на «ихнюю благородию, кото́ра то́льста», сияет застенчивое торжество: он все-таки доставил зонтик и вручил его! И «ихня благородия» постесняется перед нами топать ногами на своего «Шарафута» и должен будет отправляться домой под зонтиком.

Иван Константинович делает лицо людоеда и, махнув безнадежно рукой, уходит. Шарафутдинов топает за ним.

Мама рассказывает возвратившемуся домой папе обо всех новостях, свалившихся на голову Ивана Константиновича.

— Боюсь, хлопот у него будет много! Шутка ли, в берлогу старого холостяка, с его жабами, вдруг въезжают двое незнакомых детей! Их надо воспитывать, учить, заботиться о них...

— Очень хорошо! — говорит папа, сменяя измокшие под непогодой костюм и белье. — Просто очень хорошо! Это ему было необходимо.

— Что ему было необходимо? — недоумевает мама.

— А вот именно это! Чтоб у него были хлопоты, заботы, живые, веселые внуки, радости, даже огорчения! Иван Константинович жил до сих пор жизнью, которую сам себе придумал. Теперь к нему придет настоящая жизнь. Если хочешь знать, в Иване Константиновиче больше доброты, чем в Государственном банке денег. И только теперь он найдет, с кем делиться этим богатством!

В этот вечер я долго не могу заснуть. Мне все видятся какие-то воображаемые дети — Леня и Тамарочка, с которыми я буду дружить. Леня представляется мне высоким мальчиком в форме кадетского корпуса, заносчивым, драчуном — в общем, довольно противным. А Тамарочка мне почему-то заранее необыкновенно мила, она, наверно, похожа на свою бабушку, Инну Ивановну, — у нее растерянные и удивленные добрые глаза и нежные, безвольные ручки. Она будет учиться в нашем классе, я ее познакомлю со всей нашей компанией — с Лидой Карцевой, с Маней Фейгель, с Варей Забелиной, Мелей Норейко. Будет очень, очень весело! Очень, очень хорошо... Очень, очень...

Я совсем засыпаю. Мне снится что-то замечательное... Тамарочка и Леня несутся, как снежинки, на коньках... Потом над нами оказывается свод густых старых ветвей и множество свисающих почти черных вишен... Вообще что-то очень удивительное, веселое, чудесное!

На следующий день — в воскресенье — в квартире Ивана Константиновича начинается веселая суматоха. Мама и Поль с повязанными от пыли головами священнодействуют. Им помогает Шарафутдинов, ошалевший от радости, веселый, как жеребенок. Только тут я понимаю, как скучно, вероятно, бедняге Шарафутдинову жить в обществе одних только зверей — ведь Ивана Константиновича целые дни не бывает дома. Иван Константинович тоже пытается помогать в уборке и переустройстве квартиры, но его все гонят прочь — правда, вежливо объясняя ему, что он мешает, пусть-де сидит потихоньку в своем кабинете, читает газету, а обо всем, что нужно, с ним будут советоваться. Я тоже всем мешаю, меня тоже гонят прочь, но уже без всякого уважения.

— Что, брат Сашурка? Не нужны мы никому?

Вчера мне казалось: Иван Константинович теперь уже всегда будет такой грустный, просто убитый. Но сегодня сквозь его печаль проглядывает деловитая забота: ведь он уже не бобыль, не колос, упавший с воза, — он н у ж е н, нужен тем двоим сиротам, которые внезапно вошли в его одинокую жизнь.

Прежде всего звери, аквариумы и террариумы устраиваются в двух комнатах вместо прежних трех. Довольно с них, по-моему! Юлька с матерью и Степаном Антоновичем жили в одной комнате — и небольшой! Зачем же зверям такие просторные хоромы? В перемещении зверей Иван Константинович принимает самое деятельное участие — здесь его не гонят: кто же еще так понимает, что нужно животному, как он? Иван Константинович ласково приговаривает, перенося клетки и стеклянные ящики. Но мне все-таки почему-то кажется, что жаба Милочка смотрит на него обиженными глазами.

Ну, вот одна «звериная» комната освободилась. В ней будет жить Леня. Шарафутдинов, стоя на стремянке, белит в этой комнате потолок, потом оклеивает ее новыми веселыми обоями.

— Молодец, Шарафут! Как-к-ой маляр оказался, собака!

Шарафутдинов, сияя зубами и белками глаз, весело повторяет те два слова, которые он понял из похвалы Ивана Константиновича:

— Маладец! Сабакам, сабакам!

Пока Шарафутдинов белит потолок и клеит обои, Иван Константинович поит нас чаем с вареньем собственной варки, из ягод собственного сада. Мама в это время кормит Сенечку, которого мы принесли с собой и который все время мирно спал на диване. Сенечке пошел уже второй месяц — он очень серьезно смотрит на все красивыми темными глазами. Я очень горда тем, что меня он безусловно узнаёт и даже радуется мне: улыбается беззубым ротиком, а когда я приплясываю перед ним, даже громко смеется! В общем, конечно, он славненький, и я его люблю. Жаль только, что он все-таки такой глупенький... И пока-а-а это он хоть немножко поумнеет, я уже буду совсем старушка!

Затем очищается комната для Тамарочки. Иван Константинович отдаст ей свою спальню, а вся его «хурда́-мурда́», все его «хоботьё», как он называет, переносится в его большой кабинет — теперь он будет жить там.

Пока Шарафутдинов белит и оклеивает обоями комнату Тамарочки, приближается время отъезда Ивана Константиович. Он очень нервничает, укладывая свой дорожный баульчик, пихает в него почему-то пепельницу со своего стола один башмак.

— Иван Константинович... — выговаривает ему мама ласково. — Зачем вам в дорогу эта пепельница, а?

— А — ни за чем! — разводит руками Иван Константинович. — Ну вот решительно ни за чем... Прямо сказать, косел, старая туфля, и все...

— И кстати о туфлях: зачем вы сунули в чемоданчик один башмак? Ног-то ведь у вас, слава богу, две!

— Две, голубенькая, две... — вздыхает Иван Константинович, словно ему жаль, что у него так много ног. — Совершенно бесспорно. Черт побери мои калоши с сапогами!

Мама уговаривается с Иваном Константиновичем, что за четыре-пять дней его отсутствия она купит только занавески и повесит их на все окна.

— Зверям, голубочек, не надо... — просительно говорит Иван Константинович. — У них, знаете, у зверей, вкусы, как у меня: спартанские. На что нам природа солнце дала, если от него тряпками завешиваться?

Мы уходим. И все пять дней, пока отсутствует Иван Константинович, я не переставая трещу всем, в особенности классным подружкам, какая едет к нам прелестная новая девочка, Тамарочка Хованская, как с нею будет весело, интересно дружить.

Иван Константинович отсутствует шесть дней. Вечером пятого из этих дней мы получаем телеграмму.

ПРИЕДЕМ ВСЕ ТРОЕ ЗАВТРА ПОЕЗДОМ СЕМЬ ПРИШЛИТЕ ШАРАФУТДИНОВА НА ВОКЗАЛ С ПОДВОДОЙ

Рогов

«С подводой» — это надо понимать так, что они везут с собой много вещей. Права была мама, когда уговаривала Ивана Константиновича не покупать пока мебель. У детей, говорила мама, есть, наверное, своя мебель, к которой они привыкли, есть и вещи их бабушки, которые им дороги.

«Привезите все это сюда, расставим; если окажется — не хватает чего-нибудь, вот тогда и прикупим, что нужно».

Все-таки Иван Константинович настоял перед отъездом, чтобы купили маленький туалетный столик с зеркальцем, — все обито, как будочка, тюлем. Мама очень отговаривала покупать:

— Ведь она еще девочка! Зачем ей туалетный столик?

Но Иван Константинович заартачился:

— Купим туалет!

И купили. В беленькой, свежеоклеенной комнате Тамарочки этот туалетик-будочка, весь обитый белым тюлем, выглядит мило и трогательно. А Иван Константинович просто сияет — вот какую чудную вещь он купил для Тамарочки!

Я было начала шептать маме — при Иване Константиновиче, — что, может, хорошо бы повесить в Тамарочкиной комнате портрет ее бабушки, который есть у Ивана Константиновича. Но мама сказала, что, во-первых, шептаться нехорошо («Иван Константинович может обидеться! Если хочешь что сказать, говори вслух!»), а во-вторых, у Тамарочки, вероятно, есть бабушкин портрет, вот пусть он у нее и стоит. А тот портрет, который у Ивана Константиновича, ему, наверно, подарила сама Инна Ивановна, — пусть у него и остается. Иван Константинович ничего не сказал, но поцеловал маме руку, и еще раз, и еще раз! Видно было, что от души.

До чего мне в этот день скучно в институте! Я все время думаю о приезде Лени и Тамары. А впрочем, даже без этого, даже если б мои думы не были заняты другими делами, не институтскими, все равно скука в классе, как всегда, невообразимая! Сейчас все девочки очень увлечены писанием друг другу стихов в альбом. Стихи чаще всего глупые, да и вообще, по-моему, это не стихи:

Едет, едет лодочка,
Несет ее волна.
В ней сидит красоточка
Марусенька моя!

Или:

Любить тебя — есть цель моя.
Забыть тебя не в силах я.
Люби меня, как я тебя,
Мы обе — институтки!

У всех девочек есть альбомчики — бархатные, кожаные, всякие. В углу каждой страницы наклеены картинки. Есть альбомчик и у меня — синенький, славненький, но полный такой стихотворной дребедени, вписанной руками моих одноклассниц, что не хочется и перелистывать его. Нас — Лиду Карцеву, Маню Фейгель, меня — подруги особенно осаждают просьбами написать им что-нибудь в альбом: мы знаем много стихов — правда, все больше неальбомных. Мы часто и пишем стихотворения, не предназначенные авторами для альбомов, но красивые, хорошие стихи. И хозяйки альбомов обычно очень этим довольны.

Сегодня из-за этого произошло у Дрыгалки столкновение с Лидой Карцевой. Лида написала в альбом одной девочки стихи:

О люди! Жалкий род, достойный слез и смеха!
Жрецы минутного, поклонники успеха!
Как часто мимо вас проходит человек,
Над кем ругается слепой и буйный век,
Но чей высокий лик в грядущем поколенье
Поэта приведет в восторг и умиленье!

На память Нине Поповой от Лиды Карцевой.

В минуту, когда Нина Попова, получив на перемене от Лиды свой альбом со стихами, упиваясь, читала эти строки, а мы все стояли вокруг, тесно обступив ее и Лиду, — вдруг сверху протянулась хорошо знакомая нам сухонькая лапка, и Дрыгалка цапнула альбом из рук Нины Поповой. Дрыгалка прочитала стихотворение, очень кисло поджала губки, неодобрительно покачала головой. И пошла, унося альбом. У всех нас засосало под ложечкой от предчувствия беды.

Нина Попова помертвела от страха.

— Это ты мне что-нибудь неприличное написала? — с укором спросила она Лиду Карцеву.

— А разве ты не прочитала? — ответила Лида. — Ты прочитала и была в восторге!

— Так почему же Дрыгалка так рассердилась за эти стихи? — продолжает допытываться Нина Попова. — Почему она сделала губами вот так? И еще головой потрясла, как будто «ах, ах, ах, как нехорошо!».

Лида не успевает ответить, потому что раздается звонок — конец перемене.

В классе перед уроком Дрыгалка вызывает:

— Карцева!

Лида встает в своей парте.

— Вы написали Поповой в альбом это стихотворение? — спрашивает Дрыгалка.

— Да, Евгения Ивановна, я.

— А кто автор этого стихотворения?

— Евгения Ивановна, это Пушкин.

— Пу-у-ушкин? — удивляется Дрыгалка.

— Пушкин, Евгения Ивановна. Стихотворение называется «Полководец».

— А о ком оно написано, вы знаете?

— Знаю, Евгения Ивановна. Это написано о полководце Барклае де Толли...

Лида отвечает все время «полным ответом» и необыкновенно «благонравненьким голоском». Это еще больше злит и раздражает Дрыгалку.

— Пушкин — конечно, очень известный поэт... Но я считаю, что детям вашего возраста надо выбирать стихотворения попроще. Например, когда я еще была девочкой, я очень любила такое альбомное стихотворение:

> На листочке алой розы
> Я старалась начертить
> Образ Лины в знак угрозы,
> Чтобы Лину не забыть.

Не правда ли, — обращается Дрыгалка к классу, — прелестное стихотворение? (Она, конечно, говорит, как Колода: «прэлэстное».)

Класс, который пользуется всякой возможностью пошу-ɜть, с удовольствием галдит:

— Прэлэстное! Прэлэстное! Ужасно прэлэстное!

— А вам, Карцева, кажется, не нравится это стихотворе-ıе? — ядовито цедит Дрыгалка.

Лида секунду молчит. Затем, подняв на Дрыгалку свои ıные серо-голубые глаза, она говорит очень искренне:

— Нет, Евгения Ивановна, не нравится.

— Можно узнать почему?

— Евгения Ивановна, на листочке розы нельзя начертить браз: пока начертишь, листок завянет. Да и чем чертить — арандашом? Чернилами? Красками?

Криво усмехаясь, Дрыгалка оборачивается ко мне:

— И Яновской, конечно, тоже не нравится?

Я тоже секунду молчу. Но что же я могу сказать после иды, кроме правды?

— Нет, Евгения Ивановна, не нравится.

— Почему?

— Зачем чертить образ подруги «в знак угрозы»? Ведь я, начит, люблю свою подругу, я хочу «Лину не забыть». Так очему «угроза»?

В эту минуту — без сомнения, критическую для Дрыгалки, отому что ей нечего нам возразить, — в класс входит Федор Никитич. Наш спор о поэзии прерывается. Больше Дрыгалка го благоразумно не возобновляет.

...Еще вечером дома у нас, на семейном совете, было ре-ıено: нам с мамой на вокзал не идти. Люди сойдут на перрон з душного зимнего вагона, — тут надо думать о вещах, надо олучать багаж, Шарафутдинов должен погрузить его на одводу и везти на квартиру доктора Рогова... Тут, среди всех тих хлопот, мы будем некстати.

Решаем: встретим Ивана Константиновича с его новой емьей у них дома. Это будет лучше.

Чтобы мне не ударить лицом в грязь перед новыми зна-омыми, мама велит мне надеть новое платье. Оно, правда, умазейное, но в симпатичненьких цветочках и с белым во-отничком. Мне, конечно, кажется, что я в нем красавица!

Когда приезжие входят в переднюю, мы с мамой выход им навстречу. Иван Константинович, очень, видимо, уто ленный и хлопотами и дорогой, увидев маму и меня, весь т и засветился улыбкой.

— Вот это — Тамарочка... — представляет он. — В Леня... А это, дети, — показывает он на нас с мамой, посмотрите на них внимательно! — это мои самые лучш друзья. Да-да, и она, — обнимает он меня, — она, Сашурк тоже мой старый, верный друг. Это ее мама, Елена Семено на, удивительнейшая женщина! А есть еще и папа — тов рищ мой, доктор, он, наверно, потом придет. Знакомьтесь!

Я не столько слушаю слова Ивана Константинович сколько смотрю на Тамарочку и Леню. Леня, в общем, тако каким я его себе представляла: высоконький мальчишка кадетской форме, кудрявый, даже вихрастый, только гла у него не дерзкие, а добрые, ласковые. Он весело и прос здоровается со мной.

— Дедушка нам про тебя всю дорогу рассказывал!.. Да немного поднадоел! — Он весело смеется. — Теперь де жись: окажешься не такая — беда тебе!

И он убегает из комнаты.

Но когда я подхожу к Тамарочке и от души протягиваю е руку, она отстраняет свои руки:

— Сейчас... Сниму перчатки!

Иван Константинович с мамой уже ушли в комнаты, а стою дура дурой перед Тамарочкой, которая молча снима лайковые перчатки. Она делает это неторопливо, осторож но — пальчик за пальчиком, пальчик за пальчиком! Я виж ее лицо — очень хорошенькое, с круто выгнутыми, чуть отт пыренными губами. В этом лице — равнодушие, безразличи ко всем и ко всему и какая-то заносчивая гордость. Сня последний перчаточный палец, Тамарочка снимает с голов шляпку, очень замысловатую и задорную.

Я с уважением и завистью вижу, что шляпка приколот к волосам, как у взрослых дам, длинными булавками с кра сивыми головками, — не то что у меня: шляпка на резинк И резинка всегда почему-то очень скоро ослабевает, шляпк заваливается за спину и болтается там.

Наконец Тамарочка поправляет кудряшки на лбу — улыбается мне. От этого она сразу становится милее и ниже. Она протягивает мне руку:

— Ну, теперь можно знакомиться...

Мы жмем друг другу руки и идем в комнаты вслед за моей амой и Иваном Константиновичем. Мы застаем их в комна-, предназначенной для Тамарочки. Мебель, которую при-езли с собой, еще не прибыла, и пока ночлег устраивается а старых диванах Ивана Константиновича. Тамарочка огля-ывается благосклонно: комната ей, по-видимому, нравится.

— Здесь я поставлю свою кровать, — прикидывает на. — Тут встанет шифоньер. Там — столик.

Вдруг ее взор падает на приготовленный для нее туалет-ый столик, обитый тюлем.

— Что это? — спрашивает она.

— Это тебе Иван Константинович купил, — объясняет й мама. — Туалетный столик.

— Мне? — с возмущением выпаливает Тамарочка. — то мещанство? Это зеркало в собачьей будке?.. Иван Кон-тантинович! — резко обращается она к старику. — Я же ам говорила, чтобы вы приказали отправить сюда бабушкин рельяж. Неужели вы забыли это сделать? Ведь все вещи, акие мы там оставили, мы уже не получим никогда — их озьмут себе тетки, бабушкины сестры... А зачем старухам ужен трельяж красного дерева?

Иван Константинович только собирается ответить Тама-очке, как вдруг в комнату врывается Леня:

— Тамарка! Скорее, скорее! Смотри, что за прелесть!

И он увлекает Тамарочку в «звериные комнаты». Но е успевают мама и Иван Константинович даже взглядом бменяться, как раздается пронзительный визг, и из звери-ой комнаты выбегает Тамарочка. Она кричит, задыхаясь от нева:

— С жабами! Рядом с жабами!.. Ни одной секунды, ни дной секунды...

Она схватывает в передней свою замысловатую шляп-у, кое-как нахлобучивает ее на голову и начинает быстро, ростно напяливать лайковые перчатки.

— Милая... птиченька моя... — говорит Иван Константинович с такой нежностью, с такой любовью, что на эту ласк
поддался бы, кажется, и камень.

Камень — да, может быть! Но — не Тамара! Она вырывается из рук Ивана Константиновича, лицо у нее зло
неприятное:

— Оставьте меня, Иван Константинович! Я не хочу жит
в одной квартире с жабами! Не хочу и не хочу! Я к этому н
привыкла... Они вылезут ночью и заберутся ко мне в постель.

С бесконечным терпением, ласковыми словами, воззва-
ниями («Ты же — умница!») Ивану Константиновичу удается доказать Тамаре, что из террариумов нельзя «вылезт
ночью», что звериные комнаты запираются на ключ («Во
видишь, кладу ключ в карман!»), да и Тамарину комнату от-
деляет от них еще целых три комнаты.

Наконец Ивану Константиновичу удается успокоить раз-
бушевавшуюся Тамару. Она уже тихо плачет, сидя у него н
коленях, но громов и молний больше нет — так, последни
капли пронесшегося дождя. А Иван Константинович обнимает свою «внученьку» и тихо-тихо журчит ей ласковые слова
как будто он всю жизнь был дедушкой или нянькой. Наконе
Тамара спрашивает:

— А выбросить эту гадость нельзя? Совсем вон выбросить, чтоб их не было в квартире?

И тут Иван Константинович перестает журчать. Он отвечает твердо, как отрезает:

— Нельзя.

Тамара издает последнее жалостное всхлипывание —
и замолкает. Она поняла, что у Ивана Константиновича ест
и «нельзя», да еще такое, которое не сдвинешь с места. Он
сразу меняет тему разговора; спрыгивает с колен Ивана Константиновича и капризно тянет:

— А я хочу ку-у-у-шать! Можно это здесь?

На это ей отвечает из столовой Леня. С набитым рто
он кричит:

— Скорее! Я тут все съел!

Конечно, это шутка. Съесть все, что наготовил Шарафутдинов, не мог бы и целый полк солдат. Проголодавшиес

еня и Тамара воздают должное всем блюдам. Сияющий Шарафутдинов носится между кухней и столовой, вертится округ стола, потчуя дорогих гостей. Не забывает и меня, — хотя и не приезжий гость, но зато я ведь своя! — и он орошо знает, что я люблю. Подставляет блюдо и подмигиает:

— Пирожка́м!

Или предлагает мне рябчика:

— Пытичкам!

Тамаре Шарафутдинов, я чувствую, не очень нравится. Посреди разговора она вдруг заявляет:

— Иван Константинович! Вы мне обещали, что у меня будет горничная... Я ведь привыкла... У дедушки было всегда несколько денщиков, но нам с бабушкой горничная прислуживала.

За Ивана Константиновича отвечает мама:

— Горничная уже нанята. Она придет завтра с утра.

Я с удовольствием замечаю, что маме Тамара так же не нравится, как мне... Что такое? Разве она мне не нравится? Ведь я ее так ждала, так радовалась ее приезду! Столько наговорила о ней всем подругам! И такая она хорошенькая, такая нарядная, с такой шляпкой и лайковыми перчаточными пальчиками... Разве она мне не нравится?

Не нравится. Совсем не нравится. Вот ни на столечко!

А Леня? Нет, Леня совсем другой. Словно и не брат ей! Он — простой, веселый, видимо, добрый мальчик. С Шарафутдиновым уже подружился; тот смотрит на Леню со всей добротой своего простого, чистого сердца. Ивана Константиновича Леня ласково и сердечно зовет дедушкой (а Тамара все хлещет его «имяотчеством!»). Нет, похоже, что Леня — мальчик ничего, славный.

За столом Тамарочка жалуется, что у нее резь в глазах. «Вот когда открываю или закрываю — больно».

— Завтра попрошу доктора Шапиро зайти посмотреть, — говорит Иван Константинович.

Тамара на минуту перестает есть. Вилка останавливается в ее руке, как вопросительный знак.

— Ша-пи-ро? — переспрашивает она. — Жид?

Иван Константинович перекрывает изящную ручку Тамары своей стариковской рукой, с такими вздутыми венами, ка
на изнанке капустного листа.

— Тамарочка... — говорит он очень серьезно. — Давай — уговор на берегу: этого мерзкого слова в моем дом
не говорят.

— Почему? — не сдается Тамара. — Разве вы — жид
Ведь вы — русский?

— А как же! Конечно, русский! Я — русский интелли-
гент. А русская интеллигенция этого подлого слова не признает.

Иван Константинович произносит это так же твердо
как прежде, когда он говорил, что выбросить животных во
«нельзя». Нет, положительно наш Иван Константинович —
золото!

Но Тамара не хочет сдаваться.

— А вот наш дедушка... — начинает она.

— Что «наш дедушка»? — неожиданно врывается в разговор Леня. — Разве мы всё должны, как «наш дедушка»
А бабушка этого слова никогда не говорила! И мне не позво-
ляла...

Мы идем домой. Нас провожают Иван Константинови
и Леня. Мама с Иваном Константиновичем поотстали, мы
Леней идем впереди.

— Слушай... — говорит мне Леня. — Что я тебе хочу сказать... Я ведь знаю, о чем ты сейчас думаешь. Тебе Тамарк
не понравилась?

— Н-не очень...

— И ты к нам больше ходить не хочешь?

— Н-не очень...

— Ну, так ты это брось! Тамарка — она не такая уж плохая. Ее дедушка избаловал. А дедушка у нас знаешь како
был? Он денщикам — очень просто! — за что попало, п
морде! И Тамарке вбил в голову, что мы — князья Хованские
только грамоты эти на княжество где-то, мол, затерялись
Вот она и воображает! А теперь, без дедушки, она живеньк
поумнеет!

— А ты? — спрашиваю я. — Ты был — бабушкин?

— Бабушкин... — тихо признается Леня. — Она со мной дружила. Как с большим все равно! Когда уже она совсем умирать стала, она мне все повторяла: «Помни, Леня, теперь Иван Константинович — твой дедушка, и ты его слушайся, и дедушкой его зови! И еще второе — музыку не бросай!»

— Музыку?

— Да. Вот завтра придут вещи наши и бабушкин рояль. Я тебе поиграю... Дедушка не хотел, чтоб я был музыкантом. Он меня в кадетский корпус отдал... Бабушка мне говорила: «Возьмешь ноту — ля бемоль, лиловую, сиреневую — и слушай: это мой голос, это я с тобой разговариваю...»

Мы молчим до самого нашего дома. Стоим, ждем, пока подойдут отставшие мама и Иван Константинович.

Если бы Леня был девочкой, я бы ему сказала: «Давай дружить, а?» Вот так, как сказала мне Лида Карцева!

Но как-то не говорятся у меня эти слова... Никогда я с мальчишками не дружила.

Уже попрощавшись и уходя с Иваном Константиновичем, Леня кричит мне:

— Так ты смотри приходи к нам!

Я кричу ему вслед:

— И ты к нам приходи!

Только тут я вспоминаю: с Тамарой мы с самого начала и до нашего ухода были и остались на «вы».

Глава двенадцатая
«ДЕЙСТВИЯ СКОПОМ»

Тамара появляется у нас в институте не сразу. Иван Константинович должен еще хлопотать перед попечителем учебного округа о том, чтоб Тамару приняли в институт, а Леню — в гимназию.

Все мои подружки сперва набрасываются на меня с вопросами: «Ну как? Приехала твоя Тамарочка? Какая она? Когда придет к нам учиться?» Но я отвечаю сдержанно, сухо, и их восторженное представление о «замечательно Тамарочке» — я же им и наболтала еще до ее приезда! — помаленьку блекнет. К тому же нам некогда этим заниматься у нас появилась очень важная новая забота. Скоро коне трети учебного года (у нас в институте учебный год делитс не на четверти, а на трети). Треть подходит к концу, и многи девочки уже ходят заплаканные. Ведь очень много уроко пропало сперва, когда ежедневно служили молебствия здравии государя Александра Третьего, потом из-за панихи, а на три дня по случаю государевой смерти вовсе освободил от занятий. Поэтому учителя подгоняют нас теперь изо все сил, чтобы мы во что бы то ни стало прошли все, что полага ется пройти за первую треть. Но у нас есть девочки, которы и с самого начала года учились плохо: то ли им трудно, то л им скучно, то ли они плохо понимают, что говорят учител но они сперва получали тройки, тройки с минусом, тройки двумя минусами, а теперь, после всех пропущенных уроко не справляются с тем, что́ задано, и съехали вовсе на двойк

Среди этих девочек есть такие, что, если объяснишь и толково, они понимают и учатся лучше. Вот у нескольких и нас — у Лиды Карцевой, у Мани Фейгель, у Вари Забелиной у меня — возникла мысль, которая нам очень нравится: при ходить в институт ежедневно на сорок пять минут раньше заниматься с двоечницами. Но это надо обсудить где-нибуд подробно, толково, а главное — без помехи, без опаски, бе оглядки на подслушивающую Дрыгалку. Она ведь вездесу щая! Куда от нее спрячешься? Где его найдешь, такое мест у нас в институте?

Есть оно, это райское место! Есть он, этот остров свобо ды! Это — извините за прозу: ватерклозет.

Даже удивительно, как подумаешь: в нашем институте где все время «синявки», классные дамы, шныряют межд ученицами, подсматривают, подслушивают, лезут в ящики читают письма и записки, вынюхивают — ну совершенно ка полицейские собаки! — ватерклозет устроен, как неприступ ная крепость, окруженная рвом! В самом конце большого коридора есть маленькая дверь, сливающаяся по цвету со сте ной. Откроешь эту дверь, войдешь, — и сразу прохладно, по лутемно, и, что совсем удивительно, страшно тихо: как во всех старинных зданиях, стены здесь массивные, такие толстые, что они непроницаемы для звуков. Жужжание, шум, крик, громкий разговор в коридоре во время большой перемены — ведь нас в институте пятьсот человек! — сразу словно ножом отрезало за тяжелой дверью. Там начинается полутемный внутренний коридор, ведущий к уборным. Он очень длинный. Постепенно он светлеет, в нем появляются окна, замазанные белой краской, и наконец коридор вливается в большую комнату с несколькими окнами: как бывает предбанник, так это — предуборник. Здесь девочки сидят на глубоких подоконниках, болтают, даже поют, даже завтракают. Отсюда уже две двери ведут в самые уборные. Вот предуборная комната — это единственное место во всем институте, где можно чувствовать себя совершенно свободно: делать что хочешь, говорить что вздумается, петь, кричать, хоть кувыркаться!

Когда-то кто-то — наверно, из старших классов — назвал это учреждение «Пиквикским клубом». Потом его стали называть «Пингвинским клубом» — ведь младшие не читали «Пиквика», да и старшие читали его далеко не все. Сейчас он уже называется просто «Пингвин». «Приходи на большой перемене в «Пингвин» — и т. д.

Вот в этом «Пингвине» мы сидим на подоконнике — четыре девочки, четыре заговорщицы: Лида, Маня, Варя и я. Нам надо составить список учениц-двоечниц, установить, по какому предмету у них двойки, и закрепить их для занятий за каждой из нас. Лида будет заниматься с теми, кто отстает по французскому языку, Маня и Варя — по арифметике, я — по русскому языку. Каждая должна предупредить всех девочек своей группы, когда и где будут происходить занятия, — вообще позаботиться обо всем. В моей группе пять девочек: Малинина, Галковская, Ивашкевич и еще две девочки со странными фамилиями, из-за которых я в первый день занятий разобиделась на них чуть не до слез. Это было еще до первой переклички, и мы тогда не знали, как кого зовут. Около меня стояли, держась под руки, две очень милые девочки. Они мне понравились, и я спросила одну из них:

«Как твоя фамилия?»

На это она ответила мне очень спокойно:

«Моя фамилия — Чиж».

Я сразу поняла, что надо мной подшучивают, и только собралась обидеться, как вторая девочка, подружка этой Чиж, весело и дружелюбно сама сказала мне, не дожидаясь вопроса:

«А моя фамилия — Сорока».

Тут уж я разозлилась окончательно, и, когда девочки, в свою очередь, захотели узнать мою фамилию, я сердито каркнула:

«Вор-р-рона!»

Через несколько минут после того, как Дрыгалка провела первую перекличку, все выяснилось: и то, что у обеих девочек в самом деле такие птичьи фамилии, и то, что они — хорошие, милые девочки, и то, что я — обидчивая дура. Мы с Чиж и Сорокой тут же помирились и все семь лет, что проучились вместе, до окончания института, жили очень мирно и дружно.

И вот теперь я буду заниматься с Чиж и Сорокой, Галковской и Ивашкевич. Итого у меня в группе четыре девочки — польки и только одна русская — Малинина. Это, конечно, понятно: польские девочки выросли в польской среде, говорят дома по-польски, это их родной язык, а русский язык для них все равно что иностранный. Они знают его плохо, учиться им трудно, они бредут через пень колоду, от тройки с двумя минусами к двойке. А Люба Малинина — хорошая девочка, толстая, как колобок, и ужасно ленивая: у нее двойки не только по русскому, но и по арифметике.

— Понимаешь, — говорит она мне, — я как открою грамматику Кирпичникова или услышу: дательный падеж, звательный падеж, — ну, не могу! Глаза просто сами слипаются!

Все это она говорит уже на следующее утро, когда мы все пришли ровно без четверти девять утра и сели заниматься в углу нашего класса, еще пустого. Лида Карцева, Варя Забелина и Маня Фейгель устроились со своими «ученицами» где-то в другом месте.

Тьфу, тьфу, тьфу, — не сглазить бы! — но первый наш «урок» проходит очень хорошо. Я рассказываю им все так как мне рассказывали мои дорогие учителя Павел Григорьевич и Анна Борисовна. Девочки слушают очень внимательно. Потом объясняю правила грамматики. Они пишут диктовку на сомнительные гласные; мы останавливаемся на каждом слове, стараемся найти другое слово того же корня, где бы эти сомнительные буквы были под ударением: «Ковать — ко́ваный», «словечко — сло́во» и т. д.

Когда прозвучал звонок к началу занятий, в класс пришли Лида, Варя и Маня со своими ученицами — все очень довольные. С этого дня мы стали регулярно, каждый день заниматься с двоечницами. С этого же дня мы сами перестали скучать на уроках. Мы слушали, как отвечает которая-нибудь из наших учениц; мы волновались, радовались, когда они отвечали хорошо; огорчались, когда они почему-либо увязали и путались. Ничто не изменилось в преподавателях наших, их уроки были по-прежнему нудные, скучные. Но мы перестали быть равнодушными зрителями неинтересных для нас уроков: мы стали участниками.

Спустя два дня в нашем институте появляется Тамара. Перед началом уроков Дрыгалка вводит Тамару в наш класс. Лицо у Тамары замкнутое и высокомерное.

— Медам! Вот наша новая ученица — Хованская...

И тут Тамара, наморщив носик, поправляет Дрыгалку вежливо, но сухо:

— К н я ж н а Хованская.

— Ах, простите! — засуетилась Дрыгалка. — Я не знала... Итак, медам, — княжна Хованская! Прошу любить да жаловать.

Она показывает Тамаре, за какой партой ей сидеть. Тамара ныряет перед Дрыгалкой в самом глубоком из придворных реверансов и идет на свое место. Дрыгалка не может сдержать своего восхищения.

— Вот — учитесь! — обращается она к нам. — Какая выправка! Сразу видно, что жила и училась в большом городе.

Тамара садится. Спокойно, не торопясь достает из сумки книги и тетради, раскладывает их в парте. Все это она делает с тем же высокомерием, ни на кого не глядя. Я смотрю на девочек: на их лицах — любопытство, но того, чего Тамара добивается — восхищения, — я не вижу ни у кого.

С моего места мне хорошо видно Тамару. И ей меня с ее места видно. Но она не торопится узнать меня, кивнуть мне. Ну и я тоже не тороплюсь здороваться с ней.

На перемене мы с Тамарой сталкиваемся носом к носу при выходе из класса. Почти одновременно небрежно киваем друг другу. Она пренебрежительно оглядывает девочек нашего класса:

— Какая у вас все-таки провинциальная публика!

Следующий урок — Закон Божий. Теперь нас, «инославных», уже почему-то перестали оставлять в классе на уроке ксендза. Мы проводим этот час в гимнастическом зале.

Почему этот зал называется гимнастическим, неизвестно. Никаких приспособлений для гимнастики — лестниц, колец, трапеций — там нет. Но мы спокойно сидим на мягких диванах, которые стоят по стенам, болтаем, учим уроки. В общем это для нас самый милый и приятный урок из всех!

После Закона Божия я встречаю в коридоре Тамару. Она неузнаваема! Урок Закона Божия она провела в первом отделении нашего класса. И вот теперь идет под руки втроем: по одну руку у нее Зоя Шабанова с восхищением смотрит ей в рот, по другую руку — высокая девочка, Ляля Гагарина. Эта Ляля учится в нашем институте уже четвертый год: два года просидела в приготовительном классе, сейчас сидит уже второй год — в первом. Зоя Шабанова приветливо здоровается со мной (мы сохранили хорошие отношения, хотя в гости друг к другу больше не ходим, а с Риткой мы даже не раскланиваемся!), и Тамару это, по-видимому, очень удивляет.

В эту минуту начинает заливаться звонок. Тамара быстро прощается с Зоей Шабановой и с Лялей Гагариной.

— Смотри, на следующей перемене приходи!

— Непременно! — весело отвечает им Тамара.

Мы идем с нею по коридору рядом в свой класс.

— Вы знакомы с этими девочками? — спрашивает Тамара словно бы даже с недоверием. Как если бы она спросила: «Ты, ничтожная козявка, знакома с этими удивительными райскими созданиями?»

И тут начинается напасть! Я вдруг чувствую, что не могу говорить с Тамарой спокойно. Мне хочется на все возражать, всему перечить, против всего спорить, что́ бы только она ни сказала. Ну что такого в этом вопросе — «Вы знакомы с этими девочками?» — который она мне задала? Надо бы просто сказать: «Да, знакома» — и все. А я огрызаюсь, как собака:

— Подумаешь, какие необыкновенные девочки!

Тамара смотрит на меня очень строго:

— Зоя Шабанова — дочь крупного заводчика!

— Подумаешь! — продолжаю я, словно кто подхлестывает меня хворостиной. — Знаю я этого заводчика — противный, волосатый...

— А Ляля — княжна Гагарина! — продолжает Тамара с восхищением.

— Ничего она не княжна! Просто Гагарина...

Тамара возражает очень резко:

— Если Гагарина, значит, княжна. Понимаете?

— Понимать нечего! — лечу я, подхваченная волной сердитого задора. — «Княжна»! В каждом классе по два года сидит; остолопина такая! У них в классе две Ляли: Гагарина и Дмитревская, их так и называют: Ляля Дмитревская и Ляля-лошадь... Это ваша княжна — лошадь!

Тут мы с Тамарой входим в класс и расходимся каждая на свое место.

Во все перемены Тамара бежит к своим друзьям из первого отделения и ходит с ними под ручку по коридорам. Когда мне с моими подругами случается скреститься в коридоре с Тамарой и ее компанией, я вижу, как Тамара кривляется, а Зоя Шабанова и Ляля-лошадь смотрят ей в рот и восхищаются ее «великосветским тоном»:

— Мой дедушка был князь Хованский...

— Ах, это мне подарила баронесса Вревская...

И так далее. И тому подобное.

— Шура! — мрачно говорит мне Лида. — Эта твоя Тамара — сама Вревская! Самая настоящая Вревская! Все она врет!

Третий урок «танцевание». Тут Тамара — ничего не скажешь! — в своей сфере: изящно движется, грациозно выполняет всякие балетные фигуры и очень хорошо танцует все танцы. Учительница Ольга Дмитриевна не скрывает своего восторга. Даже Дрыгалка смотрит на Тамару с каким-то подобием улыбки, от которой должны бы подохнуть все мухи, если бы не зима.

После «танцевания» Тамара, упоенная успехом, говорит мне:

— Конечно, здесь у вас — деревня... Вот у нас была учительница танцев. Она походку нам разрабатывала, грацию рук... Замечательная!

В общем, урок «танцевания» и знакомство с «князьями и графьями» из первого отделения нашего класса несколько примиряют Тамару с институтом, тем более что, как она говорит, она будет просить Ивана Константиновича хлопотать о переводе ее, Тамары, из нашего второго отделения в первое.

Всю эту болтовню я слушаю с тем же чувством раздражения, какое вызывает во мне каждое слово Тамары. Но разговаривать мне с ней некогда: сейчас будет урок арифметики, на котором будут спрашивать нескольких неуспевающих девочек — наших «студенток». Арифметикой занимаются с неуспевающими Маня Фейгель и Варя Забелина, но волнуемся и мы с Лидой: ведь это наша общая затея. И некоторые из учениц у нас общие, например, с Любой Малининой занимаемся и я — по русскому языку, и Маня Фейгель — по арифметике.

Тут случаются одновременно и радость и беда! Радость оттого, что три девочки, еще недавно не вылезавшие из двоек, отвечают Федору Никитичу вполне прилично и решают задачи правильно. Федор Никитич этому радуется. Он ведь не злой человек, он только скучный и преподает скучно. Ну, он же в этом не виноват! Но Федор Никитич — справедливый. Если он сбавлял мне еще не так давно отметки за то, что у меня четверки похожи на «пожарников», так ведь это и в самом деле так было: почерк у меня отвратительный! Но как только я стала писать лучше, Федор Никитич сразу отметил это, поставил мне четверку, а вскоре и пятерку и при этом с удовлетворением сказал: «Молодец! Вот поработала, постаралась — и добилась! Терпение и труд все перетрут».

И сегодня он тоже радуется тому, что три неуспевающие девочки так явно выправляются. Федор Никитич улыбается этим девочкам, улыбается, повернувшись к Дрыгалке: вот, мол, как! Дрыгалка тоже изображает нечто напоминающее улыбку. И девочки, получившие сегодня по тройке, улыбаются. С радостной улыбкой переглядываемся мы четверо — Маня, Лида, Варя и я, — которые придумали эту штуку. Одним словом, урок идет на сплошных улыбках. И вдруг... Вдруг все летит кувырком! Одна из выправившихся неуспевающих — Люба Малинина — не может сдержать своей благодарности:

— Это нас Фейгель так хорошо научила! Она с нами каждый день занимается, она очень понятно все объясняет!..

Если бы она сказала, что Фейгель учит их кувыркаться или ходить на руках, это вряд ли вызвало бы больший эффект.

— Что, что вы сказали? Фейгель с вами занимается? — срывается со своего места Дрыгалка, и в глазах ее зажигается счастливый огонек, как всегда, когда вдруг пахнет возможностью «поймать! изобличить! наказать!».

— Да, — подтверждает Люба Малинина с довольной и благодарной улыбкой. — Она приходит утром... без четверти девять и занимается... с нами...

Эти слова Люба Малинина произносит уже без тех ликующих ноток, с какими она сказала свою первую фразу. Голос ее стал тише, говорит она уже медленнее — и совсем затихает.

В классе такое напряжение, что мы и не заметили, как прозвенел звонок, кончился урок и ушел учитель Федор Никитич. Мы сидим неподвижные — мы понимаем: сейчас разыграется что-то очень страшное.

— Фейгель! — вызывает Дрыгалка, и в ее голосе, обычно таком бесцветном, слышны металлические нотки. — Фейгель!

Маня встает в своей парте. Она очень бледная, но спокойная. Зато сильно волнуется за Маню Катя Кандаурова.

— Она же ничего, ничего плохого... — вдруг говорит Катя и закрывает лицо руками.

— Фейгель! Это правда? — спрашивает Дрыгалка.

— Правда, — отвечает Маня негромко, но все так же спокойно.

Дрыгалка едко прищуривается:

— Вы даете своим подругам уроки? Что же, вы и деньги с них за это берете или как?

— Нет! — кричит Люба Малинина. — Никаких денег она с нас не берет!

Тут начинают кричать то же самое и другие девочки, с которыми занимается Маня.

Дрыгалка жестом заставляет всех замолчать и снова обращается к продолжающей стоять в своей парте Мане:

— Так как же, Фейгель? Вы не ответили на мой вопрос...

Тут, не сговариваясь, одновременно встаем Лида, Варя и я.

— Вам еще что нужно? — обрушивается на нас Дрыгалка. — Вы желаете защищать Фейгель?

— Евгения Ивановна! — говорит Лида. — Я тоже...

— И я тоже... — заявляю я.

— И я... — басит Варя.

Дрыгалка смотрит на нас, веки ее осовелых глаз хлопают, как ставни на осеннем ветру.

— Что такое «вы тоже»? — бормочет она. — Что такое вы трое «тоже»?

Мы объясняем ей все: учебная треть кончается, у нас много двоечниц, мы хотели им помочь и потому занимаемся с ними. Они стали учиться лучше: вот сейчас на уроке арифметики она, Дрыгалка, сама слыхала, как отвечала Малинина, как ее похвалил Федор Никитич...

Дрыгалка слушает с лицом страдающим и несчастным.

— Но кто вам разрешил вести эти занятия?

Мы трое переглядываемся.

— А мы не знали, что нужно спрашивать разрешения... — говорит Лида с удивлением.

Дрыгалка долго молчит.

— Вот что... — произносит она наконец. — Я этого случая так оставить не могу. На следующем уроке я доложу об этом начальнице. И тут уж... — Дрыгалка беспомощно и покорно разводит руками, — тут уж все будет, как она скажет.

Мы все, в общем, не особенно волнуемся. Дело кажется ам таким естественным и простым. Девочки учатся плохо, м хочется учиться лучше, у родителей их нет денег на то, тобы нанять учителей, — ну, мы хотели помочь... Господи, к ему тут можно придраться?

Оказывается, можно!

После уроков Дрыгалка приказывает всем идти домой, нам, четырем «учительницам», — на квартиру началь-ицы. Нам становится немножко не по себе. Даже чуть-уть страшно. Все мы — бледные, жмемся друг к другу, у еня страшно болит живот (всегда в таких случаях!); Лида спевает шепнуть мне, что у нее тоже... Спокойнее всех ержится Маня Фейгель. Она стоит между Лидой и мной и ихонько, незаметно ни для кого, поглаживает пальцы на-ших рук.

В квартире Колоды все маленькое, миниатюрненькое: изенькие пуфики, масса безделушек, какая-то совсем игру-ечная кушеточка, две крохотные, круглые как шарики, еленькие собачки-болоночки. Даже непонятно, как Колода мудряется не раздавить весь этот крохотулечный уютик! Что́ на видит в маленьком круглом зеркале на стене? Наверно, дин только свой нос? Или одно ухо?

Мы продолжаем стоять неподвижно. Из соседней комна-ы все время выбегают беленькие болоночки с темненькими осиками; они тявкают на нас, но не кусаются. Наоборот, ни выражают нам всяческую симпатию — становятся перед ами на задние лапки и пританцовывают около нас. Если ы у меня не болел живот и мне не было так страшно (мне се-таки страшно! Да и Лиде и Мане тоже страшно), я бы с довольствием смотрела на этих смешных собачат.

Из соседней комнаты доносится шушуканье Колоды с рыгалкой, но слов разобрать нельзя. Только порой они на-ывают которую-нибудь из наших фамилий.

Наконец шушуканье смолкает. В дверях появляется мо-учая фигура Колоды. Где-то за ней угадывается тощенькая рыгалка.

Мы делаем глубокий реверанс.

Колода молча и хмуро кивает нам головой. Затем она садится в креслице и долго смотрит на нас испытующим взглядом. Это очень неуютно.

Наконец она говорит насмешливо, неодобрительно качая головой:

— Э бьен, господа преподаватели объясняют непонятно и потому вы п е р е о б ъ я с н я е т е их слова своим подругам. Ученицы не понимают господ преподавателей, а вас — понимают, да? Это просто... просто очаровательно!

И Колода смеется нарочито и натужно, как плохая актриса на балу.

— И вы — маленькие девочки, первоклассницы! — вы решили открыть т а й н у ю ш к о л у в нашем институте. Так?

Может быть, оттого, что живот разбаливается у меня с каждой минутой все пуще, на меня нападает отчаяние, и я отвечаю Колоде на ее вопрос:

— Александра Яковлевна, мы не хотели открыть тайную школу... мы хотели помочь двоечницам...

— Молчать! — кричит Колода таким страшным голосом, что обе белые болоночки, только что дружелюбно обнюхивавшие мои ботинки, начинают в два голоса тявкать на меня. — Молчать! — продолжает Колода. — Вы должны выслушать, что́ в а м скажут, а ваши слова никому не интересны, да... Так вот... где же это мы? Вы меня сбили... Ах да! Вы действовали самовольно, без разрешения, да... так сказать, незаконные действия... Вы незаконно собирались... Как заговорщики, да! Господин директор, которому я доложила обо всем, называет ваши поступки заговорщицкими, да! За незаконные действия с к о п о м, — подчеркивает Колода, — да-да, скопом, потому что вы подговорили и этих несчастных двоечниц тоже, — значит, вас было много, не меньше десяти человек, боже мой! — за это вас следует исключить!

Когда Колода волнуется, она начинает в разговоре брызгать слюной. Слово «исключить» она произносит с брызгами во все стороны. Это смешно, но я не смеюсь: рука Мани Фейгель около моей руки резко вздрагивает. Я понимаю

Маня с ужасом думает о возможности своего исключения из института. Мне тоже становится очень не по себе.

— Господин директор настаивал на вашем исключении, — говорит Колода. — Но я уговорила, я положительно умолила его простить вас. Я верю, что вы — не окончательно испорченные девочки, да... Бог вам поможет, и вы еще исправитесь... Но помните: никаких незаконных поступков! Никаких действий скопом! Вы меня поняли?

Мы молчим, наклонив головы и глядя себе под ноги. Мы не отвечаем, потому что мы уже крепко знаем: когда начальство задает вопросы, оно вовсе не ждет от нас ответа, надо молчать и терпеливо ждать, пока кончится вся эта комедия.

— Ступайте! — говорит Колода. — И помните! Помните!

Мы делаем реверанс и уходим почему-то на цыпочках. Может быть, этим мы хотим показать, что мы пом-ним! пом-ним!

Мы в самом деле пом-ним! Помним и о том, что надо во что бы то ни стало довести наших бедных двоечниц до честных троек. Мы больше не занимаемся в стенах института, мы собираемся по очереди у каждой из нас. В день, когда нам выдают «сведения» (теперь это называется «табель»; у нас называлось «Сведения об успехах и поведении ученицы такой-то»), мы, четверо заговорщиц (Лида называет нас «скопщиками»), сияем, как именинницы: все наши «студентки» получили тройки, честно заработанные трудом, своим и нашим. Только бедная Броня Чиж получила одну двойку — по французскому языку, и то главным образом за кляксы в тетради.

Глава тринадцатая
НЕУДАВШИЙСЯ ЖУРФИКС

— Ты бываешь у Ивана Константиновича? — задает как-то папа за обедом вопрос.

Мама отвечает не сразу.

— Бываю, конечно...

— Но — реже, чем раньше?

— О да! Гораздо реже...

Помолчали. Потом папа снова спрашивает:

— А Пуговка бывает там?

Я — не мама. Я не умею отвечать так сдержанно, тактич но. Мне это не дается. Я, видно, бестактичная...

И сейчас на папин вопрос: «А Пуговка бывает там?» — я отвечаю, как отрезываю:

— Нет. Пуговка там не бывает.

— Та-а-ак... — задумчиво тянет папа. — Ну, давай начи стоту: тебе Тамара не нравится?

— А кому она нравится? Кому она может нравиться. такая? У нас в классе ее все терпеть не могут. Маме она тож не нравится, только мама молчит...

— Да, она мне не очень нравится... — признается мама

— Но ведь это внуки Ивана Константиновича! — говори папа с упреком. — Ведь он их любит!

— А что внуки? — снова наседаю я на папу. — Леню мы с мамой очень любим. И он нас любит. Каждый день хоть н полчасика да забежит! Совсем как свой; маму зовет тете Леной, тебя — дядей Яковом...

— Очень славный мальчик! — подхватывает и мама. — Добрый, ласковый, веселый... Я бы хотела, чтоб наш Сенечк такой стал, когда вырастет!

— И Поль его любит, и Юзефа, и Кики... Весь дом Ужасно жалко, что он — не девочка, он бы у нас в инсти туте учился. А Тамарка эта... Иван Константинович ее та любит — и птиченька она, и птушечка, и уж не знаю, ка еще, — а она с ним разговаривает вроде как с лакеем! Княжна Хованская! — произношу я в нос. — Княжна Бол ванская!

— Что за глупости! — строго обрывает меня папа.

— Это не я так ее называю, — это Меля Норейко та говорит...

— Девочка, конечно, не очень симпатичная, — говори папа задумчиво. — Но ведь — ребенок еще! Взрослый, есл плохой, — так он уж навсегда плохой, до самой смерти.

И то не всякий, бывают исключения. А дети тем и хороши, что у них все еще может меняться.

Мама говорит очень сдержанно:

— Будем надеяться, что девочка еще выправится.

Все с минуту молчат.

— А пока, — заявляет вдруг папа очень решительно, — сегодня вечерком пойдем-ка мы все трое к Ивану Константиновичу. Ведь горько же старику, — понимаете вы это? Вроде как отреклись мы от него!

И вот мы сидим вечером за столом у Ивана Константиновича. Рад он нам — ужас до чего!

Тамара, по обыкновению, держит себя как герцогиня, случайно попавшая на вечеринку дворников и извозчиков... Геня из-за самовара строит мне страшные рожи. Шарафутдинов от гостеприимства так топает сапогами, что Тамара морщится и иногда страдальчески прижимает пальцы к вискам — совсем как Дрыгалка!

— Вот кстати пришли вы! — радуется Иван Константинович. — Мы тут одну затею обсуждаем. Очень интересную! Тамарочка придумала... Расскажи, птуша!

— Им неинтересно, Иван Константинович... — роняет Тамара равнодушно.

— А ты все-таки расскажи! Пожалуйста...

И Тамара начинает рассказывать про свою «затею». Она говорит с таким выражением лица, словно мы все — конечно, не люди, а мусор и не можем понять ничего возвышенного, но раз Иван Константинович требует, она рассказывает:

— Я задумала... Скучно ведь мы живем! Ну, вот я хочу устраивать по субботам журфиксы. Раз в две недели!

— Журфиксы! — радуется Иван Константинович. — Замечательно, а? Ну, а кого ты пригласишь?

— Подруг моих... — снисходительно объясняет Тамара. — Нюту Грудцову, внучку городского головы... Княжну Лялю Гагарину, Зою и Риту Шабановых...

— И Сашеньку, конечно, да? — спрашивает Иван Константинович.

Но тут — это просто какое-то несчастье! — во мне, как всегда, от одного вида Тамары, от ее голоса, просыпается самый упрямый дух противоречия.

— Нет! — заявляю я. — Сашенька не придет...

Ленька из-за самовара делает мне восторженные знаки: Валяй, мол, валяй, браво!

Тамара, надо отдать ей справедливость, как всегда, во сто раз сдержаннее, чем я!

— Ну, как ей будет угодно! — говорит она. — Захочет — придет, нет — ну, нет... Да ей, конечно, и неинтересно: ведь все эти девочки — из первого отделения, а она — из второго.

— Вы, Тамара, — тоже из второго! — не могу я удержаться, чтобы не уколоть ее в больное место.

— Да, пока... — говорит она спокойно. — Иван Константинович уже возбудил ходатайство о моем переводе в первое отделение... Не сегодня завтра меня переведут. И тогда я буду с ними, с подругами моими.

В душе моей — целая буря невежливых напутствий: «Скатертью дорожка!», «К черту!..» Я еле удерживаюсь от того, чтобы не выпалить это вслух.

Между тем Тамара так же спокойно и непринужденно продолжает:

— Иван Константинович, кстати о журфиксах: надо все-таки обновить здесь сервировку. Что за чашки, что за тарелки, боже мой! Как в трактире...

— Обновим, птиченька, обновим! — добродушно соглашается Иван Константинович. — Возьми завтра с собой Шарафута и ступай с ним по лавкам, делай покупки.

— Дедушка! — вдруг встает Леня во весь рост из-за самовара. — Я желаю тоже! У Тамарки будут через одну субботу журфиксы — ну, а у меня пусть будут в свободные субботы жирфуксы. Гениально, правда?

— Гениально! — расплывается Иван Константинович. — Просто гениально! А кого ты пригласишь?

— Ну, первую, конечно, вот эту! — показывает Леня на меня. — Шашуру... Придешь, Шашура?

— Конечно, приду!.. Если мама позволит...

Мама с улыбкой кивает головой.

— Потом приглашу одного моего одноклассника — он очень хорошо играет на скрипке, а я буду аккомпанировать ему на рояле. И сестру его позову — она ни на чем не играет, она стихи пишет, очень славная. На Тамаркиных журфиксах будет ржать Ляля-лошадь, а на моих жирфуксах будет замечательная музыка! Дедушка, придете слушать?.. Тетя Лена, дядя Яков, придете?

Ну бывает же на свете такое! Все бессердечие, все чванство, надутая спесь — сестре. А вся милота человеческая — ее родному брату!

— Да, забыл! — спохватывается Леня. — Мне, дедушка, новой посуды не надо: чай у меня будет разливать Шашура, а она, черт косолапый, все перебьет, и тогда...

Фраза остается недоконченной: я бросаюсь к Лене, чтобы надрать ему уши; он убегает, мы с хохотом носимся по квартире.

— Чур-чура! — кричит Леня. — Я придумал роскошную вещь: в концерте жаба Милочка споет романс, а попугай Сингапур спляшет камаринского. Плохой жирфукс, что ли?

— Не жирфукс, — поправляет Тамара, — а журфикс...

— Вот-вот: у тебя — журфикс, а у меня — жирфукс...

Как всегда, Иван Константинович и Леня провожают нас домой. Взрослые идут позади, мы с Леней — впереди.

— Вся беда, — говорит вдруг Леня, — что Тамарка — наоборотка.

— Это что еще значит? — удивляюсь я.

— Ну, наперекóрка — вот она кто! Бабушка наша, Инна Ивановна... — Голос Лени вдруг обрывается, потом он продолжает очень ласково, очень нежно: — Я думаю, такой бабушки ни у кого на свете нет и не было! До того она была добрая, так любила нас... А Тамарка с ней такая была хамка! Никогда не подойдет, не приласкается, слова доброго не скажет... А дедушка наш... он, конечно, нас тоже любил, но сколько раз, бывало, он Тамарку шлепал, даже по щекам бивал! И что ты думаешь? Она в дедушке души не чаяла, она ему в глаза глядела, она его и дедусенькой, и дедунчиком, и всяко... Понимаешь?

— Понимаю. Она — неблагодарная, вот она кто.

— Во, во, во! — кивает Леня. — Это верно: неблагодарная!

— И Ивана Константиновича она не ценит! — говорю я сердито. — Ка-а-ак она с ним противно разговаривает! Сервировку ей новую подавай! Для журфикса!

Мы и не догадываемся, до чего печально обернется дело с этим Тамариным журфиксом!

В назначенную субботу все должно состояться. Я не интересуюсь этим балом — я ведь не пойду! От Лени, который забегает к нам каждый вечер, я узнаю все новости и подробности: Тамара купила посуду — с ума сойти! Чашки — обалдеть! Готовится угощение — ба-а-атюшки!

В субботу, перед третьим уроком, когда кончается маленькая перемена, я случайно натыкаюсь в коридоре на группу девочек. Тамара, прощаясь со своими «знатными» подружками и махая им рукой, кричит:

— Так помните: сегодня в шесть часов я вас жду!

— Придем, придем!

— Обязательно!

— Непременно придем! — кричат они ей, уходя в свое первое отделение.

А ровно через час, когда кончился третий урок и начинается большая перемена, Дрыгалка задерживает нас в классе. Удивительно, до чего она обожает портить нам большую перемену! Все стремятся выбежать из класса в коридор, завтракать, шуметь, а Дрыгалка непременно сократит перемену: хоть на пять минуток, хоть на минуточку, да сократит!

— Хованская! — вызывает Дрыгалка.

Тамара встает.

— Ваш дедушка подавал заявление о переводе вас в первое отделение?

— Нет, мой дедушка — князь Хованский — умер. А заявление подавал мой опекун, доктор Рогов.

Дрыгалка делает удивительно противное, насмешливое лицо и говорит с насмешкой:

— Ваш дедушка был князь? Вы в этом уверены?

— Он мне так говорил...

— Ах, он вам «говорил»? — уже открыто издевается Дрыгалка. — А вам известно, что такие вещи доказываются не словами, а документами?

Тамара молчит. Она очень бледна, и по губам ее пробегает что-то вроде мелкой судороги.

— Дедушка говорил мне... — выжимает она из себя наконец с усилием, — что наша грамота на княжество утеряна... но что мы все-таки князья.

— Ну, так вот, — с торжествующей интонацией продолжает Дрыгалка, — свободных мест в первом отделении нет. Дирекция готова была — для такого случая! — перевести кого-нибудь из первого отделения к нам во второе, а вас перевести от нас в первое. Но никаких документов о том, что вы — княжна, не имеется. Вы не княжна, а самозванка! И вас в первое отделение не переведут!.. — Затем, обращаясь к нам, Дрыгалка говорит, словно точку ставит: — Можете идти в коридор, медам!

И сама уходит из класса. Девочки со своими завтраками бегут в коридор. Часть девочек осталась в классе, в том числе и я. Я стою и боюсь поднять глаза. Боюсь посмотреть на девочек и увидеть: а вдруг они злорадствуют по поводу Тамары?.. И боюсь взглянуть на Тамару: а вдруг она плачет?

Но нет, девочки тоже не смотрят на Тамару, словно ничего не произошло. Мы выходим из класса группкой. Обернувшись в дверях, я вижу, как Тамара, очень бледная, поспешно, роняя вещи на пол, укладывает все свое классное хозяйство в сумку...

Выйдя в коридор, Меля запускает зубы в кусок пирога с капустой и говорит почти нечленораздельно:

— А ну его к богу, княжество это! Одна морока!

Остальные молчат. Но лица у них серьезные: сцена Дрыгалки с Тамарой произвела на всех тяжелое впечатление.

Мимо нас вихрем проносится Тамара, — в руке у нее сумка с книгами и тетрадями. Она мчится к лестнице и стрелой убегает вниз.

— Куда она? — тревожно говорит Маня Фейгель.

— Домой, наверно...

— Девочки! — говорит Лида с упреком. — Не будем заниматься чужими делами. Это называется: сплетничать.

Все молчаливо соглашаются с Лидой. Спустя минуту беседа бежит, как веселый ручеек, от одного предмета к другому. О Тамаре все забыли. Или делают вид, что забыли. Я — тоже. Конечно, мне ее немножко жалко: наверно, она огорчилась тем, что ее не хотят переводить в первое отделение. И Дрыгалка так насмешливо говорила ей: «Вы не княжна, а самозванка!» Кому же приятно слышать такое?

Но — удивительное дело! — слух об этом происшествии уже облетел весь институт. В коридоре все говорят только об этом. Ко мне подлетает Зоя Шабанова.

— Это правда? — спрашивает она с любопытством.

— Что «правда»?

— Да вот — про Хованскую?

Вокруг нас уже собралась толпа. Девочки набежали отовсюду, как куры на просо.

— А что такое — про Хованскую? — спрашиваю я с самым искренним недоумением.

В глазах Зои, да и некоторых других девочек, — жадное любопытство. Вот с таким выражением лица ходят по квартирам, чтоб посмотреть на незнакомых им покойников, или толпятся у церквей и костелов, чтоб увидеть незнакомых им новобрачных.

Это очень противно...

Очевидно, Лида Карцева чувствует то же, что и я, потому что она очень холодно смотрит на Зою и других девочек, обступивших нас.

— Да что такое мы должны знать про Хованскую? — говорит Лида спокойно. — Ничего мы не знаем! Дайте нам пройти...

Нас пропускают. Мы идем по коридору со своими завтраками и говорим о другом. О чем угодно, только не о Тамаре Хованской.

Вечером прибегает к нам Леня, очень взволнованный:

— Шашура! Идем к нам...

— Это зачем еще мне идти?

— Меня дедушка послал. «Скажи, говорит, Сашеньке (он тебя Сашенькой зовет... подумай, всех обезьян Сашеньками звать!), чтоб сейчас пришла к нам!»

Я понимаю это так, что у Тамары собрались все ее знатные гости и Ивану Константиновичу непременно хочется, чтобы пришла и я. А я так не хочу этой встречи с «графьями и князьями», что даже пропускаю мимо ушей Ленькину дразнилку про «обезьян».

— Зачем я к вам пойду? — ершусь я. — У вас и без меня гостей много...

— То-то и дело, что нет! — серьезно отвечает Леня. — Ни одного гостя и три телеги неприятностей... Пойдем, Шашура!

У Роговых еще в передней слышно, как заливается хохотом Тамара.

— Ты меня обманул? — сурово говорю я и поворачиваюсь, чтоб уйти. — У вас веселье, хахоньки, а ты сказал: никого нету!

Леня удерживает меня за рукав шубки.

— Это у Тамары... истерика... — бормочет он сконфуженно. — Плачет она... понимаешь? Плачет!

Мы с Леней входим в комнату, откуда доносятся странные звуки, похожие больше на хохот, даже на икоту, чем на плач. Я никогда в жизни такого не слыхала и в совершенном ужасе схватываю Ленину руку.

В довершение переполоха попугай Сингапур в своей клетке начинает заливаться точь-в-точь как Тамара! Оказывается (потом нам это объясняет Иван Константинович), одна из прежних хозяек Сингапура часто закатывала истерики, и Сингапур перенял это от нее. Все эти годы он жил у Ивана Константиновича и не слыхал никаких истерик; ну, а когда Тамара начала эту знакомую ему песню, Сингапур страшно обрадовался и начал выводить истерические вопли. Так они наворачивают оба — Тамара и Сингапур!

Но для Тамары состязание с попугаем оказывается полезным: плач ее ослабевает. Она даже кричит:

— Ленька! Да поставь ты эту проклятую птицу на рояль!

Поставленный на гладко отполированную крышку рояля попугай Сингапур перестает хохотать, икать и плакать. Он только, как всегда, жалобно умоляет:

— Простите... пустите... не буду!

Все это так смешно, что даже Тамара улыбается сквозь слезы. Она сидит на диване, прижавшись к Ивану Константиновичу, крепко обнимая его за шею, и горестно бормочет:

— Дедушка... Миленький, дорогой дедушка... Как нехорошо все вышло, дедушка!

Мы с Леней невольно переглядываемся: впервые со времени их приезда Тамара называет Ивана Константиновича «дедушкой», впервые обнимает его и льнет к нему, как внучка, ищущая защиты! И, как ни расстроен Иван Константинович огорчениями Тамары, все-таки он счастлив этой переменой в ее обращении с ним.

— Птушечка... — целует он ее плачущие глаза. — Да не убивайся ты так! Ну, сегодня все вышло не очень хорошо, а завтра будет великолепно! В этом — жизнь, дорогая моя, внученька милая... И тебе еще жить и жить... долго-долго!.. Всякое еще у тебя будет, родная моя!

Но Тамарины чудеса продолжаются.

— Сашенька... — говорит она мне умоляюще. — Садись рядом со мной...

До этого дня у меня не было ни имени, ни «ты» — только одно «вы»! Но я не хочу об этом вспоминать. Мне очень жалко Тамару.

Я сажусь на диван рядом с Тамарой, беру ее за руку.

— Сашенька... Ты как-то говорила, что Ляля Гагарина — не княжна. Ты это наверное знаешь?

— Нет, — отвечаю я честно. — Н а в е р н о е я этого не знаю. Я только думаю, что, если бы она была княжна, все «синявки» бы ее так называли. Ну, и сама она — она ведь глупая! — всем бы тыкала в нос, что она княжна...

Тут я краснею до ушей. Потому что ведь это — удар и по Тамаре: значит, она глупая, ведь она всем звонила, что она — княжна и княжна... К счастью, Тамара пропускает мою бестактность мимо ушей, она занята другой мыслью.

— Но тогда... — говорит Тамара растерянно, — почему же она сегодня ко мне не пришла? Нет-нет, ты не думай, я ведь знаю, что Гагарина — дура, и, ох как с ней скучно, если бы ты знала! Но мне, понимаешь, обидно... Никто не пришел! Что же, им со мной неинтересно? Они только оттого со мной дружили, что думали: я — княжна?

Леня ласково — совсем не похоже на его обычное обращение! — гладит Тамару по голове.

— А тебе не все равно, что там какая-то балда о тебе думает и почему она к тебе не пришла?

Но Тамара его не слушает: из передней слышен звонок. В глазах Тамары — надежда. Она еще и сама боится поверить в радость. Она говорит полувопросительно:

— Они?

Нет, это пришли не ее гости! В комнату входит, очень веселая, моя мама, а за ней — высокий красивый человек с пышным коком пепельных волос, падающим на лоб.

При виде его Иван Константинович, смешно нагнувшись и упершись руками в расставленные колени, — так в чехарду играют, — кричит, словно не веря собственным глазам:

— Нет!

— Да! — кричит, смеясь, пришедший человек с коком.

И оба они — Иван Константинович и человек с коком — бросаются друг другу в объятия. Незнакомец наклоняется, потому что он значительно выше Ивана Константиновича. Оба они восторженно обнимаются, целуются и хлопают друг друга по спине. Потом, словно исполняя какой-то давно привычный обряд, они отступают на один-два шага друг от друга, а Иван Константинович рычит громовым голосом:

— Черт побери мои калоши с сапогами!

— Тысяча чертей и одна ведьма в пушку! — отвечает ему незнакомец.

Впрочем, почему я называю его незнакомцем? Я ведь только в первую минуту не сразу признала его — я его года два не видала. Но тут же радостно вспомнила: «Миша! Это мой дядя Миша!»

Он тоже бросается ко мне, берет меня на руки, как маленькую. Он обнимает, целует меня, напевая приятным баритоном смешную и глупенькую песенку, которую я помню с самого раннего детства:

Ах, простите! Ах, простите,
Дорогая уистити, —
Что-то нос у вас не чист!
Вы, конечно, обезьяна,
Обезьяна без изъяна,
Но ведь вы — не трубочист!

Я с восторгом обнимаю кудрявую голову дяди Миши, — я снова, словно в первый раз в жизни, узнаю его голос, придающий теплоту и сердечность всему, что бы он ни пел. Как часто, в самом раннем моем детстве, когда я бывала нездорова, не могла уснуть, дядя Миша целые ночи носил меня на руках и пел мне, а я слушала, положив голову на его плечо. Самое мое любимое было «Сказка о рыбаке и рыбке» — пушкинские слова, к которым он сам сочинил музыку. Когда он пел, как старик в первый раз закинул невод, — «пришел невод с травою морскою», как «в другой раз закинул он невод, — пришел с одною тиной», и хотя я отлично знала, что сейчас старик в третий раз закинет невод и поймает бесценную золотую рыбку, — все равно я слушала с замиранием сердца, я боялась: а вдруг сегодня старик не поймает рыбку? Ведь тогда старик и старуха будут и дальше прозябать «в ветхой землянке», как прозябали до этого «тридцать лет и три года...».

Теперь я знаю, что в этом и есть секрет подлинного таланта: зритель, слушатель, читатель — даже если он смотрит пьесу или читает книгу в тысячный раз! — должен волноваться, словно слышит и видит это в первый раз в жизни! Он должен трепетать от страстной надежды: «А вдруг сегодня конец будет новый, счастливый?» И только те писатели и актеры талантливы, которые умеют заставлять читателя и зрителя замирать в этом «а вдруг».

Дядя Миша был талантлив. Он был исключительно музыкален — пел, играл на рояле, сочинял безделушки-пьески для рояля; издатели покупали и печатали их. Помню его польку «Леночка», посвященную моей маме, выставленную в витринах музыкальных магазинов. Дядя Миша окончил юридический факультет и был на редкость красноречив. Дедушка Семен Михайлович говаривал: «Если я хочу отчитать Мишу за какое-нибудь несомненное его безобразие, я должен войти к нему в комнату, выговорить все, что у меня на душе, — и тут же уйти, не дав ему сказать ни одного слова, иначе через пять минут я буду верить, что никакого безобразия Миша не совершал, а если и совершил, то это было совсем не так, совсем не то и вообще это не было безобразием. А через десять минут я еще буду просить у Миши прощения за то, что посмел заподозрить его в чем-то дурном!»

Были у дяди Миши и несомненные литературные способности. Он писал стихи, слова для романсов, но, главное, — письма. Боже мой, какие письма умел сочинять дядя Миша! Над этими письмами люди хохотали, плакали, люди исполняли любую дяди Мишину просьбу, хотя бы самую трудноисполнимую! Однажды на каком-то пышном балу у его петербургских знакомых, за ужином, где шампанское лилось, словно из открытого крана водопровода, дядя Миша на пари с каким-то приятелем написал письмо своей мачехе, второй жене дедушки Семена Михайловича (которого в то время уже не было в живых). Мачеха эта, очень чванная, ни на миг не забывавшая, что она — генеральша, ее превосходительство, жила в Каменец-Подольске и своего пасынка Мишу ненавидела (думаю, что заслуженно, потому что и он терпеть ее не мог и причинял ей — в детстве и юности — тысячи неприятностей). Тут же, на балу, в присутствии всех гостей, дядя Миша написал ей письмо: он, дескать, дошел до последней ступени человеческого падения — он пишет это письмо в знаменитой петербургской ночлежке «Васина деревня», он голодает, он стоит с нищими на паперти; здесь, в ночлежке, он пишет ей, лежа на грязных нарах, среди пьяниц, бродяг, воров. Когда Миша читал вслух те места, где он описывал грязь, вонь, чужие пороки и свои страдания, то барышни, только что с ним вальсировавшие, плакали! На рассвете, возвращаясь домой с бала, дядя Миша опустил письмо в ящик... Письмо пришло в Каменец-Подольск и было доставлено с вечерней почтой; прием денежных переводов по почте и по телеграфу был уже закрыт до утра. Мачеха-генеральша всю ночь рыдала над этим письмом и еще затемно побежала на телеграф, чтобы срочно отправить дяде Мише 200 рублей! Одновременно она отправила ему телеграмму: «Умоляю вернуться на путь добродетели».

Дядя Миша долго носил эту телеграмму в бумажнике: «Вдруг в самом деле послушаюсь? Тогда эта телеграмма будет входным билетом на путь добродетели!»

Дядя Миша добр, иногда до безрассудства. Деньги — и большие — раздает направо-налево по первой просьбе, иногда незнакомым людям. Помню также случай, как соседская кухарка упала вечером с чердачной лестницы. Дядя Миша принес старуху на руках, положил ее на свою кровать и всю ночь просидел около нее, прикладывая ей компрессы. Утром он нанял карету, — чтоб спокойно везла, чтоб не трясло! — и отвез старуху в больницу. Старуха, прощаясь с Мишей, плакала: «Когда я молодая была, мажилось (грезилось) мне: повезет меня королевич в карете...»

Вот какой мой дядя Миша, брат моей мамы, и вот он неожиданно, без предупреждения, как снег на голову, нагрянул в этот вечер. Впрочем, иначе дядя Миша появляться не умеет!

В пять минут дядя Миша уже знаком со всеми, а главное — все в него влюблены. Такой уж это человек! Он дирижирует: «Гран рон!» — составляет круг из всех обитателей квартиры и гостей: Ивана Константиновича, мамы, Тамары, Лени, меня, Шарафутдинова и горничной Натальи. Он заставляет нас плясать невообразимые танцы. Он играет нам на рояле какие-то мелодии собственного сочинения. Потом поет романс Чайковского (я его тоже помню чуть не с рождения), и поет его так задушевно, так проникновенно, что все мы застываем там, где нас застигли первые ноты:

Спи, дитя мое, усни!
Сладкий сон к себе мани.
В няньки я к тебе взяла
Ветер, солнце и орла.
Улетел орел домой;
Солнце скрылось под водой;
Ветер, после трех ночей,
Мчится к матери своей.

Мы все, тесно обнявшись, сидим на диване: я — с мамой, Тамара и Леня обхватили за шею Ивана Константиновича, прильнув головами к его плечам. Шарафутдинов, стоя в дверях, грустно и растерянно приоткрыл рот, Наталья вытирает глаза уголком фартука.

Ветра спрашивает мать:
«Где изволил пропадать?
Али звезды воевал,
Али волны все гонял?» —
«Не гонял я волн морских,
Звезд не трогал золотых —
Я дитя оберегал,
Колыбелечку качал...»

Много слыхала я песен за долгую жизнь. И пели их хорошо — иногда лучшие певцы в мире. Но нет песни, которая бы так мучительно и сладостно волновала меня, как эта «Колыбельная». Может быть, оттого, что это была одна из п е р в ы х песен, какие я слыхала в жизни. Или оттого, что дядя Миша пел ее так, как он делал все, — самозабвенно-талантливо... Даже и сейчас я не могу слушать ее без глубокой печали.

Но вот дядя Миша уже допел «Колыбельную» и, обведя глазами всех нас, притихших, всплакнувших, взволнованных, говорит — как всегда, без всякого перехода:

— А кормить гостей здесь не в обычае, что ли?

Тамара (кстати сказать, совершенно позабывшая свои горести), Наталья, Шарафутдинов начинают хлопотать по хозяйству, накрывать на стол. Мы с Леней пристраиваемся около взрослых. Леня смотрит на дядю Мишу с восторгом, как на какое-то волшебное видение. С той обостренностью чувств, какую дает искусство, я сейчас, после прослушанной «Колыбельной», смотрю на Леню и взволнованно читаю в его душе. Мальчик, видимо, давно тоскует об отце. Его отец умер так рано, что Леня его даже не помнит. Дедушка — Хованский — был, судя по всему, злой, раздражительный, спесивый брюзга. Бабушка Инна Ивановна была хорошая, милая, ласковая и грустная, но ведь бабушка — это не отец. Иван Константинович тоже ведь только дедушка... Два года Леня

провел в кадетском корпусе, затертый в военной муштре, ка
во льдах... И вот он смотрит на дядю Мишу, на этого чужог
человека, неожиданно ворвавшегося на несколько часов
его, Ленину, жизнь. Вот бы такого отца! Это Леня думает н
словами, не мыслями, а чувством, всем сердцем! А я понима
это потому, что дядя Миша разбередил мне душу своим пе
нием. Сонная у человека душа, — через час-два я уже опят
не буду понимать ничего, что происходит в окружающих мен
людях, в их мыслях и чувствах.

В то же время я почему-то думаю о двух людях: о мое
папе, в которого я верю больше, чем во всех, и об этом во
дяде Мише, чудесном дяде Мише, которого обожают все,
я первая. Я совершенно явственно вспоминаю, что эти дво
никогда не казались мне дружными между собой. Не то что
они ругались, дрались или хотя бы ссорились, — ничего по
добного, они всегда были ровно приветливы друг с другом
Но я только сейчас — вот именно сейчас, после песни, когд
на душе так радостно и так хочется плакать светлыми, до
верчивыми слезами! — только сейчас я понимаю, что папа
дядя Миша совершенно разные люди: то, что нравится дяд
Мише, кажется нехорошим папе; а то, что любит папа, тог
не любит дядя Миша. Между ними всегда идет какой-то внутренний спор, ни на минуту не затихающий. Помню, когд
умер дедушка Семен Михайлович, дядя Миша вдруг, на удив
ление всем, купил на свою долю дедушкиного наследства —
имение! Папа тогда спросил дядю Мишу, — мы сидели з
обедом, — спросил спокойно, ровным голосом:

— Зачем тебе понадобилось это имение, Миша? Ты ж
окончил университет, ты — юрист. Работай!

— Ох, скука! — зевнул дядя Миша, открывая свои великолепные зубы.

— У тебя есть и другие способности — к музыке, например. Поступай учиться в консерваторию.

— Еще того не легче!.. Да брось, Яков, придумывать всякую чепуху! Я хочу жить весело!

— Это — помещиком-то? — сощурился папа.

— Вот именно! Заведу образцовое хозяйство, буду задавать пиры на всю губернию! Разве не весело?

Дядя Миша тогда явно поддразнивал папу, хотя и добродушно. Папа молчал и больше в разговоры об имении не вмешивался. Имение было куплено. Дядю Мишу надули при этом, как грудного младенца. На имении оказалось втрое больше долгов, чем ему сказали при покупке. Дядя Миша сразу оказался в жестоких тисках, как говорится — «в долгах, как в репьях». Дважды, чтоб спасти его от полного разорения, мама и папа посылали ему денег, — на это ушла почти вся мамина часть дедушкиного наследства. Дядя Миша бился как рыба об лед.

Папа никогда ничего не говорил. Только один раз, когда мама, прочитав очередное дяди Мишино письмо, заплакала: «Бедный Миша...», папа сказал:

— Не бедный, нет: несчастный. Потому что баловень, барчук. Все в жизни получил даром, работать не умеет... Какая это жизнь!

Как-то раз, в разгар дяди Мишиных злоключений с имением, дядя Миша неожиданно женился и приехал к нам с женой. Ее звали Тиной, она была совсем юная и наивная до глупости. У нее были роскошные туалеты и белье из сплошных кружев. Увидев однажды, как мама штопает чулки, тетя Тина спросила с удивлением: «Вы носите штопаные чулки?» Все умилялись, глядя, с каким упоением тетя Тина играет со мной в куклы, как горько она плачет, когда ей случается проиграть мне партию в поддавки! Только папа как-то сказал о Тине с жалостью:

— Это же бедняжка блаженненькая... Цыплячьи мозги...

Брак оказался несчастным. Отец Тины, румынский еврей, темный делец, втянул дядю Мишу в какие-то биржевые дела, облапошил и окончательно разорил его, а сам скрылся неизвестно куда. Единственный брат Тины, Жан, красавец, прожигатель жизни, оставшись без гроша, поступил парикмахером в самую шикарную петербургскую дамскую парикмахерскую «Делькруа»...

Миша не приезжал к нам года два. И вот — сегодня...

А сегодня дядя Миша не совсем такой, как всегда! Сквозь привычное веселье, сквозь искреннюю радость видеть всех близких в дяде Мише чувствуется усталость, глаза его смотрят порой горько. Он бурно обнимает маму, подбрасывает меня в воздух, прижимается щекой к руке Ивана Константиновича... Но он не совсем веселый, хотя все кругом смеются и смотрят на него с восхищением.

Но вот уже накрыт стол — роскошно! На нем — все, что Тамара готовила для своих «знатных» гостей: красивая новая посуда и хрусталь, цветы в большой вазе посреди стола и цветы у каждого прибора, вино, множество заманчивых яств.

— Прошу за стол! — весело приглашает Тамара. Она уже забыла свои недавние разочарования и с удовольствием исполняет обязанности хозяйки дома.

В эту минуту появляется новый гость — папа. Он приезжал на часок домой — перекусить и отдохнуть; у него сегодня очень трудная больная, от которой он не отходит с самого утра и к которой сейчас вернется опять. Дома ему сказали, что приехал Миша и что мы все у доктора Рогова, — он и приехал сюда.

Папа и дядя Миша здороваются, обнимаются. Но, как всегда, ясно чувствуется, что между ними стоит что-то, какой-то барьер, что ли...

— Приехал, баловень? — спрашивает папа без всякой злобы, шутливо.

— Приехал, да, — отвечает дядя Миша. — А ты, как всегда, в ярме?

— Да, как всегда. Через полчаса уйду — у меня тяжелая больная.

— И не надоело тебе? — посмеивается дядя Миша.

— Никогда не надоест, — серьезно отвечает папа.

Все сидят за столом. Иван Константинович разливает в бокалы вино. Затем он встает и торжественно говорит самым низким голосом, каким может:

— Н-н-ну-с, друзья мои!.. Сегодня у меня — дорогой гость: сын Семена Михайловича, моего друга и товарища... по Военно-медицинской академии и по турецкой войне... Михаил Семенович — вот он! Попросту скажем — Миша, Мишенька... На коленях у меня сиживал. Сиживал, как же... Ну, в общем, черт побери мои калоши с сапогами, — твое здоровье, Мишенька! — протягивает он к нему бокал.

— Ах, Иван Константинович, Иван Константинович! — укоряет его мама. — Мишеньку вы на одно колено сажали — это вы помните! А кто на другом колене сидел, про это вы забыли?

— Не забыл, дорогая, — как же я это забуду? На другом колене у меня сидела девочка Леночка — ныне ее Еленой Семеновной зовут! — жена моего младшего друга, Якова Яновского! Ваше здоровье, дорогая! И твое, Яков Ефимович!

— А помните, Иван Константинович, — говорит вдруг дядя Миша, — как я прибежал к вам, когда мою сестру Леночку обидели в гимназии? Какая-то девчонка бросила ей на голову грязную тряпку, которою стирают мел с классной доски. Ну, Леночка у нас всегда была «чистоплотка»: прибежала домой, плачет горько. А я — сам гимназист, что́ я могу? Ну, я, конечно, — к Ивану Константиновичу. Помните, дядя Ваня?

— Конечно, помню! Врывается, понимаете, ко мне Миша, сам не свой, весь трясется, глаза мечут молнии! Сестру его обидели в гимназии! Так чтоб я сию минуту отправился в гимназию и чуть ли не на дуэль начальницу вызвал!

— А вы — не вызвали? — спрашиваю я.

— Ну что ты, опомнись! Как же я женщину на дуэль вызову!

— И что же было дальше? — спрашиваем мы в три голоса: Леня, Тамара и я.

— А дальше, — продолжает, смеясь, дядя Миша, — я полетел стрелой прямо в женскую гимназию. «Где госпожа начальница?» Привели меня к ней — служитель гимназический оказался бывший денщик моего отца. Я говорю: «У вас одна девчонка оскорбила мою сестру! Вы должны эту девчонку наказать!» Ну, начальница меня расспросила. «Виновную я, говорит, накажу, но неприлично сыну такого отца говорить слово «девчонка»!..»

Все смеются. И вдруг папа мой говорит совершенно серьезно:

— Очень характерный для тебя случай, Миша! Намерение у тебя было самое благородное: заступиться за сестру. Но сперва ты хотел осуществить его при помощи Ивана

Константиновича, а потом выехал все-таки на авторитете своего отца: служитель, бывший денщик, проводил своего бывшего барчука к начальнице — другого бы не проводил! — а начальница не выставила тебя вон тоже, вероятно, только потому, что ты был сын своего отца, которого она знала и уважала... Ну да, впрочем, бросим это! Скажи нам лучше, что́ у тебя? Как твои дела?

— Нет-нет! — пугается вдруг мама горестного выражения, мелькнувшего в глазах дяди Миши. — Сегодня о делах не будем! О делах — завтра...

Дядя Миша обнимает маму, целует ее руку.

— Дорогая моя Леночка... — говорит он с печалью. — Не будет этого завтрашнего разговора. Не будет. Я сейчас еду на вокзал. Скоро поезд...

— Но почему ты сразу не сказал мне, что ты сегодня же уезжаешь?

— Деточка... Ведь я испортил бы этот вечер и себе и всем нам! Подумай, такой чудесный вечер... Будет ли у меня еще когда-нибудь такой вечер?..

— А как же твои вещи? Ведь они остались у нас...

— Леночка! Мы так давно не видались, ты мне так обрадовалась — даже не заметила, что я без вещей! И в первый раз в жизни я не привез подарков ни тебе, ни Сашеньке...

Дядя Миша обнимает и меня. Потом обращается к папе:

— А про мои дела, Яков, я сейчас скажу... хотя похвастать и нечем. Ну, коротко: имения нет, его продали с молотка — за долги... Семьи тоже нет: жена моя, Тина, ушла от меня и дочку нашу — тоже Сашеньку — увезла с собой... Работать я не умею — ты всегда говорил мне это, и теперь я иногда начинаю думать, что, пожалуй, ты был прав...

— Миша! — говорит папа, кладя ему руки на плечи. — Если тебе нужны деньги... Ты ведь знаешь... Я всегда...

— И я! И я! — говорит Иван Константинович, который словно даже осунулся и похудел за эти полчаса.

— Спасибо, милые, не надо, — твердо отвечает дядя Миша. — Я еду в один городок... ну, пока без названия... на русско-азиатской границе. Там я получу ма-а-аленькое место: податного инспектора. Если приживусь, если вработаюсь, напишу вам. Это будет не скоро... И — не легко, сами понимаете... Ну как, Яков? Ты доволен? Ты понимаешь, что баловень берется за работу?

— Очень хорошо! — говорит папа, обнимая дядю Мишу. — Очень хорошо, Миша... Потому что баловням приходит, вероятно, конец. Ты хочешь работать? Отлично!

— Ну, дорогие мои! — обращается к нам дядя Миша. — Давайте прощаться.

— Нет! — требует Иван Константинович. — Сперва присядем перед дорогой.

Мы садимся. Шарафутдинов неловко мнется — нельзя ему сидеть при Иване Константиновиче! — и только после твердого приказания он садится за дверью соседней комнаты.

— Вот и посидели перед дорогой! — встает дядя Миша. — Вы что это? На вокзал со мной? Провожать меня? Ни-ни-ни!

Еще минута-другая — дядя Миша, обняв и расцеловав нас всех, уходит вместе с папой. В дверях он оборачивается к нам:

— Прощайте, родные мои! А может быть, до свидания?

И убегает.

Иван Константинович опускается на диван. Мама плачет рядом с ним.

— Баловень... — бормочет Иван Константинович. — Именно, что баловень... Загубило его это баловство...

— Почему, дедушка? Почему? — задумчиво спрашивает Тамара. — Какое баловство?

— А такое! — упрямо говорит Иван Константинович. — Баловство — это все, что задарма, понимаешь? Вот — Миша: отец его, Семен Михайлович, замечательный хирург был, бесстрашный человек, под огнем неприятеля раненых перевязывал, на себе, случалось, из боя выносил их. Я, бывало, иду с ним, даже перекреститься боюсь... А он — как по бульвару гуляет! Ранили его, контузили, тифом болел — тогда это гнилой горячкой называли, — отлежится и снова в строй! За это, за труд этот адский, за самоотверженность врача, за опасности и лишения, ему и ордена дали, и потомственное дворянство, и все... А Миша — он с малых лет привык, что он — потомственный дворянин, и папа у него орденами обвешан, как елка игрушками, и все двери перед ним открыты, и что ни пожелай — все сделается! До тридцати с лишним лет дожил — трудиться не научился, не любит, не умеет... А теперь уже поздно... Так вся жизнь и пошла под раскат... Нет-с, братцы мои, не баловство человеку нужно и не отцовы заслуги, свои собственные дела, своим по́том, своей кровью политые!

— Верно, Иван Константинович, — говорит мама сквозь слезы. — Все верно, что вы говорите...

Иван Константинович привлекает к себе Леню и Тамару. Уже и раньше как-то мама при мне говорила папе, что Иван Константинович любит обоих своих «нечаянных внуков», но Леню — чуточку больше. Потому что Леня — «бабушкин». Он на нее похож и лицом, и характером, он ее любил, и она его любила. Оттого Иван Константинович особенно ласков с Тамарой: он боится, что она это поймет, почувствует...

— Леня! — говорит Иван Константинович, гладя голову Тамары, но смотрит он прямо в красивые «бабушкины» глаза Лени. — Очень тебя прошу понять: граф ты там, или маркиз, или князь, — это не твоя заслуга, и потому это дешевое дело. Вон, говорят, за границей титулы за деньги купить можно! Но если ты настоящий человек и делаешь настоящее дело, и делаешь его хорошо, — так вот это уже твоя заслуга, это трудно, и тебя за это всякий уважать будет. Понимаешь, Леня?

— Понимаю... — тихо говорит Леня. — Я, дедушка, сам тоже так думаю.

...Первое письмо от дяди Миши получили мы через восемь лет после этого вечера. Он писал из города Орска, Оренбургской губернии. Служил он в каком-то учреждении, жил тихо, скромно, незаметно.

«А может быть, до свидания?» — спросил он, уходя в тот последний вечер от Ивана Константиновича.

Нет, это было «прощайте». Свидеться с ним больше никогда не привелось. Никому из нас.

Глава четырнадцатая
ТАМАРЕ ТРУДНО

В тот же вечер, после внезапного приезда и такого же отъезда дяди Миши, папа возвращается домой так поздно, что я уже почти совсем заснула. Это, наверно, звучит странно, когда человек говорит, что он «почти совсем заснул». Большинство людей либо «заснули» — и, значит, совсем заснули, либо «не заснули» — и, значит, не спят. Но у меня с раннего детства создалась привычка ждать, когда вернется домой папа. Иногда, если это затягивается, — папа-то может ведь не вернуться и до утра! — я засыпаю. Но чаще всего я лежу и дремлю, — я почти совсем сплю, и все-таки не совсем: какой-то ма-а-аленький кусочек моего сознания не спит! Стоит мне в это время услышать голос — или чаще шепот — папы, и я сбрасываю с себя сон, словно одеяло. Я уже не сплю и с нетерпением жду, пока папа тихонько, осторожно подойдет к моей кровати, чтоб поцеловать меня, спящую. Бывает, что я уже совсем сплю, но просыпаюсь именно в этот момент — «от докторского запаха».

В этот вечер я жду его с нетерпением: мне надо задать ему один неотложный вопрос. Папа очень устал — он сидит рядом с моей кроватью, и глаза у него полузакрыты. Но я чувствую, что он доволен — все обошлось у него хорошо.

— Папа, ты операцию сделал?

— Угм... — утвердительно хмыкает папа.

— Ты разрезал человека? — спрашиваю я с замиранием сердца.

Папина профессия — операции, ампутации — для меня еще очень далекая, я ведь никогда не видела, как папа работает. А по картинкам все это представляется мне очень страшным.

— И разрезал, и снова сшил... Своим собственным швом сшил — я недавно его придумал, этот шов, очень удачный!

— А больному это было больно?

— А ты как думала? Конечно, ему было больно. Ну, да не в этом дело... Будет жить — вот что главное! Будет жить и через неделю забудет, как стонал, как кричал, как мучился...

— Ну, а Тамара? — спрашиваю я. — Ей ведь сегодня как было больно! И в первое отделение ее не переведут, и Дрыгалка ее самозванкой обозвала, и подруги ее обидели, не пришли к ней... Как ты думаешь, будет она это помнить?

— Возможно...

— Ты думаешь, она теперь станет хорошая?

— Ох, Пуговица ты моя, глупая ты Пуговица! — качает головой папа. — Да, она сегодня ушиблась, больно ушиблась. Но чтоб от этого она сразу — раз! два! три! готово! — сразу переродилась, стала совсем новая, на себя не похожая, — это, миленький ты мой, бывает только в детских книжках «Розовой библиотеки»! А в жизни — нет. Жизнь, Пуговка, она — штука разноцветная... Не только розовая!

Все это — и Тамарины несчастья, и неудавшийся журфикс, и приезд дяди Миши, и поздний разговор этот с папой — происходит в субботу. В воскресенье никаких известий из дома Ивана Константиновича к нам не поступает. В понедельник утром я, как всегда, подхожу к дверям института. Это для меня уже — да-а-авно! — не врата в Храм Науки, как мне казалось в первые дни, а лишь дверь в Царство Скуки. В ту минуту, как я берусь за медное дверное кольцо, я вижу маленькую стройную фигурку. Она стоит на противоположном тротуаре; завидев меня, она торопливо перебегает улицу и берет меня под руку. Это Тамара...

— Я тебя ждала... — говорит она мне, улыбаясь через силу, и улыбка у нее очень жалкая. — Я хотела с тобой вместе...

Ей, видно, тяжело, просто мучительно прийти сегодня, в понедельник, туда, где она в субботу перенесла столько унижений... Мне становится так жаль ее, что я мгновенно забываю, как она раздражала меня своей заносчивостью. Мне хочется поддержать ее, чтоб она забыла все прошлое, чтоб она стала такая простая и ясная, как все другие девочки, мои подруги.

— Тамарочка... — говорю я как только могу ласково. — Вот как хорошо, что мы здесь с тобой встретились! Ну, идем!

Мы одновременно раздеваемся и вместе идем наверх. Гуляем до начала уроков под руку по коридорам. К нам «пристают», как лодки, мои подруги: Варя Забелина, Маня Фейгель с Катей Кандауровой. Подходят еще Меля — как всегда, с набитым ртом — и Лида Карцева. Мы прохаживаемся все вместе. Лида нравилась Тамаре и раньше — Лида держится со спокойным достоинством, как взрослая, Лида целый год жила во Франции, а папа Лидин — известный в городе юрист. Кто мы, остальные, по понятиям таких девочек, как Тамара? Меля — дочь «трактирщика», Маня — дочь «учителишки», я — дочь «врачишки»... Мелюзга! — А Лида — «человек ее круга». Тамара это чувствует. Она улыбается Лиде особенно приветливо, она всеми силами старается понравиться именно Лиде. Но Лида держится сдержанно.

Гуляя по коридорам, мы сталкиваемся с группой: Зоя Шабанова, Нюта Грудцова (внучка городского головы, ах, ах, ах!) и Ляля-лошадь. Тамара густо краснеет. Она крепче прижимает мой локоть — и не кланяется им. Они тоже ей не кланяются. Кончена их дружба — распалась на куски, как разбитый арбуз!

После звонка, когда мы уже идем в свой класс, Лида Карцева, чуть поотстав вместе со мной от других, говорит, как всегда, с легкой насмешкой:

— Шурочка занимается благотворительностью? Очень чувствительно!

— А ты помнишь, что было в субботу? — отвечаю я с упреком. — Неужели тебе ее не жаль?

— Не очень. Она сама во всем виновата.

— Что же, ей от этого легче, что ли, что она сама виновата?

Весь школьный день Тамара держится около меня и моих подруг. Мы, в общем, приняли ее в свою компанию. Правда, ей с нами, вероятно, скучновато — с нами нельзя говорить о том, что Тамара любит больше всего: «Баронесса Вревская мне говорила», «Князь и княгиня бывали у дедушки запросто» и т. п. Нам это неинтересно, и Тамара это понимает. Но все-таки она не одна, и, когда в коридорах мимо нас проходят ее бывшие друзья, она даже не смотрит в их сторону.

В тот же вечер прибегает Леня и рассказывает мне обо всем, что вчера, в воскресенье, происходило у них в доме. Тамара плакала, она чуть ли не на коленях умоляла Ивана Константиновича, чтоб он перевел ее в женскую гимназию на Миллионной улице. Потом просила позволить ей несколько дней не ходить в институт, пока все хоть немного позабудется. Но Иван Константинович был неумолим! Это у него, оказывается, всегда так: во всех маленьких житейских делах — он добряк просто до невозможности. Но когда дело идет о серьезном, Иван Константинович — кремень, скала!

— Птушечка! — уговаривает он Тамару. — Нельзя тебе переходить в другую гимназию. Какой же ты воин, если бежишь с поля боя?

— Я — не воин... — плакала Тамара. — Я — девочка, барышня...

— Да, если ты бежишь, ты — не воин, ты — просто трус! Я первый тебя уважать не буду. А если отсиживаться дома и не ходить в институт, так это, галчоночек мой, то же самое! Они тебя обидели, а не ты — их, что же тебе от них прятаться?

После долгих слез, уговоров, споров, поцелуев решили так: Тамара будет смелая и все-таки пойдет в понедельник в институт.

Папа, как всегда, оказался прав. С Тамарой, конечно, не произошло полного и окончательного «перерождения», как с героями книжек «Розовой библиотеки». Но все-таки от полученного толчка что-то в ней шатнулось, дрогнуло, сдвинулось с места. С Иваном Константиновичем она уже больше никогда не разговаривает так, как если бы он был ее лакей или кучер. Она называет его дедушкой, дедусенькой и даже милюпусеньким дедунчиком. И это искреннее, доброе отношение ее к Ивану Константиновичу, она не подлаживается, не подлизывается к нему — нет, она поняла, она почувствовала, какой это золотой человек и как искренне любовно относится он к ней и к Лене. Со мной она тоже держится без прежней заносчивости — как с подругой, говорит мне

«Сашенька» и «ты». Но все-таки иногда — по-моему, даже слишком часто! — в ней опять просыпается ее глупая гордость неизвестно чем, ее барские замашки. И тогда она опять становится противная-противная! Я стараюсь найти если не оправдание такому ее поведению, то хоть объяснение. Я повторяю сама себе, что она не виновата, что она выросла под влиянием своего дедушки-генерала, который сознательно воспитывал в ней надутую спесь, глупую заносчивость и т. д., и т. п. Но мне не всегда удается совладать с самой собой и внушить себе снисходительность к Тамаре. И нередко между нами возникают разногласия, а иногда — даже ссоры. В особенности противно мне бывает слушать, как она разговаривает с горничной Натальей и с Шарафутдиновым. Ну, словно они не люди, а неодушевленные предметы!

И вот через некоторое время Тамара снова объявляет, что у нее будет журфикс. Мало ей того, первого, журфикса! Впрочем, зовет она ведь уже других гостей: Лиду Карцеву, Варю Забелину, Мелю Норейко, Маню Фейгель, Катю Кандаурову и меня. По дороге к Тамаре я встречаю Катю Кандаурову. Она тоже идет к Тамаре — идет одна, без Мани, которая сегодня нездорова.

— Я тоже не хотела идти, — говорит Катя, — но Маня говорит: «Нехорошо. Тамара подумает, что мы нарочно, что мы не хотим к ней идти. Ступай, Катя! Повеселишься, потом мне расскажешь...» Я и пошла.

Мне бросается в глаза, какая Катя сегодня праздничная, улыбчивая.

— Катенька, ты что сегодня такая веселая, как новенький гривенник?

Катя отвечает, словно сама смущена своей радостью:

— От тети моей... от тети Ксени, папиной сестры, письмо пришло! Не берет она меня к себе! Не берет!

Катя выпаливает это просто с восторгом и даже на ходу трется от радости головой о мое плечо.

— А ты ее не любишь, что ли, эту тетю Ксению? — удивляюсь я.

— Я ее не «не люблю», а — не знаю... — уточняет Катя. — Конечно, она — папина сестра. Папа мой всегда говорил: «Ксеня — хорошая, Ксеня — добрая». Но ведь я-то ее никогда и в глаза не видала! Подумай: здесь я уже привыкла, я всех знаю, — и вдруг опять куда-то ехать! Опять новые люди! Опять привыкать! Сейчас очень все хорошо: тетя Ксения — мой опекун, она из папиных денег (тех, что после папы остались) присылает Илье Абрамовичу, Маниному папе, тридцать рублей в месяц на мое содержание. Илья Абрамович говорит: этого куда как много, больше, чем надо! Он на меня в сберегательной кассе книжку завел — желтенькую такую, как канарейка! Сколько каждый месяц от тридцати рублей остается, — он на книжку кладет.

— Тебе у них хорошо?

— Так хорошо, так хорошо!.. Вот секрет: даже с папой так хорошо не было, как с ними! У папы я, бывало, все одна и одна. Папа с утра на службу уйдет, вернется в пять часов — обедаем мы. После обеда папа ложится — отдыхает. Проснется, чаю попьем — спокойной ночи: мне спать пора. А папа, слышу, все по комнатам ходит, все ходит и ходит... Скучно мы жили!

— А у Фейгелей?

— Ох! — говорит Катя с восторгом. — Они все весе-о-олые! Каждый вечер нам Илья Абрамович читает — вот, например, как Иван Иваныч с Иваном Никифоровичем разругались! А перед сном все вместе песни поем...

И, помолчав, Катя добавляет:

— Нет, хорошо, что тетя Ксеня меня к себе не берет! «У меня, пишет, четверо мальчиков, сорванцов. Кате будет с ними трудно...» Еще бы не трудно — они, наверно, драчуны, я бы у них в синяках ходила... «Если можете, Илья Абрамович, прошу вас, подержите Катеньку пока у себя...» Вот как хорошо вышло!

Так, болтая, мы приходим к Тамаре. Конечно, мы с Катей пришли первые: никого из гостей еще нет. Тамара встречает нас очень радушно, ведет в свою комнату и кричит, чтобы нам принесли туда фруктов: в ожидании остальных гостей будем есть яблоки. Их приносит в вазе Шарафутдинов, как всегда приветливый, улыбающийся, и ставит на столик. Яблок в вазе слишком много, и два верхних яблока падают на пол.

Шарафутдинов поднимает их с пола, обтирает обшлагом своей рубашки и кладет обратно в вазу.

Что тут начинается, батюшки! Тамара приходит в бешенство. Она грубо выхватывает из вазы те яблоки, которые трогал руками и вытирал обшлагом Шарафутдинов, и швыряет ему в лицо.

— Болван! Хам! — кричит она на него.

У меня начинает стучать в висках. Все плывет перед моими глазами, как в грозу на лодке. Я бросаюсь к Шарафутдинову; он стоит, вобрав голову в плечи, закрывая локтем лицо от яблок, которыми продолжает швырять в него Тамара.

— Шарафут! — обнимаю я его, громко плача. — Шарафут!

Катя Кандаурова тоже плачет и тоже обнимает Шарафутдинова.

Тамара опоминается. Она видит по нашему возмущению, что переборщила.

— Подбери яблоки, черт косой! — приказывает она Шарафутдинову.

И, криво улыбаясь, обращается ко мне и Кате:

— Вы что же, обиделись за него, что ли? Он таких тонких чувств не понимает. Мой дедушка своих денщиков даже по морде бил...

И тут Катя, кроткая, тихая Катя, выходит из себя!

— Твой дедушка был свинья! — кричит она так громко, что голос у нее сразу хрипнет.

Схватив за руку Катю, я бегу к двери. Хлоп! — и нет нас. Мы бежим, но по ошибке не на улицу, а в ту дверь, которая ведет в сад Ивана Константиновича. На дорожках, у корней яблонь — груды снега. Мы с Катей садимся на лавочку, мы уже не плачем, мы просто сидим и мрачно смотрим перед собой.

— Вот и повеселились... — вздыхает Катя. — Будет что порассказать Мане!

Дверь из дома отворяется, и к нам бежит Шарафутдинов. На секунду у меня мелькает мысль: это Тамара послала его за нами. Не пойду я к ней! Ни за что!

Нет, конечно, это не она его послала. Его погнало то, что Тамара называет «тонкими чувствами», которых у него, по ее мнению, нет и быть не может. А вот и есть они у него! Ему больно не то, что его ругали, бросали яблоками в его лицо, в голову. Он знает, что он — солдат, денщик, что ему пожаловаться некому и обижаться не полагается. Но ему больно, что мы с Катей огорчаемся из-за него, он чувствует, что мы его любим, что мы за него заступились. Присев на корточки перед лавочкой, на которой мы сидим, Шарафутдинов все тем же обшлагом утирает наши слезы и быстро-быстро бормочет на своем фантастическом русском языке; от волнения он даже вставляет не совсем приличные слова, чего обычно никогда не делает.

— Ой, ой, ой! Дерьмам делам — Казань горит... Баришням... Шашинькам... Катинькам... Шарафутдин лес ходи, вам ежикам лови... Не нада плакай... Не нада...

От этих ласковых слов мы с Катей снова начинаем плакать. Мы крепко прижимаемся к Шарафутдинову, так что нам явственно слышно, как стучит под солдатской рубахой его доброе, ласковое сердце.

В дверях дома появляется Иван Константинович.

— Девочки-и! Сюда-а-а! — зовет он нас.

Мы идем к дому, и я говорю Кате так, словно обещание даю:

— Сто Тамарок за одного Шарафутдинова не возьму!

— А я — двести... — всхлипывает Катя.

В доме мы застаем всех девочек: они только что пришли. Приехал из госпиталя Иван Константинович, пришел Леня из музыкального училища.

Тамара лежит на кушетке в своей комнате и заливается в истерике. Хохочет, плачет, икает, опять хохочет, кричит... Конечно, из соседней комнаты вторит ей в своей клетке попугай Сингапур. В два голоса это получается музыка, невыносимая для слуха.

И вдруг в дверях кто-то с силой стучит палкой об пол и оглушительно кричит, перекрывая трели Тамары и Сингапура:

— Перестань! Сию минуту прекрати это безобразие!

Это папа. Он подходит к несколько опешившей Тамаре и снова стучит палкой в пол, и снова кричит:

— Замолчи! Сию минуту замолчи! Слышишь?

Тут начинаются чудеса! Тамара в самом деле замолкает — правда, не сразу, не в ту же минуту. Сперва ее плач становится тише, исчезают икота и хохот. Тамара уже только плачет, но тихо — без взвизгиваний и криков.

— Леня! — приказывает папа. — Заставь попугая замолчать.

И папа уходит за Леней в комнату, где живет в своей клетке Сингапур. Иван Константинович идет за ними. Я тихонько отделяюсь от группы девочек, стоящих вокруг кушетки, на которой плачет Тамара, и тоже проскальзываю за взрослыми. Я поспеваю как раз к тому моменту, когда Иван Константинович говорит папе с укором:

— Уж ты, Яков Ефимович... пожалуй, перехватил!..

— Нет! — твердо говорит папа. — Не я перехватил, а вы, к сожалению, до сих пор недохватывали!

— Но девочка в самом деле немного истерична. Это болезнь... — словно оправдывает ее Иван Константинович. — У нее бывают истерики...

— Иван Константинович, мы же с вами — врачи. Мы знаем, что в девяносто случаях истерии — из ста! — болезни на копейку, а остальное — дурное воспитание, баловство и дурной характер. А уж истерика — почему мы с вами у бедных людей не слышим истерик? Это дамская болезнь, панская хвороба, дорогой мой! И бывает она почти исключительно там, где с жиру бесятся. Разве нет, Иван Константинович?

— Так-то так... — вздыхает Иван Константинович. — А все как-то...

— Вы только будьте тверды, Иван Константинович, и настойчивы — вы это умеете, — и через полгода Тамара забудет дорогу к истерике. Она здоровая, умная девочка — зачем ей икать и квакать?

— Ну, пойдем туда! — напоминает Иван Константинович. — Надо же узнать, что у них тут произошло...

— А мне пора! — прощается папа. — Я ведь только мимоходом на десять минут забежал: словно чуял!

Я так же незаметно возвращаюсь в комнату Тамары, куда вслед за мной возвращаются Иван Константинович и Леня.

Папа исчезает, сделав Ивану Константиновичу знак, что мол, держитесь крепко!

Мы, девочки, по приглашению Ивана Константиновича рассаживаемся за нарядно сервированным столом.

— Так вот, — спрашивает Иван Константинович, — отчего такие слезы? Кто кого обидел?

Сперва все молчат. И вдруг все та же Катенька Кандаурова встает и говорит уверенно, прямо — ну, вообще так, как люди говорят правду:

— Тамара обидела Шарафута. Он яблоки уронил, а она в него яблоками кидала... И хамом его ругала, и болваном... И еще чертом косым... Вот!

— Правда это? — обращается Иван Константинович к Тамаре.

Это, конечно, праздный вопрос. Никому даже в голову не приходит, что Катя, такая ясная, прямодушная, как маленький ребенок, может взвести на Тамару напраслину. Да Тамара и не отрицает.

На вопрос Ивана Константиновича: правда ли это? — она отвечает:

— Правда.

Иван Константинович весь багровеет. Никогда я его таким не видала!

— Я всю жизнь в армии служу... А ты, девчонка, фитюлька, шляпка, ты смеешь русскому солдату такие слова говорить? Сию минуту извинись перед Шарафутом!

— Как бы не так! — запальчиво говорит Тамара. — Я буду перед солдатом извиняться, еще что выдумали!

—Да! — твердо отвечает Иван Константинович. — Ты извинишься перед Шарафутом! А не извинишься, — так я уйду к себе в кабинет, запру дверь на ключ и не буду с тобой разговаривать, не буду тебя замечать, в сторону твою смотреть не буду!

Все это Иван Константинович произносит тем голосом, каким он говорит, когда он — кремень, скала!

— А эта... эта... — Тамара выпячивает подбородок в Катину сторону (такая она благовоспитанная, такая благовоспитанная, что даже в сильнейшем волнении ни за что не ткнет в Катю «неприлично» — указательным пальцем!). — Эта меня не оскорбила, нет? Вы ее спросите! Ей передо мною извиняться не в чем?

— Да... — подтверждает Катя. — Я ее оскорбила, Иван Константинович. То есть я не хотела... нет, я хотела!.. Ну, в общем, я сказала ей очень обидное слово...

— Что ты ей сказала?

— Я сказала: если ее дедушка бил своих денщиков по морде, значит, ее дедушка был свинья... Это обидное слово, я понимаю...

— Ты просишь прощения у Тамары? — спрашивает Иван Константинович.

— Только за «свинью»! Только за «свинью»! — отвечает Катя. — Это вправду грубое слово... Обидное... За «свинью» я извиняюсь.

— Вот, Тамара, слышишь? Катенька перед тобой извиняется. А теперь ты попроси прощения у Шарафута!

Тамара смотрит вокруг себя с совершенно растерянным лицом. Но ни в чьих глазах она не встречает ни поддержки, ни хоть жалости к ней. Девочки сидят за столом... Катя Кандаурова, все еще дрожа от всех происшествий, жмется ко мне, и я крепко обнимаю ее. Варя Забелина тоже смотрит на Тамару с осуждением. Лида Карцева держит себя, как всегда, «взрослее», чем все мы: ей неприятно, что она пришла в гости, а нарвалась на семейный скандал. И только одна Меля в совершенном упоении от всех вкусных вещей, расставленных на столе; она пробует то от одного лакомства, то от другого, одобрительно качает головой и снова принимается за еду... Нет, никто из сидящих за столом не сочувствует Тамаре! Даже Леня смотрит в сторону. Даже Иван Константинович... только огорчен, конечно, но он тоже считает, что Тамара виновата.

— Шарафут! — негромко зовет Иван Константинович. — Поди сюда...

Шарафут входит в столовую и робко останавливается около порога.

— Шарафут! — продолжает Иван Константинович. — Тамара Леонидовна хочет тебе что-то сказать... Ну, Тамара!

Тамара встает. Она выходит из-за стола. Она раскрывает рот, как рыба, выброшенная на песок.

— Я не хотела... — говорит она каким-то не своим голосом тихо и сипло. — Я прошу прощения...

И, внезапно рванувшись, она бросается вон из столовой — в свою комнату.

Иван Константинович тоже уходит — к себе в кабинет.

В столовой остаемся только мы, да Леня, да Шарафут. Этот совершенно остолбенел от удивления и смотрит на всех перепуганными миндалевидными глазами.

— Ничего, Шарафут... — подходит к нему Леня. — Ничего, брат, все в аккурате. — И вместе с Шарафутом Леня уходит на кухню.

— Вот что, девочки... — говорит Лида Карцева. — Вы как хотите, а я ухожу. С меня довольно!

— И я ухожу! — поддерживает ее Варя.

Мы всей гурьбой идем в переднюю. Меля успевает засунуть в карман несколько конфет.

— Брось! — говорю я ей. — Нехорошо...

— Нет, почему же? — возражает она. — Они — миленькие, я такие люблю.

Мы идем по улице. Идем гуськом, потому что тротуар тут узкий. Я иду в самом хвосте. Идущая впереди меня Катя Кандаурова говорит, сердито мотая головой:

— И кто только выдумал эти журфиксы! Ничего в них нет хорошего... Терпеть не могу!

Кто-то бежит за нами вдогонку. Это Леня. Без пальто, без шапки.

— Леня! — кричу я ему. — Сию минуту ступай оденься по-человечески! Простудишься без пальто!

— Шашура! — говорит он, запыхавшись. — Дедушка просит, чтобы ты вернулась. Ненадолго... Я потом тебя домой отведу.

Я кричу девочкам: «До свидания!» — и мы с Леней бежим к их дому, бежим, как ветер: я боюсь, чтоб Леня не простудился.

Мы сидим в кабинете Ивана Константиновича. Леня — за роялем (я знаю: это бабушкин рояль). Мы с Иваном Константиновичем — на большом диване. Иван Константинович облокотился на валик дивана и приготовился слушать, склонив голову на руку. В комнате полутемно — лампу потушили, только на письменном столе горит одна свеча.

— Слушайте! — говорит Леня. — Вот сейчас будет бабушкина нота: ля бемоль. Бабушка мне много раз говорила: «Возьмешь ноту — ля бемоль, лиловую, сиреневую — и — слушай: это мой голос, это я с тобой разговариваю».

Леня касается клавиша. И в полумраке комнаты поет один звук — нежный и чистый, радостный и грустный. Ля бемоль... Мы слушаем, как он звенит, постепенно затухая...

Леня играет ля-бемольный «Импромптю» Шуберта. Я забываю, что за окном февральский снег, скользят санки, запряженные лошадьми, у которых из ноздрей валит пар. Мне чудится весенний сад, кусты сирени, лиловые гроздья ее, как хлопья, как веселые цветные облачка, упавшие с неба. И сквозь все — «бабушкина нота», любимая нота милой печальной женщины, у которой не было счастья.

Я так заслушалась, что и не заметила, как чуть-чуть приотворилась дверь кабинета и кто-то бесшумно скользнул в дверную щель. Это Тамара. Она тихонько садится рядом со мной на диване, обнимает меня за шею. Мы сидим. Молчим.

Я соскальзываю с дивана на пол, освобождая этим место между Тамарой и Иваном Константиновичем, и подталкиваю Тамару к нему. Через минуту они сидят обнявшись: рука Тамары, белея в полумраке комнаты, гладит лицо и голову Ивана Константиновича...

— Знаешь, что я тебе скажу, Шашура? — говорит мне полчаса спустя Леня, провожая меня домой.

— Нет, не знаю. Скажешь — тогда узнаю.

— И скажу, подумаешь... Вот что я тебе скажу: ну до чего досадно, что ты — девчонка!

— А чем это плохо, что я — девчонка?

— Ничего не понимает! — сердится Леня. — То есть просто, скажу я вам, орехи такой головой колоть!.. Тем это плохо, что ты — не парень! Я бы с тобой вó как дружил!

— А почему ты не можешь дружить со мной теперь?

— С девчонкой?.. — протягивает Леня как бы с некоторым недоумением. — Никогда я с девчонками не дружил...

Я вдруг обижаюсь. Подумаешь, нужно мне с ним дружить! Мало у меня замечательных подруг!

— А я тоже с мальчишками никогда не дружила, — говорю я равнодушно. — И не собираюсь дружить.

Так в тот вечер мы не скрепили нашей дружбы — Леня и я...

Зато с того самого дня все мы, девочки, новыми глазами увидели Катеньку Кандаурову. До тех пор мы были с ней как старшие с младшей. Было это прежде всего оттого, что так относилась к Кате Маня Фейгель. А к тому же все мы были по разным причинам старше Кати, хотя и одного с ней возраста. Живя с отцом, как она сама говорила, «скучной жизнью», то есть одиноко, без друзей, Катя немного отстала в своем развитии и была моложе своих лет. Все мы, остальные, были старше своих лет. Лида Карцева — оттого, что болезнь матери сделала ее, девочку, хозяйкой дома, а в поездках за границу — даже «главой семьи». Маня — оттого, что тяжелая, скудная жизнь рано сделала ее товарищем отца, матери и брата. Я — оттого, что росла среди взрослых, а они (в особенности папа) говорили со мной откровенно, как с равной. Попав в семью Фейгелей и в среду девочек-подруг, Катя тоже стала быстро развиваться и взрослеть. Все это ясно обнаружилось в ее поведении на «журфиксе» у Тамары.

Глава пятнадцатая
ГОРЕ

Я возвращаюсь домой из института веселая. Скинув с себя ранец и держа его одной рукой за лямку, я влетаю в нашу комнату, где живем мы — Поль и я...

И что-то мне сразу не нравится у нас! Как будто все как следует — попугайчик Кики тихонько чирикает в своей клетке, Поль что-то читает... Но она сидит на своей кровати! Этого никогда не бывает! Поль всегда очень твердо настаивает на том, что кровать у человека должна служить только для сна или болезни: спать на ней днем, валяться на кровати днем с книгой, мять постель — все это Поль называет одним из немногих известных ей и исковерканных ею русских слов: «базала́бер», то есть безалаберщина.

А сегодня вдруг Поль — днем! — сидит на своей кровати.

И в комнате пахнет таким знакомым мне противным запахом ее любимого лекарства — эвкалиптовых лепешечек.

Я подхожу к ней близко:

— Поль... Что с тобой, Поль?

Она поднимает на меня глаза — милые мне компотночерносливовые глаза! — и ничего не говорит. Но в этих глазах такая боль, что я бросаюсь обнимать ее:

— Поль, что случилось?

— Умерли... — говорит Поль с усилием. — Поль... и Жаклина... А Луизетта осталась... совсем одна...

Оказывается, умер брат ее, Поль Пикар.

— Он очень дружно жил со своей женой Жаклиной, — говорит Поль, — они очень любили друг друга...

Поль останавливается, ей тяжело говорить, потому что она не позволяет себе заплакать. И я тоже не плачу перед горем Поля. Помолчав, она продолжает:

— И вот... Поль умер утром, а Жаклина — вечером того же дня. Их похоронили в одной могиле... А девочка их — такая, как ты, ей одиннадцать или двенадцать лет — осталась совсем одна... Моя племянница, Луизетта...

Горе Поля, горе, которое она переносит так мужественно, — ни одной слезы! — придавило и нас с мамой. Мы сидим около нее, гладим ее руки; мы понимаем, что не смеем плакать. Что можно сказать Полю, чем можно облегчить ее горе? Ничем.

— Полина! — говорит мама. — Милая, дорогая Полина... Если вы хотите, чтобы ваша Луизетта приехала сюда, вы хорошо знаете: наш дом — ваш дом. Мы будем растить ее, как своих детей...

— Я еще ничего не могу сообразить... — жалобно говорит Поль. — У меня голова кружится от мыслей... Что-то надо придумать... что-то надо сделать... И не ждать — сейчас придумать, сегодня, завтра сделать... А мне ничего не приходит в голову! Вот... — говорит она вдруг с надеждой, — вот придет мсьё лё доктёр, он придумает!

Так мы сидим все трое. Сидим и ждем, когда придет папа. Юзефа, которая на кухне истекает слезами от сочувствия к горю Поля, иногда появляется в дверях и со всей доступной ей лаской говорит Полю:

— Може, биштецик скушаете?

Мы сидим, тесно обнявшись с Полем, и мне вдруг приходят в голову простейшие мысли, которых прежде никогда не было... Откуда берутся все немки, француженки, англичанки — бонны, гувернантки, учительницы языков? Ведь их множество; во всякой мало-мальски культурной семье в России они есть, их — целая армия. И в других странах тоже... Почему они покидают свою родину, уезжают на чужбину — иногда на всю жизнь? И мне становится понятно: у себя на родине они не могут работать, не могут заработать на жизнь. Почему они не выходят замуж за своих соотечественников? Я как-то спросила:

«Поль, почему ты не вышла замуж?»

И она ответила мне очень спокойно, без всякой горечи или досады:

«Потому что у меня не было денег, не было приданого... У нас во Франции на таких девушках никто не женится».

У всех этих тысяч немок, француженок, англичанок есть только одно: их язык. В других странах это иностранный язык, и их нанимают за деньги, чтоб они учили этому языку детей и взрослых. Они живут в этих чужих странах, в чужих семьях, растят чужих детей, и каждая откладывает из своего месячного заработка сколько может — «на старость». Откладывает и Поль. Мы иногда вместе с ней заходим в сберегательную кассу, и Поль никогда не берет оттуда ни одной копейки, а только вкладывает те рубли, которые ей удалось скопить за месяц. Как-то Поль при этом сказала мне с удовлетворением:

«Вот еще несколько лет — и я уже могу доживать старость у себя на родине».

«А я?» — спросила я с огорчением.

«Дурочка! Ты выйдешь замуж и забудешь своего старого
Поль...»

«Я не выйду замуж! — сказала я очень решительно. —
меня тоже нет приданого, а ты же сама говорила: без приданого нельзя...»

«Нет, у вас в России эта дверь не так плотно захлопну-
а... Выходят замуж иногда и бесприданницы. Я видела такие
примеры!»

И вот теперь смерть брата опрокидывает все жизненные
планы Поля! Она должна либо ехать во Францию к Луизетте,
либо выписать Луизетту сюда. Кто-то из приходивших к нам
этот день говорит, что во многих семьях охотно возьмут де-
вочку-француженку: играя с нею, дети с легкостью научатся
по-французски. Кстати — недалеко ходить! — Серафима Павловна Шабанова просто мечтает о такой девочке-гувернантке...

— Я ничего не соображаю... Не работает моя голова... —
повторяет от времени до времени Поль. — Я сделаю так, как
кажет мсьё лё доктёр.

Наконец «мсьё лё доктёр», то есть папа, возвращается
домой. Он зовет всех — и я иду со всеми — в кабинет на
семейное совещание. Как поступить? Выписать Луизетту
сюда, отдать ее в услужение каким-нибудь людям, которые
хотят, чтобы их дети научились говорить по-французски, или
же Полю возвращаться во Францию?

Вопреки всему, что говорят о папиной непрактичности,
он рассуждает очень здраво и толково. «Когда дело идет о
других, Яков очень практичный! — говорит иногда мама. —
Даже удивительно!»

Есть ли у Луизетты, остались ли у нее после родителей
какие-нибудь средства? Да, те знакомые, которые написали Полю о смерти ее брата и его жены, пишут, что у брата
остались кое-какие сбережения — не бог весть что, но на то,
чтобы девочке учиться и подрасти, кое-что осталось. У самой
Поль есть сбережения, которые позволят ей прожить —
о, очень скромно, очень! — лет десять.

Есть ли у Луизетты во Франции какие-нибудь родные
люди?

Нет. Никого.

— В таком случае, — говорит папа, — совершенно от
падает необходимость отдавать девочку в услужение каким
нибудь Шабановым! Кем она будет в такой семье? Француз
ской куклой для избалованных, капризных и недобрых де
тей!

— Но зачем непременно отдавать ребенка в услуже
ние? — горячо возражает мама. — Она может просто жит
у нас, будет расти вместе с Сашенькой, и все!

— Очень хорошо! Допустим! — спорит папа. — Конечн
у нас ей будет хорошо, она будет, как своя, родная девочка
Ну, а как быть со школой? Ребенок должен учиться, а она вы
растет без образования, неучем вырастет!.. Сколько вам был
лет, когда вы приехали в Россию? — спрашивает папа у Поля

— Двадцать шесть.

— Значит, вы до двадцати шести лет жили на родине
среди людей, которые говорили только по-французски, д
еще вы учились во французской школе. Поэтому вы был
и остались француженкой. А тут приедет ребенок одиннад
цати-двенадцати лет, он будет жить в чужой стране, сред
людей, говорящих на чужом языке. Можете мне поверить
она забудет родной язык. Может быть, не вовсе, не начисто
но в значительной степени. Будет говорить на какой-то смес
французского и русского... Что же вы дадите ей взамен роди
ны и родного языка?

Поль слушает папу очень внимательно. Видно, что в ум
ее идет сложная работа и что папины доводы кажутся е
убедительными.

— Значит?.. — говорит она вопросительно.

— Значит, надо вам ехать во Францию, — отвечает папа. — Дорогой мой Поль (папа впервые называет ее так)
дорогой мой Поль, нам очень горько расставаться с вами..
Я никогда не забуду, как вы водили меня ночью первого ма
по темным окраинам, как помогали мне перевязывать людей
которых избили и ранили казаки...

— Нет, мсьё лё доктёр, это я буду вечно помнить и благодарить судьбу за то, что она позволила мне быть полезной
людям в ту страшную ночь! И как я с вами вернулась утром
домой, а мой маленький Саш... не спит... и плачет... а Кики

люет ее в щеку... И мадам уложила меня в постель... и раз-
ела меня, как ребенка... а Жозефин принесла мне кофе в
остель...

Тут из-за запертой двери папиного кабинета, где мы си-
им, раздается не просто рыдание, а горестный вопль. Это
Эзефа, стоя под дверью и подслушивая, услышала, как Поль
роизнесла имя «Жозефин», — а она знает, что Поль так зо-
ет ее, Юзефу. Растроганная, она ахнула вслух и заплакала...
Вслед за тем слышно деловитое сморкание и удаляющееся
шлепанье Юзефиных ног.

Этот маленький инцидент немножко разряжает атмосфе-
у, и в кабинете все слабо улыбаются, даже Поль. Но папа
нова серьезно продолжает разговор:

— Еще одну вещь я хочу сказать вам, дорогой Поль...
Деньги, какие скоплены у вас на старость, и те деньги, кото-
ые ваш брат оставил своей девочке, — тратьте их главным
образом на ее образование! Дайте ей возможность самостоя-
ельно работать, дайте ей хотя бы ремесло: тогда и она не
будет бояться жизни, и ваша старость будет обеспечена —
при ней. Помните: не баловство, не туфельки, не банти-
и, не какие-нибудь там пумпульчики или помпончики —
ученье!

— А лет через семь-восемь, — добавляет мама, — когда
Луизетта уже будет самостоятельно работать, приезжайте,
Поль, к нам. Наш Сенечка как раз подрастет к этому вре-
мени...

Две недели, которые проходят между этим разговором
отъездом Поля, — очень короткое время, — я помню как
сквозь сон... Я хожу каждый день в институт. Сижу на уроках.
Отвечаю, когда спрашивают. Подруги мои очень мне сочув-
ствуют — все они знают и любят Поля, а Лиде Карцевой
и Тамаре Поль дает уроки французского языка. Но я какая-то застывшая, как замороженная рыба! Иногда я говорю
себе мысленно: «Еще семь дней... еще шесть... еще пять...»
А Поль тоже ходит и все делает, как автомат, глаза у нее
неподвижные, как остановившиеся часы. Она кончает занятия со своими учениками, она выправляет себе заграничный
паспорт, она, вспомнив, бежит в «химическую чистку» за

своей блузочкой, она делает какие-то покупки, но все эт
как-то механически.

Мама не теряет времени: она обошла родителей все
учеников Поля, бывших и настоящих, сообщает всем о
отъезде Поля, вместе с ними обсуждает, кто и что подари
Полю на память (чтоб не было совпадений!). И все готовя
Полю подарки.

А уж Юзефа — та заготовляет Полю в дорогу провизик
как если бы Поль ехала не во Францию, а на остров Мада
гаскар!

Подарки делают не только Полю, но и Кики. Иван Кон
стантинович приносит для Кики особую дорожную клетку —
ее не надо обшивать кругом (а ведь птицам особенно опасн
дорожные, вагонные сквозняки!), воздух и свет проникают
клетку сверху. Юзефа сшила огромный мешок и наполнил
его до самого верха канареечным семенем. «Нехай птуше
кушаеть и Юзефу вспоминаеть!»

Последнюю ночь не спим ни Поль, ни я. Она сидит окол
меня на моей кровати и тихонько говорит:

— Саш, мой маленький Саш... Тебе будет в жизни не
легко... И вспыльчива ты безобразно! И несдержанная,
неожиданная... Тебе надо искать хороших людей, настоящи
людей, Саш! Вот ударь по столу — стукнет, по кастрюле —
загудит, а дотронься хоть легонько до хрустальной рюмки —
зазвенит, зазвенит, как ручеек! Вот таких людей ищи в жизни
Саш, маленький мой! И берегись тех, чья душа отзываетс
на чужое прикосновение только стуком дерева или гуде
нием чугуна...

Поезд уходит под вечер чудесного весеннего дня. На вок
зале — большая группа провожающих: тут и ученики Поля
и родители их. Не только наша семья (кроме папы, которы
простился с Полем дома утром, уезжая к больному) — мама
я, Юзефа, дедушка, который преподносит Полю большой па
кет бабушкиных лакомств. Иван Константинович с Тамарой
Леней — за ними Шарафут с большой коробкой, где лежи
подарок Ивана Константиновича. Лида Карцева с отцом
Меля, Варя Забелина, Маня с Катей Кандауровой. И еще
и еще люди, взрослые и дети — с подарками, с цветами

юбопытные спрашивают: «Это что? Новобрачных прово-
:ают?»

Поль все время держит меня за руку. Рука ее немного
оожит, но тепло, милое дружеское тепло ее руки я чув-
твую. Все так же, не отпуская меня от себя, Поль обходит
сех провожающих, со всеми прощается, обнимает и целует
сех женщин. Юзефа стоит в стороне. Поль подходит к ней,
бнимает ее и говорит на ломаном, но понятном Юзефе языке:

— Жозефин! Карош Жозефин! Здоровья!

Потом Поль прощается за руку со всеми мужчинами.
Іоследние из них — Леня и Шарафут — выскакивают из
агона, куда они внесли чемодан и «мою семейству»: клетку
Кики и финиковую пальму. Поль целует Леню и крепко,
ердечно жмет руку Шарафуту.

Потом она обращается ко мне:

— С тобой — последней...

Мы обнимаемся. Поль всходит по ступенькам в вагон и
станавливается в тамбуре.

Блям! Блям! Блям! — звонит вокзальный колокол. И тот,
то звонит, выкрикивает на весь вокзал:

— Поезд номер семнадцать, на Вержболово — Эйдкунен —
торой звонок!

— Стой, стой, стой! — слышен отчаянный крик, и сквозь
олпу пробивается к вагону... папа!

У него в руках... Очень трудно определить, что это та-
:ое! Вообще говоря, это, конечно, веничек из чего-то, что,
ероятно, было несколько дней тому назад цветами. Папа
алантно подносит Полю этот «букет».

Поль смотрит на всех нас, провожающих, и говорит
астроганно:

— Вы меня так провожаете, как будто я великий че-
ювек...

Поль! Ты забыла то, что сама как-то сказала мне: «Ве-
икий человек — это тот, кто делает великие дела. Но тот
маленький человек, который трудится весело, на радость
людям, — он тоже великий человек!»

Перед третьим звонком Шарафут, который стоит рядом
:о мной у ступенек вагона, поднимает меня под мышки высо-

ко — так, чтоб я могла дотянуться до Поля. Мы в последни раз целуемся, прижимаясь друг к другу мокрыми щеками, за литыми слезами. И поезд уходит. Проплывают мимо вагоны выпяченными, как нижняя челюсть, высокими ступеньками

Поезд ушел. Уже и дымкá не видно, самого маленького, мы все стоим и смотрим вслед...

Когда мы возвращаемся домой, мама спрашивает:

— Яков! Где ты достал это помело для Поля?

— Это не помело! — говорит папа с великолепной само уверенностью. — Это на улице баба продавала. Она сказала что это — очень хорошие цветы. Сирень...

— Да уж, сирень... — качает головой мама.

— Конечно, сирень! Она сказала, что это «бзы», а «бзы» по-польски значит «сирень», это я наверное знаю.

— Ох, Яков, Яков! — вздыхает дедушка. — Это б ы л а сирень. Неделю тому назад. Вот верно говорит пословица «Когда бестолковый человек идет за покупками, весь базар радуется!»

— А ну вас! — говорит папа беззлобно. — Я поеду в госпиталь. Там все мне радуются. Без всякого «бзы»!

Я прохожу в нашу комнату. Сажусь на кровать Поля Вспоминаю вдруг, что в сутолоке, в тоске расставания с Полем я забыла проститься с одноглазым попугайчиком Кики..

Дверь тихонько отворяется. Это Леня пришел. Он садится рядом со мной на кровать. Я прислоняюсь головой к его плечу. Леня меня не утешает, не говорит глупых слов: «Ну перестань, не надо плакать...» (Как это «не надо», когда плачется?) Он только иногда ласково гладит меня по голове

Не знаю, сколько времени мы так сидим. В комнате уже почти темно. У меня ясно возникает мысль: «Как хорошо иметь брата...»

— Шашура... — тихо говорит Леня. — Давай дружить, а?

— Давай! Давай дружить, Леня!

— Чтоб — как братья! Да?

— Да. И — как сестры.

Сейчас я допишу эту главу, переверну страницу — и там о Поле больше не будет ничего. Надо сказать сейчас. Она риехала в свой родной город. Племянница ее оказалась чень славной девочкой. Поль, чистая душа, полюбила ее ез памяти. Но Поль помнила папин совет: девочка окончила кенский лицей и одновременно обучилась кройке и шитью. будущем у нее был верный кусок хлеба, а при ней и Поль огла не бояться старости.

Мы переписывались с Полем долго — лет восемь. Она исала, что скучает без нас, что большой кусок ее сердца стался в России. Когда я написала ей, что выхожу замуж, на ответила мне хорошим, радостным письмом. Но это ыло последнее письмо, написанное ее рукой... Вскоре получилось печатное извещение с черной траурной каемкой — том, что такого-то числа мадемуазель Полина Пикар скончалась. Племянница Поля, Луизетта, написала нам: «Тетя Іолина всегда говорила мне: «Луизетта, я прожила около ридцати лет в России. Только цыгане и гувернантки знают акую кочевую жизнь — из города в город, из одного дома в ругой, из одной чужой семьи в другую. Но среди этих семей ыли такие, где я чувствовала себя как дома, как у родных юдей...»

Мне хочется верить, что Поль думала при этом и о нас...

Умерла Поль от тяжелого воспаления легких. Она долго и порно противилась приглашению к ней врача: все лечилась своими чудодейственными эвкалиптовыми лепешечками. Когда Луизетта все-таки позвала врача, сердце Поля уже очти не работало. Это было очень старое, очень изношенное, но до последних ударов пульса горячее и доброе сердце...

Я всю жизнь помнила тебя, Поль!

Глава шестнадцатая

НЕЗАБУДКИ

После отъезда Поля все стараются чем только можно порадовать меня, повеселить. Так случается, что я попадаю в театр на спектакль, которого мне уже никогда не суждено забыть!

Бывает, много лет ты проходишь мимо чего-то, что те даже нравится, но не так, чтоб приводить в восторг! Мим того, что кажется тебе интересным, но не до такой степен чтобы захлебываться и хотеть видеть это еще и еще. И вдр в какой-то день ты видишь то же самое — и останавлив ешься, словно в тебя ударила молния! И уже не можеш забыть, и уже стараешься, мечтаешь снова и снова увиде это!

Так было у меня с театром. В первой части этой книги уже рассказывала о том, как мы с мамой смотрели «Бедност не порок» (а я думала, что это называется «Бедный Снепо рок»!), как блистательно я сама играла Рыцаря Печальног Образа («Пецарь Рычального Образа»!). После того мен еще несколько раз брали в театр, но мне каждый раз боле всего нравились благородные поступки отдельных герое В спектакле «В лесах Индии», где были бесконечные по гони и схватки с разбойниками, выстрелы, взрыв крепост и огромный, шедший через всю сцену слон из картона, мн понравилась одна артистка: она не произносила ни слова только каждый раз, когда злодей, грозя ей кинжалом, требо вал, чтобы она открыла место, где спрятались от него бла городные герои, эта артистка отрицательно мотала голово «Не скажешь?» — в последний раз заорал на нее злоде Она опять сделала головой знак: «Нет!» — и злодей зако лол ее кинжалом. В афишке последней строкой в перечн действующих лиц было напечатано: «Малабарка — госпож Стенина». Когда дома папа спросил меня: «Ну, кто теб понравился больше всех?» — я, не задумываясь, сказала «Малабарка — госпожа Стенина! Она умерла, но не выда ла друзей». Я тогда не знала, что есть Малабарский полу остров, я думала, что «малабарка» — это имя. И актрису н бессловесные роли, госпожу Стенину, я помню и сегодня спустя шестьдесят пять лет: ведь она играла героическую благородную малабарку!

Но все-таки такого, чтобы я после театра ошалела о восторга, бредила тем, что видела, — такого со мной никогд не бывало! Одно было: я очень любила играть в театр. Пьес сочиняла сама, тут же, по вдохновению, во время действия. грала я почти всегда одна: партнерами моими были куклы, иванная подушка, злодеем всегда был буфет. «Ты еще здесь, егодяй? — вопила я на него. — Сию минуту убирайся, или размозжу тебе голову!»

Вот уже несколько дней, как все — и мама, и Юзефа — гараются не оставлять меня наедине с папой, а папа подмиивает мне и делает до невозможности загадочное лицо. Это начит, что мне готовят какой-то сюрприз. Так всегда бывает еред елкой и в особенности перед днем моего рождения: вся емья, и дедушка, и бабушка, и дядя Николай, и дядя Мирон, риходят с какими-то свертками и пакетами, которые склаываются в маминовом гардеробе и запираются на ключ. Папу мне не подпускают, его оттирают от меня, чтобы он не ыболтал, какие мне готовят подарки. Иногда, улучив мину, папа быстро-быстро шепчет мне: «Мирон принес что-то акое длинное, а Николай — круглое!»

«А что это такое?» — любопытствую я.

«Понятия не имею! — признается папа. — Я только виел, что одно — длинное, а другое — круглое...»

«Гоните Якова! — сердится Мирон. — Он ей все выбалывает!»

Так и теперь. Папа без конца подмигивает мне; мама тгоняет его. Папа издали делает мне какие-то непонятные есты — разводит руками, принимает горделивые позы, розит кулаком; вообще можно подумать, что он сошел с ума. Понимаю я из всего этого только одно: меня ждет сюрприз, акое-то большое удовольствие.

Так оно и оказывается: Иван Константинович пригласил аму и меня в их ложу — мы пойдем с ними в театр. Мама Иван Константинович будут сидеть на двух задних стульях ожи, а Тамара, Леня и я — все трое — на сдвинутых двух ередних стульях. Будут представлять пьесу «Елка». Мама емного ворчит, что она не знает этой пьесы... что, может ыть, это не очень подходящее для детей... что лучше бы дрое... Ну, вообще, как ворчат все мамы как раз тогда, когда редстоит что-нибудь интересное!

Даже сейчас, когда я вспоминаю эту «Елку», у меня
спине бегут счастливые иголочки, как пузырьки от нарзан
Вся эта пьеса длилась... ну, не больше двадцати — двадца
пяти минут! После нее шла другая пьеса. Но эту «Елку»
храню, как самое дорогое воспоминание...

Сперва какой-то немолодой муж и очень молоденька
востроносенькая жена, недавно поженившиеся, украша
в сочельник елку. Она миленько болтала-чирикала, он м
ленько улыбался ей, все было безоблачно. Вдруг горничн
сказала этому немолодому человеку, что к нему пришли
делу. Жена сделала миленькую-миленькую гримаску: «Н
какие, дескать, несносные люди! Постарайся, мол, поскор
спровадить этого человека!» — и грациозно выпорхнула в
из комнаты. Горничная ввела в комнату пришедшего по де
«несносного человека», и он оказался девочкой лет четы
надцати, в меховой шапочке, в короткой жакетке, из-п
которой было видно коричневое форменное платье гимн
зистки. Девочка — ее зовут Олей — дочь того немолодо
человека. Он, оказывается, был раньше женат, у него был
дети, но он оставил жену и детей и женился на другой женщ
не (на той миленькой, востроносенькой!). Совесть, однак
мучила его, прежнюю свою семью он все-таки любил,
забывал; сегодня, в сочельник, он послал им денег на рожд
ственскую елку. Но девочка Оля не захотела принять деньг
от отца, который их так оскорбил, бросил их, ушел от ни
И она принесла деньги отцу обратно: «Нам ничего не надо
у нас все есть...»

Вот тут я впервые в жизни не то что поняла, а всем суще
ством своим почувствовала: в театре всегда есть не только т
что зритель воспринимает глазами и слухом, то есть слов
которые произносят актеры, поступки, которые соверша
тот или другой герой пьесы. Нет, есть еще всегда то, ч
не говорится и не делается, то есть то, что герой (и изобр
жающий его актер) думает, чувствует, то, чего он хочет ил
чего он, наоборот, хотел бы избежать. Это выражается
словами и не поступками, а звуком голоса, движением гла
непроизвольными движениями. Эту внутреннюю жизн
героя зритель воспринимает сердцем. Часто этим скрыты

вствам героя его слова и действия даже противоречат. Так, вочка Оля в пьесе «Елка» говорила отцу, сурово, отчужнно, чтоб он взял обратно свой подарок, что им — ей, мари, младшим детям — не нужны эти деньги: у них все есть, она, Оля, зарабатывает, давая уроки. Оля протягивала отцу ньги, которые он им прислал: не надо, мол, отказываемся ы от этого, не хотим от тебя ничего! Но ее голос, ее руки, ротянутые к отцу, говорили о другом. Они горько, без слов рекали: «Папа, за что ты бросил нас? Папа, мы любим бя, мы несчастны без тебя...» Отец бросился к девочке, бнял ее, плача прижал ее к себе. Оля быстрыми-быстрыми вижениями, как легким касанием птичьих крыльев, доагивалась пальцами до лица своего отца, до его головы, ба, плеч; слезы, настоящие, не актерские, а живые слезы еудержимо катились из ее глаз, дрожала вспухшая от слез, скривленная горем верхняя губа. В этой короткой сценке тец и дочь не говорили друг другу почти ничего важного, начительного, но их слезы, их взгляды, выражение их лиц, ежность их речей говорили зрителю: да, они любят друг друи всегда будут любить, он любит и свою прежнюю семью оже — жену и детей, — и связь его с ними нерасторжима, отя и ушел он от них, полюбив другую.

Когда пьеска кончается, зрительный зал без конца вывает девочку Олю; она все снова выходит и выходит клаяться.

Тут я словно от сна просыпаюсь.

— Как она играет... девочка эта!.. — вырывается у меня восхищением.

— А она вовсе не девочка! — говорит Леня. — Она — ктриса... Вот, гляди!

И он протягивает мне афишку, где напечатано, что роль ли исполняет артистка госпожа В. Ф. Комиссаржевская.

После «Елки» играют какую-то веселую комедию. Леньа так хохочет, что на нашу ложу с удовольствием смотрят се соседи. Мы тоже смеемся, и я смеюсь — очень смешное грают! — но я на всю жизнь захвачена тем, что я видела в Елке»...

Такова была моя первая настоящая встреча с замечательной актрисой — любимейшей в моей жизни! — Веро Федоровной Комиссаржевской. Но вместе с нею в мою жизн навсегда вошел и театр, вошел — как судьба моя. Это по началу было бесформенно и неопределенно. Кем я буду театре, я долго не знала. Актрисой? Писателем, авторо пьесы? Режиссером? Конечно, мне хотелось этого, но, есл бы мне пришлось быть в театре хотя бы капельдинером ил швейцаром, портнихой или истопником, все равно это каза лось мне счастьем!

После «Елки» я сперва мечтаю быть актрисой. Я станов люсь перед зеркалом, протягиваю руки, как Оля в «Елке» и проникновенным (так мне кажется!) голосом, «полны тихого страдания», говорю:

— Папа... папа...

Но мое собственное лицо ох как не похоже на лицо Ко миссаржевской! Вместо страдания на нем — кривая гримаса ужасно неприятная. В довершение всего в комнату приходи мой собственный папа, заспанный — оказывается, разбу женный мною! — и сердито говорит:

— Ну, что ты хрипишь на весь дом, как удавленни «Папа, папа»... Что тебе от меня нужно? Я только засыпат стал, а ты вопишь...

Это мой возглас, «полный тихой боли», прозвучал оказывается, на весь дом, как вопль или хрипение удавлен ника!

Конечно, после этого вечера — «Елки» — мы играе домашние спектакли. Каждое воскресенье у кого-либо и нас. Вот играем мы пьесу «Две королевы» нашего общег сочинения. Есть там такая сцена: в спальню кроткой и не счастной французской королевы (ее играет Катенька Канда рова) прокрадывается ночью негодяйка английская королев (ее играю я). Я пробралась сюда, чтобы злодейски убит кроткую и несчастную французскую королеву. В руке мое дрожит и сверкает фруктовый нож... Я подхожу к «королев скому ложу», составленному из трех стульев, — на них спи королева, Катя, — и рычу бульдожьим голосом трагический ростный монолог, списанный мною без всякого зазрения овести из «Макбета» Шекспира, где его произносит леди Макбет:

...Сюда, ко мне, о демоны убийства!
Сгустите кровь мою, загородите
Путь сожаления к моей груди, —
И будет замысел мой тверд...
Скорей, глухая ночь,
Укрой мой нож, — и в мрачном дыме ада
Пусть он не видит раны...

Пока я говорю эти великолепные слова, в «зрительном але», где сидят все мои подруги, Леня, Иван Константинович, мама, Шарафут и Наталья, все время слышатся какие-о подозрительные звуки. У меня мелькает мысль: «Они лачут!.. Я их проняла своим монологом!» — и, ободренная спехом, я еще больше поддаю «рыка». Но тут я замечаю, то и сама французская королева — Катя — делает какие-то транные движения... Матушки мои! Это она старается удержаться от смеха! От таких ее стараний и судорожных движений стулья, составляющие королевское ложе, разъезжаются о все стороны, и Катя с грохотом падает на пол. Зрительный ал чуть не рыдает от смеха, хохочет и сама Катя, лежа на олу. Только я одна беспомощно верчу в руках фруктовый ож и не знаю, смеяться мне или плакать. В конце концов обеждает смех, — я сажусь на пол около Кати и хохочу во се горло...

— Ну, с чего... с чего... — еле могу я выговорить сквозь мех, — с чего ты так развеселилась?

— Сашенька, милая... — хохочет Катя. — Не обижайся, олотко... Но ты так страшно гримасничала... — И Катя заивается с новой силой.

— Шашура... — подбегает к нам Леня. — Какая у тебя ыла смешная рожа! Ну просто жаба мух ловит!..

Каково это слышать трагической актрисе, а?

Зато через две недели мы играем «Юбилей» Чехова. I играю Мерчуткину. Неумолкаемый смех зрителей вознараждает меня за прежние неудачи.

Домашние спектакли скоро сменяются новым увлече нием: мы издаем журнал. «Издаем» — это, конечно, звучи слишком пышно. Мы еще не «издаем», мы только х о т и издавать. Мы объявили всем в классе, чтобы кто может пи сал стихи, рассказы, повести — кто что хочет, кто что люби

Главным редактором мы единогласно выбираем Лид Карцеву. Она хотя еще сама ничего не написала ни хоро шего, ни даже плохого, но у нее две тетки писательниц Одна из них даже награждена Пушкинской премией Акаде мии наук, — шуточки! Лида знает всякие загадочные слов (почти как тетя Женя!): это «безвкусно», а то «со вкусом» это «поэтично», а то — еще как-то иначе. В общем, Лида – самый подходящий редактор. В помощь Лиде — Маня, Вар и я.

— Если у нас наберется пять-шесть порядочных вещи вот и первый номер журнала! — с увлечением говорит на Лида.

— А как мы его назовем? — спрашивает Маня.

— Я предлагаю заглавие: «Пламенные сердца»! — гово рит Варя. При ее басовитом, «шмелином» голосе это звучи очень торжественно.

— Ох!.. — морщится Лида. — Невкусно!

— А ты его есть собираешься, что ли? — сердится Ва ря. — Ну хорошо, давай иначе: «Незабудки».

Лида безнадежно машет рукой.

— Ладно, — вмешиваюсь я, — заглавие давайте при думаем потом, когда будет уже что-нибудь написано. А т придумываем имя, а ребенок-то еще не родился!

Все-таки Варя изготовляет сначала прелестную обложк для журнала: по всей обложке сыплются незабудки, а н изящном, косо нарисованном прямоугольнике — заглави журнала:

НЕЗАБУДУДКИ

— О-очень хорошо! — насмешливо восхищается Л да. — «Незабудудки»! Замечательное изобретение Варвар вары Забебелиной!..

Варя смущена, но находит выход из затруднения: две ишние буквы в середине слова «Незабудки» она превраает в маленькие незабудочки. Конечно, непонятно, почему аглавие в середине своей поперхнулось незабудочками, но ичего, сойдет!

Гораздо хуже то, что́ нам принесли, для журнала! Стихи, которых «ни складу ни ладу». Например:

РОЗА

В саду цветов росло немало,
Но всех пышнее роза расцветала!
В садик вошел раз маленький мальчик,
Розу на кустике он увидал.
К ней протянул он свой пальчик
И бедную розу сорвал.
И нет уж хорошенькой розы,
И все цветочки льют слезы!

Редактор Лида беспомощно разводит руками:

— Ну можно ли поместить в журнале такую белиберду?

— Нельзя! — отвечаем хором Варя, Маня и я.

Одной из первых неожиданно приносит рассказ «Нерав-ая пара» Тамара.

Мы читаем... Бедный, но гениальный музыкант дает уро-и сиятельной княжне. У нее — глаза! У нее — ресницы! нее — носик и ротик! У нее — шейка! У нее — золотые куд-и, нежные, как шелк. У нее прелестные ручки и крохотные ожки! Описание красоты молодой княжны занимает почти елую страницу. У бедняка музыканта нет ни ручек, ни ножек, и шейки, ни ротика. У него только глаза — «глубокие, как очь», смелые и решительные. Он необыкновенно умный, бразованный и талантливый. Молодые люди влюбляются руг в друга. Однажды юная княжна играет на арфе; музыкант лушает сперва спокойно, но потом, придя в экстаз, склоня-тся к ногам юной княжны и целует ее туфельку. Молодые юди мечтают пожениться. Об этом узнают старый князь старая княгиня и решают отдать свою дочь в монастырь: усть живет до самой смерти монахиней, но только не женой едного музыканта! Подслушав это родительское решение, молодая княжна бежит к озеру, ее белая вуаль развевается по ветру; она бросается в озеро и тонет. Бедняга музыкант бросается за ней — и тоже тонет. Конец.

Тамара приносит это произведение мне.

— Почитай... — говорит она. — Не знаю, хорошо ли вышло... Но имей в виду: дедушка, Иван Константинович читал — и плакал! Слезами плакал!

Бедный Иван Константинович! Он вспомнил свою молодость и свою горькую любовь...

Помолчав, Тамара добавляет:

— Если вы все найдете, что конец слишком печальный, так я могу написать другой: бедный музыкант спас княжну, когда она уже совсем, совсем утопала — ну, прямо, можно сказать, уже пузыри по воде шли. Музыкант выловил ее из озера. После этого сердца ее родителей смягчились, и они разрешили молодым людям пожениться. Они поженились — и жили очень, очень счастливо... Конец.

Этот рассказ — «Неравная пара» — обходит весь класс, и все плачут над ним! Мы, редакторы, в отчаянии: все плачут — значит, это хорошо? А мы все четверо, собравшись на первое редакционное собрание у меня, хохочем — тоже до слез. По крайней мере, у Мани, по обыкновению, рот смеется, а глаза плачут крупными слезами.

Мы — в полной растерянности.

— Что делать? — говорит наконец Лида. — Это же совершенный ужас! Безвкусица!

— Но все плачут!.. — замечает Варя.

— Еще грустнее: значит, ни у кого нет вкуса!.. Ну, что у нас там еще есть?

Маня выкладывает на стол листок бумаги.

— Вот Меля Норейко принесла. «Страдалица Андалузия». Роман.

Маня читает вслух роман, написанный Мелей на одной страничке, вырванной из тетрадки:

— «Жила-была одна девушка. Ужасная красавица. И звали ее Андалузия. А пока маленькая, — то Андзя. И к ней посватался принц, — тоже красавец. Его звали Грандотель.

Они поженились. Но он оказался очень противный. Во-первых, пьяница. Во-вторых, злой-презлой. Дрался каждый день, а как, бывало, напьется, так хоть беги вон из дома! И, в-третьих, ужасно расточительный. Другой что заработает, то в дом несет, а этот принц Грандотель все из дома таскал.

И бедная Андалузия была несчастная страдалица.

В один прекрасный день принц Грандотель забрал из кассы всю выручку (они в Ковно торговали папиросами) и пошел в кабак и ужасно там напился. Пьяный, полез в драку; его забрали в полицию и посадили в тюрьму.

После этого несчастная страдалица Андалузия уже больше никогда, никогда не выходила замуж...» Все, — говорит Маня, дочитав «Страдалицу Андалузию».

Тут из соседней комнаты раздается голос папы. Он, оказывается, лежал на диване и слушал все, что мы читали.

— Девочки! — говорит папа. — Я тут нечаянно услышал эти два произведения. По-моему, это бред. И знаете, что самое плохое? Это печальный бред! Был когда-то, очень давно, Гиппократ — великий древний философ, «отец медицины». Так этот Гиппократ писал: «Бывает у больного бред веселый. Это — неплохой признак: такой больной еще может выздороветь. А бывает бред печальный, мрачный — это плохо: такой больной почти наверное умрет». Эти рассказы, что вы здесь читали, — мрачный бред...

— ...и, значит, журналу нашему предстоит помереть! — заключает Лида Карцева.

Никто из нас не возражает.

Глава семнадцатая
ВЕСЕННИЕ КАНИКУЛЫ

Почему-то весна всегда подкрадывается совершенно незаметно. Кажется, еще так недавно была зима, деревья стояли в инее, лошади — тощие извозчичьи клячи и барские рысаки в сетчатых попонах, как мячики в сетках, — бежали в облаках морозной пыли, уличные торговки сидели, подставив под свои юбки самодельные печурки в виде таганков с горячими угольями. А сейчас даже трудно представить себе, что все это в самом деле было, да еще так недавно! Все зеленеет, тепло, мы ходим без пальто, в одних платьях. На углах улиц продают букеты цветов; уже отошли подснежники и фиалки, скоро зацветут черемуха, сирень, а там и злополучные «незабудудки» Вари Забелиной.

Впереди — пасхальные весенние каникулы, после которых начнутся переходные экзамены.

И вот, придя из института, где нас «распустили» на Пасху, я еще в передней слышу веселые голоса, смех, обрывки музыкальных фраз, проигрываемые на рояле или пропетые красивым женским голосом.

— Валентина! — кричу я в счастливом упоении. — Валентина приехала!

И мчусь сломя голову на голоса, смех и музыку.

Сидящая за роялем высокая, очень красивая молодая женщина бросается обнимать, целовать меня, восторженно трясет меня за плечи и тоже радостно кричит:

— Сашка! Урод! Чудовище растрепанное! Пугало огородное! Ох, как я хотела тебя видеть!

Это Валентина Свиридова, пианистка и певица, дочь инженера Свиридова, нашего соседа по квартире (они живут с нами на одной лестничной площадке). Валентина — друг мамы и папы. И — мой, она сама всегда так говорит! Она, единственный человек во всем окружающем меня мире, называет меня «Сашкой» (а иногда, когда рассердится на меня, то «Александрой»), она постоянно осыпает меня самыми обидными кличками, но я знаю: Валентина меня любит. А уж как я люблю ее!

— Я по тебе соскучилась. Не веришь? Спроси у Аиды, я ей это говорила много раз... Аида! — зовет Валентина и достает из своей сумки фарфоровую обезьянку с головкой, укрепленной на шарнире и могущей кивать. Валентина поет: — «Скажи, скажи, Аида, скучала ль я без Сашки?»

Фарфоровая обезьянка Аида несколько раз утвердительно кивает.

— Видишь? — торжествует Валентина. — Аида тоже говорит, что я скучала без тебя. А она никогда не врет! Она знает: если будет врать, я выброшу ее вон из дома, на мороз, — пусть лежит на снегу! Пусть ее подберет шарманщик и ходит с нею по дворам! Пусть шарманщик угощает ее черным пивом в извозчичьих трактирах! Вот!.. А ты скучала без меня, Сашка? Ты меня любишь?

— Очень! — шепчу я от всей души.

— Александра! Ты скучно признаешься мне в любви! Я презираю кисленьких, благовоспитанных деток: «Мерси, милая тетя, я вас, пожалуйста, очень люблю...» И Аида тоже... Правда, Аида, ты таких презираешь?

Конечно, Аида энергично кивает: презираю, презираю!

— Что такое «очень»? Это глупое взрослое слово! — продолжает Валентина. — Порядочный ребенок должен говорить не «очень», а «ужасно». Ужасно люблю, ужасно ненавижу — вот как должен говорить уважаемый мной ребенок!

— Валентина, не порть мне дочку! — смеется мама.

— Да, Валентиночка, просто страшно подумать, сколько глупостей вы можете выстрелить в одну минуту! — притворно-осуждающе говорит папа.

— Это вам кажется, Яков Ефимович! Честное слово, я всегда говорю удивительно умные вещи, но никто этого не замечает — наверно, оттого, что я — еще молодая артистка. Когда я прославлюсь на весь мир, потеряю голос, расплывусь поперек себя, как квашня, — вот тогда вы начнете превозносить каждый мой чих!.. Сашка, а где же твой Поль?

При этом имени глаза мои наливаются слезами. Мне горько вспоминать свою потерю, в сердце у меня оживает острая боль.

Но Валентина не только ослепительный человек, — это слово «ослепительный» ни к кому так не подходит, как к ней! — она еще и удивительно мягкая и чуткая. Она сразу понимает, что задела больное место, и спешит загладить это своей чудесной грубоватой лаской.

— Мордальон ты мой! — прижимает она меня к себе. — Да у тебя коса! Какая коса! «Ты, коса моя, коса! Всему городу краса!» — поет Валентина, кружа меня по комнате.

С этого часа начинается веселая, шумная суматоха, связанная всегда с приездом на каникулы Валентины и ее брата Володи, студента-медика. Но лишь впервые в этом году я ощущаю это так ясно и так счастливо. Может быть, оттого, что недавно перед тем я пережила настоящее горе, разлуку с Полем, я стала как-то восприимчивее и к радости?..

Двери обеих квартир — нашей и свиридовской — уже не запираются целый день, народ беспрерывно переходит оттуда сюда и отсюда туда. В обеих квартирах стол накрыт весь день: одни поели, ушли, другие садятся есть и пить. Решительно не одобряет всего этого Юзефа!

— Чи то не ди́вачество! (Озорство.) Квартеры открыты, — заберутся воры, все поуносят, тогда будете знать! И стол цельный день накрытый, и самовары каждую минуту ставь!

Целыми днями у Свиридовых и у нас толпится молодежь, приехавшая на весенние каникулы, юноши и девушки, студенты и курсистки — «студ-меды», «студ-юры», «уч-консы» (ученики консерватории). Приехали на весенние каникулы и мои дяди, младшие братья моего отца: Тима — из Дерпта и Абраша — из Варшавы (в нашем городе высших учебных заведений нет, да и вообще на всю-то огромную царскую Россию имелось в то время всего восемь университетов!).

Конечно, и Тима с Абрашей бо́льшую часть дня проводят у нас и у Свиридовых. Молодежь веселится, смеется тут и там, играют на обоих роялях, на гитаре и скрипке, кто спорит, кто поет, а кто и танцует: танцующие пары проносятся через лестничную площадку от нас к Свиридовым и обратно... А в душе у меня — и, как мне кажется, у всех — все время словно закипает вода, ждешь чего-то нового, неизвестного, но непременно радостного!

В центре всего веселья и оживления — конечно, Валентина Свиридова! Красавица, умница, образованная, веселая. Сколько книг она прочитала, сколько она знает, сколько ездила по Европе, сколько видела интересного! Окончила консерваторию в Вене по классу рояля, училась петь в Париже и в Италии, теперь кончает Петербургскую консерваторию по классу профессора пения Ирецкой. Валентина видела карнавал и битву цветов на Корсо в Риме, плясала 14 июля на площади Бастилии в Париже. Мало того, она видела в Испании бой быков!

— Выезжает пикадор на то-о-ощей клячонке — и пришпоривает ее прямо на быка! Чтоб тот ей рогами брюхо пропорол! Ну, тут я не выдержала: выхватила из-под себя подушечку — такие дают там зрителям, чтобы сидеть было помягче, — и ка-а-ак запущу этой подушечкой прямо на арену, в пикадора! Да еще кричу ему, по-русски кричу: «Перестань, мерзавец! Не мучай коняку!»

Валентина превосходно владеет несколькими языками, но так же, как в случае во время боя быков, она обязательно выражает самые сокровенные мысли только по-русски. Придя как-то к нам и застав Сенечкину старуху няньку, украинку Лукию, с наслаждением завтракающей, — а ест Лукия с удивительным вдохновением, просто вроде она еду в чемодан укладывает! — Валентина с восторгом выпалила, не сводя глаз с Лукии:

— Цум эрстен маль ин майнем лебен... Ля премьер фуа де ма ви... (Это означает по-немецки и по-французски: «В первый раз в моей жизни».) — И от души добавила по-русски: — Экая, прости господи, прорва обжорливая!

Безобидные для няньки Лукии слова «В первый раз в жизни» Валентина почему-то сказала по-немецки и по-французски, а обидные «прорва обжорливая» так и выложила по-русски!

Все в Валентине — особенное, ни в чем она не похожа на других людей. Даже вещи у нее какие-то романтические! Воздухом далеких стран веет от чемоданов с пестрыми наклейками чужеземных отелей: «Ривьера-Палас-Ницца», «Отель Тангейзер-Гейдельберг». Диковинные у Валентины дорожные несессеры, туалетные принадлежности. Ни у кого нет таких шляп и платьев, очень строгих, скромных и красивых.

С утра ежедневно Валентина в течение нескольких часов работает за роялем: играет и поет.

— Я — как Яков Ефимович! — говорит она. — Работаю всегда, даже по воскресеньям и праздникам. Имей в виду, Сашка: если ты чему-нибудь научилась, постоянно работай, упражняйся. А не то засохнешь. Как рыжая елка!

Иногда к Валентине приходит с утра ее товарищ по консерватории, тенор Алексей Граев. Он и Валентина поют оперные дуэты. В эти часы все домашние и гости могут, если хотят, слушать пение Валентины и Алексея из-за двери. Но в самой комнате, где они занимаются, разрешается присутствовать только двум «главным друзьям» Валентины: фарфоровой обезьянке Аиде и мне. Обезьянка стоит на рояле и порой от сильных аккордов одобрительно кивает головкой. А я... ну, что сказать обо мне? Я страстно переживаю те чувства, о которых поют Валентина и Алексей, я впиваю дыхание театра — и счастлива. Позови меня кто в это время хотя бы на самое заманчивое дело — ну, скажем, в кондитерскую есть мороженое, что ли, — нет, от мороженого я, конечно, не откажусь, но я не сразу оторвусь от музыки, я, вероятно, буду есть мороженое рассеянно, невнимательно, без обычного всепоглощающего чувства удовольствия.

Больше всего я люблю слушать дуэт из последнего действия оперы Верди «Травиата». Героиню зовут Виолеттой, она умирает от чахотки и несчастной любви. К ней вернулся покинувший ее возлюбленный, Альфред; он ее бросил, но теперь раскаивается, теперь он понял, что любит ее. Он вернулся к ней навсегда, и бедная Виолетта умирает, счастливая, в его объятиях.

Я так захвачена трогательным пением Валентины и Алексея, что даже не замечаю, какие неуклюжие, беспомощные слова вложил в уста Виолетты и Альфреда переводчик оперного либретто.

Виолетта упоенно спрашивает:

«Любишь ли ты меня, о А-альфредо?»

На это Альфред с жаром отвечает:

«А то неужто ж нет? А то неужто ж нет? А то неужто ж нет?»

Другой любимый мой дуэт — из «Пиковой дамы» Чайковского, когда Германн и Лиза поют:

...Но ах! миновали страданья, —
Я снова с тобою, мой друг!
Ты снова со мною, мой друг!

Очень странным кажется мне то, что Валентина и Алексей в жизни нисколько не разделяют чувств своих героев. Любят, страдают, сходят с ума, умирают только изображаемые ими герои опер; сами же они этих чувств друг к другу не испытывают. Мало того, в разгар самых трогательных любовных сцен они порой начинают отчаянно ссориться.

— Фальшивишь! — с яростью кричит на Валентину Алексей.

— Как бы не так! — возражает Валентина. — Себя слушай, Алешка, — у самого медведь на ухо наступил!

Вместе с Валентиной приехала на каникулы будущая драматическая актриса Леля Мухина. Она учится в Петербургской драматической школе, они с Валентиной дружат. Сейчас Леле предстоит выступить в театре, который играет в нашем городе, — она будет исполнять роль Луизы Миллер в пьесе Шиллера «Коварство и любовь». Такой пробный спектакль называется «дебют». Это будет скоро — сразу после Пасхи. Леля ужасно волнуется, да и все мы, окружающие, очень волнуемся за нее и желаем ей успеха.

Для того чтобы Лелю не отвлекали звуки утренних занятий Валентины, мама предлагает ей заниматься у нас: папа в эти часы в госпитале, его кабинет свободен.

Тут тоже никто не входит в комнату, — Леля работает одна. Но мне она разрешает присутствовать. Она даже говорит, что ей приятно «чувствовать зрителя», ей это полезно, чтобы не оробеть на спектакле. Конечно, Леля права: что-что, а зритель я просто самозабвенный — сижу тихо, как мышь, — а уж переживаю! Можно смело сказать, всем существом!

Леля—Луиза опускается на колени перед круглой пузатой печкой в папином кабинете.

— О Фердинанд!.. — говорит она глубоким, взволнованным голосом. — Меч навис над твоей и над моей головой: нас разлучат...

Я уже не вижу смешной круглой печки. Она вытягивается, становится высокой, статной — становится молодым офицером в гвардейском мундире, Фердинандом фон Вальтер!

(Печку эту еще много лет у нас в семье продолжали звать Фердинандом. «Юзефа! — говорила, бывало, мама. — Что-то холодно, не затопить ли Фердинанда?»)

Иногда Леле Мухиной «подыгрывает» в работе студент Вася Шверубович, товарищ по гимназии Володи Свиридова. Этот Вася Шверубович... Но нет!

О нем надо сказать особо.

В Васю Шверубовича влюблены все гимназистки и институтки старших классов и вообще все барышни нашего города! Когда Вася появляется в местах общего гулянья — от Соборной площади перед православным собором и до Кафедральной площади перед костелом Святого Казимира, — в самый хмурый день кажется, будто взошло солнце. Но Вася — не нахальный провинциальный покоритель сердец. Нет, он даже и не догадывается о том, как он красив и какое впечатление он производит на всех встречных. Вася Шверубович идет по улице, с простым и скромным достоинством неся свою кудрявую светлую голову, и во всем его существе видно то высокое, покоряющее благородство, какое придает человеку талант. Какой талант несет в себе Вася Шверубович? Сейчас он еще только скромный студент, он еще только мечтает стать актером. Но уже недалек тот час, когда Вася бросит все, чтобы целиком — как он выражается, «безвозвратно, безвозвратно!» — отдаться театру. Он скоро прославится в Московском Художественном театре и целые пятьдесят лет будет греметь на весь мир! Качалов, великий, бессмертный артист Качалов, — вот кем станет вскоре скромный студент Вася Шверубович, как ослепительная бабочка появляется из простой гусеницы.

Однако пока никто — ни даже сам Вася Шверубович — не знает и не предвидит этого. И Вася приходит «подыгрывать» начинающей актрисе Леле Мухиной в ее работе над олью Луизы Миллер. Он репетирует с ней все остальные оли.

Вот он — ее отец, бедный музыкант Миллер. Как он юбит свою дочь, несчастную Луизу, с какой болью и страданием смотрит он на нее! Исчезла стройная фигура студента Васи Шверубовича — он весь сжался в бессильной старческой позе. И с какой грустью говорит он ей:

— Луиза! Дорогое, милое дитя мое... Возьми мою старую, дряхлую голову... Возьми все, все! Лишь твоего Фердинанда — Бог мне свидетель! — я не могу тебе дать...

Вот Вася Шверубович говорит с Луизой осторожными словами подлого Вурма, скользящими и свистящими, как змеи. Он опутывает ее сетями черной интриги и клеветы. Луиза, простая, бедная девушка из народа, полюбила Фердинанда, сына могущественного президента, — и низкий Вурм делает все, чтобы погубить влюбленных. Лицо Васи совершенно неузнаваемо: в его глазах злобные огоньки, его руки, пальцы неудержимо сжимаются, как когти хищного ястреба, кружащего над цыпленком...

Но всего лучше читает Вася роль Фердинанда!

— О Фердинанд! — молит его Луиза. — Меч навис над твоей и над моей головой: нас разлучат!

— Не говори мне ничего о боязни, любимая моя! — успокаивает ее Фердинанд, и голос Васи поет, как виолончель. — Доверься мне! Я встану между тобой и горем, я приму за тебя каждую рану, я сберегу для тебя каждую каплю из кубка радости, — я принесу их тебе в кубке любви!

Я смотрю и слушаю не дыша. Сердце мое просто разрывается от сочувствия к несчастной Луизе — ведь она сейчас умрет, отравленная своим Фердинандом! Его я, конечно, жалею гораздо меньше: зачем он поверил клевете Вурма и сам, своими руками, разбил их счастье?

Нужно ли добавлять, что вечером, когда никого нет дома — по вечерам все собираются у Свиридовых, и мама там, и папа, если он свободен, а меня, конечно, в 9 часов гонят домой спать, — я тихонько прокрадываюсь в папин кабинет, где днем репетировали Леля и Вася Шверубович. Я становлюсь на колени перед пузатой печкой.

— О Фердинанд! — молю я. — Меч навис над твоей и на моей головой: нас разлучат!

— Ну, чего там еще «фирнан, фирнан»! — бубнит Юзе фа. — Ложись у постелю! Большая дивчина, а болбочет, сам не знает что!

Очень интересно бывает также в комнате брата Ва лентины, Володи Свиридова. Там всегда много веселог молодого народа. Володя очень музыкален — он и на ги таре играет, и поет приятным баритоном. Тут почти всегд присутствует и Леля Мухина. Когда она не Луиза Миллер Леля очень веселая, живая: она и петь, и плясать — все что угодно!

Глядя прямо в глаза Лели Мухиной, Володя поет под гита ру собственный вариант старинного романса «Очи черные»

Очи синие,
Очи ясные!
Очи милые
И прекрасные!

В песню вступает Леля, и оба голоса, Лели и Володи поют вместе, словно идут рука об руку по тропинке в поле:

Как люблю я вас,
Как боюсь я вас,
Этих милых глаз,
Этих ясных глаз!

Все знают (и даже я знаю!), что у Лели и Володи — «ро ман». Они любят друг друга, они поженятся, когда конча курс. Вероятно, от этого в их пении звенит такая чистая ра дость, что все слушают, задумчивые, растроганные, словн издали следят глазами, как Леля и Володя медленно идут п весенней тропинке среди полей.

Но ненадолго стихает молодежь. Вот уже снова все го лоса сливаются в не очень стройный хор и поют по-латын песню студентов всего мира:

...Гаудеамус игитур,
Ювенес дум сумус!

По-русски эта песня звучала бы примерно так:

> Веселитесь, юноши,
> Пока есть в вас силы!
> После юности веселой,
> После старости тяжелой
> Примет нас могила...

А иногда, притворив плотнее дверь и сев в тесный кружок, олодежь поет приглушенными голосами те песни, которые люблю больше всех:

> Много песен слыхал я в родной стороне,
> В них про радость, про горе мне пели,
> Но из песен одна в память врезалась мне, —
> Это песня рабочей артели.
> Э-эх, дубинушка-а-а, — ухнем!
> Э-эх, зеленая, сама пойдет!
> Подернем! Подернем!
> Да ухнем!

Я знаю, что этого петь нельзя, это запрещенная револю-ионная песня. За одну «Дубинушку» полиция может, нагря-ув, арестовать всех этих замечательных юношей и девушек...
Ане рассказывали Павел Григорьевич и Анна Борисовна: такими песнями революционеры выходят на демонстрации ротив правительства, шагают от этапа к этапу в далекие, ухие места ссылки.

> Смело, друзья, не теряйте
> Бодрость в неравном бою!
> Родину-мать защищайте,
> Честь и свободу свою!
>
> Пусть нас по тюрьмам сажают!
> Пусть нас пытают огнем!
> Пусть в рудники посылают!
> Пусть мы все казни пройдем...

Дверь открывается — на пороге стоит отец Свиридовых, ергей Иванович.

— Владимир! — говорит он с упреком. — Я ведь просил ебя...

Леля бросается к нему:

— Больше не будем! Сергей Иванович, не сердитесь. Мы немножко попели, — уж очень душа горит... А больш не будем, золотой, не будем!

Разве можно сердиться, глядя в Лелины «очи синие» Легкая, чуть заметная улыбка пробегает по губам Серге Ивановича. Обычно губы эти крепко сжаты и лицо суров почти угрюмо. Сергей Иванович смотрит на Лелю и смягча ется:

— Я только напоминаю: осторожность! Зачем зря риско вать? Пойте тише, под сурдинку...

В тот же вечер я случайно слышу в кабинете Сергея Ива новича обрывок его разговора с папой. Я не подслушива нет! — меня прислали звать Сергея Ивановича и папу ча пить. Но они так поглощены разговором, что не заметил моего прихода. Ну, а я, конечно, так заинтересовалась и разговором, что застыла на месте как вкопанная.

— Тревожусь я о нем, Яков Ефимович! Очень серьезн он в революцию ушел... Какие-то рабочие к нему ходя какие-то незнакомые люди... Боюсь, сломит Володька шею

— Не сломит! — возражает папа. — Для настоящих лю дей, — а я Володю знаю, он на моих глазах вырос, и о именно настоящий человек! — для них это закалка на вс жизнь!

— Вы и меня знаете, Яков Ефимович... — продолжае Сергей Иванович с необычной для него откровенностью. — Я — человек, на всю жизнь раненный. Когда Маша умерл жена моя, я еще молодой был. Мог жениться. Нет, не за хотел, чтобы у детей мачеха была! Живу бирюком, нигде н бываю, даже к вам не каждый месяц заглядываю. Дети дл меня — все!.. Вам, Яков Ефимович, легко говорить: Сашур ка-то у вас еще ребенок. А вот подрастет она да потянется революции, — что вы тогда будете делать?

— А, наверно, то и буду делать, что вы теперь делает что все другие отцы: горевать, тревожиться, ночей не спать. может быть, даже кровавыми слезами плакать... И все-таки думаю, будет мне радостно: хорошая, значит, выросла... Т здесь зачем? — вдруг грозно обрушивается папа, только те ерь заметив меня. — Вот, Сергей Иванович, невозможный ребенок! Брысь отсюда!

Я ухожу, очень обиженная. Удивительные люди — взрослые! Никакого понимания! Даже памяти — и той ни на копейку! То папа сам говорит мне: «Ты уже не маленькая!» То, оказывается, ребенок, да еще и «невозможный»! А что, собственно, случилось, из-за чего столько шуму? Я пришла за ним, хотела сказать: «Чай пить!» Слышу, у них такой разговор... Ну как было утерпеть, чтобы не послушать хоть немножко? Оказывается, я им помешала!

В этих мыслях я прохожу мимо комнаты Володи. Дверь приоткрыта, — ну разве можно не шмыгнуть туда? Как и говорил только что Сергей Иванович, в комнате, кроме самого Володи, все — незнакомые люди.

Увидев меня, они, как по команде, замолкают. Смотрят на меня. Чувствую, что ввалилась непрошеная, некстати, и страшно смущаюсь. И тут я мешаю!

— Эт-т-то кто еще такая? — с наигранной свирепостью рычит на меня Володя.

Мне сразу становится легче. Володю я люблю почти так же, как Валентину. Он — добрый, хороший. А главное, что я ценю в Володе, — то, что ценят у взрослых все дети: ему со мной интересно! Он всегда расспрашивает, что я читаю, какие у меня подруги, что делается у нас в институте...

— Предъявите паспорт! — сурово-официально предлагает Володя. — Что такое? У вас нет паспорта? Вы несовершеннолетняя? Кто же вас знает? Кто может за вас поручиться?

— Я! — раздается веселый голос из темного угла за шкафом. — Я за нее ручаюсь!

Это говорит Вацек! Веселый, никогда не унывающий рыжий Вацек! Мне становится легко: он напоминает мне Павла Григорьевича, Анну Борисовну, Юльку...

— Ты ручаешься за нее, Стась? — спрашивает Володя, и непонятно, почему он называет Вацека Стасем. — Разве ты ее знаешь?

— Мы с ней старые друзья! — заявляет Вацек. — Пусти ее, Борис!

Еще того не легче! Мало того, что Вацек вдруг оказалс «Стасем», так еще и Володя почему-то «Борис»!

— В таком случае, я за нее тоже ручаюсь. Два поручите ля — это солидно. Садись, Сашурка! — И Володя пододви гается на диване, чтобы дать мне сесть рядом с ним.

Я, конечно, пристраиваюсь около Володи — становлюс маленькой, незаметной. Все забывают обо мне и продолжаю прерванный разговор.

— Последний вопрос, — говорит Володя, — о студенче ском бале.

Оказывается, на следующей неделе после Пасхи в город будет устроен благотворительный бал в пользу нуждающихс студентов. Полиция согласна дать разрешение на устройств такого благотворительного бала под ответственность тре человек, известных и уважаемых в городе. По просьбе сту дентов три уважаемых человека согласились взять на себ ответственность «за порядок и законность» на студенческом балу. Эти трое уважаемых: инженер Сергей Иванович Сви ридов, доктор Иван Константинович Рогов и доктор Яко Ефимович Яновский.

Меня этот бал не очень интересует, хотя папа там и ува жаемый: на балы меня не берут. Впрочем, Володины гост тоже мало интересуются самим балом. Им интересно, ка говорит один из них, «чего можно от этого ждать?». Неволь но я вдруг вспоминаю: когда в прошлом году умер царь и вс волновались, позовет новый царь себе на помощь людей и народа или не позовет, Вацек тогда сказал мне: «Рабочий че ловек ждет добра не от этого!» А вот сейчас рабочие люди — их тут, вместе с Вацеком, трое — спрашивают, чего можн ждать от благотворительного студенческого бала.

Володя отвечает на этот вопрос:

— Трудно, конечно, предугадать, какой будет выруче сбор. Но, вероятно, получится приличная сумма. И это може оказаться очень кстати...

Для чего, для кого кстати?

Дальше говорят о совершенно не интересных для мен делах. Я перестаю вслушиваться и от нечего делать разгля ываю Володю, словно в первый раз его вижу. Что есть в нем акого, что отличает его от окружающих? Володя — как молодое дерево, которое изо всех сил тянется вверх, к солнцу, к уйным ветрам, к светлым дождям. Задумчивые глаза Володи мотрят поверх окружающих не только оттого, что он очень ысок ростом: нет, он словно всегда вглядывается во что-то чень хорошее, радостное, чего не видят другие люди.

Приходит Леля, зовет всех чай пить.

Гости отказываются — они собираются уходить.

— Стась! — напоминает Вацеку Володя. — Знаешь порядок? Не все сразу и с разного хода.

Когда уходит последний гость, я, конечно, начинаю задавать вопросы:

— Володя, почему ты зовешь Вацека Стасем, а он тебя — Борисом?

Володя беспомощно переглядывается с Лелей.

— Ну, как тебе объяснить? — разводит он руками. — Не поймешь ты...

— От тебя, Володя, — говорю я с обидой, — от тебя... акое!.. Ну, скажи еще, что я — невозможный ребенок! И что я задаю дурацкие вопросы! И чтобы я вообще убиралась вон!

— Рассвирепела муха, как тигр! — смеется Володя. — Ну, вот вообрази: полиция вдруг станет искать меня или Вацека...

— Как после первого мая? — догадываюсь я.

— Вот именно! Полиция ищет Вацлава и Владимира, а их ет! Есть Борис и Станислав!

— Это чтобы сбить их с толку, да? — соображаю я.

Но Володя не отвечает мне... И вообще я вдруг замечаю, то никто не помнит о моем присутствии, как если бы меня овсем не было в комнате. Леля подошла к Володе, села на ручку его кресла. Володя поднял к ней голову и приложил ее уку к своей щеке.

Я понимаю: я мешаю Володе и Леле.

Но тут я не обижаюсь. Тихонько, на цыпочках, я выскальзываю вон из комнаты.

А они, наверно, даже не заметили этого!

* * *

Между тем в квартире бабушки и дедушки — тоже предпраздничное волнение и суета. Бабушка и Бася-Дубина с но сбились в ожидании гостей: к вечерней пасхальной трапезе должны съехаться и сойтись все семь сыновей! Кроме уже приехавших Тимы и Абраши, ждут еще дядю Ганю, врача-окулиста из Петербурга, и дядю Лазаря, студента-медика из Харькова. Да еще здешние сыновья — папа, Николай, Мирон. Итого — семеро!

Бабушка священнодействует на кухне — они с Басей трудятся над громадной пасхальной индейкой, готовят пасхальные сладости: тонко наструганную редьку в меду, медовые «тестички», маковники. И, как всегда, бабушка без умолку тараторит:

— Такие дети, как у меня, Басенька, так это искать и искать — и все равно не найдешь! Так уж лучше и не ищи. Конечно, вырастить семерых сыновей — это не легкое дело.. И не спорь, пожалуйста, Бася, это же каждый ребенок понимает. Наш домовладелец — богатый уж-ж-жасно! — так он всегда говорил нам, мне и старику: «Ну куда вам столько детей? Вы же бедные люди, куда вы денетесь с таким оркестром? На свадьбах будете с ними играть, что ли? Чтоб они потом обходили всех гостей с тарелкой и собирали пятаки? Или, может, они будут ходить в праздник по домам, ряженые, представлять представления?»

Бабушка тихонько смеется этим своим воспоминаниям. Ее руки ловко и умело колдуют над пасхальной рыбой.

— А вот и не оркестр! И не пятаки! И не ряженые! Конечно, намучились мы немало — в особенности каждый раз, как кого-нибудь из них сажали, не дай Бог, в тюрьму. Не нравится мне эта мода, Бася, чтоб детей в тюрьму сажать. Вот не нравится — и не нравится! Но что поделаешь? Как у других, так и у нас!.. Бася, пустая голова, что ты делаешь с индюком? Что ты делаешь с индюком, я тебя спрашиваю? Это же не индюк — картина! С ним надо вежливо, а не хап-лап!

Я сижу на низенькой табуреточке, наслаждаюсь бабушкиными сладостями и слушаю ее рассказы.

— А все-таки, — продолжает бабушка, — я вам скажу, дорогие мои: детей надо иметь много! Тогда они вырастут хорошие. Когда они знают, что куртку Якова должны еще носить после него Николай, а потом Мирон, а пальто и гамаши Гани должны еще служить Лазарю и мальчишкам, Тимке и Абрашке, — так они растут скромные, без фанаберии, без баловства. Мои дети — не гордые: они учились, и работали, и уроки давали, чтоб нам со стариком было легче тащить воз. И чуть только который-нибудь из них становится на ноги и начинает зарабатывать — сейчас он помогает младшим! А теперь, когда четверо из них уже вышли в люди, так, дай Бог им здоровья, они и нам, старикам, посылают на жизнь! Вот какие это дети!

Бабушкины рассказы неистощимы. Вперемежку с испуганными вскриками, когда какое-нибудь из блюд не удается, краткой командой, отдаваемой Басе по поводу корицы или изюма, шафрана или ванили, течет, как ручей, радостная песня матери, до краев наполненной своим материнским счастьем.

— У нашего домовладельца — один сын! Один! — говорит бабушка с презрением. — Так что вы думаете? Другая барышня так не гримасничает, как этот молодой человек! Холодной водой он не моется! От свежей земляники у него делается крапивница, — слыхали вы такое? А богачка, счастливая мамаша этого балбеса, спрашивает меня: «У вас есть брильянты чи не?» — «А как же! — отвечаю я ей. — Вот на Пасху вы увидите все мои брильянты — семь штук, один в один!»

Бабушка смеется, довольная своей остротой.

Накануне Пасхи внезапно получается открытка от Лазаря из Харькова: он не приедет. Он здоров, — пусть мамаша не беспокоится, — но приехать он не может: надо заниматься.

Бабушка мужественно подавляет вздох.

— Ну-ну... Не надо грешить. Что ж? Будет на этот раз не семь брильянтов, а только шесть... Тоже не плохо! Конечно, досадно, но что поделаешь?

Бабушка украдкой смахивает слезу и рассказывает Басе, какой замечательный этот Лазарь, который не может приехать:

— Я тебе говорю, Бася, — Лазарь самый красивый из всех! И какой золотой мальчик! Праздник, другие гуляют, а он — нет, он учится!

Но Тима и Абраша почему-то понимающе перемигиваются.

— Он будет заниматься! — недоверчиво говорит Тима. — Не смешите меня, пожалуйста. Какой работяга...

— Тут что-нибудь да не так... — качает головой Абраша. — Такой затейник, такой выдумщик, как Лазарь, — он непременно выкинет какой-нибудь сюрприз!

Вообще Тима и Абраша всегда единомышленны и дружны. Только иногда они почему-то отчаянно ссорятся. Тогда, в гневе, они говорят друг о друге не иначе как в третьем лице и обращаются со своими обвинениями к кому-нибудь постороннему.

— Видите этого человека? — кричит Абраша, тыча разгневанно пальцем в сторону Тимы. — Я умру, но ему руки не подам! Никогда в жизни!

— Будь я проклят, если я когда-нибудь заговорю с этим человеком! — вторит ему Тима.

А через полчаса эти «человеки» обычно уже не помнят, как страшно они поругались.

В самый пасхальный вечер — в сумерки, еще «до первой звезды» (началом праздника считается появление на небе первой звезды) — мы все уже собрались у бабушки и дедушки и ждем, когда нас позовут к столу. И тут в передней раздается сильный, продолжительный звонок.

— Лазарь! Это Лазарь приехал! — кричит Абраша.

— Я же говорил, что Лазарь готовит сюрприз! — радуется Тима.

В самом деле это приехал Лазарь!

Все бросаются к нему, все рады, а бабушка, обняв его за шею и осыпая поцелуями, не может удержаться от материнской критики:

— Ох, Лазарь, Лазарь! Ну почему ты всегда делаешь все не так, как люди?

— А почему я должен все делать так, как люди? Пусть люди делают все так, как я! В общем, пожалуйста, прекратите торжественные речи: у меня хватило денег только на билет от Харькова сюда. Срочно ищу капиталиста, который заплатит двугривенный моему извозчику!

И вот мы все уже разместились за столом. Во главе стола бабушка и дедушка. Между ними — я, как единственная внучка (Сенечка пока не в счет). Папа с мамой, Николай, Мирон, Ганя, Лазарь. На крайнем конце стола — младшие, Тима и Абраша. С ними же сидит Пиня. Поездка на праздник в Кейданы к родителям стоила бы слишком дорого, — этого Пиня не может себе позволить. Поэтому, хотя сегодня и не его день (он обедает у бабушки и дедушки по воскресеньям), бабушка позвала Пиню на пасхальный ужин. Тима и Абраша слегка — в меру своих скромных возможностей — «прифрантили» Пиню: Абраша отдал ему свой галстук «в крапочку», а Тима дал ему (не насовсем, только на сегодняшний вечер!) свою рабочую куртку с заплатками на локтях. Пиня выглядит именинником и наслаждается ощущением, что он в праздничный вечер «в семье».

— Хорошо вам... — меланхолически вздыхает Абраша, обращаясь к братьям. — Всякое блюдо начинают со старших! А мы с Тимкой — последние: что останется от старших, то нам... Например, пупок от индейки или курицы... Тимка, ты когда-нибудь это ел? Я — никогда! Это всегда достается кому-нибудь из старших!

— Да-а... Очень плохо быть младшим! — поддерживает его Тима. — Шестым или седьмым...

— А ведь мальчишки-то правы! — вступается за них папа. — Сегодня первая порция каждого блюда дается младшим!

Бабушка не любит новшеств. Пусть все идет так, как заведено спокон веку отцами и дедами. Тимка с Абрашкой — еще сопляки. Ничего им не сделается от того, что они подождут своей очереди. «В жизни надо уметь ждать», — добавляет бабушка философски.

— Сопляки? — возмущенно кричат младшие. — Мы — сопляки?

Но все братья присоединяются к предложению папы: пусть сегодня последние будут первыми.

— И пупок пусть мамаша разделит между Тимкой и Абрашкой! — предлагает Лазарь.

Бабушке приходится уступить.

Какое веселое представление разыгрывают старшие! Николай, Мирон, Ганя, Лазарь — папу к этому не подпускают: он все кувырнет и опрокинет! — подносят первые порции праздничной трапезы младшим. С низким поклоном, с почтительными приговорами:

— Абрам Ефимович, пожалуйста!

— Тимофей Ефимович, просим, осчастливьте!

Младшие — они в самом деле еще желторотые птенцы, только недавно кончили гимназию — конфузятся, но страшно довольны. Дело, конечно, не в количестве: у бабушки наготовлено всего столько, что на всех хватило бы с избытком. Дело — в почете: никогда они такого почета и во сне не видали!

Я смотрю на маму, вижу, как она, нагнувшись к сидящему рядом с нею Николаю, шепчет ему что-то, показывая глазами на Пиню. На секунду удивившись, Николай понимающе кивает — и Пиня оказывается включенным в число младших, которым сегодня первое место и первая порция.

Праздничный ужин длится долго. К концу я даже слегка задремываю, привалившись к дедушкиному плечу. Мне ведь дали в рюмочке немножко вина, разбавленного водой. «Я — пьяная! — думаю я с гордостью. — Ужасно пьяная!» Сквозь дрему я слышу взрывы дружного смеха, веселые рассказы: каждый из «брильянтов» рассказывает о себе. Братья добродушно посмеиваются друг над другом. Особенно достается младшим, Тимке и Абрашке, за обжорливость.

— Караул! — кричит Мирон, который сегодня ради праздника настроен почти добродушно. — Держите детей! Пусть они наконец отвалятся от еды — ведь лопнут! Ей-богу, лопнут!

— Лопнут? — обиженно переспрашивает Абраша. — Хорошо тому, кто уже кончил университет и работает! Он сразу забывает студенческую голодовку. У нас в Варшаве...

— А у нас в Дерпте лучше, да? Сытее? — кричит Тима.

— А у нас в Харькове, хлопцы, тоже не так, как у мамаши в пасхальный вечер! — вступает в это состязание Лазарь.

Но все затихают, слушая, как Ганя рассказывает о своей петербургской работе. Гане очень посчастливилось: его взял к себе в ассистенты известный окулист, профессор Донберг. Под руководством Донберга Ганя ведет исследования и наблюдения над новым методом лечения страшной глазной болезни — глаукомы. Профессор Донберг доверяет Гане самостоятельно оперировать. Недавно профессор похвалил его: «У вас отличная рука. Из вас будет толк». Так и сказал профессор Донберг!

С какими сияющими лицами слушают Ганю дедушка и бабушка, сколько тепла и внимания на лицах всех братьев! Шутка ли, профессор Донберг, сам профессор Донберг, сказал нашему Гане, что из него будет толк!

— Брильянт! — шепчет бабушка растроганно. — Все — брильянты... — И, словно испугавшись, что мама может обидеться, бабушка обнимает и целует ее. — И жену тебе, Яков, Бог дал брильянтовую и дочку...

С тех пор прошло много десятков лет. Из тех, кто сидел за этим праздничным ужином, не осталось в живых никого, кроме одной меня. Нет бабушки, дедушки, Николая, Мирона, Лазаря. Умер Ганя, который в самом деле стал известным профессором. В Отечественную войну фашисты убили моих папу и маму. Тима и Абраша погибли от голода и холода во время ленинградской блокады... Но я помню этот пасхальный вечер, словно он происходил вчера! И свечи в двух высоких старых шандалах-подсвечниках, и отсветы их на скатерти, старенькой скатерти, старательно подштопанной бабушкиными руками, но празднично-белоснежной и прикрахмаленной. Счастливые лица бабушки и дедушки. Спокойные, мужественные лица семи братьев — дружных, понимающих друг друга с полуслова, сильных своей братской близостью. Они, эти братья, прошли суровую школу лишений, борьбы и потому смотрели вперед без страха, уверенные в себе.

Когда при мне говорят: «семья», «хорошая, дружная семья», я вспоминаю этих родных мне людей за праздничным столом, за которым нашлось место и для бездомного Пини, тоже завоевывающего себе трудом и лишениями место в жестокой жизни. И я понимаю: хорошая, дружная семья — это огромная сила!

(Кстати, на следующий день Пини за столом уже нет: старшие дяди мои дали ему денег на поездку домой, в Кейданы, к его родителям.)

Когда в тот вечер я уже лежу в своей постели, ко мне присаживается мама.

— Мамочка, ты — грустная? — спрашиваю я. — Почему ты грустная?

Мама отвечает не сразу. И говорит, словно сама с собой, в раздумье:

— Мишу вспоминаю. Брата моего. Твоего дядю... Ведь ему легче было пробиваться в жизни, чем этим семи братьям! Все имел, все получил даром, легко, без всякого труда... И — ничего в жизни не добился! Ничего из него не вышло...

На третий день праздника, накануне отъезда Гани, которого профессор Донберг отпустил из клиники только на четыре дня, мы идем всей семьей к фотографу (тому самому Хоновичу, который живет над квартирой доктора Пальчика). Наше шествие по улице имеет внушительный вид. Впереди дедушка ведет под руку бабушку в новом «шляпендроне», как называет дедушка ее шляпку (шляпендрон подарили сыновья). За ними папа ведет маму. А дальше идут парами холостые: Николай с Мироном, Ганя с Лазарем, Тима с Абрашей. Для меня пары нет, — Сенечка-то ведь еще крохотуля! — и меня ведут Тимка с Абрашкой.

На лестнице у фотографа, проходя мимо квартиры доктора Пальчика, Николай спрашивает:

— Как, мамаша? Зайдем к доктору Пальчику, сломаем у него кушетку?

Лестница гулко повторяет эхо — все хохочут на шутку Николая. Даже бабушка не обижается — смеется.

Наша семейная фотография — бабушка и дедушка со своими «брильянтами» — получилась, говорят, очень похожей. Только я, увидев свое изображение, немножко удивилась: мне-то ведь казалось, что я гора-а-аздо лучше!

* * *

Тем временем приближается день выступления Лели Мухиной в «Коварстве и любви». Волнуется сама Леля, волнуется Володя, волнуемся все мы. У меня еще и дополнительное волнение: возьмут меня в театр или не возьмут? Но мои опасения оказываются напрасными — меня берут, хотя мама и говорит: «Право, не знаю... Кажется, не следовало бы...», и так далее, и тому подобное.

Когда на сцене появляется Леля — в чепчике Луизы Миллер, с молитвенником в руке, — я крепче сжимаю руку мамы.

Во все глаза смотрю я на эту стройную белокурую девушку. Кто это? Леля? Да, конечно, это Леля, но вместе с тем словно и не она. Какое достоинство во всех ее движениях, как ясно светятся ее синие глаза, как чудесно-музыкально звучит ее нежный голос! Это Луиза Миллер, та, которая полюбила знатного юношу, Фердинанда. Она — умница, она понимает, что полюбила его не на радость, а на горе, что ждут ее не розы, а острые шипы. От этого такая тоска и страх в ее голосе, когда она говорит знакомую мне фразу:

— О Фердинанд! Меч навис над твоей и моей головой: нас разлучат...

Леля играет так правдиво, так просто и искренне, что весь зрительный зал охвачен горячим сочувствием к Луизе Миллер! После каждого акта гремят аплодисменты и вызовы:

— Мухина-а-а! Мухина-а-а!

А после конца представления публика устраивает Леле настоящую овацию. Молодежь — студенты, курсистки, воспитанники гимназий, — столпившись около сцены, хлопает, не жалея ладоней, кричит, не щадя своих легких и чужих ушей. Леля без конца выходит кланяться. Она устала, это заметно, но она светло улыбается и смотрит на нашу ложу.

— Сашка! — говорит Валентина. — Пойдем к Леле за кулисы... — Хочешь?

Хочу ли я!

За кулисами полутемно, мы ежеминутно натыкаемся на всякие неожиданные вещи — тут и нарисованные кусты, и фанерная дверь, и кусок стены с бутафорским окном. В темноте Валентина попадает ногой в металлическую доску, при помощи которой за кулисами «делают гром», когда, по пьесе, происходит гроза. Рабочие сцены тащат куда-то колонны, которые только что так величественно возвышались в зале у гордой леди Мильфорд. Сейчас, вблизи, видно, что колонны сделаны из холста, раскрашенного под мрамор, они болтаются беспомощно и жалко, как оболочки игрушечного резинового шарика, из которого вытек воздух...

Вот мы входим в тесную актерскую уборную, где Леля уже сняла с себя костюм Луизы Миллер. Накинув халатик, Леля осторожно смывает кольдкремом грим с лица.

— Молодец, Лелька! — шумно обнимает ее Валентина. — Я знала, что будет хорошо, но что т а к хорошо — даже не ожидала! Сегодня я окончательно поверила в тебя, рожа ты моя дорогая!

Только собралась Леля ответить на горячие слова Валентины, как в уборную входит Володя. Он стоит перед Лелей и смотрит на нее сияющими глазами. Он и Леля ничего не говорят, только глядят друг на друга.

Мы с Валентиной тихонько уходим.

В коридоре Валентина останавливается.

— Дурачки... — говорит она, утирая глаза. — Ребятишки... Но до чего милы, негодяи окаянные!

А назавтра — студенческий бал...

И — беда! Такая беда, как град, побивающий весенний цвет на яблонях и вишнях!

Все уехали на бал.

Еще днем приезжал парикмахер, пан Теодор, причесал и завил маму, Валентину и Лелю. Все они оделись в легкие бальные платья, прикололи свежие весенние цветы и уехали в Офицерское собрание, в зале которого состоится бал. На кресле приготовлен для папы фрак, на столе лежат парадная фрачная рубашка с крахмальной грудью, галстук и перчатки. Когда папа вернется от больных, — если он вообще вернется раньше утра, у него ведь никогда ничего не известно! — он наденет все это великолепие. Я наперед знаю, как это прозойдет. Папа будет одеваться, теряя запонки, не попадая петли, ругая фрак «идиотом», а крахмальную рубашку — мерзавкой»...

Я уныло и скучно брожу по квартире, где Юзефа прибирает разбросанные в предбальной суете вещи. Конечно, Озефа при этом ворчит вовсю — на то она и Юзефа!

— Побежали! Поскакали, гоп-гоп! А куда, а зачем? Спроси их! Нашли себе судовольствию! Какая же это судовольствия, я вас спрашую!

— А что такое удовольствие, Юзенька?

— Настоящая судовольствия, — оживляется Юзефа, — то в баню пойти! Попариться, нашмаровать (намазать) олосы репейным маслом! Апосля того — чай пить... С брусничным соком! Вот это настоящая судовольствия!

— Юзенька, я погуляю немного около дома. Можно?

— А чего ж? Иди. Только не больш, как на полчаса... я, — Юзефа сладко зевает и крестит рот, — полежу...

Я брожу по нашей улице недалеко от дома. Какое-то странное томление, как перед грозой, разлито в воздухе. Словно все перестало дышать... На небе догорает закат, пурпурный и грозный, — это завтра будет ветер, непогода.

Стою и смотрю, как вечерний сумрак постепенно стирает неба краски пожара.

И вдруг меня осторожно, негромко окликает знакомый голос:

— Пс-с-ст! Пс-с-ст! Сашенька!

Я растерянно озираюсь. Кто меня зовет?

— Зайди за угол. Скорее!

За углом меня ждет... Вацек. Он очень встревожен, беспокойно оглядывается по сторонам:

— Беги, Сашенька, до Свиридовых... Скажи Борису...

Я не сразу соображаю, что «Борис» — это Володя.

— Скажи Борису: беда! Лысого взяли и Михаила тоже.

— А Володя на бал поехал! С Лелей...

— Ни, не поехал он, потом подъедет. А сейчас сидит, товарищей дожидает... Скажи: не придут, забрали их, в полицию увели... Беги, Сашенька, пре́ндзей (скорее)!

И Вацек исчезает за углом, как бы и не было его.

Торопливо вбегаю в наш подъезд. Поднимаюсь по лест нице, забирая ногами по две ступеньки сразу.

— Володя! — врываюсь я к Свиридовым. — Вацек ве лел сказать: Михаила и Лысого забрали. И чтоб ты никог не ждал: не придут.

Наморщив лоб, Володя что-то напряженно соображает.

Он быстро сует мне в руки сверток, перевязанный креп кой бечевкой:

— Отдай это Юзефе спрятать... Унесешь? Осилишь?

— Подумаешь! — говорю я, хотя сверток и тяжелый наверно, в нем книги или бумаги.

— Снесешь — возвращайся, Сашурка! Поможешь мн почиститься...

И он показывает на стоящий в углу чемодан. Я не сраз соображаю, к чему чемодан, если человеку надо почистить ся. По-моему, для этого всего лучше щетка! Но тут ж понимаю: наверно, в чемодане лежат вещи, которые над унести...

Со всех ног уношу сверток к нам в квартиру. Буж Юзефу:

— Юзенька, вставай! Скорее! Сейчас придет полиция...

При слове «полиция» Юзефа мигом вскакивает.

— Якая полиция? — бормочет она, глядя ошалелым глазами. — Куда яна придет?

— К Свиридовым... Там Володя — один... Надо ему по мочь!

Мы с Юзефой бежим к Свиридовым. Все дальнейше происходит с необычайной быстротой. Юзефа уносит чемо дан в нашу квартиру:

— Под свою кровать запхаю!

Мы уносим какие-то бумаги, книги — все, что дает нам Володя. Работаем быстро, бесшумно — просто скользим и свиридовской квартиры в нашу и обратно.

Осмотрев опустевшие ящики письменного стола, пусто угол комнаты, где стояли чемоданы и стопки книг, Волод удовлетворенно вздыхает.

— Хорошо поработали! — говорит он. — Теперь — все Спасибо, Юзефочка, и тебе, Сашурка, спасибо!

— Нема за что благодарить, паничику! — отзывается Юзефа. И, помолчав, задает вопрос, который ее, видимо, мучает: — Теперь уже не заберут они вас, нет?

— Ну, это неизвестно... А вы обе уходите! — приказывает нам Володя. — Уходите, пока они не пришли. Я тоже попытаюсь удрать по черному ходу.

Но уйти не удается никому из нас. В передней слышен очень сильный и продолжительный звонок, и одновременно раздается резкий стук с черного хода.

— Черт! Не успели уйти... — досадует Володя. — Юзефочка, отоприте, пожалуйста, дверь в передней, я ведь нашу служанку погулять отпустил...

— Я откро-о-ою! — с угрозой говорит Юзефа. — Я им открою! Чтоб им крышкой гроба накрыться — и поскорее!

Пока Юзефа впускает полицию, Володя усаживает меня за столик против себя, раскладывает между нами шашечную доску:

— В поддавки, Сашурка! И — не робей, спокойно!

Обыск длится долго. Я сижу на диване рядом с Володей. Уже очень поздно — около полуночи, но мне совсем не хочется спать. Всякий сон перешибло волнение, тревога, чувство обиды за Володю и вражда к этим грубым людям, которые ворвались в чужой дом, ведут себя нагло, роются в вещах, столах и шкафах, как собаки на свалке...

Даже обезьянка Аида словно разделяет мое возмущение. Она стоит, как всегда, на рояле и от топота сапог, грохота передвигаемой мебели укоризненно кивает фарфоровой головкой. Володя молча показывает мне на Аиду, и, несмотря на всю серьезность происходящего, мы оба улыбаемся.

Володя внешне очень спокоен. Иногда он даже шутит со мной и с Юзефой. Но он так нетерпеливо смотрит на дверь, он так прислушивается к стуку редких пролеток на улице, что я понимаю: он ждет возвращения Лели, отца, Валентины. Ему хочется — мы с Юзефой это чувствуем, — чтобы они, возвратившись с бала, застали его еще хоть на несколько минут, чтобы им успеть проститься, перед тем как его уведут в тюрьму.

— В Петербурге, — негромко говорит Володя, — ест телефоны...

Да. А у нас телефонов еще нет...

Побежать бы в Офицерское собрание, разыскать та всех, сказать им, чтоб мчались сюда, скорее, скорее!.. Н ни меня, ни Юзефу полиция не выпускает из квартиры д окончания обыска.

Но вот полиция кончила свое дело. Володе дают прочи тать и подписать протокол обыска.

Володя читает вслух:

— «...Ничего предосудительного при обыске не най дено...»

— А тебе судительное надо? — не выдерживает Юзефа

Она бросает это жандармскому офицеру с враждебны укором.

Но я вдруг понимаю: Володя прочитал эти слова из про токола вслух н а р о ч н о. Чтобы я запомнила их и передал Свиридовым и Леле.

— Попрошу вас, господин Свиридов, следовать за на ми! — с изысканной вежливостью обращается к Володе жан дармский офицер.

Володю уводят. Мы с Юзефой бежим за ним вниз п лестнице на улицу.

Перед нашим подъездом стоят две извозчичьи пролетки Перед тем как сесть, Володя прощается с нами. Он тепл обнимает Юзефу.

— Паничику! — шепчет она. — Я тут подушку для ва положила, — те лайда́ки казали, что можно. И еще я вам положила поку... покушать...

— Не горюйте, Юзефа! Не навек расстаемся!

Володя поднимает меня сильными руками и крепко при жимает к себе.

— Сашурка, сестричка моя! — И быстро мне на ухо: — Скажи всем... папе, Валентине... Леле скажи от меня... Сам знаешь что!

Двое городовых, поддерживая Володю под руки (как ла кеи — барина!), подсаживают его в пролетку.

— До свиданья! — кричит он нам в последний раз.

Пролетки трогаются. Стук копыт по булыжной мостовой удаляется, затихает...

Когда снова возвращаемся в разгромленную квартиру Свиридовых, мы с Юзефой на миг смотрим друг другу в глаза.

— А каб им околеть! — выкрикивает Юзефа, как страстное желание, как молитву своему Богу.

Но в передней слышны стремительные легкие шаги — в комнату вбегает Леля.

— Володя! Где Володя? — кричит она в ужасе, боясь поверить беде.

— Лелечка, его увезли...

— Совсем? — вырывается у нее криком. — А я бежала сюда! Мне вдруг так страшно стало, почему он все не идет и не идет...

— Почему ты раньше не пришла, Леля?

— Не велел он мне. Ведь тут у него собрание было. Важное... «Жди, говорит, меня на балу, я сам за тобой приду...» — И, опустившись на стул, Леля бессвязно шепчет: — Вот он, меч... над головой... И разлучили...

Со следующего утра начинаются поиски Володи, хлопоты о свидании, о передачах, об освобождении.

Папа, конечно, едет к жандармскому полковнику фон Литтену, но этот влиятельный человек, оказывается, получил к Пасхе повышение: перевод в Петербург. Все хлопоты Сергея Ивановича и папы не дают никаких результатов.

Лишь через неделю Сергей Иванович узнает, что Володя содержится в Варшаве, в тюрьме, которая называется «Цитадель».

Так неожиданно горестно кончились эти незабываемые весенние каникулы.

Еще одну вещь хочу я сказать. Из беглого разговора папы с представителем студентов я узнала, что почти все студенты, даже очень нуждающиеся, получив помощь из сбора от благотворительного бала, отдали каждый свою долю на революционную работу.

Вот почему революционерам был нужен благотворительный бал! Вот чего они от него «ждали»!

Глава восемнадцатая

ЧЕРНОЕ ДЕЛО И СВЕТЛЫЙ ЧЕЛОВЕК

Когда после Пасхи снова начинаются уроки в институте, я чувствую себя такой посерьезневшей, такой повзрослевшей, что ли, словно пасхальные каникулы продолжались не две недели, а два года, даже больше. Очень уж много пережито за этот короткий срок! Все время перед моими глазами стоит Володя Свиридов — и вокруг него черная туча жандармов и полиции. Я знаю: Павел Григорьевич, Володя Свиридов, Вацек и их товарищи-революционеры победят черную тучу... Но когда? Вот новый для меня вопрос. Кто ответит мне на него так же легко и понятно, как папа еще недавно объяснял мне, что такое скарлатина или почему зимой нет мух... А за этим новым вопросом встают другие, и на все хочется получить ответ.

Последние недели учебного года ползут так медленно, что вот, кажется, взяла бы хворостину и стала подгонять их, как гусей и уток. Но все-таки они ползут и приближают нас к экзаменам, а за ними — к летним каникулам. И как подумаешь, что скоро конец скуке, конец Дрыгалке с ее губками, поджатыми в ниточку, с ее пестрыми ручками, похожими на кукушечьи яйца, становится так весело, что хочется, позабыв про все серьезные вопросы, сделать что-нибудь оглушительно-глупое: подпрыгнуть, завизжать, завертеться волчком, как собака, которая ловит собственный хвост...

Но для таких шалостей сейчас совсем нет времени!

У нас теперь опять много дела: надо подтягивать двоечниц, заниматься с ними. Теперь мы уже умные, ученые: мы знаем, что это называется «действие скопом» и что это запрещено. Мы не болтаем об этом зря, мы занимаемся не в институте, а по квартирам. Нас, «преподавательниц», стало больше: не только Лида, Маня Фейгель, Варя и я, но и Тамара — она хорошо говорит по-французски, очень терпеливо и понятно объясняет все, что надо.

Дрыгалка все-таки что-то чует! Она пробовала выспрашивать, например, у Кати Кандауровой: не занимается ли

Маня с отстающими ученицами? Но Катя — этот, на удивление, прямой и правдивый «ягненочек», как зовет ее Лида Карцева, — сделала глупенькое лицо и сказала:

— А зачем Мане с отстающими заниматься? Она ведь не отстающая!

Дрыгалка вздохнула над Катиной глупостью и отпустила ее:

— Ну, ступайте... Господь с вами!..

Подумать только: за такой недолгий срок правдивую, честную Катю научили так здорово врать!

Но после этого случая Лида с сомнением говорит:

— Ох, смотрите!

— А что смотреть? Куда смотреть? За чем смотреть? — сыплются на Лиду вопросы.

— Смотрите, как бы Дрыгалка чего-нибудь...

— Да что она может сделать, твоя Дрыга?

— А вдруг пойдет обходить квартиры?.. Ага, присмирели! — торжествует Лида. — Придет к тебе, Шура, — а у тебя сидят четыре наших ученицы! Как вы объясните Дрыгалке, почему они у тебя «незаконное собрание» устроили?

Мы на минуту теряемся. Молчим. Потом Олюня Марты-шевская говорит очень спокойно:

— Я скажу: я учебник потеряла — пришла к Саше учебник попросить...

— А я скажу, — так же спокойно продолжает Броня Чиж, — я на той неделе у Саши книжку брала почитать — вот принесла.

— А я скажу: я Броню Чиж провожаю! — радостно заявляет Сорока.

— Ну, а ты, Люба, что скажешь? — спрашивает Лида у Любы Малининой.

— Что же мне сказать? — говорит Люба в полном замешательстве. — Ох, знаю, знаю! Я скажу: к нам домой собака ворвалась, страшно бешеная! Воды не пьет, и хвост у нее не вверх смотрит, а под живот опущен... Ужасно бешеная!

— Ну, и что? — продолжает Лида свой допрос.

— Ну, я, конечно, испугалась и побежала — сюда, к Саше...

— На другой конец города прибежала? — насмешничает Лида.

Вот какая правдивая, оказывается, Люба Малинина! Так и не научилась врать! Ничего, наш обожаемый институт — «наш дуся институт»! — он еще и Любу обработает, дайте срок. Научится врать Дрыгалке, как мы все научились.

Так мы гадаем о возможном налете Дрыгалки на чью-нибудь квартиру. А Дрыгалка и в самом деле налетает: к Тамаре! Но тут Дрыга терпит жестокое поражение, и, надо признать, только благодаря спокойной находчивости Тамары. Дрыгалка впархивает в квартиру Ивана Константиновича совершенно неожиданно. Проскользнув мимо оторопевшего Шарафутдинова, она внезапно появляется в столовой, где сидят Тамара и еще пять девочек из нашего класса. Тамара потом рассказывала, что Дрыгалка ворвалась, «как демон, коварна и зла»! К счастью, девочки только что пришли и еще не начали заниматься, даже книг не успели разложить на столе. Девочки повскакали со стульев, стали «макáть свечкой», здороваясь с Дрыгалкой. Но Дрыгалка только рассеянно кивнула им головой, не переставая шарить вокруг «пронзительным оком».

И тут вдруг начинает говорить Тамара — самым ласковым и приветливым голосом:

— Здравствуйте, Евгения Ивановна! Это наши девочки ко мне пришли. Зверей посмотреть... Может, и вы взглянете?

— Зверей? — бледнеет Дрыгалка. — Как-к-ких зверей?

— А это дедушка мой, доктор Рогов, разводит зверей... Две комнаты зверями заняты. Очень интересно! Жабы, лягушки, змеи...

До черепах, саламандр и рыб перечень зверей не дошел: Дрыгалка рванулась в переднюю и как пуля выбежала из квартиры.

Девочки хохотали так долго и так громко, что Сингапур принял было это за истерику и с упоением начал в своей клетке хохотать, икать и квакать.

Этот случай сразу облетает весь наш класс и делает Тамару героиней дня. А главное, с этого дня весь класс начинает хорошо относиться к Тамаре. Конечно, она еще нет-нет да и «сфордыбачит» какую-нибудь «баронессу Вревскую» — правда, она делает это все реже и реже. И теперь ей это прощают: теперь она — своя, совсем своя, а что немножко «с придурью», так ведь с кем не бывает?

— Страшная вещь! — возмущается мой папа. — До чего исковеркали детей! За что они полюбили человека? За то, что он — хороший, умный, честный? Нет, только за то, что галантливо соврал!

— Яков Ефимович... — обижается Тамара. — Я не соврала. То есть почти не соврала. Ну, малюсенько-малюсенько соврала: я сказала про змей, а у дедушки змей нету... А остальное все — правда!

— Да, Яков, ты неправ, — вступается мама. — Тамарочка выручила подруг. И не ложью, а находчивостью!

После этого случая мы принимаем меры предосторожности. Можно надеяться, конечно, что Дрыгалка больше не сунется в квартиру Ивана Константиновича Рогова. Поэтому мы переносим туда занятия моей группы и группы Мани Фейгель. Квартира большая: Тамара сидит со своей группой у себя в комнате, Маня ведет занятия в столовой, я — в кабинете. Для полной надежности в передней, прямо против входной двери, устанавливается террариум с жабами как устрашение для Дрыгалки, если бы она все-таки опять нагрянула. Лида Карцева занимается со своей группой у себя дома, но на эти часы мать Лиды, Мария Николаевна Карцева, ложится с книгой на кушетке в гостиной. Рядом с нею — ваза с фруктами, коробка конфет. Если Дрыгалка придет, Мария Николаевна усадит ее в кресло, станет угощать, «заговаривать ей зубы» и одновременно ласковым голосом звать к себе Лиду:

— Лидуша! Лидуша! Посмотри, кто к нам пришел! Какая гостья!

Это будет сигнал, чтобы девочки улепетывали по черному ходу.

Мария Николаевна очень увлечена игрой: ее просто огорчает, что все это — впустую и Дрыгалка не приходит!

— Лежу, лежу часами, — жалуется она своим детски капризным голосом, — а эта ваша колдунья не приходит!..

Но тут вдруг начинаются неожиданные события! И не в институте, и не в семьях учениц, а в далеком мире, за тысячи верст от нашего города. Словно забили там в огромный колокол, и звон его загудел на всю Россию! Вся огромная страна содрогнулась и с гневом, потрясенная, прислушивается к его медному голосу.

На одной из больших перемен, когда мы завтракаем сидя на излюбленной нами скамье около приготовительного класса, я вдруг замечаю в газете, в которую завернут завтрак Мели Норейко, печатные строки:

«...когда крестьянская девочка, Марфа Головизнина, бежала по лесу, она увидела лежащий поперек лесной тропы прикрытый азямом труп неизвестного мужчины. Труп был без головы, от которой уцелел только грязный клок волос... У трупа не оказалось ни сердца, ни легких — они были кем-то вынуты. На трупе были следы уколов. Обвинение утверждает, что убитый человек был мучительно обескровлен е щ е ж и в ы м...»

Дальше прочитать я не могу: Меля держит бутерброд пальцами и закрывает продолжение своим мизинцем. Страшно заинтересованная этой мрачной историей с трупом без головы (я как раз перед тем прочитала «Всадника без головы» Майн Рида), я схватываю Мелю за руку:

— Убери пальцы с газеты!

— Что, что? — пугается Меля. — Какие пальцы? С какой газеты?

Я сама отвожу ее пальцы, чтобы прочитать продолжение. Но, как говорится, «увы!» — газета тут и обрывается: никакого продолжения нет.

Я бесцеремонно заглядываю в другой Мелин пакет с едой, тоже завернутый в газету.

— Что ты делаешь, бзиковáтая (сумасшедшая)? — сердится Меля. — Что ты меня пугаешь во время еды? Это вредно, я могу заболеть...

Но я ее не слушаю. Я нашла второй кусок газеты. Рассматриваю его. Нахожу следующие слова — они как будто продолжают прежде прочитанное о находке трупа на лесной тропе

«...Я был на этой тропе. Трудно себе представить место более угрюмое и мрачное. Кое-где проступают лужи, черные, как деготь, местами ржавые, как кровь...»

Дальше опять оборвано.

— Больше газеты у тебя нет? — спрашиваю я у Мели.

— Взбесилась! Честное слово, она взбесилась! — всплескивает руками Меля. — На что тебе газета?

Но Лида, Варя, Маня, Катя, которым я дала прочитать найденные мною у Мели два клочка бумаги, так же взволнованны, как я.

— Надо в мусорном ящике посмотреть! — вдруг вспоминает Варя.

И мы все начинаем с остервенением рыться в мусорном ящике, как собаки в помойной яме. Но тут раздается звонок — конец большой перемены. И как раз перед звонком я успеваю выхватить из множества грязных бумажек, в сальных пятнах, кусок газетного текста, напечатанный таким же шрифтом, как куски, найденные прежде. Это опять только обрывок! И многих слов в нем не хватает — оторваны или запачканы.

«...Я посетил село Мултан. Я был на мрачной тропе, где нашли обезглавленный труп нищего Матюнина... Я еще весь охвачен впечатлениями ужасной, таинственной, неразъяснимой драмы... и мне хочется крикнуть: нет, этого не было! Судом два раза осуждены невинные... в нашем отечестве не совершают уже человеческие жертвоприношения!..»

Мы стоим, словно окаменели. Мы повалили мусорный ящик, из него выпало много бумаги, объедков.

Но мы не идем в класс — мы не можем!

Первыми опоминаются Лида и Маня. Они торопливо запихивают в мусорный ящик все его содержимое; мы помогаем, ставим ящик в угол и бежим в класс.

Хорошо, что последний урок — рукоделие. Думать о чем-нибудь, слушать объяснения учителей, отвечать им на вопросы мы бы, конечно, не могли. Меня минутами вдруг бьет дрожь... Когда я смотрю на подруг, особенно на Лиду и Маню, я вижу, что они чувствуют то же, что и я.

После уроков мы молча одеваемся и так же молча выходим на улицу.

— Вот что, — говорит Лида, — это все надо узнать точно.

— Конечно! — отзывается Варя. — Иначе даже и не заснешь ночью!

Лида продолжает, словно говорит сама с собой:

— Что мы узнали из этих засаленных газетных клочков? Что в каком-то селе Мултан — где это? В Австралии? — нашли в лесу труп без головы, без сердца и легких... что кого-то обвинили в том, будто этого человека мучили... обескровили его... Будто это было какое-то человеческое жертвоприношение... За это два раза осудили невинных... А кто виноват на самом деле, кто это сделал, никто не знает!

Я смотрю на Лиду просто с восхищением. Как быстро она схватила смысл того, что прочитала в газетных обрывках, как толково она свела все это в одно! Нет, удивительно она умная, Лида!

— Надо сделать так, — предлагает Лида, — я спрошу у моего папы. Ты, Маня, — у твоего. Шура — у Якова Ефимовича... Еще и газеты посмотрим... Неужели же мы не узнаем всей правды?

— Я еще спрошу у моего дяди Мирона, — предлагаю я. — Он, наверно, знает...

Варя говорит с огорчением:

— А моя бабушка газет почти не читает... Да я и не хочу ее пугать — она ведь у меня старенькая...

— Конечно, не рассказывай бабушке!

Мы подходим к перекрестку, где нам всем расходиться в разные стороны.

Я иду домой и думаю:

«А кто же писал эту статью, вон ту, которой клочки нам попались? «Я был там... я еще весь охвачен тяжелыми впечатлениями... И мне хочется крикнуть: не было этого! Суд осудил невиновных!..» Кто этот человек? Узнать бы это!..»

Дома я застаю и папу, и дядю Мирона, и дедушку. Мирон и дедушка сегодня у нас обедают.

Я вхожу в комнату и сразу, не здороваясь, спрашиваю:

— Папа! Что такое «село Мултан» и что там случилось?

Никто не удивляется моему вопросу. У меня почему-то даже мелькает уверенность, что именно об этом они сейчас разговаривали перед моим приходом. Но все молчат, переглядываясь.

— Что такое «Мултан»? Что там случилось? — повторяю я. — Ну, папа же!..

Папа смотрит на дядю Мирона.

— Мирон лучше может рассказать тебе... Он — юрист.

Мирон, как всегда, начинает ворчать:

— Ну конечно! Это несносный ребенок! Все ей надо знать, до всего ей дело есть... И при чем тут то, что я — юрист? Что ты хочешь? — говорит он сердито. — Чтоб я прочитал ей лекцию по философии права, да?

— Мне не надо никакой фаласофии! — возражаю я с железной уверенностью, что это слово произносится именно так, как его выговариваю я. — Я хочу знать, что такое «Мултан», кого там убили, кого судят, за что судят? А больше мне ничего не надо! Никакой фаласофии!

В конце концов Мирон объясняет мне.

— Село Мултан — в глухом краю Вятской губернии. Там, вперемешку с русским населением, живет народ вотяки*. Народ немногочисленный (их всего 400 тысяч), малокультурный, но мирный и трудолюбивый. С русским населением вотяки живут дружно. И русские и вотяки живут тут крестьянской жизнью: обрабатывают землю, разводят скот, пчел, ловят рыбу, курят смолу, промышляют охотой.

Три с половиной года тому назад около села Мултан нашли в лесу труп нищего вотяка, Конона Матюнина — вот так, как было напечатано в обрывках газеты: без головы, без сердца и легких, с уколами на теле. Врач, осматривавший труп, признал, что никакого прижизненного мучительства тут не было: уколы сделаны после смерти, тогда же вынуты сердце и легкие, голова тоже отрублена у мертвого, а не у живого человека. И не обескровлен он.

И все-таки местные полицейские и судебные власти решили, что тут совершено человеческое жертвоприношение

* Ныне они называются удмуртами.

вотяцкому божеству (хотя вотяки — христиане, православные)! Было арестовано несколько вотяков. Следствие велось два с половиной года! Велось, как Мирон говорит, непростительно небрежно. Суд был безобразный: обвиняемым не позволили даже вызвать своих свидетелей, которые их знают, которые могли бы показать на суде, что они не виноваты. Наконец, на суде обвиняемые показали, что на допросах их пытали и истязали, добиваясь от них, чтоб они признались в убийстве. Так же пытали и истязали свидетелей, вынуждая у них лживые показания. На суд был вызван «ученый энтограф», якобы знаток быта вотяков; он нес несусветную чепуху и утверждал на основании народных сказок, — сказки-то ведь слагались много веков назад, да еще он привел-то сказки не вотяков, а черемисов! — будто бы у вотяков есть, существует обычай человеческих жертвоприношений. В конце концов обвиняемых признали виновными и приговорили к каторжным работам. Тем самым обвинили в людоедстве не только семь осужденных вотяков, но и весь вотяцкий народ: раз эти семь человек принесли своему божеству человеческую жертву, значит, у вотяцкого народа вообще есть, существует такой страшный людоедский обычай.

Все это нам рассказывает дядя Мирон, и надо отдать ему справедливость: хорошо рассказывает, очень понятно. Но мне этого мало.

— Значит, так это и будет? — спрашиваю я. — Их, несчастных, обвинили — и никто за них не вступится?

— Видишь, Мирон, — говорит папа, привлекая меня к себе. — От такого прокурора, как этот несносный ребенок, ты так скоро не отделаешься!.. Успокойся, прокурор, — обращается папа ко мне, — нашлись люди, заступились за этих вотяков, добились того, чтобы дело было разобрано во второй раз...

— И их оправдали? — радуюсь я.

Взрослые снова переглядываются, словно советуясь, говорить мне все или не говорить. Потом папа отводит глаза в сторону и бросает коротко, словно неохотно:

— Нет. Не оправдали. Опять осудили.

— И — конец? — спрашиваю я сдавленным голосом.

— Нет! — отвечает дядя Мирон. — Сейчас добились нового пересмотра дела. В третий раз! Он начнется на будущей неделе.

— Ох! — вырывается у меня с таким облегчением, словно с меня скатилось придавившее меня к земле бревно. — Ох, как хорошо!..

Мама из столовой зовет нас обедать. Папа и Мирон идут туда, а дедушка задерживается со мной в кабинете.

— А ты дурочка! — говорит он мне с упреком. — Бросаешься, как сумасшедшая кошка: «Где? Кто? Что? Кого?» Ты бы дедушку своего спросила — дедушка читает каждый день не меньше трех газет, — он все-о-о знает, он бы тебе давно все рассказал!

Вечером, когда я уже лежу в кровати, папа подсаживается ко мне, чтобы поцеловать меня на ночь.

— Папа! — вспоминаю я. — А кто же это заступился за вотяков? Кто добился пересмотра дела?

Папа секунду молчит. Потом отвечает:

— Писатель Короленко. Владимир Галактионович. Человек вроде нашего Павла Григорьевича.

— Революционер? — спрашиваю я шепотом.

— Как видно, да. Сидел в тюрьме, был сослан куда-то, куда ворон костей не заносил. И писатель замечательный! Написал удивительную повесть — «Слепой музыкант»...

— «Слепой музыкант»? — радуюсь я. — Я это читала! Это чудно!

— Вот этот самый Владимир Галактионович Короленко услыхал про мултанцев еще после того, как их судили в первый раз. Многие знали об этом, многие возмущались, — страшное ведь дело! Но никто во всей России не откликнулся на него так, как Короленко. Он жил тогда в Нижнем Новгороде — бросил все, все дела и работы, и занялся только этими вотяками. Объехал и обошел всю эту глухую часть Вятской губернии, опросил жителей, познакомился со всеми хорошими людьми, — они тоже возмущались мултанским делом, жалели несчастных вотяков... Во второй раз дело слушалось в городе Елабуге, и Короленко поехал туда. Он и его друзья — двое журналистов из Нижнего Новгорода — прямо подвиг совершили. Стенографисток на этом суде не было: местные власти не хотели, чтоб все безобразие этого суда попало в печать, а ведь стенографический отчет — это такой документ, в котором не пропадет ни одно слово! Власти хотели, чтоб все было записано бегло, расплывчато, чтоб можно было потом все переиначить и в конце концов замести следы своего подлого поведения в деле мултанцев...

Папа, забывшись, рассказывает мне о мултанском деле и о Короленко громко, во весь голос. За стеной раздается сонный плач Сенечки: папа разбудил его.

Мама входит к нам и с укором, даже сердито, говорит папе:

— Яков, перестань кричать, как студент! Что ты ее будоражишь ночью, когда ей давно спать пора! Она и так ходит сегодня весь день сама не своя, а ты еще подливаешь масла в огонь. И Сенечку разбудил... Сию минуту скажи девочке «спокойной ночи», — и пусть спит.

Папа виновато говорит мне, разводя руками:

— Ну, братец ты мой... Значит, спокойной ночи — и все!

Первый раз в жизни я так сержусь на маму!

— Хорошо, — говорю я (как мне кажется, «с достоинством», а на самом деле сердитым, кислым голосом). — Хорошо... Только я не усну ни на полминуточки, если папа не доскажет мне, что́ сделали на суде Короленко и его друзья журналисты!

Мама безнадежно машет рукой и выходит из комнаты. А папа, присев около меня, досказывает тихо то, о чем я прошу.

— Короленко и журналисты записали от слова до слова весь судебный процесс — весь, понимаешь? Они писали с утра до ночи три дня, на пальцах у них сделались кровоподтеки и мозоли от карандаша, но они записали все! И спрятать это теперь уже невозможно. Вот что сделали писатель Короленко и его друзья журналисты! Ясно тебе теперь? Так спи!

— Папочка, миленький! — умоляю я. — Одно словечко, одно! А кто всю эту подлость сделал? Кто убил нищего и взвел напраслину на вотяков, кто два раза осудил их?

Папа молчит, словно размышляет.

— Папа, честное, благородное слово, никому не скажу! Только одно слово: это сделало правительство?

Папа тихонько трогает мою косу, заплетенную на ночь.

— Ого! — говорит он. — Коса-то, коса, — и вправду коса! До половины лопаток доходит... — И, целуя меня, папа говорит шепотом мне в самое ухо: — Да, правительство. Царское правительство... Спокойной ночи!

И уже в дверях, обернувшись ко мне:

— А Мирон-то ведь прав! Ты удивительно несносный ребенок...

Назавтра Лида Карцева говорит мне как бы вскользь:

— У нас сегодня третий урок — Закон Божий. Ты свободна, — я тебе дам прочитать одну вещь... Тебе и Мане Фейгель. В гимнастическом зале прочитаете... Я взяла это у моего папы...

Два первых урока я сижу как во сне. С одной стороны, я прислушиваюсь к тому, как отвечают наши отстающие, с которыми мы занимаемся. С другой стороны — скорее бы прошли эти два урока и Лида дала нам с Маней то, что обещала! Перед уроком Закона Божия мы бежим в «Пингвин», где Лида дает нам брошюру. Я быстро прячу ее под нагрудник школьного фартука.

— Только — смотрите! — говорит нам Лида многозначительно. — Помните!

Во все время урока Закона Божия мы с Маней в гимнастическом зале торопливо читаем брошюру, которую нам дала Лида. Все остальные «инославные» — в особенности милая Зина Кричинская — не спускают глаз с двери, чтобы подать нам сигнал тревоги, если в зал войдет кто-нибудь из «синявок».

Брошюра озаглавлена так:

«Дело мултанских вотяков, обвиняемых в принесении человеческой жертвы языческим богам. (Составлено А. Н. Барановым, В. Г. Короленко и В. И. Суходоевым под редакцией и с примечаниями В. Г. Короленко)».

Мы с Маней читаем с жадностью, быстро, буквально давясь, чтобы успеть прочитать брошюру. Многое из того, что в ней напечатано, мы уже знали раньше. Очень многое мы узнаем впервые. Мы читаем, потрясенные, и, когда почему-либо наши пальцы встречаются, каждая из нас на секунду удивляется тому, какие ледяные пальцы у другой.

Больше всего потрясает нас описание того, как в городе Елабуге, при *втором* рассмотрении дела мултанцев, суд во *второй* раз вынес им обвинительный приговор.

«...Несколько секунд, — пишет В. Г. Короленко, — в зале царствовала гробовая тишина, точно сейчас сообщили собравшимся, что кто-то внезапно умер... Семь обвиненных вотяков стояли за решеткой, как будто еще не понимая вполне того, что сейчас с ними случилось...

Я сидел рядом с подсудимыми. Мне было тяжело смотреть на них, и вместе с тем я не мог смотреть в другую сторону. Прямо на меня глядел Василий Кузнецов, молодой еще человек, с черными выразительными глазами, с тонкими и довольно интеллигентными чертами лица... В его лице я прочитал выражение как будто вопроса и смертной тоски. Мне кажется, такое выражение должно быть у человека, попавшего под поезд, еще живого, но чувствующего себя уже мертвым. Вероятно, он заметил в моих глазах выражение сочувствия, и его побледневшие губы зашевелились... Он закрыл лицо руками.

— Дети, дети! — вскрикнул он, и глухое рыдание прорвалось внезапно из-за этих бледных рук, закрывших еще более бледное лицо...

...В углу, за решеткой, за которой помещались подсудимые, стоял 80-летний старик Акмар, со слезящимися глазами, с трясущейся жидкой бородой, седой, сгорбленный и дряхлый. Его старческая рука опиралась на барьер, голова тряслась и губы шамкали что-то. Он обращался к публике с какой-то речью.

— Православной! — говорил он. — Бога ради, ради Криста... Коди кабак, коди кабак, сделай милость.

— Тронулся старик, — сказал кто-то с сожалением.

— Коди кабак, слушай! Может, кто калякать будет. Кто его убивал, может, скажут. Криста ради... кабак коди, слушай...

— Уведите их в коридор, — распорядился кто-то из судейских.

Обвиняемых вывели из зала...»

Мы прочитали. Мы с Маней смотрим друг на друга невидящими глазами. Словно мы побывали в зале елабужского суда, сами видели деда Акмара, сами слышали его наивную и трогательную мольбу, чтобы православные люди шли в кабак и прислушивались там к тому, что «калякает» (говорит) народ... «Кто ее убивал?» То есть кто убил его, нищего Конона Матюнина, в чем обвиняют их, семерых вотяков...

Но мы с Маней не плачем. То, что мы прочитали, нанесло нам такой удар, после которого можно только, крепко стиснув зубы, сжимать кулаки, ненавидеть, но не плакать!

— Вчера приехал мой брат. Студент... — шепчет мне Маня. — Он привез список с письма, которое Короленко написал кому-то из своих друзей после второго суда над вотяками. Это в Петербурге читают все и передают друг другу из рук в руки. Возьми — и читай быстро. Скоро звонок...

И я читаю переписанное Маниной рукой письмо В. Г. Короленко:

«...Здесь приносилось настоящее жертвоприношение невинных людей — шайкой полицейских разбойников под предводительством прокурора и с благословения Сарапульского окружного суда. Следствие совершенно фальсифицировано, над подсудимыми и свидетелями совершались пытки. И все-таки вотяки осуждены вторично, и, вероятно, последует и третье осуждение, если не удастся добиться расследования действий полиции и разоблачить подложность следственного материала. Я поклялся на свой счет чем-то вроде аннибаловой клятвы и теперь ничем не могу заниматься и ни о чем больше думать. Теперь для меня есть семь человек, невинно убиваемых на глазах у всей России, и я до сих пор слышу их стоны после приговора...»

— Маня... — говорю я шепотом, губы мои не слушаются, они дрожат. — А брат не говорил тебе, почему правительство делает это? Зачем?

Маня отвечает так тихо, что я слышу ее только сердцем, взволнованным и потрясенным сердцем:

— Брат говорит: правительство понимает, что все недовольны им. Оно боится, как бы недовольные не сдружились, не сговорились между собой, — тогда бы они стали сильные и сбросили это правительство! И оно науськивает всех друг против друга, одни народы против других. Вот русский народ — добрый народ, великодушный, и его натравливают на малые народы — в России очень много малых народов, — ему рассказывают о них всякие подлые басни и байки, чтобы он их ненавидел. «Вот, — говорят ему, — видишь, рядом с тобой живут вотяки? Ты с ними дружишь, ты их не трогаешь, а они — твои враги! Они убивают людей и приносят их в жертву своим богам...»

— Маня, самое последнее, говори скорее, сейчас перемена: а кто же на самом деле убил этого нищего?

— Ну, это не хитрое дело. Нашли где-то труп нищего, может быть, он спьяну умер на дороге, в лесу или замерз. Отрубили у него, у мертвого, голову, вынули сердце и легкие, искололи труп ножом... Врачи сказали ведь, что все это сделано не на живом, а на мертвом!

Раздается звонок к перемене. Я иду из гимнастического зала как оглушенная. В голове моей мысли мечутся, как белки... Как страшно, ох, как страшно думать обо всем этом!

И вдруг, словно солнце, в уме встает мысль о Короленко. Писатель, автор «Слепого музыканта», бросил все, ринулся защищать маленький вотяцкий народ, обвиненный в людоедстве. Добился второго, а теперь уже и третьего суда! И ведь Короленко — не один. Папа сказал — «с ним все лучшие люди России»... Мне становится веселее!

На перемене Лида Карцева рассказывает мне как раз об одном из этих лучших людей России: об обер-прокуроре Сената, сенаторе Кони, по заключению которого и происходит теперь третий разбор злополучного мултанского дела. Лида знает это от своего папы. Сенатор Кони, которому Сенат поручил ознакомиться с этим делом и дать заключение, так и заявил: «В этом деле совершена жестокая ошибка. Обвиняются не какие-то отдельные люди, совершившие или не совершившие преступление, а обвиняется вместе с ними весь вотяцкий народ!»

Много времени спустя — через 25—30 лет — я познакомилась и встречалась с А. Ф. Кони. Было это уже после

Великой Октябрьской революции, и А. Ф. Кони был уже бывший сенатор: революция упразднила Сенат. Но Кони не злобствовал, как многие другие, не эмигрировал за границу: глубокий 70-летний старик, он принял революцию, он работал с Советской властью; писал воспоминания, читал лекции матросам Балтийского гвардейского экипажа и делал это с увлечением. Как-то в те годы я сказала ему: «Анатолий Федорович, когда я была маленькой девочкой, я восхищалась вашим поведением в деле мултанских вотяков!» А. Ф. Кони улыбнулся тонко и мудро и, помолчав, сказал: «Да. Это хорошее воспоминание моей жизни... Но восхищаться следует не мной, а Владимиром Галактионовичем Короленко».

Глава девятнадцатая

ПОСЛЕДНИЕ ИСПЫТАНИЯ

Двенадцатого мая начинаются у нас переходные письменные экзамены во второй класс. Первый экзамен — арифметика. Накануне начался третий суд над мултанцами.

Дрыгалка буйствует, словно вконец взбесившаяся собачонка. Нас рассаживают так, чтобы никто не мог ни списать, ни подсказать, ни помочь подруге. Скамьи установлены в актовом зале, и на них сидят девочки из обоих отделений — первого и второго, — вперемешку между собой. Справа от меня сидит «не-княжна» Гагарина, она же Ляля-лошадь, слева — Зоя Шабанова. Ляля-лошадь, обычно жизнерадостно ржущая деваха, сегодня мрачна, как зимние сумерки. Она смотрит на меня взглядом утопающей и мрачно говорит:

— Ни в зуб ногой!..

Это, очевидно, точное определение ее знаний.

Зоя Шабанова шепчет мне:

— Сашенька, поможешь?

— Конечно, помогу!

— И мне? — спрашивает с надеждой Ляля-лошадь.

— Помогу! — обещаю я уверенно.

Но это оказывается ой как трудно! Экзамен по арифметике, и Федор Никитич Круглов дает экзаменационные задачи и примеры так, что каждый вертикальный ряд девочек решает не то, что соседний. То же самое, что решаю я, решает та девочка, которая сидит впереди меня, и та, которая сидит позади. А соседки мои по горизонтальному ряду — справа и слева — решают другую задачу и другие примеры. Как им помочь?

Каждой из нас дано два листка бумаги — пронумерованных! — для черновика и беловика. Я делаю вид, что мне трудно, что у меня что-то не ладится: насупливаю брови, сосредоточенно смотрю в сторону. Смешно сказать, но мне действительно немного мешает непривычность того, что я вижу из окна. В классе, окна которого выходят на улицу, я привыкла видеть поверх той части стекол, которые закрашены белой масляной краской, кусок огромной вывески на доме визави:

...СКАЯ ДУМА И УПРАВА

Это часть вывески: «Городская дума и управа». А над домом думы и управы я всегда вижу пожарную каланчу и высоко-высоко на ее вершине шагающего дозором по балкончику дежурного по пожарной охране города. С балкончика пожарной каланчи, говорят, виден весь город: чуть где загорится, дежурный поднимает тревогу, и из думского двора с громом и звоном выезжает пожарная команда. Выезд пожарных нам в институте не виден: ведь наши окна до середины закрашены. Но в самых звуках пожарного поезда, в звонках, коротких криках команды, в грохоте и металлическом скрежете есть что-то одновременно и беспокойное, и бодрящее, и тревожное, и успокаивающее:

«Пожар, пожар! Горим! Помогите!» —
«Едем, едем, едем! Держитесь, — выручим!»

Здесь, в актовом зале, окна не закрашены, но в них не видно, за ними не угадывается никакой жизни: они выходят не на улицу, а на институтский двор с садом. Сейчас, когда во всех классах идут экзамены, во дворе и в саду не видно ни одного человека. Только по тополям иногда проносится поглаживающий ветер, под которым шевелятся их серебристые листья.

Я уже решила задачу в черновике, но нарочно не тороплюсь переписывать ее набело: ведь чуть только Дрыга увидит, что я кончила, надо будет подать листок с решением — и уходить. А у моих соседок дело, видимо, идет плохо. Перед ними лежат чистенькие оба листка: и черновой, и беловой. Надо их выручать.

Зоя Шабанова смотрит на меня умоляюще, Ляля-лошадь явно собирается заплакать. Улучив минуту, когда и Дрыгалка, и классная дама первого отделения (по прозвищу «Мопся») находятся на другом конце, я быстро схватываю чистенький, без единой цифирьки, с одним только заданием черновой листок Зои Шабановой и подсовываю ей свой беловой листок, тоже еще чистый. Зоя делает вид, что углубляется в работу, а я быстро решаю ее задачу и примеры — и снова меняюсь с ней листками. Вся эта операция проходит, как по ниточке! Никто ничего не заметил! Зоя спокойно переписывает то, что я ей решила. Но только я хочу проделать тот же фокус с Лялей-лошадью, как их Мопся становится как раз у нашего горизонтального ряда и не спускает с нас глаз. Просто как неподвижный телеграфный столб! Тут же подходит и наша обожаемая Дрыгалка и нежным голосом (обе «синявки» разыгрывают друг перед другом комедию сердечной дружбы со своими воспитанницами) говорит мне:

— Что же это вы так долго, Яновская? Неужели не решили?

— Евгения Ивановна, я решила, но хочу еще раз проверить...

— Правильно, Яновская! — от души одобряет меня Дрыгалка и говорит негромко Мопсе: — Очень хорошая девочка...

Это — про меня! Про меня, которую она весь год травила! Я смотрю в свой листок и мысленно говорю:

«А, чтоб ты пропала!»

Совсем как мой дедушка, когда он читает в газете, что английская королева Виктория сделала что-нибудь, что ему, дедушке, кажется неправильным.

Наконец обе «синявки» проходят дальше. Я повторяю с Лялей-лошадью то же, что с Зоей Шабановой. Ляля-лошадь перестает рыдать и прилежно списывает набело то, что я ей подсунула.

Тогда я переписываю свое и подаю на столик экзаменаторов, за которым сидят Колода и Круглов.

Федор Никитич быстро просматривает мой листок, смотрит на итог задачи и примеров и одобрительно говорит:

— Молодец, Яновская! Все правильно. И почерк какой стал славный...

И я ухожу из зала довольная: я решила задачи для Зои Шабановой и Ляли-лошади!

Почти бегу по коридору (а этого ведь нельзя: надо «плавно-тихо-осторожно»!), скатываюсь с лестницы и, на ходу одеваясь, бегу к двери на улицу.

— Куда так поспешно, Шура? — шутливо-кокетливо кричит мне розоволицая Леля Хныкина — та, которую «обожает» Оля Владимирова. — Вас кавалер ждет на улице, да?

— Да, кавалер! — И я вылетаю на улицу.

Вот он, мой дорогой кавалер! Пришел! Стоит на углу и ждет меня. Это дедушка. Он вчера обещал мне, что встретит меня на улице, сообщит мне газетные известия о мултанском деле.

— Дедушка, миленький... Ну?

Но дедушка очень хмурый.

— Не «ну», а «тпру»! — ворчит он. — Пока все очень плохо.

И он объясняет мне. Процесс начался вчера. Состав суда — плохой («на помойку!» — по дедушкиному выражению): и судьи, и прокурор — всё те же, которые уже два раза в прошлом осудили мултанцев. Чего же можно от них ожидать? Они, конечно, в лепешку разобьются, чтобы доказать, что они были правы, что вотяки виновны, что незачем было огород городить и в третий раз ворошить это дело.

Но самое грустное, по словам дедушки, то, что очень плохой состав присяжных. Ведь вопрос о виновности или невиновности подсудимых решается на основании мнения присяжных: если присяжные сказали «да, виновны!» — судьи уже не могут оправдать подсудимых. Поэтому очень важно, чтоб присяжные были как можно более культурны, как можно более умны и толковы, в особенности в таком процессе, как мултанский, где надо хорошо разбираться во всей клеветнической стряпне полиции, во всей грязи лжесвидетельства и всякого вранья... А тут присяжных нарочно подобрали самых темных, неграмотных: такие легко поверят всяким бабьим сказкам о том, будто бы вотяки каждые сорок лет приносят человеческую жертву своим языческим богам.

— Опять же... — говорит дедушка, — опять же плохо: не позволили защите вызвать на суд ни одного свидетеля. А свидетелей обвинения — сплошь лжесвидетелей! — на этом процессе выставили еще на одиннадцать человек больше, чем в прежних двух процессах! Конечно, — добавляет дедушка, — пока человек хоть немножко еще дышит, надо верить, что он будет жить. Будем думать, что и мултанцев оправдают... Но что-то похоже, что их закатают на каторгу!

Мы стоим с дедушкой на углу улицы и молчим.

— Ну что ж... — вздыхает наконец дедушка. — Повеселились мы с тобой — и довольно. Пойдем домой.

Но мне нужно дождаться, пока выйдут все мои подруги, — узнать, кто как сдал, не провалились ли наши «ученицы». Я прошу дедушку сказать дома, что я экзамен выдержала, и возвращаюсь в институт. Дедушка уходит домой.

Наши выдержали — все до единой! Есть срезавшиеся из числа учениц первого отделения. Всего удивительнее — срезалась Ляля-лошадь! Она не решила задачи — вернее, ее мозгов не хватило даже на то, чтобы хоть с п и с а т ь то, что решила для нее я. Зоя Шабанова — та выдержала экзамен и очень довольна. А Ляля-лошадь ревет коровой и — самое великолепное! — обвиняет в своей неудаче меня.

— Она... у-у-у! Она... гы-ы-ы! нарочно... Она мне неверно решила, чтоб я срезалась...

То, что я выручала ее, рискуя — в лучшем случае! — отметкой по поведению, а может быть, даже исключением из института (ведь со мной бы церемониться не стали: исключили бы — и все), идиотка Ляля этого не понимает, не хочет понимать. А ведь я уверена, что, если бы мне пришлось плохо и она, Ляля-лошадь, могла спасти меня, она бы для этого пальцем о палец не ударила! К счастью, другие девочки из ее же — первого — отделения стараются вправить ей мозги!

— Ведь она тебе помогла! — говорят они Ляле.

— Да-а-а... Как же! Помогла она мне! — продолжает всхлипывать Ляля-лошадь. — Нарочно... нарочно мне неверно написала... чтоб я срезала-а-ась... У-у-у, какая!

— Что ты на нее смотришь! — сердится на меня Лида Карцева. — Она — лошадь, ну и ржет! Не стоит из-за этого огорчаться, Шурочка!

В эту минуту Ляля лезет в карман за носовым платком и вместе с ним вытаскивает какой-то листок бумаги. Варя выхватывает у нее из рук этот листок.

— Вот оно! Вот решение, которое тебе написала Шура! — торжествует Варя. — Ну вот, смотрите, все смотрите, верно Шура ей решила или нет?

Все разглядывают листок и удостоверяются в том, что Ляля-лошадь обвинила меня облыжно: на листке моей рукой написано совершенно правильное решение задачи и примеров. Кто-то предусмотрительно рвет листок в клочья и бросает их в мусорный ящик, чтоб не попался в руки «синявок».

С этого дня у всей нашей компании девочек жизнь течет, словно две набегающие друг на друга струи: всю неделю мы через день сдаем письменные экзамены (по арифметике, по русскому и французскому языкам) и ежедневно читаем газетные известия о ходе суда над мултанскими вотяками. Экзамены, хоть мы и волнуемся, протекают нормально и успешно. Зато течение суда — неровное, тревожное. То кажется, что все повертывается для подсудимых хорошо, то внезапно наступает резкое ухудшение. За подсудимых самоотверженно борются В. Г. Короленко и один из знаменитых адвокатов России, петербургский присяжный поверенный Н. П. Карабчевский. (Короленко уговорил, увлек Карабчевского заняться делом вотяков, и все знают, что Карабчевский не берет никакого вознаграждения за эту защиту.) Короленко, Карабчевский, группа местных адвокатов дерутся за жизнь вотяков, за честь всего их народа — там, в зале суда. Но все честные люди во всей России в течение восьми дней живут этим делом, волнуются, тревожатся, надеются, спорят, строят догадки и предположения. Все это создает такое напряжение, словно миллионы проводóв соединяют семерых вотяков на скамье подсудимых в городе Мамадыше со всей остальной Россией. И каждая самая маленькая подробность судебного дела гудит по этим проводам, как по туго-туго натянутым струнам...

Наконец экзамены наши кончены. Завтра нам выдадут годовые «Сведения об успехах и поведении». Завтра же будет объявлен приговор по мултанскому делу.

Вечером папа возвращается домой с необыкновенно таинственным лицом:

— Я тебе сейчас покажу такое! До потолка подпрыгнешь... — И он достает из кармана бережно завернутую в бумагу фотографию. — Смотри — Короленко!

На фотографии кудрявая голова и густо заросшее бородой лицо. Из этих обильных волос смотрят глаза, необыкновенно добрые, чистые, умные. А в этих глазах — та правда, которую не затопчешь, не утопишь, не сгноишь в тюрьме. Правда, которая не согнется, не заржавеет, не сломается.

— Это мне — насовсем? — спрашиваю я.

— Нет, только посмотреть... Это у меня такие больные есть, — Короленко подарил им свою фотографию. Они ею очень дорожат... Знаешь, — вспоминает папа, — что они мне еще рассказали? Когда Короленко уезжал из Петербурга на суд над мултанцами, заболела одна из его дочерей. Он знал, что девочка больна смертельно, что он, может быть, никогда больше не увидит ее, — и все-таки поехал!

Помолчав, папа добавляет:

— А девочка на днях в самом деле умерла...

На следующий день у нас выдают «Сведения об успехах и поведении». Переведены в следующий класс почти все, кроме трех или четырех отпетых лентяек. Лида Карцева, Маня Фейгель и я переведены в следующий класс с первой наградой — с похвальным листом и книгой. Тамара Хованская переводится со второй наградой — с похвальным листом.

«Сведения» раздает нам Дрыгалка. Мы сидим в классе, как на уроке. Дрыгалка называет наши фамилии по алфавиту. Каждая выкликнутая ею девочка выходит из-за парты, приближается к столику, за которым сидит Дрыгалка, и получает из ее рук листок «Сведений». Мы все такие веселые, счастливые, каждая из нас готова броситься на шею даже Дрыгалке и расцеловать ее! Однако самой Дрыгалке это чудесное настроение не передается: она, как всегда, сухая и чужая. Каждой девочке она дает листок «Сведений» и говорит своим бумажным голосом:

— Поздравляю вас...

Девочка «макает свечкой», потом берет свой листок и возвращается на место.

«Сведения» розданы. В последний раз в этом году читается молитва после ученья:

...«Благодарим Тебе, Создателю, яко сподобил еси нас благодати Твоея во еже внимати ученью. Благослови наших начальников, родителей, и учителей, и всех, ведущих нас к познанию блага»...

— А теперь, — напоминает Дрыгалка, — ступайте вниз. Пара за парой. Не шаркать, не топать, не возить ногами... Одеться и уйти!

И уходит.

— Нельзя сказать, — говорю я Лиде, — чтобы Дрыге было очень грустно расставаться с нами!

Лида серьезно отвечает:

— А нам? Нам разве грустно расставаться с ней? Мы только оттого и счастливы, что больше ее не увидим!

На углу улицы меня ждет дедушка. Он издали машет мне газетой и кричит:

— Оправдали! Оправдали!

Вот она, правда! Верно говорят люди, что ее нельзя ни утопить, ни запереть в каменную тюрьму, ни зарыть в землю: правда снесет все запруды, она пророет себе путь под землей, она проест железо и камень, она встанет из гроба!

Мне невольно вспоминаются «Ивиковы журавли».

Мултанские вотяки оправданы и свободны!

С дедушкой и группой моих подруг мы приходим в соседний Екатерининский сквер, занимаем две скамейки. Дедушка просто расцвел от радости! Еще недавно Юзефа сокрушалась:

«Наш старый пан аж с лица спал через тех румунцев...» (Румунцы, всякий понимает, — это вотяки.)

И действительно, в последние дни, когда исход процесса казался неблагоприятным, дедушка положительно не находил себе места от тревоги и беспокойства. Сейчас вотяки оправданы, я перешла с первой наградой, дедушка смотрит на мир гордо и весело, как цветущий пион.

— Девочки... — говорит Маня, обычно такая робкая и молчаливая. — Как хорошо, девочки! Ну чего, чего нам еще надо, когда все так хорошо?

Где-то близко слышен знакомый приятный голос, выпевающий:

— Сах-х-харно морожено!

— Вот оно! — говорит дедушка. — Вот чего вам надо... Я сейчас угощу вас всех мороженым!

Через минуту-другую Андрей-мороженщик со своей кадкой на голове подходит к нашим скамьям. Спокойно, неторопливо он снимает с головы кадку, ставит ее на землю, разминает рукой замлевшую шею.

— Никак, старый господин Яновский? — вглядывается он в дедушку. — И Сашурка-бедокурка!..

Так же узнает он почти всех присутствующих.

— А что, господин Яновский, — спрашивает Андрей, — тех басурман-то, слышно, оправдали, слава богу?

— Они не басурманы! — отвечает дедушка. — Они — люди. Их хотели зазря закатать на каторгу, — не вышло!

— Не попустил Господь! — крестится Андрей.

Мы переглядываемся с Лидой, Маней, Варей. Мы знаем: не Бог спас мултанских вотяков, а писатель Короленко и все те, кто боролся вместе с ним за этих несчастных людей. Хорошо, что есть на свете такие люди, как Короленко!

Мы с наслаждением едим мороженое. Андрей скатал нам шарики наполовину из сливочного, наполовину из крем-брюле, или, как его называет Андрей: «крем-бруля».

— Вкусно! — причмокивает Меля. — С ума сойти!

В аллее сквера показывается человек. Юношеская фигура его кажется мне знакомой... Но почему он шагает, сгорбившись, как старик, словно согнувшись под непосильной тяжестью?

— Дедушка! Посмотри! Ведь это же...

— Ну да! Это наш Пиня... Пиня! — зовет дедушка.

Пиня подходит, все такой же удрученный, волоча усталые ноги. Видно, он давно ходит по улицам... Он очень исхудал, лицо его почернело. Похожая на черную слезу бородавка в углу Пининого глаза еще усиливает мрачность его лица.

— Что с тобой, Пиня? Ты же черный, как головешка... Случилось что-нибудь?

— Несчастье... — глухо отвечает Пиня. — Не могу сдавать экзамены при округе...

— Почему? В чем дело?

— Уже было назначено: в среду. Так вот — здрасте! — ввели новый экзамен: французский язык... Ну, я вас спрашиваю: разве нельзя было объявить это полгода тому назад? Нет, накануне экзаменов! Ведь это же насмешка! Сорок три человека трудились — и на́ тебе! Научитесь по-французски, тогда будем вас экзаменовать... Теперь уж не раньше, как осенью!

Дедушка сосредоточенно думает.

— Сашенька! Ты можешь заниматься с Пиней по-французски?

— Конечно, могу! — отвечаю я, обрадовавшись. — Только... а как же... ведь мы на днях переезжаем на дачу...

— Что значит «на дачу»? — спрашивает Пиня. — Я буду ходить к вам на дачу!

— Но ведь это три версты от города!

— Что значит «три версты»? А пусть бы хоть тридцать три! Я буду ходить каждый день, хоть два раза на дню... Только занимайтесь со мной, я за вас буду Бога молить!

Лицо Пини, его глаза словно говорят:

«Я пройду через все. Я ничего не испугаюсь и ни перед чем не отступлю! Я хочу учиться — понимаете? — хочу учиться! И я добьюсь своего, чего бы это мне ни стоило!»

Мы все невольно замолчали перед этой страстной волей к знанию. Мы смутно понимаем, что в этом есть какая-то сила, внушающая уважение.

— Слушайте, Пиня... — робко, как всегда, говорит Маня. — Вы говорите, там много таких, как вы... Я могу заниматься с которым-нибудь из них... Даже с двумя, — я ведь никуда не уезжаю, буду все лето в городе.

— И я могу взять второго ученика! — спохватываюсь я.

— Я тоже возьму двоих! — говорит Лида. — Можно поговорить и с другими девочками, чтоб и они...

На лице Пини — такое сияние, что просто нестерпимо глядеть: как на самое яркое полуденное солнце!

— Спасибо вам... Я сейчас побегу. Скажу всем остальным... Ох, они обрадуются!

И Пиня стремглав убегает, от радости он даже забыл попрощаться.

— Девочки! — говорит Лида очень серьезно. — Надо сегодня же заняться этим делом. Поговорить со всеми. Чтоб все эти мальчики могли учиться по-французски и сдать осенью экзамен. Обязательно!

— А вот доешьте свое мороженое — и ступайте себе! — одобряет дедушка.

Как раз в эту минуту в одном из соседних дворов шарманка начинает играть модный вальс «Невозвратное время». Мы прислушиваемся — и, словно по команде, пускаемся парами плясать в аллее сквера!

— Девочки! — пытается дедушка остановить нас. — Здесь же сквер, неудобно!

— Пускай пляшут! — добродушно говорит Андрей. — Кому ж и плясать, как не им! Русскую пословицу знаете? «Концы сыты — и середка весела. Середка сыта — и концы играют».

Мы пляшем! Сейчас мы побежим искать «учительниц» для товарищей Пини... Мы пляшем, хотя вокруг нас все теснее и ближе смыкается холодная, злая жизнь, хотя нам еще целых шесть лет надо учиться в нерадостном, мрачном институте...

Ничего! Мы одолеем эту учебу! Мы осилим зло и несправедливость! Мы еще увидим новую жизнь!..

Москва, 1957—1958

Конец второй книги

Книга третья
ВЕСНА

Глава первая
ПОСЛЕДНИЙ ДЕНЬ В МЛАДШИХ КЛАССАХ

С самого восхода солнца — а солнце весной просыпается рано! — я уже сплю каким-то странным сном, — раздробленным на кусочки. Часто просыпаюсь, еще сквозь сон вспоминаю: «Сегодня! Сегодня!..» Словно мне с вечера подарили какую-то радость — и она лежит тут, у меня под подушкой. Я как бы на миг ощупываю памятью эту радость — здесь она, здесь, на месте! — и снова засыпаю.

Нет, радость, которую мне подарили, не лежит под подушкой; она подмигивает мне с листка отрывного календаря на стене: *13 мая 1899 года.* Это уже сегодняшнее число. Сердце бьется веселыми толчками, такими сильными, что я даже начинаю напевать:

Мой костер в тумане светит!
Искры гаснут на-а лету!

Вообще-то я не позволяю себе петь во весь голос — из человеколюбия: голос у меня... ох! Папа уверяет, будто от моего пения

Мухи дохнут на-а лету!

Но сегодня можно позволить себе даже запеть (чуть слышно, конечно!). Ведь сегодня особенный день! Сегодня нам выдадут последние в этом учебном году «Сведения об успехах и оведении», объявят фамилии тех учениц, которые перешли в пятый класс и стали отныне — старшеклассницами!

Сегодня мы на целых три летних месяца расстанемся с институтом, где нас обучают, воспитывают и, как говорят наши «синявки» — классные дамы, — «учат всему доброму».

Мы, однако, считаем, что учат нас вот именно многому, совсем не доброму. Четыре года назад, когда мы поступали в институт, ну до чего же мы были дурочки! Не умели врать, скрытничать, притворяться, — словом, не знали простейших вещей. Теперь мы это умеем, ох, умеем! И не бездарнее, чем другие. Мы притворяемся, будто у нас болят зубы, или голова, или живот (слово «живот» «синявки» считают неприличным — мы должны говорить: «У меня болит желудок!»). Мы стонем — смотрим удивительно честными измученными глазами прямо в глаза обманываемых нами учителей и «синявок», — наши лица выражают нестерпимую боль, все для того, чтобы нас отпустили с урока, к которому мы поленились подготовиться.

Удивительно: нашу компанию подруг — Лиду Карцеву, Зарю Забелину, Маню Фейгель, Катю Кандаурову, меня — «синявки» считают «правдивыми девочками»! А мы, в общем, такие же лгуньи, как все остальные. В чем же дело? Просто, как объясняет наша одноклассница Меля Норейко: «Когда вы врете, у вас в глазах все-таки какой-то стыд есть!»

Словом, у нас нет недостатка в умении соврать, а есть только переизбыток стыда.

Сегодня кончается учебный год. Это был очень трудный год. Изо дня в день, из урока в урок нас подгоняли напоминаниями о том, что весной, при переходе в пятый класс — в старшие классы! — нам предстоят трудные экзамены, и не только письменные, как в других классах, но и устные. По всем предметам — по русскому языку и по церковнославянскому, по французскому и немецкому, по арифметике, истории, географии, физике, алгебре, геометрии, по ботанике и зоологии. Нам приходилось очень много работать, да к тому же еще изо всех сил и возможностей помогать отстающим подругам, занимаясь с ними в неучебное время.

* * *

Была у меня и моих подруг в этом году еще одна работа бесплатные уроки, которые мы даем разным людям. Трудн даже вообразить, как много молодежи — да и только ли од ной молодежи! — хочет учиться, а вот не может: нет средст Чаще всего это молодые рабочие, работницы или просто дет бедных людей, за которых некому платить в гимназии и шко лы, да и не принимают их ни в какие гимназии.

Мои ученики — два типографских наборщика. Они рабо тают в типографии, где печатается местная газета, и приходя ко мне ежедневно около восьми часов утра — за час до моег ухода в институт. Из-за этого раннего урока мне приходитс вставать рано: в половине восьмого. А для меня это ужас ка трудно! Не могу я так рано вставать — вот что хотите, н могу! Именно в этот час у меня оказывается самый неодоли мый сон — и рада бы встать, и хочу встать, огорчаюсь, что н встаю, а не могу вырваться из сна...

В течение всей минувшей зимы каждое утро, в половин восьмого, Юзефа, моя бывшая няня (теперь няня моег младшего брата, Сенечки), приходила меня будить. Сквоз сон я слышала, как она тормошила меня:

— Вставай, гульта́йка (лентяйка)! Вставай! Молоко Пришли твои у́чни (ученики).

Но я почти не соображала, о чем бубнит Юзефа. Какое то молоко. Какие-то учни... Молоко-коломо... у́чни-му́ч ни-ску́чни... Молоколо... Коломоло...

И я ни за что не могла заставить себя проснуться, вылезт из теплой постели, нашарить ногами туфли (окаянные туфли всегда они почему-то успевают за ночь разбрестись по все комнате, ищи их!). Не хотелось бежать мыться — ведь кра только и ждет моего появления, чтобы начать плеватьс струей холодной воды.

— Ну что за малодушие! — сердится папа. — Неужел ты не можешь вставать, как люди встают?

— Не могу... — говорю я виновато.

Перед папой мне было особенно стыдно. Ведь он встает так быстро, когда его зовут ночью к больным! Бывает, что он ишь незадолго перед тем лег, только что возвратившись от ругого больного, — устал, еле держится на ногах, а вот поди ы! Вскакивает, быстро моется, одевается, собирает свои едицинские инструменты — поехал! Бывает, что Юзефа, оторая его будит, делает это неохотно — ей жалко папу: не ают ему, бедному, поспать! Иногда между папой и Юзефой озникают при этом короткие стычки.

— Пане доктоже... — говорит Юзефа нерешительно. — I им скажу, чтоб к другому доктору пошли, а?

— Опять ваши глупости, Юзефа! Чем вам этот человек е понравился, который за мной пришел?

— А чему ж там наравиться? — говорит Юзефа с сердцем. — Бахрома на штанах, а пальтишко, как у шарманщика. Он вам и пяти копеек не заплатит — от помяните мое лово!

— Юзефа! — грозно рычит папа.

— «Юзефа, Юзефа»! Пятьдесят лет я Юзефа! Приходят олодранцы, а вы бежите к ним со всех ног, как пожарный ли солдат.

— А по-вашему, болезнь не пожар, не война?..

Так относится к своим обязанностям папа. И от этого мне ывало нестерпимо стыдно всякое утро, когда начиналась, ак называла Юзефа, «тиатра» с моим вставанием.

— Что ты за человек? — огорчался папа. — У тебя нет оли даже для того, чтобы заставить себя встать!

Это и меня огорчало. Без воли куда я гожусь? Для любого одвига, даже самого пустякового, — например, для того, тобы спасти утопающего в реке человека, — нужна воля! Ведь не угадаешь, в какое время года человек вздумает тонуть! Вдруг осенью или даже зимой? Как же я заставлю себя, если у меня нет сильной воли, броситься в холодную воду или даже вовсе в прорубь? Или вот. Недавно я читала об одном замечательном ученом: он сам себе привил чуму — и до последних минут жизни, уже умирая, вел наблюдения и записи о своем состоянии. Разве без воли такое сделаешь?

Даже для того, чтобы учиться — а ведь я мечтаю после окончания института поступить на Высшие женские кур-

сы, — для этого тоже нужна воля, и не малая! Надо учиться
работать, а мне вдруг захочется в театр!

— Через несколько минут к тебе придут ученики, а теб
невозможно вытащить из постели, — сердился папа.

— Они подождут пять — десять минут!

— Какая гадость! — Папа смотрел на меня с брезгливо
стью, словно на клопа или на жабу. — Эти люди всю ноч
работали в типографии. Им, поди, тоже хочется спать, ещ
сильнее, чем тебе: ты ночью спала, а они стояли у наборно
кассы. Но они не пошли домой, не легли спать — они при
шли к тебе на урок. А ты заставляешь их дожидаться! Ты
оскорбляешь, унижаешь их — вы, дескать, бедняки, я с ва
денег не беру, значит, не обязана я обращаться с вами веж
ливо!

Я понимала все это. Я не могла спорить с папой. Мне
самой было стыдно, даже очень. Но вот... никак не могла я
вставать вовремя по утрам!

— Воспитывай в себе волю! — настаивал папа.

— А как это делать? Я не умею...

— Начни с малого — заставляй себя делать все то, чего
тебе делать не хочется!

Легко сказать! Я бы очень хотела научиться делать все
чего не хочу делать, и даже хотя бы есть все то, чего я терпеть
не могу. Но... не дается это мне. Никогда я не ела морковных
котлет — косоротилась! — и, сколько ни стараюсь, не лезут
они мне в горло. И молоко с пенками как ненавидела, так и
ненавижу. И вот ни за что не могу я принудить самое себя
вставать сразу, после первой Юзефиной побудки: «Вставай,
гультайка!»

Отчаявшись пронять меня доводами разума, папа перешел к более решительным мерам. Сперва он только грозился:

— Не встанешь — оболью холодной водой! Честное слово, оболью!

Но я только бормотала сквозь сон:

— Сейчас, папочка, сейчас... Сию минуту... — и продолжала спать.

* * *

И тогда это случилось! В одно утро папа рассвирепел. Притащил из кухни ведро холодной воды и опрокинул его над моей головой. Вот это было пробуждение!

Что тут началось!

Мама плакала:

— Боже мой, Яков, сошел с ума!

Младший мой братишка, Сенечка, прибежал на шум босиком, в ночной рубашке. Он счастливо хохотал-заливался, хлопал в ладоши, радостно пищал:

— Еще, папочка, еще! Облей ее еще раз!

Совершенно разбушевалась Юзефа. Громко рыдая, она выкликала свои любимые заклинания, обрывки молитв «по-латыньски»:

— Езус-Мария! Матка боска! Остробрамска! Ченьстоховска!

Вытащив меня, мокрую как мышь, из залитой водой постели, Юзефа больно растирала меня мохнатой простыней и причитала на весь дом:

— Чи ж гэто не шкандал? Вода холодная, застудится ребенок, заболеет — тогды будете знать!

Но папа в воинственном задоре орал-грохотал:

— Ничего ей не сделается, здоровей будет! Хорош ребенок — в пятый класс переходит! Четырнадцать лет скоро стукнет!

Наконец все утихомирилось. Все ушли из комнаты. Остались только Сенечка, все еще хохотавший, да я. Я сердито, рывками, одевалась, швыряя вещи, не попадая пуговицами и крючками в застежки и петли.

— У, гадюка! — шипела я на Сенечку. — Гадюка противная!

Подвижное лицо Сенечки мгновенно изменило выражение. Вскинув голову в золотых кудрях, он от удивления даже чуть приоткрыл рот:

— Это я гадюка противная?

— Да, да! Ты гадюка! — настаивала я, причесываясь и яростно выдирая гребенкой волосы. — Сколько у тебя сестер? Одна сестра! Ее холодной водой облили — другой заплакал бы, а ты... обра-а-адовался! Никогда ты не перегонишь губернатора! Никогда!

Это страшное пророчество попало Сенечке в самое больное место. Мы живем в Губернаторском переулке; в окна квартиры виден губернаторский дом. По утрам, когда Сенечка слишком медленно одевается (папа требует, чтобы он одевался сам), ему говорят, показывая на окно:

— Видишь? Губернатор уже лифчик надел. Он уже и штанишки к лифчику пристегивает, а ты все копаешься!

В окно, конечно, нельзя увидеть, как губернатор застегивает штанишки, — окна нашей квартиры выходят на какие-то служебные помещения в губернаторском доме. Но Сенечка твердо верит, что в окно виден губернатор и что губернатор одевается наперегонки с ним.

Сенечка изо всех сил торопится, быстро-быстро одевается — и наконец кричит с торжеством:

— Вот, все готово! Я раньше, чем губернатор, да?

А тут вдруг я — старшая сестра и, по мнению Сенечки, выдающаяся личность! — сказала ему, что он *никогда* не перегонит губернатора. Жалобно скривившись, Сенечка заплакал — разинул рот, как галчонок, и запищал... С усилием, сквозь плач, он выдавил из себя:

— Сама гадюка! Не Сашенька, а... Сашка! — И, вконец расстроившись, Сенечка с отчаянием обещал: — Три года буду плакать!

Мне стало жалко братишку и стыдно того, что я срываю на нем злость.

— Не реви, дурачок! — говорила я, обнимая и целуя его. — Я пошутила. Перегонишь ты своего губернатора, увидишь!

Сенечка перестал скулить, но он уже приготовился обижаться, и ему было трудно так быстро — раз, раз — успокоиться. Ему хотелось сказать мне тоже какие-нибудь обидные слова. Я знала — сейчас он непременно вспомнит случай, когда мы с ним, играя, перебрасывались апельсином и я нечаянно угодила апельсином в его, Сенечкину, голову. Он никак не может забыть этот случай. При каждой ссоре припоминает мне, какая я тогда была злая, нехорошая.

— Я же не нарочно!

— Все равно! Апельсином прямо в голову!

— Тебе ведь не было больно.

— Все равно. Я ужасно испугался. Это тоже очень вредно для здоровья!

После этого памятного утра, когда папа облил меня водой, Юзефа завела новый порядок. Каждое утро она подходит к моей кровати, держа в руках полотенце и небольшой тазик. В тазике — смотря по сезону — холодная вода или снег. Намочив конец полотенца в воде или набрав в него горсть снегу, Юзефа быстро обтирает мне, спящей, лицо. Эффект волшебный и молниеносный: сон мгновенно улетучивается, словно его выпустили в форточку. Я вскакиваю, как встрепанная, и бегу умываться. С тех пор папа со мной уже больше не воюет, а ученикам моим не приходится дожидаться ни одной минуты: к их приходу я совершенно готова.

Юзефа очень горда своей «приду́мкой»!

— От говорили: Юзефа — мужик, Юзефа — хамук! Ну-к, что ж? Я не доктор, не лакей с ресторана — в храке не хожу! А кто удумал будить без шкандалу? Юзефа удумала!

Но сегодня — в последний день перед каникулами — Юзефе даже не надо пускать в ход холодную воду: к ее приходу я уже не сплю, я проснулась самостоятельно. Сегодня — последний день в четвертом классе. Ура! Скоро переедем на дачу. Ур-р-ра!

Один из моих учеников — старший по возрасту — еврей. Другой — русский.

Когда они пришли ко мне в первый раз, старший сам представился и представил своего товарища:

— Меня зовут Шнир. Азри́эл Шнир. А про него... — Он указал на товарища. — Вы даже не поверите, как его зовут. Он... Степа! И не в том дело, что Степа, а в том, что и фамилия у него Разин! Полный Степан Разин — ни больше ни меньше!

Тут Степан Разин так весело захохотал, словно он и сам только сейчас впервые услыхал, какая у него знаменитая фамилия.

Обучаются у меня Шнир и Разин немецкому и французскому языкам. Это нужно им для того, чтобы набирать иностранный шрифт. Тогда им как работникам более высокой категории и платить будут больше.

У Шнира совсем серое лицо. Эта свинцовая серость никогда не оживляется даже самой слабой розовинкой.

— Это меня буквы съели, — показывает Шнир на свои щеки. — Свинцовые буквы — они, знаете, очень вредные. Вот Степка (показывает он на Разина) — он у нас еще молодое те́ля (теленок), недавно стал наборщиком. Буквы еще только подбираются к нему, но кровь пока не сосут!

И он грубовато-ласково шлепает Степу по спине. Вообще они дружные парни, хотя все время поддразнивают друг друга. Удивляет меня, как много они знают, сколько книг прочитали. Ну, да ведь им и книги в руки: они постоянно имеют дело с газетами и книгами. От этого же, вероятно, Шнир говорит по-русски вполне грамотно и чисто.

Степа Разин зовет своего товарища, Азри́эла Шнира, Азоркой. Я как-то спросила Шнира, не обижается ли он на собачью кличку.

— А чего обижаться? — даже удивился Шнир. — Собаки — это ведь милейшие люди!

Бывает, что Степа, начав что-нибудь рассказывать, вдруг спохватывается и обращается к Шниру: «Азорка, а?»

Иногда Шнир отвечает: «Да». Тогда Степа продолжает свой рассказ. Однако бывает и так, что Шнир спокойно и твердо режет: «Нет!»

Тогда Степа умолкает на полуслове.

Степа, видно, сам побаивается своей мальчишеской болтливости, боится сказать лишнее. Шнир, как старший, решает, можно сказать то или другое при мне или нельзя.

Учатся оба с поразительным упорством. Шрифт, как французский, так и очень трудный готический, немецкий, одолели очень быстро. Поначалу они просили меня, чтобы и не «мучила» их, не добивалась правильного произношения.

— Нам ведь не на балы ходить, — доказывал Степа, — нам иностранный шрифт набирать надо. Вот вы говорите: «боку», это значит: «много» или «очень». А мы будем набирать не так, как это выговаривается, а так, как пишется: не «боку́», а «беа́юкою́п».

— Или еще: вы говорите: «прэнта́н» (весна) и «рандеву» (свидание). А мы будем набирать так, как эти слова пишутся: «принтэ́мпс» и «ре́ндец-во́ус», — добавляет Шнир.

Мне нелегко было убедить их, что по такому методу изучить иностранный язык нельзя. Но потом они все-таки сдались. Как объяснил Шнир: подумали, подумали — и поняли, что я права.

Теперь они усиленно стараются овладеть не только тем, как слова набираются, но и тем, что они означают.

— Правда ваша: если мы не будем понимать, так мы будем набирать, как болваны. Опять плохо! — И Степа добавляет мечтательно: — Я вам скажу по секрету. Есть две-три немецкие книжечки. Их мы все-таки хотим прочитать по-немецки! Хоть когда-нибудь, хоть через несколько лет!

— Какие книжечки? — спрашиваю я.

Степа вопросительно смотрит на Шнира:

— Азорка, а?

— Да. Только я сам скажу. — И Шнир говорит мне: — Вы хотите знать, какие книжки мы хотим прочитать по-немецки? Ну, как вам сказать? Про эти книжки вы, может, никогда и не слыхали!.. Я вам скажу, скажу! — спешит он загладить неловкость — ему кажется, что он меня обидел. — Я вам непременно расскажу про эти книжки, только не сегодня. В другой раз, когда мы с вами лучше познакомимся. Ладно?

Иногда речь заходит у нас о тех или других событиях, происходящих в нашем городе, или вообще в России, или даже «в заграничном мире». Степа и Шнир часто оценивают эти события не так, как пишут в газетах, даже не так, как иные люди, приходящие к нам в дом. Когда я спрашиваю об этом папу, то порой он думает так, как Степа и Шнир, а иногда и не так. Вот не так давно Соединенные Штаты Америки вели войну с Испанией из-за острова Кубы. Одни считали, что права Испания, другие — что правы Соединенные Штаты. Шнир и Степа говорили об этой войне сдержанно, словно даже неохотно. Когда я спросила, кому они желают победы, Степа усмехнулся и по своему обыкновению подмигнул Шниру:

— Азорка, а?

— Конечно! — отозвался Шнир. — Пусть она знает. Объясни ей, Степа, кому мы с тобой сочувствуем: Испании или Америке.

Степа посмотрел мне прямо в глаза и коротко бросил:

— Никому!

— Кому тут сочувствовать? — стал объяснять Шнир. — Испании, что ли?

— В газетах пишут: Испания раньше владела Кубой... — вспомнила я.

— Испания раньше *захáпала* Кубу! — перебивает меня Шнир. — Испания силой завладела Кубой и с тех пор только и умела, что мучить этих несчастных кубинцев: жечь, резать, грабить их... Разобьют Испанию — так ей и надо! Но, если победят американцы, тоже радоваться нечему: они эту Кубу обдерут как липку! Из-за того и воюют, чтобы захватить богатства Кубы.

— Так кому же сочувствовать? — недоумеваю я.

— А кому вы будете сочувствовать, если при вас два вора подерутся из-за награбленного добра? Никому, да?.. Правильно! Вор у вора дубинку украл. Нехай они этой дубинкой друг другу башку продолбают!

Иногда во время нашего урока в комнату входит папа. Часто он как раз в это время возвращается домой после бессонной ночи, проведенной у больного.

— Здравствуйте, шестая держава! — здоровается папа со Степой и Шниром («шестой державой» называют печать).

Здороваясь с папой, мои «учни» вежливо встают.

— Ну, что будет сегодня в газетах? — интересуется папа.

В этот ранний час почтальоны еще не успели разнести местную газету, а столичные газеты прибывают еще позднее — в середине дня. Но мои ученики знают все новости: они набирали номер минувшей ночью. И они с готовностью сообщают папе содержание всех телеграмм.

А сегодня, сегодня — в знаменательный день, последний день учебного года! — Степа и Шнир пришли на урок почему-то взволнованные и сразу спросили, дома ли папа.

— Дома, дома! — раздается голос папы, и он входит в мою комнату. — Ну что? Опять кто-нибудь из вас руку повредил?

— Что руку! Что повредил! Совсем другое, господин доктор!

— Вижу, вижу — шестая держава принесла новости! — И папа с интересом смотрит на наборщиков.

— Да еще какие новости! — сияет Степа. — Закачаться!..

А Шнир объявляет торжественным голосом:

— Вчера крейсер «Сфакс» отплыл к Чертову острову!.. — И, не выдержав торжественного тона, Шнир расплывается в счастливой улыбке. — За Дрейфусом, господин доктор!

— Значит, значит... — Голос папы внезапно словно хрипнет. — Дело Дрейфуса постановили пересмотреть?

— Да! — отвечают в один голос Степа и Шнир. — Да, дело будет пересмотрено!

— А пока, — добавляет Шнир, — за Дрейфусом отправлен крейсер «Сфакс»!

Папа часто-часто моргает — это бывает у него, когда он волнуется. Потом крепко жмет руки Шниру и Степе:

— Вот она, правда!

— Правда! — ликует Степа. — Правда — это ого-го!

— Одним словом, — заключает Шнир, — правда — это правда! Ни больше ни меньше.

После ухода наборщиков я обнаруживаю, что они забыли у меня на столе свой учебник немецкого языка, — наверное, от радости, что «Сфакс» плывет за Дрейфусом!

Для длинного разговора с папой уже нет времени — мне надо отправляться в институт. Но все-таки я хочу хоть кратенько спросить:

— Папа, что вы тут говорили про Дрейфуса?

— А ты разве не знаешь из газет?

— Знаю, только не всё. Газеты всё гадают, будет пересмотр его дела или нет. Они пишут: Дрейфус невинно осужден. Это я знаю. Я только уже не помню, как все это началось.

— Почти пять лет назад, — уточняет папа.

— Вот, вот! Я тогда была маленькая, в первом классе. Ты мне расскажешь, папа?

— Ну как я тебе расскажу? Я уже и сам не все помню... Ох, был бы Александр Степанович Ветлугин! Он бы нам все выложил — до последней горошинки. Да где он, Александр Степанович!

— А куда он пропал?

— Вспомнила! Он еще прошлой весной в Париж уехал. С богатыми купцами Сметаниными. На целый год. Он там с их детьми заниматься будет, да и взрослым пригодится как переводчик, — они не знают французского языка. За него-то я рад — он ведь здесь бедствовал: из гимназии, где он преподавал, его уволили... Очень мне его недостает! Удивительно разносторонне знающий человек!

За дверью слышно покашливание: «Г-хм...» В комнату снова входят Шнир и Степа Разин.

— Извиняемся. Мы тут у вас книжечку свою забыли.

— Когда мы сейчас входили, — добавляет Степа, — вы тут говорили про господина Ветлугина, да? Так вот — он уже приехал из-за границы.

— Александр Степанович приехал? — радуется папа. — Словно угадал, что нужен он нам! А вы его знаете?

— Еще как знаем! — весело докладывает Степа, но тут же почему-то спохватывается. — Азорка, а?

— Нет! — твердо обрубает разговор Шнир. — До свидания!

Они уходят.

— Да-а-а... — задумчиво тянет папа. — Вот за это самое, за то, что водит он знакомство с рабочими, ходят они к нему, книжки он им, наверное, дает, — вот за это и уволили Александра Степановича из гимназии. Только смотри! — вдруг спохватывается папа. — Об этом никому: ни подружкам, ни игрушкам!..

Туповатый все-таки народ — взрослые! Ну когда такое было, чтобы я что-нибудь секретное выболтала? Не бывало такого никогда. И пора бы уже папе соображать! «Ни подружкам, ни игрушкам». В куклы, что ли, я играю?

Мама входит очень недовольная:

— Яков! Девочка опоздает в институт. Прекрати заседание!.. А об Александре Степановиче забыла тебе сказать. Прости, пожалуйста! Я его вчера на улице встретила. Вернулся из-за границы — ну такой же, каким уехал! Даже шляпы новой в Париже не купил. Только на глазах у него теперь вместо абажурчика темные очки.

— А когда он к нам придет, не говорил он тебе?

— Сегодня придет, сказал. Кланялся тебе, о Сашеньке спрашивал... Да пойдешь ты наконец в институт? — сердится мама. — Пять минут десятого!.. Вы тут о Дрейфусе разговаривали, а уж у нее, наверное, муравейник так и работает!

«Муравейник» — так мама называет мою голову. Что ни попади в этот муравейник извне — жучок, листок, щепочка, сосновая шишка, пучок хвойных игл, — со всех сторон сбегаются муравьи, осматривают новинку-находку, шевелят ее, переворачивают, тащат куда-то. Так и моя голова! Прочитаю ли о чем-нибудь, услышу ли — и пошла работа! О Дрейфусе я помню: из-за этого дела тогда волновался весь наш дом, все знакомые. И меня тоже это зацепило в то время: как же так — невинного человека словно зарыли заживо в могилу на далеком, почти необитаемом острове! Но мне было всего десять лет, очень многого я во всем этом просто не понимала. Кто сделал это черное дело, для чего сделал? Потом, когда мне уже минуло двенадцать, дело это снова всплыло. Однако и тут в моей голове еще не все дозрело для полного понимания, почему мир волнуется из-за этого французского офицера.

Вот сейчас я, видно, «доросла». С той минуты, как я услыхала разговор папы со Шниром и Степой, словно лопату воткнули в мой «муравейник»! Спускаюсь по лестнице, выхожу из подъезда на улицу — в голове мысли бегут, сталкиваясь, наступая друг другу на ноги... И я уже понимаю — так бывало со мной не раз, — я не успокоюсь до тех пор, пока не узнаю, не осмыслю всего того, что мне сейчас еще неясно.

На улице неожиданный сюрприз! У подъезда — дедушка.

— Дедушка, ты?

— Нет! — отвечает дедушка. — Это не я, другой кавалер!

— Ты ждешь меня, дедушка?

— Нет, не тебя! Голландскую королеву Вильгельмину!.. Ну что ты глупости спрашиваешь? Конечно, я жду тебя. У тебя сегодня последний день ученья? Ну, я провожу тебя в институт — парадно! Ты что, не рада?

Сказать по правде, по самой настоящей правде, — нет, я не рада своему торжественному спутнику и провожатому. Я очень люблю своего дедушку — он замечательный: и добрый, и веселый. Но ходить с ним по улицам — это мучение. Дедушка не может — ну вот просто не может, и всё! — пройти мимо чего-либо и кого-либо как сторонний человек: он вмешивается во все, что видит. Кто-то с кем-то ругается — ну какое до этого дело дедушке? Нет, он обязательно будет разбирать, кто прав, кто виноват, да еще сделает участникам перебранки строгое замечание: «Ругаться на улице неприлично! Человек должен быть человеком, а не свиньей!»

Это, кстати сказать, любимое дедушкино изречение.

Если где дерутся, держите дедушку! Он тоже лезет в драку.

Когда ему говорят:

— Зачем вы заступаетесь за незнакомого человека? Может быть, его бьют за дело.

— Втроем — на одного? — удивляется дедушка. — Это не может быть «за дело»! Люди должны быть людьми, а не свиньями!

Конечно, дедушка справедливый человек. И смелый. И очень сильный физически, даже теперь, когда он уже старый. Но ходить с ним по улице — мука! Он вмешивается во все скандалы!

Он воспитывает всех жителей города! Он учит всех вести себя пристойно... Несчастье, а не дедушка!

— Дедушка, — спрашиваю я, — а если бы генерал-губернатор ругался и дрался на улице, ты бы и ему сказал, что человек должен быть человеком?

— А как же иначе? — искренне удивляется дедушка. — Если он генерал-губернатор, так ему можно быть свиньей?

Случается даже так, что дедушка обрушивается на какую-нибудь уличную торговку и долго отчитывает ее за то, что она сморкается первобытным способом: при помощи пальцев.

— Старый вы скандалист, папаша! — укоряет дедушку мама. — Ну не все ли вам равно, как сморкается уличная торговка?

— Нет, — упрямо твердит дедушка, — мне это не все равно. Человек должен быть человеком. А она этими засопленными пальцами трогает потом свой товар — ириски, яблоки, вареные бобы...

— И вы должны ее судить, да?

— Я должен ее учить, — поправляет дедушка.

— Да ведь она темная, необразованная!

— Я сам необразованный. Даже грамоте выучился по уличным вывескам. Если бы меня, маленького, учили, — господи, я бы знал все на свете! Людей надо учить — ну и я тоже учу их чему могу.

— Брось, папаша! Нашел дело — учить людей сморкаться! — вмешивается папа. — Ступай уж лучше прямо в миссионеры!

— В миссионеры? — переспрашивает дедушка с величайшим презрением. — Это которые едут в Африку и учат негров всяким глупостям? Нет, не желаю!

— Почему?

— Потому что негры могут мне сказать: «Господин Яновский, не мешайтесь в чужие дела! Ступайте к черту!» А что я им на это отвечу? Они же будут правы.

Тут в спор вступает дядя Николай:

— Зачем папаше быть миссионером? — говорит он, хитро прищурившись. — Сам Бог велел папаше быть тореадором. Он очень талантливо обращается с рогатой скотиной...

И все хохочут. Даже сам дедушка сконфуженно улыбается.

Смеюсь и я, хотя тот случай, на который намекает дядя Николай, произошел, когда меня еще и на свете не было.

Было это давно — в нашем городе жил тогда козел. Как в песенке поется: «Жил-был у бабушки серенький козлик...» Только этот козел жил не у бабушки, был не серенький, даже не козлик, а старый, грязный, вонючий козлище, весь в репьях, со свалявшейся шерстью и длинной бородой — она тряслась, когда козел блеял. Как у всех козлов, морда его улыбалась почти насмешливо. Козел был злой, сильный и — ничей: хозяин его был неизвестен.

Жили тогда дедушка и бабушка в пригородной слободке. Дома там были почти все деревянные, пожары бывали часты. Для борьбы с этим бедствием жители устроили так называемую вольную (то есть добровольную) пожарную дружину. Слободка очень гордилась своей дружиной. Да и было чем гордиться!

— Бывало, — рассказывал мне дедушка, — мчится на пожар дружина, кони (положим, клячи, но все-таки — кони!) везут на двух телегах насос, кишку, лестницы, всякую пожарную снасть. На передней телеге пожарный все время звонит в колокол, сзывает народ на пожар. А начальник вольной пожарной дружины — был такой белорус Лявон Пинчук — здорр-ровый мужчина, сквернослов, не приведи бог. Ну просто, я тебе скажу, никакого театра не надо! Стоит Лявон, подбоченившись, и командует: «Ваду́, собачьи дети! Ваду́ давайтя! (Воду давайте!)» Красота!

Вот у этих «вольных пожарников» и прижился ничейный козел. Он ночевал в пожарном депо, то есть в сарае, где хранились насос с кишкой, лестницы и прочее имущество дружины. Ночью козел охранял все это лучше, чем собака, — воры боялись свирепого козла.

Днем козел бродил по слободке, жрал, что попадалось. Норовил обглодать молоденькие фруктовые деревца, яблоньки, вишни, кусты акаций. Но не брезговал ни бумагой, ни отбросами. Больше всего обожал табак и махорку.

Но где бы козел ни находился, какое бы лакомство ни послала ему судьба — хотя бы папиросы! — стоило ему только заслышать издали звон пожарного колокола, как он, бросив все, мчался сломя голову догонять телеги с насосом, кишкой и пожарными лестницами. Козел, видимо, считал своей служебной обязанностью присутствовать на всех пожарах.

Остряки уверяли даже, будто на смотрах вольной пожарной дружины козел важно занимает место на левом фланге пожарников!

Звали этого замечательного противопожарного козла... ну конечно, его звали Брандмайор (так назывались тогда начальники пожарных дружин).

Случилось как-то, что дедушка, сидя один дома, услыхал со двора отчаянную ругань. Дедушка выглянул в окно. Сосед-извозчик, пьяный, чистил сбрую и грубо ругался, а во дворе играли дети.

Дедушка крикнул извозчику, чтобы не ругался. Извозчик стал ругаться еще хлеще.

Дедушка вышел во двор:

— Я тебе, пьяному дураку, сказал, чтоб не ругался при детях!

— А почему же это мне не ругаться?

— А потому, — сказал дедушка с удовольствием, — что человек должен быть человеком, а не свиньей!

Извозчик спьяну обиделся и полез драться.

— Стах, — миролюбиво остерег его дедушка, — не дерись! Ты пьяный, на ногах не стоишь. Я из тебя каклет сделаю!

Драка все-таки состоялась. Никто не мог разнять дерущихся — изо всех окон смотрели одни только женщины и дети.

В пылу драки противники не заметили, как во дворе появился пожарный козел Брандмайор. Козел зашел извозчику в тыл и поддал ему рогами под зад. Извозчик заорал; от удара Брандмайоровых рогов он отлетел, как пушинка, к помойной яме и ткнулся в нее головой. Во всех окнах исчезли лица детей и женщин — от ужаса они с криком присели на пол.

Затем... затем во дворе наступила странная тишина. Все понимали, что если извозчик и успел крикнуть, то дедушку козел, наверное, тряханул так, что вышиб из старика дух.

Осторожно, замирая от страха, женщины и дети снова прильнули к окнам и — остолбенели.

Извозчик стонал, лежа около помойной ямы. Дедушка сидел на бревне в самом углу двора и кормил козла Брандмайора папиросами.

— Ешь, подлая твоя душа! — приговаривал дедушка. — Не абы какие папиросы — собственной набивки. Ешь, чтоб ты подох!

Брандмайор с аппетитом, с жадностью пожирал папиросы и — пока ел — никого не задирал. Но папиросы убывали, коробок в дедушкиной руке был почти пуст... Что произойдет после того, как Брандмайор сожрет последнюю папиросу?

И произошло чудо! Козел вдруг перестал есть, поднял голову. Он словно прислушивался к чему-то... И, раньше чем дедушка различил смутный отдаленный звон, козел стремглав умчался прочь. А через короткое время по улице, мимо дома протарахтели пожарные телеги с насосом, кишкой и лестницами, а за ними озабоченно бежал козел Брандмайор.

Еще через несколько минут дедушка помогал извозчику Стаху встать на ноги, приговаривая:

— Эх, ты-ы-ы! Пьяный, ругаешься, лезешь в драку. Человек должен быть человеком, а не свиньей!

— Дедушка, — спросила я как-то, — а почему ты догадался усесться на бревне и угощать козла папиросами?

— Я? Догадался? Чтоб мои враги так о своем счастье догадались! Не догадался я — меня козел загнал на бревно. И что мне оставалось делать, как не угощать его, подлеца, папиросами?

Скажете, дедушка — молодец? Конечно, молодец! Но все-таки ходить с ним по улице несносно. Вот и сейчас — он провожает меня в институт, а сам только и высматривает, не ни где поблизости таких человеков, которые не хотят быть человеками.

— Дедушка, — говорю я, чтобы отвлечь его внимание от окружающего, — ты слышал? На Чертов остров отправили крейсер «Сфакс» за Дрейфусом!

Дедушка внезапно останавливается как вкопанный.

— Что? Что? Что? — кричит он вдруг не своим голосом и добавляет тихо, как бы со страхом: — Ты не шутишь?

— Какие шутки, дедушка! Это будет сегодня в газетах.

Дедушка потрясен. Он что-то бормочет, он обнимает и целует меня.

— Вот умница, вот умница! — бормочет он. — Ты на меня не рассердишься, если я тебя оставлю? Я побегу к бабушке — расскажу ей. Ты на меня не рассердишься?..

И, не дожидаясь моего ответа, дедушка рысью мчится к своему дому. А я — уж так и быть! — не сержусь. Ох, без дедушки на улице спокойнее!

И невольно я думаю: «Что же это за «дело Дрейфуса», которое мгновенно укротило моего неукротимого дедушку?»

Глава вторая
ВЕЧЕРИНКА «КАК БУДТО БЫ»

Ну вот мы и старшеклассницы. И, конечно, полны радости освобождения от института. Хотя и не навсегда — к сожалению, это еще только через три года наступит! — но до осени, и то хлеб!

Выдали нам сегодня последние в этом году «Сведения об успехах и поведении». У всех нас они хорошие. Маня и Лида переведены в пятый класс с первой наградой, я — со второй. Без грусти простились мы с Моргушкой — нашей классной дамой. Прозвище это дано ей за привычку часто-часто моргать по всякому поводу. Сердится — моргает, довольна — тоже, расстроена или растрогана — опять моргает.

Прощаясь сегодня со мной, Моргушка объяснила мне:

— До сих пор вы переходили из класса в класс с первой наградой. Но... — тут Моргушка заморгала, как нанятая, — в этом году педагогический совет постановил дать вам только вторую награду: из-за шалостей и болтовни во время уроков! Подумайте об этом, дружочек мой (снова морг-морг-морг)... На летнем досуге подумайте!

Спасибо за «дружочка», дорогая Моргуша, но думать об этих вещах я «на летнем досуге» не собираюсь! Не хочу портить себе долгожданный летний досуг. Какие такие числятся за мной шалости, хоть убейте, не помню! По моему мнению, я вела себя довольно прилично. А вот болтать — это точно: болтаю! Ну, да ведь без этого на иных из наших институтских уроках и помереть недолго. Вот так — очень просто! — захлебнешься скукой и пойдешь ко дну... Пишите, машите!

Ну, в общем, сейчас все это — уже дело прошлое. Такое прошлое, что его можно забыть, не вспоминать во все время летних каникул — до конца августа.

Когда я, ликуя, прибегаю в этот день домой, — «Перешла! Со второй наградой!» — я застаю у нас гостя, любимого папиного гостя, Александра Степановича Ветлугина. И так удачно пришел Александр Степанович — словно подкараулил! — застал папу дома! Правда, папа, как он выражается, «заскочил» домой лишь на короткие минуты между двумя больными, но все-таки они встретились, и оба рады, что могут перекинуться хотя бы самыми важными мыслями, накопившимися за целый год отсутствия Александра Степановича.

Я очень люблю смотреть, как папа встречается со своими друзьями, с теми, кого он любит и уважает.

К маме очень часто приходят и «забегают» ее знакомые. Среди них есть, конечно, и настоящие мамины друзья, но чаще всего это ни к чему не обязывающие знакомства и ничего не значащие, даже не запоминающиеся разговоры. Прибежали, расцеловались с мамой: «Ах, дорогая, вы слыхали?» — «Милая, это ужасно, совершенно ужасно!» (или, наоборот: «Это прелестно, совершенно прелестно!») — «Ах, вчера Самойлов играл Гамлета, это невозможно описать!» — «Куда же вы спешите?» — «Ах, не говорите, миллион всяких дел!» Опять расцеловались — и нет гостьи: убежала! Зачем она примчалась, почему улетучилась, что ей было нужно — непонятно. Через пять минут после ее ухода мама забывает о ней.

Только Юзефа ворчит, передразнивая гостью:

— И ту́-ту-ту! И тру́-ту-ту! И чмок-чмок-чмок! А, бодай ее!..

А вот папа встретился с Александром Степановичем: они обрадовались друг другу (год не видались!), даже обнялись, расцеловались, хотя и по-мужски бестолково, неумело, и жмут друг другу руки, а папа даже ласково трясет Александра Степановича за плечи. И оба взволнованы, даже растроганы встречей.

— Ну как? — спрашивает папа неизвестно о ком и о чем.

— Шлепаем помаленьку! — весело отвечает Александр Степанович.

Такой не очень, по правде сказать, толковый разговор происходит между ними всякий раз после какой-нибудь отлучки Александра Степановича по своим делам в другой город. И всякий раз мне кажется — нет, не «кажется», а я *знаю, чувствую*, — что папа почему-то беспокоился об Александре Степановиче и радуется, что с ним все, оказывается, благополучно.

Александра Степановича я помню очень давно — еще когда я была совсем маленькая. Все эти годы он приходил к нам почти каждый вечер.

— Я у вас ручное домашнее животное! — говаривал он иногда шутя.

— Ну, какое вы домашнее животное, когда вас даже чаем не напоишь: брыкаетесь! — сердилась иногда мама. — Терпеть не могу гостей, которые ничего не пьют и не едят!

— Кто же виноват, Елена Семеновна, что вы, как гоголевский помещик Петр Петрович Петух, заявляете своим гостям: «На что вы мне нужны, если вы уже пообедали?» — посмеивался Александр Степанович.

Но, в самом деле, то ли от большой застенчивости Александра Степановича, то ли от его постоянной боязни, как бы не обременить, не быть в тягость, но прошел не один месяц и даже не один год, пока он наконец освоился у нас, перестал дичиться и сопротивляться маминому гостеприимству: стал пить чай, а иногда даже ужинать с нами.

Александр Степанович очень много знает. Папа говорит, что он богато, разносторонне образованный человек. Вероятно, есть и такое, чего он не знает, — ведь невозможно знать все на свете!.. Но мы, дети, мои подруги, я и Леня Хованский (мы с Леней с детства, как говорится, растем вместе и дружим, как брат с сестрой) — все мы уверены, что Александр Степанович знает все и обо всем. У Александра Степановича нам нравятся те черты, которые отличают его от окружающих людей, — например, его суровое, спартанское отношение к жизненным благам. Уж сколько лет мы видим на нем все тот же сильно поношенный костюм, очень пожилую шляпу, утомленные жизнью башмаки! Для того чтобы Александр Степанович купил себе что-нибудь новое, ох, для этого надо, чтобы старое износилось вконец!

Правда, Александр Степанович, вероятно, зарабатывает не много. Лет десять назад он преподавал историю в одной из мужских гимназий нашего города, но, хотя его очень любили ученики, начальство почему-то уволило его. Несколько лет после этого Александр Степанович еще донашивал форменный учительский вицмундир и, лишь когда тот совсем обветшал, заменил его штатским костюмом — самым дешевым, какой можно купить в магазине. Вот и сейчас мама удивляется: был в Париже — в Па-ри-же! — и даже шляпы новой не купил! Единственная покупка, вывезенная им из-за границы, — очки для его больных глаз. Нельзя сказать, чтобы это была уж очень роскошная обновка!

На какой заработок живет Александр Степанович? Главным образом на то, что получает за свои заметки и статьи, которые печатаются в местной нашей газете, а иногда и в столичных журналах. Статьи эти мне пока еще совсем «не по зубам». Все больше — «вопросы экономики города и деревни», и другие в том же роде. Наверное, это важные вопросы. И папа уверяет, что пишет Александр Степанович талантливо, только все это, как говорится, не по моей башке...

А пока оба друга продолжают радоваться своей встрече.

— Так, говорите, шлепаете помаленьку? — спрашивает папа и смеется весело, как будто «шлепанье» Александра Степановича — невесть какая радость.

— Шлепаем, шлепаем, — вторит ему Александр Степанович. — Нога за ногу задеваем!..

— Целый год по заграницам странствовали! Воображаю, чего насмотрелись!

— Да, — скромно подтверждает Александр Степанович. — Кое-что видел. И кое-кого... Сейчас, впрочем, главная сенсация — пересмотр дела Дрейфуса. Вся Франция — да и весь остальной мир! — кипит, как огромный котел на огне!

— Нам-то, надеюсь, подробно расскажете?

Вот в этот самый момент, когда я навостриваю уши, — сейчас Александр Степанович начнет рассказывать! — в комнату входят новые люди. Это студент Матвей Фейгель, брат моей подруги Мани, и старая Вера Матвеевна, которую все в городе называют «слепой учительницей» (она слепая на оба глаза).

— Вот, — обращается Александр Степанович к вновь пришедшим, — Яков Ефимович просит меня рассказать о загранице, о деле Дрейфуса...

— Ну, значит, мы пришли в самый раз! — говорит Вера Матвеевна.

— Чу́дно-чу́дно-чу́дно! — хлопает в ладоши Матвей.

Он вообще необыкновенно радостный юноша, и «чу́дно-чу́дно-чу́дно» чуть ли не любимое у него слово.

Тут разговор начинается, собственно, о том, что Александр Степанович не просто расскажет, но сделает подробный доклад «о загранице». И не только нам, маленькой кучке его ближайших друзей, но и более широкому кругу слушателей. К этой деловой беседе привлекается и мама. Обсуждают в подробностях, как это сделать, когда, где, перед какими слушателями, а главное: как это осуществить? Ведь публичной лекции на такую тему — да еще кому? Александру Степановичу Ветлугину! — полиция не разрешит.

* * *

Оставим ненадолго участников этой беседы. «У нас теперь не то в предмете... — как сказано в «Евгении Онегине». — Мы лучше поспешим на бал, куда стремглав в ямской карете уж мой Онегин поскакал»... Бал не бал — балов у нас не бывает, но все-таки званый вечер.

Именно так — «званый вечер» — назвал это увеселение околоточный пристав в полицейском участке, куда дедушка отправился получать разрешение на устройство в нашей квартире приема гостей. Это недавно ввели правило: если число приглашенных превышает десять человек, надо иметь специальное разрешение от полиции. Иначе могут быть неприятности: явится полиция, прервет всякое веселье, «перепишет» всех присутствующих, то есть составит протокол с подробным списком гостей — с именами-отчествами, фамилиями, адресами, — и в заключение предложит всем участникам «незаконного сборища» разойтись по домам.

За разрешением на прием гостей отправили в полицию нашего грозного дедушку. Перед тем его десятки раз молили, чтобы он не спорил с приставом, не читал ему наставлений и, в особенности, не учил его «быть человеком», и так далее, и тому подобное. Дедушка даже обиделся:

— Что это вы, скажите на милость, вгрызлись в меня, как свиньи в навоз? Что я, по-вашему, идиот? Зачем я буду учить пристава, чтобы он был человеком, когда он все равно кругом свинья, и тут уже ничем не поможешь!

В общем, как потом рассказывал дедушка, все прошло вполне благополучно.

— Званый вечер у вас? — спросил пристав очень милостиво. — А по какому случаю?

— Внучка в старший класс перешла! С наградой! — ответил дедушка не без гордости.

— А сколько гостей будет?

— Да так... — неопределенно промямлил дедушка и повертел пальцами (этого вопроса он не предвидел). — Человек тридцать. Может, и больше... Родни у нас много. Ну и знакомые тоже...

— С детя́м придут?

— С детя́м, с детя́м, а как же! Внучкин праздник!

И пристав наложил резолюцию: разрешить 17 мая вечером семейное сборище в доме врача Я. Е. Яновского.

...И вот у нас состоится, как папа называет, «званый вечер с итальянцами». Конечно, без итальянцев — откуда их взять, да и на что они? — и самый «вечер» будет только «как будто бы»! Правда, в папиной лаборатории около кабинета поставят два гостеприимно раскрытых карточных стола с непочатыми колодами карт, грудой мелков — для карточных записей — и свечами в подсвечниках. Но играть в карты не будет никто. За эти столы сядут и начнут играть «как будто бы» лишь в случае, если полиция все-таки нагрянет. О таком вероломстве полиции (ведь пристав дал дедушке письменное разрешение!) нам станет известно заранее: у подъезда с улицы и у черного хода со двора будут весь вечер сменяться дежурные студенты и гимназисты. При первом тревожном сигнале с их стороны начнется не только молниеносно игра в карты, но кто-нибудь еще и сядет за пианино и станет нажаривать веселенькую венгерку или па-де-катр, и пары закружатся в самозабвенном танце. Мама начнет разливать чай, гости налягут на угощение — вот он, званый вечер, хотя и без итальянцев! Для наибольшего «как будто бы» кто-нибудь, поднимая рюмку с вишневой наливкой, громогласно возгласит: «За здоровье Сашеньки, перешедшей в старшие классы. Ур-р-р-ра!» Полицейские, смущенно переглядываясь и переминаясь с ноги на ногу, поймут, что они ввалились зря, что здесь происходит самая настоящая семейная «вечеруха», и уберутся восвояси. Так сказать, «пришли, понюхали и пошли прочь». А все присутствующие, мгновенно прекратив танцы и карточную игру, вернутся к тому делу, для которого они сегодня и пришли: будут слушать продолжение доклада Александра Степановича Ветлугина.

Такова вечеринка «как будто бы» — не вечеринка, а замаскированный доклад, притом доклад на такую тему, которую полиция никогда не разрешит для публичной лекции.

Посещение доклада платное: каждый присутствующий платит известную сумму — сколько хочет и может, — кто рубль, кто и больше. За то, чтобы услышать, что будет рассказывать в своем докладе Александр Степанович, люди заплатят и дороже: о деле Дрейфуса в русских газетах — даже передовых — сведения очень скудны, а дело это волнует весь мир. Весь сбор с такой вечеринки — рублей семьдесят пять, редко сто — поступает на революцию, хотя об этом не говорят. Александр Степанович, конечно, не возьмет себе из этого ни копейки, а хозяева квартиры, где происходит вечеринка, берут на себя все расходы по приему, угощению и т. д. Если бы такие вечеринки можно было устраивать чаще! Но это невозможно — полиция непременно насторожится: почему это в городе открылась такая эпидемия семейных сборищ и домашних увеселений? Поэтому вечеринку сменяет лотерея — конечно, такая же законспирированная: кто-нибудь жертвует вазу или хорошую книгу, которую и разыгрывают по рублю за билет. Устраиваются и любительские спектакли, концерты, открытые лекции («Женские типы в произведениях Тургенева» или «Что такое рентгеновы лучи?»). Большая мастерица придумывать поводы для таких замаскированных денежных сборов — моя мама. Помогает при этом учащаяся молодежь. Но сердце, душа всего этого — всегда Вера Матвеевна! Старая — ей больше шестидесяти лет, совершенно слепая на оба глаза, она в общественной работе неутомима — куда молодым!

Был случай: на рабочей окраине города вспыхнул большой пожар — выгорело два корпуса Дома дешевых квартир. Было много человеческих жертв. Вера Матвеевна носилась весь день по городу, собирала для пострадавших деньги, белье, платье. Собрала всех сирот, детей погибших родителей, организовала для них кормежку, ночлег. К полуночи она еле доплелась до нас, села в полном изнеможении — и вдруг попросила:

— Дайте мне хлеба...

Ей принесли. Она ела с жадностью, ела и плакала.

— Вера Матвеевна, — сказала мама, гладя ее растрепанную седую голову, — вы сегодня, наверно, с раннего утра еще ничего не ели? Разве это можно?

— А детям... маленьким детям можно вдруг... без отца-матери? — укоризненно ответила маме Вера Матвеевна и заплакала еще сильнее.

За два дня, остающиеся до нашего «семейного вечера», надо обойти всех, кого предположено пригласить от имени мамы и папы. Их — человек пятьдесят; значит, надо обойти тридцать пять — сорок адресов. Сделают это студенты, Матвей — «чу́дно-чу́дно-чу́дно!» с товарищами, ну и, конечно, Вера Матвеевна.

Последнее всегда беспокоит маму: ведь слепая, не случилось бы чего!

— Вера Матвеевна, — говорит ей мама просительно, — с вами пойдет Сашенька. Хорошо?

— Ничего подобного! — сердится Вера Матвеевна. — Не делайте из меня калеку — терпеть не могу!

Мама смотрит на меня умоляющими глазами.

— А почему вы не хотите, чтобы я пошла с вами, Вера Матвеевна? — говорю я с обидой. — Я так люблю ходить с вами и слушать, что́ вы рассказываете!

Мама делает мне знаки: «Так, так, так...»

Вера Матвеевна смягчается — и мы выходим вместе на улицу.

Я смотрю на ее глаза. Оба они наглухо затянуты синевато-белыми пятнами — бельмами, — совсем так, как окна пустующих магазинов бывают замазаны разведенным мелом. Но эта старая женщина, совершенно слепая, ни за что не хочет «жить по-слепому»: ходить, осторожно возя ногами, словно нащупывая путь, нет ли ступенек или ям. Правда, Вера Матвеевна ходит по улице с палкой. Но палка у нее служит главным образом для того, чтобы, переходя улицу, грозить этой палкой извозчикам: «Осторожно! Не сшибите меня с ног!»

Смотреть на слепые глаза Веры Матвеевны горько, даже немножко страшно. Но Вера Матвеевна самое веселое, самое доброе существо, какое только можно вообразить. Надо слышать, как заливисто хохочет она над всякой шуткой. Она смеется, повизгивая, даже иногда всхрапывая, с радостными слезами на глазах.

— Милый вы, старый ребенок! — сказал ей однажды папа, любуясь ее веселостью, и вдруг, неожиданно для всех (и, уж наверное, для самого себя!), поцеловал Вере Матвеевне руку.

— Ба-а-атюшки! — ахнула ошеломленная старуха. — Руку мне поцеловали... — и добавила с неожиданной грустью: — Первый раз в моей жизни!

Конечно, всякого человека волнует, трогает это сочетание страшного личного несчастья: слепоты, одинокой, горькой жизни — и необыкновенной любви к людям, доброй заботы о них, умения побороть, превозмочь свое увечье, свою физическую слабость.

— Вот ты живешь дома, в семье, — сказала мне как-то Вера Матвеевна, — и бываешь недовольна, даже обижаешься: этого тебе не дали, того тебе не позволяют. А вот у меня было детство — у-у-у! У бедных людей — а мои родители, доню моя, были ой какие бедные! — у бедняков подслеповатый ребенок — это лишний рот. Хуже кошки — она мышей ловит. Хуже собаки — она хоть на чужого гавкает... Тебя дома как зовут? Сашенька, Шурочка, Пуговка... А меня, маленькую, бывало, кличут: «Где ты, слепая сова!»

Я очень люблю слушать рассказы Веры Матвеевны о ее детстве. В особенности о том, как она училась. Она не родилась слепой — у нее только было очень слабое зрение: она была, как она теперь называет, «подслеповатая». И зрение это явственно ухудшалось. Может быть, если бы ее показали врачу, она и не ослепла бы, кто знает? Но... врач! Он так же не мог появиться в халупе ее родителей над Днепром, как не могла прийти туда в гости, например, звезда с неба.

Сколько она себя помнит, Вера Матвеевна знала, что она скоро ослепнет. И она изо всех сил торопилась учиться.

— Я всегда знала: скоро мне — в темноту. Значит, надо набрать всякого хорошего, чтобы оно со мной осталось навсегда. В школу я, конечно, попасть не могла, но все-таки мне очень повезло: знакомая учительница увидела, как я хочу учиться, как стараюсь осилить грамоту... Дай Бог ей здоровья, той золотой женщине, — она со мной весь гимназический курс прошла! Когда меня при округе экзаменовали — за все семь классов сразу! — я уже мало что видела, но все сдала наизусть...

Так рассказывает мне Вера Матвеевна, пока мы ходим по квартирам тех, кого надо пригласить на наш «вечер».

— А о чем доклад? — спрашивают почти все.

— О деле Дрейфуса, — отвечает Вера Матвеевна.

— Придем! Обязательно придем! Поблагодари, Сашенька, маму, что позвала нас... А кто докладчик?

— Один журналист. Недавно из Парижа приехал...

Нам дают деньги охотно и, как говорит Вера Матвеевна, «очень прилично». И мы уходим дальше.

— Ты не думай, — поучает меня Вера Матвеевна на улице, — не воображай, будто все люди так болеют за Дрейфуса и дрожат-ненавидят его врагов. Мы ведь ходим только по знакомым. А приди мы, например, к генералу Дроздову или к жандармскому ротмистру Ланскому, нас бы прогнали да еще собак на нас спустили. А может, и арестовали бы. Вот как, доню моя!

Когда жена доктора Вилеишиса, поблагодарив за приглашение, дает Вере Матвеевне целых три рубля, Вера Матвеевна сияет и, выйдя со мной на улицу, говорит мне:

— Видишь, как честные люди хотят узнать правду? Видишь?

Я и сама все с бóльшим интересом жду доклада Александра Степановича. Ведь я о деле Дрейфуса знаю очень мало, почти ничего...

Наше с Верой Матвеевной хождение едва не оканчивается бедой. Хотя я, как наказывала мне мама, осторожно веду Веру Матвеевну под руку, но она все время рвется вперед, как норовистый конь. Сходя с одной очень крутой лестницы, Вера Матвеевна оступается и падает. К счастью, падает невысоко: с двух-трех ступенек. Несколько секунд, пока она лежит неподвижно, с закрытыми глазами и сжав челюсти от боли, я стою над ней в полном отчаянии. Какая-то женщина, спускавшаяся по лестнице вслед за нами, помогает мне приподнять Веру Матвеевну и посадить ее на ступеньку лестницы. Эта же добрая душа приносит из своей квартиры тазик с холодной водой и чистые тряпочки.

У Веры Матвеевны рассечен лоб: падая, она, видимо, ушиблась о край верхней ступеньки лестницы. Ласково приговаривая по-польски, незнакомая женщина терпеливо и внимательно прикладывает к разбитому месту холодные компрессы.

— Это ты сопишь, Сашенька? — спрашивает вдруг Вера Матвеевна.

— Я... — отвечаю я, давясь слезами.

— Пожалуйста, не плачь. Очень прошу тебя! О чем плакать? Слепой упал. Что тут особенного? Я очень часто падаю.

— Это я виновата, — казнюсь я. — Недоглядела...

— Не говори глупостей! Ты все время держала меня под руку. И ведь ничего не случилось особенного: ну, я разбила лоб, подумаешь!

— Ох... — вздыхает женщина, прикладывая к ранке свежую тряпочку. — Ваше счастье, пани, что вы слепая: вы не видели, как вы упали и как вы лежали! Я подумала, что вы убились насмерть. Ваше счастье, что вы слепая...

— Ну конечно, я счастливая, — через силу улыбается Вера Матвеевна. — Но все-таки, пани, я хоть и не видела, как упала, но кости мои это почувствовали...

Мы помогаем Вере Матвеевне встать.

— Ступайте, пани, ступайте до дому и ложитесь в постель! — прощается с ней наша случайная знакомая.

Мы выходим на улицу.

— Сейчас я позову извозчика и отвезу вас домой, — соображаю я. — Или, хотите, поедем к нам?

— Никуда я не поеду. Мы пойдем с тобой в аптеку, там мне заклеют лоб пластырем, и мы пойдем по остальным адресам нашего списка.

— Там всего два адреса осталось. Успеем завтра утром...

— Нет, после аптеки обойдем всех, кто остался. Непременно сегодня!

В аптеке Вере Матвеевне смазали ранку йодом, заклеили пластырем и сказали:

— Ваше счастье — только ссадина. Чуть пониже — и остались бы вы без глаза!

На это Вера Матвеевна сказала беззаботно:

— А на кой он мне, тот глаз? Он же все равно не видит...

Уже выйдя со мной из аптеки на улицу, она говорит:

— Обрати внимание: сколько людей сегодня сказало мне, что я счастливая!

Мы обошли все оставшиеся адреса. Их оказалось не два, а четыре.

Я не соврала, когда сказала «два», — последние адреса были написаны на обороте списка.

Когда мы наконец возвращаемся домой — уже в сумерки, — Вера Матвеевна ступает тяжело, с утомлением. Теперь она все время шепчет про себя:

— Луку зеленого на рубль. Чтоб на всех. Еще — редиски. Непременно. Мясо. Белых булок...

Я слушаю ее шепот и леденею от ужаса. Неужели Вера Матвеевна сошла с ума?

Она чувствует мой страх — она же все видит, словно зрячая! — и успокаивает меня:

— Не обращай на меня внимания. Когда я хочу запомнить что-нибудь крепко-крепко, я несколько раз говорю это себе шепотом. Это у меня все равно как если б я занесла в записную книжку.

На нашей лестнице мы встречаем спускающегося Матвея. Он был у нас и уже уходит.

— Ну? — спрашивает у него Вера Матвеевна. — Как?

— Чудно! — отвечает Матвей. — Семьдесят пять рублей! А у вас как?

Вера Матвеевна расцветает:

— И у нас восемьдесят! Живем, сыну?

— И как еще живем, Вера Матвеевна!

— Только, Матвей, имей в виду: рублей десять — двенадцать надо отдать на тюремный Красный Крест. В Антокольской тюрьме сейчас много политических сидит! И есть как раз возможность сделать передачи... Луку надо, сам знаешь. Теперь уже есть зеленый. Редиску или редьку. Котлет нажарим. Булок белых, французских...

— Все, что вы скажете, Вера Матвеевна!

Уже в постели, засыпая, соображаю:

«Это Вера Матвеевна говорила про передачу политическим заключенным. Ведь в тюрьме живут голодно. И нужен лук, мясо, а не то начнется цинга... Помощь политическим заключенным — это делается потихоньку от полиции. Этим ведает все та же Вера Матвеевна».

Потом — уже в предсонном тумане — возникает мысль о завтрашнем докладе Александра Степановича. Интересно!

Потом — хлоп! — словно заперли дверь, — и сон...

Глава третья

ЗАЧЕМ И ОТЧЕГО КРЕЙСЕР «СФАКС» ПЛЫВЕТ К ЧЕРТОВУ ОСТРОВУ

— Не ждите от меня, — так начал свой доклад Александр Степанович, — повторения того, что писали о деле Дрейфуса газеты пять лет назад. С тех пор многое неизвестное стало известным. Многое тайное стало явным, иное темное прояснилось. Конечно, мне придется напомнить вам также и некоторые основные узлы дела Дрейфуса. Но я расскажу вам то, что за год пребывания во Франции мне удалось узнать от моих друзей — журналистов и общественных деятелей.

...Весной 1894 года военный министр Франции генерал Мерсье сделал в палате депутатов доклад «О состоянии армии и флота». Мерсье нарисовал радужную картину — все великолепно, безупречно! Армия и флот в образцовом состоянии!

Докладу военного министра Мерсье бурно аплодировали все депутаты, кроме социалистов: социалисты ему не поверили.

Социалисты были правы: доклад военного министра генерала Мерсье представлял собой сплошную ложь. На самом деле военное положение Франции внушало тревогу. Тревожило и то, что в Генеральном штабе Франции гнездилась измена. Там исчезали, а потом снова появлялись важные документы. Очевидно, кто-то из людей, имевших к ним доступ, уносил их — куда? зачем? — а потом снова клал их на место. Но кто делал это? Кто?

Военный министр генерал Мерсье получил анонимное письмо:

«...Берегитесь! В вашу овчарню повадился волк. Может быть, даже два... Берегитесь!»

Стали искать. Но тщетно. Следы шпиона были неуловимы.

И тут вдруг появилась надежда схватить виновного! Среди шпионов-агентов французского Генерального штаба была сторожиха из германского посольства. Она приносила все, что находила в корзинках для бумаг, в выметаемом мусоре, в золе, выгребаемой из печей и каминов. Осенью 1894 года среди обрывков, клочков обгорелой бумаги, принесенных сторожихой из германского посольства, был обнаружен важный документ — так называемое бордеро, или сопроводительная бумага: «Посылаю вам четыре нижеследующих документа...» Правда, большого военного значения посылаемые документы не имели, но ведь это были французские военные документы, они хранились в Генеральном штабе! Кто-то пересылал их в Германию. Значит, кто-то продает Германии французские военные документы. Кто это делает?

Военный министр генерал Мерсье пришел в ярость. Если все это получит огласку — скандал! Начнутся запросы в палате депутатов, газетная шумиха, неизбежная отставка кабинета министров... Этого нельзя допустить!

«Ищите!» — приказал Мерсье так грозно, что все поняли: надо не просто искать, как искали до сих пор, — надо *найти*! Во что бы то ни стало найти шпиона или хотя бы такого человека, которого можно объявить шпионом.

Все, кому предъявляли бордеро для ознакомления, заявили, что почерк, каким оно написано, им незнаком.

Только одному человеку этот почерк был хорошо знаком — полковнику Анри. Полковник Анри сразу узнал и почерк, и автора бордеро, то есть того, кто продает родину немцам. Этим шпионом был майор французской армии, граф Шарль-Мари-Фернан Эстергази. Полковник Анри не мог не узнать его почерк: у них с Эстергази была дружба двадцатилетней давности.

Если бы полковник Анри был честным человеком, он бы немедленно сообщил военному министру Мерсье, что автор бордеро, то есть шпион, не кто иной, как майор Эстергази.

Если бы полковник Анри был честным человеком... Но полковник Анри *не был* честным человеком! Он и не подумал исполнить долг француза и солдата. Нет! Вместо этого он стал лихорадочно искать способ выгородить из беды шпиона — майора Эстергази!

Бывают же такие роковые случайности! Почерк бордеро, почерк Эстергази, был схож и с почерком другого французского офицера — Альфреда Дрейфуса... Ну как было не воспользоваться этим совпадением, чтобы выручить своего друга, майора Эстергази!

Полковник Анри спасал не Эстергази, а собственную шкуру: он был сообщником Эстергази. Именно он, полковник Генерального штаба Анри, и доставал те документы, к которым не имел доступа Эстергази, не бывший сам офицером Генерального штаба. Анри добывал документы, Эстергази продавал их германской разведке, где состоял на постоянной шпионской службе с жалованьем в две тысячи немецких марок в месяц. Эстергази продавал шпионские сведения и Италии, вообще любому государству, которое могло и хотело за них заплатить. Этими деньгами Эстергази делился с Анри. И Анри знал: если Эстергази попадется, он утопит вместе с собой и его, полковника Анри.

Направляя следствие по заведомо ложному пути, отводя удар от себя и Эстергази на неповинного Дрейфуса, Анри учитывал и то, что в Генеральном штабе не любят Дрейфуса и будут рады отделаться от него.

За что эти люди не любили Дрейфуса? Генеральская верхушка французской армии — почти сплошь аристократы, монархисты. Их деды и прадеды сражались в армиях принца Кондэ против революции, против республики. А внуки их — теперешная французская военщина, генералы — тоже ненавидят республику и презирают народ. Они плетут заговоры, мечтая о контрреволюции, о восстановлении любезной их сердцу королевской власти. Все эти аристократы-генералы — ярые католики, и, конечно, отцы-иезуиты всеми силами поддерживают их. Отцы-иезуиты очень сильны во Франции, которую они называют «любимой дочерью святой католической церкви».

Такова аристократическая генеральская верхушка нынешней Франции. А кто такой Дрейфус? Прежде всего он не аристократ, он не вхож в аристократические салоны, — за это его презирают. Дрейфус страстно предан своему военному делу, он талантлив, образован, ему явно предстоит блестящая военная карьера — ему завидуют. Дрейфус неподкупно честен — за это его ненавидят все те, кому нужно взаимное снисхождение: «Я закрою глаза на твои грехи, ты посмотришь сквозь пальцы на мои». Наконец, Дрейфус — еврей, — по понятиям генеральской верхушки, чужак.

По всем этим причинам отношение к Дрейфусу было в Генеральном штабе скрыто-враждебным. Дрейфус чувствовал эту враждебность, а он был горд. Он держался сдержанно, с достоинством, был вежлив — без фамильярности, почтителен — без приниженности. Это тоже не привлекало к нему симпатий.

Нужно было очень дурно относиться к Дрейфусу, чтобы поверить, будто он шпион. Решительно все свидетельствовало *против* этого. Дрейфус не нуждался в деньгах — у него было большое состояние. Он не играл в карты, не увлекался скачками, не спекулировал на бирже. Весь его досуг принадлежал семье — жене и детям. Он был честолюбив, и перед ним была отличная военная карьера. Чем же могла прельщать его «карьера» шпиона, не дающая славы, сулящая в случае провала только позор? И, самое главное, Дрейфус был горячим французским патриотом, как и вся его семья.

Когда Эльзас, где жили Дрейфусы, отошел к Германии, они не пожелали жить в немецком Эльзасе, переселились в Париж, хотя это наносило им большой материальный ущерб.

Таков был капитан Альфред Дрейфус, которого полковник Анри избрал жертвой для обвинения в шпионаже.

...Ну, а кто таков граф Эстергази? Тот шпион, который продавал Францию врагам?

Как у всякого негодяя, у Эстергази не было ни друзей, ни близких, ни любимых людей — у него были только сообщники. А самое главное, у него нет и не было родины. Эстергази — наемник: отечество для него там, где ему живется хорошо, а служит он тому, кто дороже платит, хотя бы за грязную, бесчестную работу. Эстергази ненавидит и презирает Францию, где он родился. Он ненавидит и презирает французский народ, ненавидит и презирает французскую армию, хотя он ее офицер и носит ее мундир.

«Я не убил бы и щенка, — писал Эстергази в одном письме, — но я с радостью расстрелял бы сто тысяч французов!» В своем дневнике он кровожадно предвкушает, какое «блистательное поражение постигнет французов в случае войны!».

Эстергази любит только одно: деньги. Всю жизнь он добывает деньги путем мошенничеств, вымогательств, подлогов. Деньги нужны ему всегда: он страстный игрок, азартный спекулянт, человек низкий и порочный.

Удивительно ли, что жажда денег и ненависть к Франции привели Эстергази к шпионажу?

И все же Анри рассчитал правильно: растленный шпион граф Эстергази для реакционной аристократической военщины — свой, а честный Дрейфус — чужой. И, когда Анри сообщил о сходстве почерков Дрейфуса с тем, каким написано бордеро, догадка была принята благосклонно.

Началось следствие по делу анонимного бордеро. И полковник Анри поначалу скромно отодвинулся в тень, уступая дирижерскую палочку другому: полковнику Генерального штаба маркизу дю Пати де Кляму. Это человек, наделенный «светскими талантами»: он пишет плохие стихи и бездарные пьесы. Поскольку эксперты-графологи (специалисты по исследованию почерков) расходились в мнениях: одни утверждали, что бордеро написано почерком Дрейфуса, а другие отрицали это, — дю Пати де Клям разыграл сложную инсценировку, целью которой было заставить самого Дрейфуса сознаться в преступлении, которого он не совершил.

13 декабря капитан Дрейфус получил повестку: явиться в Генеральный штаб через два дня в штатском платье. Если бы Дрейфус был виновен, он заподозрил бы недоброе и скрылся за границу. Ему, может быть, нарочно давали для этого целых два дня — ведь бегство означало бы признание его вины. Но Дрейфус был невиновен — ему и в голову не пришло бежать.

15 декабря Дрейфус спокойно идет в Генеральный штаб. Он не знает, что больше не вернется домой, что в тюрьме «Шерш Миди» для него уже готова камера, что через час он будет вышвырнут из общества. А ведь его еще ни разу не допрашивали, его вина еще не доказана, ее только *хотят* доказать!

В Генеральном штабе дю Пати де Клям любезно встречает Дрейфуса, усаживает его против большого зеркала так, чтобы его было видно отовсюду (а соглядатаи скрыты за дверями и за драпри). Поговорив о том о сем, дю Пати показывает Дрейфусу свою руку в перчатке: такая досада, поранил палец, не может писать... Не согласится ли капитан Дрейфус написать письмо под его диктовку?

Будь Дрейфус виновен, он бы понял, что это ловушка. Рядом с ним, на письменном столе, как бы случайно лежал заряженный револьвер: Дрейфус мог застрелиться — это было бы тоже признанием вины. Но он был невиновен и ничего не понял. Лежит чей-то револьвер, ну и пусть лежит. Дю Пати просит написать под его диктовку письмо — что ж, выручим сослуживца, напишем...

В письме, продиктованном Дрейфусу, встречались почти все слова из бордеро. В этом был тоже специальный трюк, придуманный дю Пати: Дрейфус смутится, рука его задрожит. Но совесть Дрейфуса была чиста: почерк ровный, твердый, спокойный.

Тогда дю Пати де Клям переходит к другим приемам. Внезапно, опустив руку на плечо Дрейфуса, он возглашает громовым голосом:

— Капитан Дрейфус! Именем закона вы арестованы по обвинению в государственной измене!

Дрейфус вскакивает. Он ничего не понимает:

— Я не знаю за собой никакой вины! Убейте меня, но я ни в чем не виноват...

Дю Пати показывает ему на револьвер, лежащий на столе:

— Вы можете сами свершить над собой суд. Своей рукой.

— Нет! — кричит Дрейфус. — Я этого не сделаю. Я ни в чем не виноват! Я буду жить, чтобы доказать это!

И вот Дрейфус в тюрьме. Он бьется в отчаянии, он близок к помешательству. При нем безотлучно начальник тюрьмы майор Форцинетти, который не верит в его виновность.

— Майор, — спросил у Форцинетти начальник Генерального штаба генерал Буадэффр, — у вас большой опыт общения с преступниками и зоркий глаз. Что вы думаете о Дрейфусе?

— Мой генерал, — ответил Форцинетти, — боюсь, что вы на ложном пути. Дрейфус такой же преступник, как вы и я!

Нет, Форцинетти ошибался: генерал Буадэффр был преступником! Он знал, что Дрейфус невиновен, что против него нет *ни одной* бесспорной улики. Но и ему, и Мерсье, и другим генералам нужна была именно *виновность* Дрейфуса: этим они могли доказать стране, как они бдительны, как быстро они справились со шпионажем.

И они продолжали свое преступное дело. Дю Пати заставлял Дрейфуса в тюрьме писать то левой рукой, то лежа, то сидя — он добивался наибольшего сходства с почерком бордеро. Он внезапно врывался в камеру Дрейфуса, нарочно затемненную, и наводил на него яркий свет. Этим он хотел захватить Дрейфуса врасплох, заставить его проговориться... Напрасно! Твердо, точно, не сбиваясь, не путаясь, Дрейфус продолжал доказывать свою невиновность.

Его уговаривали: признайтесь, и мы дадим вам мягкое наказание, сошлем вас в такое место, куда к вам приедет семья.

Семья... День и ночь мечтал Дрейфус увидеть свою семью. Но назвать себя для этого шпионом? Конечно, нет!

Было ясно: обвинение построено на пустом месте. Оно не подкреплено ни одним доказательством. Даже в вопросе о том, писано ли бордеро рукой Дрейфуса, эксперты продолжают расходиться.

Что было делать генералам? Признать свою ошибку, освободить Дрейфуса? Может быть, еще извиниться за причиненное ему беспокойство? Нет, этого не могли и не хотели генералы и, в особенности, Анри и Эстергази! Ведь тогда снова станут искать неведомого шпиона и, может быть, найдут обоих сообщников — Эстергази и Анри! Нет, нет, надо еще сильнее раздувать обвинение именно против Дрейфуса.

До этого дня дело сохранялось в глубокой тайне — оно еще не просочилось в прессу. Теперь Анри сообщил о нем в одну из самых реакционных, самых продажных газет.

Назавтра все правые газеты — антиреспубликанские, клерикальные, антисемитские — подняли невообразимый шум. Такого преступника, как Дрейфус, кричали газеты, не знала история! Он продал Германии *все* военные планы и документы Франции!

Продажные правые газеты лгали, но миллионы людей читали их, верили им, отравлялись их ложью.

Дрейфуса судили военным судом при закрытых дверях. Беспомощность обвинения, отсутствие бесспорных доказательств прикрыли спасительным приемом военной тайны. Доказательства, мол, есть, но огласить их нельзя — военная тайна! Если раскрыть ее вслух, завтра разразится война!

И все же был момент, когда судьи заколебались, не вполне веря, сомневаясь... Тогда, с ведома военного министра генерала Мерсье, Пати де Клям тайно от всех, в том числе от Дрейфуса и его защитника, передал в комнату, где совещались судьи, некий «секретный документ», записку германского посла, где он писал кому-то в Германию:

Эта каналья Д. становится слишком требовательным.

Что и говорить, этот «секретный документ» был убедителен... Увы, это была фальшивка, грубо сработанная все тем же неутомимым полковником Анри. К сожалению, это обнаружилось лишь несколько лет спустя. И судьи, решавшие судьбу Дрейфуса в 1894 году, об этом не знали. «Секретный документ» произвел на них впечатление — он рассеял их колебания. Суд признал Дрейфуса виновным в государственной измене и приговорил его к пожизненной ссылке на Чертов остров (в архипелаге островов Спасения).

Потрясенный приговором, защитник Дрейфуса мэтр Деманж сказал: «Осуждение Дрейфуса — величайшее преступление нашего века!» Так думали лучшие люди во всем мире.

Дрейфус не ожидал осуждения. Он верил в суд своей родины: судьи разберутся, судьи поймут. Уезжая утром из тюрьмы в суд, Дрейфус сказал Форцинетти: «Сегодня — приговор. Вечером я уже буду дома!» Но вечером, после приговора, его снова привезли в тюрьму.

Через несколько дней, 5 января 1895 года, состоялось публичное разжалование Дрейфуса — на площади, перед войсками, общественными деятелями, писателями, журналистами и огромной толпой парижан.

Под гром барабанов и рокот труб четыре канонира с шашками наголо вывели Дрейфуса на площадь. В парадном мундире, при шпаге, смертельно бледный, Дрейфус шел твердо, держался прямо, высоко вскинув голову.

Среди мертвой тишины генерал Даррас сказал:

— Альфред Дрейфус, вы недостойны носить оружие! Именем французского народа вы разжалованы!

На это Дрейфус, обращаясь к войскам, крикнул голосом твердым и ясным:

— Солдаты, клянусь вам — я невиновен! Да здравствует Франция! Да здравствует армия!..

В этот горчайший час своей жизни Дрейфус, ошельмованный, отверженный, обращался не к своим палачам, не к начальникам-генералам, не к сослуживцам-офицерам. Это был, может быть, даже не вполне осознанный призыв — к народу, к тем простым солдатским сердцам, которые так любил капитан — теперь уже бывший капитан! — Дрейфус...

С кепи Дрейфуса, с его доломана сорвали офицерские нашивки. Бросили на землю и куски переломленной над его головой шпаги. В изорванной одежде, как нищий в рубище, Дрейфус стоял все так же прямо и кричал:

— Солдаты! Жизнью моих детей клянусь — я невиновен! Да здравствует армия! Да здравствует Франция!

Дрейфуса провели перед войсками и толпой. Призрак в лохмотьях шел твердо и все кричал о своей невиновности.

Были, конечно, в толпе люди, не верившие в то, что Дрейфус — шпион. Были и такие, которые усомнились в этом, видя его поведение при разжаловании. Но большинство составляли праздные зеваки, любопытные, сбежавшиеся поглазеть на редкое зрелище. Они были отравлены продажными газетами, они кричали: «Смерть изменнику!», «Бросьте его в Сену!»

Дрейфуса втолкнули в тюремную карету и увезли. С моста Альма он увидел окна своей квартиры. Там была его жена — она мужественно несла их общее несчастье. Там играли его маленькие дети — они еще ничего не знали.

Через день-два Дрейфуса увезли с эшелоном каторжников в тюрьму крепости Ла-Рошель.

Там ему дали свидание с женой, приехавшей из Парижа. Но ее не предупредили, что надо иметь особое «разрешение на прикосновение», — ей не позволили ни обнять мужа, ни даже пожать ему руку.

— Свяжите мне руки за спиной! — молила она. — Но дайте хоть подойти к мужу, хоть прислониться к его плечу!

Ей отказали. Не разрешили и последовать за мужем в ссылку, на что она имела право по закону.

Ни Дрейфус, ни его жена не знали, что это свидание последнее. В ту же ночь пароход «Вилль Сен-Назер» увез Дрейфуса в другое полушарие — на Чертов остров. Навсегда...

Александр Степанович умолкает. Он говорил без передышки уже часа полтора. Он устал. Пора сделать перерыв.

Я словно от сна проснулась. Гляжу на всех — и почему-то вижу сперва только одни глаза.

Александр Степанович снял свои темные очки. Его глаза, больные, воспаленные, в красных прожилках — без ресниц, беззащитные и голые, как цыплята, ощипанные живьем. Но сейчас в них еще не растаяли волнение и гнев, зажегшиеся от его собственного доклада.

У некоторых из дам, как в театре, на глазах слезы. Они смахивают их платочками.

Всегда веселые глаза Матвея — «чу́дно-чу́дно-чу́дно»! — полны гнева. Он смотрит на Александра Степановича не отрываясь.

И то же выражение ненависти, готовности ринуться в бой освещает и лицо слепой Веры Матвеевны.

— Я бы этого Эстергазю... я бы с этим Эстергазем... — бормочет она.

И никто даже не улыбается над тем, что она склоняет эту ненавистную несклоняемую фамилию.

— Перерыв! — объявляет мама. — Александр Степанович, я налила вам. Выпейте, промочите горло...

— ...Во всех письмах, — продолжает после перерыва Александр Степанович, — Дрейфус молил своих близких: «Ищите! Ищите того негодяя, чье преступление я, невинный, искупаю! Этот преступник есть, он существует — найдите его!»

Этот преступник, как мы с вами знаем, в самом деле существовал. Это был майор граф Эстергази.

Он процветал! Только за один первый год после высылки Дрейфуса Эстергази «заработал» шпионажем более ста тысяч франков, которыми поделился со своим сообщником — полковником Анри. Эстергази почти не скрывался. Зачем? От кого? Самые могущественные люди Франции — министры ее правительства, генералы ее армии — были всецело в его нечистых руках. Если бы Эстергази сбежал в Англию или в Америку и продал там, как он иногда грозился сделать, свои мемуары и дневники, весь мир в один день узнал бы всю меру преступлений французской генеральской верхушки: и то, что они осудили Дрейфуса без вины, и то, что они *знали* о том, кто именно был автором бордеро, и то, что секретный документ, убедивший судей, был фальшивкой, подкинутой с их ведома в совещательскую комнату суда. В один день, в один час Эстергази мог погубить репутацию виднейших генералов, начиная с военного министра Мерсье! Они знали это и неусыпно оберегали покой и безопасность шпиона Эстергази.

Дрейфусу жилось хуже... Чертов остров — это нагромождение мрачных скал, похожих на чудовищ, высунувших из океана грозные спины. Из-за его губительного климата Чертов остров еще задолго до Дрейфуса прозвали бескровной гильотиной. Перед прибытием Дрейфуса там была вспышка чумы. Он застал незаконченную уборку острова: сжигали трупы умерших и их жилища.

Дрейфуса поселили в новой хижине, где круглые сутки с него не спускали глаз шестеро надсмотрщиков. Ни ему с ними, ни им с ним не разрешалось разговаривать. Точно так же запрещено было обменяться хотя бы словом с врачом.

Хорошо было одно — океан. Дрейфусу разрешали прогулки. Он смотрел на бегущие волны, слушал успокаивающий рокот прибоя.

С первых же месяцев Дрейфус начал хворать. Резко сдало сердце, мучила малярия, одышка. Но Дрейфус помнил: он не смеет умереть, оставляя своим детям опозоренное имя, — он должен *жить*. Прогулками, физическим трудом он спасал от смерти свой организм. Умственными занятиями (по памяти — английским языком, математикой, военными науками) он сохранял свой интеллект. Он напрягал все силы, чтобы, как он говорил, «дожить до финала своей трагедии».

Через год условия заключения резко ухудшились. Из Парижа пришел приказ: «Слишком мягкий режим не соответствует чудовищности преступления, которое совершил Дрейфус, — необходимо усилить строгости и лишения».

Дрейфусу запретили выходить из хижины. На ночь на него стали надевать двойной узел металлических цепей — они приковывали его неподвижно к койке. Утром цепи снимали, но Дрейфус оставался лежать пластом — руки были изуродованы, лодыжки изранены, окровавлены, позвоночник за ночь каменел от неподвижности... Так продолжалось сорок четыре ночи.

А когда прекратилась пытка двойным узлом цепей и Дрейфусу снова разрешили выходить из хижины, он больше не увидел океана! Его хижину обнесли двойной оградой вышиной в два с половиной метра. Остался лишь глухой прибой океанских волн, разбивавшихся о базальтовые скалы Чертова острова...

Если бы Дрейфус знал о причине этих неожиданных строгостей, он был бы счастлив, он стал бы вновь надеяться. Но ни один звук об этом не долетал из Франции. И он не знал, что ухудшение условий его жизни вызвано тем, что его палачи *обеспокоены*, они... *нервничают*!

Однажды после трехлетнего молчания врач нарушил запрет — он внезапно сказал Дрейфусу:

— Мужайтесь! Есть надежда!..

Но комендант Чертова острова перебил его:

— Пусть не надеется! Во Франции все давно забыли о нем!

Грубый окрик перебил слова врача. Но назавтра один из вечно молчаливых надсмотрщиков шепнул Дрейфусу:

— Один человек во Франции занимается вашим делом...

Он был неправ лишь в одном: таких людей во Франции было уже много. Их становилось все больше — и они боролись. Это уже была борьба не за одного только Дрейфуса! Это борьба всего живого против мертвечины, борьба всех прогрессивных сил против черной реакции, против позора антисемитизма.

Кто же боролся за Дрейфуса там, далеко, во Франции?

Полковник Генерального штаба Пикар присутствовал на суде и тут впервые усомнился в виновности Дрейфуса. После высылки Дрейфуса на Чертов остров Пикар был назначен начальником контрразведки Генерального штаба. Здесь он изучил все детали этого страшного дела и пришел к твердому убеждению: произошла ошибка — шпион не Дрейфус, а Эстергази. По его приказу была установлена слежка за Эстергази. Слежка обнаружила связь Эстергази с иностранными разведками..

Пикар с торжеством доложил генералам: найден подлинный шпион! Это Эстергази! Остается — арестовать его.

Но генералы вели себя странно:

— Зачем раскапывать эту старую, забытую историю?

— Но ведь рано или поздно истина все равно откроется! — сказал Пикар.

— Если вы будете молчать, — ответили ему, — истина не откроется никогда...

И очень скоро после этого Пикара послали в далекую и опасную экспедицию — в Африку.

Но не так-то легко, как говорит народная мудрость, латать прелую одежину. Генералы радовались тому, что, усылая Пикара из Франции, они залатали гнилую ткань лжи, фальшивок, несправедливости. Однако на месте заплаты открылась новая грозная дыра: газета «Фигаро» поместила фотографию с пресловутого бордеро. Теперь всякий, знакомый с почерком Эстергази, мог убедиться в том, что писал бордеро именно он, и, значит, шпион — тоже он!

На этом основании брат Дрейфуса, Матье Дрейфус, возбудил судебное дело против Эстергази, как разоблаченного шпиона и предателя. Эстергази заметался, как зверь, окруженный облавой. Он пригрозил генералам разоблачениями в печати.

Угроза подействовала. Генералы отечески оградили Эстергази от неприятностей: хотя Эстергази и судили, но на суд произвели чудовищный нажим. И, конечно, Эстергази был оправдан!

Однако ни он, ни его защитники из Генерального штаба не успели даже вздохнуть с облегчением после перенесенных неприятностей, как над ними загремел новый гром. Знаменитый французский писатель Эмиль Золя выступил в печати с открытым письмом к президенту Французской республики Феликсу Фору. Письмо это в тот же день облетело весь мир и вызвало везде бурю.

«Господин президент! — писал Золя. — *Каким комом грязи лег на ваше имя процесс Дрейфуса! А оправдание Эстергази — неслыханная пощечина, нанесенная истине и справедливости. Грязный след этой пощечины пятнает лик Франции!..»*

Метко и зло описывал Золя, как пристрастно и недобросовестно подбирались улики против Дрейфуса:

«Он знает иностранные языки — о, это преступник!

При обыске у него не обнаружено ничего компрометирующего — какой ловкий преступник!

Он смущается — ага, это преступник!

Он не смущается — еще бы, ведь это преступник!»

Дальше шла необыкновенно сильно и страстно написанная часть письма: в ней перечислялись поименно все те, кого Золя считал преступниками и кому он гневно бросал в лицо свое «Я обвиняю!»:

«Я обвиняю полковника дю Пати де Кляма — он был дьявольским орудием судебной ошибки и делал это самыми преступными средствами!

Я обвиняю генерала Мерсье: он был, — возможно по малоумию, — соучастником величайшей подлости нашего века!

Я обвиняю генералов Пеллье и Равари — они вели негодяйское следствие, чудовищно пристрастное и несправедливое!

Я обвиняю оба военных суда: один из них осудил невинного Дрейфуса, второй оправдал шпиона Эстергази!»

В заключении Золя заявлял:

«...Я не хочу быть заодно с преступниками, скрывающими истину! Я с теми, кто не жалеет жизни, чтобы восторжествовала справедливость. Я жду!

Э. ЗОЛЯ»

Чего добивался Золя этим письмом? Он хотел вызвать скандал. «А, я лгу! Так отдайте меня под суд! Там я расскажу всю правду, и сотни свидетелей подтвердят ее! А-а, вы отказываетесь пересмотреть дело Дрейфуса? Так судите меня — дело Дрейфуса всплывет в деле Золя!»

Золя не побоялся вступить в единоборство с правительством, с генеральской кликой, с католической церковью, со всеми реакционными силами Франции и их продажными газетами. Золя знал, что его могут осудить, заточить в тюрьму, оклеветать, лишить доброго имени. Он не побоялся ничего!

7 февраля 1898 года начался процесс Золя. Он вызвал необычное стечение людей, сторонников правого дела. Здесь были лучшие люди Франции, были друзья Золя — вождь социалистов Жан Жорес, знаменитый писатель Анатоль Франс, люди искусства и политические деятели.

Но не дремала и реакция — наемные банды врывались в зал суда, устраивали овации генералам и другим противникам Дрейфуса, орали и улюлюкали, заглушая речи защитников, пытались учинить на улице самосуд над Золя.

Золя, писатель, знаток человеческой души, смотрел на этих головорезов с удивлением: таких он еще не видывал.

— Какие... людоеды! — сказал он брезгливо.

Золя вызвал двести свидетелей. Среди них в свидетельской комнате, как голодный волк, метался Эстергази. Он говорил без умолку, мешая угрозы с похвальбой, причитая, как базарная торговка, перемежая пафос грязной руганью.

Суд начался с неожиданного заявления председателя:

— Сейчас начнется разбирательство дела Золя. Поэтому надлежит говорить *только* о Золя. Категорически запрещается касаться Дрейфуса и его дела...

Это был неожиданный удар. Ведь Золя добивался суда над собой именно затем, чтобы на суде раскрылась вся правда о Дрейфусе!

Золя встал, очень бледный:

— Я требую, чтобы мне было дано то право, которое имеют даже воры и убийцы: право защищаться, право говорить обо всех сторонах моего дела!

Говоря о знаменитом «секретном документе», тайно подброшенном в 1894 году в судейскую комнату, Золя усомнился в том, существует ли этот документ, не выдумка ли он. На это свидетель генерал Пеллье сказал:

— Этот документ есть! Я видел его. Если угодно, я могу процитировать его на память.

— Нет! — возразил защитник Золя адвокат Лабори. — Документ, пока он на словах, не документ и не доказательство. Предъявите его суду!

— Невозможно! — сказал Пеллье. — Военная тайна!

И тут раздался голос полковника Пикара: он специально прибыл из Африки, чтобы присутствовать на процессе.

— Генерал Пеллье прав, — сказал Пикар спокойно. — Документ предъявить нельзя: это фальшивка, и она боится света!

Александр Степанович вдруг задумывается. Затем заявляет неожиданно:

— Я тоже присутствовал на процессе Золя...

Волнение слушателей, и без того сильное, нарастает... Он сам был там! Он сам видел это!

— Я видел Золя! — говорит Александр Степанович. — Он сидел на скамье подсудимых так спокойно, словно судят не его. Я видел жену Дрейфуса Люси — маленькую, трогательную, в траурном платье. Я видел полковника Пикара, невозмутимого, бесстрашного, как сама истина. Видел генералов Буадэффра и Пеллье, лгавших с бесстыдной наглостью. Но всего сильнее поразил меня допрос Эстергази.

Эстергази вышел на свидетельское место и стоял молча. Сморщенное лицо, грязно-серое, как жабья кожа, ястребиные глаза, нервные руки в перстнях... Он заявил, что будет отвечать только суду и прокурору, но отказывается отвечать защитникам или подсудимому Золя.

И тут начался незабываемый спектакль!

— Скажите, свидетель, — начал защитник Золя, — признаете ли вы, что в таком-то году вы женились на богатой невесте (такой-то), затем, обобрав ее до нитки, развелись с нею?

Эстергази молчит. Председатель суда, выждав паузу, обращается к нему:

— Свидетель, вы не желаете отвечать?

— Не желаю.

Защитник задает Эстергази второй вопрос, третий... пятый. Вопросы начинаются словами: «Свидетель, признаете ли вы...» Вопросы развертывают перед судом свиток всех мошеннических проделок Эстергази, его подлогов, спекуляций, его судимостей — всех совершенных им преступлений!

— Признаете ли вы, свидетель, что в письме (таком-то) писали: «Этот тупой французский народ — конечно, самая гнусная раса в мире!.. Мое терпение истощилось: я намерен предложить свои услуги Турции»... Писали вы это?

Защитник задал Эстергази шестьдесят вопросов. Это продолжалось почти два часа. С каждым вопросом Эстергази свирепел все больше: он сверкал глазами, пальцы его дрожали, щека нервно дергалась, пот зримо струился по его морщинистому, жабьему лицу... О, этот допрос, на который он не ответил ни единым словом, стоил ему недешево! Остроумный ход защитника обнажил перед всей Францией, перед всем миром грязную, мерзкую, преступную жизнь майора графа Шарля-Мари-Фернана Эстергази!

Лишь близорукие люди могли не заметить того, что борьба идет не из-за одного только Дрейфуса. Нет, она уже давно вышла за стены Дворца правосудия, где шел суд над Золя, — она перекинулась в палату депутатов, где люди сражались даже кулаками и тростями, и пламенный оратор, вождь социалистов, Жорес бросил в лицо реакционерам: «Вы предаете Францию кучке генеральской военщины!»

В самом Париже в те дни было раскрыто несколько контрреволюционных заговоров. Банды наемников, уголовников бесчинствовали на улицах Парижа, били стекла в домах и витринах магазинов. Они врывались на заводы, где пытались избивать рабочих. Они громили магазины, принадлежащие евреям. По ночам они разжигали на улицах костры, жгли книги и газеты.

Эта погромная волна прокатилась по многим городам Франции. Французские колонизаторы искусственно подогревали ее в колониях, где имели место отвратительные выходки. Был случай в Алжире — хулиганы, крича, хохоча, улюлюкая, окружили беременную арабскую женщину. От испуга у нее начались роды. Негодяи не пропустили к ней врача. Они плясали вокруг нее и орали песню, тут же ими сочиненную, с гнусным припевом: «Вот свинья и опоросилась!..»

Но против этой мерзости уже объединялись левые элементы: рабочие, студенты, ремесленники, интеллигенция. Над Францией занималась заря гражданской войны.

В такой накаленной атмосфере настал семнадцатый — и последний — день процесса Золя.

— Подсудимый Золя!.. Вам последнее слово.

Золя говорил спокойно. Он обратился к присяжным:

— Вы — сердце Парижа. Вы — его совесть... Посмотрите на меня. Разве похож я на предателя?

Глубокое волнение охватило его, когда он заговорил о том, что заставило его — писателя, пожилого человека — ринуться очертя голову в борьбу за Дрейфуса:

— ...Дрейфус невиновен, клянусь вам в этом! Клянусь моим сорокалетним писательским трудом, клянусь моей честью, моим добрым именем! Если Дрейфус виновен, пусть погибнут все мои книги! Нет, он ни в чем не виноват, он страдает без всякой вины!

Золя знал и понимал — в этом убедил его весь ход процесса и все то, что творилось за стенами суда! — что надежды на его оправдание нет.

— Я спокоен... — закончил он свое слово. — Правда двинулась в путь, правду не остановит ничто! Конечно, меня можно обвинить и приговорить. Но настанет день, когда Франция скажет мне спасибо за то, что сегодня я помогал охранять ее честь!

Суд вынес Эмилю Золя обвинительный приговор — заключение в тюрьму на один год и штраф в три тысячи франков.

Полковник Пикар был посажен в тюрьму «за разглашение государственной тайны».

Казалось бы, черные силы реакции могли торжествовать и считать дело Дрейфуса похороненным. Но оно только разгоралось! Прав был Золя, когда говорил: правда идет, ее ничто не остановит. Правда продолжала свой путь, ее поддерживала разбуженная народная совесть.

Франция — рабочие, студенты, интеллигенция — волновалась, митинговала, бастовала. Левые газеты печатали все новые данные, все новые улики, убийственные для Эстергази и Анри.

Оба шакала чувствовали приближение катастрофы. Каждый из них знал, что другой, спасая себя, предаст и продаст его.

Через полгода после процесса Золя Генеральный штаб вынужден был под давлением общественного мнения подвергнуть допросу полковника Анри. Припертый к стене, Анри сознался во всем: в сообщничестве с Эстергази, шпионаже, во всех сфабрикованных им фальшивках и подлогах.

Понимая, что все кончено и ему уже не уйти от правосудия, Анри зарезался бритвой в тюрьме Мон-Валерьен.

Эстергази успел бежать за границу, где продал газетам свои дневники. Конечно, в них было немало лжи — ведь писал их Эстергази! Но все же эти дневники устанавливали черным по белому полную невиновность Дрейфуса.

Это случилось почти год назад. Но только сейчас удалось добиться пересмотра дела Дрейфуса и его возвращения во Францию... Значит, виновники этого страшного дела — генералитет, отцы-иезуиты, правые газеты — не сдаются, не разоружаются. Чем кончится новый процесс Дрейфуса, сказать сегодня нельзя. Одно ясно, эта борьба будет не на жизнь, а на смерть!

Так закончил свой доклад Александр Степанович.

Позже всех гостей уходят самые близкие: друг наш — доктор Иван Константинович Рогов и его приемный внук Леня Хованский.

— Шашура! — отзывает меня Леня в сторону. — Правда, замечательно?

— Замечательно!

— Скажи-ка... — говорит он не сразу, помолчав. — Ты сегодня Тамарку звала?

Тамарка — это его сестра, моя одноклассница.

— Звала, — отвечаю я неохотно. — Сказала: «Приходи, Александр Степанович будет рассказывать про Париж, про дело Дрейфуса...»

— А она?

— Ну, она! Не знаешь ты ее? Сделала гримаску и говорит: «Ну-у-у! Хоть бы о модах парижских рассказал! Нет, я пойду к Леночке Атрошенко — у нее танцы нынче». И всё!

Проводив всех гостей, уходит и дедушка.

Мрачно качая головой, он, по своему обыкновению, говорит на прощание:

— Ох, попал бы я к ним, в эту ихнюю Францию!

— Я знаю! — говорит папа очень серьезно. — Ты бы научил их сморкаться. И быть людьми, а не свиньями!

— А чем это плохо? — отзывается дедушка. — Насчет сморкаться — не знаю. Но быть человеком — это и президенту ихнему не повредило бы, поверь мне!

На этом мы расстаемся.

Ночью я сплю очень тревожно. Мне снится, что за папой гонятся городовые. Они кричат: «Бордеро! Бордеро!» Они срывают с папы пальто и пиджак. «Именем закона!» — орет толстый пристав Снитко и, выхватив у папы из бокового кармана стетоскоп (трубочку для выслушивания больных), ломает его пополам.

Я бросаюсь к папе и просыпаюсь с отчаянным криком, на который сбегается весь дом!

Долго еще — много лет! — мои полуребячьи страхи будут питаться образами страшной повести о человеке, невинно осужденном и сосланном на Чертов остров.

Глава четвертая
«НА ВЕЧЕ!»

Дня через два-три начинается суета, укладка вещей, сборы на дачу. И в этой суматохе немного рассеивается тяжелое впечатление от доклада Александра Степановича, забываются ночные кошмары.

С чердака принесли большие, вместительные тростниковые корзины, обшитые потрескавшейся клеенкой. В эти корзины укладывают белье, платье, книги — это делает мама, спокойно, без ненужной суеты.

Посуду, хозяйственную утварь и всякую «хурду-мурду» укладывает Юзефа со всегдашним своим вдохновенным азартом. Она носится по квартире, командует и, конечно, ворчит. Ну зачем набирать с собой столько кастрюль? Ведь дача же — не балы задавать! А вилок столько куда? «Куды, спрашую я вас!» Ведь дача же — не хватит кому вилки, а пальцы на что? Не в губернаторском дворце — дача!..

В общем, Юзефа так понимает, что «на даче» — это отмена всех городских «фиглей-миглей», возвращение к образу жизни первобытных людей. Все эти соображения Юзефа пересыпает сердитыми вскриками: «А бодай тебя!» — по адресу, например, дачного самовара, который расселся, по ее выражению, «як король в бане», и мешает ей пройти.

Очень волнуется Сенечка — как бы не забыли захватить на дачу его игрушечную лошадку Астанти́на. Полное имя лошадки «Иван Константинович», так ее назвали в честь подарившего старого доктора Рогова, — но Сенечка зовет лошадку сокращенно: Астантин. Сенечка не только тревожится, как бы Астантина не забыли в городе, он хочет, чтобы Астантин ехал с удобствами, с комфортом, потому что Астантин — лошадь болезненная. Главный недуг Астантина — он минувшей зимой потерял свой мочальный хвост. Сенечка играл, будто он скачет верхом на Астантине по трудной дороге и будто Астантин увяз передними ногами в болоте. Сенечка, спешившись, мучительно вытаскивал Астантина из болота за хвост. Болото было, правда, воображаемое, но Сенечка очень старался вызволить несчастного коня из беды. Принатужившись, он дернул за хвост так самоотверженно, что хвост остался у него в руках. Когда он увидел, какое увечье получил при этом Астантин — хвост был вырван «с мясом», и на Астантиновом заду образовалось зияющее отверстие! — Сенечка заплакал:

— У Астантина стало теперь совсем не то лицо!

Мы отнесли раненого Астантина в починку (над дверью в мастерскую красовалась вывеска: «Парижский больниц для куклов и разных игрушков»). В мастерской Астантину приделали новый хвост — и какой! Можно сказать, всем хвостам хвост! Густой, могучий, длинный, не по Астантинову росту! Хвостище был сделан из свернутой жгутом рыжей пакли. Но этот устрашающий хвост Сенечке не понравился, он продолжал уверять, что у Астантина стало с этим хвостом «не то лицо». Тогда Юзефа подвязала хвост узлом так, как подвязывают деревенским клячам.

Получилось так всамделишно, что Сенечка расцвел.

— Чудный хвост! — И, помолчав, он повторил с восторгом: — Очень чудный!

Конечно, Астантина, как коня, много пережившего на своем веку, надо уберечь от дорожной тряски и толчков, от новых несчастий и увечий. Обняв Астантина обеими руками за шею и прижимая его к груди, Сенечка пытается запихать его в корзину с бельем и платьем: пусть Астантин едет «на мяконьком». Но мама обещает, что Астантин поедет с нами на извозчике — ему будет очень хорошо и удобно.

Сенечка успокаивается, но ненадолго. Теперь у него новая забота: все заняты укладкой, ну он тоже хочет помогать.

— Можно, — просит он, — я принесу? Можно?

Наконец мама говорит ему очень решительно:

— Хорошо. Хочешь помогать? Сбегай на кухню и посмотри, есть я там или нет?

Не поняв шутки — ведь он еще маленький! — Сенечка, счастливый тем, что ему дали поручение, устремляется на кухню.

Через минуту он возвращается и растерянно докладывает:

— А тебя на кухне нету... — Но тут же, широко улыбнувшись, он соображает: — Мамочка, ты же вот она! Здесь!

Все смеются, а мне жаль бедного мальчишку. Я сама недавно была маленькая и очень хорошо помню, как меня обижало недоверие взрослых. Я, как теперь Сенечка, хотела помогать, всерьез помогать, взрослые не верили, что я гожусь на что-нибудь, и поручали мне всякие пустяки.

— Знаешь что? — говорю я Сенечке. — Пройдись по комнатам, погляди: вдруг что-нибудь очень нужное забыли уложить?

Сенечка, радостно кивнув — понимаю, мол, понимаю! — устремляется в папин кабинет. Спустя минуту-другую он возвращается — мордочка у него веселая. Осторожно, с большим напряжением, он что-то тащит.

— Вот! — говорит он, довольный собой. — Папина чернильница... И чернила... Ведь это нужно на даче, да?

И он собирается опустить в корзину с бельем и платьем чернильницу, полную чернил.

— Ох ты, лихо мое! — даже взвизгивает Юзефа, отнимая у него чернильницу. — И пальцы спачкал, и штанишки... А нос, нос! Ты что, пил этую чернилу или что?

Сенечка немножко сконфужен. Но не проходит и пяти минут, как он, пыхтя и сопя не столько от усилий, сколько от восхищения собственной толковостью, приволакивает из столовой графин с водой.

— Вот! — торжествует он. — Вода! Это на даче очень нужно. Вдруг — пожар? И вообще летом хочется пить.

Мы с мамой хохочем, а Юзефа отнимает у Сенечки графин.

— Шаматоха! — вздыхает она. — Не хлопчик, а шаматоха!

Наконец все уложено. Приезжает подвода за вещами.

Юзефа сперва поит на кухне возчика чаем — это уж такой обычай при переезде на дачу и с дачи. Напившись чаю, возчик Авром-Гирш (он всегда перевозит наши вещи) входит в комнаты. Сенечка с завистью смотрит на длинное кнутовище в руке Авром-Гирша. Если бы Сенечке такое кнутовище, Астантин бежал бы, как наскипидаренный... За возчиком входит подручный — его сын Рува.

— Ой, как много вещей! Ой, какие тяжелые вещи!

С этой фразы Авром-Гирш каждый раз начинает перевозку.

— Такие тяжелые вещи... Мадам докторша, три рубля за подводу немислимо! — И Авром-Гирш проводит кнутом по воздуху, словно пишет это слово. — Не-ми-сли-мо!

— Авром-Гирш! — говорит мама с упреком. — Мы же с вами вчера подрядились: три рубля за подводу. А теперь вы скандалите! Хорошо это?

— Кто скандалит? Я скандалю? Божезбави! Я не скандалю — я радуюсь, что Бог вам помогает и у вас много вещей... Но надо же иметь состриданию!

— Пожалуйста! Я имею к вам сострадание. Довольны вы? Так нагружайте подводу и едем...

Подняв глаза к потолку, Авром-Гирш трагически вопрошает:

— Боженька, ты это слышишь? Так почему ты молчишь? Что я, Эстергази какой-нибудь или другой ги́цель (собаколов)? Мадам докторша, надо иметь состриданию к моей коняке! Если она животная и не умеет говорить, так ее уже и жалеть не нужно? И меня тоже надо пожалеть: после таких тяжестей коняка стрескает черт ее знает сколько! А почем сено — вы знаете? Про овес я, конечно, уже и не говорю: она не графиня, чтобы каждый день кушать овес. Но кормить ее хотя бы сеном, как по-вашему, надо? Без еды она же не умеет, она подохнет, а где я тогда возьму хлеб для моих детей? У меня же четверо детей, чтоб они были живы и здоровы! Мадам докторша, имейте состриданию!

Этот разговор повторяется сегодня, как всякий год. И кончается он сегодня, как всякий раз: мама обещает Авром-Гиршу прибавить полтинник. И Авром-Гирш с сыном начинают выносить вещи во двор.

Сколько шуму производит при этом Авром-Гирш! Он кричит на сына:

— Рува, ты заснул? Нашел время спать!

Он кричит на Юзефу, кричит на коняку, яростно орет на ребят, сбежавшихся во дворе к подводе. Авром-Гирш покрикивает даже на своего Бога, словно призывает его к порядку:

— Боженька, ты все это видишь? Так почему ты молчишь?

Трудно представить себе что-нибудь более примитивное, чем подвода Авром-Гирша! Это не телега, глубокая вместительная, не широкая площадка и, уж конечно, не фургон для перевозки вещей. Это просто несколько досок на вихляющихся во все стороны колесах. Нужно в самом деле немалое умение, даже искусство, чтоб на эти шаткие мостки погрузить матрацы, столы, стулья, корзины. Нужно так укрепить, так искусно связать все это веревками, чтобы вещи не рассыпались по дороге. Всякая попытка мамы или Юзефы сделать какое-нибудь замечание или дать совет вызывают страдальческое обращение Авром-Гирша к Боженьке, который все это видит и почему-то молчит, — и мрачное суждение о «них».

— «Они» меня учат! «Они» же никакого пунятья не имеют, а учат! Где у них состридания, где?..

Наконец подвода трогается в путь. Из-под арки ворот в последний раз доносится трагический вопль Авром-Гирша:

— Имейте состриданию!

В квартире сразу становится тише.

— Чудный человек этот Авром-Гирш! — вздыхает мама. — Честный, непьющий, а какой сердечный... Но, боже мой, до чего невыносимый крикун!

Теперь в две извозчичьи пролетки погружаемся мы: мама с Сенечкой, Юзефа и я. И с нами все те вещи, которые не поместились на подводе: стиральное корыто, вешалка для платья, гладильная доска. Я прижимаю к себе свой любимый цветочный горшок: мне подарила его папина пациентка. У цветка смешное название: «ванька-мокрый», он очень красиво цветет, и я хочу, чтобы он пожил на даче, поправился на свежем воздухе.

Ну, тронулись... В добрый час!

Не успели мы проехать самую малость, как с передней пролетки раздается отчаянный плач Сенечки:

— Астантин! Забыли Астантина! Он там умрет один! — И по свойственной детям способности все запоминать и всему подражать Сенечка заливается: — Имейте состриданию!

Соскочив с остановившейся пролетки, я бегу домой за Астантином.

Сенечка радостно сжимает Астантина в объятиях:

— Ох ты, мой сирота! Ох ты, мой горький!

Дача, чистенько вымытая к нашему приезду, сразу приобретает вид неряшливого постоялого двора. По блестящим крашеным полам поползли грязные следы и разводы — по дороге подвода с вещами попала под дождь. Мокрые вещи похожи на испуганных купаньем жеребят. Мой цветок «ванька-мокрый» стоит на подоконнике и с непривычки чувствует себя неуютно...

Авром-Гирш наполняет дачу своей полнокровной шумливостью. Лицо у него влажное от дождя и пота.

Выгружая вещи и таская их в дом, Авром-Гирш все время приговаривает:

— Ничего, Рува, от работы человек не умирает. Вот когда, сохрани Бог, работы нет, вот тут человеку смерть... Ну, берись за швейную машину. Мадам докторша будет шить и вспоминать: «Ах, кто это так прэлэстно перевез швейную машину? Ну конечно, Авром-Гирш! Я еще тогда очень прилично дала ему на чай».

Пока идет выгрузка вещей, я спешу к Авром-Гиршевой коняке. Я очень люблю животных, а папа не позволяет держать в доме ни кошек, ни собак — вообще никаких зверей. И я пользуюсь всяким случаем, чтобы погладить, накормить, приласкать хотя бы чужих животных.

Авром-Гиршева коняка очень устала. Она стоит понурившись, как утомленная работой пожилая прачка.

Я осторожно глажу коняку. Имени ее я не знаю, но в нашем крае лошадям говорят: «Кося»...

— Кося! — приговариваю я. — Косенька... Хорошая кося!

Она смотрит на меня, скосив в мою сторону влажный лиловатый глаз. Второй глаз у нее слепой, с бельмом. Я даю коняке только что сорванные, свежие пучки сочной травы. Коняка берет их, высоко вскидывая верхнюю губу, и с удовольствием ест. В городе ведь нет травы — наверное, коняке надоело питаться всухомятку одним сеном. Достаю из кармана моей жакетки захваченный для коняки еще из города большой ломоть хлеба. Коняка аккуратненько съедает хлеб, подхватив мягкой губой крошки с моей ладони.

Смотрю, Сенечка с усилием тащит своего Астантина: знакомиться с Авром-Гиршевой конякой.

— Видишь? — показывает он Астантину на коняку. — Это твоя мама. Шаркни ножкой, подай ручку, скажи: «Здрасте, дядя!»

Мама расплачивается с Авром-Гиршем. Рува в это время с интересом рассматривает выпавшую из моей корзинки классную тетрадку.

— Арифметика... — кивает он головой на тетрадку. — Только задача решена у вас неправильно. Видите — здесь?

— Вы знаете арифметику?

— Почему же мне ее не знать? Знаю.

— А что еще вы знаете?

— Читать знаю. Писать. Четыре действия... А что, мало? Меня гимназист Агроскин учит. Знаете такого?..

Получив деньги, Авром-Гирш собирается уходить. Он доволен — мама, видимо, оправдала его надежды.

— Видишь ее? — показывает он Руве на маму. — Конечно, вещей было много, и они так-таки тяжелые. Но ничего не скажешь: на чай дала хорошо. Очень приличная дама!

Как чудесно на даче! День здесь емкий, просторный. Он неторопливо поспевает, как малина на кусте. До самых сумерек день остается свежим, крепким. Не то что в городе, где день через несколько часов жухнет, становится мятым, как ягоды на лотках у разносчиков.

Я спешу обежать все знакомые, милые места — я не видела их с минувшей осени. Медленно иду по лесу, прижмурив глаза, — хорошо! Побежала — ветер скрипит и трещит в ушах: т-р-р-р! — словно я на бегу разрываю полотно... Присела отдохнуть — легла грудью на мягкий мох и траву, — перед глазами качаются пробивающиеся из-под земли серые с изнанки листики земляники, похожие на нежно-пушистые щенячьи ушки. На кустиках черники крохотные тугие завязи будущих ягод. А сыроватый, чуть топкий луг весь осыпан незабудками. Будто ломоть голубого неба раскрошили, как хлебный мякиш, и разбросали для воробьев... Хорошо!

* * *

Несколько дней спустя мы все сидим на большом балконе у доктора Ивана Константиновича Рогова. Мы — это мама, папа, я да сам Иван Константинович со своими «названными внуками»: Леней и Тамарой.

Балкон выходит в сад. Иван Константинович разбил и насадил его на пустыре позади дома. Пестрыми коврами лежат клумбы. Чудесно пахнут розы. Из дома доносится томный, жеманный голос попугая: «Ах, бож-ж-же мой, бож-ж-же мой! Неуж-ж-жели я — птица?» Переходя на свирепый бас, Сингапур орет: «Дур-р-рак! Дур-р-рак! Дур-рак!»

Мы сидим за столом необыкновенно тихо, не шутим, не смеемся. Мы, дети, даже не шалим. Правда, не такие уж мы «дети»! Тамара и я перешли в пятый класс, мне — четырнадцать, ей — пятнадцать лет. Леня уже в шестом классе, и ему целых шестнадцать лет. Конечно, мы еще вполне способны на любое озорство, но сегодня серьезны все — и взрослые и дети. Ведь мы пришли к Ивану Константиновичу не просто в гости, как ходим часто, — нет, сегодня мама, папа и я позваны, как говорит Иван Константинович в серьезных случаях жизни: «на вече»!

Если бы не дачное время, то вечевым колоколом служил бы телефон — в нашем городе уже есть телефоны. Поставлен телефон и у нас в городской квартире. Самая ярая поклонница телефона — наша старая Юзефа. Поначалу она ни за что не верила — даже не хотела поверить, — что это не шутка, что ее не обманывают и можно, позвонив, услыхать в телефонной трубке голос человека, находящегося на другом конце города. Потом Юзефа поверила. А поверив, так полюбила телефонные разговоры, что готова вести их с утра до ночи. Она принесла из кухни цэ́глу — большую кирпичину, положила ее на пол под телефоном (Юзефа мала ростом, без цэглы ей не дотянуться до трубки) и целые дни подкарауливает телефонные звонки. Чуть раздается звонок, Юзефа становится на цэглу, снимает трубку с рычага и оглушительно кричит:

— Хто там в таляфоне?

Как-то мама спросила:

— Почему, Юзефа, вы так кричите в телефонную трубку?

Юзефа посмотрела на маму, как на маленькую девочку, которая болтает глупости:

— А як же ж «не кричите»? Не услышат! Чи то близко?

Самое смешное — Юзефа уверена, что телефонный собеседник слышит только те слова, которые обращены непосредственно к нему, и не слышит всего того, что Юзефа говорит про себя, ее мысли вслух, хотя она орет и их так же громко, как и все остальное.

— Хто в таляфоне? А, бодай тебя, дурная голова, ничего не слышу... Хто говорит, спрашую я вас?

Все это Юзефа произносит одинаково громко — в самую трубку. «Бодай тебя» и «дурная голова» звучат так же отчетливо, как и все остальное.

Но телефон может служить вечевым колоколом, только когда мы в городе. Сейчас мы на даче, телефона там нет. Поэтому Иван Константинович зовет нас к себе при посредстве своего денщика Шарафутдинова (кратко: «Шарафута»). Вот и нынче утром Шарафут притопал на дачу — с запиской:

«Дорогие! Прошу всех вас — и Сашеньку — нынче ко мне. На вече!

Ваш Иван Рогов».

Слова «на вече» подчеркнуты. Значит, что-то серьезное.

— Читырём часам, — добавил Шарафут. — Все прихади! Ниприменна! — И еще уточняет: — Баринам. Барыням. Шашинькам. Ниприменна!

Видя, что мама тревожно переглянулась с папой — почему Иван Константинович зовет нас так экстренно, среди недели? — Шарафут говорит маме негромко:

— Письмам получила.

И загрохотал по ступенькам балкона. Слышно, как, отойдя от дачи, он замурлыкал в саду:

Тйрли-тйрли-солдатйрли!
Али-брави-компаньон...

В последнее время Шарафут пристрастился к песням. В соседней квартире, у офицера Блажевича, недавно появился новый денщик. И бедняга Шарафут лишился покоя. Денщик поет какие-то удивительные песни с совершенно непонятными словами:

На Олимпе-д возносился
Равных лет со мной божок!
Тирли-тирли-д-солдатирли,
Али-брави-компаньон!

Шарафут мучительно старается запомнить эти нравящиеся ему слова песни. Чистит на кухне ножи или натирает полы — все время гнусавит под нос: «Тирли-тирли»... Вот и сейчас по удаляющемуся мурлыканью Шарафута слышно, как он отходит от дома все дальше и дальше...

Вдруг «тирли-тирли-солдатирли» начинает снова приближаться. И Шарафут снова всходит по ступенькам.

— Обедай дома не нада! У нас обедай!

После этого Шарафут уходит уже окончательно, бормоча под нос свое «тирли-тирли-али-брави».

Обед у Ивана Константиновича проходит необычно, как-то кисло. Иван Константинович невеселый, даже можно сказать, скучный. Леня тоже какой-то непонятный. Но всех более взволнована Тамара. По привычной своей выдержке она этого не выказывает — еще бы! «Генеральская выправка» дедушки Хованского!

Тамара уверенно и умело разыгрывает роль гостеприимной хозяйки дома:

— Елена Семеновна, возьмите, пожалуйста... Яков Ефимович, налить вам?.. Сашенька, твое любимое...

Но я-то ведь Тамару хорошо знаю. И явственно чувствую, что она чем-то взволнована. Часто она краснеет — вдруг совершенно невпопад. Глаза ее смотрят поверх наших голов и видят что-то, не видное нам... В чем дело?

Одним словом, сегодня в этом милом доме, знакомом-презнакомом нам, происходит что-то непонятное. Мама, я, даже папа, которого смутить трудно, держимся настороженно. Папа не шутит, мы молчим. Мы ждем, что будет.

Обед приходит к концу. Уже подали первую клубнику (со своих гряд), уже Шарафут принес кофе.

Папа начинает осторожно:

— Иван Константинович, время идет, мне скоро в госпиталь... Не приступить ли к вечу?

Иван Константинович словно просыпается от сна. Оглядев нас всех пристально, он начинает:

— Дело серьезное. Я получил письмо от сестры генерала Хованского... Она Лене и Тамарочке тетка... то есть бабушка... Нет, внучатная тетка. Тьфу ты, запутался я в этом родстве! Одним словом, она графиня Уварова. Евдокия Дионисиевна — так ее величают... Письмо она мне написала!.. — И Иван Константинович достает из бокового кармана длинный, узкий конверт сиреневого цвета. — Вот... Этого письма я еще никому не показывал. Даже Тамарочке и Лене, а письмо касается именно их обоих. Так что содержание письма здесь никому, кроме меня, не известно. Хочется мне, чтобы мы обсудили его здесь... Все вместе. Вот и предлагаю я: пусть Тамарочка прочитает нам это письмо вслух!

Покраснев так, что даже шея становится у нее густо-розовой, Тамара вынимает из конверта письмо и, прокашлявшись, совсем как в классе, перед тем как начать отвечать урок, читает внятно и выразительно:

— «Милостивый государь мой Иван Константинович! Покойный брат мой, генерал Хованский, Сергей Дионисиевич, умирая, назначил своей душеприказчицей супругу свою, Инну Ивановну Хованскую. Вскоре после смерти брата скончалась и Инна Ивановна. Перед смертью ей было угодно составить духовное завещание, по которому она передоверила Вам распоряжение ее денежными средствами и воспитание ее внуков, Тамары и Леонида...»

Тамара читает бегло, не запинаясь. Непонятно, почему Иван Константинович прерывает это чтение вопросом:

— Почерк-то разбираешь ты, птуша?

— Вполне! — отвечает Тамара, словно даже удивившись, и внезапно добавляет, сильно покраснев: — Мне тетушка тоже прислала письмо. Сегодня получила я его...

— А-а-а, — тянет Иван Константинович как-то неопределенно. — Ну, читай, птуша, читай дальше.

— «Вот уже почти четыре года Леонид и Тамара живут у вас, — читает Тамара. — Судя по справкам, мною полученным, отношение ваше к ним совершенно родственное и не оставляет желать лучшего...»

— Спасибо!.. — вдруг вырывается у Ивана Константиновича не то с горечью, не то с иронией.

— «Зато, — продолжает читать Тамара, — оставляет желать многого та обстановка, в какой живут и воспитываются эти дорогие мне дети. Тамара учится в провинциальном институте, Леня — в захолустной гимназии. А ведь брат мой, генерал Хованский, предназначал его для военной карьеры! Знакомства у детей, общество, в котором они вращаются, самые смешанные. Как далеко все это от той блестящей жизни, какая ожидала детей в доме их деда!..»

Тамара на минутку умолкает. Словно задумалась она над тем, что пишет ее «тетушка Евдокия Дионисиевна»...

— Что же ты остановилась, птиченька? — ласково спрашивает Иван Константинович.

И Тамара читает дальше:

— «Глубокоуважаемый Иван Константинович! Инне Ивановне угодно было назначить Вас опекуном внуков — на то была ее воля, спорить с этим нельзя. Однако с тем, как складывается жизнь моих внучатых племянников, я примириться не могу! Они — Хованские, они рождены для другого! Поэтому я предлагаю Вам следующее: пришлите детей ко мне в Петербург. Здесь Тамара будет учиться в Смольном институте. Леня поступит в какое-нибудь привилегированное дворянское учебное заведение, смотря по его склонностям и способностям. В моем доме они сразу вступят в тот блестящий светский круг, в каком им, Хованским, и надлежит вращаться. Я сама буду вывозить Тамару на балы. Со временем она выйдет замуж, Леня женится — все это совершится в тех высоких рамках, какие, несомненно, одобрил бы мой покойный брат, Сергей Дионисиевич. Опеку над детьми Вам придется передоверить мне — ведь Вам, пожилому человеку, она, вероятно, и в тягость. Не сомневаюсь в том, что енежные дела детей в полном порядке: Вы человек честный порядочный...»

В этом месте у Ивана Константиновича начинает крас-еть шея, он резко дергает плечом и даже невнятно бурчит ебе под нос что-то вроде любимого присловья: «Черт побе-и мои калоши с сапогами»... Но он сдерживает себя.

И Тамара дочитывает письмо тетки:

— «Если Вы, государь мой Иван Константинович, при-шлете ко мне детей теперь же, то они проведут лето на моей аче в Павловске. На август я, возможно, поеду полечиться а границу и, конечно, повезу туда и их. В ожидании Вашего твета пребываю с полным уважением к Вам графиня Евдо-ия Дионисиевна Уварова, урожденная Хованская.

Адрес для ответа: Санкт-Петербург, Гагаринская л. соб. дом».

Тамара дочитала письмо. На балконе так тихо, словно икого здесь нет. Все сидят неподвижно и молчат.

Шарафутдинов сунулся было накрывать на стол к чаю, о сразу уловил, что он некстати, и исчез, даже не топая, — аверное, на цыпочках. (Мы с Леней уже не раз замечали, акой Шарафут чуткий и деликатный!)

— Яков Ефимович, — вдруг прерывает молчание Иван Константинович, — есть у тебя какие-нибудь мысли по по-оду этого письма?

— Милый вы мой Иван Константинович... — начинает апа, глядя на старика с такой нежностью, что я впервые онимаю, как сильно любит папа своего старого друга. — Какие могут у меня быть мысли по поводу этого письма? I ведь не урожденный Хованский. Не берусь я с такой граф-кой легкостью и непринужденностью решать судьбы людей. Ведь тут судьба и Тамары, и Лени, и ваша — да, да, и ваша, Иван Константинович! Думаю я, что тут имеют слово — даже ервое слово! — сами, так сказать, заинтересованные лица, Тамара и Леня...

— Вот и мне тоже хочется услышать, что они об этом умают! — подхватывает папину мысль Иван Константинович. — Птушечка, не секрет это: что именно тетка тебе своем письме написала?

— Это уже не первое письмо... — угрюмо говорит вдру Леня. — Второе. Первое было недели две назад.

— Разве? — говорит Иван Константинович каким-т неестественным, «нарочным» голосом. — Что же ты нам о этих письмах ничего не сказала?

— Да так как-то... не пришлось к слову, — отвечае Тамара почти таким же «нарочным» голосом. И, достава из кармана два письма в таких же умопомрачительно сире невых конвертах, Тамара равнодушно добавляет: — Тетушк пишет мне... Ну, в общем, то же, что и вам: про Смольны институт, про дачу в Павловске. Ну, еще и про то, — Тамар слегка понижает голос, — что она хочет вывозить меня н балы...

— Ну, и что же ты думаешь обо всем этом? — продол жает Иван Константинович все тем же странно-деревянны голосом.

Совершенно неожиданно Тамара плачет. И как плачет Слезы бегут по ее лицу дождиком. Она всхлипывает, даж попискивает, жалобно, как малый ребенок.

— Дедушка, миленький, дорогой! Вы же знаете, дедушка как я... как я вас люблю! Ну просто очень, очень, очень. Дедушка, вы мой самый дорогой!..

До этой минуты я, признаюсь, сидела в страхе. А вдру думала я, Тамара обрадуется предложению тетки? Ведь граф ский дом. Смольный институт. Блестящее общество. Графин Уварова. Дача в Павловске. Поедем за границу! Все это — я же знаю — Тамара обожает, считает высшим счастье жизни... Я боялась, что Тамара кинется, как голодная, на эт приманки и уедет от Ивана Константиновича. Мне само было бы не так уж грустно расстаться с Тамарой — хоть н всю жизнь! Но просто невыносимо думать, что Тамара може забыть, как Иван Константинович привез к себе ее и Леню незнакомых детей, как любил их! Но этот страх оказался на прасным: Тамара любит Ивана Константиновича, она его н на кого не променяет!

Тамара все плачет: «Дедушка, дорогой мой!» Она прижи-
ается к нему, словно боится, как бы он не послушался этой
етки и не отправил их — Тамару и Леню — в Питер!

А Иван Константинович — ох, и недогадливый! — не
онимает этого. Обнимая Тамару, гладя ее растрепавшиеся
олосы, он вдруг берет ее за подбородок, поднимает к себе ее
ицо и, глядя прямо в красивые плачущие глаза, спрашивает
ихо и печально:

— Значит, уедешь? Да?

Ну какой непонятливый! Разве он не видит, как она пла-
ет, как она обнимает его: «Дедушка, дорогой! Ужас, как я
ас люблю!» Ведь совершенно ясно: она любит его, она не
роменяет его ни на какую тетку!

Но тут Тамара начинает бормотать сквозь слезы что-то
овсем неожиданное:

— Дедушка, ведь она правду пишет. Конечно, в Петер-
урге и институт другой, и общество другое! И балы, дедуш-
а!.. И потом, ведь я вправду скоро буду совсем большая, а
а кого мне здесь выйти замуж? За Андрея-мороженщика?
Вы же сами понимаете это, дедушка, правда?

— Понимаю, птиченька, понимаю... — кивает Иван Кон-
тантинович.

— И вы не сердитесь на меня, дедушка, правда?

— Не сержусь, птуша.

— И горевать не будете, когда я уеду?

— Постараюсь, птуша, постараюсь... — И Иван Кон-
тантинович беспомощно озирается на нас.

— Нет, вы мне обещайте, что не будете горевать!

Иван Константинович, ссутулившись в своем кресле,
ак-то осунулся, словно постарел на глазах.

А Тамара, быстро успокоившись, уже весело щебечет:

— Я думаю, дедушка, надо ехать поскорее! Чтоб пожить
ам с Леней летнее время на даче в Павловске.

Но тут Леня вскакивает так порывисто, как взвивающа-
ся в воздух ракета.

— «Нам с Леней»! Почему это такое «нам с Леней»?
И почему никто не спрашивает *у меня*, чего я хочу?

Иван Константинович резко поворачивается к Лене:

— А разве ты... разве ты не хочешь уехать в Питер?

— А почему мне этого хотеть? — почти кричит Леня. — Тетушка эта... Она к нам два раза приезжала... Она бабушк нашу не любила! Я сам слышал, она говорила, что дедушк бабушку «осчастливил»! Тетка эта за четыре года в первы раз о нас и вспомнила. И знаете отчего? Пусть Тамара ва расскажет. Тетка ей об этом написала.

— Леня, — строго одергивает его Тамара, — перестан

— Не перестану! Тетка ей пишет: она там спиритизмо занимается, столы вертит. И вдруг явился дух нашего дедуш ки Хованского и сказал ей: «Евдокия! Сестра! Спаси мои внуков!»

Леня говорит замогильным голосом, и, как ни взволно ванны все, я замечаю, что у папы шевелятся усы и дрожи подбородок: ему смешно.

— И мне к этой тетке ехать? — кипятится Леня. — Нуж но мне ее «привилегированное дворянское учебное заведе ние»! И балы мне нужны! «Ах, тетушка, выдайте меня замуж пожалуйста! За кого мне здесь выйти замуж? За Юзефу? З бубличницу Хану?..»

Никогда я Леню таким не видала. У него злые глаза, о зло кривляется. А папа-то мой, папа! Чем сильнее Леня «ха мит», тем ласковее смотрит на него папа.

Вдруг Леня обрывает сам себя на полуслове:

— Конечно, дедушка... Если *вы сами не хотите*, чтоб я жил с вами. Ну, тогда...

Иван Константинович охватил Леню за плечи, притяну к себе, смотрит на него сияющими глазами.

— Дурак! — говорит он нежно, любовно. — Я не хочу чтобы ты жил у меня? Дур-р-рак!..

И тут, когда все взволнованы, растроганы, из дома отчет ливо доносится голос попугая Сингапура, обрадовавшегос знакомому слову:

— Ду-у-ур-рак! Дур-р-рак! Дур-р-рак!

Это разряжает общую взволнованность. Сразу становит ся шумно. Все громко разговаривают. Папа, простившись уезжает в госпиталь. Мама обсуждает с Тамарой предстоя щие перед отъездом хлопоты.

— Я думаю, Елена Семеновна, мне уже ничего не надо десь ни шить, ни заказывать. Здешние вещи вряд ли пригоятся мне в столице...

Я не свожу глаз с Ивана Константиновича и Лени.

Они стоят, положив друг другу на плечи руки, и молча мотрят друг другу в глаза. Словно разговаривают... без слов.

— Дедушка... — бормочет Леня. — Вы понимаете, деушка?..

— Ш-ш-ш... — шепчет Иван Константинович, будто боится разбудить кого-то спящего. — Все я понимаю, все!

А попугай в доме надсадно поет голосом Шарафута:

Тирли-тирли-д-солдатирли,
Али-брави-компаньон!

Возвращаемся мы на дачу под вечер. Пахнет влажной верней травой, дымком шишек от дачных самоваров, цветами абака, гордо поднимающими головы во всех палисадниках.

Высокий кленóк, растущий у нашего балкона, задевает меня веткой-лапой, и лист, коснувшийся моей щеки, кажется аким родным, как прохладная щека друга.

Глава пятая
ОТРЕЗАННЫЙ ЛОМОТЬ

Сборы Тамары в дорогу, приготовления к отъезду ее в Іетербург — «к тетушке Евдокии Дионисиевне!» — идут с молниеносной быстротой. Да и велики ли сборы? Она сразу аявила: не хочет ничего из белья и платья покупать или заказывать в нашем городе... Зачем, как говорится в «Евгении Энегине»:

На суд взыскательному свету
Представить милые черты
Провинциальной простоты,
И запоздалые наряды,
И запоздалый склад речей?..

Единственное, что Тамара не прочь перевезти с собой в Петербург, — это трельяж красного дерева. «Знаете, тот бабушкин, мы его сюда еще из дома привезли...»

Но едва Тамара заикнулась об этом, Иван Константинович спросил ее очень серьезно:

— Ты что же, птуша, окончательно порываешь с нами? Даже приезжать к нам сюда — хоть изредка — не намерена?

Тамара смешалась, покраснела:

— Нет, что вы, дедушка! Конечно, я соберусь как-нибудь к вам в гости...

— Ну, так не разоряй здесь своего гнезда! Пускай все так и стоит, как при тебе стояло. Когда бы ты к нам ни приехала — ты у себя, дома...

Так трельяж и остался дожидаться того дня, когда Тамара «как-нибудь соберется» в гости к Ивану Константиновичу.

— Не приедет она! — гудит Варя Забелина своим густым голосом, низким, как жужжание майского жука (сколько беды Варе с этим голосищем! Все «синявки» в институте чуть не ежедневно напоминают ей, что «бас — это не дамский голос»!). — Вот увидите, Тамара уезжает навсегда.

— По-моему, тоже, — откликается Маня Фейгель. — Она сюда возвращаться не собирается.

— И по-моему так, — повторяет за Маней ее «эхо», Катенька Кандаурова. — Тамара уезжает навовсе!

— Ну, и пускай уезжает с богом! Подумаешь, без нее не проживем? Или будет нам без нее, как у Лермонтова «И ску... и гру... и некому ру...»? (Это Лида изменяет лермонтовский стих: «И скучно, и грустно, и некому руку пожать в минуту душевной невзгоды!»)

Все мои подруги — Варя, Маня с Катей и Лида Карцева — собрались сегодня в гости ко мне, на дачу. Мы ушли далеко в лес, аукались, хохотали по всякому пустяку. Набрали много земляники, малины. Кузовка у нас с собой не было — забыли захватить из дому, — ну, мы нанизали ягоды на длинные, крепкие травинки. А когда переходили через ручей, осторожно переступая по каменному броду, и Катюша Кандаурова, сорвавшись с мокрых, осклизлых камней, попаıа обеими ногами в воду — тут уж нашему веселью, казалось, ı конца не будет!

Сейчас мы сидим на берегу реки, на золотом песочке. На ближней раките сохнут Катины мокрые чулки и туфли. Это Маня аккуратно развесила их, как заботливая «Катькина мама» (так мы поддразниваем Маню). Мы только что выкупались. Плавать никто из нас не умеет — от этого купанье еще веселее. Варина рубашка уплыла по реке, но Маня ловко подцепила рубашку длинной жердью и вытащила из воды.

— Медаль за спасение утопающих! — кричит Лида Карцева. — Мане — медаль...

— Манечка моя... — любовно тормошит ее Катя. — Спасительница! Избавительница! Покровительница!

Ну, это надолго: Катюша обожает рифмы. Она может перебирать их часами — и так складно, что иногда диву даешься. А вот сложить из них стихотворение — этого Катя не может. Даже удивительно! Впрочем, папа не находит в этом ничего удивительного. Рифмы подбирать — это, говорит он, может всякий человек. А для того чтобы сложить стихотворение, надо, во-первых, хотеть что-то сказать людям, *иметь*, что сказать им, — да еще такое, что может получиться только в стихах. Этого у Катюши еще нет.

Мы лежим на теплом прибрежном песке. Обсыхаем. Наслаждаемся еще не исчезнувшим ощущением чудесной свежести. Я смотрю в небо — там всегда есть что-нибудь интересное. Самое удивительное — это что небо никогда не бывает неподвижным. Даже когда оно словно замерло, как нарисованное, стоит лишь всмотреться — и увидишь в нем непрерывное движение облаков. Порой это движение еле уловимо, его замечаешь только по неподвижным предметам на земле; во-о-он то облако стояло прежде над лесной кромкой, а сейчас оно передвинулось влево или вправо. А иногда облака спешат беспорядочной толпой, налезают друг на друга, как крестьянские телеги на мосту: «Эй, там, впереди! Что стали? Живей, живей!..»

До чего хорошо жить! Мы слегка опьянели от лесных и речных запахов, от смеха, от душистых спелых ягод и речной

прохлады. Да и приустали мы — далеко ходили. Лежим, ле
ниво перебрасываемся словами.

— Мне иногда кажется, — говорю я, — что Тамара уж
да-а-авно уехала. Она, конечно, еще здесь, но она уже никог
из нас не замечает, даже не помнит. Бывает, она вдруг вски
нет глаза — вот так! — с удивлением: «Ах, я все еще здесь
Ах, это все еще вы?»

— Верно! — подтверждает и Лида. — Она вчера при
ходила к нам «с прощальным визитом». Сидели мы с не
друг против друга и молчали. Вот просто не о чем было на
разговаривать. Как незнакомые... А ведь четыре года училис
вместе, даже вроде как дружили мы с ней.

— А почему Тамара не приходила прощаться к нам с Ма
ней? — удивляется Катенька Кандаурова.

— И у нас с бабушкой не была! — говорит и Варя.

— У нее список составлен, к кому «заехать с визитом»
И визитные карточки для этого заказала: «Тамара Леонидов
на Хованская», — объясняю я.

— А визитные карточки к чему?

— «Так принято в высшем свете»! — дурашливым голо
сом изрекает Лида.

— Да, — поддерживаю я, — если Тамара кого не заста
нет — из тех, к кому приехала с визитом, — она оставляе
визитную карточку. С припиской: «с п. в.» — значит «с про
щальным визитом».

— А к кому Тамара ходит прощаться? — интересуются
все.

— Ну, прежде всего, конечно, к девочкам из первого
отделения нашего класса. К «знатным и богатым»! Они е
когда-то крепко обидели. Помните, еще в первом классе
когда они узнали, что она не княжна? Вот теперь она радуется: она может утереть им нос. Вы, мол, мной пренебрегли
а я вот оно куда взлетела! «Петербург, Смольный институт
моя тетушка графиня Уварова, собственная дача в Павловске. Ах, в августе поедем за границу!..» — кривляюсь я
самыми, как мне кажется, великосветскими интонациями
аристократическими жестами.

— Ну хорошо, девочки из первого отделения ее обидели, они ею пренебрегли, — недоумевает Варя. — Так ведь мы-то ее не обижали. За что же она швыряется нами?

— А вот за это самое! — спокойно объясняет Маня Фейгель. — За то, что мы, дуры, тогда пожалели ее, поддержали, приняли в свою компанию... Вперед будем умнее!

— Знаете что? — выпаливает вдруг Катенька «вдохновенным» голосом (это означает: сейчас она скажет которые-нибудь из своих любимых стихов). — Тамара — «тучка золотая»... Вот та самая, что ночевала «на груди утеса-великана», и «на заре она умчалась рано, по лазури весело играя»!..

— «Тучка золотая»! — ворчит Варя. — Довольно да же противная тучка... Не тучка, а штучка! Опять все прежние барские фанаберии вспомнила... Визитные карточки! «С п. в.» — «с прощальным визитом»! Ну ее, и говорить о ней не хочу: противно!

Этот разговор мы ведем уже по дороге домой, шагая по лесу. Идем мрачно — мы сердиты. Вспомнили Тамару — и стало нам в самом деле противно...

Варя, конечно, права: Тамара снова — и с каким наслаждением! — вспомнила свои прежние аристократические замашки. Казалось, за четыре года она совершенно позабыла все это, жила среди нас, почти такая же простая, как все мы. Но нескольких писем «тетушки Евдокии Дионисиевны» оказалось достаточно, для того чтобы весь дворянский гонор воскрес в ней с новой силой. Сейчас у нее одна мечта: чтобы на вокзале ее провожало в Петербург «избранное общество»! Не мы — дочки обыкновенных, незнатных мам и пап! — а внучка городского головы Нюта Грудцова, дочки богатого фабриканта Рита и Зоя Шабановы и другие фон-бароны из первого отделения нашего класса. В последние дни она очень старается, готовит себе эти блестящие проводы. То и дело она звонит по телефону:

— Квартира Грудцовых?.. Можно попросить Нюту... Ты, Нюта? Это я, Тамара Хованская... Нет, еще не уехала. Я уезжаю в пятницу. Поезд отходит в семь часов пятнадцать минут вечера... А разве ты собираешься провожать меня на вокзале? Ах, как это мило! Я страшно тронута. Так не забудь: в пятницу, в семь часов пятнадцать минут вечера! Нюточка, ты просто дуся, муся, пуся!..

Все муси, дуси, пуси жестоко обманули надежды Тамары на блестящие светские проводы — никто из них на вокзал не пришел! Никого вообще не было: Варя, Маня и Катюша не пришли, — обиделись на Тамарину невежливость, а Лида Карцева не пришла, обидевшись за подруг. Провожали Тамару Иван Константинович с Леней и Шарафутдиновым и мы с мамой. Нам совсем не хотелось оказывать Тамаре внимание, но мы не хотели огорчать Ивана Константиновича.

Тамаре было досадно, что «избранное общество» не явилось на вокзал. Чуть не до последнего звонка она все высматривала: не идут ли они, не несут ли ей цветы? Но никто не пришел.

В красивых глазах Тамары были досада и грусть. Перед последним звонком Тамара рассеянно чмокнула маму и меня, потом стала прощаться с Иваном Константиновичем и Леней — и вдруг заплакала.

— Дедушка, миленький мой, золотой! Я скоро приеду, скоро, непременно... Ленечка, отчего ты не едешь со мной? Я буду так скучать без тебя!..

Поезд уходил. Иван Константинович все стоял, все смотрел, как с площадки вагона маленькая фигурка махала платочком. Так изящно... так грациозно!

— Пойдем, дедушка! — И Леня ласково, настойчиво берет Ивана Константиновича под руку.

Шарафут идет со мной. Вздыхает печально. Потом говорит, огорченно качая головой:

— А с мине Тамарам Линидовнам ни прощался...

С вокзала мы все идем к нам. Иван Константинович очень грустный...

— Как хорошо прощалась с вами Тамара! — говорит мама. Ей хочется сказать приятное милому старику. — Так искренне плакала... «Скоро, говорит, приеду!»

Иван Константинович очень долго не отвечает. Словно раздумывает над мамиными словами. Наконец он говорит со вздохом:

— Нет, Елена Семеновна, голубенькая вы моя... Не приедет она больше, отрезано!

Первое письмо Тамары приходит очень не скоро. Все мы из-за этого волнуемся. Даже папа, как бы поздно ни приехал на дачу, непременно справляется, получил ли Иван Константинович письмо от Тамары. И, услыхав неизменный ответ: «Нет, не получил», папа сердито бросает:

— Ох, чертова девчонка, чертова девчонка!

Мы с мамой приехали в город по разным делам. Сидим у нас на городской квартире за чаем. С нами дедушка и дядя Мирон Ефимович. Дядя этот — чудный человек, я его очень люблю, но ох какой он раздражительный! Что ему ни скажи, на все он непременно сердито фыркнет и ответит что-нибудь язвительное. Когда мне случается оказаться вместе с ним на улице, я уж, помня его характер, изо всех сил стараюсь не задавать дяде Мирону никаких «глупых вопросов». Но разве удержишься?

— Миронушка, — спрашиваю я, — не знаешь, кто этот человек... Вон там идет — в серой шляпе?

— А я что, обязан знать всех дураков в серых шляпах? — следует немедленное вулканическое извержение дяди Мирона.

Я прикусываю язык — ведь знаю же я своего дядю! Надо же было дать ему повод взорваться! Вот теперь буду молчать и молчать... Но через минуту опять спрашиваю:

— Миронушка, смотри, какая смешная идет. Раскрыла зонтик, а ведь ни дождя, ни солнца нет... Зачем это она?

— Сейчас побегу за ней и спрошу! — огрызается дядя Мирон.

Я иногда думаю: в чем разница между дядей Мироном и дедушкой? Сходство одно: оба бывают несносными, но по-разному. Дядя Мирон раздражается и желчно огрызается на глупые слова и глупые вопросы. Он — раздражительный добряк. Дедушка — поучающий добряк, не раздражается, но поучает и воспитывает всех, кто его об этом не просит. И делает он это с редким спокойствием и даже доброжелательством!

— Ну, послушайте, — говорит он на улице незнакомому человеку, — зачем вы харкаете на тротуар? Ведь тут люди ходят — они о ваш харчок поскользнутся! Ведь маленький ребенок упадет — он прямо ручками попадет в это нахарканное... Надо же быть человеком, а не свиньей!

Даже в драку — а дедушка это обожает! — он лезет без злобы и раздражения. Когда его задирает человек, не очень могучий с виду, дедушка добродушно предупреждает его:

— Ой, не лезь! Ой, я тебя сильнее, я с тебя сделаю шнельклопс!

Вот и сейчас... Папа пришел из госпиталя (через полчаса мы все поедем на дачу) и первым делом спросил, получил ли Иван Константинович письмо от Тамары.

Дядя Мирон сразу «выходит из берегов»:

— Есть о ком беспокоиться! О Тамаре!

— Мы не о Тамаре тревожимся, — вступает в разговор мама, — а об Иване Константиновиче. Совсем извелся старик! Вот уже третья неделя пошла, как уехала Тамара, и даже телеграммы о ее благополучном приезде нет. Бессердечная девочка, бог с ней совсем!

И тут дядя Мирон неожиданно спокойно дает совет:

— А для чего телеграф изобретен? Пошлите ей телеграмму.

Все обрадовались неожиданному выходу. Решают телеграфировать немедленно. Красивым круглым почерком мама начинает выводить: *«Петербург Гагаринская собственный дом графине Уваровой для Тамары Хованской»*...

— Ну, адрес написала. Диктуйте дальше.

— А что там раздумывать! — снова взрывается дядя Мирон. — Пиши так: «Дрянная девчонка! Стыдно! Уморишь деда! Телеграфируй немедленно. Напиши подробное письмо!» Вот и все...

— Нет, — возражает мама, — «дрянная девчонка» — это слишком грубо и резко.

— А я бы, — вступает в спор дедушка, — я бы написал не только «дрянная», но еще и «паршивая»! Человек должен быть человеком, а не свиньей!

— Нет, — говорит папа, — надо написать спокойно, без выкриков. Напиши так: «Дедушка очень обеспокоен твоим молчанием»...

Спор из-за текста телеграммы все разгорается. Мама хочет мягче. Мирон и дедушка — резче. Папа настаивает: телеграмма должна быть деловая, без истерики.

Внезапно раздается телефонный звонок: звóнит Леня.

— Шашура, вы сегодня в городе?.. У нас новость: письмо от Тамары.

— Ну что с ней? Как она?

— Да ничего с ней! Никак она! — нетерпеливо отвечает Леня. — Живехонька-здоровехонька!.. Дедушка просит узнать: можно ли нам с ним сейчас прийти? Поговорить...

Конечно, все кричат:

— Да, да! Ждем! Пусть скорее приходят!

Мама достает из буфета любимую Иваном Константиновичем «апекитную» чашку и ставит ее на стол.

— Значит, «на вече»... — задумчиво говорит папа.

— Что там в этом письме? — гадает мама.

Дядя Мирон шумно встает из-за стола:

— Ничего в этом письме нет! Сказал же Леня: «живехонька-здоровехонька»! Просто измучился старик за три недели, хочет посидеть с друзьями... Пойдем, папаша, не надо его стеснять.

Приходят Иван Константинович с Леней.

— Вот что, друзья мои... — начинает Иван Константинович, как всегда, когда он открывает «вече» и собирается произнести речь.

Но тут же он замолкает. Растерянно обводит нас беспомощным взглядом своих добрых медвежьих глаз.

Мама приходит ему на помощь:

— Письмо получили, Иван Константинович?

— Получил. Да. От Тамарочки... — отзывается он деревянным голосом. — Вот оно...

И он достает из бокового кармана конверт — уже знакомого нам вида, — узкий, изящный, сиреневого цвета.

Ох, была бы у меня такая почтовая бумага, я бы каждый день письма писала! Вот только одна беда: не только бумаги такой у меня нет, но и письма мне писать решительно некому.

— Сашенька, — просит Иван Константинович, — ты Тамарочкин почерк знаешь? Прочитай вслух...

Но тут вмешивается Леня. Он все время не спускал с Ивана Константиновича тревожного взгляда и теперь берет у него из рук сиреневый конверт:

— Не надо вслух, дедушка! Пусть каждый читает про себя...

Мы так и делаем. Вот оно, письмо Тамары. К нему нужно еще добавить бесчисленные кляксы, ошибки, помарки, какие-то рисуночки, — тогда все будет во всей красе!

«Дорогие дедушка и Леня!

Как вы поживаете? Отчего вы мне не пишете, ай, ай, ай, как нехорошо, вы меня забыли, я плáчу...

(Здесь нарисована рожица, из глаз ее катятся небольшие блинчики и сбоку приписано: «это мои слезы».)

Я живу чудненько! Просто сказать, роскошно! У тетушки дом в два этажа, четырнадцать комнат. И весь дом занимает одна тетушка! Вы такой квартиры, наверное, никогда и не видали, даже у Нютки Грудцовой такой нет. В моей комнате обои не бумажные, а стены обиты английской материей, называется «чинц». Нютка лопнула бы от зависти, наверное, лопнула бы.

Мы уже переехали в Павловск на дачу, каждый вечер ездим на музыку, там самое лучшее общество. Только, к сожалению, много всяких Дрейфусов! Но кто в платочке или без шляпки, тех даже не впускают в зал. Простонародье слушает музыку из-за мостика. А вчера днем я была просто счастливая, потому что в парке мимо меня проехали великий князь Константин Константинович с сыновьями, и они привстали в стременах, и они отдали мне честь, потому что Павловск принадлежит им, значит, они здесь хозяева, а я, значит, ихняя гостья, и они меня приветствуют, это у них такой обычай. Правда, красиво?

Скоро уезжаем за границу. Я вам оттуда пришлю адрес. Дедушка, миленький, надо все-таки, я думаю, прислать сюда бабушкин трельяж красного дерева. Пусть тетушка видит, что мы у дедушки Хованского жили тоже не как последние какие-нибудь.

Целую вас крепко-крепко. Привет Сингапурке, злому попугайке.

Ваша забытая Тамара».

Все мы прочитали письмо Тамары. Сидим, молчим. «Веча» сегодня не получилось — нечего обсуждать, все ясно.

Иван Константинович прощается и идет к двери:

— Ты, Леня, здесь оставайся. Я немного пройдусь — пускай меня ветерком ополоснет...

После его ухода Леня бежит к окну. Смотрит на улицу и удовлетворенно кивает:

— Молодец Шарафут! Ведь он еще ничего не знает, что за письмо, о чем письмо. А вот чувствует, что дедушка огорчился, и — глядите! — идет за ним! Крадко́м идет, чтобы дедушка не заметил...

Глава шестая

НЕЖДАННЫЕ ГОСТИ

Вечернее чаепитие на даче — священнодействие!

Оно объединяет не только членов семьи, но и друзей, приехавших или пришедших пешком из города (дачный поселок расположен от города недалеко). В особенности, в такие времена, как сейчас, когда все волнуются из-за всяких неожиданных поворотов в деле Дрейфуса. Крейсер «Сфакс» уже приплыл во Францию, и слушание дела уже началось в суде города Ренна, в Бретани.

Все недоумевают, почему дело слушается не в Париже, а в бретонском захолустье. Все гадают: хуже это для Дрейфуса или лучше? Умные люди считают, что хуже. Это врагам было нужно, чтобы новый процесс слушался не в Париже, где сильны социалисты, где много рабочих, учащейся молодежи, много сторонников Дрейфуса. Бретань — это не только глубокая провинция. Спокон веку Бретань — это сердце контрреволюции, монархических заговоров, зловещее гнездо католических священников. Ничего хорошего тут ждать не приходится.

И в нашем городе — далеко от Франции — честные люди мечутся, стараются узнать что-нибудь помимо скудных газетных телеграмм, хотят встречаться с единомышленниками и друзьями, разговаривать и спорить до сипоты, засиживаясь иногда до поздней ночи за вечерним самоваром.

Мы сидим на балконе: мама, папа, Иван Константинович с Леней, Александр Степанович.

У всех, по-видимому, то сдержанно-сосредоточенное настроение, какое обычно нападает на человека в этот час.

— О чем вы так упорно думаете, Александр Степанович? — спрашивает папа.

— Я? Да как будто ни о чем особенном... — отвечает Александр Степанович, словно стряхивая с себя задумчивость. — У меня почему-то все время вертится в мыслях: «...сообщите капитану Дрейфусу...»

Все смотрят на Александра Степановича вопросительно. И он поясняет:

— Вы только подумайте: «Сообщите *капитану* Дрейфусу»! Значит, он снова капитан? Он восстановлен в прежнем чине и звании. Он уже — не шпион! Пять лет он был тягчайший государственный преступник — у него не было ни имени, ни фамилии! Собака и та имеет кличку! А у него был только номер... Понимаете, каково ему было прочитать: «Сообщите *капитану* Дрейфусу»! Пять лет с ним обращались как с бессловесной скотиной... Пять лет он не смел спросить у кого-либо из тюремщиков... ну хотя бы который час. Даже врач не смел сказать ему ни одного слова! И вот он сразу переходит на крейсер «Сфакс», — и там все, надо полагать, обращаются с ним безусловно вежливо! Ведь хорошо?

— Хорошо! — отзываемся мы с мамой и Леней.

— Нет, вы вдумайтесь поглубже во все это. В телеграмме сказано: «Сообщите капитану Дрейфусу, что он снова имеет право носить военный мундир»... А он помнит день своей гражданской смерти — своего разжалования, — когда его водили, как преступника, перед войсками, а толпа кричала: «Смерть шпиону! Бросьте его в Сену!» И вот ему снова можно надеть такой же мундир, как тот, который тогда изорвали на нем в клочья.

— Хорошо! Хорошо! — снова кричим мы.

— Хорошо-то хорошо... Конечно, хорошо. А вот как будет дальше?

— Я понимаю Александра Степановича, — вмешивается папа. — Александр Степанович сомневается — и не зря сомневается. Ведь Дрейфус не имеет представления о том, что происходило за эти пять лет, — о том, как лучшие люди боролись за него и буквально вырвали эту победу: новый пересмотр судебного процесса. А Дрейфус, может быть, надеется, что этот пересмотр — одна формальность, что уже установлена его невиновность, что Франция встретит его с распростертыми объятиями.

— Между тем, — продолжает Александр Степанович, — враги Дрейфуса во Франции вовсе не разоружились, они не собираются сдаваться. Признать, что они осудили невинного, защищали грудью шпионов Эстергази и Анри, покрывали фальшивки и клевету? Никогда этого не будет!

— Да... — вздыхает Иван Константинович. — А Дрейфус-то узна́ет об этом только тогда, когда они приедут...

— Да... Только когда приедут...

— Приехали! Привезла я их! — говорит, входя на балкон, Вера Матвеевна, и ее доброе лицо со слепыми глазами светится радостью. — Здесь они!

Все замолкают. У всех на секунду мелькает нелепая мысль, будто к нам на дачу приплыл крейсер «Сфакс» с Дрейфусом!

— Да кто приехал-то, Вера Матвеевна? — взмаливается папа.

— Гости к вам! И какие дорогие гости! Я их у вас на городской квартире застала: только что приехали с вокзала. Стоят и не знают, где вас искать. Я их сюда привезла.

Тут на балкон входит высокая белокурая женщина, энергичная в движениях, с веселым вздернутым носом. И с нею — девочка моего возраста, очень на нее похожая, — такая же рослая, курносая и до того загорелая, как не загорают люди в наших широтах. Мама и папа бросаются к гостье с поглупевшими от радости лицами:

— Маруся! Марусенька приехала!

И начинается веселый кавардак, как всегда при встрече друзей, давно не видавшихся и обрадованных встречей. Все говорят одновременно, не слушая, перебивая.

Я узнала гостью сразу. Это «тетя Маруся» Лапченко-Божедаева, врач, подруга папиной студенческой молодости. Они с папой учились на одном курсе Военно-медицинской академии в Петербурге. Тогда — в конце 70-х годов — женщин еще принимали в академию и выпускали с врачебными дипломами. Правда, и тогда их была считанная горсточка, а в 80-х годах, при Александре III, вышел запрет принимать женщин в академию. Мария Ивановна Лапченко успела поступить в академию и закончить курс именно в этот короткий промежуток. Она дружила с тремя студентами, своими однокурсниками, — с Яновским (моим папой), Молдавцевым и Божедаевым. Были они все трое неразлучные друзья, очень способные, знающие, редкостные работяги и... круглые бедняки! Питались колбасой под заманчивым названием «собачья радость», запивали ее нередко одним кипятком без сахару, снимали для экономии одну комнату втроем. Все трое были влюблены в Марусю Лапченко, как она выражается, «чо́хом». По окончании курса она вышла замуж за Божедаева. Папа и Молдавцев, хотя и отвергнутые воздыхатели, считали, что Маруся — умница и выбрала из них самого стоящего. Теперь судьба разбросала их по всей России. Мария Ивановна живет с мужем в далеком губернском городе и славится там как отличный врач. Был даже такой удивительный случай, что у нее лечился — и был ею вылечен — сам архиерей.

Вот какой врач расцвел в тете Марусе!

Когда Мария Ивановна и папа встречаются — очень редко! — то обязательно и с удовольствием вспоминают один трагикомический случай. Пришла как-то раз Мария Ивановна к своим трем рыцарям — и «заработала» замечание от их квартирной хозяйки, финки: она запачкала у них пол. День был осенний, дождливый, ботинки у Марии Ивановны были прохудившиеся, «с протекцией», калош не было. Ну и, конечно, она нанесла в квартиру немало уличной грязи. «Ай, неланно (неладно)!» — сказала чистоплотная хозяйка-финка. Мария Ивановна сконфузилась, а все три друга возмутились: «Она посмела! Замечание — кому? Нашей Марусе!» Рыцари демонстративно съехали с квартиры и купили в складчину Марусе пару калош. Для этого расхода была на целую неделю сильно урезана порция «собачьей радости», приходившаяся на каждого рыцаря, но в молодости такие вещи не кажутся катастрофой. Ну, подтянули малость пояса. Конечно, сосало под ложечкой от голода, но настроение было отличное: заступились за Марусю и обули ее (сама Маруся была не богаче их — калоши были для нее труднодоступны!).

В первые минуты встречи все говорят слишком громко — привыкли считать, что их разделяет огромное расстояние! — и разговор то и дело сползает на боковые тропинки.

— Яшка! — восторженно кричит Мария Ивановна. — Миленький, можно, я тебя за рыжий ус потрогаю? А то не верится мне, что это вправду ты! Мы ведь к вам только на несколько часов, на рассвете отбудем...

— Что так мало погостите? — огорчается мама.

— Домой пора — отец у нас скучает... Ведь мы уже три месяца дома не были! И то крюку дали, чтобы к вам заехать. Ну, да уж, как говорится, «для друга нет круга»! Милые вы мои, дорогие!

— А где вы были? Откуда приехали? — допытывается папа.

— На курорт я свою курносую возила... Леночка, как тебе дочка моя? Ничего? Она у меня тоже Александра, как и ваша. Только отец желал сына, потому и назвал дочь Алешкой!.. Можете себе представить — этой зимой наши губернские светила заподозрили у девочки костный туберкулез! Я ее, конечно, сразу сгребла в охапку и на курорт, в Бретань, в Сен-Бриэк... Море там и ветра́ — удивительные! Никакого туберкулеза у нее не подтвердили, а за два с лишним месяца на соленом ветру Алешка вон в какой пейзаж превратилась!.. Ну, а последние десять дней мы с ней прожили в городе Ренне. Слыхали небось про такой? В газетах тоже, наверное, читали? Так что, можно сказать, мы вам от Дрейфуса самый свежий привет привезли!

При этих словах Марии Ивановны Александр Степанович и Иван Константинович с Леней — начинавшие было переглядываться между собой: не пора ли, мол, уходить, не мешаем ли мы встрече друзей? — усаживаются прочнее на своих стульях и смотрят Марии Ивановне в рот. Шутка сказать — из Ренна приехала, из того самого Ренна! Конечно, про поклон от Дрейфуса она сказала в шутку, но кое-что интересное она, наверное, может рассказать.

— Марусенька, — просит папа, — умоляю: перестань скакать, как блоха, от одной темы к другой! Объясни толком: как это тебя из бретонского курорта в Ренн занесло?

— Вот именно, что занесло! — смеется Мария Ивановна. — Эта арапка Петра Великого, дщерь моя, — знаете, кто она? Она будущий археолог! Вбила себе это в голову. Ну, а у нее что вбито, то забито, клещами не выдернешь.

— Еще бы, и мама такая, и папа такой!.. — вставляет папа.

— Кончили мы свое курортное сидение. «Поездим, мама, немножко по Бретани! Древняя страна, древнее зодчество...» Ну и всякая там ерунда...

— Мама! — укоризненно вставляет молчаливая Алеша.

— Да ладно уж. Приезжаем с Алешкой в Ренн, идем с вокзала в город, обиталище себе приискивать. Городок ничего, чистенький. Смотреть в нем, по-моему, нечего. Ну, арапка моя, конечно, другого мнения. Но до того городок богомольный, до того запуганно-реакционный, даже у нас таких немного сыщешь! Ни одной левой газеты в киосках купить нельзя, даже потихоньку, из-под полы и то не продают. Что́ ихние газеты о Дрейфусе пишут — волосы дыбом! Я уж потом и читать почти перестала: одно вранье и клевета!.. Ну конечно, волнение у них по поводу предстоящего процесса неописуемое. Во всех ихних церквах службы и проповеди, да и вне церквей монахи и патеры на всяком углу проповедуют: «Последние, мол, времена приспели, везут к нам судить окаянного шпиона Дрейфуса. За него, мол, стоят одни только люди, продавшиеся евреям! Так покажем им, что такое добрые, честные католики!»

Мы слушаем Марию Ивановну прямо-таки со страстным вниманием. Ведь очевидица! И рассказывает так просто, образно, вкусно!

— Ну, идем мы с Алешкой по улице и вдруг слышим — приближается какой-то кошачий концерт. Свист, крики, улюлюканье! И прямо на нас бежит женщина, ох, и не женщина, а маленькая женщинка в траурном платье, убегает от целой оравы мальчишек, и это ей они свою гнусную серенаду устраивают! К кому она ни бросится, все от нее только отмахиваются. Увидела нас, бросилась к нам и кричит — ну, прямо сказать, последним заячьим голосом кричит: «О секур! О секур! (Помогите!)» А на углу стоят полицейские — ажаны эти французские, элегантные, в пелериночках — и, ну словно слепые и глухие, не видят и не слышат они этого безобразия! Я, конечно, женщину эту взяла за руку, говорю: «Не бойтесь ничего, мы вас в обиду не дадим!» А она, как перепелка подбитая, так вся и трепыхается, руки дрожат, в глазах тоска смертная, волосы растрепались, шляпенка набок съехала... Я говорю ажану: «Что же вы, полиция, смотрите? Мальчишки озоруют, обижают женщину, а вам ни́што?» Он очень вежливо — французик ведь, он тебя убьет, не поморщится, но сперва с тобой раскланяется, как мушкетер на королевском балу! — отвечает мне: «Это дети шалят. Неужели детей наказывать, мадам?» Ну тут вмешивается мой собственный курносый ребенок — вот этот! — она уж и до этого давно хмурилась, как курица к дождю. А тут хватает кишку для поливки улиц и кричит этим проклятым мальчишкам (она по-французски и раньше хорошо говорила, а тут за два месяца на курорте так навострилась, лучше не надо!): «Считаю до трех! Г а р а в у! (Берегитесь!) Оболью водой!» Ну, мальчишек, конечно, вмиг как ветром смело! Полицейский двинулся к Алешке очень воинственно, но я ему с самой любезной улыбкой говорю: «Господин ажан, ведь это ребенок шалит! Ведь детей вы не наказываете?»

Мы невольно смеемся. До того нам нравится Мария Ивановна и такая милая эта Алешка!

— Ну, — продолжает Мария Ивановна, — пошли дальше, и маленькая женщина с нами. Тут мы и узнали, что она приехала сегодня из Парижа, тоже ищет комнату. И зовут ее Люси Дрейфус. И завтра ночью приплывет с Чертова острова на крейсере «Сфакс» ее муж Альфред Дрейфус!..

Ну, могли мы ожидать такой удачи, как приезд тети Маруси с Алешей? Ведь они сами там были, своими глазами видели все то, что нам сейчас всего интереснее!

— Тут, — продолжает свой рассказ Мария Ивановна, — тут у нас и археология, и древнее зодчество — все полетело под раскат! Алешка у меня, прямо скажу, ничего человечек, и не вовсе глупый: понимает, что́ в какую минуту важнее — средние века или несчастный человек, которого травит целый город? Стали мы вместе с Люси Дрейфус искать жилье. Наплакались! Не пускают ни-ку-да. Ни в гостиницы, ни на частные квартиры...

До самого вечера искали мы комнаты — и все тщетно. Нет комнат, и все тут! А при нашем проходе по улице сбиваются толпишки. И буравят они нас такими взглядами, словно острыми камешками побивают. И нет-нет да и раздастся свисточек или песенка этакая паскудная: «А вот идет шпионка, шпионова жена!» Наконец, уже вечером, нашли комнату. На окраине Ренна, рядом с кабаком. Комната маленькая, одна на троих, — мы побоялись Люси одну оставлять хотя бы на ночь. Хозяйка комнату сдала, но была очень напугана: «Ох, что-то скажет господин кюре (католический священник)! Он всем объявил: «Кто впустит к себе эту еретичку и шпионку, тот попадет прямо в ад!» Ну, я хозяйку успокоила, как могла. Вам, говорю, в аду скучно не будет — увидите спектакль, как из вашего кюре черти будут жарить отбивные котлеты!.. Комната наша была, прямо сказать, сомнительный клад.

В соседнем кабаке устроили свой штаб все хулиганы, воры, подонки, вся мразь, какая есть в Ренне! Все ночи напролет они пьянствовали. Хозяйка наша как-то проговорилась, что на все время процесса Дрейфуса за всех хулиганов платит полиция: пей, ешь не хочу! До утра они горланили песни и поносили Дрейфуса, Люси, хозяйку, меня, даже Алешку. Грозились расправиться с нами.

— И вы не боялись? — спрашивает Иван Константинович, глядя на Марию Ивановну с восхищением.

— А вы спросите у Яши — он меня с юности знает! — боюсь я кого-нибудь на свете или нет?..

Некоторое время за столом тихо: все ужинают молча. Но уже довольно скоро разговор возобновляется.

Снова сыплются вопросы.

— Интересно, — говорит папа, — как встретили во Франции прибытие «Сфакса»?

— Ох, не говорите! Нам Люси Дрейфус рассказывала со слов мужа... Он, бедный, ждал, что его встретит доброжелательная, приветственная толпа. «Разве я не пострадал безвинно? Разве не нанесли мне самое тяжкое оскорбление, разве не обвинили меня в самом страшном преступлении?..» Но только вышло это все по-другому. Когда «Сфакс» подходил к берегам Франции, его в самом деле ждала на пристани огромная толпа — да только такая, что «Сфакс» не пристал к берегу: толпа могла линчевать Дрейфуса. «Сфакс» ушел к пустынному Киберонскому полуострову, и там Дрейфуса ссадили в открытом море в шлюпку. Это было ночью, в сильнейший шторм. Веревочный трап плясал на ветру. Дрейфус очень ослабел за пять лет каторжного режима на Чертовом острове — он не удержался, сорвался с трапа прямо в шлюпку, очень расшибся при падении. Шлюпка доставила его на берег, а оттуда — тайком, тишком — привезли его по железной дороге прямо в Ренн, в тюрьму... Он-то радовался, — добавляет Мария Ивановна с горечью, — что ему возвращают родину, возвращают Францию, но ему возвратили из всей родины только тюремную камеру.

— А жену к нему пустили? — спрашивает Вера Матвеевна. — Увиделись они?

— Пустили... Мы с Алешкой ее и провожали в тюрьму — боялись отпускать ее одну по городу. Потом она рассказала: когда тюремный офицер ввел ее в камеру Дрейфуса, они бросились друг к другу так стремительно, так горестно, что тюремный офицер заплакал и ушел, оставив их вдвоем... Весь первый день они не говорили ни слова. Люси сразу заметила, что ему трудно говорить — ведь пять лет молчал, отвык! И она его ни о чем не спрашивала. Так они и просидели весь первый день, обнявшись, только в глаза друг другу смотрели...

А потом вскоре приехали в Ренн брат Дрейфуса — Матье Дрейфус, адвокаты Деманж и Лабори, полковник Пикар и — сам Эмиль Золя!

— Ну, теперь спать, спать! — командует мама. — Часа через три надо ехать на вокзал!

— Последний вопрос, можно? — Это говорит папа. — Марусенька, ты была в Ренне, видела и слышала там всяких людей... На что там надеются? На кого надеются?

И Мария Ивановна, не задумываясь, отвечает:

— На адвоката Лабори. В сегодняшнем положении, когда правда малосильна, а зло и неправда еще о-очень сильны, исход процесса во многом зависит от Лабори! Он так талантлив, так находчив, так остроумен! Он так умеет поставить противников в неловкое, даже смешное положение! Он умеет прижать клеветников к стене, заставить их беспомощно лепетать, терять почву под ногами, даже нечаянно выболтать какие-то крупицы правды. Лабори подхватывает эти крупицы и по ним восстанавливает события так, как они имели место на самом деле. Лабори — это главная карта в деле Дрейфуса!..

Все прощаются с Марией Ивановной, благодарят ее. Шутка ли, какие интересные вещи она рассказала!

Сейчас папа повезет ее и Алешку в город.

Я прощаюсь с Алешкой. Удивительное дело! Ни словом мы с ней не перекинулись, да и почти весь вечер она молчала. Но мне понравилась она — смуглая, неулыбчивая, молчаливая.

— Жалко, что ты так скоро уезжаешь!

— И мне жалко, — кивает Алешка.

— Я бы с тобой дружила... — говорю я.

— И я с тобой тоже. — И Алешка вдруг улыбается такой же светлой и доброй улыбкой, как ее мать.

— Ты археологом хочешь быть?

Алешка становится серьезной.

— Раздумала, — отвечает она решительно. — Мне теперь, после Ренна, другого захотелось... Хочу быть юристом, адвокатом. Как Лабори... Спасать невинных людей. Ведь хорошо?

— Хорошо! — соглашаюсь я от души и вдруг обнаруживаю в себе новое призвание: я тоже хочу быть юристом, как Лабори, и спасать невинно осужденных!

Так зарождается у нас с Алешкой неосуществленная дружба. Таких будет еще в жизни много... Но эта — первая! Потому и запоминается навсегда.

За дружеским прощанием никто из нас не заметил, как по ступенькам балкона поднялся дедушка. Смотрю на него — и пугаюсь. Никогда я дедушку таким не видала. Не красный, каким он бывает, когда рассердится, а серый, обмякший, как игрушечный шарик, из которого вытекла часть наполнявшего его газа...

Дедушку усаживают, предлагают горячего чаю, холодного молока, он отнекивается молча, одним отрицательным движением головы. Все смотрят на дедушку вопросительно, с тревогой — что случилось?

А он все молчит и только смотрит на нас так печально, словно ему очень не хочется ударить нас дурной вестью.

— Да ну же, папаша!.. Что с тобой? — спрашивает папа.

И дедушка отвечает негромко:

— Сегодня утром в Ренне убили адвоката Лабори...

Глава седьмая
ФИНАЛ ТРАГЕДИИ

Назавтра выясняется, что известие это хотя и не совсем ложь, но и не совсем правда: Лабори не убит — но он ранен.

Об этом мы узнаем рано утром, еще до получения газеты, от Шнира и Разина (они приходят ко мне на урок трижды в неделю). Их словам можно верить, они-то ведь знают: пришли прямо из типографии, где набирали сегодняшний номер газеты. Они сами читали телеграмму. «Вчера утром в Ренне, когда Лабори направлялся в суд, к нему подошел на набережной незнакомый человек и выстрелил в него из револьвера. Лабори упал. Стрелявший скрылся. Полиции не удалось его найти».

— Искали они его, как же! — говорит Степа со злобой. — Они, наверное, сами и напустили убийцу на Лабори: «Вон того, высокого, с лысиной, видишь? Убей его!» А потом, после выстрела, притворились, будто ищут убийцу, закудахтали: «Где он? Где он? Дайте его сюда! Уж мы его!..»

— В телеграмме сказано, — вспоминает Шнир, — Лабори ранен легко.

— Дедушка! — вдруг вспоминаю я. — Надо дедушке сказать, что Лабори не убит.

— Дедушке? — весело переспрашивает Степа. — Ваш дедушка уже сегодня в шесть часов утра прибежал к нам в типографию узнать, что́ и как! Услыхал, что Лабори жив, чуть в пляс не пустился! Такой старик ваш дедушка — дай боже всем молодым!..

Рана Лабори оказалась легкой: к концу недели он уже снова появился в суде. Дрейфусары встретили его овацией. Антидрейфусары — звериным ревом и градом угрожающих писем: «Если ты, мерзавец, не уберешься из Ренна, тебе не жить! Прикончим — на этот раз, будь спокоен, не промахнемся!»

Процесс в Ренне продолжается. С прежним блеском ведет защиту Лабори. Но чем дальше, тем все более становится ясно: дело безнадежное. Дрейфуса осудят вновь.

— Как вы не понимаете? — ворчит на нас дядя Мирон. — Чего можно ожидать от кастового суда?

— А что это — кастовый суд? — спрашиваю я.

— Ну, как бы тебе это получше объяснить? Понимаешь, есть правильный суд и неправильный. В правильном суде рассуждают так: вот этот человек поступил против закона, значит, он виноват и должен быть наказан. Кто бы он ни был, все равно — он совершил преступление, его надо наказать. Но мы живем в кастовом обществе. И у нас важно не самое преступление, а то, кто его совершил. Если преступник из высшей касты, его оправдают. Если невинный — из низшей касты, его осудят...

— Это очень плохо! Ужасно!

На следующее утро я, конечно, передаю Степе и Шниру слова дяди Мирона. Они понимающе переглядываются, и Шнир говорит мне серьезно:

— Ваш дядя, конечно, образованный человек. Но вот, понимаете, есть такие вещи, которых не знают и образованные люди! Ваш дядя сказал вам не самую правду, а только «около правды». Каст нету, есть классы. Подробно об этом вы узнаете в свое время — может быть, даже скоро. А пока вам надо знать одно: правящий класс всегда прав — и в жизни, и на суде. А угнетенный класс всегда считается неправым...

— А нельзя сделать так, чтобы этого безобразия не было? — допытываюсь я.

— Можно, — отвечает Шнир, снова переглянувшись со Степой. — Люди борются за это. Это называется «классовая борьба»... Понимаете?

Процесс подходит к концу. И уже ни у кого нет надежды, что он завершится благополучно для Дрейфуса.

...Кончается и лето. Скоро начнутся занятия в институте.

Большой куст орешника под нашим окном в ветреные дни уже не просто шуршит ветвями, словно что-то бормочет, — нет, теперь ветви его стучат в стекло твердыми ореховыми «лапками». В каждой такой лапке от одного до пяти светлых пальчиков-орешков, иногда и больше. Лапки стучат в стекло — они зовут в лес, в поход за орехами.

Мы так устали от целого месяца волнений, — а что-то сегодня там, в Ренне? — от газет, от разговоров и споров (у нас, по обыкновению, с утра до вечера толпится взволнованный народ), — что иногда рады отдохнуть от всего, уйти в лес за орехами. Мама просто гонит меня, Леню и приходящих ко мне подруг:

— Довольно вам тут слоняться среди взрослых! Ступайте в лес! Собирайте орехи!

28 августа мы уходим в ореховый поход: Варя, Маня с Катюшкой, Леня и я (Лиды Карцевой с нами нет — мама ее заболела, папа увез маму за границу, а Лиду отправили до конца каникул в Петербург, к теткам-писательницам).

После отъезда Тамары, которую у нас никто не любил, Леня стал уже вроде не Тамарин, а мой старший брат. Все мои подруги любят Леню. Конечно, он, как все мальчишки, и насмешник и дразнилка. Но, если бы спросить у меня и у моих подруг, за что мы любим Леню, мы бы, наверное, ответили: Леня — *надежный*. Ему нельзя не верить, на него можно положиться. Плохого Леня ничего не сделает, он и других остережет. Леня всегда и во всем поможет и выручит, как настоящий друг. Вот за это мы его и любим!

В азарте охоты за орехами — их необыкновенно много! — мы забредаем так далеко в лес, что никто из нас уже не соображает, в какой стороне наш дом.

— Друзья мои! — дурачится Ленька. — Мы попали в страшную беду! Мы заплутались в джунглях!

— Что же нам делать? — трагически, в тон ему, подаю реплику я. — Наступают сумерки, воют волки, свистят ядовитые змеи...

— Шипят гуси! Кудахчут куры! Положение безвыходное! — подхватывают девочки.

— И ужасно хочется пить! — жалобно стонет Катя.

Надурачившись вдоволь, решаем идти по симпатичной тропе, вьющейся среди леса. Бывают такие тропочки — бегут впереди человека, как собачки. Все равно выбирать не из чего — дорогу мы потеряли; спросить в лесу не у кого; и хотя змеи и не свистят, шакалы не воют, но пить хочется всем — не одной Катюшке. Куда-нибудь да приведет нас эта славненькая тропинка. К жилью, к людям...

Так и случается. Вскоре мы приходим к глухому забору и останавливаемся перед воротами с надписью:

Никто из нас здесь никогда не бывал. Я слыхала от папы, что здесь изготовляют лечебный кумыс.

Решаем зайти — попросить напиться. Узнаем, где мы находимся и как попасть домой.

За забором маленький дом, так ослепительно выбеленный известью, что он похож на снежный сугроб. Перед домом молодая женщина играет с крохотной девочкой — видно, с дочкой. У женщины круглое лицо, плоское, как тарелка. На этом лице играют-дразнятся раскосые по-монгольски глаза, похожие на крупные синевато-черные изюмины (этот сорт изюма в магазинах называется «малага»), У девочки такое же круглое личико и такие же изюмины-глаза, как у матери. На голове у женщины круглая, плоская татарская шапочка-ободок, с которой свисает назад лоскут материи. Девочка простоволосая, на голове у нее много диковинных коротышек-косичек. Косички прыгают-пляшут на круглой девочкиной головке.

Отойдя от девочки шага на три, мать протягивает к ней подманивающие руки и ласково журчит-приговаривает:

— Ходи́те, ходи́те, ходи́те, ходи́те...

Осторожно, как по льду, девочка переступает босыми ножками и, пройдя пространство, отделяющее ее от матери, бросается в материнские руки, закинув головку и счастливо крича что-то на непонятном языке. Но, и не зная языка, понятно, что именно она кричит:

— А вот я и дошла! А вот я и дошла!..

Мать крепко охватила девочку руками, прижимает ее к себе. И до того они обе прелестны, что в сердце невольно поднимается горячая волна. «Милые, какие милые!» — думаешь, глядя на них.

И вот Варя Забелина тоже протягивает руки к девочке и ласково манит ее к себе, повторяя те же воркующие, призывные слова, какими перед тем подманивала девочку мать:

— Ходи́те, ходи́те, ходи́те, ходи́те!

Мы с Катюшей и Маней делаем то же самое. Девочка смотрит на нас. Синевато-черные изюмины ее глаз выражают удивление: что это еще за четыре незнакомые растрепанные обезьяны зовут ее каждая к себе? Потом она пристально всматривается в каждую из нас по отдельности, словно выбирая: к которой направить свои еще нетвердые шажки? И выбирает Варю!

— Ходи́те, ходи́те, ходи́те, ходи́те! — гудит Варя добрым, шмелиным голосом.

Девочка слезла с материнских колен и сторожко туп-тупает по песку. И вот уже Варя подхватила ее на руки.

Я смотрю на Варю — Варю Забелину, нашу Варю... За четыре года я, казалось, выучила ее наизусть до последней черточки. Вздор, ничего я о ней не знала раньше! Вот этой нежной улыбки, этих ласковых глаз — ничего этого я прежде не замечала! Она красивая, наша Варя! И когда же расцвела эта спокойная красота, что никто этого и не заметил?

Радуясь новой забаве, девчушка обходит нас всех по очереди. И снова я, как прозревший слепой, впервые вижу, какими прелестными стали внезапно Маня и Катюша! Разве у Мани и вчера были такие огромные, задумчивые глаза? Вздернутый носик Катеньки Кандауровой — он, конечно, не сегодня вздернулся, как гребешок у петушка, — но раньше я не замечала, какое в нем веселое очарование!

Молодая женщина объясняет нам, что она — жена кумысника Муратова, зовут ее Фатимой. А призывное: «Ходи́те, ходи́те, ходи́те, ходи́те!» — это совсем не то, что «поди сюда, поди сюда, поди сюда!» Это имя девчушки — Хадити.

Хади́ти с вопросительным выражением смотрит на Леню. Словно хочет спросить: «Ну, а ты, мальчик, что умеешь?»

И Леня, недолго думая, показывает свои таланты. Он пляшет вприсядку, а потом, встав на руки вниз головой, ходит вокруг нее на руках. Впечатление огромное! Хади́ти в полном восторге!

Фатима усаживает нас за одним из столиков, расставленных перед домом-сугробом. Вместо воды, о которой мы просили, Фатима приносит на подносе кружки с кумысом.

— Пей, пей! — приговаривает она. — Деньга нету? Другой раз принесешь...

Холодный — со льда — кумыс, кисленький, вкусный.

Расшалившаяся Хади́ти перелезает с одних колен на другие, гладит ручками наши лица.

Удивительно весело и приятно нам здесь — перед домом-сугробом! Словно пришли мы к близким, родным людям. Может быть, в первый раз за весь этот мучительный месяц, когда и встаешь и ложишься все с тем же тяжелым чувством опасения, — а что там, в далеком Ренне, неужели не оправдают, неужели опять осудят? — мы сегодня на несколько часов словно выключились из всего этого. Уже несколько часов мы бездумно веселы и беспечны. И это мы ощущаем как отдых — душа распустила напряженные мускулы, отогнала тревогу.

Внезапно за оградой раздаются конский топот и голоса. Наше мирное веселье прерывается появлением новых лиц. К белому домику-сугробу идут от ворот спешившиеся всадник и всадница с хлыстиками в руках. Оба очень элегантные: в особенности она — в черном платье-амазонке с длинным шлейфом, перекинутым через руку, в блестящем маленьком черном цилиндре на золотистых волосах. Она к тому же и очень красива. Он некрасив, у него сонное лицо и глаза, прижмуренные, как у кота, только что пообедавшего очень вкусной райской птицей.

В незнакомых всадниках нет ничего враждебного или злого. На них приятно смотреть — красивые, нарядные люди. Но с их приходом почему-то становится невесело, даже неуютно. Чувствуется — все мы это чувствуем, — пришли чужие люди.

Господин и дама тоже уселись за одним из столиков. Они пьют кумыс, перебрасываясь между собой французскими фразами. Стараюсь не слушать, чтобы не вышло, что я подслушиваю.

Расшалившись в играх с нами, маленькая Хади́ти приковыляла и к красивой амазонке. Девочке понравились сверкающие «игрушечки» в ушах незнакомки — крупные, переливающиеся огнями брильянтовые серьги. Хади́ти протянула ручки к красавице. Прелестный детский жест говорит: «Возьми меня на руки. Я посмотрю поближе, что там у тебя в ушах...» Но красивая дама не берет ее. Она разглядывает девочку с любопытством, как диковинное насекомое. И не без брезгливости: вдруг насекомое поползет по ее платью?

Подхватив на руки маленькую Хади́ти, Маня относит ее к нашему столику.

Прошло мгновение, не больше. Но все мы сразу поднялись из-за столика. Уже поздно — скоро начнет темнеть. До дома еще далеко...

К даче мы с Леней шагаем вдвоем. Маню, Катю и Варю пошел провожать до города работник Муратовых.

Мы идем, неся на палке корзинку, полную лесных орехов. Идем и молчим. Все то, о чем мы в этот день, последний день каникул, последний день летней радости, старались не думать, — все это снова владеет нашими мыслями.

— Как ты думаешь? — спрашиваю я. — Приговор объявят завтра?

— Неизвестно. Могут вынести и сегодня...

Нет, нет, я не хочу думать об этом! Узна́ем, когда придем домой. А пока поговорим о чем-нибудь приятном, милом, хорошем.

— Правда, какие чудесные Фатима и Хади́ти?

— Да... — отвечает Леня, и голос его теплеет, он тоже рад вспомнить о приятном. — И такие вы все, девчонки, были милые, когда играли с девочкой!

— И я тоже? — искренне удивляюсь я. — Я была милая?

— Была. Очень милая... Но физиономия у тебя была, скажу я тебе, глупая, как решето!

От Леньки дождешься комплимента!

Мы молчим до самой калитки. Уже взявшись за щеколду, Леня вдруг говорит:

— Нет, сегодня — помяни мое слово — не объявят. Завтра.

Однако, войдя в наш палисадник, мы сразу понимаем; случилось плохое, самое плохое... Мама, папа, дядя Мирон, дядя Николай, Иван Константинович и, конечно, дедушка сидят на садовых скамьях и стульях, очень грустные.

Я смотрю на папу. Я не могу себя заставить выговорить свой вопрос.

— Да... — отвечает папа так, словно бы я этот вопрос задала и папа его услыхал. — Обвинительный.

— Я ж тебе говорил! — горько роняет дедушка. — Я вам всем говорил: «Не ждите хорошего — они сволочи!»

Приговор Дрейфусу вынесли в самом деле обвинительный.

Дрейфус признан виновным, но заслуживающим снисхождения. И приговор более мягкий: уже не ссылка — пожизненная — на Чертов остров, а только тюремное заключение на десять лет... «Только»!..

— Папа... Что же это получилось, папа? Пять лет боролись, добивались правды — и все впустую?

— Нет, не всё впустую, — говорит папа. — Да, Дрейфуса еще не оправдали, не очистили от обвинения. Но вот увидишь — это еще придет! Сейчас это уже только вопрос времени... А дело Дрейфуса не прошло и не пройдет бесследно еще и потому, что миллионы людей будут помнить его. Оно глубоко вспахало человеческие души — это хорошая школа... И ты смотри помни, никогда не забывай!

А теперь забежим вперед. Ненадолго — всего на семь лет... Папа оказался прав — в 1906 году состоялось третье и последнее разбирательство дела Дрейфуса.

Эти семь лет не прошли бесследно. За это время во Франции сильно выросло и окрепло рабочее движение. Выросла и окрепла социалистическая партия. Сильнейшие удары были нанесены по аристократической генеральской верхушке, и в особенности по отцам-иезуитам, по католическому духовенству.

Теперь, в 1906 году, Дрейфус был оправдан, полностью очищен от всех обвинений.

28 июля 1906 года на той площади, где за двенадцать лет перед тем происходило разжалование Дрейфуса, состоялось торжественное награждение его орденом Почетного легиона.

Под фанфары труб старый генерал Жиллэн обратился к Дрейфусу:

— Именем Французской республики объявляю вас кавалером ордена Почетного легиона!

Старый генерал трижды дотронулся своей обнаженной шпагой до плеча Дрейфуса. Потом он прикрепил орден к его черному доломану, обнял и поцеловал Дрейфуса.

— Когда-то вы служили под моим начальством. Я счастлив, что именно мне выпала честь наградить вас сегодня!

Одновременно с награждением Дрейфуса орденом происходило и производство в генералы старого друга Дрейфуса, его мужественного защитника — Пикара.

Торжество было омрачено отсутствием Золя. Он скончался за четыре года до этого.

Папа оказался прав и еще в одном. Люди моего поколения, пережившие в ранней юности дело Дрейфуса, запомнили его на всю жизнь. Вместе с делом мултанских вотяков дело Дрейфуса воспитало в нас глубочайшее уважение к высокому долгу писателя-гражданина — долгу, которому так самоотверженно служили русский писатель Владимир Короленко и французский писатель Эмиль Золя.

А теперь забежим и еще дальше — в наши дни. Сегодня мы можем полностью охватить и понять дело Дрейфуса и все двигавшие его пружины. Мы можем даже точно назвать ту черную силу, которая создала и вдохновила дело Дрейфуса. Сегодня эта сила называется «фашизм».

Дело Дрейфуса было одной из первых схваток нарождавшегося фашизма со всеми добрыми и честными силами мира.

Сегодня фашизму противостоит мир коммунизма. Это громадная, непобедимая армия.

И каждый из нас — солдат этой армии.

Глава восьмая
«УВАЖАЕМЫЕ ГОСПОЖИ»

Вот уже мы и снова в ярме: началось учение в институте.

Очень грустно думать, что до окончания курса нам еще целых три года учиться. Пятый, шестой и седьмой классы. А нынешний учебный год — в пятом классе — еще только начинается. Он продлится около девяти месяцев — до будущих летних каникул.

О том, что мы отныне старшеклассницы, что это очень хорошо, почетно и ответственно, мы услыхали от нашего нового преподавателя русского языка, Василия Дмитриевича Лапшина (сокращенно его зовут Лапша). Мы уже раньше знали — это знает весь институт! — что Лапша очень любит, просто обожает произносить торжественным голосом пышные речи на разные темы, по всякому поводу и даже без особо важного повода.

Сегодня Лапша впервые знакомится с нами. До сих пор мы были мелюзга, младший класс, и русский язык преподавала у нас учительница.

Молча, сосредоточившись, прежде чем начать говорить, Лапша стоит перед нами во всей своей красе. Он человек неопределенного возраста. Лицо у него выцветшее, словно Лапшу долго держали в сундуке, забыв посыпать нафталином, и моль основательно поела его, даже бородку пощипала и обесцветила. В общем, внешность у Лапши неувлекательная, фигура хлипкая. В пьесе Островского «Лес» об одном персонаже говорится: «Злокачественный мужчина», — вот такой и Лапша.

Лапша начинает говорить. Речь как речь, но произносит он ее проникновенным голосом и, вероятно, для пущей торжественности рубит фразы на отдельные многозначительные куски.

— Поздравляю вас, уважаемые госпожи, с переходом в старшие классы...

Мы очень обрадовались тому, что мы уже не просто «дети» или даже «медамы», как называли нас до этих пор «синявки» и учительницы, а «уважаемые госпожи»! Мы весело зашумели. Но Лапша поднимает указательный палец — он еще не кончил своей речи и просит тишины. Мы смолкаем, и Лапша продолжает свое рубленое красноречие:

— ...и желаю вам — от всей души — сил, здоровья, успехов и удач на вашем жизненном пути...

И так далее. И тому подобное.

Когда красноречие Лапши наконец иссякает, мы встаем в своих партах, делаем реверанс («макаем свечкой», как это называют приготовишки и первоклашки) и жужжим хором, почти не разжимая губ, очень вежливо и приветливо:

— Бз-з-зум-бзум-бзум! Бз-з-зум-бзум-бзум!

Этот обряд вежливости тоже очень давний и почитаемый в нашем институте. Он всегда производит прекрасное впечатление на всякое начальство. Когда хором, с изысканной вежливостью, окунаясь в глубокий реверанс, весь класс зудит это идиотское «бзум-бзум-бзум!», всякому ясно, что мы удивительно благовоспитанные «уважаемые госпожи» и растроганно благодарим нашего любимого наставника за его внимание и за глубокую мудрость его поучений.

В старших классах все преподаватели — мужчины. Иные ученицы этим даже гордятся: вот, значит, мы взрослые! Такие ученицы даже говорят про младшие классы пренебрежительно: «Ну, это у малышей, там бабы преподают...» Кто преподает лучше, мужчины или «бабы», нам пока сказать трудно. Если сравнивать Лапшу с той учительницей, что преподавала у нас в младших классах, Анной Дмитриевной Волковой, то у нее на уроке было гораздо интереснее, чем у него. Она преподавала горячо, она *любила* свой предмет, и это, конечно, передавалось и некоторым ученицам. Некоторым, не всем, потому что, например, в таких тупых, раскормленных телят, как Меля Норейко и ей подобных, никакой учитель, будь он хоть сам Пушкин, не заронит даже малую искорку любви к литературе и родному языку!

Меле как раз очень понравился Лапша. Она предпочитает его нашей учительнице Анне Дмитриевне Волковой!

— Он хоть смешьной, и на том спасибо! А Волкова — шьто? Варьятка!* Как начнет завывать: «Под большим шатром голубых небес, — вижу, даль степей расстилается...» Подумаешь!

Меля презрительно фыркает по адресу Анны Дмитриевны — добрых чувств она к ней не питает. Но нам — Варе, Мане, Катюше, мне (Лида Карцева сегодня почему-то не пришла в институт) — сегодня стало грустно. Маленькая, страшно худая, словно высохшая, с лицом нездорового, желтого цвета, с горящими, как угли, черными глазами, Анна Дмитриевна совершенно преображалась, когда читала какие-нибудь из своих любимых стихов. К любимым относилось и это стихотворение «Русь», которое вспомнила сегодня Меля Норейко: «Под большим шатром голубых небес, — вижу, даль степей расстилается...» Меля вспоминает это с насмешкой, мы — с любовью к учительнице, открывшей перед нами поэтическую картину родной страны. Анна Дмитриевна любила — неразделимо любила — и родную страну, и родной язык, и родную литературу! Она и нам передавала это чувство.

Ничего подобного не ощутили мы на первом уроке у Лапши. Он и о литературе говорил так же тягуче-скучно, как поздравлял нас с переходом в старшие классы. Объясняя нам, что такое «периоды», Лапша привел литературные примеры.

Скучный — из Карамзина:

«...Юноша неблагодарен: волнуемый темными желаниями, беспокойный от самого избытка сил своих, с небрежением ступает он на прекрасные цветы, которыми судьба и природа украшают стезю его в мире, — человек, испытанный опытом, в самых горестях своих любит со слезами благодарить небо за малейшую отраду!»

И поэтический — из Батюшкова:

«...Я видел страну, соседнюю с полюсом, близкую к Гиперборейскому морю, где природа бедна и угрюма, где солнце светит постоянно лишь в течение нескольких месяцев, — но где все же люди могут находить счастье!»

---

* Сумасшедшая *(польск.)*.

Оттого что Лапша читал это равнодушно, поэтический Батюшков прозвучал так же бесстрастно и безрадостно, как скучный Карамзин.

Впрочем, по одному уроку — да еще первому, да еще с поздравительной речью! — судить об учителе нельзя. Подождем, может быть, дальше будет интереснее.

Зато утешил нас другой новый учитель — француз, мсье Регамэ, Иван Людвигович Регамэ. Он вошел в класс решительно, как сказала потом Катюша Кандаурова: «победительно». Лицо его, красивое, умное, говорило: «Я вас еще не знаю — и вы тоже еще не знаете меня. Познакомимся — вы мне понравитесь, и я вам понравлюсь, — и все будет великолепно!»

Регамэ — француз и родился во Франции, в Париже, но с самой молодости живет в России, окончил Московский университет. По-русски он говорит не только без иностранного акцента, но даже так, как в нашем крае говорят лишь немногие: настоящим «московским говором». На уроке мы, по его заданию, читаем стихотворение «Смерть Жанны д'Арк» (автор — Казимир Делявинь) — о том, как Жанна, простая французская пастушка из деревни Домреми, спасла Францию, разбила напавших на нее англичан и погибла на костре. Когда-то в детстве я читала книжку о Жанне д'Арк, и читала с восторгом! Теперь Жанна предстала передо мной в прекрасном, звучном стихотворении Делявиня. Встреча эта была мне радостна, и отблеск радости осветил для меня и учителя Регамэ. Он заставил нас читать и переводить стихотворение — по скамьям, как сидим: каждая девочка читала по одному четверостишию. За один час своего первого урока Регамэ запомнил всех отвечавших ему учениц — и в лицо и по фамилии! Он смотрел на нас умными, немного насмешливыми глазами, смотрел дружелюбно и приветливо. Мы чувствовали себя свободно, не связанно, словно и не на уроке. Когда раздался звонок, возвещавший конец урока, Регамэ встал, сказал нам: «Мерси, медам!» — поклонился и ушел. Он понравился всему классу.

Зато третий из наших новых учителей-мужчин — сам директор нашего института, Николай Александрович Тупицын, не понравился у нас никому. С ним — мы почувствовали это сразу — мы наплачемся! Преподает он самые трудные для нас предметы: математику — алгебру и геометрию. До сих пор, в младших классах, математику преподавала учительница Аделаида Елевфериевна Правосудович и делала это так же хорошо, как Анна Дмитриевна Волкова преподавала русский язык. Аделаида Елевфериевна была очень требовательная, но и очень справедливая.

«Уж такая у меня фамилия — Правосудович! — говаривала она. — Если буду поступать неправосудно, придется мне менять фамилию на «Кривосудович»!»

Алгебру и геометрию мы при ней знали неплохо... Посмотрим, как пойдет учение у директора.

На первый свой урок — по алгебре — он сегодня опоздал почти на полчаса (а общая продолжительность урока — пятьдесят пять минут). Наша классная дама Агриппина Петровна Курнатович, тоже новая для нас, объяснила нам опоздание учителя так:

— Директор ведь! Забот у него, хлопот сколько... Пока дойдет до нашего класса, его по дороге десять человек перехватят.

Наконец директор явился. Очень тучный, очень грузный, он шел с перевальцем и не столько сел на стул, сколько, можно сказать, пролился на него. С минуту он переводил тяжелое дыхание — было видно, как трудно, с одышкой, достается ему такое физическое усилие, как передвижение по коридору!

Потом директор предложил нам несколько вопросов, не вызывая по списку, а просто тыча пальцем в направлении той или другой ученицы:

— Вот вы... черненькая... во втором ряду...

Или:

— Вы, с краю скамейки... в очках... скажите...

Это продолжалось минут десять. После этого директор задал нам урок к следующему разу, но не объяснил нам того, что задает, а только показал пальцем в учебнике:

— Вот отсюда... И досюда... К следующему уроку выучите.

И ушел, не дожидаясь звонка, который раздался несколько минут спустя.

На перемене мы с подругами молчали. Впечатлениями не делились. Да и какие были у нас впечатления от этого коротюсенького урока! Только Варя, которая немного конфузится своего роста (она выше всех в классе!), сказала со вздохом:

— А меня он будет называть так: «Вот вы, дылда...» или: «Вы там, коломенская верста, к доске!»

Мы с облегчением засмеялись. С облегчением — оттого, что смех перекрыл нехорошее впечатление от этого первого директорского урока.

Вечером дома я рассказываю о наших новых учителях-мужчинах. При этом присутствует Александр Степанович Ветлугин, пришедший к нам, по обыкновению, «на огонек».

— А знаете, — говорит он, — когда ваш институт еще только основали, учителей-мужчин совсем не было — это почиталось неприличным. Кроме священника, отца-законоучителя, преподавали только учительницы. Первого учителя-мужчину пригласили тогда, когда ученицы первого приема перешли в старший класс: было решено, что историю и литературу должен преподавать мужчина. И вот первый учитель-мужчина пришел на свой урок, рассказал ученицам о подвиге русского крестьянина Ивана Сусанина и предложил им тут же написать короткий пересказ этого своими словами. И что бы вы думали? Ученицы — они, кстати, все без исключения были тогда пансионерками — выполнили заданное, конечно, по-разному, одни хуже, другие лучше, но все как одна написали везде не «Иван Сусанин», а «Иван с усами». Вот как!

И откуда только Александр Степанович все знает? Даже про наш институт в древности — двадцать пять лет назад! — и про это он знает!

На следующий день мы узнаем очень печальную новость: Лида Карцева больше в нашем институте учиться не будет.

Еще летом она приезжала ко мне на дачу довольно часто. Потом стала приезжать все реже: заболела ее мама. Лида и за мамой ухаживала, и хозяйство вела — свободного времени у нее стало меньше. Отец увез больную маму за границу лечиться. А Лиду отправили к ее тете-писательнице на дачу около Петербурга, в местность под названием Мариоки, на Черной речке.

Лида написала мне оттуда несколько писем. В последнем письме Лида писала:

«Шура, дорогая!

Уж не знаю, к добру или к худу, но моя жизнь меняется. Я этим огорчена, ты тоже огорчишься, мы ведь хорошо дружили. Я больше в институт не вернусь. Мама больна, ей придется серьезно лечиться за границей не меньше чем до весны. Папа не может оставаться с нею там, ему ведь надо работать. Я тоже не могу быть с мамой за границей, как прежде, когда я была маленькая, — теперь мне надо учиться. Папа поместил маму в хорошую санаторию. А меня решили отправить в Петербург. Обе тетки нажали, как они выражаются, на все педали — и меня приняли в Смольный институт... Вот тебе, Шурочка, и Юрьев день!

Мне это, конечно, очень грустно. Уж на что наш институт был противный, но все-таки в три часа дня уроки кончались, и мы уходили домой до следующего утра. Могли гулять по городу (прощай, дорогая Замковая гора!), могли читать какие хотели книжки. А в Смольном — как в тюрьме. Домой будут отпускать только на каникулы, а книжки — только те, какие разрешат «синявки». А главное, подруг жалко! Разве там будут такие, как ты, Маня, Варя, Катюшка? Зато, просто как в насмешку, там будет со мной Тамара Хованская, которую я презираю! Вот уж действительно повезло мне!

В общем, «и ску... и гру... и некому ру...».

Шурочка, пожалуйста, очень тебя прошу — не забывай меня! И остальные пусть не забывают. Я буду вам писать, а вы, смотрите, отвечайте. Только пишите не на Смольный — там «синявки» читают все письма, — а на адрес тети. Будем переписываться, а в конце мая я приеду домой, и будем опять дружить все лето.

Кланяйся своим маме и папе, дедушке, Юзефе, дяде Мирону, Ивану Константиновичу Рогову, Лене, Шарафуту. Поцелуй от меня Варю, Маню, Катюшку и Сенечку.

Шурочка, не забывай меня! Твоя «Бедная Лида».

Пожалуйста, напиши мне какие-нибудь ругательные слова по-немецки (только напиши русскими буквами, а то я не разберу). Мне нужно отругиваться от двоюродного брата, тетиного сына, а то он ругает меня по-немецки длинно-длинно, а я ему отвечаю только «дэс швайнес»! Одно-единственное ругательство — и то в родительном падеже! Выручай, дорогая!»

Очень жалко, что Лида уехала... Такая она умная, прямая, справедливая, столько читала, так много знает (вот только с немецкими ругательствами сплоховала!). Всем нам будет без нее «и ску... и гру... и некому ру...».

Варя и Маня тоже огорчены отъездом Лиды, а Катюшка, по своей ребячливой непосредственности, еле удерживается от слез. И жалобным голосом повторяет: «Вот свинство! Вот какое свинство!» А что свинство и кто именно свинья, сама не знает.

Зато Меля Норейко отнеслась к отъезду Лиды совсем прохладно.

— Тебе что ж, не жаль, что Лида уехала? — спросила Варя.

— Немножко жялко... — сказала Меля. — Так шьто же, по-твоему, мне плакать-рыдать? В голос, шьто ли, чтоб на улице слышно было, да?

Меля вообще от нас очень отдалилась. На ней, как ни странно, стало сказываться влияние ее «тетечки». Меля очень огрубела — в разговоре у нее то и дело пробиваются «мотивчики» явно с тетечкиного голоса.

— Водиться, — говорит она теперь, — надо только с самыми вы́жшими (то есть высшими). От них и манер хороших наберешься, и всего. А с «ни́жших» что? Все одно, как с нищих!

— А вдруг, — поддразнивает ее Варя, — вдруг да не захотят «выжшие» с тобой водиться? Какой в тебе интерес? Ничего ты не знаешь, ничего не читаешь...

— А зато, — возражает Меля, — у моего папы денег — дай боже всякому! И ресторан папин — это тоже не жук начихал!

Однако Варины слова о том, что с нею неинтересно, что она мало читает, все-таки задели Мелю.

Недавно она с гордостью заявила нам:

— Ох, что я теперь читаю, какую книжку! Вы такое читали? «Павло Чернокрыл, или Как ревнивый муж жену убил»... Не читали? Или еще есть у меня: «Тайна Варфоломеевской ночи»! Что ни страница, то кто-нибудь кого-нибудь убивает...

Прежде, в младших классах, Мелино обжорство нас только забавляло. Теперь стало раздражать.

— Ты не стильно ешь! — укоряла Мелю еще Лида Карцева. — На этот кусок курицы надо бы тебе еще поставить ногу — и рычать: «Р-р-р!»

В нашем классе — новенькая. Ее приняли на вакансию, освободившуюся после отъезда Лиды Карцевой.

Новенькой, как и нам, лет четырнадцать-пятнадцать. Про такие лица, как у нее, Лида всегда говорила: «Приятное». Мне нравится это выражение. Бывает ведь, что иная девочка не красавица, но есть в ее лице что-то милое, ласковое — одним словом, «приятное». У нашей новенькой лицо умное и веселое. Ямочки появляются у нее на щеках не только, когда она улыбается, а просто так, в разговоре, ни с того ни с сего. Еще нравится мне в новенькой прямой, доверчивый взгляд красивых глаз, темно-коричневых, как ореховый пряник. «Ведь вы свои, да? — говорит этот взгляд. — Вы меня не обидите, правда?»

Сегодня у меня весь день, с самого утра, вертится в уме стих. Да что стих, если бы стих! А то бессмысленные слова из песенки Шарафута:

Тирли-тирли-солдатирли!
Али-брави-компаньон!

Нарочно хочу «перебить» это наваждение — мысленно начинаю читать хорошие стихи:

Мчатся тучи, вьются тучи...
Невидимкою луна...

И вдруг — как взвизг гармошки — в пушкинскую стройность врывается дурацкое:

Тирли-тирли-солдатирли!
Али-брави-компаньон!

Хожу злая. И чем больше злюсь, тем неотвязнее вертится в голове проклятое «тирли-тирли-али-брави»!

Во время первой перемены новенькая стоит в коридоре, в оконной нише, одна. Она спокойно-внимательно смотрит на волну мимо идущих девочек. Словно высматривает кого-то. Во время второй перемены то же самое. Но, когда начинается большая перемена, новенькая решительно преграждает дорогу нашей компании и говорит, глядя на нас своим открытым, доверчивым взглядом:

— Девочки, можно мне с вами ходить?

«Ходить с вами» — это выражение, принятое в гимназиях и институтах. «Она ходит с Поповой и Анощенко», «Мы с ней ходим». Это означает: ходить вместе на переменах, держась под руки. Это еще не значит дружить — нет, это ступенькой ниже. Те, кто дружат, конечно, и ходят вместе на переменах. Но те, кто ходят вместе, еще не всегда дружат — они просто «приятельствуют». Наша новенькая во время первых двух перемен внимательно и пытливо смотрела, с кем ей хочется «ходить вместе», и выбрала нас. Чем-то мы ей, видно, понравились, и она подошла к нам открыто и доверчиво.

Мы радушно отвечаем ей:

— Конечно, можно! — и включаем ее в нашу шеренгу — между Варей Забелиной и мной.

Все вместе мы продолжаем наш путь к полутемному коридорчику около приготовительного класса; там стоит наша «столовая скамья»; на ней мы всегда завтракаем на большой перемене. «Занимать скамью», чтобы на ней не уселись другие, это всегда делает Меля Норейко: она больше всех озабочена тем, чтобы «кушять спокойненько».

Ведь на ходу, говорит она, «и собаки не едят»! Поэтому, едва прозвучит звонок на большую перемену, Меля опрометью мчится к нашей заветной «столовой скамье», занимает ее и ждет нас.

Вот и сейчас, когда мы подходим вместе с новенькой, Меля уже расположилась на скамье со всеми своими закусками и лакомствами.

Увидев новенькую, Меля недовольно хмыкает:

— Еще баба до воза!

Мы сообщаем Меле про новенькую все, что она успела рассказать нам по дороге к скамейке.

— Это Люся! — представляю я.

— Сущевская... — дополняет Варя.

— Она из Вологды приехала! — радуется Катюшка. — И папа мой тоже был вологжанин!

Но Меля смотрит на новенькую неласковыми глазами:

— Шестерым на скамье не усесться.

Новенькая смущается:

— А я постою. Рядом со скамейкой...

— Не надо! — говорю я резко, потому что меня уже давно бесят Мелины фокусы. — Всегда мы здесь вшестером сидели — с Лидой Карцевой.

— Даже всемером! — подхватывает Катюша. — С нами еще ведь и Тамара Хованская сидела.

Очень неохотно Меля вынуждена потесниться со своим хозяйством — освобождается местечко для Люси Сущевской. Смеясь, толкаясь — нам в самом деле тесновато, — усаживаемся мы все. Новенькую, Люсю Сущевскую, мы посадили посередине и, конечно, основательно стиснули ее.

— Жива? — приветливо гудит ей Варя.

— Дышу... — смеется Люся. — В тесноте, да не в обиде!

Покончив с завтраком, мы ходим по коридорам. Меля незаметно оттягивает мой локоть, чтобы поотстать со мной от остальных. Она, видно, хочет мне что-то сказать.

— Ну? — спрашиваю я очень неприветливо. — Что еще?

— Вы все, честное слово, какие-то дурноватые! Сзываете народ отовсюду. Можно подумать, вам сено косить надо. Ну, зачем вы *эту* подхватили? — Меля презрительно показывает подбородком в сторону Люси Сущевской, идущей впереди вместе с остальными девочками. — «Это Люся Сущевская! Из Вологды!» — очень зло передразнивает нас Меля. — Подумаешь — герцогиня из Парижа!

— Ну и что? — уже рычу я, еле сдерживаясь.

— А то! Завтрак ее видела ты? Нет, помилуйте, ты такими мелочами не интересуешься! — кривляется Меля. — На черном хлебе вареная говядина из супа! Вот она кто, ваша герцогиня!

На меня — чувствую — накатывает та волна вспыльчивой ярости, которой я всегда страшно стыжусь потом. Просто нет сил удержаться и не ударить Мелю по ее раскормленной физиономии! Но тут же это перекрывается озорной мыслью, веселой и злой и такой же бессмысленной, как вертящиеся в моей голове с утра «тирли-тирли-али-брави»!

— Меля! — говорю я тем замогильным шепотом, каким в наших домашних спектаклях мы изображаем таинственных злодеев. — Меля, ты можешь сохранить тайну?

— Вот крест святой... — И Меля начинает истово креститься.

— Нет! — продолжаю я так злодейски, что мне самой становится страшно. — Нет, простой клятвы мало! Повторяй за мной: «Если я разболтаю эту тайну, пусть жабы и скорпионы жалят мою печень! Пусть шакалы и гиены терзают мой труп!..» Повтори!

Меля усердно и старательно бормочет:

— Если я разболтаю... пусть жябы и шякалы скушяют мою печенку... И скорпиёны тоже!

— Хорошо, — одобряю я. — Слушай: эта новенькая — никакая не Люся и никакая не Сущевская! Она... графиня!

— Что ты говоришь? — Меля поражена. — А как ее фамилия?

Этого вопроса я не предвидела. Ну да не отступать же!

— Она — графиня... графиня де Алибрáви!

— Ох! — Меля уничтожена. — А почему она об этом молчит?

В самом деле, почему она молчит? Надо врать дальше!

— За ней следят враги. Одного зовут Резонанс, а другого — Майонез...

Ой, с Майонезом я дала маху! Меля не может не знать, что майонез — это соус, который подают посетителям в ресторане ее отца.

— Майонез? — переспрашивает она. — Ты что-то путаешь.

— Да, да, я спутала, его зовут как-то иначе... Ну, да не в этом дело! Важно то, что враги преследуют эту бедную девочку. Они хотят отнять у нее титул и богатство.

— Богатство?

— Да. У нее сто тысяч золотых функельшперлингов! — продолжаю я врать так вдохновенно, что внутри у меня все хохочет. — Понимаешь?

Но Меля хочет знать все дотошно.

— А какие же это деньги — эти фун-кун... шпун...

— Мексиканские! Золотые функельшперлинги!

— Ох, а я с ней так невежливо... — раскаивается Меля. — Но я ведь не знала, что она из «выжших»... Да, — спохватывается она вдруг, — а почему же в таком случае у нее на завтрак вареная говядина из супа? И с черным хлебом.

— Это для отвода глаз. А дома они с матерью едят мексиканское национальное блюдо «тирли-тирли»... Из пупков птиц киви-киви...

— Какое, какое блюдо? Из чего?

— Тирли-тирли. Из протертых пупков птиц киви-киви!

— А ты у них была, что ли? И ела пупки эти самые?

— Была... Вчера... Целую тарелку схомячила...

Я говорю такими рублеными словами, потому что еще минута — и я не выдержу, расхохочусь-разгрохочусь, по маминому выражению, «как пожарный».

Но тут приходит неожиданное спасение: служитель Степа дает звонок. Конец большой перемене. Надо бежать в класс.

Но Меля так заинтересована, что не отпускает меня. Притянув к себе мою голову (за четыре года нашего совместного ученья я вымахала, долговязая, как Дон-Кихот, а Меля — кругленькая и приземистая, как Санчо Панса) и заглушая звонок, Меля трубит мне в самое ухо:

— А когда это будет? Когда она получит свои сто тысяч?

— Когда? — переспрашиваю я страшным голосом. — Ты хочешь знать когда?

И тут со мной случается неприятность. Для того чтобы произвести на Мелю еще большее впечатление, я, продолжая сверлить ее глазами, отступаю на шаг назад, чувствую под своей ногой что-то твердое и слышу жалобный вскрик:

— Ох, какая неуклюжая!

Оборачиваюсь и с ужасом вижу, что я отдавила ногу нашей классной даме, Агриппине Петровне Курнатович.

— Простите! — лепечу я. — Я не видела...

— Надо видеть! — с гримасой боли выдавливает она из себя. — Надо видеть...

Ну, как я ей объясню, что не могу видеть... затылком?

Агриппина Петровна направляется в класс, прихрамывая и неодобрительно качая головой.

— Ты ей на мозоль наступила, — шепчет Меля. — Теперь она будет тебя ненавидеть!

С этого дня Агриппина Петровна в самом деле вроде как ненавидит меня. «Ненавидит», конечно, не то слово: просто я вызываю в ней неприятное воспоминание. Мне это очень досадно. Агриппина Петровна Курнатович чуть ли не первая за все годы «синявка», к которой у нас, учениц, нет никакой вражды. Больше того, мы все считаем, что она славная. Наказывает она редко и неохотно. Не сует нос во все парты и сумки. Не вынюхивает, нет ли у кого-нибудь запрещенных вещей. Не пытается заводить с нами «келейные» разговоры, чтобы выспрашивать об остальных ученицах. Еще одно отличает Агриппину Петровну от других «синявок»: есть в ней какая-то ласковая сердечность. Захворает кто-нибудь из учениц — Агриппина Петровна сама отведет ее в лазарет, постоит там, пока врач или сестра милосердия скажут, в чем дело. И, если заболевшей надо отправляться домой, Агриппина Петровна проводит ее вниз, в вестибюль, посмотрит, чтобы она теплее укутала горло, и еще помашет ей на прощание: «Счастливо! Поправляйтесь поскорее!» Может быть, это покажется странным, но, с тех пор как у нас в «синявках» Агриппина Петровна, я больше никогда не вру, будто у меня болит то или другое в дни, когда я не приготовила уроков. И подруги мои тоже. Нам просто неприятно обманывать этого милого человека, который так сочувственно относится к нашим болезням.

Забыла еще сказать, что Агриппина Петровна очень беспокоится о тех, кто по болезни не приходит в институт: она справляется у подруг заболевшей девочки, передает ей приветы... Не знаю, почему и отчего Агриппина Петровна такая белая ворона среди черных галок — наших «синявок». Не знаю, потому что она в нашем институте служит первый год, приехала из какого-то другого города. О ней ничего не знает даже Меля, а уж она знает всегда все и обо всех! Но, хотя нам ничего не известно о прошлом Агриппины Петровны, Меля с уверенностью пророчит ей печальное будущее. «Эта здесь не заживется, — каркает Меля. — Ее живо сожрут!»

Словом, Агриппина Петровна — миляга. И мы к ней, первой из классных дам, относимся с симпатией. Даже то, что Агриппина Петровна выговаривает некоторые слова с местным твердым белорусским акцентом: «Почему вы такая *растропанная?* Пригладьте волосы!», «Не стойте под *дверами!*», «Не рассказывайте мне сказку про курочку *рáбу!*» Или: «Возьмите *трапку*, сотрите мел с *гразной* доски!», — даже это кажется нам симпатичным. В этом есть какая-то простонародность, домашность, что ли. Мне Агриппина Петровна чем-то напоминает Юзефу с ее говором. А главное, это будничное произношение говорит о том, что Агриппина Петровна не фрейлина высочайшего двора, и это нам тоже симпатично.

Конечно, мы с первых же дней присваиваем Агриппине Петровне кличку. Без этого у нас ведь нельзя, хотя, конечно, нет ничего глупее, как давать клички (да еще иногда насмешливые!) хорошим людям. Но в первые дни ученья мы ведь еще не знали, что Агриппина хорошая. И прозвали ее Гренадиной Петровной. Это за могучий рост (она ростом гораздо выше, чем самые высокие из наших «синявок»! Почти одного роста с французом Регамэ!). И еще за то, что ходит она грудью вперед, как гренадер на параде. Но это не злая кличка, весь класс произносит ее добродушно.

В общем, угораздило же меня отдавить мозоль единственной симпатичной «синявке»!

Теперь я расхлебываю последствия своей неуклюжести. Гренадина не делает мне ничего дурного, не придирается ко мне — этого нет. Но она со мной не разговаривает, не шутит, как с другими девочками. Она вообще не смотрит в мою сторону, видно, ей и смотреть на меня неприятно...

Своим огорчением я делюсь с папой.

— Может быть, мне поговорить с ней, объяснить ей, а?

— Что ты будешь объяснять? Что ты не нарочно отдавила ей ногу? Это слишком глупо — это она сама, наверное, понимает. А извиняться все снова и снова — помнишь, как у Чехова в рассказе «Смерть чиновника»? Маленький чиновничек в театре нечаянно обчихал лысину сидевшего впереди важного лица. Важное лицо не обратило на это внимания. Но огорченный чиновничек стал везде подстерегать важное лицо, извиняться, умолять о прощении. Он так надоел важному лицу, что оно вспылило, накричало на чиновника, прогнало его к черту. Чиновник вконец расстроился — и помер!

Мы с папой смеемся, но мне все-таки грустно.

Так проходит больше месяца. И настает наконец день, когда в отношениях Гренадины со мной наступает перелом. Враждебность, или, вернее, предубежденность ее против меня, достигает высшей точки и начинает спадать, как полая весенняя вода...

Вот как это происходит.

Глава девятая
ТАЙНЫ! ТАЙНЫ!

Перед началом урока с парты на парту переходит записка, нацарапанная печатными буквами:

ЗАНИМАЙТЕ ЛАПШУ РАЗГОВОРАМИ!

Это означает, что сегодня многие не приготовили урока и надо выручать их всеми силами: задавать преподавателю глупейшие вопросы, слушать его глупейшие (и до невозможности многоречивые!) ответы, опять спрашивать, опять внимать, а время пока будет течь да течь.

Предмет, преподаваемый Лапшой, называется «Русский язык». Но в него входят не только грамматика (этимология и синтаксис — с ними покончено еще в младших классах), но и церковнославянский язык, теория словесности, русская литература и даже небольшой курс логики. Программа как будто обширная, но преподает учитель так скучно, буднично, безрадостно, что у нас в головах ничего не остается из пройденного. Все это как овсяный отвар, который дают детям при сильных поносах: как будто что-то влили в рот, как будто ребенок что-то глотал, как будто чего-то поел, но, так как овсяный отвар мнимопитательное вещество, он создает у больного только иллюзию еды (это хорошо!) и вместе с тем не приносит вреда (это тоже отлично!). Так и наши уроки — в особенности по русской литературе: они создают впечатление ученья и не приносят вреда, как мнимопитательные вещества. Но это, конечно, совсем не хорошо...

Сегодня мы должны как можно искуснее «заговаривать зубы» Лапше, чтобы он как можно дольше не спрашивал урока.

Незаменимой искусницей в таких делах оказалась наша «новенькая» — Люся Сущевская. Она и начинает представление.

— Василий Дмитриевич, — говорит она очень вежливо и приветливо, встав в своей парте, — пожалуйста, будьте так любезны, посоветуйте, какие книги нам читать дома по русской литературе... Например, Чехова?

На поеденном молью «фасаде» Лапши появляется выражение сдерживаемого неудовольствия.

— Чехова — нет! — отвечает он кратко. — Не рекомендую.

— Почему, Василий Дмитриевич? — спешу я на подмогу Люсе Сущевской. — Почему не Чехова?

Лапша обиженно пожимает плечами:

— Незначительный писатель, госпожа Яновская! Автор мелких юмористических рассказиков... Что же тут изучать?

Мы с Люсей, Маней, Варей напоминаем Лапше о том, что, кроме «мелких юмористических рассказиков», Чехов написал «Дуэль», «Скучную историю», «Чайку»...

В «Чайку» Лапша вцепляется, как ястреб. Сейчас ее хрупкие косточки захрустят под его зубами.

— Вот, вот именно! «Чайка» провалилась в Санкт-Петербургском Императорском Александрийском театре! С позором провалилась, с треском... Приступим к нашему уроку, уважаемые госпожи!

Дело плохо — диспут по русской литературе грозит иссякнуть.

Варя спешит подбросить хворосту в начинающий угасать костер.

— А Некрасова, Василий Дмитриевич, читать нам?

— Помилосердствуйте, госпожа Забелина! — стонет Лапша, словно его спросили, надо ли читать стихи поэта Кискина или романы прозаика Тютькина. — Помилосердствуйте! После возвышающих душу творений Ломоносова, Державина, Карамзина, Жуковского, Пушкина, Лермонтова... И вдруг — Некрасов! Певец лаптей и портянок! Конечно, — оговаривается Лапша, — «Крестьянские дети», «Дедушка Мазай» — это недурно. Но все остальное... Приступим к нашему уроку.

Люся Сущевская делает отчаянную попытку еще немного затянуть разговор с Лапшой:

— А вот, говорят, есть новый писатель... Максим Горький. Я сама не читала, но все говорят: замечательный писатель!

Лапша начинает свирепеть. В его тусклых гляделках загораются обиженные огоньки. На бесцветных щеках выступает кирпично-оранжевый румянец.

— Мак-си-ма Горь-ко-го? — переспрашивает он с величайшим пренебрежением. — Горь-ко-го? Такого писателя, виноват, не знаю-с. И не желаю знать-с! И вам не рекомендую знакомиться!.. И прекратим бессмысленное сотрясение воздуха — займемся нашим сегодняшним уроком.

Сейчас польется кровь невинных жертв, не приготовивших урока. Но все же какое-то время мы своим разговором заняли.

* * *

В нашем литературном споре с Лапшой Агриппина Петровна — Гренадина — не участвует, хотя весь урок сидит тут же, в классе, за своим столиком. Бывают такие дни, когда Гренадина вот так же, как сегодня, хотя и присутствует, но отсутствует: не слышит, что́ говорят преподаватели, что́ отвечают ученицы. Гренадина что-то пишет в толстую тетрадь для заметок; иногда читает полученное от кого-то письмо или сама пишет уже не в тетрадь для заметок, а на листке почтовой бумаги — значит, ответное письмо.

Поначалу Гренадина пишет или читает спокойно. Мало-помалу она начинает волноваться, все глубже переживает то, о чем пишет или читает. У нее краснеют веки, потом кончик носа. Заслоняясь от класса газетой, Гренадина пишет, то и дело смахивая слезы.

Мы строим всякие догадки: что такое пишет Гренадина в свою тетрадь для заметок, что она читает в получаемых письмах? Что пишет в ответных?

Почему она плачет? Может быть, она сочиняет стихи или пишет романы и в чувствительных местах не может удержаться от слез? Кто-то однажды предположил, что Гренадина переписывается со своим возлюбленным, — смеху было! Громадная, громоздкая Гренадина с ее грохочущей поступью — «словно ветреная Геба, кормя Зевесова орла, громокипящий кубок с неба, смеясь, на землю пролила»... — и вдруг ей пишет послание нежный Ромео! И она отвечает ему! В конце урока Гренадина кладет тетрадь для заметок в ящик своего стола, в последний раз вытирает слезы, запечатывает свое письмо в конверт и уносит его с собой...

Дорого дали бы мы за то, чтобы хоть одним глазком заглянуть в писания Гренадины!

Иные девочки посмеиваются над этим, а Меля Норейко пренебрежительно говорит:

— Стану я ломать свою деликатную голову над тем, из-за чего Гренадер ревет!

Но многие жалеют Гренадину. Я тоже ее жалею и уже в который раз думаю с раскаянием, что Гренадина — ничего человек, и видно даже, что она — бедняга, а я, косолапый бегемот, отдавила ей ногу.

На уроке физики я подсказываю своей соседке Зине Кричинской. Вчера был день свадьбы ее мамы и папы. Ну, найдется ли такой идиот, чтобы зубрить про котел Папи́на, когда в доме музыка, гости, танцы, вкусные вещи? Я так хорошо подсказываю, что Зина отвечает очень прилично, только вместо «котел Папина» она все время говорит «котел Баби́на», — так ей слышится в моем шепоте.

Физик у нас новый. Но мы знаем, что в мужской гимназии его зовут «гиена в сиропе»: у него ласковые глаза, милая улыбочка, а гадости он делает как будто даже с удовольствием.

Вот и сегодня он говорит Зине Кричинской, приятно улыбаясь:

— Хорошо, госпожа Кричинская. Хорошо ответили. Но... — Физик делает паузу. — Отметки я вам не поставлю: вы отвечали по подсказке госпожи Яновской. Поставить пятерку госпоже Яновской тоже не могу: она подсказывала по учебнику Краевича. Ну, а составителю учебника физики, господину Краевичу, отметка ведь не нужна, не так ли? Поэтому, — физик улыбается еще слаще, — и госпоже Кричинской, и госпоже Яновской отмечаю предостережение (и он поставил какой-то значок). Обеих вызову отвечать в ближайшем будущем.

Как ни занята Гренадина своей писаниной, она все-таки слышала слова физика. После урока физики она объявляет, не глядя, по обыкновению, в мою сторону:

— Яновская, сколько раз я вам говорила, чтобы вы не подсказывали! А вы всё не унимаетесь... За свое *упрамство* останьтесь в классе на два часа после уроков. А завтра останется Кричинская. Пора уже научиться вести себя *порадочно*!

«Остаться после уроков» — это у нас (да и в других учебных заведениях) наказание. В прежние времена — так рассказывают пожилые люди — провинившихся девочек оставляли не на час-два и не в классе, а на всю ночь в домовой институтской церкви.

Одна приятельница моей мамы рассказывала, как это было страшно:

— Всю ночь, бывало, сидишь-трясешься! Направо от тебя на церковной стене ангел-блондин нарисован. Налево — ангел-брюнет. Смотришь на них — и кажется: шевелятся они. От стены отделяются, идут прямо на тебя!..

В других институтах оставляли наказанных на всю ночь в актовом зале, под царским портретом. В мужских гимназиях провинившихся мальчиков запирают после уроков в карцере.

В сравнении с этими ужасами наше «останетесь на два часа в классе после уроков» — сущие пустяки, шуточки... Велико ли дело — два часа! Ну, пообедаешь на два часа позднее, только и всего.

И все-таки мне неприятно, что меня наказали. Не знаю почему, а неприятно.

Последний урок в этот день — рисование. Подсел ко мне на парту наш милый старик учитель, поправляет мой рисунок. Я шепчу ему:

— Виктор Михайлович, меня сегодня оставляют на два часа после уроков!

— Что ж? — шепчет он. — Теперь это уже не карцер, не «на хлеб, на воду». Это уже не мучительное, а только осрамительное наказание.

— Вот, сами говорите: осрамительное! — вздыхаю я.

— А мужество на что? Есть оно у вас? Умели шалить — умейте саночки возить.

После урока, уже уходя из класса, Виктор Михайлович кивает мне, словно хочет подбодрить. Бесподобный старик!

Не знаю, есть у меня мужество или нет его. Но, когда после уроков все собирают вещи, чтобы отправляться домой, а я, единственная, остаюсь в классе (сижу, «как дура», на своей парте!), мне становится не по себе. Мне даже неинтересно наблюдать за Мелей Норейко. После того как я замогильным голосом рассказала ей — месяц назад — идиотскую «тайну» Люси Сущевской (только с Мелиной глупостью можно было поверить!), Меля изо всех сил лебезит перед Люсей Сущевской. Еще бы, графиня де Алибрáви! Сто тысяч золотых функельшперлингов! И еще — Меле очень хочется, чтобы Люся пригласила ее к себе и угостила мексиканским национальным блюдом тирли-тирли из тертых-тертых пупков киви-киви... Я врала ей, что взбрело в голову, а она, дура, поверила!

— Ах, как я люблю Мексиканию! — говорит Меля, закатывая глаза. — Знаешь, Люся, это моя любимая страна! И как бы я хотела — знаешь что? — услышать пение птицы киви-киви!

Люся, которой я ничего не рассказала (мне было стыдно моей дурацкой выдумки!), смотрит на Мелю как на полоумную.

А я обычно веселюсь от души, слушая Мелины разговоры.

Но сегодня меня и это не развлекает.

Все ушли. В классе остались только Гренадина и я. Я с тоской предвкушаю: сейчас Гренадина начнет буравить меня нравоучениями, как зубной врач сверлит бормашиной больной зуб. Но она почему-то молчит... Молчит и не уходит.

Показалось это мне или нет? Гренадина смотрит на меня. Обычно она в мою сторону не глядит, а тут смотрит как-то даже сочувственно. Чудачка! Сама наказала и сочувствует.

— Ну вот что, Яновская... Теперь три часа. Когда на больших часах в коридоре будет без *трох* минут пять, можете уходить домой. Да, вот еще что: все это время надо сидеть в классе, никуда не выходить. Ну, конечно, если в уборную — это можно... — Подумав, Гренадина добавляет: — Вам, конечно, будет скучно. Это не бал, не танцы в *Дворанском* собрании, но это вам полезно... Ну, до свидания!

Гренадина уходит. Тяжелая поступь ее слоновьих ног (одну из них я, буйвол, отдавила!) постепенно удаляется по коридору.

Я сижу одна в классе и отбываю наказание. Но, сколько ни внушаю я себе, что два часа пролетят незаметно, они ползут черепахой. И мне адски скучно... Книги для чтения у меня с собой нет. Если бы книга! За хорошей книгой до ночи просидишь — не заметишь. Но я ведь не предвидела, что меня накажут. Читать учебник физики Краевича — тот самый, из-за которого меня наказали, — спасибо!

Смотреть в окно? Оно до половины закрашено, но если встать ногами на подоконник, то прямо против окна виден портал входа в Доминиканский костел — костел ордена монахов-доминиканцев. Зрелище это мрачное. Над входом нависли каменные складки готики, как грозно насупленные, мохнатые, стариковские брови. Вот, чудится мне, сейчас раскроются врата костела, оттуда хлынет черная волна монашеских ряс. Держа в руках дымные, чадные факелы, монахи поведут на костер человека, одетого в белый саван, приговоренного к сожжению живьем... Все это было очень интересно в исторических романах, но увидеть такое в жизни — нет!

И тут... вот совсем как в романах!.. тут я вдруг замечаю удивительную вещь.

Гренадина забыла ключ! Он торчит в замке ее столика.

Она забыла запереть ящик и унести ключ — наверное, от волнения забыла. Ей было неприятно, что пришлось меня наказать.

И ключ торчит в столе. Стол не заперт...

Я отлично помню все то, что говорили мне об этом все хорошие люди и хорошие книги. О чем — об этом? Да вот об этом самом.

«Чужая тайна, чужое письмо — свято! Нарушить эту тайну бесчестно! Все равно что украсть». И ведь бедная Гренадина только оттого и забыла положить ключ в карман, что она волновалась, жалея меня!

Все это я повторяю себе просто с отчаянием. А отчаиваюсь я оттого, что уже вперед знаю: сейчас я эту подлость сделаю. Ключ, забытый Гренадиной в столике, притягивает меня к себе, манит, как волшебный цветок папоротника, открывающий в ночь под Ивана Купала все зарытые в земле клады.

И я... открываю ящик.

В нем лежит знакомая нам всем толстая тетрадь в черном клеенчатом переплете. Обыкновенная так называемая «Тетрадь для заметок». Я сразу узнаю ее: она, она самая! Гренадина что-то записывает в нее во время уроков.

Торопливо листаю тетрадь. Это дневник: почти каждый день Гренадина отмечает число и делает запись событий, случившихся в этот день.

2 сентября. Господин директор, Николай Александрович Тупицын, очень сильно бранил Елизавету Семеновну Слатину, классную воспитательницу 7-го класса, за то, что у одной из ее учениц оказалась запрещенная книга французского писателя Поль де Кока. Это, говорят, очень неприличный роман. Елизавета Семеновна очень плакала. Мне было ее жаль тоже чуть не до слез. Да и страх берет — откуда знать, какая книжка запрещенная, какая нет?

17 сентября. Сегодня — день Веры, Надежды, Любови и Софии. В каждом классе именинницы. В моем классе тоже две. Настроение праздничное. Угощали меня настоящими шоколадными конфетами. Необыкновенно вкусно.

2 октября. Госпожа начальница, Александра Яковлевна Колодкина, похвалила воспитанниц моего класса за то, что делают реверанс хорошо, стройно... Чудная, святая женщина, я ее просто обожаю!

12 октября. Вчера ночью девушка, Анеля Марцинковская, — она живет в нашем дворе, цветочница, делает для магазина искусственные цветы, замечательно красиво, — умерла от чахотки. Мне ее, бедняжку, жаль очень. Молодая, одинокая, умерла одна, да и за гробом никто не шел.

22 октября. Видела на коридоре — одна из воспитанниц моего класса, Норейко Мелания, ела пирожное с кремом. Девочка из приготовительного, Писаревская Раиса, смотрела ей в рот, просила: «Дай откусить!» Норейко с полным ртом ответила: «Принеси свое!» Норейко Мелания очень жадная...

У меня нет времени читать все подряд — каждую минуту может кто-нибудь войти, да и сама Гренадина спохватится, что забыла ключ в столике.

Последняя запись:

20 ноября. Выдали жалованье за месяц. Когда получаешь на руки такие большие деньги (все-таки 20 рублей!), кажется, что ужасно богатая, все можешь купить. А распределишь расходы на месяц — и ни на что не хватает.

Вот мой месячный расчет:

в эмеритальную кассу (вычитают на старость) . . . 2 руб.
папе послать ....5 руб.
за комнату.................................3 руб.
на еду (по 20 коп. в день)...................6 руб.
квартирной хозяйке в счет долга .... 50 коп.
чай и сахар ....1 руб.
Итого.............................17 руб. 50 коп.

На все остальное — мыло, баня, спички, керосин, почтовые марки, ремонт одежды и обуви — остается мне 3 руб. Вот и все мое богатство!

Очень мучает меня долг хозяйке — 3 руб. Послала папе, чтобы подкормить его после воспаления легких. Уговорились с хозяйкой, что буду выплачивать по 50 коп. в месяц в течение семи месяцев! Значит, верну ей не 3 руб., а 3 руб. 50 коп. А она имеет такой вздорный характер, что просто описать невозможно! Я выплачиваю очень аккуратно, но она каждый день напоминает, что она моя благодетельница. Сегодня я из-за ее характера ушла утром в институт без чая. Когда попросила, как всегда, разрешения налить себе стакан кипятку из ее самовара, она вдруг говорит со злостью: «Заводите свой самовар!» Я даже заплакала. Очень обидно, когда ты ни в чем не виновата, а к тебе — с грубостью и злостью...

Рядом с тетрадью в ящике Гренадины лежит письмо, которое она сегодня начала писать и оставила недописанным.

Дорогой папа! Сегодня получила жалованье и посылаю тебе переводом 5 руб. Ты не волнуйся, это для меня совсем нетрудно. Я живу хорошо, у меня хватает на все. И сыта — даже шоколад ем, — и одета прилично, и комнатка у меня веселая, солнечная. Только бы ты был здоров, не болел и писал мне письма, — больше мне нич...

На этом письмо обрывается, — очевидно: «ничего не надо».

Наверное, в этом месте раздался звонок к концу уроков, и Гренадина оставила письмо недописанным.

Тихонько кладу тетрадь и письмо в ящик стола.

Сижу вся красная от стыда, от раскаяния. «Хоть бы, — думаю, — и вправду какие-нибудь тайны открылись у Гренадины! А то ведь пустяковое все... И эту маленькую, грошовую тайну и ту не пощадила я, расковыряла, словно лапки у мухи оторвала!..»

Никому: ни Мане, ни Варе, даже папе не расскажу про это... Как бы мне хотелось быть за сто верст отсюда — от этого столика с его ключом!

Вспоминаю, что Гренадина сказала: в уборную наказанным ходить можно. Вот и хорошо! Сейчас пойду в «Пингвин» (так у нас в институте называется уборная). Буду там сидеть до тех пор, пока на больших часах в коридоре стрелки не покажут «без *трох* минут пять».

Очень неуютно идти по пустынному коридору. Во всем этаже нет ни одной души. Звук собственных шагов по паркету кажется мне оглушительно громким и заставляет оглядываться назад: кто там топает позади меня?

Вот наконец и «Пингвин». Здесь тоже непривычно пусто и тихо. Все приходящие ученицы ушли домой, а пансионеркам не разрешается в неучебное время пользоваться этой уборной: для них есть другая, на третьем этаже.

Чудится мне, что ли? Нет, не чудится — кто-то плачет. Подхожу ближе. На подоконнике, в глубокой оконной нише, сидит девочка. Закрыв лицо рукой, она вся трясется в беззвучном плаче. Слезы просачиваются у нее между пальцев, капают на нагрудник черного фартука, а другой рукой она судорожно мнет край этого фартука — словно, падая в пропасть, пытается ухватиться за что-нибудь.

Осторожно, тихонько касаюсь ее плеча:

— Отчего ты плачешь?

Девочка резко отнимает руку от лица. Смотрит на меня злыми, ненавидящими глазами.

— Тебе чего надо? — хрипло говорит она сквозь плач. — Ненавижу вас всех! Всех, всех, до единой! Так ненавижу, что аж вот здесь, в горле, давит!

— И меня... ненавидишь? — удивляюсь я.

А удивительно мне потому, что эту девочку, Соню Павлихину, я почти не знаю, как и она, наверное, почти не знает меня.

Она пансионерка, учится в первом отделении нашего пятого класса, а я во втором отделении. Мы знаем одна другую по фамилии и в лицо. Но мы еще никогда не сказали друг с другом ни одного слова... За что же ей меня ненавидеть?

Соня Павлихина смотрит на меня пристально — глаза в глаза. Потом она неожиданно притягивает меня к себе. Я сажусь рядом с нею на подоконнике. Она обнимает меня, кладет голову ко мне на плечо. Со внезапной откровенностью отчаяния — вот так иногда человек, долго молчавший, выкладывает свое горе первому встречному — Соня Павлихина рассказывает мне про свою беду.

Вчера, в воскресенье, у пансионерок был день свидания с родными — «день родных». Сколько раз Соня просила, молила свою маму, чтобы та не приезжала к ней на свидание сюда, в институт! И за все эти четыре года мама не была здесь *ни разу*. Они виделись только летом, на каникулах, когда Соня приезжала к маме. Соня знала: если маму увидят *они*, это добром не кончится, будут неприятности. Но недавно Соня болела корью, мама узнала об этом — ну конечно, не удержалась, приехала... Ведь у мамы нет никого на свете, кроме Сони, как и у Сони — никого, кроме мамы! Мама такая слабенькая, тихонькая, ее всякий пьяница может обидеть. А мама не умеет — вот не умеет, и все! — прикрикнуть на кого-нибудь, выгнать хулиганов вон из лавки.

Я мало понимаю в путаном Сонином рассказе, где почему-то буянят пьяные хулиганы, которых надо уметь выгнать вон из лавки, а Сонина мама этого не умеет. Но Соня Павлихина так плачет, так судорожно сжимает мои руки, что я понимаю: случилась страшная беда.

— Ну и мама не выдержала! Приехала из Поневежа — она живет в Поневеже, — чтобы своими глазами увидеть меня после кори, чтобы хоть один часок нам с ней вместе побыть. До того мы с ней обрадовались встрече — обнимаемся, плачем, никого вокруг не видим!.. Ну, а *они*... — говорит вдруг Соня со злобой, — они ви-и-идят, они все видят! Гляжу, а они все на мою маму уставились. И я на нее смотрю, — всхлипывает Соня. — Платье на маме — я его всю жизнь помню, такое старенькое! Рукава не модные — не буфф, а в обтяжку, как дудочки! А шляпка, ох, и шляпка — наверное, мама ее у кого-нибудь из знакомых на этот день заняла, чтобы принарядиться, — не модная, с облезлым крылышком. А туфли! — Соня с отчаянием хватается за голову. — Сидит мама и ноги под стул поджимает... Такой срам, такой срам, господи!

— Да в чем же срам-то, Соня?

— А бедность наша, бедность, по-твоему, не срам? Столько лет я скрывала! Ну конечно, они не думали, что я богатая. Но ведь бедность-то эту они вчера в первый раз увидели. А потом еще хуже было. Ушли родные, стала дежурная «синявка» гостинцы разбирать. Родные-то, как приходят, складывают пакеты с гостинцами на большом столе в углу актового зала с запиской: кому, значит, из девочек какой пакет отдать. А дежурная «синявка» вчера, знаешь, кто была! Дрыгалка! Злая моська!

Это я понимаю: Дрыгалка была моей классной дамой в первом классе, и я ее на всю жизнь возненавидела.

В институте правило такое: каждый пакет с родительскими гостинцами вскрывает классная дама — нет ли там чего недозволенного, запрещенных книг, или вина (!!!), или еще чего-нибудь. Гостинцы вскрываются при всех девочках: у кого гостинцев много и они хорошие, богатые — те сияют, а у кого мало гостинцев или скромные — те рады бы сквозь землю провалиться.

— Понимаешь, — продолжает Соня, — вскрывает Дрыгалка гостинцы Зойки Ланской. Пакет во — двоим не унести! И все шелковыми ленточками перевязано! И таким сладеньким голоском расписывает Дрыгалка, что́ в пакете! «Коробка шоколаду — трехфунтовая! Еще коробка — такая же: шоколя́ миньо́н! Груши, виноград, банка икры, ветчина, семга...» Ну, просто без конца, без конца! Еще бы! Отец Зойки — полковник жандармский!

Соня говорит это с таким уважением к этому «великому человеку» — жандармскому полковнику, — с такой мечтательной завистью к его счастливой дочери Зойке, что я совсем теряюсь. Мой папа, когда говорит об этом человеке — а папе иногда приходится хлопотать перед ним за арестованных, — иначе не называет великолепного полковника, как «собака жандармская!».

Но Соня рассказывает дальше:

— И у всех, у всех роскошные сладости, фрукты. У одной даже торт «Стефания»! А у меня... у меня...

Соня так плачет, что я начинаю холодеть от страха. Что там оказалось в ее гостинцах? Что там могло быть?

— А в моем пакете, — Дрыгалка развернула — ну, срам! Никаких, конечно, ленточек, все простыми веревочками перевязано. И всего-то кулечек монпансье и бутерброды... с копченым салом бутерброды! Подумай, с копченым салом! Дрыгалка поджала губки — вот так! «Что же, Павлихина, ваша мама воображает — вас здесь голодом морят? Что же это она вам такие солдатские гостинцы принесла?» И все хохотать, гоготать: «Солдатские гостинцы, ха, ха, ха!» И ведь Дрыгалке, злой моське, и богатым этим дурам в голову не пришло, что мама это из любви! Чтобы окрепла я после кори... Им, богатейкам, и дела нет, — Соня внезапно вскипает гневом, — что мама, может быть, неделю целую на одном чае с хлебом сидела, чтобы сюда ко мне приехать (билет ведь по железной дороге сколько стоит!) и эти бутерброды мне привезти!.. Ну, а теперь уж все, все пропало... Все! Весь институт узнал!

Соня в таком отчаянии, словно весь институт узнал, что она и ее мама по меньшей мере воровки или убийцы!

— Да что же они узнали-то, Соня?

— Ах, не понимаешь ты! — вырывается у Сони почти с криком. — Говорю же тебе — скрывала я это от них! Бедность нашу скрывала. И что мама моя... *служит*! Сиделицей в винной лавке служит, пьяным мужикам водку продает! Уж теперь они и до этого докопаются!.. Можешь ты понять, какой это стыд?

Нет, я не понимаю, что это стыд. Папа мой всегда говорит: «Кто работает — тот молодец!» Сонина мама служит, работает, значит, она тоже молодец!

— Ты глупости говоришь, Соня. Твоя мама хорошая, ты должна ужасно сильно любить ее за это!

Соня прижимается ко мне. Может быть, она даже смутно понимает, что я права. Но за четыре года, проведенных в институтском пансионе, в нее крепко вбили, что богатство — это самое великолепное в жизни, что бедным быть стыдно, а работать — еще стыднее! И не так просто для Сони разобраться во всем этом мусоре и хламе, который ей внушили здесь.

А самое главное — Соня не очень и слушает то, что я говорю. Она говорит откровенно — может быть, в первый раз за все четыре года. Ей хочется, ей *надо* выговориться, освободиться от всего, что у нее наболело.

— Я тебе все скажу! — говорит она самозабвенно. — У меня и пострашнее этого есть. Вот меня спрашивают: кто твой отец? Я говорю: мой отец — офицер. А у меня... А он вовсе... Никакой он не офицер. У меня отца вовсе нет, никакого!

— Умер?

— Я всем говорю: умер. Нет у меня никакого отца и не было! Я незаконная. Не-за-кон-но-рож-ден-ная! По-твоему, и незаконной быть не стыдно?

Я отвечаю честно:

— Про это я не знаю... Хочешь, я у моего папы спрошу?

Соня вдруг страшно пугается. Свою тайну, о которой она никогда ни с кем не говорила, она вдруг выложила первой встречной девчонке, почти незнакомой. А та может разболтать и другим — вот она уже собирается рассказать своему отцу!

К моему ужасу, Соня вдруг становится передо мной на колени, целует мои руки, бормочет вне себя:

— Вот на коленях прошу... Умоляю — никому! Ни одному человеку! И папе не надо! Не надо папе!

Я тоже бухаюсь на колени — нельзя же разговаривать, аклоняясь к Соне, как к малому ребенку! — я тоже плачу бормочу:

— Соня, папе сказать все равно что в шкаф шепнуть! Іапа — доктор, ему больные рассказывают все свои секреы. А он этого никогда, никому! Это называется, — рыдаю , — врачебная тайна!

Соня успокаивается и только просит:

— Ну хорошо — папе можно. Но другим... Поклянись!

— Никому! — обещаю я торжественно.

— Перекрестись! — требует Соня.

Объясняю ей, что не могу: я ведь не христианка.

— А кто же ты?

— Еврейка.

По лицу Сони проходит словно облачко. Видно, в интитутском пансионе ей внушили и то, что евреи — самые лохие люди на земле. Она, кажется, готова пожалеть о том, то доверилась такой темной личности, как я...

— Поклянись! — просит она.

— Самое, самое, самое честное слово!

Наверное, со стороны мы с Соней выглядим смешно. Стоят две девочки на коленях — в уборной! — и торжественo клянутся!

— Смотри, ты поклялась: никому! — напоминает Соня. — Если здесь, в институте, узнают, что я незаконная... Я повеусь! Вот здесь, в «Пингвине», на этом крюке повешусь!

Конечно, мои слова вряд ли произвели на Соню большое печатление. Да она, бедная, так убивалась, так плакала все ремя, что едва ли и дошли до нее мои слова. Но все-таки ттого, что она выговорилась, выплакалась передо мной, ей, аверное, стало немного легче.

Соня встает с колен:

— Надо мне идти. Как бы они там не хватились меня... Спасибо тебе! — И она доверчиво кладет руки мне на плеи. — Я тебе завтра скажу, обошлось у меня или нет...

Мы целуемся, и, когда я чувствую прикосновение Сониой щеки, горячей от слез, меня снова пронизывает жалость ; ней.

— Соня, не бойся. Умру, а никому, кроме папы, не скажу!

Выйдя из «Пингвина», смотрю на часы: без четверт пять. Я и не заметила, как прошло время.

Иду в класс — досиживать свой срок. Не успеваю сесть з парту, как по коридору приближаются какие-то «громокипя щие» шаги. Кто это? Неужели Гренадина?

Да, это она. Вбегает в класс очень взволнованная. Даж не взглянув на меня, бросается к своему столику. Быстр выдвигает ящик, убеждается, что все на месте. Поворачивае ключ в замке, кладет его в карман и только тогда успокаива ется. Лицо ее проясняется.

— Ключ забыла, — объясняет она мне. — А вы еш здесь?

— Еще пятнадцать минут осталось...

Гренадина кладет руку на мою голову. Проводит рукой п моим волосам:

— *Растропанная* какая... Ладно. Ступайте домой. Ма ма, наверное, беспокоится.

— Маня Фейгель и Катя Кандаурова обещали забежат к нам домой — предупредить папу и маму.

— И папа, и мама... — задумчиво говорит Гренадин и добавляет доверчиво: — А у меня только папа. И живе далеко, на Урале. Ехать оттуда сюда или мне к нему невоз можно — дорого!..

Гренадина говорит это так дружелюбно! Стою перед не пень пнем. Стою и думаю, какая она бедняга и какая я подлю га!

Заметив слезы у меня на глазах, Гренадина просит — да именно *просит* меня:

— Пожалуйста, не подсказывайте на уроках. Вам эт шалости, а мне могут неприятности быть: учитель може пожаловаться, пойдут всякие *дразги*... Нехорошо, правда?

Я понимаю: теперь начнется новая жизнь! Гренадина н станет больше меня «ненавидеть», но и я ни за что не буд больше подсказывать.

Почти бегу по улице и думаю: «Про Гренадину тоже тайна И тоже — никому. Как про Соню Павлихину... И откуда н свете столько тайн?»

По дороге замедляю бег около казенной винной лавки. просторечии их называют «монопольками». Никакого вина там не продают, только водку. «Монополька» — чистенькая, опрятная. Продавщица, или, как Соня называет, «сидеица», — немолодая женщина с усталым лицом. Я думаю Сониной маме.

— Папа! — говорю я вечером, когда он, очень усталый (провел полдня около трудной больной, только сейчас озвратился домой), присаживается около моей кровати ля «последнего разговора». — Папа, что такое незаконнорожденные дети?

— Здрасте! Очень приятно... — отвечает папа так, слово он встретился с кем-то очень неприятным. — Здрасте! авно не видались...

— Нет, ты скажи! Что такое незаконнорожденные дети? ы это знаешь?

— Я-то знаю. А вот где ты это подхватила?

— Этого я тебе сказать не могу: я дала самое честное лово!

— Гм... Очень глупое выражение, самое честное слово! сли слово не самое честное, значит, оно и не очень уж естное! Честность, братец ты мой, не мороженое, чтобы ее тпускать на копейку, на две или на целый пятак.

Дело плохо! Когда я почему-то оказываюсь «братец ты ой» или еще хуже: «милостивые мои государи!», значит, апа сердится.

Я спешу перевести беседу в другое русло:

— Папа, ты же мне все-таки не сказал, что такое незаоннорожденные дети?

Тут папа совсем сердится.

— Это позор! — говорит он с гневом. — Это стыд и озор!

Батюшки, вот оно! Ведь и Соня говорила, что это стыд!

— Которые незаконнорожденные дети — так им стыд и озор? Да, папа?

— Нет! — рычит папа. — Не им, беднягам, стыд и позор! Стыд и позор тому обществу, для которых одна мать хорошая, а другая — плохая. Это — подлое, трусливое общество, милостивые мои государи!

— Почему, папа? Объясни.

— Ну вот. Живут на свете мужчина и женщина. И полюбили они друг друга. Бывает так, ты этого, наверное, еще н понимаешь.

— Нет, я понимаю.

— А понимаешь, так тем лучше... То есть — тьфу! – очень жаль, хотел я сказать. Ну вот — обвенчаться эти люд почему-либо не могут. То ли папа с мамой запрещают и пожениться, а они, дурни этакие, слушаются их... То ест что́ я такое говорю? Как же не слушаться родителей? И надо слушаться, даже если они несут чепуху, все равно над слушаться! Ох, запутался я с тобой совсем! Ну, одним словом, по какой-то причине эти мужчина и женщина не могу обвенчаться законным браком. Тогда они сходятся невенчанные и живут гражданским браком — так это называется И рождается у них ребенок...

— Он и есть незаконный?

— Вот именно! И тут начинается. Подлое и трусливо общество презирает такую мать. На работу ее не принимают. На улице знакомые с ней не раскланиваются. Ее травят гонят, преследуют! Ребенку в метрическое свидетельство — а позднее и в паспорт — пишут это подлое слово: *незаконнорожденный*, как клеймо! Его не принимают в хороши учебные заведения. Вырос, полюбил девушку, а вот не всякая за него пойдет — ведь незаконнорожденный! Тысячам уколов и ударов преследует это подлое общество несчастну мать и ее незаконного ребенка!

— Папа, почему ты так кричишь?

— Потому что я это ненавижу! — орет папа уже на вес дом. — Пойми ты, ведь я вот именно на это жизнь отдаю я, врач, первый принимаю на свои руки рождающегося ребенка. Я даю ему шлепка, чтобы он заорал, дуралей этакий И, когда я слышу этот первый крик нового человека, ей-богу я счастлив, я сам себе завидую! Чем черт не шутит — може быть, родился великий человек: Менделеев, Пирогов, Лавуа ье, Ньютон, Пушкин, Толстой!.. Да если просто хороший, естный человек родился — мало вам этого, что ли? А они — ти милстисдари мои! — пишут ему в метрике «незакон- орожденный» и не пускают его ни к жизни, ни к счастью. , будь они неладны, эти мерзавцы!..

Папа внезапно умолкает: мама вошла в комнату и встала еред ним, как статуя Командора.

— Яков! — говорит мама негромко. — Поздно, Яков. Ночь на дворе. Ты не спал вчерашнюю ночь, не обедал се- одня. Вопишь на весь дом, будишь малыша, будоражишь евочку. Посмотри, она плачет!

— Ничего страшного... — бормочет папа. — Пусть по- лачет! Пусть учится ненавидеть подлость! Без этого она е вырастет человеком... — Папа крепко прижимает к себе ою голову. Он целует руку у мамы. И вдруг говорит вино- атым голосом: — Вы на меня не сердитесь. У меня сегодня еудача... Роженица была крепкая, здоровая женщина... I старался как мог... А ребенок родился мертвый!

Глава десятая

ЧТО ОКАЗАЛОСЬ НА ДОНЫШКЕ БЯЛОЙ КАВЫ

На следующий день я не вижу Соню ни на первой, ни на торой перемене и, конечно, беспокоюсь...

На большой перемене мы, приходящие, завтракаем, как сегда, всухомятку и гуляем по коридорам — пансионерок едут парами завтракать наверх, в столовую. Тут я издали амечаю и Соню, но даже не успеваю разглядеть ее.

Хожу по коридорам с подругами. Но я сегодня очень мол- алива, и девочки изливают на меня потоки своего остроумия.

— Ксанурка! — Это Люся Сущевская выкроила мне ла- кательное из моего пышного имени «Александра». — Кса- урка! Проснись — под извозчика попадешь!

— Не трогайте ее! — заступается Варя Забелина. — Она е спит — она стихи сочиняет!

— А, знаю, знаю! — кричит Люся. — Она влюблена
Ксанурочка, открой нам: в кого?

Только Маня Фейгель не подтрунивает надо мной. Он
встревожена: наверное, понимает она, я переживаю что-т
невеселое, а подругам не говорю... Уж это неспроста! И Ман
смотрит на меня сочувствующими, добрыми глазами. Ну
конечно, Катенька делает чок-в-чок как Маня: смотрит н
меня многозначительно и вздыхает.

— Знаете что? — вдруг вдохновенно гудит шмелиным го
лосом Варя. — Я придумала, чем развеселить Шуру: пошлем
Степу за шоколадом.

Иногда, когда мы «при деньгах», то есть когда мы можем
всей компанией наскрести двадцать три копейки, мы посы
лаем служителя Степу в кондитерскую на углу, наискосок о
нашего института. Степа приносит нам плитку шоколада з
двадцать копеек (три копейки — самому Степе за выполнен
ное поручение). На плитке пять бороздок, так что ее можн
разделить на шесть равных долек. И мы наслаждаемся
откусывая шоколад маленькими-маленькими кусочками
Обычно нас пятеро: Маня, Катя, Варя, Лида (а теперь,
её отъездом — Люся) и я. Меля Норейко в этой затее н
участвует.

— У меня свое, у вас свое! — говорит она упрямо. —
Я люблю кушять мое собственное, и пусть мне никто не ме
шяет!

Каждая из нас, остальных пятерых, вносит в «шоколадное
предприятие» столько, сколько она в этот день может внести
У кого сегодня денег нет, за ту платят остальные. В другой ра
она заплатит за других. В общем, отлично организованное
не такое уж дорогое счастье. Как-то Катюша Кандаурова
сося свою дольку, сказала мечтательно:

— А неплохо, наверное, быть миллионером!

По правилам нашего «акционерного общества», шестая
долька (нас ведь пятеро, а долек в плитке шесть) либо отда
ется на то, чтобы угостить кого-нибудь, либо делится между
всеми нами.

Однако сегодня предложение Вари — послать за шоко
ладом — никем не поддерживается.

— Нет! — предлагает Люся Сущевская. — Отложим до
автра. Целый месяц вы меня угощали — у меня денег не
было. А сегодня я получу деньги за урок и завтра угощу всех
ас.

На том и решаем. Перед самым концом большой перемены пансионерки возвращаются из столовой. Я вижу Соню:
она идет одна, опустив голову и упорно глядя в пол. Проходя
мимо меня, она, не останавливаясь, негромко говорит — и в
олосе ее страх:

— Плохо... После уроков мне велено идти к Вороне...

И проходит.

Ворона — Антонина Феликсовна Воронец, помощница
нашей начальницы, Александры Яковлевны Колодкиной
она же Колода). Колоды мы не боимся. За четыре года ученья мы уже давно поняли, что она — не страшный зверь.
Она просто непроходимо глупая старуха, повторяет, как попугай, чужие слова, разбавляя их ежеминутными «да-а-а»...
В молодости в нее был влюблен знаменитый писатель
И. А. Гончаров. Колода не может этого забыть. Она и сейчас
разговаривает таким тоном, словно она молодая красотка.
От этого она, конечно, смешновата, но она не злая. Никакой
доброты в ней нет, нет и злости — и на том спасибо. Зато Ворона, помощница Колоды, — очень злая птица! У нее всякая
вина виновата. Она ничего не прощает и ничего не забывает.
Попасть в лапы Вороны очень страшно: она не отпустит, не
наказав, не ранив, не ощипав душу до крови...

И вот сегодня Соню Павлихину вызывают к Вороне. За
что еще нужно терзать эту несчастную девочку? Все за те
же злополучные бутерброды с копченым салом? За мамину
шляпку и немодные рукава?

Все эти мысли мучают меня тем сильнее, что ведь я не
могу поделиться ими ни с кем: я дала Соне слово!

На следующее утро мчусь в институт очень рано, чтобы
поскорее увидеть Соню Павлихину. В мыслях у меня все время вертится одно и то же: «Вчера Ворона оскорбила Соню...
Соня, наверное, повесилась». И не хочу я так думать, а оно
само думается, даже против моей воли. «Вот приду в институт, а Сони там уже нет... И нигде нет!..»

* * *

Мои опасения оказываются напрасными. Первый чело век, которого я вижу, взлетев единым духом по кружевно чугунной лестнице, — Соня Павлихина! Она стоит у перил пристально вглядываясь во всех приходящих, она кого-т ждет. Увидев меня, Соня порывисто хватает мою руку:

— Ох, слава богу! Пришла...

Соня ждала меня. Секунду мы смотрим друг на друга Соня сегодня еще бледнее, чем вчера. От этой бледност веснушки на ее коротком носике кажутся такими выпуклыми словно нос осыпан гречневой крупой.

— Пойдем! — И Соня увлекает меня за собой.

В углу большого коридора есть незаметная дверь. Мы Соней проскальзываем туда. Я иду за Соней, как в сказочном сне, — как Алиса, попавшая в страну чудес позади зеркала

Мы спускаемся по темной лестнице, ведущей в сырой по луподвал. Маленькое оконце помещается на уровне уличног тротуара; в него все время видны человеческие ноги, идущи в разных направлениях.

Полуподвал весь забит дровами, наколотыми для топки Среди дров копошится фигура, неясная в полутьме. Фигур перетягивает веревкой большую вязанку дров.

— Антон Потапыч, — просит Соня, — можно нам у ва тут побыть немножко?

— А чего ж! — отвечает знакомый голос нашего истоп ника, старика Антона. — Побудьтя, барышни, побудьтя.. Я не про́ти. Дрова-то авось не покрадетя!

И, хмыкнув над собственной остротой, Антон продолжае связывать дрова, ругая вслух каких-то людей, которые ему чем-то досадили:

— Дрова сырые, как из речки выловлены... А чтоб им ворам, как помруть, гроб из такого сырого теса сколотили!

Наконец Антон уходит с вязанкой дров по той лестнице по какой мы сюда спустились.

Теперь мы с Соней одни. Можно разговаривать.

— Шура... — шепчет Соня. — У меня, кажется, вс обойдется.

— Да? Благополучно?

— Кажется. Ворона меня вчера полтора часа утюжила. «Неужели ваша мать не понимает? Я сама не видала, но все в ужасе от ее туалета. В у-жа-се!»

Ворона долго, со смаком, перебирала все подробности нищенской одежды Сониной матери. «Они», как их называет Соня, — главным образом, конечно, Дрыгалка! — подметили всё: и туфли из порыжелой от старости прюнели, и каблуки, осевшие набок, как колеса старой брички, и грубые чулки, и шляпку с облезлым крылышком. И платье, перекрашенное, перелицованное: пуговицы справа, петли слева.

Ворона долго перебирала все эти мелочи, жестоко раня Соню. «Ваша мать должна бы понимать: женщина не смеет допустить себя до такого неряшества! Посмотрите на меня. Разве я небрежно одета? Не бог весть как, конечно, не бог весть что на мне надето, но прилично. При-лич-но! А ведь жалованье мое всего тридцать рублей в месяц, да из этого ежемесячно вычитывают три рубля в эмеритальную кассу — на старость...»

— Ох, Шура! — вздыхает Соня. — Тридцать рублей в месяц она жалованья получает, подумай, целых тридцать рублей! Да я таких деньжищ в жизни не видала, не знаю, как это и выглядит. И живет она при институте, значит, казенная квартира! И кормят ее в институтской столовой... Моя мама и половины этого не получает.

— А еще что тебе Ворона говорила?

— Ну, она меня грела, грела, утюжила, утюжила... Всю мамину одежду переворошила, даже про то сказала, что пальцы у мамы красные! «Что же ваша мама, значит, и перчаток не носит!» Перчатки! — горько говорит Соня. — Мама, бывает, ящики с водочными бутылками сама передвигает. Ну, а потом она, видно, уже насосалась моей крови — стала отваливаться от меня. «Надеюсь, говорит, вы сами понимаете, что это не должно повторяться. Напишите вашей маме — ну конечно, как-нибудь деликатно, — чтобы она к вам больше не приезжала. Чтобы вас больше не срамила, а главное, чтобы не компрометировала наш институт! Потерпите обе до весны, до каникул, а там уж все лето проведете вместе!..»

Соня замолкает. Пальцы ее сжаты в кулаки. Она вся напряжена, ей трудно сдерживать свою ненависть к мучительнице, к Вороне. Но вдруг лицо Сони яснеет — вот так, как из тучи внезапно брызжет солнце.

— Шура, — говорит она с затаенной радостью, — а больше ничего Ворона не сказала. Понимаешь, ни-че-го!

Я не очень понимаю, чему Соня радуется. Подумаешь, Ворона больше ничего не сказала! Достаточно наговорила она, по-моему, даже слишком много подлых, злых слов вылила она на Соню.

— Я-то ведь боялась, — объясняет Соня. — Но она ни слова не сказала про то...

— Чего ты боялась? Про что «про то» Ворона тебе ни слова не сказала?

И тут Соня начинает жарко-жарко шептать мне в самое ухо... Даже здесь, в этом подвале, где нет никого и ничего, кроме сырых дров, она боится, как бы кто не услыхал. От горячего Сониного дыхания, чудится мне, подтаивают замерзшие дрова, с них каплет вода. С сырых стен тоже каплет, даже за оконцем подвала начался дождик, и ноги прохожих ускорили свой бег по тротуару, где быстро сплываются лужицы.

— Шура, я верю, что ты меня не предашь.

— Предам! — сержусь я. — Обожаю предавать!

— Ну, Шурочка, не обижайся! Я ведь не со зла. Я радуюсь, понимаешь? Радуюсь! Шляпка мамина Вороне не понравилась — пускай! Наши фон-баронессы смеются, что мама мне грошовый гостинец принесла, — пусть их! Но ведь я другого боялась... Ох, как я этого боялась! Если бы наша главная тайна раскрылась, тогда бы нам с мамой конец!

Соня открывает мне последнюю и главную тайну. Метрика ее — метрическое свидетельство, которое выдают при рождении, — фальшивая! Там нет печати о том, что Соня незаконнорожденная. Там написано, что Соня родилась от офицера Василия Ивановича Павлихина и жены его — то есть Сониной мамы, — тоже Павлихиной, Любови Андреевны. А офицера Павлихина никогда и на свете не было! То есть, может быть, где-нибудь и существовал такой, бывают же люди с одинаковыми фамилиями, но Сониного отца так не звали. Соня даже не знает, как его звали, мама ей не говорит... Никто не знает, чего стоила Сониной маме эта фальшивая метрика! Ведь за это пришлось дать взятку — и какую взятку! Сонина мама продала все, что имела, — золотой медальон, часы покойного дедушки, даже шубу (с тех пор у Сониной мамы нет шубы, она носит зимой летнее пальтишко, надевая под него теплую кацавейку!). И они с мамой живут под вечным страхом — а вдруг все раскроется? Вдруг кто-нибудь донесет, докопаются, что метрика фальшивая. Тогда Сонину маму отдадут под суд, посадят в тюрьму.

— Соня, а зачем это было нужно, чтобы у тебя не было незаконнорожденной метрики?

— Да ведь без этого меня бы ни за что не приняли сюда, в институт! Если я дочь офицера Павлихина, сирота, — ну меня приняли на казенный счет. Обучение, стол, одежда — все бесплатное. А разве мама на свое жалованье могла бы меня учить, кормить, одевать? Зато уж теперь, если все сойдет гладко, если я институт кончу, я буду взрослой, барышней, я маме помогать буду!

— Конечно! — радуюсь и я. — Ты уроки давать будешь. Можешь даже в гимназии преподавать.

— Ну-у-у, работать, — тянет Соня без всякого восторга. — Насмотрелась я на мамину работу. Спасибо! Жалованье копеечное, и никто тебя не уважает...

— Так что же ты будешь делать?

— А вдруг, — говорит Соня мечтательно, — вдруг на мне князь женится или какой-нибудь ужасный богач? Ведь бывает же так — на Золушке вон даже принц женился. Я тогда маме все, все куплю, все новое: ботинки шевровые, шляпу самую модную. Лорнетку на золотой цепке, как у Колоды! Кофе в зернах самый лучший — «Мокка». Мама ведь теперь, бывает, кипяток один пьет с черным хлебом...

Мне не очень нравится этот план с князем или богачом. Папе, наверное, тоже не понравился бы. Но я не позволяю себе даже думать об этом: такая страшная жизнь у Сони и ее мамы — под вечным страхом, что раскроется их преступление (если за это сажают в тюрьму, значит, это преступление), и тогда они скатятся на самое дно человеческого горя!

— Соня! — шепчу я, и слезы колют мне глаза. — Если я предам твою тайну... если хоть кому-нибудь... Тогда пусть мне будет самое страшное! Пусть папа мой умрет — вот!

На первой маленькой перемене — между первым и вторым уроком — ко мне подходит в коридоре Соня Павлихина.

— Шура, — говорит она несмело, — можно мне ходить с тобой в перемену?

— Конечно, можно!

Я беру Соню под руку. Остальные мои подруги — хорошие, чуткие. Я ведь ничего не рассказывала им о Соне, о наших разговорах с ней в «Пингвине» и дровяном подвале. Но в институте все новости распространяются, как по телеграфу. Мои подруги уже слыхали о том, что Соне была «проборка» за то, что ее мама плохо одета. У самой Сони такое бледное лицо, измученные глаза. Боюсь, что в нее не влюбится тот князь, о котором она мечтает, — не понравится она ему. Но подруги мои — Варя, Маня, Катя, Люся Сущевская — приняли Соню в нашу компанию очень просто и сердечно.

Только Меля, по обыкновению, недовольна. Отстав со мной от остальных, она угрюмо говорит:

— Сзываете нищих, как цыплят на крупу! Скажешь, эта тоже из выжших?

— Надоела ты мне со своими «выжшими»!

И вот Соня ходит с нами по коридорам в первую перемену и во вторую. Внимательно слушает наши разговоры и шутки. Один раз даже засмеялась на что-то смешное. Сама молчит. Варя предложила ей конфетку, но Соня отказалась наотрез, даже головой помотала — не хочет.

— Пожалуйста, возьми... — уговаривает Варя своим низким голосом, добрым и густым, как сливовое варенье ее бабушки, Варвары Дмитриевны. — Возьми, у меня еще есть.

Соня вдруг говорит — не робко, не застенчиво, а так, словно гвозди вколачивает:

— Мне мама запретила. «Хоть что-нибудь, хоть пустяк, все равно, говорит, не бери. Не обязывайся».

— У тебя умная мама! — хвалит Люся Сущевская. — «Не обязывайся»! Можно, я это слово запишу?

— Пожалуйста... — сконфуженно разрешает Соня. — Только не пиши, что это я рассказала. Что это моя мама...

— Нет, нет! — успокаивает ее Люся. — Мне просто это слово понравилось, я его запишу. «Не обязывайся»! Моя мама тоже часто говорит: «Ничего у богатых брать не смей!» Только, Соня, ведь мы-то здесь не богатые, мы свои. И мы друг от друга принимаем, угощаем одна другую.

На большой перемене Соня вместе со всеми пансионерками уходит завтракать в институтскую столовую.

Все мы сегодня какие-то кислые. Я — из-за Сониных тайн. Другие — из-за того, что я кислая. А у Люси Сущевской, мы это чувствуем, еще какая-то своя неприятность. Вчера она была веселая, обещала сегодня угостить нас шоколадом, а не угощает!

— Да-а-а, — вдруг говорит Люся, — от богатых добра не жди. Они все жадины!

Помолчав еще с минуту, Люся неожиданно выпаливает:

— Девочки, простите меня! Я вас обманула...

— Ты — нас?

— Ну да! Кто обещал вам плитку шоколада? Я вчера обещала. И обманула. Как последняя шаромыжница!

Слово «шаромыжница» кажется нам смешным, неожиданным. Мы смеемся, и сама Люся громче всех.

— Понимаете, — говорит она уже обычным своим веселым голосом, — мне вчера должны были заплатить за урок за целый месяц: пять рублей!

— И не заплатили? — сочувственно ахает Катенька.

— Обманули, шельмы! Я готовлю в гимназию дочку кондитера Кохановского. У них при кондитерской еще и кафе. Урок шикарный. Пять рублей в месяц — заниматься с девочкой ежедневно по часу. Как прихожу — сейчас мне подают стакан бя́лой ка́вы (кофе с молоком) и миндальное пирожное. Пирожное, правда, чуть с черствинкой — вчерашнее пирожное; подавать его посетителям кафе сегодня нельзя, — но все равно я довольна. Выпиваю бя́лу ка́ву, а пирожное уношу с собой в бумажке. Вечером съедаем с мамой пополам. Все чудно, правда? Ну, а вчера... — Люся на секунду запинается, потом говорит сердито и мрачно: — Вчера оказалось, что кондитер Кохановский — скважина, сквалыга, выжига, хапуга! Вот он кто!

— Не заплатил за уроки?

— Заплатил! — с презрением говорит Люся. — Заплатил, но вычел из пяти рублей стоимость двадцати шести стаканов бя́лой ка́вы и двадцати шести миндальных пирожных. И еще говорит: «Я вам по своей цене считаю товар — не так, как посетителям кафе: пирожные считаю вам по три копейки за штуку, бя́лу ка́ву по пяти копеек за стакан». Ну, и...

— И что?

— И все!.. Принесла я маме вместо пяти рублей два рубля семьдесят пять копеек.

— Мама огорчилась? — спрашивает Маня.

— А ты как думала? Ведь мы на эти пять рублей рассчитывали. Мама работает просто рук не покладая. Прислуги мы не держим, а у нас два квартиранта, жильцы, да еще троих столовников обедами кормим. Мама все сама: и на базар, и полы моет, и одежду чистит, и в комнатах прибирает, и обеды стряпает, и посуду моет. А платят они все — гроши, да еще сегодня есть они у нас, эти жильцы и столовники, а завтра — фью, ни одного! Вот мои десять рублей в месяц — за два урока (у меня еще и второй урок есть), — они нам во́ как нужны!

— Твоя мама... плакала вчера? — неожиданно спрашивает Соня.

— Немножко побрызгала... — В голосе Люси звучит чуть насмешливая нежность. — Мама у меня как ребенок. Поплакала, перебрала всех покойников: «Видел бы это твой бедный папа! Знал бы это твой бедный дедушка!» Потом подумала и сказала: «Уж если нужно, чтобы кто-нибудь был поросячья душа, так пусть лучше будет этим твой кондитер Кохановский, а не мы с тобой!» Потом села за пианино, заиграла, запела: «Он уехал, жених, он в чужой стороне!..» А уж вечером, когда я спать легла, мама поцеловала меня: «Не горюй, дочка! Совесть у нас чистая, живем честно, трудимся, никаких благодетелей в плечико не целуем!..»

Кто-то спрашивает:

— А как же с кондитером Кохановским? Будешь давать уроки его девочке?

— Конечно! Только уж бя́лу ка́ву я пить отказываюсь. Ну, а пять рублей в месяц — это деньги!

Глава одиннадцатая
НОВЫЙ ЗНАКОМЫЙ — АНДРЕЙ КОЖУХОВ

Утром, когда мои ученики Разин и Шнир, окончив урок, уже собирались уходить, Степа Разин нечаянно выронил какую-то книжку. Она упала прямо ко мне на колени. Упала в раскрытом виде — как мы говорим: «раззявившись». Обложка отогнулась, и я прочитала заглавие: «Сборник задач и примеров по алгебре. Шапошников и Вальцев». Обыкновенная книжка, как все учебники, в простом бумажном переплете: по черному полю, словно «мраморным узором», набрызганы цветные кружочки. Такие переплеты на всех наших учебниках; разница только в цвете этих пестрых кружочков.

Я равнодушно отдала книжку Степе Разину.

— Знаете эту книжку? — спросил Шнир.

— Еще бы! Мы по ней задачи решаем. Тоска!

Разин и Шнир почему-то весело переглянулись, даже рассмеялись.

— Азорка... — сказал, по своему обыкновению, Степа. — Азорка, а?

— Конечно! — одобрил Шнир его невысказанную мысль. — Покажи ей, что это за «тоска». Пусть она знает!

Степа Разин откинул первые страницы задачника Шапошникова и Вальцева, а там началась новая книга.

С. СТЕПНЯК-КРАВЧИНСКИЙ
АНДРЕЙ КОЖУХОВ

Я уже раньше слыхала, и не один раз, что революционные книжки, запрещенные правительством, нарочно переплетают таким образом, чтобы их нельзя было распознать с первого взгляда. И про книжку «Андрей Кожухов» я тоже слыхала. Все читавшие ее говорили о книжке с восторгом. Но сама я еще ни разу ее не видала.

— А можно... — говорю я просительно, — можно мне прочитать эту книгу?

— Конечно! — отвечают они в один голос.

— Читайте на здоровье! — поощряет меня Степа. — Понравится — мы вам еще и другие принесем.

— Н-н-но! — добавляет Шнир, подняв предостерегающе указательный палец. — Это ведь... вы знаете?

— Знаю, знаю! — понижаю я голос. — Это запрещенная книжка, да?

— Да. Это книжка из «летучей библиотеки». Мы можем дать вам ее на двое суток. Послезавтра утром, когда мы к вам придем на урок, книжка должна быть прочитана. На эти книги большая очередь. Люди ждут по нескольку недель, пока книга освободится!

— Я прочитаю. Успею.

— Плата в «летучую библиотеку» пять копеек в сутки. И еще: про то, что книжка у вас, не надо никому говорить. Если кто ее у вас увидит, если спросят, от кого вы ее получили, что вы ответите?

— А я отвечу: «Нашла. На улице подобрала».

— Правильно! — одобряет Степа. — Ну и, конечно, ее надо спрятать получше. Чтобы ее не увидали всякие жук и жаба.

— Не беспокойтесь, спрячу.

— Все-таки, — настаивает Шнир, — извините меня, но я бы хотел собственными глазами увидеть, куда вы спрячете эту книгу. Пожалуйста, покажите!

Хор-р-рошо! Сейчас они увидят, какая я толковая и осторожная. О, я спрячу книгу очень ловко и хитро. Сейчас, сейчас увидите!..

Я заворачиваю драгоценного «Андрея Кожухова» в старую газету. Иду к печке, открываю заслонку. Уютно — и незаметно! — укладываю книгу между дровами, приготовленными Юзефой для топки. После этого оборачиваюсь к моим ученикам. Ага, что скажете?

А они смеются. Весело, от души...

Странные какие-то парни. Что тут смешного? Я даже немного обижена.

— Вы не обижайтесь, — словно угадав мое настроение, говорит Шнир. — Мы вовсе не над вами смеемся. Только я, знаете, перевидал в жизни много обысков. И полиция с жандармами почему-то всегда ищут нелегальщину первым делом в печке.

— И вообще в печке держать опасно, — объясняет Степа. — Даже и без всякого обыска может приключиться беда: придет ваша Юзефа — сердитая дама! — ничего не заметит, затопит печку... Фью-ю-ю! Пропала книжка!

Против этого, конечно, не поспоришь. Но куда же засунуть заветную книжку? Наконец меня осеняет. Иду к Юзефе, объясняю ей, что, вот, эту книжечку надо спрятать от полиции. Полиция ее ищет, хочет отнять. И все: этого объяснения для Юзефы достаточно.

Шесть лет назад, когда к нам пришел мой первый учитель, Павел Григорьевич, — революционер, высланный в наш город под надзор полиции, — соседские горничные и кухарки настрополили Юзефу: она отчаянно бушевала и скандалила. Она кричала, что не хочет видеть, как ребенка будет учить «арештант», он ведь «против самого царя бунтовался!». Черт его знает, арештанта, чему он будет учить ребенка...

Но затем все мы пережили первомайскую демонстрацию (и Юзефа вместе со всеми!). Казаки «покрошили» людей нагайками, папа ходил ночью по тем квартирам, где спрятали раненых, и оказывал им помощь. Потом арестовали Павла Григорьевича. И Юзефа вместе со всеми переживала тревогу за него, готовила ему «передачи», очень полюбила его жену. Потом случилось так, что полиция на глазах у Юзефы арестовала Володю Свиридова, студента-революционера, сына наших соседей. Юзефа до сих пор вспоминает с гордостью: «А чумудан с книжками Володиными полиция не нашла! Я спрятала!» В общем, Юзефа видела, может быть, и не так уж много, но вполне достаточно, для того чтобы понимать: если полиция кого-нибудь или чего-нибудь ищет, значит, надо в лепешку разбиться, чтобы она никого и ничего не нашла! Я привела Юзефу в мою комнату, показала ей книжку «Андрей Кожухов»: вот это надо спрятать от полиции.

Юзефа с минуту подумала и ушла, ничего не сказав.

— Так... — растерянно пробормотал Степа. — Не хочет бабушка прятать литературу.

— Спрячет! — уверенно возразил Шнир. — Это такая старуха, я вам скажу!..

И правда, Юзефа скоро вернулась, неся свой заветный старенький баульчик. До него мне еще никогда не разрешалось дотрагиваться, даже приближаться к нему нельзя.

— Вот! — с торжеством сказала Юзефа, ставя свой баульчик на стул. — Это моя смертная справа. Когда помру — пани знает! — меня в этом похоронят. Тут платье светленькое. Едва́бная ху́сточка (шелковый платочек) на голову... Ну и еще — обувка... Сюда и книжечку вашу положу, тут ее никто не найдет. Уж до моей смертной справы я полицию с ее лапами не допущу!

Я молча приникаю к Юзефе, к ее умным, добрым рукам. Всё они могут, эти руки, всё они умеют... А если нужно, могут надавать кому следует и подзатыльников и оплеух — пожалуйста! Не умом, а всем существом своим я понимаю: Юзефа — это часть всего ласкового, верного, надежного, что составляет родной дом...

Ученики мои собираются уходить.

— До свидания, мамаша! — И Шнир крепко жмет Юзефе руку. — Спасибо вам!

А Степа Разин сердечно обнимает ее:

— Вы — золото!

— Кастрюльное? — усмехается растроганная Юзефа.

— Нет, самое настоящее! Пятьдесят шестой пробы!

...В институте учебный день проходит как в тумане. Хорошо, что никто из учителей не вызвал меня: я бы лыка не связала, хотя знаю уроки хорошо. Но все мои мысли дома, около того баульчика, где среди Юзефиной смертной справы ждет меня книжка «Андрей Кожухов»...

Возвратившись из института, застаю новость: Сенечка нездоров. В чем его нездоровье, толком неизвестно.

Папа говорит:

— Вздор! Пустяки! Оденьте его, и пускай бегает!

И в самом деле — в горлышке у Сенечки чисто, глотать ему не больно. Температура почти нормальная: 36 и 7 десятых. Головка тоже не болит. Но у мамы свои приметы болезни. Сенечка ей сегодня, как она выражается, «что-то не нравится» — какой-то он кислый, квёлый, глазки невеселые. Нет, пусть лучше полежит денек в постельке.

Меня, маленькую, так не баловали, не нежили — папа этого не позволял. Ежедневно обливали меня холодной водой, заставляли ходить по нескольку часов в день босиком: летом — в саду, а зимой — в комнатах, по полу.

— Да, — говорит мама, — с Сашенькой это было можно: она была здоровенькая. А Сенечка такой хрупкий, постоянно хворает.

— Оттого и хворает, что растишь ты его, как спаржу: в парнике, под стеклом! А Сашенька была здорова вот именно оттого, что...

— ...оттого, что росла, как крапива под забором! — с укором подхватывает мама. — Вспомнить страшно, как ты над ней мудрил! Я была молодая, слушалась тебя, все твои выдумки исполняла.

— Зато теперь ты отыгрываешься на Сенечке! А он — шельмец — и пользуется этим.

— Да... — подтверждает Сенечка голосом кротким и слабым. — Я — шельмец. Я — очень шельмец... (Он считает, что «шельмец» — это название его болезни!) И пусть мама даст мне в постель ту фарлафоровую птичку, я буду с ней играть.

В такие дни, когда Сенечка лежит в постели из-за того, что он маме «что-то не нравится», ему разрешается играть не только своими игрушками, но и любыми вещами в доме. Каждые пятнадцать минут мама с озабоченным, встревоженным лицом пробует губами, не горячий ли у мальчика лобик, и беспрекословно исполняет все его прихоти.

Никакие папины замечания и насмешки не достигают цели.

Мама даже приглашает к Сенечке доктора Ковальского. Ведь папа, говорит она кротко, не специалист по детским болезням. Пусть Сенечку лечит специалист.

Кто обижен этим — просто кровно оскорблен! — это Юзефа. Она обижается за папу!

— Новая дéла! — яростно ворчит она, натирая в комнате пол. — Не понимает уже наш пан доктор детúнные хворобы. Не понимает, ха!.. А я вам скажу: он панские хворобы не понимает! Панская хвороба у Сенечки, вот что!

— Нет, Юзенька, — говорит Сенечка все таким же слабеньким голоском, — я больной. Сам папа говорит, что я — шельмец. Это очень опасная болезнь...

Замечательно, что Сенечка не врет, не притворяется. Он вообще очень правдивый мальчик. Но он мнительный. Ему передается мамина тревога. И он всерьез чувствует себя слабым и больным.

— Дай, мамочка, мне ту вазочку с буфета, я буду наливать в нее воду и выливать обратно, это будет очень смешно... — просит он все тем же «умирающим» голосом.

Конечно, мама спешит исполнить волю своего больного сынишки. И, конечно, через полчаса Сенечка нечаянно проливает всю воду из вазочки на свою подушку и одеяло.

— Хворый, хворый, а вещи портишь! — укоряет его Юзефа.

— Так мне ведь скучно, — оправдывается Сенечка.

Чтоб развеселить Сенечку, мама поет его любимую песенку:

Вот мчится тройка удалая
По Волге-матушке зимой...
И колокольчик, дар Валдая,
Звенит уныло под дугой...

— Мамочка, знаешь, чего бы я хотел? Чтоб ко мне пришел в гости Дарвалдай. Со своим колокольчиком. Я бы в этот колокольчик звонил...

Сенечка не понимает, что колокольчик — дар города Валдая, где такие колокольчики изготовляют. Он считает: живет где-то человек по имени Дарвалдай, у которого есть звонкий колокольчик!

Все эти разговоры я слушаю, как говорится, вполуха. Торопливо пообедав, я засела за чтение «Андрея Кожухова» — и все окружающее перестало существовать для меня...

Между тем в соседней комнате Сенечка, пользуясь своей болезнью, мучает и пиявит уже не маму, а дедушку.

Тот пришел проведать больного внука, а внук требует от него:

— Дедушка-а-а, расскажи что-нибудь...

— Что я могу тебе рассказать, несчастье ты мое? — удивляется дедушка.

— Ну, расскажи, что ты видел на улице, — подсказывает Сенечка.

— Мадам Пумпянскую я видел! В новом пальто! С каракулевым воротником... Тебе это интересно?

— Не-е-ет. А что ты читал в газетах, дедушка?

— Государь император принял итальянского посла маркиза де Монтебелло... Интересно тебе?

— Не-е-ет. Расскажи сказку, дедушка. Как жил-был царь.

Громко, страдальчески вздохнув, дедушка начинает:

— Жил-был царь...

— С царицей? — уточняет Сенечка.

— А на что ее, царицу? Без нее обойдемся!

— Нет! — сурово поправляет Сенечка. — Царь всегда живет-бывает с царицей. «Жили-были царь с царицей...» И у них всегда что-нибудь плохо. Например, детей нету или еще что-нибудь... Ты забыл это, дедушка?

— Верно. Забыл... — виновато говорит дедушка, который понятия не имеет ни о каких сказках и не умеет придумывать их. — Значит, жили-были царь с царицей. Сидят они, значит, у себя в столовой. И — совершенно верно! — они именно огорчаются: «Что за безобразие? Почему у всех людей есть дети, а у нас нету? Что, мы их прокормить не можем, что ли?»

— А как они одеты, царь с царицей?

— Ну, как одеты! Прилично одеты, конечно. Не хуже, чем мадам Пумпянская в ее новом пальто! Царь в крахмальной сорочке, с галстуком, при часах с золотой цепкой. Царица тоже — в новой шляпке...

— Нет! — неумолимо перебивает Сенечка. — У них на голове не шляпки, а золотые короны!

— Правильно, короны. Я забыл. Ну, сидят себе царь с царицей. И вдруг... — Дедушка мучительно старается придумать, что бы такое могло случиться «и вдруг». — И вдруг к ним во дворец вбегает...

— ...лягушка? — Сенечка цепенеет от ужаса: он очень боится лягушек.

— Ну-у-у, лягушка! — пренебрежительно бросает дедушка. — Стоит ли быть царем, чтобы к тебе в комнату могла вползти всякая пакость!

— Так кто же к ним вбегает, дедушка?

Но дедушка уже окончательно иссяк: он больше не в состоянии придумать ничего сказочного.

— Кто к ним вбегает?.. — повторяет он. — А черт его знает, кто к ним вбегает! Слушай, мальчик. Давай я тебе лучше расскажу, как петух испортил яичницу, а?

— Это такая сказка про петуха? — недоверчиво спрашивает Сенечка.

— Что сказка! Это правда... Такой это, я тебе скажу, петух был! Я его на всю жизнь запомнил. Я тогда молодой был, железной дороги еще не было: ни рельсов, ни вагонов, ни паровозов — ничего! Поехал я в Ковно, как все тогда ездили, на лошадях. Остановился по дороге отдохнуть в какой-то деревне. Не то Григайцы деревню звали, не то Ланцуты — уж не помню. Устал я — трясся с утра на телеге, под дождем, промок до костей! Прихожу на постоялый двор. Дайте, говорю, поесть — я голодный, как зверь! А в хате этой постоялой — бедность, грязь. Тут и люди, тут и коза с козленком, и петух с курами — все вместе... И что бы ты думал? Нету, ничего у них нету! Чуть не заплакал я — голодный ведь... «Есть у нас, — вспоминает хозяйка, — пяток яиц, последние! Могу вам, пане, яичницу испекчи́». — «Пеки!» — говорю. Обрадовался, снял с себя все мокрое, повесил сушить. Жду этой яичницы, я тебе скажу, как не знаю какого счастья. Мою руки у рукомойника, даже запел от аппетита. И вот она стоит передо мной на сковородке, что твоя купчиха первой гильдии! Золотая, пузырится, ну прямо дышит! И...

— И?.. — повторяет Сенечка.

— И не досталась она мне, та яичница!

— Почему?

— Петух там вертелся, пропади он совсем! Большой, красивый такой, чисто офицер. Вскочил на стол — и плакала она, моя яичница!

— Петух скушал? — догадывается Сенечка.

— Не скушал — нагадил он в яичницу, вот что! Всю испаскудил, подлец петух! Так я и уехал голодный...

Сенечка смеется. И мама, и сам дедушка тоже.

Но я слышу это из своей комнаты, как сквозь сон... То есть и смех, и разговоры доносятся до меня, да и историю с петухом и яичницей дедушка не раз мне рассказывал!.. Но тут — словно меня нет. Вместе с книгой «Андрей Кожухов» я улетела далеко — в Швейцарию!

Там, в Женеве, русский революционер Андрей Кожухов читает письмо, полученное от товарищей из Петербурга.

Что пишут ему товарищи? Из-за морозов погибли овечки... Сестра Катя вышла замуж... Очень несчастна... Отец в отчаянии. Его седые волосы...

Что за галиматья! Какие-то овечки, какая-то Катя, какой-то отец с его седыми волосами... Что все это означает?

Это — конспиративное письмо. Андрей Кожухов смазывает страницы кисточкой, пропитанной каким-то химическим составом. Тотчас же смываются и исчезают нелепые фразы письма; под ними обнаруживается другой текст. Но и его не так просто прочитать. Это не слова, а какие-то отдельные цифры, буквы — шифр! Опасаясь, как бы жандармы, в свою очередь, не додумались до химического состава, смывающего верхний слой письма, петербургские революционеры еще и зашифровали письмо. Несколько часов проводит Андрей Кожухов, расшифровывая письмо при помощи особого «ключа».

Наконец письмо прочитано. Андрей Кожухов узнает, что его друг и товарищ по революционной работе, Борис, арестован. Андрей должен немедленно возвратиться в Россию. Его встретят в пограничном городке, вручат ему фальшивый паспорт и помогут нелегально перейти русскую границу...

Дедушка давно ушел. Сенечка спит. Мама одевается — собирается в гости, куда должен приехать и папа, если он рано освободится.

А я все читаю замечательную книжку.

Вместе с Андреем Кожуховым я приезжаю в Россию и окунаюсь в тревожную, напряженную жизнь революционеров... Какие люди! Какие герои!

Один из них, Борис, схвачен и сидит в тюрьме. Революционеры — среди них его жена Зина и недавно приехавший из-за границы Андрей Кожухов — предпринимают отчаянные попытки освободить из тюрьмы Бориса и двух его товарищей. Но все попытки в самую последнюю минуту срываются. Уже готов подкоп, прорытый под зданием тюрьмы, — завтра Борис и его товарищи убегут из тюрьмы. Но все срывается — подкоп обнаружен!

Тогда революционеры решают: когда Бориса с товарищами поведут на допрос, напасть на конвой и отбить арестованных. В назначенный день все готово: через подкупленного тюремного надзирателя Борису и товарищам его передано оружие. По всему городу выставлены сигнальщики; готова коляска, которая увезет отбитых арестованных. В назначенный день Андрей с группой вооруженных революционеров нападают на конвой — товарищи Бориса отбиты и увезены. Но Бориса отбить не удается — он остается в руках у тюремщиков! И теперь — после вооруженной схватки с конвоирами — положение Бориса безнадежно: его ожидает смертная казнь...

Уже поздно. Мама уехала в гости. Сенечка и Юзефа давно спят. А я все читаю.

— Загась лямпу! — приказывает мне Юзефа, приподняв от подушки растрепанную седую голову. — Спать не даешь!

И она снова засыпает.

Погасить лампу? Прервать чтение? И до самого утра не знать, что было дальше с этими удивительными героями? Нет, не могу я оторваться от книги.

Лампу я, конечно, погасила — пусть Юзефа и Сенечка спят. Неслышно ступая босыми ногами, я ухожу из нашей комнаты. Куда? Ну конечно, в единственное надежное убежище: в уборную. Вслед мне доносится сонный голос Юзефы — она заметила, что в комнате стало темно.

— Загасила лямпу? Ну и умница... Спи, спи!

Нет, я не сплю. Я сижу в уборной и при свете маленькой коптилки читаю свою книгу.

...Все пропало! Царский суд приговорил к повешению Бориса, его жену Зину и Василия, милого Василия, такого веселого затейника, такого верного товарища и железного революционера!

Привязанных веревками к позорной колеснице, их везут по городу к месту казни. Андрей Кожухов становится в толпе так, чтобы революционеры-смертники в последний час перед казнью увидели лицо друга. Вот колесница поравнялась с Андреем. Вот их взгляды скрещиваются в последний раз. Ветер развевает светлые волосы Зины вокруг ее милого лица... «Почему у нее стали короткие волосы? — думает Андрей. — Ах, да, — понимает он, — ее остригли для того, чтобы палачу было удобнее повесить ее...»

Возвратившиеся из гостей мама и папа, не найдя меня в кровати, встревоженные, отправляются искать меня. Мама сразу замечает полоску света, пробивающуюся из-под двери в уборную. Открыв эту дверь, мама и папа пугаются еще больше. В длинной, до пят, ночной рубашке, поджимая озябшие босые ноги, я сижу на единственном в уборной седалище и плачу... Плачу так сильно, что даже не слышу, как на пороге появились мама и папа!

— Пуговка... — осторожно окликает меня папа полузабытым уже именем моего раннего детства. — Пуговка!..

Папа берет меня на ру́ки, как маленькую, — и я, как маленькая, обнимаю его за шею, кладу голову на его плечо.

— Папа, их всех казнили... — шепчу я. — Всех!.. И самого Андрея Кожухова тоже!

Глава двенадцатая

КАК РОЖДАЕТСЯ КРУЖОК...

Утром просыпаюсь разбитая. Голова болит и гудит, словно в нее, как в колокол, ударяют чугунным би́лом.

Сперва я даже радуюсь: вот как повезло — я заболела! Можно не идти сегодня в институт.

Но нет, это зряшная надежда. В горле у меня при глотании не саднит, голова хоть и болит, но не горячая: просто читала полночи «Андрея Кожухова», не выспалась... Даже под ложечкой не сосет. Нет, к сожалению, я здорова.

А как бы хорошо — остаться дома, лежать с закрытыми глазами, снова и снова перебирая в памяти все, что я узнала ночью про Андрея Кожухова и его товарищей! В воображении можно даже самой участвовать во всех событиях, описанных в книге.

Вот, например, я Зина. У меня есть маленький сынишка, и, конечно, я его обожаю. Но он живет не при мне, и это очень горько. Я вообще нигде не живу: я революционер-подпольщик, и потому у меня нет постоянного пристанища. Скрываюсь от ареста, ночую где придется: нынче у одних, завтра у других, иногда в лесу или в поле... Разве можно при такой жизни таскать за собой сынишку? Ребенок — это ребенок; ему нужна своя постоянная кроватка, и молоко вовремя, и котлетка, и конфетка... Вот и живет мой сынишка не со мной, а у моих мамы и папы (они ведь ему дедушка и бабушка). Мне даже нельзя приехать хоть на один день в город, где они живут. Меня могут там арестовать, а от этого пострадает самое важное — моя революционная работа.

И вот однажды, мечтаю я, меня посылают с революционным поручением (опасным ужасно!) и как раз в тот город, где живет у мамы и папы мой сынишка. И вот я приезжаю в этот город. До тех пор, пока не исполнено революционное поручение, я даже не позволяю себе вспомнить о свидании со своими. Наконец, продолжаю я мечтать, я исполнила все, что мне поручили, исполнила хорошо. Теперь я могу в сумерки прокрасться в наш дом. Это, конечно, тот же дом, где мы живем теперь. Я издали узнаю наш подъезд, узнаю вербы, растущие цепочкой на противоположной стороне нашей улицы... «На пять минут! Только на пять минут!» — говорю я себе.

Подхожу к нашему подъезду, а там засада: полиция, жандармы... Сейчас они меня схватят! Но я проворно и незаметно проскальзываю в магазинчик часовщика Свенцянера рядом с нашим подъездом. Полицейские, конечно, врываются туда вслед за мной.

Бедный старик Свенцянер, конечно, страшно пугается, но я говорю ему совершенно спокойно: «Господин часовщик, вы уже починили мои часики?» Вот какая я толковая: я не называю его по фамилии, я как будто и не знаю, что его зовут «господин Свенцянер». Просто я отдала в починку мои часики первому попавшемуся часовщику, а теперь пришла за ними... Вот какая я сообразительная! А сама смотрю на Свенцянера пронзительно-выразительно, словно хочу сказать ему: «Поймите! Поймите! Я *как будто бы* отдала вам в починку часики!» И Свенцянер — чудный старик! — он сразу все понимает. Он не говорит: «Ах, мадмазель Яновская, как вы поживаете? Как папа? Как мама?», или «Какие часики вы мне давали? В первый раз слышу!» Нет, Свенцянер смотрит на меня равнодушно-вежливо, словно он видит меня в первый раз в жизни. Он отвечает совершенно холодно, как незнакомой заказчице: «Приходите завтра, часики будут готовы...»

А сам глазами показывает мне на дверь в глубине. Она ведет в чуланчик за магазином, где Свенцянер живет со своей семьей.

В мгновение ока я бросаюсь туда, вижу там дверку, ведущую прямо во двор, и ускользаю через эту дверку. Позади себя я слышу крик Свенцянера: «Помогите! Она толкнула меня и убежала!..» Ну не чудесный ли старик?

Или еще так: я — Таня, и мой любимый, Андрей Кожухов, прощается со мной — он уходит на подвиг, на смерть... «Андрей, — говорю я, — я буду любить тебя до самой смерти!»

Меня и Бориса вводят на помост. Сейчас нас повесят. «Прощай, Борис! — говорю я. — Мы счастливые: мы умрем вместе за революцию!..»

В общем, все очень похоже на те мечты, которые волновали меня в детстве. Тогда я мечтала, что я укротительница тигров и львов мисс Ирма или рыцарь Роланд, погибающий в Ронсевальском ущелье. Это было очень интересно для меня, но совершенно недостижимо: в клетку с хищниками я так же не могла попасть, как и в Ронсевальское ущелье. Мужая, человек начинает мечтать о вещах достижимых. И вот о революции *можно* мечтать: это вполне осуществимо!

Но довольно витать в облаках мечты — надо отправляться в институт.

...Выхожу на улицу. Часовщик Свенцянер — не воображаемый, а живой — стоит на пороге своего магазинчика и равнодушно-вежливо раскланивается со мной. «Чудный старик! — думаю я, окончательно смешав мечты и действительность. — Как он хорошо играет свою роль!» И, поравнявшись со Свенцянером, я смотрю на него пронзительно-выразительно. «Спасибо вам, — думаю, — чудный Свенцянер! Вы помогли мне убежать от жандармов!..» Свенцянер, конечно, смотрит на меня как на сумасшедшую.

Придя в институт, я увожу Маню для секретного разговора в «Пингвин».

— Маня, ты читала такую книгу: «Андрей Кожухов»?

Маня отвечает не сразу. Она смотрит мне в глаза, словно раздумывает: можно отвечать откровенно или нельзя? Ну конечно, можно: я своя, я друг.

— Читала, — отвечает Маня. — И ты?

— Да... Маня, какие люди! Ох, какие люди!

— Кто дал тебе книжку?

— Из «летучей библиотеки»... А тебе?

— Мне Матвей давал, мой брат. Он тоже из «летучей библиотеки» брал.

— А есть там еще и другие книжки? Ты читала их, Маня?

Маня снова отвечает не сразу.

— ...Только знаешь, Шура, о таких вещах...

— Знаю, знаю! — отмахиваюсь я. — Слава богу, не маленькая, где не надо, там не сболтну!.. Маня, я бы хотела перечитать все, какие только есть! Знаешь, я прочитала «Кожухова» ночью и стала сама не своя!

В коридоре, перед концом большой перемены, ко мне неожиданно подходит Зоя Ганнибал. Она из последнего класса, выпускница... Что ей может быть нужно от меня, пятиклассницы?

Зоя Ганнибал у нас самая красивая ученица. Глаза, ротик, носик — все как у красавиц, нарисованных на обертках березового крема «Энглунд» для белизны кожи. Впрочем, носиком своим Зоя Ганнибал не совсем довольна — какое-то, считает она, есть в нем еле заметное утолщение. Для того чтобы исправить этот недостаток, Зоя на ночь надевает на носик шпильку — так и спит с зажатым носиком! Кто-то, вероятно в шутку, предложил Зое вместо шпильки надевать на носик деревянный зажим, каким укрепляют на веревке белье, развешанное для просушки. Зое очень понравилась эта мысль, и она умоляет всех приходящих учениц принести ей такой деревянный зажим, чтобы надевать его на носик... Может быть, она и меня хочет попросить об этом?

Зоя Ганнибал уводит меня в «Пингвин» и там, глядя мне в самую печенку своими глубокими глазами, спрашивает:

— Вы Шура? Да, да, я знаю! Вы Шура!

Отвечать на это мне нечего — я ведь и в самом деле Шура. Но что ей от меня нужно? И какое имеет значение, Шура я или Мура?

— Шура! — продолжает Зоя. — Вы прэлэстная, да? Еще того не легче!

— Не знаю... — отвечаю я с самым глупым видом. И правда, откуда я знаю, «прэлэстная» я или нет?

— Нет, нет! Вы прэлэстная, прэлэстная! — капризно настаивает Зоя и даже топает ножкой. — Вы прэлэстная, и вы исполните мою просьбу. Да?

Она протягивает мне письмо в розовом конверте. От письма пахнет духами. На конверте написано:

Местное
Его Высокоблагородию
Леониду Ивановичу
Корнееву
Георгиевский пр., дом Монтвилл

— Что мне с этим делать? — недоумеваю я. — Письмо-то ведь не ко мне?

— Ну конечно, не к вам. Какая вы смешная! Просто комик!

— Так что же мне с ним делать?

— Ох, недогадливая... Вам на-а-до, — тянет Зоя нараспев, — взя-я-ять письмо, хорошенько спря-я-ятать его, чтобы «синявки» не увидали! Потом выйти на у-у-улицу и опустить письмо в почтовый ящик... Вот и всё!

Прячу письмо в карман. Поручение мне не нравится. И папе я про это не расскажу. Он рассердится на то, что мне, как пуделю, дают поноску: «Нá, пудель, неси в почтовый ящик!» И я, пудель, несу...

Зоя Ганнибал видит, что я недовольна. Ей хочется доказать мне, что исполнить ее поручение — доброе дело.

— Шура, если бы вы знали, как я его люблю! Он красавец! И когда в шубе — красавец, и в летнем пальто, и в цилиндре, и в фетровой шляпе...

— Он ваш жених?

— Ой, что вы! — Зоя машет руками. — Я с ним даже не знакома. Просто увидела из окна и влюбилась. Страшно влюбилась! И... мечтаю! Вот он приходит домой обедать —

я, его жена, в кружевном капоте, говорю ему лукаво: «А я тебе приготовила сюрприз: твое любимое блюдо». А он смеется: «Я тоже приготовил тебе сюрприз — твое любимое». И подает мне дивную брошку! Брильянтовую! — Помолчав секунду, Зоя продолжает мечтательно: — Я всегда смотрю на него из окна, когда он идет со службы. Как-то он с дамой шел под ручку, можете себе представить, какой негодяй! Я как увидела, вся затряслась! Ужас, какая я ревнивая, Шура!

— Как Пушкин... — вдруг вспоминаю я. — Пушкин ведь тоже был Ганнибал.

— Какой же он Ганнибал, если он Пушкин! — смеется Зоя над моей глупостью. — Вы что-то путаете, Шурочка.

Зоя не знает, что Пушкин был из рода Ганнибалов, что в его жилах была негритянская кровь. Ничего она не знает... Ну и я тоже хороша! С кем вздумала равнять Пушкина!

В общем, обычное развлечение наших пансионерок-старшеклассниц. В закрашенных окнах дортуаров они выскабливают маленькие кружочки — величиной с двугривенный. И смотрят сквозь эти кружочки на большой мир. Кто как одет, кто красавец, кто урод, влюбляются в проходящих по улице мужчин. Если удается узнать имя, отчество и фамилию, пишут этим незнакомцам письма...

— Вы не подумайте... — словно оправдывается Зоя. — Я своей фамилии не подписала. Все-таки я не кто-нибудь: Ганнибалы — старинный дворянский род. Я подписалась знаете как? «Любящая вас до гроба прекрасная незнакомка». Правда, красиво?

«До гроба» она любящая! Понимает она, что́ такое любовь, да еще до гроба!

В этот же день мне закатывает скандал другая любительница таинственности — Меля Норейко.

Перед уроком она подходит к моей парте и бросает мне торжественно и мрачно:

— Я с тобой больше не водюсь!

Я отвечаю ей в тон — мрачно и торжественно:

— Я этого не переживу!

Вокруг нас собираются девочки.

— Ты врунья! — продолжает Меля. — Что ты мне наболтала про птицу киви-киви, про тирли-тирли из мексиканской яичницы, про золотые деньги? Я вчера была у Сущевской, нарочно пришла, когда Люси дома не было. Я у ее матери обо всем расспросила... Все — вранье!

Но тут на Мелю нападает Люся Сущевская.

— Так это ты вчера к нам приходила, когда меня дома не было? — спрашивает она. — Ну спасибо! Напугала мою маму до полусмерти... Прихожу домой, а мама плачет-разливается, вся трясется! «Приходила, говорит, какая-то подозрительная личность (это ты, Мелька, подозрительная личность!) — и ну выспрашивать, и ну выспрашивать! Где вы золотые яйца держите? Хорошо ли у вас деньги спрятаны? И все подмигивает мне, все подмаргивает, и слова у нее всё какие-то непонятные: «Трили-трили! киф-киф!» Мама ведь у меня — как дети малые... — Лицо Люси освещается доброй улыбкой, как всегда, когда она говорит о своей матери. — Мама никак успокоиться не могла, все плакала и все уверяла: «Поверь мне, Люсенька, она шпионка, она приходила из полиции...» А это, оказывается, Меля Норейко была!

Теперь хохочут уже все кругом. Если бы не раздался звонок к началу урока, они хохотали бы еще целый час.

...В тот же день, открывая передо мной дверь на улицу, старый институтский швейцар Иван Федотыч — мы его зовем «Данетотыч» — говорит мне почти шепотом:

— Вам, барышня, письмо. Из дому принесли...

Переборщил Данетотыч — переложил таинственности. Если письмо в самом деле принесли из дому, зачем говорить об этом шепотом да еще озираясь по сторонам, не слышит ли кто?

Недоверчиво протягиваю руку за письмом. Но тут Данетотыч делает еще одну ошибку, на этот раз роковую:

— Приказали вам беспеременно прочитать. И чтоб распечатывали осторожно. Чтоб не мяли...

Все ясно: очередная Ленькина проделка! Я уж получала от него такие «письма»: распечатаешь конверт, а в нем живая муха. Ошеломленная своим пребыванием в запечатанном конверте, муха не вылетала, а как-то сконфуженно, осторожно перебирала ножками, встряхивая крылышками, как дама, оправляющая растрепавшуюся прическу. Был даже такой случай: из одного Ленькиного «письма» выполз... живой червяк!

Я уже протянула руку, чтобы отстранить письмо. И еще хочу сказать Данетотычу какие-нибудь величественно-гордые слова: отдайте, мол, обратно, мне это не нужно! Но слаб человек. Ведь знаю же, знаю, что это Ленька чудит. Ну, а вдруг не он? Вдруг там что-нибудь путное — вроде указания долготы и широты в запечатанной бутылке, найденной в желудке акулы в первой главе «Детей капитана Гранта»?

И я беру письмо. Не распечатываю, только ощупываю пальцами. В нем какой-то предметик, маленький, по форме вроде флакончика. Если это Ленина работа, то во флакончик, может быть, налито что-нибудь противное, вонючее, от чего расчихаешься, как от нашатырного спирта.

На улице опускаю в почтовый ящик дурацкое письмо Зои Ганнибал, потом иду к тому месту за углом кондитерской, где, я уже знаю, наверное, дожидается меня Леня.

Ну конечно, он там. Ухмыляется издали.

Мрачно подаю ему нераспечатанное письмо:

— Барыня сказал: «Ответа не будет!»

Эту фразу мы с Леней незадолго перед тем слыхали в театре. Там ее произносил актер, изображавший лакея в ливрее с блестящим позументом.

— Ах, господин лакей, какая глупая лошадь — ваша барыня! — декламирует Леня так громко, что на нас оглядываются прохожие. — Если бы она распечатала письмо, она была бы в восторге!

Слегка надавливаю на продолговатую штучку, вложенную в конверт. Штучка словно подается, становится мягче.

— Что ты делаешь? — сердится Леня. — Не мни лапой, раздавишь!

Но я уже достаю из конверта завернутую во много бумажек шоколадную конфету — ликерную бутылочку...

— Слава богу, догадалась! Я тебе послал чудный подарок, а ты... И с чего это ты сегодня такая?

— Какая еще — такая?

— Ну... такая, словно ты уксусу нанюхалась!.. Хочешь, я тебе еще один подарок сделаю? Роскошный!

Мы как раз поравнялись с магазином музыкальных инструментов. В витрине среди балалаек, мандолин, скрипок, как богач среди бедных родственников, возвышается огромный барабан.

— Хочешь? — спрашивает Леня так, словно речь идет о какой-нибудь свистульке. — Самый нарядный из всех музыкальных инструментов! И самый громкий из всех. Хочешь — подарю? Для друга ничего не жалко!

И, не давая мне опомниться, Леня мгновенно вталкивает меня в дверь магазина.

— Чем могу служить? — приветливо обращается к нам продавец.

Леня указывает на барабан:

— Сколько стоит эта штука? Ну, вон та, круглая, пузатая, а?

— Барабан? — удивляется приказчик.

— Ага, ага! Вот именно — барабан. Сколько он стоит, а?

Приказчик отчеканивает, словно предлагая прекратить неуместные шутки:

— Вы желали бы приобрести барабан?

— Ага... Желали бы... — отвечает Леня все с той же глупой интонацией.

— Вы играете на барабане? Умеете?

— Не-е-ет! Я пианист. А барабан — это для нее, — показывает Леня на меня. — Она умеет. Она барабанщик. Понимаете, отставной козы барабанщик...

Продолжения этого разговора я уже не слышу, потому что пулей вылетаю из магазина на улицу. Через минуту меня догоняет Леня.

— В последний раз! — обрушиваюсь я на него. — Никогда в жизни никуда с тобой не пойду! Одно безобразие, один срам!..

Леня преувеличенно наивно хлопает глазами:

— Ну почему-у-у? Что я такого сделал? Вижу, ты сегодня какая-то наизнанку вывернутая. Я и захотел купить тебе хорошенькую, веселенькую игрушечку. Барабанчик, тамбур-мажорчик. Пыхта-пыхта-пыхта тру-де-ру-де-рум!..

Я молчу. Потом говорю тихо:

— Ленечка, я вчера прочитала такую книжку! Ни о чем, ну просто ни о чем думать не могу после этого!

Леня сразу становится серьезным. Это одна из самых милых его особенностей. Вот, кажется, только сейчас он безудержно дурачился, озорничал — можно было подумать: пустейший мальчишка! Но тут же услыхал какое-нибудь невзначай брошенное слово — и сразу преобразился: он весь внимание, а глаза (красивые «бабушкины» глаза, как говорит Иван Константинович) светятся умом, мыслью.

— Книжку? — переспрашивает Леня. — А какую это книжку ты прочитала?

Я беспомощно озираюсь. Нет, об этом, о *таком* нельзя говорить на улице. А дома будут мешать. Даже не столько мешать, сколько перебивать настроение. Юзефа усадит нас в кухне за чисто выскобленный стол и станет угощать нашим любимым блюдом: картошкой, испеченной в мундире. К этому квашеная капуста и постное масло. Ну разве можно говорить о серьезном, когда наслаждаешься, перекатывая с ладони на ладонь горячие картофелины с кожицей, сморщенной, как покоробившиеся, приотставшие от стен обои в старой даче. А Юзефа, сияя, будет подкладывать нам еще и еще.

— Ешь, Леня! Ешь, дорогой! И ты, бродяга, ешь, — будет она приговаривать, любовно приглаживая рукой мои волосы. — Всю ночь не спала, читала... Люди в уборную за делом ходят, а она там книжки читает!

Сенечка тоже помешает нам с Леней разговаривать. Он будет увиваться около Лени, который ему, маленькому мальчуге, кажется хватом, образцом «мужчинской» доблести.

Нет, дома настоящего разговора у нас не получится.

— Пойдем, Леня, на камень, а? — предлагаю я.

И вот мы с Леней на камне. Это у нас главное прибежище во всех случаях жизни, веселых и печальных. Камень — это что-то вроде сверх-«Пингвина».

Огромный серый валун прочно, как брильянт в оправу, вделан в холмистый откос над железнодорожными рельсами. На камне с легкостью усаживается несколько человек, а счастливцы, кому повезет, устраиваются в естественной впадине — углубление посреди камня, — как в кресле!

Здесь, на камне над железнодорожными путями, можно говорить о самых заветных вещах — никто не подслушает. Говорить надо, понизив голос, — звуки тут гулки, громкий голос кажется чрезмерным.

Рельсовый путь делает в этом месте поворот, так что приближающиеся поезда слышны раньше, чем видны. Оторвавшийся от трубы паровозный дым клочьями растекается по окрестностям.

Дым бредет без дороги, спотыкаясь, словно оглушенный горем, цепляясь за кусты и деревья...

Я негромко рассказываю Лене об «Андрее Кожухове». Леня слушает хорошо, внимательно, взволнованно — он уже любит замечательных героев этой повести.

— Ты достанешь мне эту книгу, Шашура?

— Непременно!

— Надо всем дать. Пусть все прочитают.

Мы долго сидим на камне. Молчим. Далекие гудки напоминают о том, как огромен мир. И — как трудно понимать жизнь!

...Число читателей «летучей библиотеки» быстро увеличивается. Леня и его товарищи гимназисты, я и мои подруги по институту — все мы с жадностью читаем эти книжки, такие новые для нас, увлекательные, раскрывающие перед нашими глазами мир, до этих пор для нас неведомый.

Спустя день-два Лене приходит в голову замечательная мысль: собрать у себя вечерком своих товарищей по гимназии и моих подруг по институту, для того чтобы «поговорить об «Андрее Кожухове».

Скоро сказка сказывается: собрать людей, чтобы поговорить. А сколько времени ушло хотя бы на то, чтобы составить список: кого звать на этот разговор?

Шнир и Степа Разин — я им рассказала о нашей затее — отнеслись к этому очень серьезно и сочувственно. Но они — в два голоса! — предупреждали меня: такие дела надо делать с умом.

— Вы же людей не на танцы зовете! — несколько раз напоминал мне Шнир. — Для танцев годен всякий, у кого есть ноги... Но ведь вы зовете людей для разговора. Для серьезного разговора, не забудьте! И еще для разговора о *запрещенной книге*, — об этом тоже надо помнить. Это уже политический разговор...

— Тут нáбалмошь, с бухты-барахты, нельзя! — вторит Шниру Степа Разин. — Обдумайте крепко, кого зовете!

— Одним словом, — заключил Шнир, — звать только верных людей: про которых вы знаете, что они не станут болтать чего не надо, и где не надо, и перед кем не надо.

Из моих подруг мы позвали Варю Забелину, Маню Фейгель с Катюшей Кандауровой и Люсю Сущевскую. Относительно Люси — звать ее или нет — мы с Леней немножко поспорили. Сама Люся, говорил Леня, конечно, не вызывает сомнений: она своя. Но мама ее, Виктория Ивановна!.. Она какая-то блаженненькая, всем доверяет, — она может проболтаться. Ведь она даже Мелю Норейко приняла за «шпионку из полиции», испугалась Мели до слез.

Что же будет, если к ней явится всамделишный полицейский чин и станет ее допрашивать: где ее дочь бывает, у кого, для чего? Виктория Ивановна может с перепугу ляпнуть: «Ах, Люсенька со знакомыми девочками и мальчиками книжки читает!»

— «А-а-а... — рычит Леня, зверски выпучив глаза. — Они книжки читают? А подать сюда Ляпкиных-Тяпкиных с их книжками!..»

— Глупости! — вступаюсь я за Люсю. — Да, мама ее наивная и доверчивая, как ребенок. Но откуда мы это знаем? Да от самой Люси знаем. Люся так относится к Виктории Ивановне, словно та ей не мать, а внучка. Ничего секретного она матери не говорит, чтобы мать не тревожилась, чтобы не проболталась... Нет, по-моему, Люсю обязательно надо позвать.

Так и решаем: позвать.

Из своих товарищей Леня зовет прежде всего Гришу Ярчука. Это очень умный, развитой мальчик, рыжий, как огонь. Гриша начитанный, много знает, и вообще «симпатяга», как говорит Леня.

Гриша, наверное, об «Андрее Кожухове» так интересно скажет, как другому и в башку не залетит. Еще зовет Леня одного-двух мальчиков-гимназистов. Среди них — Макс со своей сестрой Диночкой. Диночка моложе нас, девочек, на один класс, учится в нашем институте.

— И Макс и Диночка — оба симпатяги! — с увлечением рассказывает Леня. — Макс к тому же еще и отличный скрипач, и сам музыку сочиняет. Он и математик тоже отличный. Хочет после гимназии учиться одновременно в университете и в консерватории. И Диночка тоже славная, умненькая, стихи сочиняет. Дружные они оба — брат и сестра, — всюду вместе ходят. Увидишь, будет очень интересно. Сперва поговорим о книге, поспорим. Потом Макс нам на скрипке поиграет. Я буду аккомпанировать.

И вот в минувшую субботу все мы собрались у Лени (вместе с ним было одиннадцать человек). Иван Константинович предоставил в наше распоряжение всю квартиру (кроме тех комнат, где у него живут всякие звери). «Располагайтесь, будьте как дома!..» Сам Иван Константинович в этот вечер был почему-то невеселый.

Шарафут, улучив минутку, сказал мне, кивая издали на Ивана Константиновича:

— Ихням благородиям — невеселая... Сдыхаит и сдыхаит... (в Шарафутовом словаре «сдыхаит» значит «вздыхает»)... Ана Тамарам спаминаит!

Мы чинно расселись в кабинете Ивана Константиновича. Девочки стайкой — к нам присоединилась и Диночка — расположились на большом диване. Мальчики — вокруг письменного стола.

Посидели. Помолчали...

— Что ж, начнем, что ли? — спросил Леня.

Но никто не начинал. Никто ничего не говорил. Даже удивительно. Шла я сюда, думала, вот это я скажу, и еще вот это, и непременно еще про то, — а пришла и молчу. Потому что стесняюсь. И все, видимо, стесняются, немножко дичатся одни других.

— Как же так? — недоумевает Леня. — Мы прочитали замечательную книгу, собрались, чтобы поговорить о ней, и почему-то молчим! Это не дело!

— Говори первый, — подсказал Гриша, весело вскинув на Леню умные зеленоватые глаза.

— Нет, это тоже не дело: позвать гостей и говорить первому. Я предлагаю другое: давайте начнем с музыки. Пусть Макс нам сыграет. Сердца наши смягчатся, и слова польются сами собой. Идет?

И вот обсуждение «Андрея Кожухова» начинается с музыки. Макс Штейнберг нам всем нравится сразу. Как будто обыкновенный мальчик, но заиграл — и мы вдруг, неожиданно для себя, увидели его новым! Что-то глубокое, скрытно-благородное есть в его глазах, похожих на бархатистые лепестки самых темных, почти черных цветов «анютиных глазок». Застенчиво и доверчиво к людям смотрит из этих глаз светленькое «сердце» цветка (у человека оно помещается в самом углу глаза — там, где слезный канал). Это первое впечатление от Макса Штейнберга — позднее музыканта, известного композитора — осталось у меня на всю жизнь, до самой его смерти в 1946 году.

А у сестры его, Диночки, глаза задумчивые, даже чуть грустноватые, но в самой середине подбородка дразнится такая веселая и задорная ямочка, что на нее нельзя смотреть без улыбки. Диночка тоже очень талантливая девочка. Сейчас, в детстве, она пишет стихи — наивные, немудреные, — но много лет спустя она станет известным индиистом, сотрудником Парижского Индийского института. Когда фашисты оккупировали Париж, к Диночке пришли — арестовать ее, чтобы выслать в лагерь смерти. Но судьба была милостива к Диночке: она умерла естественной смертью накануне этого страшного дня...

Оба — и Макс и Диночка — были моими друзьями несколько десятков лет, до самой старости. Мы могли не видеться годами, не переписываться, но стоило нам встретиться, и мы радостно ощущали свое неистребимое братство:

Замковую гору, Ботанический сад, «Андрея Кожухова», студенческие годы...

Но я забежала далеко-далеко вперед. Вернемся к нашей встрече на квартире Ивана Константиновича, где мы собрались для обсуждения «Андрея Кожухова» и начали вечер музыкой.

Макс — на скрипке, Леня — на рояле. Они хорошо сыгрались, часто играют вместе. Чудесная музыка!.. Не знаю, смягчаются ли у нас, слушателей, сердца, но мозги (по крайней мере, у меня) проясняются. Я смотрю на задумчиво слушающего Ивана Константиновича и понимаю, как правильно угадал Шарафут причину его грустного настроения: «Тамарам спаминаит»... Конечно, Иван Константинович думает о Тамаре. Я тоже сегодня вспомнила первый Тамарин журфикс... Было это давно — мы тогда учились в первом или втором классе, — и Тамара вздумала устраивать у себя по субботам журфиксы. К первой же субботе была куплена новая изящная сервировка, цветы для украшения стола, закуски и деликатесы. Были приглашены Тамарины знакомые, «графья и князья», все было готово к приему гостей — и вдруг всю затею словно унесло ветром, как сломанную былинку. Знатные приглашенные не явились. Тамара билась в истерике. Попугай Сингапур вторил ей в своей клетке, истерически икая и завывая... И сейчас еще смешно вспомнить этот «бал в сумасшедшем доме».

И хоть очень непохоже наше сегодняшнее собрание на тот журфикс, но, наверное, Иван Константинович вспоминает Тамару, которая этого и не стоит. Тамара, конечно, остается верна себе. Она никого не любит, ни о ком не помнит. Пишет так редко, что приходится телеграммой запрашивать, здорова ли она. Иван Константинович собирался было вместе с Леней съездить на рождественские каникулы в Петербург — повидаться с Тамарой. Узнав об этом, Тамара телеграфировала: «Не приезжайте, сама собираюсь к вам». Иван Константинович и Леня обрадовались, готовились к ее приезду, каждый день ждали телеграммы о том, что Тамара выехала. Ждали, ждали, каникулы крошились на пустые дни напрасных ожиданий. Наконец пришла открыточка:

«Дорогие дедушка и Леня! Простите меня за то, что я не приехала, — страшно завертелась. Каждый день с утра до вечера гости, вечером театры, два бала, катания на тройках. Не успела выехать к вам, а каникулы уже кончаются! Приеду на Пасху или на лето...»

— Не приедет она! — мрачно сказал тогда Леня маме и мне. — Не поедем и мы с дедушкой к ней в Петербург. Незачем нам с дедушкой изображать там «простонародье». Вон то самое, которое не пускают на барские ассамблеи... Тамарка нарочно все это сделала: написала, что приедет, для того чтобы мы не ехали к ней! Она нас стыдится... Ну, и нам ею гордиться тоже как будто не за что.

После музыки — Леня еще сыграл соло на рояле — лед, сковывавший всех с непривычки, треснул и разбился. Стало уютнее, непринужденнее. Попросили Диночку почитать свои стихи. Она не ломалась, не говорила: «Ах, я не знаю! Ах, я не помню!» Вышла на середину комнаты, сложила руки — ну совсем так просто, словно ее вызвали в классе отвечать урок. Откинув назад темно-русую голову с милым личиком, она стала читать:

Скажу я так, как умею,
Расскажу вам в простых словах
Про Кожухова Андрея:
Он — навеки в наших сердцах!

Он был благородным и смелым, —
Не боялся он ничего:
Он служил великому делу
И пал в борьбе за него!

Андрей! Никто не забудет,
Все будут помнить, любя!
И всякий стараться будет
Похожим стать на тебя!

Наивные Диночкины стихи прогнали последние льдинки: после нее стали говорить и другие — Варя, Леня, один из гимназистов, Люся, я. Все говорили, какая замечательная книга «Андрей Кожухов», про каких чудесных людей она рассказывает!

Мне показалось странным: почему не говорит Гриша Ярчук? Почему он молчит? Все мы хвалили книгу «Андрей Кожухов», мы очень любим героев этой книги. Может быть, Гриша думает иначе, чем мы? Почему же он ничего не скажет? Украдкой поглядываю на Леню — что же, мол, твой хваленый Гриша молчит? Чувствую, что и Леня удивляется этому. Он все настойчивее смотрит на Гришу и даже делает ему призывные знаки, — скажи, дескать, и ты что-нибудь.

Наконец, чуть ли не последним (говорили все, кроме него и Мани Фейгель), встает Гриша Ярчук. Встряхивает густо-золотой, почти рыжей гривой. Прокашливается.

— Я все думал: говорить мне или не говорить? Ведь неприятно же — все хвалят, ну, просто взахлеб! И герои книги хороши — вот такими надо быть всем! И поступают они отлично — вот всем бы так поступать!.. Ну, а что, если, по-моему, это не совсем так? Если я не во всем согласен с вами?

Мы недовольно зашумели. Кое-кто готов был перебить Гришу негодующими выкриками.

Леня поднял руку, словно успокаивая нас. И мы смолкли.

— Подождите гудеть! — продолжал Гриша. — Выслушайте до конца, тогда шумите, кричите, спорьте со мной, пожалуйста!

Мы слушаем Гришу. Он говорит спокойно, буднично, слегка пришепетывает. Глаза у него умные, смешливые.

— О том, что Кожухов, Таня, Зина, Борис, Василий — замечательные люди, не может быть двух мнений. Благородные люди, самоотверженные, смелые... Герои! С этим я не спорю. Но в оценке их поступков я с вами спорю. Поступают они, запохаживается, неправильно! (Слово «запохаживается» заменяет Грише «вероятно», «наверно», «я полагаю» и многие другие.)

Тут вмешиваюсь я.

— Неправильно? — переспрашиваю я так ядовито, как только могу.

— Да, неправильно! — Гриша отрубил это резко, словно полено топором расколол.

— Конечно, порицать их легко! — продолжаю я так же насмешливо.

— Но восхищаться ими тоже нетрудно! — отбивает мой удар Гриша. — А подражать им следует не во всем.

Когда Гриша начинает волноваться, его пришепетывание усиливается. Вот и сейчас он произносит: «фледует»...

— Что значит «поступать правильно»? — продолжает Гриша. — Это значит: поступать так, чтобы вернее достигнуть поставленной перед собой цели. Какая цель была у Андрея Кожухова и его товарищей? Чтобы скорее была революция, чтобы сбросить царя, господ, богачей, чтобы народу стало лучше, да? Это благородная, правильная цель. Но добивались они этого, запохаживается, неправильными средствами, потому и цели своей не достигли... Пусть Фафа не смотрит на меня так презрительно, я это сейчас докажу...

«Фафа» — это я, Саша. Но Гриша ошибается: я смотрю на него не презрительно, а с интересом. Я хочу услышать, как он докажет свою мысль. И такую же заинтересованность я вижу и на лицах всех остальных.

— На чем строили свою борьбу Андрей Кожухов и его товарищи? На терроре. Убьем, дескать, всех царей, князей, всех помещиков и фабрикантов — и сразу настанет рай на земле! Но ведь это наивно! Вы сами видите: в этой борьбе, как в шашечной игре, шашка за шашку. А бывает и так, что сто шашек за одну! Убил революционер царя, за это вешают революционера да еще и его товарищей, сколько удастся схватить! Андрей Кожухов царя не убил, даже не ранил, он только хотел убить царя. И за одно только это намерение Кожухова казнили... Как же можно достигнуть революционной цели, когда за каждого убитого и даже за неубитого царя уничтожается целая группа превосходнейших революционеров? В книге «Андрей Кожухов» события происходят лет двадцать назад. Революционеров тогда была горсточка. Неудивительно, что после убийства царя Александра II правительство разгромило террористов: вешало, запирало в тюрьмы, ссылало черт знает куда. И революционная работа их сошла, запохаживается, почти на нет. А чего они добились для народа? Стало ли ему легче? Нет, нисколько!..

Мы слушаем Гришу, не прерывая. Мы уже не замечаем, не хотим замечать, что Гриша пришепетывает, что он вставляет свое «запохаживается» куда надо и не надо, что от волнения он порой начинает брызгаться слюной, как садовая лейка. Мы чувствуем — пока еще смутно, — что Гриша знает больше, чем мы, что он в чем-то прав.

И тут вдруг начинает говорить Маня. Она все время сидела в углу дивана очень тихо, только глаза ее, чудесные глаза, горели. Занятая всем, что слышу, я даже почему-то забыла удивиться: а что же это все говорят и только Маня за весь вечер не проронила ни одного слова?

— Я тоже скажу... — говорит Маня. — Когда убивают царя, уже за его гробом идет новый царь. И ничего не изменяется. Народу становится не лучше, а даже хуже: новый царь напуган террором, его слуги тоже, и они угнетают народ еще сильнее. А народ ведь даже не всюду знает, не всюду понимает то, что происходит... Надо народу говорить, надо объяснять все!

Кое-кто из нас еще спорит с Гришей и Маней. Леня молчит. Я вижу, что доводы Гриши и Мани произвели на него сильное впечатление. Я тоже молчу: в голове у меня каша, мне трудно собраться с мыслями. Я понимаю: это очень плохо. Значит, пустая голова, не умеет думать...

Расходимся мы поздно, решив продолжить сегодняшний разговор в следующую субботу.

Домой меня провожает Гриша Ярчук. О политике мы с ним на улице не говорим. Он рассказывает мне о какой-то книге, а я молчу.

— Так-то, Фафа, — прощается он со мной у нашего подъезда. — До будущей субботы!

— Так-то, Грифа... — говорю я с доброй насмешкой. — Запохаживается, что до будущей!

...На следующем уроке с моими учениками я, конечно, подробно рассказываю им о нашей субботней беседе у Лени: кто и что говорил, как Гриша Ярчук оказался не согласен с нами, как его поддержала Маня Фейгель. Они слушают меня с интересом, иногда переглядываются между собой. Я этих переглядываний терпеть не могу — мне всегда при этом кажется, что они говорят друг другу без слов, одними глазами: «Видал дуру?» — «Такую? Никогда не видал!»

После моего рассказа Шнир и Степа некоторое время молчат.

Потом Шнир говорит:

— Знаете что? Я думаю, кто-нибудь должен прийти к вам в следующую субботу и объяснить. Ну вот это самое — то, чего вы еще не понимаете. Тот парнишка, что спорил с вами, — он, видать, уже соображает. Все-таки надо, чтобы к вам пришел кто-нибудь постарше и потолковее.

— Мы это устроим! — уверенно обещает Степа. — Если, конечно, хозяин квартиры, где вы собираетесь, не возражает.

Я передаю это Лене, Леня, понятно, «не возражает». Согласен на это и Иван Константинович.

Все дни до субботы мы с Леней гадаем: кого это Шнир и Степа собираются направить к нам для нашего вразумления?

— Наверное, кого-нибудь из революционеров. Как ты думаешь? — спрашивает Леня.

Я ничего не думаю, потому что ничего не знаю, — так же, впрочем, как и Леня. Но почему-то у меня все время мелькает смутная догадка: в субботу к нам придет... нет, глупости! Не надо загадывать. Придет — тогда и увидим, кто пришел.

Но в субботу, когда все уже собрались, приходит Александр Степанович Ветлугин. А ведь мы его не приглашали! Правда, он бывает у Ивана Константиновича так же, как бывает у нас, но в этот вечер Александр Степанович заходит к Ивану Константиновичу лишь на минуту, только для того, чтобы поздороваться с ним. А сам спокойно и уверенно направляется в кабинет, где сидим мы все...

Вот тут я наконец понимаю: да, догадки мои оказались правильными.

— Вы, говорят, прочитали книгу «Андрей Кожухов» и у вас возникли разные сомнения, разногласия, да? — обращается к нам Александр Степанович. — Что ж, выкладывайте. А я постараюсь помочь вам разобраться в трудных вопросах.

Как просто и ясно объясняет Александр Степанович все трудное! Да, Гриша во многом был прав. События, описанные в книге «Андрей Кожухов», в самом деле происходили более чем двадцать лет назад. Герои книги — Андрей Кожухов, Борис, Зина, Таня, Василий — были народовольцы, члены революционной партии «Народная воля». Народовольцы неправильно понимали смысл исторических событий и задачи революции. Они не понимали, что революционная борьба в России — это классовая борьба: рабочий класс борется против класса своих угнетателей — царя, помещиков, фабрикантов. Народовольцы думали, что борьбу эту они, народовольцы, могут вести одни, *без участия* рабочего класса, *помимо* самих рабочих. Народовольцы считали, что при помощи террора они уничтожат одну часть врагов рабочего класса и запугают другую часть их, свергнут царя и поднесут рабочим готовую победу, одержанную не с ними и без их участия. Однако расчеты народовольцев не оправдались. Несмотря на проявленный ими удивительный героизм, народовольцы все-таки потерпели поражение: после некоторого периода растерянности царское правительство расправилось с народовольцами при помощи виселиц, тюрем, ссылки и почти подавило их деятельность.

Сейчас партии «Народная воля» больше нет. Есть партия социалистов-революционеров, во многом продолжающих линию народовольцев.

Социалистам-революционерам противостоят марксисты, партия социал-демократов. Социал-демократы считают, что борьба рабочего класса за свое освобождение от эксплуатации должна быть делом рабочего класса, а не изолированной группы заговорщиков-террористов.

Революционеры, социал-демократы должны помогать рабочим организоваться, углублять и расширять рабочее движение, которое в конце концов приведет рабочий класс России — да и всего мира! — к полной победе!

— Все это, — заканчивает свои объяснения Александр Степанович, — я рассказал вам самым беглым и кратким образом. Если вы интересуетесь этими вопросами, желаете узнать о них подробнее и глубже, — пожалуйста, я к вашим услугам. В субботние вечера я могу заниматься с вами основами политической экономии, историей рабочего движения, объяснениями его политических задач...

Так рождается наш кружок.

Глава тринадцатая

МАМА НЕДОВОЛЬНА

Мама очень недовольна. И самое грустное: недовольна мной! Все во мне ей не нравится!

Почему я — ведь, слава богу, девочка из приличной и культурной семьи!.. — почему я такая неприличная и некультурная? Невоспитанная, как дворник. Размахиваю руками, как маляр. Смеюсь, как пожарный. Топаю, как ломовой извозчик и даже как его лошадь. Почему?

— Ни капли женственности! — огорчается мама. — Напялит на себя что попало и как попало — и побежала! Обожает старье, ненавидит новое платье.

А конечно же ненавижу! Неудобно в новом...

И вот мама решает приучать меня бывать в «приличном обществе». И везет меня с собой на вечер к нашим знакомым — Липским.

Вообще-то я Липских люблю — в особенности хозяйку дома Раису Львовну, очень красивую и удивительно нежную. И поначалу мне даже показалось интересно побывать у них в гостях. Но вышло так, что настроение мое испортилось заранее, — и все это из-за мамы!

Для первого моего «выезда в свет» мама велела мне обновить голубенькую блузочку, еще ни разу не надеванную. Блузка оказалась тесна. Да к тому же мама ядовито сострила: «Постарайся не протереть локтей в первый же вечер!» Правда, я часто протираю коричневое форменное платье именно в локтях — каждую новую «форму» портниха шьет мне с двумя парами запасных рукавов. Ну и что же из этого следует? Совершенно так же обстоит дело у всех моих подруг. Вероятно, хрупкость рукавов — это вроде как закон природы, и тут не над чем насмехаться.

Дальше — мама собственноручно соорудила мне для выезда в гости новую прическу. Вместо гладко причесанной головы со спускающейся по спине заплетенной косой (да, да, я теперь гладенькая, детские мои «ку́длы» давно позабыты, и коса у меня выросла густая, красивая, каштановая, чуть с рыжинкой) мама взбила мне на лбу челку и заколола косу красивым узлом на затылке.

Все это было началом моих бедствий. Новое платье и новую прическу надо примерять и пробовать *до* того, как едешь в гости или в театр, — вот так, как объезжают лошадей. А то эти новые платья и прическа весь вечер брыкаются, как необъезженные кони. Челка на лбу — чудо маминого искусства! — растрепалась еще по дороге к Липским и чем дальше, тем все больше напоминала небольшую швабру. Шпильки, которыми мама так элегантно заколола косу, мало-помалу, незаметно выскользнули на пол, — изящный и грациозный узел волос мотался на затылке из стороны в сторону, как дачная балконная парусина под дождем и ветром. Тесная новая блузка бессовестно резала под мышками. Из-за этого я непроизвольно подергивала плечами, — по маминому выражению, «чесалась, как больной мопс»...

В довершение всего, я все время помнила, что я должна вести себя не как дворник, не как пожарный, не как ломовой извозчик и даже не как его лошадь, — и это окончательно повергало меня в уныние.

На вечере у Липских оказалось невыносимо скучно. Даже мама назавтра говорила, что меня взяли зря, так как это был вечер «для взрослых». Взрослые сразу уселись за карточные столы: играли в винт, преферанс, дамы сражались в стукалку и те́ртель-ме́ртель. А молодежь... но никакой молодежи, кроме одной меня, не было.

Но зато была одна старуха гостья, не играющая в карты, и она вконец отравила мне вечер! Умоляя хозяйку «не беспокоиться» о ней, она несколько раз повторила:

— Нет, нет, душечка, Раиса Львовна! Я прелестно проведу вечер с Сашенькой! Я обожаю учащуюся молодежь, обожаю! Мне здесь очень уютно.

Когда Раиса Львовна, послушавшись ее, ушла и оставила нас вдвоем, Пиковая Дама (так я мысленно назвала старуху) весело подмигнула мне:

— Ну, расскажите, расскажите мне про ваши школьные шалости. Я это обожаю!

И тут же, удобно устроившись в большом кресле, Пиковая Дама задремала, временами сладко всхрапывая, как старая кошка.

Я пересмотрела все альбомы на столе в гостиной. Родственники хозяина и хозяйки дома — декольтированные дамы, военные в пышных эполетах и аксельбантах, голенькие дети, сосредоточенно сосущие собственные ноги... Виды Швейцарии и Парижской выставки... Знаменитые ученые, артисты, писатели...

Пиковая Дама иногда просыпалась и подавала голос, словно продолжая какой-то давно начатый разговор:

— Обожаю учащуюся молодежь!.. Ну-те, ну-те, так какие же у вас школьные проказы и проделки?

И, подмигнув, немедленно опять засыпала.

Я смотрела на нее с ненавистью. Ну, спроси-ка, спроси-ка еще раз, какие у нас школьные проказы и проделки, я тебе наскажу, будешь довольна, старая обезьяна!

И, когда при следующем своем пробуждении Пиковая Дама снова спросила меня, весело подмигивая, как мы шалим на уроках, я ответила ей очень непринужденно:

— Да шалим понемногу... Вчера мы учителя французского языка зарезали!

На секунду я подумала с ужасом: что же это я такое плету?

Но Пиковая Дама уже снова задремала — она так и не узнала про наши «шалости и проказы».

Я стала слоняться по всем комнатам, тоскливо присаживаться то у одной, то у другой стены... Мама потом с отчаянием рассказывала папе, будто я вытерла пыль со всех стен своей новенькой голубой блузочкой.

Забрела я и в переднюю. Увидела на вешалке мою шубку с торчащей из рукава вязаной пуховой косынкой — и чуть не заплакала: они показались мне единственно родными существами в этой пустыне скуки.

Случайно взглянув в большое трюмо, я увидела... ох, что я увидела! Ходит, вижу, по пустыне скуки один до невозможности печальный верблюд, такой взлохмаченный, словно он долго валялся в репьях! На верблюде — новая голубая блузочка, тесная под мышками... Если бы Юзефа увидела этого верблюда, она бы сказала про него свое любимое слово: «Чупира́дло! (пугало)».

Вид у меня был несчастный. Если бы я была коровой, я бы жалобно мычала: «Му-у-у! Дом-м-мой! Дом-м-мой!»

Встретившаяся в гостиной хозяйка дома Раиса Львовна улыбнулась мне своей милой улыбкой, матерински поправила мою взлохмаченную челку и развалившийся узел волос на затылке.

— Бедная Сашенька! Тебе у нас скучно?

В этом было такое доброе тепло, что даже я при всей моей «дворницкой невоспитанности» понимала невозможность признаться: да, мне скучно... И я стала энергично уверять:

— Нет, нет, Раиса Львовна, что вы! Мне совсем не скучно.

И, для того чтобы совсем правдоподобно объяснить причину моей мрачности, я уточнила:

— Просто у меня очень болит живот...

Надо же было, чтобы как раз в эту минуту — так порой бывает! — в шумной гостиной стало вдруг на миг совсем тихо. Мои злополучные слова прозвучали на редкость отчетливо — меня услыхали все. И жена доктора То́мбота — как на грех, мамина недоброжелательница — сказала, смеясь:

— Какая очаровательная непосредственность!

Не стоит и говорить, что в сторону мамы я уж тут и не взглянула. Мама была, конечно, совершенно другого мнения о моей очаровательной непосредственности.

После этого вечера у Липских меня, слава богу, больше не возят «во взрослые гости». Но мама очень недовольна мною. Не такой, говорит она с грустью, мечтала она вырастить единственную дочь... И ноги у меня непомерно длинные, как у кенгуру. Как ни садись за столом, непременно натолкнешься на мои ноги. И говорю я почему-то «вульгарно»: охотно чертыхаюсь... И почему только папа позволяет мне читать вместе с другими девчонками и мальчишками запрещенные книги?

— Допрыгаемся еще... Придут с обыском, девочку арестуют!.. Тогда заплачем, да поздно!

Уже много месяцев продолжаются занятия в нашем кружке под руководством Александра Степановича Ветлугина. Мы уже проштудировали «Коммунистический Манифест», теперь занимаемся по «Эрфуртской программе».

Я очень подружилась с Гришей Ярчуком. Такой он всегда бодрый — а живется ему совсем несладко! — свежий, неунывающий! Такой он весело-рыжий — словно голову его обмакнули в морковное пюре!

— Рыжий! — поддразниваю я его. — Ты всегда веселый, да?

— Ну вот еще! Что я, теленок, что ли? Я бываю очень мрачен... Но, конечно, в основном, я считаю, жизнь — очень интересная вещь!

В один субботний вечер, когда Гриша провожает меня домой после занятий в нашем кружке, я делюсь с ним моими домашними горестями.

— Наверное, это все происходит оттого, что я экономически завишу от мамы... — говорю я скучным ученым голосом (Гриша гораздо лучше моего понимает эти вопросы, и я не прочь пустить ему, когда можно, пыль в глаза).

— Скажи уж лучше сразу, — смеется Гриша, — что мама эксплуатирует тебя! Выколачивает из тебя прибавочную стоимость!

Конечно, я неправильно выразилась: «экономическая зависимость». Но я понимаю это так: мама не может уважать меня. Нельзя уважать человека, который во всем — до последнего пустяка — зависит от тебя. Замерзнет, если ты не сошьешь ему шубы. Умрет с голоду, если ты его не накормишь. Вырастет болваном, если ты не будешь платить за его ученье.

«Если бы я жила отдельно от мамы и папы, — думаю я, — работала, содержала бы себя сама, они, конечно, уважали бы меня...» И ведь в этом нет, по существу, ничего невозможного. Взять хотя бы того же Гришу. В прошлом году он покончил со своей экономической зависимостью от тупой и скучно-злой тетки. В один прекрасный день, когда за обедом тетка прозрачно говорила о «дармоедах», Гриша встал из-за стола, связал в узелок свои нехитрые манатки и причиндалы и ушел из дому. Снял угол на окраине в семье рабочего-кожевника и живет с того дня самостоятельно, перебиваясь грошовыми уроками. Молодец Гриша! Мы все его за это уважаем. А я вот не могу так — обрубить все канаты и уйти из дому... Ой, какая каша у меня в голове! Маму, мою маму, такую добрую и любящую (конечно, у нее в последнее время появились «заскоки», но ведь это надо уметь понимать и оправдывать!), я чуть ли не равняю с противной и злой Гришиной теткой.

В одной из наших бесед с папой — они у нас продолжаются, как, бывало, в моем детстве! — я откровенно рассказываю ему обо всех моих сомнениях... Что сделать, чтобы стать самостоятельной, экономически независимой, а, папа?

Папа только что проснулся — он проспал целых полтора часа после бессонной ночи около оперированного больного. Он в отличном настроении, блаженно жмурит незрячие без очков глаза и даже пытается что-то мурлыкать.

— Чудеса! — воркует папа. — Козлята алчут самостоятельности, жаждут экономической независимости! «Я жа-аж-ду! Я стра-а-жду!» — вдруг пытается он запеть своим невозможным голосом.

— Папа, с тобой говорят, как с путным, а ты...

— А я отвечаю, как непутевый, как путаник... Прости, больше не буду. Итак, ты желала бы получить самостоятельную работу? Но что же ты умеешь делать? — И папа с сомнением разводит руками.

— Гриша Ярчук дает уроки, — напоминаю я робко. — Он репетирует по предметам...

— Ми-и-лая, за каждый платный урок дерутся сотни людей, которым хлеб нужен — понимаешь, хлеб, — а не игра в бедность! Что же, ты пойдешь отбивать у них хлеб? Вот если бы ты знала что-нибудь такое, что не всякий может преподавать... Тогда это было бы другое дело!

После этого разговора проходит один-два дня. И вдруг за вечерним чаем я слышу, как Юзефа говорит с кем-то по телефону:

— Хто в таляфоне? Кого, кого? Какую мамзель? Чего бра́згаете в таляфон? Нема у нас нияких мамзелей!

И вешает трубку.

— Якаясь самасшедшая звонит. Подай ей мамзель Яновскую... Нету, говорю, у нас такой!

— Как же — нету? — И мама показывает на меня. — Вот у нас мамзель Яновская выросла!

Телефон снова звонит, и на этот раз трубку берет мама.

— Мадмуазель Яновскую? Сейчас... — И, обернувшись ко мне, мама говорит мне с ласковой насмешкой: — Мадмуазель Яновская, вас просят к телефону.

Покраснев как рак — хорошо, что по телефону этого не видно! — беру трубку. Слышу женский голос, неприятно-крикливый, но старающийся говорить «обаятельно-любезно».

— Мадмуазель Яновская, вы?.. Здравствуйте, очень приятно. С вами говорит мадам Бурдес... Слыхали про фирму «Бурдес, Суперфайн и Компания»? Так это мой муж.

Вот тут и разберись, кто ее муж — Бурдес, Суперфайн или Компания?.. К счастью, мадам не ждет от меня ответов, она сама задает мне вопросы, она буквально засыпает меня вопросами.

— Мадмуазель Яновская, к вам ходит учительница английского языка. Давно она с вами занимается?

— Три года.

— И ваша мамаша довольна этой учительницей?

— Очень довольна.

— А почем она берет за уроки?

— Ей платят рубль за час...

— Что, что? — переспрашивает почти с ужасом мадам Бурдес, Суперфайн и Компания. — Рубль за час? Е-же-днев-но?

— Да. Ежедневно.

— Это же двадцать шесть — двадцать семь рублей в месяц! С ума надо сойти!

Я молчу. Я не знаю, надо ли сойти с ума от такого расхода или можно остаться в уме. Вопрос этот у нас дома не обсуждался.

Но мадам Бурдес продолжает:

— Конечно, докторам хорошо. Ваш папаша каждый день ездит себе по больным, получает каждый день живые рубли! Он может себе позволить любое баловство!

Что отвечать ей на это? Что папе эти «живые рубли» достаются вовсе не так легко, как ей кажется? Что хотя папа работает тяжело, но он с радостью отдаст последнее, чтобы только, как он говорит, вооружить своих детей знаниями? Нет, как ни мало я знаю жизнь и людей, я все-таки соображаю, что вести такие разговоры с мадам Бурдес, Суперфайн и Компания неумно: она просто не поймет. Как говорится: не всякому носу рябину клевать, рябина — ягода нежная.

— Мадмуазель Яновская... — говорит она после паузы. — А можно самой заниматься английским языком с моими девочками? Можно это?

— Конечно, можно, — разрешаю я. — Занимайтесь.

— Ох, что она говорит! — смеется мадам Бурдес. — Чтобы я сама занималась... Миленькая, я не умею по-английски. Мне это не нужно! Где рот, где ложка — это я найду и без английского языка. Нет, я предлагаю *вам*, чтобы *вы* давали уроки моим Таньке и Маньке. Согласны вы?

— Ну-у-у... — бормочу я, ошеломленная. — Я же не англичанка. Я знаю только то, чему меня учили...

— Будем говорить, как серьезные люди, — предлагает моя собеседница. — Вас уже три года учат английскому языку. Ну, пусть мои Танька и Манька узна́ют хотя бы то, что вы знаете! Я вам предлагаю: занимайтесь с Танькой и Манькой по одному часу ежедневно — три раза в неделю с Танькой, три с Манькой. Вместе их учить нельзя: Таньке четырнадцать, Маньке восемь. И головы у них какие-то разные: что́ одна понимает, другая — ни бум-бум. Учить их вместе — выброшенные деньги. А платить я вам буду — ну, скажем, восемь рублей в месяц... Мало? Ну, девять рублей в месяц. Это приличная цена, не торгуйтесь со мной!

Мне, конечно, и в голову не приходит торговаться. Девять рублей в месяц кажутся мне сказочной суммой. Но я очень взволнована — вот она, самостоятельная деятельность! — потому и молчу.

Мадам Бурдес истолковывает мое молчание как несогласие и спешит поставить точку:

— Ну хорошо: окончательная цена — десять рублей в месяц. Каждый день по одному часу, да? Вы же должны сами понимать: мой муж не доктор, он не может швырять деньги в окошко... Доктор сам работает, ни от кого не зависит — что заработал, то заработал. А у моего мужа рабочие. Хотят — работают, а не хотят — так бастуют, чтоб они сгорели! Тьфу на них, паршивцев!

Договариваемся еще: начнем уроки завтра, в шесть часов вечера.

— Мы живем от вас в двух шагах: Жандармский переулок, собственный дом.

Совершенно растерянная после этого разговора, возвращаюсь в столовую, где мама, папа и Сенечка сидят за вечерним чаем, и с ними — только что пришедшая «слепая учительница» Вера Матвеевна.

Рассказываю о предложении мадам Бурдес. Мама и папа смеются.

— Ты отказалась? — спрашивает мама.

— Согласилась...

Мама обижена:

— Даже не посоветовалась с нами!

Папа останавливает ее:

— Минутку, Леночка! Тут надо поговорить о другом. Ты согласилась на это предложение, завтра тебе уже не будет пути назад: обещалась — свято! Но сегодня можно еще подумать. И я хочу, чтобы ты подумала серьезно. Подумай, Пуговка!..

В серьезные минуты папа иногда называет меня этим именем моего детства.

Папа продолжает:

— Я Бурдесов лечу уже лет пятнадцать. Это очень неприятный дом. Сама мадам — ты с ней сейчас говорила по телефону — совершенная психопатка. Был случай — при мне! — она за что-то разъярилась на мужа и вышвырнула из окна — прямо на улицу! — все его белье и платье. Как-то она распалилась на своих дочек, на Маньку и Таньку — а они милые, несчастные девочки! — и выплеснула им в лицо и на головы огромную бутыль канцелярских чернил... Подумай, Пуговка, подумай сегодня. Хлеб у тебя там будет не легкий!

— Да ну его, этот хлеб! — чуть не плачет мама. — Подумаешь, она без хлеба сидит. Откажись, пока не поздно. Скажи им сейчас же по телефону... Извинись перед ними... Скажи — не можешь у них преподавать: мама и папа не позволяют. Ступай звони!

— Вы меня извините. Конечно, я вмешиваюсь не в свое дело, — говорит вдруг Вера Матвеевна. — Но все-таки я хочу сказать... Подойди ко мне, Сашенька, дай мне руку, чтобы я тебя *чула* (чувствовала, слышала)... Не надо ее отговаривать, — обращается она снова к маме и папе. — И не надо бояться, что ей будет трудно. Ну конечно, трудно, а как же иначе? В жизни почти все трудно! И не надо этого бояться... Да, Сашенька?

— Да, — говорю я, глядя на ее мертвые, слепые глаза (а она ими видит все, все!). — И ведь я уже взялась, слово дала... А потом — мне интересно!

Занятые разговором, мы совсем позабыли, что с нами за столом сидит Сенечка. Он слушает молча, с приоткрытым ртом — признак сильного волнения. Больше всего он поражен тем, что мадам Бурдес облила своих девочек чернилами! Когда я говорю, что все-таки буду заниматься с девочками и пойду завтра на первый урок, Сенечка бурно обнимает меня и, воинственно грозя кому-то кулаком, выпаливает:

— Пусть она только попробует... чернилами! Я сам пойду завтра с тобой.

Это «завтра» оказывается с самого утра таким многотрудным днем, что я не забуду его, вероятно, до самой смерти!

Утром прихожу в институт. Меня уже дожидается внизу, в вестибюле, Люся Сущевская. На ней, как говорится, лица нет. Бледная, вся дрожит.

— Ксанурка... — бормочет она. — Ксанурка...

— Что-нибудь случилось? — пугаюсь я.

— Беда, Ксанурка, беда!

Больше Люся ничего выговорить не может.

Я понимаю: случилось что-то серьезное. Из-за каких-нибудь пустяков Люся трагедий разыгрывать не станет. Значит, стряслось что-нибудь плохое...

С разрешения Данетотыча мы забираемся в его каморку под лестницей. Я слушаю рассказ Люси с огорчением, даже со страхом. От рассказа пахнет близкой бедой.

Сегодня утром один из жильцов, снимающих комнату в квартире Сущевских (мы его не любим — он злой, неприятный человек), подал Люсе пакет, завернутый в газету и перевязанный шпагатной веревочкой.

— Почитайте, Людмила Анатольевна! — сказал он с кривой усмешечкой. — Очень интересная книга. Про Карла Маркса. Слыхали о таком?

Люся ответила, что не слыхала: не с таким же человеком говорить о Марксе! Но этот разговор с жильцом происходил при Люсиной матери, Виктории Ивановне. И Люся не решилась оставить дома, в свое отсутствие, такую книжку, наверное запрещенную. Виктория Ивановна знает от кого-то, что Маркс — «это ужас как плохо»! За такую книжку «Люсеньку могут исключить из института»! Если бы Люся оставила книжку дома, Виктория Ивановна непременно приняла бы свои меры: уничтожила бы книжку, изорвала, сожгла в печке, — и это еще был бы не худший исход. Но могло быть и так: Виктория Ивановна могла показать книжку знакомому священнику (а священники вот уже года два как задают на исповеди вопрос: «Запрещенных книжек не читаете ли?»). Тут уж нам всем был бы «аминь!» — исключение из института. Поэтому Люся ушла из дому, унося книжку с собой. Но, боясь взять книжку в институт — нас тысячи раз предупреждали и Александр Степанович, и Шнир, и Разин, и Гриша Ярчук, что этого делать ни в коем случае нельзя — Люся собиралась по дороге оставить книгу у Вари Забелиной. Однако Вари не было дома — она уже ушла в институт. А оставить книжку у Вариной бабушки, Варвары Дмитриевны, Люся побоялась.

Словом, Люсе не оставалось ничего иного, как нести книгу с собой в институт. Это была неосторожность. И Люся знала, что от этого можем сильно пострадать мы все. Но другого выхода у нее не было.

От страха ли перед «синявками» — ведь если бы кто-нибудь из них обнаружил запрещенную книгу, что бы тут поднялось! — но вид у Люси в этот день был особенно «неблагонадежный». Она мчалась по коридору, с перепугу потная, растрепанная (а Люся всегда очень аккуратно одета и причесана!), — она торопилась добежать до класса, как будто за ней гонится свора преследователей. Ну и, конечно, — надо же такое! — в коридоре Люся налетела прямо на Ворону. Та ни о чем Люсю не спросила, только, по своему обыкновению, зловеще тряхнула головой. Люся стремглав влетела в класс — там никого не было, — и, чтобы не бежать до своего места (Люся сидит на последней парте), она бросилась к одной из первых парт — это оказалась моя! — и быстро сунула пакет с книжкой о Марксе в ящик моей парты. Сделав это, она вздохнула с облегчением, оглянулась и, похолодев от страха, увидела в дверях Ворону...

— Это ваша парта? — проскрипела Ворона.

— Н-н-нет...

— А чья?

— Яновской.

— Хор-р-рошо!

Одна только Ворона умеет так каркнуть «Хорошо!», чтобы всякому послышалось: «Карр-раул! Гр-р-рабят!»

— Извольте выйти из класса! — скомандовала Ворона.

Пропустив Люсю в коридор, Ворона вышла следом за нею и, подозвав служителя Степу, приказала ему запереть дверь в наш класс на ключ. После того как Степа исполнил ее приказание, Ворона куда-то улетела. Наверное, вид у нее был довольный, как у пушкинского ворона, который с аппетитом мечтает:

> Знаю — будет нам обед;
> В чистом поле, под ракитой,
> Богатырь лежит убитый!

Все это я, конечно, и поняла и представила себе уже позднее.

А тут, в тесной каморке Данетотыча, Люся плакала и рассказывала так сбивчиво, что я поняла только одно: на нас идет беда!

Мы бежим с Люсей наверх. Перед запертой на ключ дверью нашего класса целая толпа девочек. Все удивляются, даже беспокоятся: почему такое? С каких это пор классы в учебное время заперты на ключ?

Наконец появляется Ворона. Она шествует панихидно-торжественно. У нее слегка шевелятся ноздри, словно она чует: сейчас нападет на следы каких-то страшных злодеяний. От радостного предвкушения у нее даже чуть-чуть порозовели уши (щеки у нее всегда восково-желтые). В руках у Вороны — как жезл злой волшебницы — большой ключ от двери в наш класс.

За Вороной идет явно испуганная наша Гренадина (она перешла с нами из пятого класса в шестой, и мы ее по-прежнему любим).

— Вот, Агриппина Петровна, — говорит Ворона с торжеством, — полюбуйтесь на дела своих воспитанниц. Вы за них всегда горой стоите, а они...

Ворона отпирает дверь в класс. Все входят, но не идут по своим местам, а стоят, скучившись посреди класса.

— В чем дело, Антонина Феликсовна? — спрашивает наконец Гренадина. — Я *прамо* не понимаю, почему вы...

Ворона перебивает ее:

— Я застала вашу воспитанницу Сущевскую в ту минуту, когда она рылась в ящике воспитанницы Яновской. Будьте любезны, Агриппина Петровна, обследуйте ящик Яновской (Ворона выражается изысканно: не «обыщите», а «обследуйте»). И пусть Яновская посмотрит, все ли вещи в ее ящике на месте...

Мы с Гренадиной идем к моей парте. Вороне, как помощнице начальницы, не подобает самой, своими руками «обследовать» вещи воспитанниц.

В моем ящике, как я и ожидала, лежит пакет, завернутый в газету, перевязанный шпагатной веревочкой, — это и есть та книга о Карле Марксе, о которой рассказывала Люся.

— Антонина Феликсовна, — говорю я быстро, чтобы забежать вперед раньше, чем заговорит Гренадина (мне самой противно ощущать, что меня бьет дрожь, — значит, я боюсь, да?), — Антонина Феликсовна, у меня в ящике ничего нет. Я только что пришла из дому. Вот мои книжки — в сумке. Я еще не успела их вынуть.

— То есть как это в ящике ничего нет? — нахмуривается Ворона.

— Ничего нет. Ящик пустой, — повторяю я и смотрю на Гренадину так же пронзительно-выразительно, как смотрела во сне на часовщика Свенцянера. Словно хочу внушить Гренадине: «Подтверди! Подтверди мои слова! Пойми меня и подтверди!»

И Гренадина — золото Гренадина! — понимает.

— Ничего нет, — повторяет она деревянным голосом мои слова. — Ящик пустой.

— То есть как это — пустой? — сердится Ворона.

И Ворона направляется к нам сама.

На меня нападают и отчаяние и отчаянность. В мгновение, когда Ворона пробирается сквозь группу девочек, скучившихся — между нею и моей партой, я выхватываю из ящика Люсину книгу о Марксе. Еще какая-то доля секунды — и уже книжку перехватила у меня Гренадина, сунув ее себе под локоть. Лицо у нее спокойно-безразличное, но руки дрожат так же, как у меня. Когда Ворона, подойдя к нам, пытливо заглядывает в мой ящик, в нем действительно ничего нет: он в самом деле пустой.

Все это заняло какие-то малые доли секунды. Даже из девочек, как потом оказалось, никто ничего не заметил.

— Ничего не понимаю... — растерянно бормочет Ворона. — А где ваши вещи, Яновская?

Я молча показываю ей мою сумку.

— Она ж только сейчас пришла из дому! — повторяет Гренадина мои прежние слова. — Она еще не была в классе. Он был заперт. Она стояла под *дверами*.

Когда думаешь, рассуждая, мысли двигаются медленно, неповоротливо. Но бывает, не столько ты думаешь, сколько чувствуешь — тогда мысли-чувства летят с неимоверной быстротой. За секунду успеваешь и понять многое, и увидеть все это словно с высокой горы! Так я внезапно понимаю, что Гренадина только что спасла не только Люсю и меня (нас исключили бы мгновенно!), но, вероятно, и всех остальных членов нашего кружка вместе с Александром Степановичем. Если бы дознались о том, что он с нами занимается — читает и разбирает запрещенные книги, — его бы, наверное, арестовали, выслали из города. Во мне поднимается горячее чувство благодарности к Гренадине... И злоба на Ворону, обида на нее! Как смеет Ворона подозревать Люсю Сущевскую — и, значит, любую ученицу! — в воровстве?

Стою у парты, прижимаю к себе сумку с книгами и тетрадями и, плача, говорю Вороне:

— Зачем вы так? Сущевская — честная... Мы все — честные... У нас за шесть лет никогда ничего не пропадало!

— Никогда! — кричат и другие девочки. — У нас честный класс!

Мы с Люсей плачем, спрятав лица друг у друга на плече... Картина! Еще минута — и заревет весь класс!

Ворона понимает, что ей остается только уйти. Наверное, она чувствует, что все ее ненавидят!

— Уймите своих истеричек! — брезгливо бросает она Гренадине, пробираясь к двери. — Чувствительные какие! Слова не скажи — обижаются...

Уход Вороны весь класс оценивает как ее поражение: хотела сделать очередную гадость — не удалось!

Во время уроков мы с Люсей нет-нет да взглянем друг на друга и улыбаемся. Словно хотим убедиться, что все кончилось благополучно, и радуемся этому. Но чаще мы смотрим на Гренадину, смотрим влюбленными глазами. «Синявка» — наша институтская «синявка»! — оказалась такой молодчиной, такой героиней! Нет, это просто не укладывается в наших головах.

Нас очень удивляет, когда Гренадина на следующем уроке, сидя за своим столиком, вскрывает пакет с книжкой о

Марксе и начинает перелистывать. Но еще больше поражает нас, что Гренадина, читая эту книгу, начинает улыбаться, а местами даже тихонько смеется про себя. Что она там нашла смешного?

После уроков мы с Люсей идем провожать Гренадину до ее дома.

— Кто дал вам эту книгу? — спрашивает она.

— Жилец, — отвечает Люся.

— А что в книге, вы знаете?

— Нет. Мы ее и раскрыть не успели... А вы читали, Агриппина Петровна?

— Пустая книжка. Ее и читать-то *врад* ли стоит. И бояться нечего — одни глупости. Автор этот всякие пустяки *врот*!

В самом деле, книга, наделавшая такой переполох, оказывается вовсе не запрещенной. Это просто юмористическая книжонка с неумной и беззубой насмешкой над марксистами. Автор издевается над какими-то глупыми студентами, последователями Маркса, тщательно прячущими от полиции пакет неведомого содержания. Им сказано, что в пакете находятся сапоги самого Карла Маркса. Незадачливые студенты относятся к пакету с благоговением, попадают все время во всякие передряги, путаницы, не очень смешные приключения. Книжонка издана в Петербурге, напечатана с разрешения цензуры. Она так и называется «Сапоги Карла Маркса»...

В общем, не то гора страхов родила мышь, не то пустяковая мышь родила гору страхов.

Глава четырнадцатая

У БУРДЕСОВ НЕ СКУЧНО...

Торжественно и чу́дно! Весь дом снаряжает меня на первый урок к Бурдесам. Мама внимательно, даже придирчиво, осматривает меня с головы до пят: как я причесана, как одета, что у меня на ногах. Может быть, мои любимые разношенные, старые бахилы, которые я обожаю таскать дома? Нет, мама не делает никаких замечаний: все в полном порядке.

— Когда ты хочешь, — горько говорит мама, — ты бываешь прелестной девочкой.

— Я всегда хочу, — отвечаю я мрачно. — Только не выходит это у меня!

Сенечка с игрушечным ружьем через плечо ждет меня в передней.

— Пошли! — и берет меня за руку.

— Ты куда это собрался?

— А к этой... Которая чернилами брызгается!

— Зачем?

— Чтоб не смела брызгать на мою сестру! — гордо заявляет Сенечка. — Пойдем! Ничего не бойся — я с тобой!

С трудом удается договориться с моим героическим братишкой: он проводит меня только до подъезда и возвратится домой.

— Ладно... — неохотно соглашается он. — До подъезда. Но, если что-нибудь, вызови меня по телефону — я прибегу!

Мы с Сенечкой подходим к подъезду Бурдесов. Дом двухэтажный. Вверху живут сами Бурдесы. В нижнем этаже какое-то военное учреждение, большая вывеска: «Штаб 13-й бригады».

Перед тем как нам с Сенечкой расстаться, он с тревогой смотрит мне в глаза:

— Не боишься, нет? Смотри, если будут обижать...

— Никто ее обижать не будет! Я за нее заступлюсь! — раздается сзади нас знакомый веселый голос.

— Гриша! — узнаю я. — Ты куда?

— Да, запохаживается, туда же, куда и ты: на урок к Тане и Мане. Я с ними по предметам занимаюсь... Ну, рыцарь, — обращается Гриша к Сенечке, — можешь спокойно шествовать домой: никто твою сестру не обидит, я буду ее защищать! Даже домой провожу после урока, если она разрешит.

— Запохаживается, что разрешу... До свиданья, Сенюша.

Хорошо, что Сенечка ушел. Едва войдя в подъезд, мы с Гришей останавливаемся, оглушенные отчаянными визгливыми криками. Знакомый мне — по телефонному разговору — голос мадам Бурдес вопит с площадки верхнего этажа:

— Хамка! Мужичка! Я тебе покажу, кто здесь хозяйка!

За этим слышен плеск, грохочущее дзынканье чего-то металлического — и возмущенный мужской бас:

— Чер-р-ртова кукла! Ах, чер-р-ртова кукла!

Перепуганную, ошарашенную, выталкивает меня Гриша из подъезда обратно на улицу.

— Запохаживается, наша с тобой работодательница бушует! Подожди здесь, я разведаю, что приключилось...

Стою на улице. Не знаю, смеяться мне или плакать? Сбежать ли трусливо домой к маме под крыло или идти в этот неуютный подъезд и, «рассудку вопреки, наперекор стихиям», провести свой первый урок?

Спустя минуту-другую из подъезда выкатывается на улицу Гриша. Схватив меня за руку, он вместе со мной заворачивает за угол. Там, привалившись спиной к забору чьего-то сада, он заливается хохотом. Конечно, я тоже начинаю хохотать — я еще ничего не знаю, и мне еще ничего не смешно, — но такой хохот заразителен, как насморк. Несколько раз Гриша порывается что-то сказать, объяснить, но всякий раз на него накатывается новая волна неудержимого смеха, и он только пищит что-то нечленораздельное.

— Ох... — выговаривает он вдруг в совершенном изнеможении. — Ох...

Но тут, когда он, кажется, уже совладал со своей веселостью и сейчас расскажет мне, в чем дело, — тут происходит новое бессмысленное и смешное обстоятельство: тряся забор, к которому он прислоняется спиной, Гриша, очевидно, трясет и растущее в саду под самым забором дерево. С ветвей его внезапно рушатся кучи снега и распластываются, как круглые лепешки, на Гришиной плоской гимназической фуражке...

И мы снова хохочем.

Наконец, стряхнув с головы снег, вытерев мокрешенькое от снега лицо, Гриша рассказывает:

— Работодательница-то наша... запохаживается, со швейцарихой своей поругалась. Стоит работодательница на верхней площадке лестницы, а в руках у нее таз с мыльной водой: голову она сынишке своему мыла. А швейцариха внизу стоит: у входа в штаб бригады. Слово за слово, шваркнула работодательница тазом в швейцариху. А облила не швейцариху, а какого-то военного — он как раз в эту минуту из штаба выходил... «Чертова кукла!» — это он вопил.

У меня уже все болит от смеха, даже под ложечкой колет. Наконец мы с Гришей успокаиваемся и идем обратно к подъезду, к Бурдесам, — исполнять свои обязанности.

— Гриша! — останавливаюсь я внезапно, пораженная догадкой. — Это ты так подсудобил, чтобы Бурдесы предложили мне давать у них английские уроки?

— А кто же другой, если не я? — искренне удивляется Гриша. — Ты же сама говорила — хочешь работать! Горевала, клю́ксила: «Ах, дайте мне атмосферы! Дайте мне экономической независимости!» Только, имей в виду, не осрами меня: я им про тебя такого наплел!.. Ты и такая, ты и сякая, неписаная, немазаная, высокоинтеллигентная! Про то, что ты можешь десять минут хохотать на всю улицу под чужим забором, как давеча, — про это я им не говорил...

Вспоминаю мамины огорчения из-за меня. А я-то ведь только что ржала не как один пожарный, а как целая пожарная команда!

И опять начинаю смеяться.

— Ох, не к добру это! — вспоминаю я Юзефины приметы. — Не слишком ли весело начинаю я свои уроки?

— Здесь тебе скучно не будет! — говорит Гриша тоном самого твердого убеждения. — Девочки Маня и Таня — миляги, они тебе понравятся, вот увидишь. Горькие они — страдают от мамаши своей полоумной... В общем, как говорится: «Не робей, воробей!» Скучно тебе здесь не будет. И мне, запохаживается, будет теперь легче — иногда просто распирает меня от всего, что я вижу, а поделиться не с кем.

Гришины слова оказываются пророческими: у Бурдесов не скучно. Что-что, а не скучно...

Все у них необычно. Не так, как «у людей». И непривычно для меня, потому что совсем не так, как у нас дома или у кого-либо из знакомых. Например, у нас всякая комната имеет определенное назначение: в кабинете папа работает, в спальной спят, в столовой едят, в детской — мы с Сенечкой.

Не то у Бурдесов. Все комнаты, выходящие окнами на улицу — их целая анфилада! — служат неизвестно для чего, там, собственно, никто не живет. Большой зал в три окна, обставленный мебелью, обитой красным бархатом, зеленая гостиная, столовая с буфетом и полубуфетами, массивными, как саркофаги египетских фараонов, будуар хозяйки с веселенькими голубыми штофными пуфиками и козетками — все это «мертвые души». Каждая из этих комнат числится в списке, но в столовой никто не «столуется», в гостиной никто не «гостюет», в своем будуаре хозяйка никогда не бывает...

О, хозяйка так многообразно, многосторонне деятельна, что многотрудные занятия ее не укладываются в рамки не то что одной какой-нибудь комнаты, а и всей вообще квартиры. С утра до ночи хозяйка носится по всему дому — от погреба до чердака, — по двору, по обеим лестницам, парадной и черной, заглядывает в сараи, в дворницкую. Голос ее раздается неумолчно в самых разнообразных местах, скандалит она с упоением, прямо сказать — вдохновенно.

В парадных своих комнатах мадам Софья Бурдес (муж называет ее «Зося») бывает лишь в исключительных случаях. Зато во второй половине квартиры — той, что выходит окнами во двор, — там бурлит жизнь, клокочут страсти, пузырятся события, громыхают грозы — с криками, слезами, проклятиями и звоном пощечин.

Спит каждый член семьи ночью на своей кровати. Днем — где ему вздумается: на кушетках и диванах во всех комнатах (кроме парадных!). Точных часов еды почти не существует. Люди едят где хотят и когда хотят. Работают, читают, пишут, готовят уроки точно так же: где кто хочет. Приходя на урок, я иногда застаю всю семью за обедом в маленькой комнате, не имеющей определенного названия и постоянного назначения (я называю ее «беспрозванной» комнатой). Иногда семья обедает в полутемном кабинетике, где, случается, работает — что-то пишет и читает — сам глава семейства. Уроки мои и Гришины происходят каждый день в другом месте. То я с Маней занимаюсь в их — Таниной-Маниной — комнате, а Гриша в это самое время занимается с Таней в «беспрозванной» комнате, а назавтра почему-то наоборот.

Часы еды соблюдаются у Бурдесов не строго. Обедают, когда все дома. А вообще едят целый день, когда кому вздумается. Иногда во время урока кто-нибудь из девочек говорит почему-то с удивлением:

— А мне есть захотелось! Можно — я принесу чего-нибудь из кухни?

Получив разрешение, девочка приносит из кухни жареную гусиную ногу или котлету и съедает тут же, над обрывком газеты.

Иногда которая-нибудь из них вдруг соображает:

— Ах вот отчего мне есть захотелось! Я же сегодня не обедала.

— Почему вы не обедали? — интересуюсь я.

— Ну-у-у, почему! С мамой поругалась. Плакала...

Ругаются здесь всегда, все и со всеми. Дети с матерью, и наоборот, и между собой. Мать с прислугой, и наоборот, и прислуга между собой. У хозяина два конторщика. У них, казалось бы, есть определенная работа: писание деловых писем. «В ответ на Ваше уважаемое... имею честь сообщить Вам, что...» Но в промежутках между этими «уважаемыми» письмами конторщики яростно ругаются не только между собой, но и со всеми членами семьи. Был случай — в отсутствие хозяев (они были на курорте) к хозяйскому сынишке, пятилетнему Жозьке, вызвали по телефону моего папу. Папа застал Жозьку сильно избитым, в синяках. Самым удивительным было то, что избил Жозьку пожилой конторщик Майофис. Майофис — еврей кроткого вида, с необыкновенно тоскливым длинным носом, который Майофис часто поворачивает то влево, то вправо, как дятел точит клюв о дерево.

— Безобразие, Майофис! — сурово сказал папа. — Взрослый человек — бьете ребенка! Вам придется отвечать за хулиганство!

Майофис несколько раз переложил свой меланхолический нос-клюв справа налево и обратно и сказал, прижимая обе руки к груди:

— Господин доктор, вот вы говорите: «хулиганство»! А я умирать буду — вспомню, какое я сегодня получил удовольствие! За это и ответить не жалко... Это же черт, а не ребенок!

Жозька в самом деле совершенно невыносимый мальчишка. Это пятилетний злой демон, не способный ни на какое доброе чувство... Поначалу он повадился ходить на мои уроки. Сперва он сидел молча, и я делала вид, будто не замечаю его. Потом Жозька стал вмешиваться в урок. Когда Таня и Маня не сразу отвечали на заданный мною вопрос, Жозька стал давать мне педагогические советы:

— А вы тресните ее как следует, чтобы вспомнила!

Или:

— Чего вы на нее смотрите? Дайте ей по морде!

Потом Жозька совсем обнаглел. Он приходил во время моего урока и спрашивал у меня, как переводится на английский язык то или другое неприличное русское слово. Что мне было делать? Притворяться, будто я Жозьку не замечаю? Он решит, что я его боюсь, и тогда его пакостным выходкам не будет конца-краю. Папе я всего этого не рассказывала, только призналась как-то, что мне трудно с Жозькой.

— А ты с ним не церемонься! — посоветовал папа. — Жозька, как все распущенные дети, избалованные богатыми родителями, привык к безнаказанности, но, в сущности, он трус. Дай ему хоть раз отпор — он будет шелковый. И мамаша его такая же трусиха: она самодурка только с подчиненными, зависимыми людьми...

И вот однажды Жозька вбежал в комнату, где я давала урок, голый. Он плясал, вертелся, кривлялся, гримасничал, он был отвратителен!

Тут у меня наконец лопнуло терпение.

— Вон отсюда! — заорала я таким диким голосом, что сама испугалась. Схватив мальчишку за плечи да еще поддавая коленкой, я вытолкала его за дверь.

Маня, которой я в этот день давала урок, смотрела на меня восторженными глазами. Она быстро заперла дверь на ключ — это была разумная предосторожность: Жозька ломился в дверь, орал, визжал, словно его режут.

— Ма-ама! Прогони-и-и ее-е-е! Прогони!..

С того дня Жозька на мои уроки не приходит. Только, встречаясь со мной в коридоре, он шипит мне вслед, как гусь, очевидно повторяя слова матери:

— Подумаешь — принцесса! У нас у самих дядя образованный: зубной врач.

Гришу Ярчука Жозька не задирает.

— Боится, — объясняет Гриша. — Понимает, что я сам зубной врач: кому дам в зубы — не обрадуется!

Однажды, увидя меня издали в коридоре, Жозька шипит что-то новое:

— Воображает! А кто она? Ей деньги платят, как нищей!

Это услыхал Гриша. Схватив Жозьку руками, о которых сам Гриша выражается, что они «клешнятые», он говорит, сильно тряхнув мальчишку:

— Да, нам деньги платят. За то, что мы работаем, за то, что мы умеем. А ты, запохаживается, лоботрясом растешь: тебе и в базарный день цена будет грош!

Интересно, что Гриша бывает груб только у Бурдесов.

Последний экспонат в бурдесовском музее-паноптикуме — немецкая бонна, фрейлейн Констанция (ее зовут сокращенно: фрейлейн Конни). Если мадам Бурдес — психопатка, то фрейлейн Конни настоящая сумасшедшая. Она ходит, приплясывая на ходу, как расшалившийся ребенок, все время хихикает, подмаргивает, гримасничает.

Почти каждый день она перехватывает меня в темном коридоре и, прижав к стене, жарко шепчет в лицо:

— Не принимайте меня за банальную бонну! Нет, я принадлежу к высшему берлинскому обществу! Мой прадед был первым приближенным императора Фридриха Великого. Родной мой дядя, брат моей покойной матери, архиепископ Майнцский! Мой жених, мой любимый Манфред, — здесь фрейлейн Конни обычно громко всхлипывает, — адъютант кронпринца!..

Знатность ее рода в бесконечных разветвлениях ее генеалогического древа — любимая тема фрейлейн Конни. Оседлав этого конька, она не может остановиться.

Но есть у нее и другие темы:

— Все мои несчастья — а я несчастна, о, как я несчастна! — начались с серебряного черепа. Да, да! На одной великосветской охоте, в имении нашего друга, графа Ратенау фон Цурлинден, я упала с лошади и повредила голову. Мне сделали операцию: поставили серебряный череп... И вот тут, тут случилось это: мой Манфред приревновал меня к императору Вильгельму! Потому что император Вильгельм... ну, вы меня, конечно, понимаете?.. неравнодушен к женской красоте, к хорошеньким женщинам. О, императрица Августа-Виктория меня ненавидит! Можете мне поверить, она меня ненавидит!..

Когда такой любовно-великосветский бред лопочет жалкое существо, похожее на сморщенную, больную обезьянку, это очень тяжело слушать.

К счастью, меня выручает Гриша. Когда я начинаю уже задыхаться от излияний фрейлейн Конни в темном коридоре, появляется Гриша и говорит мне изысканно-любезно:

— Нам пора идти. Нас ждут.

Таков музей-паноптикум дома Бурдесов. Мадам Софья (она же Зося), Жозька, фрейлейн Конни — это мрачные его экспонаты. Но, кроме них, есть еще те, кого Гриша Ярчук называет «миляги».

Это прежде всего наши ученицы Таня и Маня — добрые, ласковые, несчастные девчонки. Когда на мать «находит» и ее психопатическое состояние обостряется, девочки в ужасе прячутся от нее. Был случай, когда я увела девочек к нам. Они провели у нас целый день: обедали с нами, готовили уроки, читали книжки. Вечером за ними пришла служанка. Девочки уходили от нас неохотно, с сожалением. «У вас — тихо...» — сказала младшая, Маня, и вздохнула.

Другой «миляга» у Бурдесов — отец. Застенчивый, несчастный человек. Обожает своих девочек, болеет за них душой. Увела я тогда девочек по его просьбе. Придя к ним на свой ежедневный урок, я застала его и обеих девочек в подъезде. Сверху доносились раскаты ругани и проклятий, изрыгаемых Софьей Бурдес по адресу мужа и дочерей. В дверях штаба бригады толпились любопытные: писаря, вестовые, прислушивавшиеся к этому, как к эстрадному представлению. Всякий раз, когда Зося проклинала мужа и дочерей особенно хлестко, среди любопытных раздавалось хихиканье, а девочки крепче прижимались к отцу и прятали от стыда лица в складках его шубы. Увидев меня, отец попросил увести девочек к нам. Для этого он и увел их из дому и вместе с ними ждал моего прихода. Он попросил меня взять девочек «на часок-другой», не глядел мне в глаза, стыдясь за жену.

— Вы же знаете наше несчастье... — сказал он.

Папа считает, что с медицинской точки зрения мадам Бурдес не душевнобольная (вот фрейлейн Конни — та, по-видимому, психически ненормальна). Если бы у мадам Бурдес не было ее богатства, если бы она была вынуждена ходить на поденную работу: стирать белье, мыть полы, выносить помои, для того чтобы прокормить своих голодных детей, — она, конечно, не была бы добрее, но на то, чтобы психовать, у нее просто не было бы времени. Но такая, как сейчас, она — зажравшаяся, зажиревшая богатейка, уверенная в том, что за свои деньги она может купить всех и вся, упоенная своей властью над швейцарихой, дворником, служанками, конторщиками, над дочерьми и мужем. Если бы она хоть раз встретила настоящий отпор («Грешный человек, — сказал папа, — я это всегда говорю ее мужу!»), она бы еще, пожалуй, несколько присмирела. А от безнаказанности ее злое самодурство только разрастается. Трудно даже сказать, до чего оно может дойти.

Девочки мягкие, безвольные — в отца. Мать губит их не только тем, что они растут в страхе и побоях, но и впрямую: уча их лености, барству, презрению к людям *услужающим*. Как-то во время моего урока Таня принесла себе из кухни стакан воды — ей хотелось пить.

— Это еще что за глупости? — заорала на нее мать. — Что, у нас прислуги нет? Прикажи — тебе принесут!

В тот же день, видя, как Маня сама застегивает крючком пуговицы на своих ботинках, мать оборвала и ее:

— Прикажи горничной — она сделает!

Я была в этот день злая и сказала, что мама запрещает нам, детям, пользоваться услугами горничной: мы сами приносим себе воду или чай, сами стелем свои кровати, сами застегиваем пуговицы и так далее.

Мадам Зося посмотрела на меня своими злыми глазами и сказала:

— Что ж... Кто к чему привык! Ваша мамаша, наверное, выросла в бедности. Она и вас приучает.

— У отца моей мамы, — возразила я, — был полон дом прислуги, да еще два денщика и кучер!

— Да? Вот как? — спросила мадам Зося с сомнением.

— Да. Так! — отрезала я. — Мой дедушка был действительный статский советник, значит, полный генерал.

— Еврей — и генерал? Он что же, выкрестился?

— Нет, конечно, нет! Это было при Александре Втором — тогда это случалось...

Если бы мама и папа знали, что я позволила себе нарушить один из строжайших запретов — козырнуть дедушкиным генеральством, — мне бы так попало!.. Но уж очень меня разозлила мадам Зося! А на нее — тупую, злобную мещанку — дедушка-генерал не только произвел сильное впечатление, но и рассердил ее: ей нечем было «крыть» такой козырь.

Доброта, мягкость, безволие девочек — от отца. Зато Жозька такой же пронзительно-злой, как мать. Она чувствует в Жозьке родственные черты. Хотя и бьет его, но обожает. А девочек, по-моему, только бьет и мучает, но не любит. После приступов буйства мать сажает Жозьку к себе на колени и, раскачиваясь вместе с ним из стороны в сторону, причитает нараспев:

— Ой, мой сын! Ой, мой сыночек! Ой, куда мы с тобой попали! Кругом враги, одни злые враги! Они нас не любят, ой, не любят! Им нужны от нас деньги, только деньги!..

Как-то в отсутствие матери, ушедшей за покупками, Таня рассказала мне, что мать причитает иногда еще и по-другому:

— «Ой, сыночек, мой сыночек, не бери нищую жену! Это будет купленная жена! Это будет жена-враг!» И Жозька, — говорит Таня, — вдруг спросил маму: «А у тебя муж тоже купленный?» — Помолчав, Таня шепчет: — Мама закатила Жозьке пощечину. Он ревел. И она плакала.

Я не стала продолжать этот разговор. Мне было неловко уж и от того, что Таня успела мне нашептать. Но, придя домой, я рассказала об этом папе.

— Папа, а отчего бедный Бурдес — купленный муж?

Папа ответил не сразу и неохотно:

— А ну их! Болтают люди. Разное...

Понемногу, не в один день, от папы, от дедушки я узнала, что именно болтают люди и в чем, по-видимому, есть большая доля правды. Бурдес вовсе не Бурдес — это фамилия его жены, а он только Чериковер! Он был бедняк, служил конторщиком у отца своей будущей жены Софьи. Она тогда не была такой самодуркой, как теперь, но злая, сварливая, взбалмошная была уже и тогда, и женихи ее обегали. Она вышла замуж за Чериковера с горя — не было других претендентов. А Чериковер женился на ней сдуру — его ослепило ее богатство. Оба ошиблись в расчете. Она знает и помнит, что он «купленный муж», что он ее не любит, а только боится. Еще больше возмущает ее то, что он «как был голоштанник, так голоштанником и остался»: не умеет наживать деньги, не умеет «быть хозяином», участником фирмы «Бурдес, Суперфайн и Компания», не умеет выжимать из рабочих пот и кровь. Он не любит жену, а за то, что она мучает девочек, он, может быть, даже ненавидит ее. «Чериковер! — кричит она ему иногда с презрением. — Паршивый Чериковер!»

— Помнишь сказку, как человек женился на лягушке? — вспоминает папа. — Но та была лягушкой недолго и снова превратилась в человека... А изволь-ка жить с женой-жабой, да если еще она жаба навсегда!.. Тут взвоешь! Курицей споешь!

Очень забавно отношение мадам Бурдес к папе. Она не любит его за то, что он видит ее насквозь, иногда кричит на нее (на нее, Софью Бурдес!). При нем она невольно подтягивается, становится сдержаннее, и за это она тоже не любит папу.

— Отчего я терплю этого докторишку? — удивляется она вслух при папе. — За мои деньги я могла бы иметь не этого грубияна, от которого всегда несет карболкой, а красивенького, кучерявенького доктора-поляка! От него пахло бы одеколоном «Фэн-де-Съекль», он говорил бы мне, что я красавица, и целовал бы мне ручки... Я же вас не перевариваю! — обращается она прямо к папе.

— Я вас тоже терпеть не могу, — спокойно отвечает папа. — Я был бы счастлив никогда вас не видеть! Но вы суеверно вбили себе в голову, что только я один могу лечить вашего обожаемого сыночка от всех болезней...

Глава пятнадцатая
ДЯДЯ РОМУАЛЬД — «МИНИСТЕРСКАЯ ГОЛОВА»

Гриша Ярчук оказался прав лишь наполовину: у Бурдесов, конечно, не скучно, но у них и не весело... Гриша — это поистине мое спасение! Он очень помогает мне и заботится обо мне.

— Жалованье за первый месяц уплатили они тебе? — интересуется он.

— Нет еще.

— Почему?

— Мадам Бурдес все извиняется: у нее мелочи нет! Уже который день...

Гришин пример во многом помогает мне поставить себя в этом доме. Даже удивительно, насколько Гриша во всех отношениях умнее и взрослее меня! Грише почти восемнадцать лет — он всего на два с половиной года старше меня

Но в отношениях с людьми Гриша проявляет замечательное умение держать себя с достоинством. А я — честное слово, самой иногда бывает противно! — я только пыжусь и стараюсь держаться прямо, как копченый сиг, в который воткнута палка с веревочкой. Но умения отвести от себя неприятности у меня ни на грош-копеечку.

Например, мадам Бурдес завела скучнейшее обыкновение — приходит во время урока, прерывает занятия девочек и заводит волынку: все горести, все обиды, нанесенные ей кем-либо и когда-либо, начиная, как говорят в нашем крае, «от короля Яна Собесского»! И я сижу, как кулич, не поднявшийся в духовке, слушаю вполуха и только тоскливо хлопаю глазами, как сова. Гриша же, когда мадам Бурдес явилась как-то на его урок и стала пространно рассказывать, какие негодяи ее жильцы: платят за квартиры неисправно, испортили водопровод, испачкали обои...

— Виноват! — сказал Гриша очень вежливо, но решительно. — Мы сейчас занимаемся — прошу вас не мешать!

И она ушла. Как миленькая...

Нет, я тоже наберусь храбрости и как-нибудь отвечу не как растяпа, а как человек — с достоинством! Может быть, это случится еще не завтра и не послезавтра, но случится.

Это случается гораздо скорее, чем я ожидала.

К Бурдесам приезжает из Лодзи брат мадам — как она говорит, «известный мануфактурист». Мадам перед ним лебезит, говорит о нем с трелями в голосе:

— О, мой брат Ромуальд — это голова! Министерская голова!

Я эту «министерскую голову» еще не видала. Брата Ромуальда поселили в парадных апартаментах, обедают вместе с ним в парадной столовой.

Как уверяют девочки, их мама все время хвастает перед дядей Ромуальдом: она дает детям воспит-т-тание! Ничего для этого не жал-л-еет! Девочки учатся у луч-ч-чших учителей в городе! (Луч-ч-чшие учителя — это мы с Гришей!)

И вот сижу я в комнате у девочек, исправляю ошибки в Ганиной диктовке. Вдруг в комнату входит какой-то человек, бесцеремонно выхватывает у меня из-под носа чернильницу и уносит ее вместе с зажженной керосиновой лампой. Я остаюсь с моей ученицей без чернильницы и в полной темноте.

— Кто это безобразничает?! — сержусь я.

— Ш-ш-ш... — испуганно шепчет Таня. — Это ведь дядя Ромуальд!

— Ступай к маме! — приказываю я. — Попроси ее сию минуту прийти сюда.

Пока Таня бежит за матерью, очень довольная, — все дети обожают скандалы! — конторщик Майофис приносит зажженную свечу, воткнутую в бутылку. Конечно, Майофис тоже ожидает скандала — он не уходит, а становится за печкой, притаившись в темном углу, многозначительно поводя носом, как дятел точит клюв.

Мадам Бурдес приходит настороженная. Таня, наверное, сказала ей, что я рассердилась. За спиной мадам виден в дверях ее муж. Он расстроен, он встревожен, боится, как бы не вышло чего-нибудь безобразного.

— В чем дело? — спрашивает меня мадам. — Что у вас случилось?

— Какой-то человек вошел в комнату, не постучавшись, не поздоровавшись, унес чернильницу и лампу, не спросив разрешения, не извинившись... Прервал урок...

— Это мой брат Ромуальд! — перебивает меня мадам Бурдес с укоризной в голосе: как это, дескать, я не распознала сразу, что нахамил мне не кто-нибудь (или, как она говорит: «не абы кто!»), а великий человек! — он взял чернильницу и лампу, оттого что он хочет писать.

— Мне неинтересно, чего он хочет! — говорю я. — Пусть немедленно принесет обратно чернильницу и лампу и пусть извинится передо мной!

— Вы с ума сошли! — начинает кричать мадам Бурдес. — Вы еще девчонка!..

— Зося! — пытается остановить ее Бурдес.

— Молчи, Чериковер! Она требует! — вопит мадам Бурдес. — Чтобы Ромуальд, чтобы мой брат извинился перед ней! «Она требует»!

— Да, я требую! — настаиваю я.

— Ой, ратуйте (по-польски: «спасите!»)! Ратуйте! Цыпленок хочет зарезать уважаемого негоцианта! — Это раздается в дверях насмешливый голос самого «брата Ромуальда».

Он стоит в дверях и смотрит на меня уничтожающим взглядом, словно я муха, упавшая в его суп и требующая, чтобы ей говорили «вы».

За его спиной видны прибежавшие на шум Маня и Гриша Ярчук.

— Ну, а если я не извинюсь перед вами, что тогда?

— Тогда все увидят, что вы невоспитанный человек, грубиян и невежа! — отчеканиваю я.

Секунду «дядя Ромуальд» смотрит на меня молча. Его толстое лицо с нижней губой, выпяченной сковородником, словно он собирается жирно рыгнуть, выражает насмешку и презрение. Затем все так же молча он поворачивается и уходит. Сам Бурдес поспешно идет за ним.

— Нет! Такими словами — моего брата Ромуальда? — пронзительно кричит мадам Бурдес. — Не-е-ет! Извиняться будете вы! И сию минуту! Бегите — он в столовой, — бегите за ним и извиняйтесь!

— И не подумаю! — говорю я и сама больше всего удивляюсь своему спокойствию и тому, что я не только не плачу, но мне даже не хочется плакать. Перед таким?.. Нет!

В эту минуту возвращается сам дядя Ромуальд. Он несет чернильницу и лампу. Ставит их на стол передо мной.

— Ну вот, я извиняюсь, — говорит он с подчеркнутой насмешливостью. — Я же не знал. Оказывается, вы из приличной семьи... Вот ваша чернильница и ваша лампа...

Мадам Бурдес и ее знаменитый брат — «министерская голова» — уходят в парадные комнаты. За ними идет Бурдес-Чериковер.

Майофис выскользнул из комнаты раньше.

И тут девочки Таня и Маня разыгрывают передо мной и Гришей целое представление. Не издавая ни единого звука, чтобы не услыхала мать, они то бросаются ко мне на шею, то обнимают друг друга, то пляшут, гримасничая, передразнивая надутое лицо «дяди Ромуальда» и его выпяченную сковородником нижнюю губу...

Когда мы с Гришей наконец уходим, он говорит мне на лестнице:

— Мне надо сейчас бежать сломя голову на другой урок. Оставлять тебя одну я не хочу. Я вызвал от Бурдесов по телефону Леню Хованского. Сейчас он будет здесь и отведет тебя домой...

— Никого мне не надо! Одна пойду! — говорю я очень сердито.

Дело в том, что я чувствую: вся моя храбрость, последние остатки ее улетучиваются, и мне не хочется превратиться перед Гришей в обыкновенную «кляксу» (его выражение, означает: «плакса»).

— Фафа! — говорит Гриша очень серьезно и душевно. — Я, запохаживается, даже не знаю, как тебе это сказать... Я тебя уважаю, Фафа! Ведь этот буржуй капитулировал перед тобой! Понимаешь ты это! Извинился — грубо, хамски, с насмешкой, но извинился! Потому что почувствовал, что ты молодец!.. Ох, вот Ленька топает сюда... До свиданья, до завтра!

Гриша убежал. Передо мной стоит Леня. Он очень взволнован, даже встревожен.

— Что такое, Шашура? Гришка вызвал меня сюда: «Скорее, скорее!» Ничего не объяснил... Что случилось?

И тут приходит конец моей выдержке. Выдержка — это было возможно при чужих, даже при Грише. А Леня — свой, такой свой, близкий, как ближе и не бывает. Это брат, друг, это дом, прибежище... И, прислонившись к Ленину плечу, я веду себя «клюкса-клюксой», плачу самым постыдным образом.

— Ленечка... — бормочу я сквозь слезы. — Как хорошо, что ты пришел, Леня, миленький...

Леня обнимает меня, целует. В темноте поцелуй приходится в нос и в плачущий глаз.

— Перестань, дурочка! Ну чего ты, горе мое? С чего расплакалась?

Мы выходим из подъезда на улицу. И тут разыгрывается последний номер разнообразной программы этого трудного вечера.

Какой-то человек, без пальто, без шапки, выбегает из бурдесовских ворот и бросается к нам. В темноте вечера я не сразу узнаю конторщика Майофиса.

— Спасибо! — говорит он, сильно тряся мои руки. — Спасибо! Я как в театре побывал, ей-богу. Так им, буржуям, и надо! И когда только она будет, эта революция? Вы не можете мне сказать?

Так же стремительно, как он вылетел из ворот, Майофис снова исчезает в их черной пасти. Это очень кстати, потому что ответить ему, когда именно будет революция, я, конечно, затрудняюсь...

Дома я наконец могу связно и подробно рассказать маме, папе, Лене и Юзефе всю историю моих сегодняшних злоключений.

Впечатление это производит на всех неодинаковое.

— Надо ж было... — говорит мама, чуть не плача. — Надо же было позволить девочке давать уроки у этих богатых хамов. Нечего сказать, удачная была выдумка!

— А что плохого? — спокойно говорит папа. — Это жизнь. Разве в жизни не бывает богатых хамов? Их очень много, и они считают себя хозяевами... Я не знаю, многому ли научились по-английски ее ученицы, но она сама, несомненно, делает успехи. Кое-чему — очень нужному — она уже научилась... — И папа ласково прижимает к себе мою голову.

Юзефа, до сих пор молчавшая, вдруг говорит тихо, злорадно, с каким-то особенным смаком:

— З-з-завтра... Пойду до той бар-р-рыни... И — хлесь ее по морде! Не обижай, паскуда, чужого ребенка!

— Я с тобой пойду, Юзенька! И ружье свое возьму! — просительно говорит Сенечка.

— Ну, и что же ты намерена делать завтра? — спрашивает меня папа.

— Не завтра — в понедельник... — поправляю я. — А ничего. Пойду на урок как ни в чем не бывало. Пусть не думают, что я их испугалась. И ведь, по правде говоря, конечно, они мне нахамили, но ведь и я ихнему дяде Ромуальду сказала все, что хотела! Чего же мне прятаться?

Просто удивительно, какая я храбрая, когда я дома и вокруг меня все мои!

Когда я провожаю Леню до двери, он говорит негромко, положив мне руки на плечи и не глядя мне в глаза:

— Я сейчас скажу тебе один секрет. Когда ты сегодня плакала — там, на лестнице у Бурдесов, — а я тебя утешал... Одна твоя слеза попала мне в рот... — Он умолкает.

— Ну? — спрашиваю я, еле дыша.

— Ужасно соленая! — говорит он неожиданно.

И убегает... Ах, безобразник!

Перегнувшись через перила лестницы, я зову ласково-ласково:

— Ленечка... Ленечка...

Ленька останавливает свой бег по лестнице.

— Ну? — спрашивает он, задрав голову кверху.

— Ленечка, поднимись сюда — на одну минуточку!

Он поднимается ко мне на третий этаж. Смотрит на меня.

— Ленечка, миленький, дорогой... Ты — дурак!

Назавтра — в воскресенье — урока у Бурдесов нет.

Днем Юзефа торжественно вносит что-то высоконькое, завернутое в папиросную бумагу.

— Хорщочек! — объясняет она. — Не иначе — цветы, уж я чую! Из магазина принесли...

В самом деле, это горшочек ранних гиацинтов. К цветам приложены две бумажки. На одной написано: «Нюхайте на здоровье!», а на другой — «От ваших друзей!»

Почерк мне хорошо знаком!

В понедельник иду к Бурдесам на урок. Если говорить по правде, иду я не слишком охотно. Ведь, конечно, сегодня они объявят мне, что больше в моих уроках не нуждаются... Иду, так сказать, «выгоняться». Большой приятности в этом нет. Но прятаться тоже не хочу, это было бы малодушием.

Дверь открывает сама мадам и принимает меня необыкновенно любезно:

— А, мадмуазель Яновская! Здравствуйте, дорогая!

Девочки встречают меня в своей комнате и смотрят на меня хитрыми глазами.

— Девочки, — шепчу я, — спасибо за цветы!

Таня и Маня очень удивлены: как это я догадалась, что цветы от них? Они тоже говорят со мной шепотом. Цветы, конечно, посланы без ведома матери.

— Мы вам скажем один секрет... — шепчет Маня.

— Только смотрите — никому! — просит Таня. — Придумали послать цветы мы сами, а деньги дал папа...

Бедный «миляга» Бурдес-Чериковер! Он, как Майофис, обрадовался тому, что кто-то не испугался его мучителей.

После урока мадам входит в комнату:

— Я принесла вам деньги. Извините, не все. Только половину... У меня нет мелочи!

И она подает мне золотую монетку — пять рублей.

— Остальное — завтра. Или лучше — послезавтра. Словом, в один из ваших следующих уроков, когда у меня будет мелочь... И еще я хочу вам сказать: я очень довольна вами. Вчера девочки читали дяде Ромуальду вслух из английской книжки. Он был просто поражен!

Представляю себе, как это было. Девочки добросовестно читали «из английской книжки»: «Наша мама очень добрая. Мы любим нашу маму...»

Гриши сегодня у Бурдесов нет — он получил еще один урок, и теперь наши с ним уроки совпадают не всякий день. Очень жаль: не с кем делиться впечатлениями, а сегодня не с кем посоветоваться в предстоящем мне трудном деле.

Золотую пятирублевку я засунула в перчатку. Очень непривычно ощущать у безымянного пальца не гривенник или двугривенный (больше собственных денег у меня сроду не бывало!), а золотой! Да еще заработанный собственным трудом! Радостное возбуждение не покидает меня все время, пока я хожу по магазинам и покупаю подарки. Маме — прелестную маленькую азалию, всю в розоватых цветах. Мама любит цветы, умеет растить их. Азалия будет цвести у нее ежегодно. Толстый, румянолицый владелец цветочного магазина Станислав Банцевич — весь круглый, говорит кругло, даже картавит как-то по-особенному кругленько, словно перекатывает во рту орехи! — узнав меня (папа лечил его жену), уверяет, что продает азалию с уступкой (возможно, конечно, что он берет с меня и дороже настоящей цены —

с него станется! Мама зовет его, шутя, в глаза «веселым жуликом»). Еще цветы, гиацинты, — «хорщочек», как называет Юзефа! — моей учительнице английского языка, мисс Этэль (она очень сердечно переживает мои волнения из-за урока у Бурдесов). Банцевич обещает отослать цветы маме и мисс Этэль тотчас же. Покупаю для Юзефы сатину на кофточку — ее любимого «бурдового» цвета. В табачной лавочке спрашиваю, какие есть у них самые дорогие папиросы. Покупаю три коробки для дедушки и дядей — Мирона Ефимовича и Николая Ефимовича. В писчебумажном беру открытки для Сенечкиного альбома. Последняя новинка: вид ночного города; если смотреть на свет, то окошки кажутся освещенными и даже полная луна светится как настоящая! Еще новинка: открытки с ангелочками, стоящими — брр, смотреть холодно! — босыми ножками на сверкающем снегу (снег написан светящимися красками, похожими на блестящую мелкую крупу). Наконец еще одна открытка для Сенечки — по словам лавочницы, «последний крик моды», — называется «XX век»: в воздухе летит над миром некрасивая толстая женщина с выражением лица, как у не очень уверенной в себе цирковой эквилибристки. Еще две плитки шоколаду: бабушке и слепой Вере Матвеевне.

Ну, теперь осталось купить последнее, но и самое трудное: подарок для папы. Есть люди, которым не придумаешь, что подарить. Это всегда те, которые думают о других больше, чем о себе, никогда не говорят «я люблю то-то» или «я люблю вот что».

И всем окружающим кажется, что у них нет собственных пристрастий. Вот так и мой папа... Он не курит. Ест, не глядя и не замечая, что дадут. Ни вина, ни водки папа в рот не берет, всегда говорит о себе: «Мне достаточно съесть сардинку и посмотреть издали на бутылку с лимонадом — и я уже распьяным-пьяно-пьяный!..» Ну что подарить такому чудаку, как мой папа?

Вдруг вспоминаю и страшно радуюсь: папа любит моченые яблоки! Они, конечно, не слишком изысканное лакомство, но папа говорит: «Ну кому это понадобилось выдумывать ананас, когда есть такая роскошная штука, как моченые яблоки!»

Начинаю поиски моченых яблок. Сейчас для них не сезон.

Обхожу подряд всех торговок на овощном толчке, называемом «под ратушей», — моченых яблок нет нигде, хоть плачь!

И вдруг — меня выручает друг моего детства, старуха бубличница Хана. В одной корзине у нее горячие бублики, а в другой — большущая стеклянная банка, полная веселых, золотых от собственного сока моченых яблок!

Это дорогой товар! Товар — люкс! Хана даже запинается, называя цену: три копейки за штуку... Я беру все, что у нее есть, — десять штук. Хана столбенеет от моего мотовства.

— Хана! — говорю я ей негромко, но до чего счастливым голосом. — Хана, мне сегодня заплатили за работу!

Последнее затруднение: как доставить яблоки к нам домой?

Я, конечно, могу понести банку. Хана дает ее мне взаймы до завтра. Но ведь это непременно кончится плачевно. Я ведь, как говорит Леня, «черт косолапый»! Поскользнусь, упаду, банка разобьется, яблоки вывалятся на грязный тротуар, залив попутно своим соком Сенечкины открытки, Юзефин сатин и папиросы, купленные для моих дядей и дедушки. От одной мысли о такой катастрофе я холодею.

Выручает та же Хана:

— Э, барышня, мне бы ваши заботы!.. Вот моя внучка Шуля, она понесет банку с яблоками... Ну конечно, дадите ей, сколько вам не жалко, — копейку или две за фатыгу (за труд).

Носительница такого поэтического имени (Шуля — уменьшительное от Суламифь) благополучно доставляет банку с мочеными яблоками до самой нашей кухни. Я даю ей десять копеек.

— А у меня сдачи нету, — говорит она с огорчением.

— Не надо сдачи. Это тебе.

— Мне? Все десять копеек?

Тебе, Шуля. Тебе, милая... Ты рада? Ох, как ты рада! Ты даже забываешь проститься со мной. Ты улепетываешь во всю прыть, словно боишься, как бы я вдруг не раскаялась в своей безумной щедрости.

Сегодня у меня большой день. В первый раз в жизни я получила плату за свой труд.

Глава шестнадцатая
ДЕНЬ РОЖДЕНИЯ

— Мы хотели вас просить... — начинает Маня.

— Мы хотели вас очень просить! — поправляет ее Таня.

Разговор этот происходит у нас дома. Девочки пришли ко мне, как сразу заявила Маня, «чтобы поговорить». А Таня поправила: «Чтобы поговорить об очень важном деле!»

В чем же состоит это очень важное дело?

14 декабря — день рождения Тани и Мани.

— Обеих в один день? — удивляюсь я.

Нет. Они родились в разные числа разных месяцев. Но празднуют в один день.

— Почему? — не понимаю я.

Девочки беспомощно переглядываются. Я вижу, что вопрос мой для них неприятен (вскоре я понимаю и то, почему именно он для них неприятен, и уже не настаиваю).

Так вот, 14 декабря — день их рождения. Им, конечно, хотелось бы отпраздновать этот день.

— Отпраздновать по-человечески... — с горечью объясняет Таня. — Теперь вы понимаете?

Конечно, понимаю. Разве с их сумасшедшей мамашей можно сделать что-нибудь по-человечески?

Я тем сильнее жалею бедных девочек, что для меня день моего рождения — 24 августа — один из самых счастливых дней в году! Еще недели за две до этого я начинаю составлять список желаний (в раннем детстве я озаглавливала его: «список жиланей»). В этот список я вношу все, что мне хотелось бы получить в подарок. Когда-то это были главным образом игрушки. «Такую куклу, как у Риты и Зои, чтобы пищала, закрыв глаза», или «не очень большой пистолет, чтобы все-таки умел чем-нибудь стрелять не очень громко». На удивленный вопрос мамы, зачем мне вдруг понадобился пистолет, я объясняю: может на моих кукол напасть волк или другой зверь? Может. Надо в него стрелять или нет? Надо. Но, поскольку я сама страшно боюсь выстрелов, хорошо бы, чтобы пистолет стрелял не пороховыми пистонами, а, например, горохом... Дней за пять до дня моего рождения папу ко мне не подпускают близко, чтобы он не разболтал мне обо всех сюрпризах, какие для меня готовят мама, папа, дяди, тети, дедушка, бабушка. День моего рождения обычно происходит на даче. С утра я жду всех детей со всего дачного поселка, но днем, часа в два, всегда, ежегодно, почему-то начинается дождь. В детстве я принималась реветь: «Никто ко мне не придет! До-о-ождь!»

И все ребята у себя дома тоже волновались, зная и понимая, что я, наверное, реву — боюсь, как бы дождь не испортил мне праздник. К пяти часам дождь обычно проходит, собираются мои гости и начинается веселье. Маленькие, мы играли во всякие игры: в фанты, в носы, пословицы, «барыня прислала сто рублей». Подросли — стали разыгрывать шарады, танцевать.

Но, сколько я себя помню, весь день моего рождения с самого утра я жду своего главного гостя, самого желанного: папу! И, как на грех, именно в этот день — каждый год! — у папы оказываются тяжелые больные, которых нельзя оставить ни на один час...

Я жду папу, и все мои гости тоже ждут его, потому что, если ему удается вырваться хоть на полчаса, он вносит необыкновенное веселье и оживление в наш ребячий праздник. Папа умеет комически «обыгрывать» даже свою беспомощность и отсутствие «светских талантов». Например, папа не умеет танцевать ничего, кроме польки, да и ту... «унеси ты мое горе на гороховое поле», — как говорит мама. Но папа усердно танцует все танцы, которых не знает даже по названию (падекатр, падепатинер), топает ногами, приседает, кружится, как медведь, — и все, глядя на него, умирают со смеху.

Но чаще всего папе не удается вырваться в этот день даже на полчаса. Он приезжает поздно, иногда почти ночью — гости давно разошлись, — но мы с мамой всегда ждем его. Мы вскакиваем с постелей, накидываем на себя халаты и начинаем угощать папу.

Иногда от усталости он еле держится на ногах и не очень соображает, что он делает и что ест.

— Яков, не начинай с шоколада — ты выпьешь его потом.

— А я уже выпил. Думал, бульон. То-то смотрю — он какой-то сладкий! И — коричневый почему-то...

— Папа, отчего ты не ешь миндальный торт? Мама положила тебе такой аппетитный кусок!

— Батюшки, я нечаянно посолил его! Страшно невкусно получилось... Я думал: котлета, а Юзефа всегда забывает посолить...

Очень часто папа не остается после этого ночевать дома — он вырвался только на полчаса и спешит к своим больным. Но все-таки он приехал, хоть на считанные минуты, и это чудесно!

— Ну до свидания! — прощается папа с нами. — Знаменитый был торт... миндальный, что ли? — говорит он, забыв, что только что посолил его. Вряд ли торт стал от этого вкуснее.

Вот как радостно я всю жизнь помню день своего рождения.

Я даже не всем рассказываю об этом — ведь у очень многих людей нет таких чудесных воспоминаний. И потому мне так странно и грустно слышать, каким бессмысленным мучительством отравлен для Тани и Мани день их рождения!

Примерно недели за две до этого дня мадам Бурдес начинает по многу раз в день в разговоре давать зловещие обещания и клятвы:

— В этом году — клянусь! — никаких дурацких праздников у меня в доме не будет!

И Жозька злобно поддакивает:

— Никаких дурацких дней рождения!

О чем же девочки пришли просить меня?

— Поговорите с мамой — пусть она позволит нам справлять день рождения!

Конечно, их отец изо всех сил старается ввести в разум свою свирепую супругу, но ему очень трудно: он должен уговорить ее не только разрешить празднование, но еще и не присутствовать на нем самой, уйти на весь вечер к родным да еще увести с собой своего любимого Жозеньку. Все это — достаточно трудное дело; неизвестно, удастся ли это бедняге Чериковеру... Его поддерживает сестра, тетя Соня, как называют ее девочки, но эту бедную родню — какую-то Чериковер! — мадам Софья не ставит ни во что. Что же тут могу поделать я?

— Мама вас очень уважает! — говорит Таня. — Она говорит — сам дядя Ромуальд сказал вам: «извиняюсь»...

Папа, видно, прав: такие люди, как мадам Бурдес и ее брат, уважают только тех, кто дает им отпор.

Сам Бурдес-Чериковер, вовсе не уверенный, конечно, в том, что Зосю удастся уговорить, втихомолку успокаивает изнервничавшихся девочек. Пусть девочки, говорит он, смело зовут гостей на 14-е, пусть приглашают своих подружек и знакомых. Он дает девочкам денег — пусть заранее закупят все для угощения. Он, их папа, обещает: вечер состоится.

Все действительно покупается и запрятывается в самых невообразимых местах: в комоде под бельем, в шкапчике, позади книг, даже под кроватью лежат тючки и пакеты из гастрономических магазинов и кондитерских. Девочки зорко, неусыпно стерегут это угощение, приготовленное для званого вечера. Они не уходят из своей комнаты одновременно: одна из них всегда остается охранять провизию от Жозьки. Сегодня, за два дня до предполагаемого торжества, девочек зовут обедать обеих одновременно. Они в растерянности заметались по своей комнате, но тут прихожу на урок я, а потом Гриша Ярчук. Бросив на нас умоляющие взгляды, девочки убегают обедать.

Не проходит и минуты, как в комнату входит Жозька. Увидев Гришу и меня, он несколько смущается. Но тут же, приободрившись, Жозька начинает подбираться к комоду.

— Пошел вон! — командует Гриша.

Жозька на миг опешил. Но тут же делает вид, будто приказание Гриши относится не к нему, Жозьке, а неизвестно к кому. Со скучающим, равнодушным лицом Жозька бродит по комнате и вдруг припадает на пол, собираясь, очевидно, юркнуть под Танину кровать.

Гриша поднимается со стула:

— Я тебе, запохаживается, сказал: пошел вон отсюда!

И, так как Жозька уже залез под кровать (там лежат пакеты из гастрономического магазина), Гриша спокойно извлекает его оттуда за ноги, встряхивает, ставит перед собой и заявляет ему:

— Я тебе сказал по-русски: «Пошел вон!» Ты, запохаживается, не понял. Я тебе скажу по-латыни: «Ваде ретро!» Понял? Ваде ретро!

И Гриша выставляет отвратительного мальчишку за дверь.

Раздается оглушительный рев:

— Ма-а-ама! Он меня-яя... Он меня-я-я...

— Золотко мое! Звездочка моя! — вопит мадам Бурдес, обнимая и целуя свое ненаглядное сокровище. — Кто тебя обидел, мой цветочек, мой единственный наследник?

И мадам с Жозькой появляются в комнате, где сидим мы с Гришей.

— Он! — ревет Жозька, показывая пальцем на Гришу. — Он сказал, что я ватерклозетро!

— Вы обозвали моего сына... — начинает мадам Бурдес, задыхаясь от ярости.

— Я его никак не обзывал! — перебивает ее Гриша с той спокойной наглостью, с какой он всегда разговаривает с мадам и с Жозькой. — Я сказал ему по-латыни: «Ваде ретро!» Это значит: «Пошел вон!» Я имел право выгнать его отсюда: по условию я, запохаживается, обязан заниматься только с вашими дочерьми, с сыном вашим я не занимаюсь.

Мадам резко поворачивается и выходит, уводя с собой Жозьку.

А я-то как раз в этот день собираюсь ходатайствовать перед ней за девочек, чтобы она разрешила им отпраздновать день рождения! Разговор с Гришей очень затрудняет это дело, так как мадам в полном озверении. Идя к ней для разговора (после моего урока), я сильно трушу, ведь с Бурдесихой никогда не знаешь, что найдешь и где потеряешь, — никакая логика не властна над ее психопатическими мозгами...

Я решила говорить с ней просто и открыто: когда я пускаюсь в хитрости и дипломатию, получается всегда удивительно глупо и неудачно. Поэтому я уважаю английскую пословицу: «Самая лучшая политика — честность».

Когда я вхожу к мадам Софье, у нее в комнате находится и ее муж — это меня успокаивает. И совершенно неожиданно разговор начинается в самом любезном и приветливом тоне:

— А, мадмуазель Яновская! Очень приятно. Садитесь, пожалуйста... Нет, нет, не в это кресло — там лежит мой корсет... И не в это, душечка, ради бога, — там наша проклятая кошка, она вот-вот окотится... вот сюда, прошу вас. Сейчас я покажу вам что-то очаровательное. — И, сняв с третьего кресла перекинутое через спинку платье, она показывает его мне, держа на весу. — Новое, сейчас из ателье! — любуется она сама. — К завтрашнему балу. Знаете, благотворительный бал в пользу сирот. Ваша мама там будет?

— Будет. Ее пригласили продавать в киоске цветы...

— Да. Ваша мама — красавица... Меня, конечно, не пригласили. Но зато такого платья у вашей мамы не будет! Посмотрите на него, хорошенько посмотрите!

Мне не нужно особенно приглядываться, чтобы увидеть, что платье мадам Бурдес — невероятная безвкусица. Оно того цвета, который по-французски называется «цвет раздавленной земляники», и сверху донизу вышито узорами из узеньких шелковых ленточек. Такая пестрядь, что глазам больно!

— Это платье из ателье Ярошинского! — говорит мадам с гордостью. — Ваша мама, конечно, у Ярошинского не заказывает?

Про себя я думаю: мама и так красивая. Куда тебе! Но вслух я отвечаю:

— Мама говорит: заказывать платье у Ярошинского для нее не по средствам...

Эти мои слова неожиданно доставляют мадам Бурдес огромное удовольствие.

— А для меня — по средствам! — говорит она с торжеством. — Да. По средствам!

И она снова перекидывает платье через спинку кресла.

— Я повешу платье в шкаф, — говорит ее муж.

— Оставь там, где оно лежит! — командует Зося. — Я потом сама повешу его!

— Ты можешь забыть. Тут запачкают... Такое чудное платье!

— Оставь платье, не трогай!

Разговор у мадам со мной вышел такой мирный, такой дружелюбный, да еще я, видимо, мазнула Бурдесиху маслом, доставила ей удовольствие, дав ей возможность почувствовать свое богатство. А я-то боялась, что я не дипломат! Нет, я, оказывается, дипломат!

Момент кажется мне подходящим. И я начинаю выкладывать мадам Софье то, с чем я к ней пришла:

— Мадам Бурдес, девочки учатся хорошо, ведут себя хорошо, разрешите им отпраздновать день рождения...

— Ну, а ваши родители, — сощурившись, спрашивает мадам, — они празднуют день вашего рождения?

— Конечно, это для меня самый веселый день в году! Гости, танцы, веселье!

— А это им по средствам? — продолжает мадам каким-то «кусучим» тоном.

— Вероятно, да.

— Ну, знаете, если ваш папа может себе это позволить, значит, он богатый человек!

— Нет, — смеюсь я, — папа совсем не богатый. По вашим понятиям, он, наверное, даже бедный. Он трудится день и ночь, и то, что он зарабатывает, наверное, в сто раз меньше того, что есть у вас...

— Так почему же он позволяет себе такие расходы, если он нищий?

— А кто вам сказал, что мой папа нищий? Нищий просит милостыню, а папа работает!

Я чувствую, что порчу дело, говорю то, чего бы не надо было говорить, но нет сил, до чего меня раздражает эта злая баба!

— А почему вы вообще празднуете дни рождения? Почему?

— Ну, почему, почему... Мы — дружная семья, мы любим друг друга... Мы радуемся тому, что мы есть на свете! (Черт знает что я говорю!)

— А что он вам оставит в наследство после своей смерти, ваш добрый папа?

— Зачем вы так говорите! — вдруг сорвавшись, говорю я с сердцем. — Пусть он живет как можно дольше, мой папа! Нам ничего не нужно оставлять, мы тоже будем работать. И будем содержать наших родителей, как папа и его братья содержат своих стариков.

— Ну хорошо! — меняет вдруг разговор мадам Бурдес. — А какое вам дело до того, разрешу ли я праздновать день рождения Таньки и Маньки? Почему вы просите об этом?

— Я люблю Таню и Маню. Они хорошие, добрые, ласковые девочки, старательные, послушные... Я их люблю. — Я чуть не сказала: «несчастные», но вовремя сдержалась. Нет, я все-таки дипломат...

— Так... — говорит мадам неопределенно. — Ну, а Жозеньку моего вы не любите?

Ох, это коварный вопрос. Я на нем сверну себе шею...

И я отвечаю:

— Жозя — злой мальчик. (Нет, все-таки я не дипломат!)

— Ах, ах, ах! — вдруг насмешливо причитает мадам Бурдес. — Сейчас я сяду плакать: «Какое несчастье, мадмуазель Яновская не любит моего Жозеньку!» (Ох, как испортился разговор! Дипломат я — совершенно ясно — копеечный!)

— Ничего, — произносит мадам Бурдес с угрозой, — у Жозеньки будет такое состояние, что его будут любить все!

Мне бы уж молчать, правда? Так вот нет: я как с ледяной горы на санках качусь.

— За деньги никто никого не любит! — говорю я гордо.

Неуспех моего заступничества за Таню и Маню полный. Лучше бы мне не впутываться в это дело. Не только не помогла бедным девочкам, но еще и напортила. У, дура бестолковая!

Девочки провожают меня домой, и — самое горькое! — они же меня утешают.

— Ничего, — говорит Таня, — еще не все пропало. Вдруг... Вдруг что-нибудь случится замечательное, а?

И она оказывается права. Это «вдруг» в самом деле происходит. Даже не одно «вдруг», а целых два.

Мы расстались с девочками в пятницу вечером. В субботу я простудилась, и мама заставила меня просидеть весь день дома и пить горячее молоко, так что я в этот день пропустила урок у Бурдесов. А в воскресенье, в самый день рождения, девочки прибежали ко мне рано утром, сияющие, счастливые: все устроилось!

Первое «вдруг»: мадам, конечно, забыла убрать в шкаф свой роскошный туалет от Ярошинского — он остался до утра на кресле. Ночью кошка окотилась на нем четырьмя детенышками. Мадам пришла в остервенение — она собственноручно утопила котяток в ведре. Но это не спасло дорогой туалет: он был испачкан, испакощен, нестерпимо вонял кошками, затейливые узоры, вышитые ленточками, были местами отпороты, оторваны. Поехать в таком платье на бал было невозможно.

Это очень расстроило мадам Бурдес, но, конечно, одного этого было бы недостаточно для того, чтобы смягчить ее ласковое сердце. Она бушевала, щедро раздавала пощечины, ругалась — вообще была «в своем репертуаре», как пишут в газетах и афишах.

Но тут произошло второе «вдруг». В этот же день, в субботу, фрейлейн Конни, которая в последнее время вела себя все более и более странно, окончательно сошла с ума. Она носилась по квартире в одной рубашке, то пела басом какие-то солдатские песни, то величественно говорила: «Знаете ли вы, кто я такая? Я германская императрица Констанция-Кунигунда-Розалинда, супруга императора Вильгельма Второго!» Увидев старика конторщика Майофиса, фрейлейн

Конни бросилась к нему с криком: «Дядя! Это мой дядя архиепископ Майнцский!» Бедный Майофис — архиепископ Майнцский — спрятался от нее в уборной, заперся на задвижку и не выходил. В заключение фрейлейн Конни стала буйствовать, гонялась за всеми, размахивая кочергой, как алебардой, чуть не пристукнула Жозьку!.. Наконец за ней приехали из психиатрической больницы. Так и увезли ее: в одной рубашке и с кочергой, которую она не выпускала из рук.

От этого второго «вдруг» дрогнуло даже гранитное сердце мадам Бурдес. Может быть, она смутно почувствовала, как близка она сама к такому психозу? Не знаю. Но она плакала, каялась, разрешила девочкам справлять день рождения и согласилась уехать на весь день к родным вместе с мужем и Жозькой. Правда, уезжая, она уже в передней угрожающе подняла руку и зловеще возгласила:

— Смотрите! Я вернусь не поздно — в половине двенадцатого ночи. Чтобы ни одного мерзавца-гостя я в доме не застала! Смотрите! Ровно в половине двенадцатого ночи!

Это был чудесный день и чудесный вечер!

Сперва все мы — Таня, Маня, я, Гриша и Майофис — верный конторщик Майофис, старый друг Майофис! — бегали, делая последние покупки. Потом мы накрыли на стол, украсили его цветами. Было волшебно красиво! Майофис ходил по комнатам солидно и важно, перекладывая свой фантастический нос справа налево и обратно, как дятел, который точит клюв. У Майофиса оказался замечательный талант: цитировать стихи так некстати, что, слушая его, мы помирали со смеху. Например, войдя в столовую и увидев красоту сервированного стола, Майофис восторженно произнес:

— «Где стол был яств — там гроб стоит!» — И еще добавил: — «Домового ли хоронят? Ведьму ль замуж выдают?..»

А когда я, растрепанная, вспотевшая от хозяйственных хлопот, влетела зачем-то в гостиную, Майофис вынул из бокового карманчика белоснежный платочек, отер мне лоб и процитировал из басни Крылова:

— «С мартышки градом лился пот!»

Как уютно, как весело было без мадам Бурдес и без Жозьки!

Мы с Гришей в лепешку разбивались, чтобы гостям было приятно и весело. Для младших — подружек Мани — устраивали в гостиной игры, для старших — танцы. Сами танцевали, а Гриша даже пел, Майофис плясал со мной мазурку и так расчувствовался, что заявил мне:

— Ах, если бы вы были, ну, хотя бы на тридцать лет старше!

— Что было бы тогда?

— Я бы в вас влюбился! — ответил он с чувством, перекладывая нос справа налево.

Это признание в любви — первое в моей жизни! — я приняла с удовольствием.

— Миленький Майофис, я вас очень люблю!

— Когда вы будете постарше, — сказал Майофис, грустно улыбаясь, — вы поймете, что вы сейчас сказали одно лишнее слово...

— Какое?

— Слово «очень». Когда-нибудь вы скажете кому-то, кого вы теперь еще даже не знаете, вы скажете ему: «Я вас люблю». Просто «люблю». Без «очень». Да. А «миленький Майофис, я вас очень люблю» — знаете, что это значит? Это значит: «Дедушка Майофис, вы старый болван»...

Ровно за час до срока, назначенного хозяйкой дома, Гриша встал на стул, хлопнул в ладоши:

— Тиш-ш-ше! Слушать мою команду!

— Слушаем, слушаем! — зашумели все.

— Так вот: пора расходиться. Встать всем цепочкой — лицом к двери в переднюю. Выходить по одному в переднюю, быстро одеваться и уходить!

Гости разошлись. А мы убрали со стола и привели в порядок столовую, гостиную и зал. Не осталось никаких следов пребывания гостей. Нам дружно, весело помогали горничная и кухарка.

Они тоже от всей души наслаждались отсутствием своей ненаглядной хозяйки!

Когда мадам с мужем и Жозькой позвонили с парадного хода, мы с Гришей и Майофисом убежали по черной лестнице.

Простившись с Майофисом, мы с Гришей идем по ночной заснеженной улице. Звезд на небе, звезд! Как крупных спелых ягод под кустом в укромном лесном уголке.

— Не пялься на небо! — строго приказывает мне Гриша. — Под ноги гляди!

— Хорошо, — отвечаю я послушно. — Я на свои калоши смотрю. Можно это?

— Можно, — серьезно разрешает Гриша.

— Благодарствуйте, дяденька! — говорю я тонким голоском и делаю книксен.

И мы смеемся — в который раз за этот веселый день!

— Эх... — вдруг говорит Гриша с сожалением. — Была бы ты постарше!..

— И что тогда? — интересуюсь я. — Ты бы в меня влюбился?

— А ты откуда это знаешь? — страшно удивляется Гриша.

— Мне это сегодня уже говорили! — отвечаю я с гордостью.

Глава семнадцатая

НОВЫЙ ВЕК

1 января 1901 года началось новое столетие — XX век.

Это — важное историческое событие. И, конечно, наш Лапша в первый свой урок после рождественских каникул произнес по этому случаю очередную речь.

По его словам, новый век начинается «при самых лучезарных предзнаменованиях». Это будет счастливый век, золотой век! (Здесь жиденький тенорок Лапши задребезжал, как треснувший колокольчик.)

Начало века, говорит Лапша, ознаменовалось следующими важнейшими событиями:

Его святейшество Римский Папа Лев XIII, превозмогая старость и болезнь, освятил начало века личным участием в богослужении...

Его величество германский кайзер Вильгельм II произнес речь перед офицерами своей армии...

В Париже, в Елисейском дворце, Его эминенция папский нунций принес президенту Французской республики свои поздравления с началом нового века, в ответ на что президент, господин Эмиль Лубэ, произнес речь.

Люся Сущевская бросает мне на парту записку: «Ур-р-ра! Все великие люди говорят речи по случаю нового века! И кайзер, и президент, и римский папа, и папский нунций! Сейчас произнесу речь и я!»

— К сожалению, — Лапша делает печальное лицо, — мир понес в эти дни невознаградимую утрату. Скончалась, тихо отойдя в вечность, английская королева Виктория. Она была ангелом мира, распростершим крылья над всеми странами. Последние дни королевы Виктории были омрачены войной Англии с бурами. Скорбь об этом кровопролитии подточила миролюбивое сердце королевы...

В общем, «сладко пел душа-Лапша». Мы были в восторге: речь заняла почти половину урока.

Я думала, что Люся в своей записке шутит. Неужели она в самом деле будет говорить речь? Вдруг, смотрю, она встает и просит разрешения сказать несколько слов... Я обмерла. На Люську иногда находит шальной стих — она может разыграть целый спектакль.

Был случай — учитель истории Громаденко объяснял нам новый урок, после чего Люся вот этак же встала и спросила:

— Борис Семенович, вот вы сказали: «после смерти Петра Великого», а ведь он же еще не умер. Он умрет только на 138-й странице, а мы пока проходим 126-ю...

У Люси было при этом искренне-идиотское лицо (первоклассная актриса!), никто не мог бы заподозрить, что она просто дурачится и дурачит учителя.

Я до смерти боялась, что Люся и сейчас «отваляет» что-нибудь в этом же роде. Но нет! Она сказала несколько прочувствованных слов — так мило, так скромно краснея и опустив озорные глаза цвета темного орехового пряника, что на нее было приятно смотреть.

А потом прислала мне новую записку: «Ну, чем я хуже, чем римский папа, кайзер и панский пупций?»

Дома, за обедом, я рассказываю о речи Лапши. Папа недовольно хмыкает:

— Манилов он, ваш Лапша! Прекраснодушный Манилов...

— Почему?

— Да потому, что новый век вряд ли будет спокойным и мирным. Слишком воинственное наследие оставил ему ушедший девятнадцатый век. Ведь одна только Англия, за одно только правление королевы Виктории — этого «ангела мира», как называет ее ваш Лапша! — вела целых сорок войн! Из них лишь Крымская война протекала в Европе, остальные тридцать девять войн были хищнические нападения Англии на далекие страны. Англичане порабощали туземцев, грабили их, отнимали все богатства этих стран: нефть, уголь, металлы, драгоценные камни...

— А война с бурами, папа?

— Вот это как раз очень верно определяет твой ученик — наборщик Шнир: «Вор у вора дубинку украсть хочет!» Буры — это европейские, голландские переселенцы. В Южной Африке они появились давно. Жителей тамошних, чернокожих кафров, они превратили почти в рабов, заставили их добывать алмазы в копях. Для того чтобы кафры не крали алмазов, их заставляют работать совершенно голыми да еще заковывают им руки в особые металлические перчатки без пальцев! И все-таки не устерегли буры этого богатства! Запах жареного — сокровищ алмазных копей — дошел до ноздрей главного хищника — Англии! И вот уже два года англичане воюют с бурами, и несчастно воюют: ни одной настоящей победы не одержали!

— Ни одной! — злорадно подтверждает дедушка. — Англичане — чтоб они пропали! — они ведь как воюют? Налетят нахрапом на какой-нибудь черный народ: у англичан пушки и ружья, а у черных — луки и стрелы. Выстрелят англичане несколько раз — и готово: завоевали. Ну, а с бурами этот номер не сплясал! Один только раз за все два года англичане захватили у буров какой-то город. Что тут было! В Лондоне от радости пели и плясали, в церквах служили! А назавтра буры отняли свой город обратно. Половина англичан сдалась в плен, остальные разбежались, как зайцы... Вояки!

— Смотри ты! — говорю я с удивлением. — Дедушка желает победы бурам.

— Кто желает? Я желаю? Ни боже мой! Я одного желаю: чтобы эти черные — кафры, или как их там называют, — чтобы они послали ко всем чертям и англичан и буров! Чтобы они сами распоряжались на своей земле!.. Но чтобы все-таки — до тех пор пока это случится — буры еще хоть разок-другой всыпали англичанам по первое число! Вот чего я желаю...

Пока дедушка объясняет мне это, папа принес из своего кабинета сумку с инструментами и свою меховую шапку (мама всегда кладет ее на папин письменный стол, чтобы она была у него под рукой, а то он будет искать ее целый час по всему дому!) и собрался уезжать к больным. Но в эту минуту Юзефа положила на стол только что полученную столичную газету. И папа, держа в одной руке сумку с инструментами, зажав под мышкой свою шапку, «на минуточку нырнул в газету» и, конечно, забыл обо всем на свете.

— Яков, — осторожно напоминает мама, — ты же собирался куда-то...

— М-м-м... — бормочет папа. — Нет, спасибо, я поел, больше не наливай... — Папе, очевидно, кажется, что мама предлагает ему еще супу, или компоту, или чаю. И вдруг он кричит во весь голос: — Нет! Нет, это черт, черт... черт знает что такое! — И папа с сердцем швыряет на стол свою многострадальную шапку.

Все мы смотрим на папу — не с удивлением, нет — скорее с ожиданием: хотим знать причину папиного вулканического извержения. Что такое возмутительное попалось ему в газете? Но папа так рассержен, что не сразу может рассказать нам об этом связно.

— Они доведут! Уже довели!.. А твой прекраснодушный Лапша умиляется: «Новый век начинается при лучезарных предзнаменованиях!» А чтоб он пропал, дурак!.. Ты читал, папаша?

—Читал... — мрачно подает голос дедушка.

— Ведь катастрофа! — объясняет папа маме и мне. (Мы стоим с глупейшими лицами, мы не понимаем, о чем разговор.) — Голодают уже тридцать губерний, треть России. Голодный тиф косит целые уезды! Люди едят траву, древесную кору! А правительство (эти милстисдари мои!) вот, вот, вот! — тычет папа пальцем в газету. — Вот он, опять новый циркуляр... Правительство боится только одного: как бы кто не помог голодающим.

Немного остынув, папа рассказывает более связно:

— В России голод усиливается с каждым годом. Но ведь нет такого бедствия, которому нельзя было бы помочь. Если есть желание помочь. А наше правительство — вот именно, именно! — не хочет помочь голодающим и не хочет, чтобы кто бы то ни было другой помогал им. Вот ведь мерзость какая! Газетам даже запрещено писать о голоде, самое слово «голод» запрещено: вместо него приказано говорить и писать «недород», это звучит не так грубо!

— А почему, — спрашивает мама, — почему надо ждать, чтобы правительство разрешило помогать голодающим? Надо всем вместе взяться и помогать, вот и все!

— Так, так, так!.. — иронически отзывается папа. — Интересно, очень даже интересно, как это ты будешь помогать, если это запрещено! Ага, ага! Земствам запрещено, Пироговскому обществу врачей запрещено, Вольно-экономическому обществу запрещено! Никому нельзя!

—А кому же можно?

— Во главе борьбы с голодом стоят губернаторы со всей ордой чиновников. В их руках теперь все дело помощи голодающим... А это, — тут папа снова взрывается, — это самые подлые и самые воровские руки! Львиная часть того, что жертвуют во всей России для помощи голодающим, львиная часть прилипает к рукам царских чиновников!..

Папа еще долго бушевал бы, но ему надо к больному.

В ближайшие затем дни происходит событие — можно сказать, семейного характера — в жизни Ивана Константиновича и Лени, а через них — и в жизни нашей семьи: уезжает Шарафут! Срок его солдатской службы кончился уже давно, но до сих пор он все не уезжал: уж очень прилепился сердцем к Ивану Константиновичу и к Лене. Да и для них он близкий человек! Теперь он наконец возвращается на родину. «Мензелинскам уездам Уфимскам губерням», — как он называет.

Всем нам жалко расставаться с Шарафутом. Все его любят, привыкли считать его членом семьи Ивана Константиновича Рогова.

Сам Шарафут переживает свой отъезд двойственно. Он и радуется и печалится. То и другое выражается у него трогательно-непосредственно. Конечно, он счастлив, что едет домой. Столько лет он там не был, а в последнее время ему что-то и писем оттуда не шлют. Наверное, ждут его со дня на день домой. Но очень горько Шарафуту расставаться с Иваном Константиновичем и Леней.

Все эти разнообразные чувства выражаются в разговоре Шарафута с Иваном Константиновичем. Шарафут произносит при этом одно только слово, но выговаривает он его на редкость разнообразно и выразительно.

— Вот ты и уезжаешь, Шарафут! — говорит Иван Константинович.

— Ага... — подтверждает Шарафут и вздыхает.

— Домой поедешь. Рад?

— Ага! — кивает Шарафут, сверкая зубами в широкой улыбке.

— Мать-то обрадуется?

— Ага... — Шарафут произносит это мечтательно. Он давно не видал матери и, наверное, как все люди, вспоминает о ней светло, нежно.

— И отец обрадуется, и братья, и сестры!

— Ага! Ага!

— Женишься, поди? А, Шарафут?

— Ага... — Шарафут отвечает не сразу, с улыбкой смущения, отвернув лицо и не глядя на Ивана Константиновича. — Ага... — повторяет он еле слышно и сконфуженно смотрит в пол.

Конечно, он женится! Все люди женятся. Чем он хуже других? У него будет жена, дети — все, как у людей.

— Ну и нас смотри не забывай, Шарафут.

— Ага... — Шарафут беспомощно приоткрывает рот и огорченно качает головой.

Но тут — словно прорвало плотину! — Шарафут выливает в целой куче слов свою печаль и тревогу:

— Ох, вашам благородьям. Я уехала — ты голоднам сидела! Новам денщикам тибе лапшам кормила...

Мысль о том, как плохо будет Ивану Константиновичу с «новам денщикам», очень угнетает Шарафута. Как будет жить Иван Константинович без своего Шарафута? «Ай-яй-яй, дермам делам. Казань горит!» Ведь новый денщик не знает, что Иван Константинович не любит лапши. Откуда ему это знать? И что на ночной столик надо ставить вечером стакан холодного чаю, и что пуговицы к мундиру и кителю должны быть пришиты «намертво»...

Новый денщик будет еще, чего доброго, обижать зверей Ивана Константиновича: попугая Сингапура, мопса Барыню, кота Папашу, золотых и прочих рыбок, жаб, саламандр, черепах. Разве новый денщик упомнит, каких зверей и какой пищей кормить надо? Даст червяка мопсу, котлету рыбкам, муравьиные яйца попугаю — и готово: подохнут все.

В последние дни перед отъездом Шарафут стирает, утюжит, крахмалит белье Ивана Константиновича и Лени, вощит полы, натирает мебель, чистит все металлические предметы в доме — дверные ручки, печные листы, кастрюли, самовары — до солнечного блеска.

Пусть «ихням благородьям» и «Леням» как можно дольше помнят Шарафута!

Уезжает Шарафут в самом затрапезном своем виде: в ветхой солдатской шинельке, старой круглой фуражке блином, в латаных-перелатаных сапогах. Но он возвращается в родную деревню, как богатая невеста: с приданым. Под мышкой у него, в деревянном сундучке — бесценные сокровища! Новые брюки, парадная, ни разу не надеванная гимнастерка из чертовой кожи и новенькие сапоги — это подарок Ивана Константиновича. В кармане гимнастерки завернутая в несколько рядов папиросной бумаги цепочка для часов.

Часов у него нет, но это неважно: была бы цепочка, а часы когда-нибудь придут. И ведь кто видит, есть у тебя в кармане часы или нету их. А цепочка висит на виду, ее приметит всякий.

Цепочка из неизвестного металла. Шарафут ее купил накануне отъезда и натер мелом ярче золота.

— Чепка! — показал он Лене и от восхищения даже не сразу закрыл рот. — Видал?

Последние дни перед отъездом Шарафут провел в непрерывных переходах от радости к печали. Но все это — и смех, и слезы, и надежды, и грусть — было как летний дождик: быстро налетающий и скоро высыхающий.

За пазухой вместе с паспортом и несколькими серебряными рублями Шарафут увез десять конвертов с наклеенной на каждый семикопеечной маркой и написанным рукой Лени адресом Ивана Константиновича. В каждый конверт вложен чистый листок бумаги. На этих листках Шарафут будет иногда писать письма, состоящие из одного-двух слов (больше он не выдюжит): «Здоров», «Все хорошо» и т. п.

Я иногда думаю: почему Шарафут, такой смышленый и способный, так мало и плохо научился говорить по-русски? Вероятно, попади он в город с исключительно русской окружающей средой, он научился бы гораздо большему и быстрее. Но в нашем городе он слыхал вокруг себя целых пять языков: русский, польский, литовский, еврейский, белорусский, и это сбивало его с толку. Все же объясняется он по-русски довольно понятно, по крайней мере для нас. И Леня научил его читать. Пишет Шарафут печатными буквами.

Первое письмо от Шарафутдинова приходит скоро. Оно, видно, опущено в ящик на какой-то станции по пути к «Мензелинскам уездам Уфимскам губерням». Как и предполагалось, письмо заключает в себе только одно слово, нацарапанное карандашом печатными буквами: «Дарова».

Мы расшифровываем это, как «здоров» (женский род Шарафут предпочитает во всех частях речи: и в существительных, и в прилагательных, и в местоимениях, и в глаголах). Неожиданностью для нас является лишь то, что под словом «дарова» Шарафут нацарапал еще слово «Шар» с длинным хвостиком. Мы не сразу догадываемся, что это Шарафутова подпись. Вот, думал он, наверное, с каким шиком он подписывается!

В общем, мы довольны: здоров — и ладно. Подождем дальнейших известий...

Но дальше Шарафут почему-то надолго замолкает. Никаких вестей от него нет. Что бы это значило?

Впрочем, думать и гадать об этом нам некогда: молчание Шарафута забылось из-за целого потока происшествий. Можно подумать, что новый век рассердился на самого себя за бездеятельность — и события посыпались, как росинки мака из созревших головок. Во всей России начинается полоса сильнейших студенческих беспорядков.

За последние годы студенческие беспорядки и волнения происходили ежегодно, главным образом весной. Потом они стали вспыхивать повсеместно еще и осенью и зимой. Они становятся все сильнее, бурливее, участвует в них все большее число студентов. Иногда студенты объявляют забастовки: они отказываются посещать лекции и занятия до тех пор, пока не будут выполнены их требования. К бастующим студентам одного университета присоединяются и студенты университетов в других городах. До сих пор требования студентов чаще всего касаются внутренних дел университета: освобождения арестованных товарищей, разрешения на устройство сходок, удаления кого-либо из преподавателей, заклеймивших себя недостойным поступком.

В общем, студенты до сих пор боролись главным образом за свои чисто студенческие — так называемые академические — права.

Гораздо реже их требования выходили за пределы этих академических вопросов.

Царское правительство подавляет студенческие беспорядки жестко, даже жестоко. Неблагонадежных студентов увольняют, исключают из университетов, ссылают, арестовывают. В здание университета вводят полицию и войска, разгоняющие студенческие сходки. Уличные демонстрации студентов подавляются казачьими нагайками, «селедками» городовых (так называются плоские шашки).

Минувшей зимой за участие в студенческих беспорядках пострадал брат Мани Фейгель — студент Петербургского университета Матвей Фейгель. Все мы, Манины подруги, и Леня с товарищами очень любим Матвея. Он для нас не только «брат нашей Мани», но и прежде всего «наш Матвей». Каждый приезд Матвея домой на каникулы — праздник для всех нас. Такой он умница, наш Матвей, так много знает, такой по-доброму веселый, никогда не унывающий, такой смешной со своим любимым словечком «чу́дно-чу́дно-чу́дно». И вдруг минувшей зимой его сперва арестовали, а затем исключили из университета и выслали из Петербурга.

— Началось у нас все с того, — рассказывал нам Матвей, — что арестовали несколько наших студентов: их подозревали в том, что они революционеры. Ну конечно, мы потребовали освобождения товарищей. В университете все гудело и громыхало, как перед грозой. И вот в этот самый момент — скажем прямо: неудачно выбрало начальство момент праздновать! — назначается на восьмое февраля ежегодный торжественный университетский акт... Ах, вы хотите торжествовать? А скандала не хотите? Впрочем, все равно, хотите вы скандала или не хотите, — вы его получите! Да еще какой чу́дный-чу́дный-чу́дный!..

И Матвей весело хохочет.

— Конечно, очень неприлично безобразничать на празднике, правда? — продолжает Матвей и корчит очень смешную строгую гримасу, словно передразнивает какое-то начальство. — Но стерпеть безропотно, без скандала арест наших товарищей мы тоже не могли. И вот, представьте себе, актовый зал Петербургского университета. Торжественная обстановка — высшее начальство, приглашенные — представители власти и светила науки! Ректор наш, профессор Сергеевич, — человек почтенного возраста, но никем из честных людей не уважаемый, как крайний правый! — поднимается на кафедру для доклада, бледный и взволнованный (знает кошка, чье мясо съела!). Секунда сосредоточенной тишины. Сергеевич раскрывает рот, чтобы заговорить. И вдруг буря свистков, криков: «Долой Сергеевича! Вон Сергеевича!» Это студенты начали свой концерт. Шум, рев, крики! Сергеевич на кафедре все еще пытается заговорить, да где там. Видно только, как он раскрывает и закрывает рот, ни одного слова не слышно.

А мы стараемся: свистим, орем. В общем, как говорится, бушевали — не гуляли... Поработали, можно сказать, на славу. Чу́дно-чу́дно-чу́дно! Весь синклит гостей — начальство, профессора — в полном смятении покидает актовый зал. Праздник испорчен, торжественный акт сорван... И вся толпа студентов с революционными песнями выходит из университета на улицу... Хорошо! Умирать не надо! Вот тут, — и Матвей с огорчением почесывает затылок, — на улице пошла уж музыка не та: веселого стало меньше. Петербургский университет находится, понимаете, на Васильевском острове. Острова — они ведь со всех сторон окружены водой. Это не я выдумал, это география уверяет... Для того чтобы попасть в город, существует несколько мостов и пешеходный переход по замерзшей Неве. Ну и, конечно, у каждого моста и у перехода студентов предупредительно встретили казачьи нагайки и «селедки» городовых. Побито нас тут было немало. Многих арестовали, развезли по тюрьмам и арестным домам...

Вот тогда был арестован и Матвей. Его исключили из Петербургского университета и выслали на родину, в наш город, под надзор полиции. Матвей не унывал, хотя положение его было очень тяжелое. Он много читал, давал уроки, помогал отцу с матерью. Охотно проводил время с нами, ребятами, пел с нами злободневные песни, которых много появилось тогда среди студентов. В особенности пародийный гимн «Бейте!», обращенный к усмирителям с нагайками и «селедками», — подражание некрасовскому «Сейте разумное, доброе, вечное!».

Бейте разумное, доброе, вечное!
Бейте! Спасибо воздаст вам сердечное
Очень скоро русский народ!
Бейте вы бедного,
Бейте богатого,
Бейте вы правого
И виноватого, — Бог на том свете
Всех разберет!
Бейте нагайками,
Бейте «селедками»,
Станут все умными,
Станут все кроткими,
Скоро спасибо
Воздаст вам народ!

Только минувшей осенью Матвея приняли в Киевский университет. И он уехал в Киев. Очень радовались мы за нашего Матвея.

— Ох, разбойник! — говорил папа, прощаясь с уезжавшим Матвеем. — Постарайся хоть в Киеве усидеть на месте!

— Ох, Яков Ефимович! — ответил ему в тон Матвей, блестя глазами. — Умный вы, хороший человек, а не понимаете: как удержаться, когда вокруг бушует буря? А ведь бури-то, ей-богу, не я выдумал!

— Но ты их любишь! Ты сам ищешь их, беспутная голова!

— Это вы должны понимать, Яков Ефимович. Вы сами драчливый человек!

Нынешней зимой студенческие беспорядки и волнения вспыхнули необыкновенно сильно, охватили сразу несколько университетов и шли, нарастая и усиливаясь.

Как всегда, когда в стране происходят большие события, к нам в дом приходят вечером всякие люди — поговорить, расспросить, не слыхали ли мы чего, рассказать о том, что им самим удалось услыхать. Ведь мы живем в провинции, в нашем городе нет высшего учебного заведения, мы далеко от столицы и университетских городов. Даже из газет узнаем мы лишь немногое: на газетах — намордник царской цензуры. До нас доходят только слухи, обрывки слухов. Кто-то кому-то о чем-то рассказал, кто-то кому-то о чем-то написал в письме... Люди на все лады перебирают и тасуют эти скудные сведения, стараясь докопаться до правды.

Одним из первых приходит к нам всегда в такие дни доктор Финн, папин товарищ по Военно-медицинской академии. Папа говорит о нем, что Финн переживает все события «вопрошающе»: у него нет своих готовых представлений о том, что происходит, своих решений или предложений, — у него есть только вопросы: почему такое? зачем это? чем это может кончиться?

Конечно, и сейчас приходит вместе с другими доктор Финн. Мрачный, как факельщик из погребальной процессии.

— Там неспокойно! — зловеще гудит он. — Там очень неспокойно... Почему?

— Перестань, Финн! — сердится папа. — Пей чай. Не ухай как сова!

— Хорошо. Я буду пить чай... Спасибо, Елена Семеновна... Но там все-таки очень неспокойно...

Папа пристально вглядывается в доктора Финна:

— Знаешь, Финн, ты не простая сова. Ты такая сова, которую обучили арифметике, таблице умножения. И ты ухаешь: «Дважды два — четыре, студенческие беспорядки — это очень неспокойно». Ты бы что-нибудь новое сказал!

— Откуда мне знать новое? — обижается доктор Финн. — Что я — гадалка? Я знаю только то, что везде студенческие беспорядки. И это очень грозно!

— Трижды три — девять, — машет на него рукой папа.

— Нет, ты мне ответь! — наседает на папу доктор Финн. — Ведь мы с тобой учились когда-то в том же Петербурге! И студенческих беспорядков не было когда-то. Почему?

— Вот именно потому, что это было когда-то! — возражает папа. — И кстати сказать, они бывали и тогда, только гораздо реже и слабее. Тогда университеты имели свое самоуправление, свою автономию — куцую, но имели. Внутренние университетские дела решались в самом университете...

— А теперь не так?

— Не так, Финн. Не так... Теперь автономию упразднили. Вместо нее ввели «Временные правила» министра Боголепова. И по этим «Временным правилам» все университетские дела решают жандармерия с охранкой. Полиция и казаки имеют право врываться в любой университет, арестовывать студентов... В наше с тобой время до этого еще не додумались. Помнишь, Финн, как сам Трепов — всесильный Трепов — приказал жандармам занять нашу академию, а наш старик, профессор Грубер, не впустил их в академию. Помнишь?

— Еще бы я не помнил! Я стоял совсем близко, видел, как в академию вошел треповский полковник — так себе мужчина, просто горсть соплей в мундире, — и говорит: «Генерал Трепов приказал мне занять здание академии отрядом жандармов...»

— Да! — подхватывает папа. — А к полковнику вышел наш Грубер, весь в орденах...

— А их таки хватало у него, этих орденов!

— ...и Грубер сказал на своем ломаном русско-чешско-немецком языке: «Гэнэраль Трэпов вам приказаль? А я, гэнэраль Грубер, запрещаль!» Помнишь, Финн?

— Помню. — Совиное лицо доктора Финна так же молодеет, как лицо папы. — У-у-у-шел треповский полковник, как побитая собака! А почему сегодня этого уже нельзя?

— Потому что «тэмпора мутантур» (времена меняются)...

— «эт нос мутамур ин иллис...» (и мы меняемся с ними), — машинально досказывает латинское изречение доктор Финн.

— Времена меняются, да. И люди меняются. И студенты сегодня уже другие, и добиваются они другого, — говорит папа.

— Вот, вот, я именно это хотел спросить: чего добиваются студенты? — спрашивает доктор Финн с живейшим интересом.

— Да, вот именно! — поддерживают доктора Финна остальные люди, пришедшие к нам в этот вечер.

— Надо же все-таки знать: чего хотят студенты? — говорит учитель Соболь. — Ведь не из одного же озорства они буянят!

Папа отвечает не сразу. Говорит поначалу медленно и как-то задумчиво:

— Чего хотят студенты?.. Ну, они ведь молодые! Они впервые вступают в ту жизнь, к которой мы, старики, уже привыкли... Что там «привыкли»! Мы притерпелись к этой жизни, мы принюхались к ней. Мы уже не замечаем, что жизнь у нас затхлая, без притока свежего воздуха, что в ней расплодились клопы и тараканы, что мы живем без радости, без свободы, как рабы! А студенты, молодежь, чувствуют эту гниль, эту вонь, это бесправие и мерзость! И они рвутся в драку, они хотят добиться лучшей жизни...

Внезапно из передней доносится громкий продолжительный звонок. За ним — второй, третий... Настойчивые, нетерпеливые.

Так звонят только пожарные или полиция.

Но нет, это пришел репортер местной газеты Крумгальз. Наверное, он принес какие-то новости.

Мама всегда говорит, что у Крумгальза «две наружности»: одна — тихая, скромная, уныло-будничная, внешность человека очень небольшого роста. Так выглядит репортер Крумгальз в те дни, когда в городе не случилось ничего, кроме пустякового пожара, тут же потушенного без вызова пожарной команды; мизерных мелких краж или часто наблюдаемых самоубийств при помощи уксусной эссенции по причине несчастной любви...

Но в большие дни, когда доходят новости всемирного или хотя бы всероссийского масштаба, Крумгальз мгновенно и волшебно преображается. Крумгальз выпрямляется, становится выше ростом: «движения быстры, он прекрасен, он весь как божия гроза!» В такие дни у Крумгальза одна забота: поспеть всюду, быть первым вестником сенсации!

Страшно возбужденный, Крумгальз влетает в столовую, даже не сняв пальто.

— Еще не знаете?! — кричит он уже с порога. — Не слыхали, нет? Сто восемьдесят три киевских студента арестованы и приговорены к сдаче в солдаты! Официальная мотивировка: «За участие в беспорядках, учиненных скопом»!.. Матвея Фейгеля знаете? Его — тоже в солдаты!

И Крумгальз убегает дальше.

Глава восемнадцатая

ВСЕ О ТОМ ЖЕ

Мы сидим у нас в столовой. Сидим каждый так, как нас застала весть, сообщенная репортером Крумгальзом. И каждый из нас думает свою думу.

Разговаривать все равно нет никакой возможности. Потому что одновременно с Крумгальзом пришла жена доктора Ковальского, Анна Григорьевна, которая обладает способностью трещать, как погремушка, не давая никому вставить слово и рассказывая о том, что, к сожалению, интересно только ей одной и никому больше.

Интерес мадам Ковальской — это ее фруктовый сад. Его надо вовремя удобрять, расчищать, стволы надо вовремя обмазывать известкой, яблони надо вовремя подрезать — и сильно подрезать, не жалеть ветвей, — чем больше вырежешь побегов, тем больше будет яблок... И тэпэ и тэдэ. Анна Григорьевна трещит, даже не понимая, что она всех раздражает, что никому не интересно, успела ли она осенью вовремя подрезать яблони, и всем бы хотелось только, чтобы она сама, Анна Григорьевна, наконец замолчала и удалилась восвояси.

Наконец кто-то не выдерживает и обращается к папе с вопросом:

— Яков Ефимович, что вы думаете о том, что сказал Крумгальз? Об этой студенческой солдатчине? Это же ужас!..

— Еще бы не ужас!.. — говорит папа, словно выходя из тяжелой задумчивости. — Солдатчина, царская солдатчина — это каторга, хуже каторги! О солдатской доле народ сложил больше горестных песен, чем о несчастной любви... Царский солдат — бесправное существо. За любую провинность его можно прогнать по «зеленой улице», то есть попросту пороть розгами. А уж избивать его — вот так, походя, за вину и без вины, «дать в морду», «ткнуть в зубы», — это имеет право делать не то что генерал или офицер, но и любой фельдфебель или ефрейтор. Так обстоит дело с рядовыми солдатами. А какая жизнь ожидает в армии этих злополучных студентов, сданных в солдаты? Об этом и подумать страшно! Их будут всячески унижать, с особенной жестокостью топтать их человеческое достоинство...

— Ну что вы, дорогой Яков Ефимович! — вдруг прерывает папу владелица знаменитого фруктового сада Анна Григорьевна. — Вы ужасно все преувеличиваете! Студентов наказывают — и правильно делают! Нельзя же в самом деле допускать, чтобы в государстве командовали дети! Дети должны учиться...

У папы такое яростное лицо, что я боюсь, как бы он не наговорил мадам Ковальской дерзостей, — папа это умеет! Мама, наверное, под столом наступает папе на ногу, чтобы напомнить ему о сдержанности. Но папа — чего это ему стоит! — отвечает мадам Ковальской вполне учтиво:

— Анна Григорьевна, такие дети, которых можно сдавать в солдаты, это уже не очень дети... А вы вот о чем подумайте: у вас чудесный фруктовый сад, и вдруг весной, когда он весь расцветет, кто-нибудь станет палкой сбивать с деревьев весь этот цвет, из которого должны вырасти и созреть плоды! Что вы скажете о таком человеке? Что он — сумасшедший! Вы будете требовать, чтобы этого сумасшедшего посадили в психиатрическую больницу, правда? Ну, а когда у нас сбивают, уничтожают цвет нашей молодежи, как прикажете это расценивать?.. Вы меня извините, — папа встает из-за стола, — я, по обыкновению, вынужден спешить к больным...

Папа уходит к себе в кабинет.

Я выскальзываю за ним.

В кабинете папа не садится и не уходит. Стоит, о чем-то думает.

— Пойдем к Фейгелям! — вдруг предлагает он. — Пойдем, а?

Конечно, пойдем! И как это я раньше не подумала об этом?

В кабинет приходят из столовой Иван Константинович с Леней и учитель Соболь. Все вместе мы отправляемся к Фейгелям.

Живут они от нас не близко. Мы идем молча. Я все время вспоминаю Матвея — нашего любимца! Мысленно вижу его лицо, глаза, такие же, как у Мани, — черные, дружелюбные к людям. Да и не только лицом схожи они, брат и сестра. Обоим всегда необыкновенно интересно все, что они видят, слышат, о чем читают. Оба всегда рады прийти на помощь всякому, кто попал в беду, хотя бы они видели его впервые в жизни. Обоих — и Маню и Матвея — жестоко ранит всякая несправедливость, всякая обида, нанесенная невинному или слабейшему. В таких случаях оба немедленно устремляются на помощь.

Дружны брат и сестра просто удивительно! Маня и Матвей так чутко, с полуслова понимают друг друга, как это бывает, говорят, разве только у близнецов.

Матвей сильный человек! Когда его год назад исключили из Петербургского университета и он в буквальном смысле слова повис в безвоздушном пространстве — «ни в тех ни в сех», — никто, даже Маня, никогда не видел Матвея подавленным, печальным. Он всегда был жизнерадостен, полон надежд.

— Только не хандрите! — говорил он родителям. — Вы не смеете хандрить! Если раскиснете вы — золотые! — за вами вслед раскиснут все жестяные и оловянные, они отравят жизнь всему свету!

Мы идем к Фейгелям. Впереди шагают папа и учитель Соболь. За ними Иван Константинович и мы с Леней. Все мы идем молча. Никто не мешает мне думать о Фейгелях... Какая это чудесная семья! Вспомнить хотя бы случай с Катюшей Кандауровой... В первый день нашего ученья в институте, еще в первом классе, среди нас обнаружилась Катюша — нечесаная, плохо умытая, в измятом платье и нечищеных ботинках. Матери у нее не было уже давно, а отца похоронили накануне. Катюша осталась одна с пьяницей-дядькой. Она стояла в институтском вестибюле и плакала так отчаянно, что и мы, стоя вокруг, тоже плакали, на нее глядя... Подумаешь, какие добренькие, плакали!

Слезы — дешевая вещь, бесполезная вещь!

И только одна Маня, не плача, подошла к Кате и сказала очень просто и сердечно:

— Пойдем к нам, Катюша! Ты у нас побудешь, пообедаешь, вместе приготовим уроки. Умоешься хорошенько, мы с мамой вытюжим твое платье. Пойдем, Катя, к нам. У нас и переночуешь...

— А можно? — спросила Катя с надеждой. — Мама твоя... и папа... Они не рассердятся, нет?

— Ну конечно! — уверенно сказала Маня. — Мои папа и мама будут очень рады! Пойдем к нам, Катя.

С того дня Катя так и осталась у Фейгелей и живет у них вот уже скоро шесть лет. Как родная дочка! Она зовет Илью Абрамовича и Бэллу Михайловну папой и мамой и чувствует себя у них как в родной семье. Маня знала своих родителей, хорошо знала, что они за люди, оттого и звала Катю к ним так спокойно и уверенно.

У Фейгелей, как я и ожидала, внешне все спокойно и буднично. Никто не плачет, не вздыхает... Бэлла Михайловна и девочки, Маня и Катя, заняты какими-то домашними делами. Илья Абрамович правит тетрадки своих учеников. У них же — слепая Вера Матвеевна. Разве может быть где-нибудь горе, а она не придет помочь, поддержать?

Мы молча здороваемся со всеми. Нас усаживают и также молча протягивают нам письмо — для прочтения.

Письмо — от Матвея.

«Дорогие мама, папа, Муха и Катюша! Пользуюсь, вероятно, последней возможностью переслать вам письмо с оказией. Его не прочитают чужие глаза, и я могу написать вам все и совершенно откровенно.

Дорогие мои! Никогда в жизни не слыхал я от вас ни одного слова неправды. И никогда, даже в самом малом, не солгал и я вам. Не солгу и сегодня, не буду лгать и дальше. Помните это и верьте всегда каждому моему слову.

Так вот: не беспокойтесь о моем здоровье. Я совершенно здоров. А душевно — это самое главное! — я еще никогда в жизни не испытывал такого полного спокойствия, такого душевного равновесия. Я совершенно уверен, что ничего плохого со мной не случится, пока я буду самим собой. Когда-то ты, папа, сказал мне: «Дело не в той беде, какая обрушивается на человека, дело — в нем самом. Один пройдет через войну — и оправится от самых тяжких ран. Другой умрет дома от пустой царапины».

Думается мне, я пройду через все, невредимый, и все на мне заживет. Ничто из предстоящего не пугает, не тревожит меня. Многое мне даже интересно. Ведь хотя нас, солдат-студентов, и много — целых 183 человека! — но мы, конечно, растворимся, как крупинка соли, в том океане, который называется «армия», «народ». Мы узнаем народ, мы будем с ним и среди него. Наши недруги (а у нас с народом общие недруги!) упустили это из виду. Мы радуемся этому, счастливы этим.

А вообще-то, дорогие, любимые, помните: все течет, все меняется. Кто знает, что будет через полгода? Может быть, за нас заступится кто-нибудь неожиданный? Может быть, произойдут какие-нибудь непредвиденные события?

Мама и папа, верьте мне и будьте спокойны!

Муха, береги наших «стариков», ты ведь сильная, умная, очень хорошая!

Катюша, курносенький мой! Когда я вернусь (очень скоро!), я скажу тебе одно слово: оно давно живет в моей душе — для тебя...

Помните: все будет хорошо. Не может быть плохо! Не теряйте веры в это ни на один час!

Я вас не прошу: «Простите меня за те огорчения, которые я вам причинял и причиняю». Я поступаю так, как приказывает мне совесть. Вы же сами научили меня этому. Я добиваюсь одной цели — она называется «счастье народа». Этому тоже научили меня вы. Низко кланяюсь вам еще и за это.

Обнимаю вас всех, любимые!

Привет всем друзьям, которые, конечно, уже окружили вас, поддержали и вместе с вами читают это мое письмо.

Ваш Матвей».

Мы все по очереди читаем письмо. Долго молчим.

— Я вам одно скажу... — говорит наконец папа. — Вы счастливые люди!..

Я смотрю на Катюшу. Она приникла к Бэлле Михайловне.

Глаза Катюши говорят: «Да, мы счастливые!» Ах, Катенька, все мы давно разгадали твою тайну! Твою и Матвея.

Дни скачут, как взбесившиеся кони. Они полны тревоги, гнева, возмущения — и слухов, слухов, слухов о событиях, все более удивительных.

Весть об отдаче студентов в солдаты, как искра, облетела весь мир, далеко за пределами России. А внутри России пожар все разрастается. Во всех университетских городах студенты выходят на улицу с небывало многолюдными демонстрациями.

Чуть ли не самая большая демонстрация происходит 4 марта в Петербурге, перед Казанским собором. На этом месте уже двадцать пять лет устраиваются политические демонстрации. Здесь удобно собираться незаметно для полиции, входя вместе с молящимися в огромный собор, а затем, скопившись в соборе, демонстранты большой толпой выходят на паперть, на широкие ступени, занимают два полукружных крыла крытой колоннады, расходящиеся от собора в обе стороны. Площадь перед Казанским собором удобна для демонстраций еще и потому, что здесь сходятся большие улицы: Невский проспект, Казанская улица, Екатерининский канал, — в случае набега полиции или казаков демонстранты могут рассеяться в разные стороны.

Однако на этот раз — 4 марта 1901 года — высланные против демонстрантов казаки, подъехав быстро, на рысях, растягиваются цепью, лицом к собору, от одного его крыла до другого, и запирают толпу демонстрантов в мертвом пространстве перед собором, не оставляя выхода ни в какую сторону. Надвигаясь на толпу, казаки прижимают ее к ступеням собора и, спешившись, начинают избивать людей нагайками.

В официальном сообщении сказано, что казаки вовсе не собирались избивать людей, но они-де были вынуждены к этому: кто-то из демонстрантов якобы ранил казачьего есаула камнем в лицо. Этой явной ложью правительство хотело оправдать нападение казаков на безоружную толпу, треть которой составляли девушки-курсистки.

Еще более бесстыдная ложь — утверждение официального сообщения, будто толпа демонстрантов якобы «отстреливалась» от казацких нагаек, «кидая в казаков калошами»!

Все это продолжалось минут десять. После этого казаки и городовые повели оцепленную толпу демонстрантов в полицейские участки, где все были переписаны, а затем многие арестованы и направлены в тюрьмы. На месте побоища осталось лежать много людей, помятых лошадьми, раненых, с выбитыми зубами, выхлестнутыми нагайкой глазами...

Так же расправляются со студенческими демонстрациями и в других городах.

— Слушай, Яков, — говорит пришедший к нам вечером доктор Финн, — ты, конечно, в сотый раз повторишь, что я «лицо вопрошающее», что я сова, которую научили говорить «дважды два — четыре», ну и другие твои насмешки... Но все-таки я хочу задать тебе вопрос.

— Валяй! — говорит папа. — Спрашивай!

— Так вот. Студенты борются с правительством. Но ведь самая простая арифметика для приготовишек возражает: с одной стороны безоружные мальчики и девочки, а против них — вся махина российского самодержавия! Ведь это просто смешно! Нет?

— Это не очень смешно... — отвечает папа. — Это было бы даже трагично, если бы...

— Вот, вот, именно трагично! Я это и говорю!

— Маловерная сова! На, читай! — И папа протягивает доктору Финну листок. — Это прокламация, которую выпустили студенты Петербургского университета.

Нагнув круглую совиную голову, доктор Финн с волнением — мы видим, что он волнуется, — читает про себя:

«Студенты, разве мы должны протестовать только тогда, когда надо защищать лишь интересы нашей корпорации, а до страданий людей, одетых не в студенческие мундиры, нам нет дела? Как! Мы видим народную нищету, невежество, эксплуатацию народных масс, мы видим царящий повсюду произвол, гонение на гласность, на просвещение, систематическое подавление всех проблесков общественной деятельности, а мы сидим сложа руки, вместо того чтобы работать для устранения причины зла — современного государственного строя России?

Студенты, жизнь идет быстрым ходом вперед. Политическое движение окрепло и стало твердой ногой в рабочей среде. Революционные партии растут и множатся, и даже в инертной крестьянской массе заметны признаки брожения. Мы стоим на пороге великих событий!

Неужели же когда-то столь чуткое студенчество останется глухо к голосу времени и в своей буржуазной ограниченности удовольствуется лишь жалкими уступками в чисто студенческих делах? Неужели студенчество не примет участия в общей борьбе за свободу?

Объединимся же, товарищи, во имя общей работы, во имя борьбы с тяготеющим над Россией гнетом, во имя Революции!

ДА ЗДРАВСТВУЕТ РЕВОЛЮЦИЯ!»

— Финн, — говорит папа, — теперь ты понимаешь? Понимаешь, что студенты не одни? Они борются вместе с рабочими. Ты знаешь, какая это сила — рабочие? Это уже другая арифметика, Финн! А когда поднимутся крестьяне? А когда встанет весь народ? Тогда, дорогой мой, окажется, что и «дважды два» — не всегда четыре, а много-много больше!

На уроке с моими «учиями»-наборщиками мы, конечно, говорим о том же.

— Есть один замечательный человек! — говорит Шнир. — Вы о нем, наверное, еще не слыхали. Но... услышите!

— Маркс? — догадываюсь я.

— Маркс? Нет, я не о нем говорю. Есть такой ученик Маркса — самый главный. Это русский революционер, он живет за границей. Ленин — его фамилия. Запомните: Ленин! Так вот, Ленин сказал свое слово — и рабочим и студентам...

Но тут Степа Разин прерывает Шнира. Жалобно, совсем по-ребячьи он просит:

— Азо-о-орка, дай я скажу!

— А не перепутаешь?

— Ну вот!

— Ладно... — Шнир смотрит на Разина отцовским взглядом. — Ладно, говори!

И Степа взволнованно начинает:

— Рабочим Ленин сказал так: «Тот рабочий не достоин названия социалиста, который может равнодушно смотреть, как правительство посылает войска против учащейся молодежи...» А про студентов Ленин сказал: «Только поддержка народа и, главным образом, поддержка рабочих может обеспечить студентам успех, а для приобретения такой поддержки студенты должны выступать на борьбу не за одну только академическую студенческую свободу, а за свободу всего народа! Академической свободы не может быть при беспросветном рабстве народа!..» Верно я сказал, Азорка?

— Чуточку переврал, но опечатка незначительная, — одобряет Шнир. — Главное привел правильно.

Забежав чуточку вперед, скажу: Ленин, о котором я тогда впервые услыхала от Шнира, оказался прав.

Сильнейший разворот рабочего движения (почти не прекращавшаяся цепь рабочих забастовок, демонстраций), приведший через два-три года к революции 1905 года, очень крепко поддержал и студентов. В частности, знаменитая «Обуховская оборона» в Петербурге заставила призадуматься даже такую тупую силу, как царское самодержавие. «Обуховская оборона» вылилась в уличную схватку бастующих рабочих Обуховского завода с полицией и жандармами. Безоружные рабочие, действуя одними только камнями, несколько раз заставляли правительственные войска отступать.

Это была уже уличная борьба. Это, как выражались начальствующие лица, «пахло баррикадами».

Вот тогда правительство пошло на вынужденные уступки и в отношении студентов, сданных в солдаты. Под предлогом пересмотра дела студенты-солдаты были возвращены.

Известий о Шарафуте не было очень долго. Так долго, что уж и догадок никаких у нас не возникало, кроме самых страшных...

Тут пришло второе и последнее письмо. На таком же листке, какие дал ему Леня, в таком же конверте с адресом, написанным рукой Лени, — и опять только одно слово: *«Нищастям»*. Тут уж не может быть сомнений: Шарафут попал в беду. Но где он? Как ему помочь? Где его искать?

Все страшно взбудоражены. Растерялись, огорчены, а что делать, никто не придумает. Даже Иван Константинович!

Правда, он повторяет свою любимую мысль:

— Не знаете вы солдата. Солдат так просто, за здорово живешь, не пропадет. Не-е-ет!

Но все-таки Иван Константинович обеспокоен и, пожалуй, вовсе не так уверен в том, что у Шарафута найдется та сверхъестественная выдержка, какой полагается всегда и во всех случаях жизни выручать русского солдата.

Несколько дней спустя мы сидим вечером у Ивана Константиновича в кабинете. Разговор идет, ну, о чем может идти разговор? Конечно, о Шарафуте. Но разговор идет лениво, как ползет по догоревшим угольям в печке догорающий огонь. Ведь нам ничего не известно точно, а догадки мы за эти дни исчерпали все до одной.

Неожиданно из кухни доносится топот (новый денщик Ивана Константиновича, Фома, — такой же мастер топать сапогами, каким был Шарафут, если еще не больший!), грохот резко открываемой двери, шум свалки. Да, да, кого-то тащат, волокут сюда по полу, а этот кто-то сопротивляется.

— Не уйдешь! — кричит Фома. — Не уйде-о-ошь!

Дверь в кабинет распахивается. Фома держит какую-то темную фигуру. Она отбивается от него.

— Пымал! — с торжеством кричит Фома. — Здор-р-ровый черт! Весь вечер, смотрю, он кругом дома шастает и шастает.

И тут начинаются чудеса в решете.

Вырвавшись из рук Фомы, темная фигура бросается к Ивану Константиновичу. Фигура оборванна и грязна. Лица не видно — оно все заросло.

Мы не успеваем даже удивиться.

А Иван Константинович, весь просияв, радостно кричит:

— Ах, черт побери мои калоши с сапогами! Шарафутка!

Это в самом деле Шарафутка!

Иван Константинович поднимает его с полу, целует его неузнаваемо-дремучее лицо. И Шарафут, показывая на Ивана Константиновича, с торжеством говорит Фоме:

— Она мине целовала!

Мы не сразу узнаем историю Шарафутовых приключений, свалившихся на него за эти недели. Сейчас ему — первей всего! — необходимо то, что Иван Константинович называет санитарными мероприятиями, — баня, стрижка и прочее.

В эти дни его никто ни о чем не расспрашивает. Такое у него измученное лицо, такая непривычная наивно-недоуменная печаль. Видно, хлебнул горя через верх.

Лишь на третий день Шарафут приходит в себя. Все эти дни он либо спит, либо ест. Видно, и спал не досыта, и оголодал. Денщик Фома — веселый парень, начинающий каждое обращение со слов: «Так что», — поражается Шарафутову аппетиту.

— Так что, ваше благородие, — говорит он Ивану Константиновичу, — я так думаю: не иначе, как из татарина днище выпало. Никак не наестся!

Все объясняется очень просто. И очень страшно.

Родина Шарафута — Мензелинский уезд Уфимской губернии — одна из местностей, сильно пострадавших от голода и эпидемий. Мы этого не знали — ведь подробных сведений о распространении «недорода» и болезней в газетах не печатают. Шарафут слыхал, как об этом говорили в вагоне, но ему и в голову не приходило, что́ это такое, какое отношение может это иметь к его семье.

Когда со своим заветным сундучком под мышкой Шарафут шагал проселком в свою деревню, ему стали попадаться навстречу односельчане. И каждый из них, как говорит Шарафут, узнавая его, «плакала». Но говорить никто ничего не говорил — сам, мол, увидишь.

Ну, Шарафут и увидел...

Больше половины деревни вымерло. От голода и тифа. Семья Шарафута сперва продала корову. Потом коня. Купил богатый мужик из соседнего села. Шарафут произносит: «Ба-а-там мужикам!» Купил за гроши. Люди уже шатались от голода, а когда же и наживаться, как не на человеческой беде!

Когда съели то, что выручили за скот, тогда подумали: а на что теперь — без коня! — нужны плуг, соха, борона? Продали и это. А затем продали и земельный надел, то есть тот клочок земли, которым владели спокон веку: к чему земля, если ее нельзя и нечем обрабатывать? Все скупили «ба-а-там мужикам»... Наконец продали с себя все — до последней тряпки... Есть-то ведь надо! Каждый раз, когда Шарафут повторяет свой вопрос: «Кушить нада?», мы все яснее представляем себе постепенное погружение крестьянской семьи в трясину голода, болезней, смерти.

Когда все было продано, рассказывает Шарафут, все «помирала». Ели хлеб из лебеды и желудей. Подбавляя в хлеб землю, даже навоз... Потом заболели, очевидно, голодным тифом. Когда Шарафут приехал, он застал в живых только младшего братишку — «она еще живая была». Запасливый Шарафут вынул из кармана остатки своей дорожной еды — большой кусок хлеба. Братишка схватил хлеб обеими руками, но он уже не мог, не имел силы есть. Мальчик только крепко прижимал хлеб к себе. Так, с куском в руке, и умер.

Шарафут сидел около мертвого братишки. Вдруг слышит — шорох. Обернулся, а в избу вползает соседская девочка лет десяти—двенадцати. Вставать на ноги девочка уже не могла, передвигалась ползком. На Шарафута она не смотрела, она словно не видела его. Он подумал — слепая. Но нет — она смотрела в одну точку, не отрываясь: на кусок хлеба в мертвой руке мальчика.

Глава девятнадцатая

МЫ — АБИТУРИЕНТЫ!

У каждого времени года свои собственные призывные голоса. Самый веселый голос, конечно, у весны. Ведь он впервые становится слышен после тихих зимних месяцев, когда нам уже чуть прискучила тишина: уже давно из-за двойных рам не было слышно уличных голосов и звуков — не говоря уже о пении птиц! — давно уже по обледенелым мостовым не стучали колеса, и только бесшумно, еле шурша, скользили сани и падал на землю снег.

И вдруг... Вслушайтесь! Вслушайтесь внимательно: весенние голоса возникают задо-о-олго до прихода настоящей весны! В какое-то удивительное солнечное утро раздается негромкий, но такой веселый голосок: «Да!.. да-да!... да!.. Да-да-да!..» Это воркует капель — милая, застенчивая капель вежливо и деликатно напоминает вам о том, что зима на исходе.

Дальше звучит уже целый хор: в пение капели вступают голоса луж и канавок. С каждым днем их становится все больше. Они уже не смотрят остановившимся взглядом, как кукольные глаза, — они текут, льются. Иногда под вечер их прихватывает морозцем! — они останавливаются, но ненадолго: утром солнце снова освобождает их, и они продолжают свой победный путь. Негромкими звоночками ручьи объявляют всему свету об открытии ребячьей навигации. На этот зов отовсюду спешат мальчишки — реже девчонки — с бумажными корабликами, а то и просто с пустыми коробками из-под папирос: это, как всем известно, отличные быстроходные катера, в особенности если их еще подстегивать прутиками.

А как весело стучат ноги там, где из-под ледяной корки успели обнажиться доски и плиты тротуаров! Это уже не зимне-осеннее старческое покашливание и сморкание простуженных калош, это приплясывающий дробный перестук подошв и каблуков. И в этом — снова голос весны! Ее самой еще нет, но она приближается и аукается с нами разными голосами — далекими и близкими...

Если вдуматься, то голос весны — тогда еще очень-очень далекой — мы восприняли осенью, в самом начале учебного года, когда узнали, что мы абитуриенты!

Впервые услыхали мы это слово от Лапши. Когда осенью началось ученье в седьмом — последнем! — классе, Лапша, конечно, сказал нам речь.

Начал он, как всегда:

— Уважаемые госпожи! Поздравляю вас с переходом в последний класс... — Вот тут Лапша и ввернул непонятное новое слово: — В этом учебном году вы уже — не просто воспитанницы старших классов. Вы абитуриенты!..

Дальше Лапша объяснил нам значение этого незнакомого слова. И, хотя говорил он, по своему обыкновению, тягуче и нудно, мы слушали его с интересом.

Оказалось, «абитуриент» означает «уходящий», «стоящий у выхода» — так сказать, у порога, готовый перешагнуть через этот порог, чтобы уйти.

— Окончится этот учебный год, — тянул Лапша, — вы перешагнете через порог. И для вас начнется неведомая, новая жизнь...

Дальше шли, как полагается, пожелания, предостережения и прочая, и прочая, и прочая, как пишут цари в своих манифестах. Дальше мы, как водится, благодарно «макали свечкой» и благовоспитанно зудели «бзум-бзум-бзум». Ну, словом, все было так, как принято в лучшем обществе.

Но слово «абитуриенты» было произнесено, и мы его запомнили. Мы абитуриенты! Мы приближаемся к окончанию нашего учения. Мы стоим у порога, около двери, — и она вот-вот распахнется перед нами.

Правда, тогда, осенью, это было не очень «вот-вот»... Нам предстояло еще восемь-девять месяцев ученья и выпускных экзаменов. Но сейчас, ранней весной, мы уже близки к осуществлению этой радостной мечты. Мы словно чувствуем уже в руке металлический холодок: это ручка той двери, которая должна раскрыться; нам слышится характерный звук: так впервые после долгой зимы отпирается дверь нежилой дачи; так, с легким прищелком, вырывается пробка из бутылки с лимонадом. Мы перешагнем через порог — прямо в жизнь!

Робкий голос в душе напоминает: «Еще какая она окажется, эта жизнь! Неизвестно...» Когда моешь уши, вода шлепает, журчит и переливается в ушах, звеня разными словами, — Юзефа уверяет, что это примета. Я суеверно прислушиваюсь к голосу воды. Иногда вода гремит: «Ура! Ура!» А в другие дни она посвистывает: «Неизвессс... Неизвессс...» Но чаще всего торжественно предсказывает: «Прекр-р-расно, прекрасно!» Наверное, это — самое правильное предсказание. Конечно, жизнь будет замечательная, иначе какой же в ней смысл? Нет, давайте: весна так уж весна! Она идет, она уже близко, и, конечно, она чудесная! И кому она нужна, если она не самая прекрасная из всех самых прекрасных весен!

Сегодня учитель немецкого языка Петр Александрович Изенфлям (кстати, один из лучших наших преподавателей) задает нам написать тут же, на уроке, классную работу: пересказ «своими словами» маленькой басенки из хрестоматии. Для многих учениц это — трудное дело: где их возьмешь, эти «свои слова», на чужом, немецком языке? Помочь подругам в этом тоже нелегко. Это ведь не диктовка, которую можно дать списать хотя бы слово в слово. Значит, остается одно: я пишу для двух своих соседок Зины Кричинской и Сони Павлихиной два разных пересказа, непохожих один на другой. Да еще эти пересказы должны быть очень простенькие, даже наивные, чтобы учителю не показалось подозрительно, почему это две девочки, очень слабо знающие немецкий язык, вдруг написали свободно и «затейливо».

Когда я осторожно подсовываю Зине Кричинской написанный для нее пересказ, я вдруг замечаю — без всякого удовольствия или радости, — что наша классная дама Елизавета Григорьевна Борейша (кратко «Мопся») это *видит*. Честное слово, видит! На секунду замираю в неприятном ожидании — сейчас Мопся нагрянет в ярости на меня и на Зину. Полетят с нас перья!.. Но Мопся отворачивает голову, как сытая кошка, и смотрит в другую сторону, словно она ничего преступного у нас и не заметила.

А ведь и я, и Зина видели, что Мопся только *не захотела видеть*. И это — как хотите — тоже голос весны. Конечно, это не означает, будто в Мопсиной душе зацветают фиалки. Но мы подплываем к выпускным экзаменам. Зачем Мопсе поднимать шум перед самым выпуском? Все равно сейчас уже поздно воспитывать и учить нас. Чему мы за семь лет не успели научиться, тому уже не научимся в последние один-два месяца. И Мопся — это, говорят, бывает с «синявками» — по мере приближения выпуска превращается из блюстительницы порядка почти в сообщницу нашу.

Наш седьмой класс очень большой, в полном смысле слова двойной класс: в нем слились воедино два отделения — первое и второе. До этого года оба отделения жили каждое своей обособленной, самостоятельной жизнью, имели каждое своих учителей (иногда разных) и своих классных дам. В последнем классе оба отделения слились в один класс, и классная дама у нас Мопся, которая до сих пор, начиная с первого класса, бессменно была классной дамой первого отделения. Ученицы бывшего первого отделения относятся к Мопсе хорошо, даже любят ее, поэтому и мы, ученицы бывшего второго отделения, принимаем ее без враждебности. Мопся как Мопся. Не злая, не придира, не имеет особенно наилюбимо-любимых любимиц. Мопся — человек, а не машина: не может она любить всех учениц своего класса одинаково. Мы понимаем и то, что тридцать учениц из бывшего первого отделения ей ближе, чем мы, тридцать остальных, из второго. Ведь она ведет их уже седьмой год, а с пансионерками она еще и живет под одной крышей. Но она и к нам относится, в общем, доброжелательно и справедливо. Ну и отлично! Многие классные дамы гораздо хуже, чем Мопся. А лучше Мопси кто? Лучше была наша милая Гренадина, но с ней сбылось пророчество Мели Норейко: «Съедят ее, бедную, помяните мое слово, съедят!» Не знаю, съели или нет, но ее перевели в женскую гимназию в Гродно. Мы провожали ее на вокзале с цветами. Она плакала, мы плакали. Она обещала нам писать, но не написала ни разу.

Словом, за вычетом Гренадины (а Гренадина ведь была исключение, можно сказать, редчайшее!), лучшей классной дамы, чем Мопся, в нашем институте как будто и нет. Но дружить с Мопсей могут, вероятно, только отдельные, единичные девочки. Почему?

Прежде всего потому, что горизонт у Мопси уже до невозможности малю-ю-юсенький. Госпожа начальница — господин директор — господин попечитель учебного округа, и над всем и всеми высокая покровительница нашего института, Ее Императорское Высочество Великая Княгиня Мария Павловна! Всякому скучно даже называть человека, у которого каждое слово в его звании пишется с прописной буквы. А Мопся произносит это имя и звание с молитвенным придыханием и захлебыванием. Царя и царицу Мопся боготворит. Фотография, где они сняты вместе со своими «августейшими детьми», стоит на тумбочке около Мопсиной кровати.

Когда революционеры убили министра просвещения Боголепова и министра внутренних дел Сипягина, Мопся плакала и говорила: «Ведь русские люди! Как у них рука поднялась на верных царских слуг!» Когда Льва Толстого в прошлом году отлучили от церкви, Мопся не возмутилась тем, что русское духовенство теперь всенародно с церковного амвона будет возглашать анафему величайшему русскому писателю. Нет, Мопся только крестилась мелкими крестиками и шептала: «И поделом! Граф, а безобразничает, как мещанин...»

В общем, Мопся — человек не злой, но ограниченный (мы уже настолько марксистски сознательны, что называем это «классовой ограниченностью») и по-институтски глуповатый. Люся Сущевская уверяет, что, если бы изобретение пороха было в свое время поручено Мопсе, человечество до сих пор стреляло бы камнями из пращи и стрелами из лука.

Вместе с тем у Мопси имеются свои очень твердые представления о чести, о порядочности — правда, лишь *о дворянской чести и дворянской порядочности*, но спасибо хоть на том.

Был у нас как-то даже такой случай, когда Мопся многих из нас привела в восхищение.

Случилось это в начале нынешнего — абитуриентского — года. Однажды после окончания уроков Мопся собралась вести пансионерок на прогулку на Замковую гору. Был золотой сентябрьский день, чудесное нежаркое солнце. Настроение у Мопси было растроганное. И она предложила всем желающим из числа приходящих учениц присоединиться к этой прогулке. Мы, конечно, согласились.

Нас построили попарно и повели по улицам. Выглядело это очень внушительно. Впереди шел служитель Степа — в форменной ведомственной фуражке и «бачках-котлетках». Он был похож на «капитана Копейкина» из «Альбома гоголевских типов» художника Агина. Всякий раз, когда нам надо было переходить через улицу, Степа останавливал уличное движение — извозчики придерживали своих кляч и пропускали наше шествие. Пришли к Замковой горе. Теперь она уже не та, что в пору нашего раннего детства, когда на ней не было ни путей, ни дорожек и надо было карабкаться чуть ли не ползком. Теперь Замковую гору опоясывает спираль дорог-аллей. По бокам их много удобных, уютных скамеечек — красота!

Когда мы поднялись примерно до половины горы, мы увидели сидевшую на камнях и просто на траве компанию офицеров.

Офицеры производили странное впечатление: говорили слишком громко, преувеличенно жестикулировали, хохотали, кое-кто из них вдруг начинал петь, другие нестройно подпевали. При всей нашей житейской неопытности нам было ясно, что офицеры если и не вовсе пьяны, то сильно «выпивши».

Увидев издали наше шествие, офицеры проявили бурную веселость, приветливо замахали руками, даже зааплодировали. Мы в недоумении остановились. Пары, поднимавшиеся сзади, напирали на передних — ряды смешались.

— Гимназисточки! — отвесил нам поклон молодой офицер с очень красным лицом и трогательно-глупыми бараньими глазами. — Гимназисточек ведут!

— Пансион небесных ласточек! — пропел другой приятным баритоном. — И какие дусеньки-пусеньки! Блондиночки-брюнеточки-конфеточки!

Мопся остановила наше восхождение на гору и отдала какое-то приказание Степе.

Очень смущенный, Степа подошел к одному из офицеров, вероятно старшему в чине, молодцевато вытянулся «во фронт» (Степа — старый солдат) и доложил ему что-то, чего мы не расслышали.

— Как ты сказал? — переспросил офицер. — Воспитанницы? А это что за пугало их ведет? — показал он на Мопсю.

Степа явно обеспокоился: дело грозило скандалом. От этого беспокойства и от желания, чтобы пьяный понял, Степа ответил очень громко, так, что мы услыхали его ответ:

— Госпожа классная воспитательница Елизавета Григорьевна Борейша. — И повторил по слогам: — Бо-рей-ша!

— Как? Как? Борейша? А может быть, Гейша?

В тот год все пели арии и романсы из «Гейши» — самой модной тогда оперетты.

Среди офицеров раздался хохот. Один голос запел, другие подхватили известный всем вальс из «Гейши», заменяя слово «Гейша» словом «Борейша»:

Борейша! Пой, играй, пляши!
Скрывай печаль своей души!

На миг у многих из нас мелькнула мысль: вот сейчас офицеры подлетят к нам приглашать на вальс. Мы понимали, что офицеры пьяны. Происшествие уже не казалось нам таким смешным.

Мопся неожиданно преобразилась. Никогда мы ее такой не видали. Она встала впереди нас. Она крикнула пьяным:

— Господа офицеры, мне стыдно за вас! Ваше поведение — не дворянское!..

Мопся смотрела на офицеров с презрением, гневно выпрямившись, — ну, Немезида, а не Мопся! Мы смотрели с удивлением на это преображение. Мы в первый раз в жизни увидели, что у Мопси такой строгий профиль, что ее вылинявшие от старости глаза могут метать синие искры. Наше отношение к происшествию — оно еще за несколько минут до этого казалось нам почти забавным! — резко и мгновенно изменилось. Да, Мопся права: офицеры в самом деле ведут себя отвратительно — и не потому, что поведение их «не дворянское», они попросту пьяные безобразники.

— Продолжайте свою прогулку, медам! — приказала нам Мопся. — Не бойтесь...

И мы пошли вверх, в гору. Прошли мимо притихших офицеров. Мы тоже молчали.

Пятый урок сегодня математика. Но, как и в предыдущие месяцы, урок этот начинается с заявления Мопси:

— Господин преподаватель математики Серафим Григорьевич Горохов все еще болен. Последний урок сегодня не состоится.

Как всегда, в голове пронеслась мысль: «Ох, нехорошо! Ох, неладно как!» Но только мелькнула и пропала. Мы стали собирать вещи, чтобы отправляться по домам. Мопся в сто первый раз напомнила нам, что мы взрослые барышни и она, Мопся, нам доверяет. Она, Мопся, пойдет с пансионерками обедать и уверена, что мы, взрослые барышни, самостоятельно, без нее, спустимся в вестибюль — «не топать, не шаркать ногами, не шуметь!» — и там оденемся без суеты и суматохи. Особо просит Мопся, чтобы в вестибюле мы соблюдали тишину: ведь только наш класс уходит домой, во всех остальных классах сейчас начнется пятый урок.

Мы в самом деле сегодня ведем себя в вестибюле на удивление прилично. Не галдим, не хохочем, вообще «соблюдаем благопристойность». Но делаем мы это вовсе не оттого, что хотим оправдать доверие Мопси. Нет, секрет тут иной: мы в вестибюле не одни! В темном углу стоит, видимо дожидается кого-то, незнакомый молодой человек: высокий белокурый гимназист. Наверное, тоже из старших классов: у него почти взрослые усики. Мы, как водится, кокетничаем перед ним, ломаемся напропалую. Движемся преувеличенно грациозно. Улыбаемся друг другу загадочно-симпатично. Ну, словом, стараемся доказать, что мы не простые человеческие существа, а прелестные феи с пальцами, перепачканными чернилами.

Только одна Меля остается верна себе: одеваясь, она «кушияет недокушянный бутерброд с ветчинкой...».

Как это ни обидно, незнакомый гимназист не обращает на нас ни малейшего внимания, словно бы нас тут и не было. Он смотрит только на старого швейцара Федотыча (Данетотыча). Можно подумать — он влюблен в Данетотыча. Старый швейцар сидит на своем обычном месте — около двери в тамбуре подъезда, вскакивая и бросаясь открывать дверь всякий раз, как кто-нибудь входит с улицы.

А незнакомый гимназист не спускает глаз со старика швейцара и входной двери с улицы, словно он именно оттуда ждет чьего-то появления.

Гимназист очень нервничает, крутит то правый, то левый свой ус, словно это дурная трава и ее надо выполоть из поля вон.

Нас осталось в вестибюле всего несколько человек: Варя, Маня с Катюшей, Люся, Стэфа Богушевич, Зина Кричинская, я и Меля, которая все никак не может «докушять» свои бутерброды.

Отчего мы медлим, не уходим? Стыдно признаться, но нам ужасно, вот прямо ужасно хочется увидеть, кого с таким нетерпением дожидается незнакомый гимназист!

Дверь с улицы открывается... Не спуская глаз с вошедшего, гимназист еле заметным движением отодвигается в тень ближайшей к нему вешалки — его уже не видно за шубами и пальто.

Но мы очень разочарованы — это пришел наш преподаватель русского языка и словесности Лапша.

Аккуратно обтерев мокрые калоши о половичок, Лапша проходит в учительскую. Под мышкой он несет стопку ученических тетрадок. Очевидно, он пришел с урока в мужской гимназии (он преподает и там) и принес тетради с классной работой или сочинением.

Проходя мимо нас, Лапша здоровается:

— Здравствуйте, госпожи!

Мы делаем ему реверанс.

Сквозь незапертую дверь учительской нам видно, как Лапша снимает с себя шубу и, достав из бокового кармана вицмундира маленький гребешок, быстро приглаживает свою жидкую шевелюру. Приосанивается и идет вверх по лестнице на свой урок.

Принесенная им стопка тетрадей остается лежать на столе в учительской.

И тут... тут происходит нечто неожиданное, совершенно невероятное! Гимназист выходит из-за скрывавших его шуб, он переглядывается со стариком Данетотычем. Тот делает еле заметный знак глазами: «Да». На цыпочках, неслышно, как подкрадывающийся леопард, гимназист одним броском оказывается в учительской. Что он там делает, мы не видим — он стоит к нам спиной, наклонив голову над столом. Через минуту-полторы он выходит из учительской, запихивая на ходу в карман пальто тетрадку. Он очень бледен, руки плохо слушаются его — дрожат. Проходя мимо нас, он прикладывает палец к губам, словно просит нас не выдавать его, не болтать о том, что мы видели. Вот он поравнялся с Данетотычем, быстро сунул ему что-то в руку... И — нет гимназиста, исчез!

Все это заняло считанные минуты. Мы стоим в полном оцепенении, не можем выговорить ни одного слова. Лишь взглянув на Мелю Норейко, мы, как по команде, начинаем хохотать. От испуга ли, от неожиданности всего происходящего Меля перестала жевать свой «недокушянный» бутерброд, челюсти ее остановились, и по обе стороны рта у нее свисают белые полоски ветчинного сала, как седые усы. Уткнувшись друг в друга, чтобы смех звучал глухо, мы хохочем не только оттого, что на Мелю в самом деле смешно смотреть, — в нашем смехе еще и разрядка после всего, что мы видели и что, конечно, нас взволновало.

Пока гимназист был в учительской и рылся в стопке тетрадей, принесенных Лапшой, мы буквально не дышали. Ведь его могли «накрыть» каждую минуту!

Теперь гимназист исчез, он уже в безопасности. И мы хохочем, глядя на Мелю, которая по-прежнему стоит, неподвижно держа во рту бутерброд, как собака.

Подойдя вплотную к Меле, Люся командует мрачным полушепотом:

— Сию минуту проглоти ветчину!

И Меля послушно глотает, едва не подавившись неразжеванным куском.

Тут уж наша смешливость усиливается до того, что мы, словно сговорившись, мчимся к выходной двери — на улицу. Там мы еще долго не можем успокоиться, хохочем все снова и снова.

Первой приходит в себя Стэфа Богушевич. Она внезапно переходит от бурной веселости к мрачному отчаянию.

— Ну, а мы? — спрашивает она, обводя нас всех взглядом.

И все мы, как оркестр, остановленный дирижером, сразу перестаем хохотать. Мало того, в каждую из нас впивается, как попавшая в цель стрела, та же мысль, которую не досказала Стэфа.

— Да... — бормочу я. — Правда... А как же мы?

Гимназист, выкравший при нас свою тетрадь с неудачной, вероятно, классной работой, конечно, совершил безобразный поступок. Никто из нас не сделал бы этого. И не оттого, что у нас «кишка тонка» для такого геройства, — нет, просто мы *такое* осуждаем. Мы не наябедничаем на гимназиста, мы смолчим, даже если нас спросят об этом, мы ответим, что никакого гимназиста видом не видали, слыхом не слыхали. Но такие приемы борьбы с учителями нам противны. Подсказывать — пожалуйста, списывать — сделайте одолжение, соврать для того, чтобы выручить подругу, — обязательно! Но такое... нет!

Вероятно, думаем мы, гимназист был в совершенно безвыходном положении.

Но вместе с тем мы внезапно, словно от сна проснувшись, понимаем: наше положение тоже безвыходное!

Глава двадцатая
ПЛОХО! ОЧЕНЬ ПЛОХО!

Неладно у нас с математикой, неладно! В прошлом ее преподавал у нас в пятом классе директор Николай Александрович Тупицын. Сам-то он ее знал, может быть, и прекрасно, но нам этих знаний, к сожалению, передать не умел, да и не мог — времени не было. Очень занятый своими директорскими делами, он приходил с большим опозданием, да еще и отрывали его от урока по всяким поводам: то бумаги подписать, то еще что-нибудь. Урок начинался с того, что директор вызывал одну-двух учениц к доске — отвечать заданное. В ответы учениц директор вслушивался только в начале учебного года, когда еще не знал ничего и ни о ком, — тут он ставил отметку, даже, можно сказать, справедливую. Но в последующие ответы учениц — до самого конца года — директор уже не вслушивался и механически повторял против фамилии спрошенной ученицы ту отметку, какую сам поставил ей в первый раз. Получишь у него при первом знакомстве четверку или пятерку, так весь год и ходишь в четверочницах или пятерочницах. Как ни отвечай, отметка все равно одна и та же. Случалось даже так: ученица отвечает ему урок, а он не только не слушает, но даже мурлычет что-то под нос. Правда, иногда, когда четверочница-пятерочница, понадеявшись на «инерцию первой отметки», не подготовится к уроку и отвечает неверно, директор вдруг, словно проснувшись, обрывает ее:

— Да что вы такое несете с Дона-с моря? А еще хорошая ученица! Четверки получали!

И ставил ей тройку. Эта новая отметка тоже была вроде как навсегда: как бы ученица после этого ни старалась, с этого дня директор ставил ей одни только тройки. Он ведь в ответы не вслушивался, а лишь смотрел: какова у спрашиваемой ученицы предыдущая отметка. И повторял ее — заслуженно или незаслуженно.

Прослушав одну-двух учениц, директор почти никогда не объяснял то новое, что задавал выучить к следующему уроку. Он только отчеркивал ногтем в чьем-либо учебнике: «от сих» и «до сих». После этого он уходил нередко еще до окончания урока.

Это было, как говорила Люся Сущевская, «преподавание с высоты птичьего полета». Мы и не извлекли из него почти ничего.

Кое-как, с грехом пополам, или, вернее, с грехом на четыре пятых, мы переползли из пятого в шестой и из шестого класса в седьмой — выпускной.

Тут началась настоящая катастрофа. С самого начала учебного года директор к преподаванию уже не вернулся: он заболел тяжело и, как оказалось, неизлечимо. Месяца полтора ждали его выздоровления, нового преподавателя пока не приглашали. В нашей институтской церкви служили молебны о выздоровлении директора, но он расхворался еще пуще и наконец умер.

Служили панихиды, нас водили «прощаться с телом». Огромный, раздувшийся труп директора в парадном мундире, со звездой, при орденах, лежал в институтской церкви на высоком постаменте, среди множества цветов (каждый из четырнадцати классов купил в складчину венок). Очень страшно было поднять глаза на то незнакомое, желтое, что было прежде лицом директора. Хор учениц пел, невидимый, на клиросе; голоса умоляли печально и нежно:

— «Святый Боже, святый крепкий, святый бессмертный, помилуй нас!»

От всей этой торжественности — и в особенности от страшно изменившегося лица директора — маленькие плакали, а иные из старших учениц даже бились в истерике. «Синявки», вытирая платками сухие глаза, говорили друг другу:

— Ангел! Он был ангел! Смотрите, как его любили дети!..

Все это было притворство и вранье. Никто его не любил, да и любить было не за что: он был не ангел, а старый человек, равнодушный ко всем и ко всему. И людям, и миру, и жизни он, наверное, тоже давно поставил отметки и больше ими не интересовался, не ожидая ничего нового или интересного.

После смерти директора преподавание математики в нашем классе повисло в воздухе. Все преподаватели не только у нас, но и в других учебных заведениях оказались уже занятыми. У всех был свой распорядок уроков — лишних учебных часов ни у кого не было. Приехавший по назначению новый директор Миртов оказался не математиком, а физиком. На нашей шее положительно затягивалась петля. Ведь целых два месяца мы не учились математике, да и раньше мало что знали о ней...

Наконец — наконец! — нам объявили, что приглашен новый учитель математики. Он преподает в Химико-техническом училище, но согласился заниматься и с нами, выпускными, в такие-то дни и часы. Зовут его Серафим Григорьевич Горохов.

Пошли разговоры, суды и пересуды, каков он будет, этот новый учитель. Говорили не очень доброжелательно. Почему-то новый учитель — еще до первого с ним знакомства — никаких надежд не внушал.

— Се-ра-фим? — с недоумением растягивала его имя одна из самых красивых пансионерок, Леля Семилейская. — Ну, что за имя? «Херувим Иваныч!», «Архангел Трофимыч!».

— Он, наверное, из поповского звания! — авторитетно утверждала Лена Цыплунова. — Попович! Наверное, бывший семинарист... Патлатый, ручищи красные, хам хамом!

— И преподает у мальчишек! — пискнула, как мышь, маленькая, худенькая немочка Эммочка фон Таль. — Наверное, привык говорить мальчишкам «ты» и ругаться...

— И подзатыльники раздавать! И зуботычины! — подсказывали со всех сторон.

Такими невеселыми предсказаниями встретили у нас нового преподавателя математики Серафима Григорьевича Горохова.

А он оказался совсем не таким, каким мы его воображали! Молодой — недавно окончил институт в Петербурге, — очень мягкий, застенчивый, а главное — доброжелательный. Этого недостает многим из наших преподавателей. У иных из них есть в душе — и мы это чувствуем! — глубокое, застарелое недоверие к нам. Они считают нас способными если не на все дурное, то уж во всяком случае на очень многое. Может быть, именно из-за этого мы с ними и на самом деле дурные: лгуньи, притворщицы, насмешницы.

Горохова мы поначалу встречаем неласково. Одни смеются над его очками с темными стеклами, другие говорят:

— Да он нас боится! Что же это за учитель?

Но вскоре оказывается, что Горохов отличный учитель! Все девочки, которые любят математику, имеют к ней способности, как, например, Маня Фейгель, Стэфа Богушевич, Лариса Горбикова и несколько других, очень довольны его уроками. Но и остальные, не слишком способные к математике, не могут не видеть, что Горохов знает свой предмет, любит его. Объясняет он очень понятно, учиться у него нетрудно. Горохов — справедливый, очень вежливый и приветливый.

Конечно, после этих открытий мы сразу ударяемся в другую крайность. Поняв, что Серафима Григорьевича не надо бояться, мы начинаем попросту злоупотреблять его добротой. Уроки готовим когда хотим, а кто же этого когда-нибудь хочет? Когда он вызывает нас к доске отвечать урок, а мы не приготовились, мы врем первую пришедшую в голову глупость: «Вчера хоронили тетю», «Я потеряла учебник и никак не могла его найти»... И еще в том же роде, не лучше.

Самое безобразное во всем этом: мы-то врем, не краснея, — мы привыкли врать учителям и «синявкам», — а краснеет Серафим Григорьевич: ему стыдно за нас.

— Нет, вы только поду-у-умайте! — разводит руками Стэфа Богушевич, повторяя это свое любимое выражение во всех случаях жизни. — Нет, вы только поду-у-умайте! Такой золотой достался нам учитель, а мы такие поросята!

Отвратительнее всего то, что в эту злую игру, обидную для учителя Горохова, оказываюсь почему-то втянутой и я. И умом и сердцем я понимаю, что Горохов хороший человек, что такого учителя у нас никогда не было, а вот все-таки участвую во всех глупых выходках против него.

Привыкнув к тому, что покойный наш директор не знал никого из нас ни в лицо, ни по фамилии, мы без всяких оснований думаем, что не знает нас и Горохов. Где, мол, ему — огромный класс, около шестидесяти человек, откуда ему так быстро всех узнать. И никто не соображает: не может молодой учитель со свежей памятью проявлять такую старческую беспамятливость, как покойный директор. Мы обманываем Серафима Григорьевича и в этом, а он — из деликатности! — делает вид, будто верит нам.

Конечно, долго участвовать в этой недостойной игре с Гороховым ни один порядочный человек не может. Не могу и я. Недаром мои подруги смотрят на меня огорченными глазами, не понимая, какая муха меня укусила.

Настает день, когда и я понимаю: довольно! стыдно! надо кончать!

Как-то, придя в наш класс на урок, Горохов раскрывает журнал и, водя пальцем по списку учениц, мямлит:

— Прошу к доске... м-м-м... м-м-м... госпожу Яновскую.

Самое глупое: в этот день я вполне могла бы отвечать, и даже неплохо, потому что накануне приготовилась. Да и вообще я знаю предмет прилично. Но почему-то пойти к доске ответить, получить хорошую отметку — все это кажется мне пресным, «не смешным» (можно подумать, что человек должен обязательно стремиться к тому, чтобы жить «смешно»!). И я, уверенная в том, что Горохов еще не знает меня в лицо, спокойно говорю ему с места:

— Яновской сегодня в классе нет.

Серафим Григорьевич краснеет, как помидор. Не поднимая на меня глаз, он вызывает другую ученицу.

Все смотрят на меня. Многие явно одобряют мою «лихость». Ни Варя, ни Люся, ни Катюша, ни Стэфка Богушевич на меня не смотрят. Маня смотрит, но, встретившись со мной взглядом, отводит глаза в сторону. Очень просто — ей за меня стыдно!

Я сижу, продолжая нахально улыбаться, но на душе у меня погано. «Ох, — думаю я, — как же я расскажу об этом папе?» Так я всегда думаю о поступках, которых стыжусь. Мысленно я утешаю себя: «Ладно. Больше не буду». Но папа всегда говорит, что самоутешением успокаивают себя только мелкие души. Я понимаю, что в отношении Горохова я веду себя как мелкая душа. И это меня никак не радует.

После звонка случилось так — словно нарочно! — что Горохов и я, выходя из класса последними, сталкиваемся в дверях.

Горохов смотрит на меня серьезно и спрашивает:

— Значит, вас сегодня в классе нет?..

Со всех ног бегу разыскивать Маню.

— Маня... — шепчу я ей. — Маня, ты понимаешь?..

Никто бы не понял, но Маня, конечно, понимает. Она кладет свою добрую, дружескую руку на мою.

— Имей в виду, — говорит она, — он отлично знает всех. И в лицо и по фамилии. Это я говорю только тебе. И, пожалуйста, не рассказывай другим.

Я ценю Манино доверие. Еще с первых дней после появления у нас Горохова он просил Мопсю рекомендовать ему которую-нибудь из наших лучших учениц, чтобы заниматься с его младшей сестренкой, подготовить ее к поступлению в наш институт. Мопся рекомендовала ему Маню Фейгель. Маня бывает у Гороховых ежедневно, часто встречается и с самим Гороховым, но она поставила себе за правило: о том, что у Гороховых то-то или то-то, о том, что он сказал то или другое, Маня не рассказывает нам — даже лучшим своим подругам — ни одного слова!

Так посоветовал ей отец, Илья Абрамович:

— Помни, если ты будешь болтать, рассказывать о Гороховых, тебе не дадут покоя. Тебя замучают вопросами, будут требовать все новых подробностей. И непременно выйдут сплетни. Твои слова переиначат по-своему — и пойдут фантастические рассказы «со слов Мани Фейгель...». Что хорошего?

Так Маня и поступает. Молчит.

Сперва девочки на нее обижались, даже бранили ее. Потом, кто понял, кто привык к Маниной сдержанности, перестали мучить ее вопросами о Гороховых.

— Маня, — спрашиваю я шепотом, — почему же он сегодня не изругал меня, не поставил мне дурной отметки?

— Он хочет, чтобы девочки *сами* поняли, — вот так, как ты сегодня поняла! Он говорит: плох тот учитель, который не верит в молодежь... — Маня рассказывает это с таким уважением к Горохову как учителю и человеку, что я понимаю: больше я безобразничать на его уроках не буду — не могу.

Симпатичность Горохова, его доброта, уважение к нам, хорошее преподавание скоро изменили отношение к нему класса. Глупые институтские выходки прекратились, а главное — мы стали учиться всерьез. С таким учителем, как Серафим Григорьевич, класс, наверное, через некоторое время нагнал бы все пропущенное и не боялся бы оскандалиться на выпускных экзаменах.

Но тут вдруг случилась новая беда: Горохов заболел очень серьезно. У него сперва была инфлюэнца, потом сделалось осложнение: он почти оглох. Вот уже больше двух месяцев, как он не приходит к нам на уроки.

За это время класс успел растерять почти все то, чему научился у Горохова. В головах опять математическая каша. Время идет, выпускные экзамены приближаются, а Горохов все еще хворает.

Весь класс — несколько отдельных учениц, особенно интересующихся математикой и способных к ней, ведь не идут в счет! — знает по геометрии и алгебре очень мало. Даже арифметику многие успели забыть. Экзамены начнутся недель через шесть. Учитель болен и на уроки не приходит. В общем, мы брошены на произвол судьбы, и никто почему-то не думает о нас. А ведь мы не виноваты в том, что уже два года с нами никто математикой не занимался.

— Нет, вы только поду-у-умайте! — беспомощно вздыхает Стэфа Богушевич. — Как же мы пойдем на экзамен?

Лара Горбикова пожимает плечами:

— Что нам думать? Пусть начальство думает об этом!

— Спасибо, утешила! — сердится Люся. — Начальство! Что ему? Ну, провалимся мы по всем трем экзаменам математики, ну, не выдадут никому диплома, а только дадут «свидетельство», что мы здесь учились. «Ах, ах, ах, какой ужасный класс!» — и все.

— Неужели дипломов не дадут? — всплескивает руками Варя.

— А на что мне ихний диплом? — искренне удивляется Меля Норейко.

— Без диплома нельзя учиться дальше! Не примут ни на какие курсы! — объясняет ей Катюша Кандаурова.

— Ах, убила! — кривляется Меля. — Да не желаю я «учиться дальше»! Семь лет было здесь ученья-мученья, — да еще и опять учиться? Нет, довольно! Я буду помогать папе и тете в ресторане. Буду стоять за стойкой — одета картинкой, хорошенькая, как шоколадная бутылочка с ликером! А потом замуж выйду... Нужен мне этот диплом, как собаке пятая нога! А захочу, так папа мне учителя наймет. За хороший обед — пожалуйста! — можно хоть профессора нанять.

— Да? А у кого нет денег, тем как быть?

— А как хотят, так и будут! Что мне о них волноваться?

— Нет, вы только подумайте! — И Стэфка отмахивается от Мели, как от мухи. — Ну хорошо: директору все равно, он у нас человек новый, он за прошлое не отвечает. Колоде тоже все равно: она просто по глупости ничего не понимает. А Горохов? Что он думает обо всем этом? Конечно, он не виноват — он всю зиму болел. Но ведь нам-то от этого не легче... Маня, ты у Гороховых каждый день бываешь? Что он говорит об этом?

Маня, как всегда, отвечает очень сдержанно:

— Он со мной об этом не говорит.

— А если ты спросишь его?

— Я к нему с разговорами не набиваюсь. Прихожу на урок — Серафима Григорьевича даже не всегда и вижу: он лежит у себя в комнате. Что же, мне его за горло брать?

— Ну ладно! — заключает разговор Варя. — Давайте думать, что́ нам делать, как поступить... Думать будем до завтра. Неужели так ничего и не придумаем?

— А я и думать об этом не стану! — бросает Меля.

— От тебя никто никакой думы и не ждет! Скажите, какой думный дьяк выискался! — сердится Люся.

Меля окидывает нас всех презрительно-величественным взглядом и уходит не прощаясь.

Мы все тоже расходимся в разные стороны. Невеселые, озабоченные. К моему удивлению, Маня идет со мной, хотя живет она в другой части города.

Маня объясняет мне:

— Я к сапожнику. За мамиными ботинками.

И я понимаю: неправда это. Не за ботинками. Во всяком случае, не за одними только ботинками. Удивительная вещь: как легко мы врем «синявкам» и как трудно, как неохотно и бездарно врем друг другу!

Некоторое время мы с Маней шагаем молча. Дойдя до Екатерининского сквера — около костела Святой Екатерины, — мы, не сговариваясь, садимся на скамеечку в боковой аллейке. Я понимаю: Маня хочет что-то сказать мне.

— Шура! — начинает она не сразу. — Я тебе сейчас скажу одну вещь. Даже Катюша этого не знает!.. Ты слушаешь меня, Шура?

Ну конечно, я слушаю. И волнуюсь. Я знаю: не такой человек Маня, чтобы по пустякам разводить таинственность! Наверное, у нее что-нибудь серьезное.

— Шура, я придумала один... ну, словом, одну штучку. С экзаменами все будет благополучно. Все выдержат, понимаешь, все!..

Тут Маня вдруг останавливается. Словно она раздумала говорить то, о чем собиралась сказать мне. Она гладит мою руку и почти шепчет извиняющимся голосом:

— Не сердись, Шурочка. Я скажу тебе это в другой раз. Не сегодня.

В первый раз за всю нашу семилетнюю дружбу я сержусь на Маню.

— Если ты считаешь, что я не достойна твоей откровенности, что я разболтаю, как балаболка... Тогда, конечно, не говори мне ничего! Ни сегодня, ни в другой раз!.. И перестань гладить мои варежки, как будто я злая собака и ты хочешь меня задобрить, чтобы я на тебя не гавкала!

— Шура, как тебе не стыдно! Я говорю об этом только с тобой...

— «Говоришь» ты! — фыркаю я. — Ты же вот именно ничего не говоришь, не хочешь говорить!

— Нет, хочу.

— Так почему ты говоришь: «Ах, я придумала одну штучку», а потом: «Нет, нет, я раздумала...»?

— Не раздумала я. Просто у меня еще не все готово. Я тебе все скажу, все до капельки! Как только будет можно, так сейчас и скажу... Ты мне не веришь?

— Я — тебе? Ох, какая глупая!..

На этом мы и расстаемся в этот день.

Глава двадцать первая
ВОРОТА ПОД РАДУГОЙ

Очень давно — когда я была совсем маленькая — мы с папой ехали за город. Только что перед тем прошел дождик, такой веселый и светлый, что солнце не испугалось его и не спряталось за облака. Солнце смотрело сквозь дождь — оно смеялось, — и от этого на небе заиграла радуга. Ее многоцветные полукруглые ворота перекинулись через все небо, встали одной ногой на склоны холмов, спускающихся к шоссе, а другой уперлись в берег реки. Мы с папой ехали в бричке прямо к этим воротам. Приветливо и широко распахнутые, ворота радуги гостеприимно звали нас: «Пожалуйте! Пожалуйте! Ждем!» Но, сколько мы ни ехали все вперед и вперед, нам не удавалось ни проникнуть под радужные ворота, ни даже подъехать к ним вплотную.

— Ну-у-у... — протянула я недовольно. — Когда же мы въедем в эти ворота?

— А ты умей смотреть! — посмеивался папа.

Я так сильно таращила глаза, чтобы не пропустить минуты въезда под радужные ворота, что не заметила, как заснула, привалившись головой к папиному плечу. А когда я проснулась, радуги уже не было.

— А где же они, ворота? — спросила я.

— Вспомнила! Проехали мы их давно.

Несколько лет я верила, что под радугу можно въехать или вбежать. Потом узнала: нет, нельзя. А теперь — в этом последнем году ученья в институте — меня все время не покидает веселое предвкушение близкой радости. Вот, кажется мне, еще день, еще неделя — ну, может быть, еще месяц, — и я нырну под радужные ворота! Конечно, не буквально: на дворе стоит еще только март — какая радуга в марте?

Откуда это ощущение близкой радости, почему я вдруг вообразила, будто радугу можно догнать или даже войти под нее, не знаю.

Как-то, когда стало известно, что Матвея вместе с остальными 183 киевскими студентами, сданными в солдаты, скоро освободят, и все мы ежедневно ждали его приезда, мы с Катюшей Кандауровой и Гришей Ярчуком шли вместе по улице. Шли и молчали. Был Великий пост, от церквей плыли волны колокольного звона. Издалека, от железной дороги, доносились паровозные гудки. Невозможно было вообразить себе что-нибудь более пленительное, чем чистота этих весенних звуков. Ведь в течение всей зимы они доходили до нас, словно закутанные в вату. А сейчас они звенели гулко, необыкновенно явственно, прозрачно, как незамутненная родниковая вода.

Бывают такие минуты, когда в жизни, как в сказке, все кажется возможным, правдоподобным, ни капельки не удивляет. Так было с нами в этот день. Когда из сизоватого, сумеречного тумана вдруг появился высокий человек, протягивавший руки к нам, мы нисколько не удивились. Правильнее было бы, конечно, сказать, что хотя шел-то он навстречу нам троим, но руки протягивал Кате:

— Катюша... Курносик!

И Катя тоже ничуть не удивилась. Она только выдохнула:

— Матвей!..

И полетела к нему, как тополиная пушинка.

Не сговариваясь, мы с Гришей взялись за руки и юркнули в переулок. Мы долго бежали, чтобы уйти подальше от

Кати и Матвея, чтобы не мешать их встрече, оставить их вдвоем...

Мы напрасно так стремительно убегали от них — они и не думали гнаться за нами или хотя бы звать нас. Наверное, они даже не заметили, что нас вдруг не оказалось больше возле них.

Мы с Гришей остановились, поглядели друг на друга.

— Матвей приехал! — радостно сказал Гриша.

— Да...

А про себя я подумала: «Теперь Матвей и Катюша войдут в счастье, как в ворота радуги».

Минувшим летом, в первый раз за два года, приехала к родителям Лида Карцева. Когда она пришла ко мне, мы так обрадовались друг другу, что сперва долго молчали. Мы только смотрели друг на друга. Смотрели требовательно, придирчиво, словно проверяя по списку памяти — все те же ли у нас лица, глаза, руки... Да, все было то же, и вместе с тем все было чем-то ново! Теперь Лида была выше ростом (как, вероятно, и я), стройнее, чем прежде. Серо-голубые глаза ее смотрели как будто еще умнее, еще глубже. Но это была она, Лида! Я видела это и смеялась от радости. И она радовалась, что я прежняя. Только когда мы заговорили — обе одновременно, — нам показалось, что изменились наши голоса: стали словно ниже. Но и к этой перемене мы привыкли мгновенно.

В ту первую встречу мы говорили с Лидой долго — ведь нам столько надо было рассказать друг другу! «А у нас...», «А у вас...», «А помнишь?..», «А где теперь?..», «А что теперь?..» Говорили и о смешном, и о печальном, о пустяках и о серьезном.

За два года Лида прочитала очень много книг, но беспорядочно: все, что попадалось под руку. У тети-поэтессы — декадентскую литературу. У тети-романистки — классиков, новейшие книги и журналы. В общем, оказалось, что хотя и разными тропинками, но шла Лида с нами в ногу.

И вот от Лиды я услыхала о тех воротах, в которые она собирается пройти... к счастью!

— Он — наш преподаватель! — рассказывала Лида. — Русского языка и словесности...

«Преподаватель»? Я даже испугалась. В моем воображении «преподаватель» — это кто-то из нашей кунсткамеры: это Лапша, или бывший директор Тупицын, или Федор Никитич Круглов, похожий лицом на незлую гориллу, или учитель физики с невкусной кличкой «гиена в сиропе»... Неужели Лида полюбила такого? Брр!

Словно угадав мою мысль, Лида спешит успокоить меня:

— Ему двадцать шесть лет. Всего два года, как он окончил университет. Я дам тебе почитать его книгу о Пушкине... Нет, Шурочка, он тебе понравится — он умный, веселый!

Но как же могло случиться, чтобы воспитанница Смольного института и преподаватель... Где они могли встретиться вне Смольного, познакомиться, полюбить друг друга?

Все это произошло в доме у тети-романистки. Во время прошлогодних рождественских каникул Лида жила у тети. Алексей Дмитриевич приходил к ним часто, водил и возил Лиду по пушкинским местам Петербурга и Царского Села. Они с Лидой вместе бегали на коньках, ездили в театры, бывали в Эрмитаже и музее Александра III.

Каникулы кончились, ученье в Смольном возобновилось — и тут произошел курьез. То есть это как посмотреть: «синявки» решили, что это не курьез, а страшный скандал. Во время каникул Лида и Алексей Дмитриевич совсем забыли, что они учитель и ученица, а не просто знакомые. Встретившись с ним в Смольном (он подошел к ней во время перемены), Лида забыла, что она должна «макнуть свечкой» — сделать реверанс, — забыла, что она должна держаться с ним «по-чужому». Она привычно поздоровалась с ним за руку (то же и при прощании!), и они проговорили целую маленькую перемену (пять минут).

Что тут поднялось! Чего только не наговорили ей классные дамы и начальница Смольного (воспитанницы должны называть ее «маман», то есть «мама»)!

«Как? Вы здоровались и прощались за руку с преподавателе? С чужим мужчиной? Вы разговаривали с ним «сан фасон» (то есть запросто), как с добрым знакомым?»

— Ох, Шурочка, вышел мне этот разговор с Алексеем Дмитриевичем боком! — вздыхает Лида полушутя-полусерьезно.

Не помогли никакие ухищрения «синявок». Конечно, Алексей Дмитриевич не стал больше подходить к Лиде на переменах... Но ведь они любили друг друга, а для того чтобы сказать это глазами, достаточно одной секунды. В заговор вступила тетя-романистка: она передавала письма от Денисова — Лиде и от Лиды — ему. Пасхальные каникулы прошлого года Лида снова провела у тети. Опять они с Алексеем Дмитриевичем встречались ежедневно. Теперь они оба видели перед собой ту радугу, под которую войдут, как только Лида окончит Смольный.

Пребывание Лиды у родителей во время прошлогодних летних каникул пролетело незаметно. Все мы — старые Лидины друзья: Варя, Маня с Катей, Леня, я, — все мы были рады Лиде, чувствовали себя с ней так, словно бы и не разлучались на целых два года.

Накануне своего отъезда в Петербург Лида пришла ко мне в сумерки — посидеть на прощание. Мы сели в моей комнате, как бывало в детстве: вдвоем в одну качалку. Тогда было просторно, теперь стало тесно. Но нас эта теснота не тяготила. Мы сидели, как сестры, так дружно и радостно!

Лида снова рассказывала мне об Алексее Дмитриевиче Денисове. Какой он хороший, талантливый. Одна беда: здоровье у него хрупкое. Слабые легкие...

На прощание я спросила:

— Будешь писать, Лида?

— Непременно! Только не волнуйся, если будут провалы в переписке. В Смольном — как в тюрьме... Какая-нибудь мелочь, пустяк — и я уже разобщена с миром. Тетя больна или уехала на время из Петербурга — и вот уже некому опустить письмо в ящик.

В начале августа Лида уехала в Петербург. Она писала довольно часто, но это были пустые, ничего не значащие открытки. «Крепко целую тебя, дорогая Шурочка! Твоя Лида». А по краю открытки мелконькими буковками: «Тетя Маруся все хворает, я ее совсем не вижу». Или: «Тетя все время на даче, на Черной речке...» Из этого я понимала, что Лиде некому дать письмо для отправки мне. «Значит, и с Алексеем Дмитриевичем Лида не переписывается, бедная!» — думала я. Но мне и в голову не приходило, насколько ей трудно, моей подружке!

Узнала я об этом совершенно случайно. Во время недавних рождественских каникул Ивана Константиновича и Леню осчастливила — наконец! наконец! — сама «тучка золотая»! Впервые за целых три года к ним приехала Тамара.

Трудно описать, как ее приезд взволновал и обрадовал Ивана Константиновича! За эти годы она несколько раз обманывала его и Леню. То обещала «приеду на Рождество», то «ждите на Пасху». Прошлым летом случилось даже, что Тамара написала:

«Мы с тетушкой Евдокией Дионисиевной едем на воды в курорт Карлсбад. Проедем через ваш город в ночь с 15 на 16 июля. Если вам нетрудно, дедушка и Леня, приезжайте повидаться со мной на вокзал. Поезд стоит двадцать минут. Успеем наговориться всласть! Вагон международный 1-го класса».

Иван Константинович так расцвел, засуетился с таким добрым, заботливым теплом, что на него просто приятно было смотреть. Леня тоже был веселый — тут уж никаких сомнений быть не могло: на этот раз Тамара приедет, хотя и на двадцать минут всего! Вот и телеграмма, сообщающая номер поезда и номер вагона!

Поезд должен был прибыть в пять часов утра. Задолго до прихода поезда Иван Константинович и Леня, принаряженные, накрахмаленные, напомаженные, вытюженные, начищенные до блеска, стояли на платформе. Шарафут держал корзину цветов, самую большую, какую удалось достать в цветочном магазине. Леня ждал Тамару с красивой бонбоньеркой, а Иван Константинович — с корзиной фруктов. Они стояли на платформе, смотрели в ту сторону, откуда должен был прибыть поезд, и ждали...

И не дождались!

* * *

То есть поезд-то, конечно, пришел. Но из международного вагона никто не выглянул. Ломиться в поезд, будить спящих пассажиров Иван Константинович и Леня, конечно, не стали. Вагонный проводник на их робкий вопрос: «Не знаете ли, в этом вагоне едет графиня Уварова с племянницей?» — пожал плечами и внушительно сказал:

— Пассажиры изволят почивать. Будить не положено.

Спустя несколько дней от Тамары получили открытку с видом «Шпрудель-Колоннаде» в Карлсбаде. В углу открытки было изображение ласточки, несущей в клюве символ счастья: четырехлистный трилистник. Для письменного сообщения места почти не было.

«Дорогие дедушка и Леня! Какая чепуха вышла с поездом! Не сердитесь. Я нечаянно проспала».

В углу открытки около ласточки было нацарапано:

«Эта ласточка несет вам мои поцелуи!»

Иван Константинович пережил этот случай очень тяжело. Такого глубочайшего равнодушия Тамары к нему и Лене он все-таки не ожидал.

— А к кому и к чему она не равнодушна, эта девочка? — сказал папа. — Впрочем, нет, я не прав: есть в мире одно существо, которое этот вундеркинд Тамара даже обожает: самое себя, свою особу! Если бы эта графиня-тетка внезапно обеднела, потеряла состояние, дома, дачи, имение, деньги, Тамара бы в тот же день упорхнула от нее...

— «По лазури весело играя...» — произнесла я вспомнившиеся мне слова Катеньки Кандауровой, сказанные несколько лет назад о Тамаре.

— Вот именно «по лазури весело играя»! — подхватил папа мрачно. — Она бы и не оглянулась на то место, где осталась ее обедневшая тетушка. Ни одной слезы не пролила бы над ее бедой... Вундеркинд!

Но вот после напрасных, не выполненных ни разу обещаний Тамара в самом деле приехала этой зимой — последней нашей институтской зимой! — на рождественские каникулы к Ивану Константиновичу и Лене.

Я видела ее только *один* раз. Мы с мамой взбунтовались и впервые не согласились идти к Ивану Константиновичу для встречи с Тамарой.

— К Ивану Константиновичу всегда рада пойти! — сказала мама с неожиданным, необычным для нее упорством. — А к Тамаре идти не хочу. Если она помнит нас, если хочет увидеться с нами, пусть приходит к нам.

Тамара в самом деле пришла (вероятно, настояли Иван Константинович и Леня). Они пришли все трое, но говорила одна Тамара. Хорошенькая, прелестно одетая, она трещала обо всем, что угодно, трещала без умолку. Никогда я не слыхала такой неумной, пустой болтовни.

— Ты с Лидой Карцевой в одном классе учишься? — спросила я.

— Увы, в одном! — Тамара сделала гримасу. — С ней ведь беда случилась. Вы слышали?

— Нет, не слыхали. А что?

— Романчик завела. Это Лида-то! Скромница, схимница! И с кем, спросите? С учителем нашим, словесником Денисовым. Правда, он красивый, даже, можно сказать, породистый, но все-таки... И можете себе представить, три месяца назад Денисов заболевает, не ходит на свои уроки, ничего о нем не известно... Ну, Лидочка наша, конечно, в грустя́х! Днем бледна, ночью плачет... И вдруг случайно она слышит разговор двух наших классных дам между собой, надо ж такое! Одна классная дама говорит: «Почему это Денисов не является на уроки?» — «Денисов? — отвечает другая. — Разве вы не слыхали? У него скоротечная чахотка объявилась, он умирает!» И что бы вы думали? — Тамара обводит нас глазами, словно приберегая к концу самый эффектный номер своего рассказа. — Лида Карцева при всех в рекреационном зале слышит этот разговор о своем драгоценном Денисове и — хлоп в обморок!..

Тамара хохочет.

— А дальше что? — спрашиваю я.

— Чего же еще «дальше»? Ромео помирает, Джульетта лежит в обмороке! — веселится Тамара.

Перевожу глаза на Леню. У него горят уши. Он на меня не смотрит...

В тот же вечер мы с Леней бежим к Лидиной маме — Марии Николаевне Карцевой. Она подтверждает рассказ Тамары: Лида в самом деле лишилась чувств, услыхав разговор классных дам.

Лида давно не имела никаких известий о Денисове. На уроки он не являлся. Она знала, что он болен, но чем болен, тяжело ли, не знала: тети-романистки не было в Петербурге.

Мария Николаевна телеграфировала тете-поэтессе. Та обо всем разузнала и сообщила: Денисов в самом деле был очень сильно болен — у него был тяжелый катар легких. Тетя-поэтесса восстановила нарушенную переписку между Лидой и Денисовым. Весной, когда Лида окончит Смольный институт, она и Денисов обвенчаются и поедут на юг — долечивать легкие Алексея Дмитриевича.

— Шельмы-то какие, Лидка и Алексей Дмитриевич! Потихоньку влюбились, обо всем договорились, нам с отцом одно осталось — благословить!

Милая Мария Николаевна! Она остается верной себе. Прелестная, красивая, молодая, глаза мечтательные, а рот — по-детски большой рот девочки-лакомки.

Значит, Лида и Денисов после выпускных экзаменов подадут друг другу руки и войдут в ворота под радугой... Пусть будут счастливы!

Мы идем с Леней домой, Леня очень мрачен. Я не спрашиваю почему...

— Тамарка-то, а? — говорит он с горечью. — Не понравилась она тебе?

Мне очень не хочется отвечать правду. Но ведь иначе — не по правде — мы с Леней друг с другом не говорим.

— Нет, — отвечаю я тихо, — не понравилась.

— Она ведь тоже замуж собирается! — сообщает Леня с какой-то кривой усмешечкой, на которую неприятно смотреть.

— За кого?

— За бульдога. За старого бульдога... У-э-э-э! — Леня делает такую гримасу, словно его тошнит.

— Перестань, Ленька, противно!

— А мне, думаешь, не противно? Она нам с дедушкой фотографическую карточку жениха своего показала. Барон! Такая бульдожина, тьфу!

— Так зачем она? — удивляюсь я.

Леня подражает восторженной интонации Тамары:

— Богач удивительный! Тетушка Евдокия Дионисиевна говорит про него: «Конечно, он не Адонис, но какое богатство!..»

Я молчу.

— Сказать тебе, о чем ты сейчас думаешь? — спрашивает Леня, но уже своим собственным голосом, добрым, чуть насмешливым.

Мы с Леней иногда играем в такую игру: «Хочешь, скажу, о чем ты думаешь?» И ведь очень часто угадываем!

— Хочешь, скажу, о чем ты сейчас думаешь? — настаивает Леня.

— Скажи! — поддразниваю я. — Скажи, давно я глупостей не слыхала!

— Ты думаешь: «Как же так? Лида и Денисов скоро войдут под «ворота радуги»... И Тамара со своим бульдогом — тоже?» Это ты думаешь? Да ведь, ми-и-илая! — вдруг говорит Леня с расстановкой. — Радуга-то ведь отражается и в луже! И в это ее отражение даже легче войти, только, как говорится, ступи ногой — и вошел!

— Нет, Леня, не угадал! Я о другом думала.

— О чем?

— О том, как тебе повезло, что ты с дедушкой остался.

Леня отвечает не сразу.

— А конечно, повезло... — говорит он задумчиво. — Был бы и я такая пустая бутылка, бесструнная балалайка, как Тамара. Но только — надо быть справедливым! — тут не в одном дедушке дело: в друзьях, товарищах, в Александре Степановиче. Да мало ли! В вашей семье — вы же мне как родные! Даже, может быть, в тебе, Шашура... Хотя ты, конечно, личность глуповатая...

Глава двадцать вторая
СТРАДА

Начались экзамены. Письменные.

Мы уже сдали письменный русский. Тема: «Характеристика Бориса Годунова по произведению Пушкина «Борис Годунов».

Сдали мы уже и письменную арифметику, и письменную геометрию благополучно. Правда, это далось с таким напряжением, что, если рассказать, никто не поверит. Впрочем, рассказывать мы никому не собираемся, все это держится в совершеннейшей тайне, и знают эту тайну всего несколько человек. Для остальных, непосвященных, все должно объясняться тем, что мы очень хорошо проводим помощь отстающим.

Всех неуспевающих приходящих учениц мы разбили на группы по десять человек в каждой. С ними еще с начала марта занимаются выпускные гимназисты: решают с ними задачи и примеры. Занятия эти отчасти платные. Ведь нельзя требовать, чтобы, например, Гриша Ярчук — он живет исключительно на свой заработок от частных уроков — даром отдавал нашим неуспевающим два часа своего времени ежедневно! Да еще в такое время, когда у него самого идут выпускные экзамены в гимназии. Поэтому каждая неуспевающая ученица, с которой занимаются в такой платной группе, уплачивает своему руководителю по десять рублей в месяц. С теми же ученицами, кто не может платить, занимаются Леня Хованский и Стэфа Богушевич, тоже ежедневно, тоже по два часа в день, но бесплатно. Ленина группа приходит заниматься к нему домой. Там же — в другой комнате квартиры Ивана Константиновича — дает свои уроки и Стэфа Богушевич. Группе Гриши Ярчука гостеприимно предоставила свою квартиру Варвара Дмитриевна Забелина, Варина бабушка.

Гораздо труднее было наладить все с пансионерками. Пришлось прежде всего просить у Мопси разрешения устраивать ежедневно двухчасовые занятия по математике в самом институте. Подумав, Мопся пошла доложить Колоде и испросить у нее разрешение.

Против всех институтских обычаев, преследующих «действия скопом», разрешение было дано. Ведь случай-то исключительный: с математикой катастрофа! Директор занимался с нами кое-как, затем вовсе умер, потом не было никого, а новый преподаватель почти все время хворал. В результате экзамены на носу, а знаний ни бум-бум!

Пансионерок мы тоже разбили на две группы. С одной группой занимается Лара Горбикова, с другой — Варя Забелина. По их словам, пансионерки знают еще меньше, чем приходящие. Это и понятно. Во время каникул почти все приходящие хоть немножко да повторяют пройденное. А пансионерки, бедняжки, попадая ненадолго домой, хотят только наслаждаться радостью чувствовать себя дома. Они избегают всего, что могло бы напомнить им об институте, ученье, уроках. От этого ли или от чего другого, но среди пансионерок, рассказывают Варя и Лара, иные не знали, что «а», помноженное на 2, составит 2а. И это за полтора месяца до выпускных экзаменов!

— А почему же Маня Фейгель нынче с отстающими не занимается? — удивляется Меля Норейко. — Лара Горбикова у вас профессор, Варя и Стэфка — тоже профессора... А Маню не берете?

— Не берем! — отвечаем мы. — Маня недавно скарлатиной болела, ей нельзя переутомляться: врачи запретили.

На самом деле это не так. Маня не занимается с отстающими по другой причине. Но это та «штучка», которую Маня сама же и придумала. Об этом дальше.

Мы с Люсей сидим в саду около дома, где она живет с матерью. Сад принадлежит домохозяевам, но жильцы имеют право гулять в нем. Мы с Люсей занимаемся, сидя за круглым столом, врытым в землю. Перед нами разложены тетради и учебники. Через два дня письменная алгебра, но мы не работаем. Нам не до того.

Из раскрытого окна доносится тоненький — вот-вот оборвется, как ниточка! — голосок Люсиной мамы, Виктории Ивановны:

> Он уехал, жених! Он — в чужой стороне.
> И вернется сюда он не ско-о-оро...

— Вернется жених не скоро... Вот шельма жених! — бормочет Люся, думая о чем-то другом.

— Арифметику, конечно, сбагрили, геометрию — тоже. А вот как послезавтра с алгеброй будет? — гадаю я.

Голос Виктории Ивановны приближается к нам:

> Он вернется, жених, когда будет весна!
> С солнцем божьим взойдет солнце радости...

— Жених идет! — предостерегает меня Люся.

— «Сколько времени понадобится для наполнения бассейна, если одна труба... а другая...» — говорю я вслух условие задачи.

За моей спиной слышу шажки Виктории Ивановны по песку дорожки.

— А труженицы мои все пишут, все учатся! — И Виктория Ивановна обнимает в одном охвате обе наши головы. — Скоро угощу вас чудным блюдом, называется «гусарская печень»! Рецепт у меня еще от бабушки. Вот была кулинарка, моя бабушка! Столовники сегодня мне ручки расцелуют!

— Фикторий Ифан, — дурачась, пищит Люся с немецким акцентом, — ви мешайт нам работать!

Посмеявшись, Виктория Ивановна возвращается в дом, к плите, — стряпать «гусарскую печень».

— Несчастье с мамой! — Люся не то шутит, не то грустит. — У людей купят печенки, нарежут ломтиками, поджарят с луком, картошкой — дешево и сердито. А главное — все сыты. А нас душат бабушкины рецепты, мы делаем гусарскую печень а-ля гоп-гоп-гоп! Продуктов уходит прорва, а есть эту бурду невозможно...

— Есть еще одно хорошее блюдо: мексиканское тирли-тирли из протертых пупков птицы киви-киви! — напоминаю я Люсе.

По дорожке торопливо идет Стэфа Богушевич. Увидев, что мы с Люсей смеемся, она радуется:

— Ну, слава богу! Маня, значит, принесла?

Стэфа всегда говорит громко. Это у нее такое правило: «Если не приготовила урока и ничего не знаешь, отвечай учителю что хочешь — хоть чепуху, — но громко и очень уверенно: тройка обеспечена!» Это у нее вошло в привычку. Стэфа и сейчас спросила: «Маня, значит, принесла?» — так громко, что в окне немедленно показывается голова Виктории Ивановны.

— Кто пришел?.. Ах, Стэфочка. А где Маня? Что она такое принесла?

Посмотрев на нас с отчаянием, Люся успокаивает мать:

— Фикторий Ифан, ви мешайт нам работать!

— Ну хорошо, не буду, — миролюбиво соглашается Виктория Ивановна, отходя от окна.

— Ну чего ты вопишь, Стэфка? — выговаривает ей Люся шепотом. — У моей мамы слух, как у горной козы! Ты еще ничего не сказала, ты только собираешься сказать, а уж мама слышит! — И еще тише Люся добавляет: — А Мани почему-то все нету...

Но вот наконец и она, Маня! Мы смотрим на нее — и скисаем, как стоялая простокваша.

Маня очень бледная, очень грустная.

— Неудача, Маня?

— Да. Неудача... — Тихие слова Мани слетают еле слышно с ее губ.

— Не дал?

— Не дал.

— А ты у него просила, Маня?

— Нет, не просила. Не такой он человек, чтобы надо было его просить, напоминать ему. Он все сам помнит: и что алгебра через два дня, и что мы ждем... Ничего я ему не сказала, только, прощаясь, посмотрела на него. А он... он отвел глаза.

— Значит, не дает! — заключает Стэфа.

— Значит, не может дать! — поправляет Маня.

— Почему — не может?

— Не знаю. Старшая сестра его, Юлия Григорьевна, — замечательная женщина, она и геометрию мне передала! — вышла сегодня в переднюю провожать меня. Я смотрю на нее, ничего не говорю, она сама все понимает. «Не спрашивайте, говорит, Маня! Ни о чем не спрашивайте!» И ушла в комнаты.

— Но ведь геометрию-то он нам дал! И так хорошо получилось: все, как одна, решили!

— А может быть, именно поэтому? — гадает Маня. — Может быть, начальство стало догадываться? Надо нам и о самом Горохове подумать: если все откроется, он не просто вылетит, а как пробка из бутылки! Его уже никуда не пустят преподавать, ни в одно учебное заведение... А ведь у него семья!

— У кого семья, Манечка? — спрашивает Виктория Ивановна, появляясь в окне.

Маня не успевает ответить. Ее перебивает Люся:

— У Данетотыча, мама, у швейцара нашего. Громадная семья! Жена и восемь человек детей! Они в деревне живут.

— И славные детки? — интересуется Виктория Ивановна.

— Прелестные! — с жаром расписывает Люся. — Все блондины с черными глазами! А у самой маленькой девочки на ручке шесть пальчиков!

Мы от души веселимся: никаких деток — ни с пальчиками, ни без пальчиков — у Данетотыча нет.

— Скажите на милость, шесть пальчиков! — поражается Виктория Ивановна и, спохватившись, спешит к плите, где, может быть, пригорает «гусарская печень»...

— Вот что я вам скажу! — И Стэфа отчеканивает раздельно, упираясь пальцами в круглый стол и покачиваясь в такт своим слезам: — Сейчас... Я... Иду... К нему... К Горохову. Вот!

— И что ты ему скажешь?

— Что я ему скажу? Скажу: «Не-хо-ро-шо!»

— Немного!

— Могу сказать и больше, — продолжает Стэфа. — По арифметике, скажу, мы вас ни о чем не просили, так? Так.

Мы ее еще в младших классах проходили и теперь сами повторили. А по геометрии и алгебре с нами никто не занимался, так? Что же нам — пропадать? Так? Вот что я ему скажу!

— Очень грубо! — сердится Маня. — Грубо и неблагодарно. Он нас пожалел — он дал нам задачи по геометрии. Он многим для нас рискнул! А мы...

Но Стэфа упрямо перебивает ее:

— Нет, я с ним еще о другом поговорю, с Гороховым! Хорошо, скажу, не давайте нам задач по алгебре — ну и что получится? Почти весь класс провалится, так? И тогда, тогда станет ясно, что с геометрией дело было нечисто. Кто-то дал нам задачи — мы и решили. А по алгебре мы задач не получили — ну и утонули, как котята в помойном ведре! Так?

Позабыв всякую осторожность, мы все в запальчивости кричим друг на друга не хуже, чем Стэфка.

Она продолжает вопить:

— Вы как хотите. А я сейчас пойду к Горохову.

— Нет! — останавливает ее Маня. — Нельзя тебе одной идти. Если дело раскроется, скажут: «Какие нахалы эти поляки!»

— Пусть со мной Саша пойдет, — предлагает Стэфа.

— Еще того не легче! — недовольна Маня. — Скажут: «Это все поляки и евреи воду мутят!» Пусть с вами идет кто-нибудь из русских девочек...

— Я! — вызывается Люся.

Уговариваемся: пойдем в пять часов. До тех пор, говорит Маня, у Горохова побывает врач. Еще условливаемся: к четырем часам я зайду за Стэфкой, потом мы вместе с нею забежим за Люсей. И тогда все втроем на Шопеновскую улицу: к Горохову.

В общем, «штучка», придуманная Маней, состояла в том, что Горохов дал ей экзаменационные задачи по геометрии. Она передала их нам, а мы — руководителям всех групп для отстающих.

Эти задачи руководители дали своим ученицам в числе многих других задач — не говоря, конечно, что именно эти задачи будут на экзамене! — чтобы они решили их, разобрали по косточкам, объяснили как можно лучше.

Вот почему Маня не взяла на себя заниматься ни с одной из групп. Этим она оберегала не себя, а Горохова. Ведь если бы эта затея провалилась, если бы начальство дозналось, что мы от кого-то получили экзаменационные задачи, а с отстающими занималась бы и Маня, — сразу стало бы ясно, от кого мы их получили. Именно оберегая Горохова, Маня осталась по виду далека от придуманной ею «штучки».

Дома обедаю, рассказываю маме и папе вкратце, что над нашим классом нависла беда и что мы с Люсей и Стэфкой идем к Горохову выручать класс, добывать задачи. Конечно, мама, по своему обыкновению, делает все возможное для того, чтобы придать мне «приличный вид»: пришивает мне беленький воротничок, заставляет меня надеть новые туфли и — господи, за что мне такая мука?! — лайковые перчатки. С ума сойти, честное слово!

— Мамочка, — пытаюсь я отвертеться от перчаток, — времени у меня в обрез, я уж перчатки по дороге надену, на улице.

— Обещай мне, что наденешь. Обещай!

— Если не надену, пусть шакалы гложут мои кости! Пусть орлы склюнут все пуговицы с моих ботинок! Клянусь...

— «Нет, Шуйский, не клянись!» Сделай мне удовольствие, — просит мама ласковым-ласковым голосом, — надень перчатки сейчас, а то забудешь... По крайней мере, я буду знать, что ты пошла на улицу, как приличная девочка, в перчатках.

Нечего делать — надеваю... Окаянные перчатки, сколько я еще намучаюсь с ними в этот злосчастный день!

Иду сперва за Стэфкой.

Вхожу в квартиру с вывеской на дверях:

ПОРТНОЙ
ВОЕННЫЙ И ШТАТСКИЙ
АНТОН БОГУШЕВИЧ

В первой комнате сам Богушевич, громадный, громкоголосый, как Стэфка, кроит что-то из разложенной на столе материи.

На поклон мой он не отвечает, но молча смотрит на меня выжидающим взглядом.

Хочу пройти дальше, в следующую комнату.

— Вам, паненка, кого надо?

Не узнает он меня, что ли?

— Мне — Стэфу... — отвечаю я очень растерянно.

— Стэфании нет дома.

В ту же минуту кто-то отчаянным, дробным громом стучит изнутри в запертую дверь Стэфкиной комнаты.

— Не верь ему, Саша! — кричит голос Стэфки. — Я здесь. Он меня запер! Не велит мне идти с вами...

— Запер я ее. Да... — мрачно подтверждает Богушевич, с ожесточением кроя ножницами материю. — Я с себя жилы зачем тягну́? Я с себя жилы тягну, чтобы дочка институт ско́нчила, образованная была. А она вот что выдумала!.. И зачем тебе это надо? — кричит он, укоризненно кивая в сторону запертой двери. — Ты же ж сама эту матэматику хорошо знаешь!

— Да-а-а! — всхлипывает за дверью Стэфа. — Я выдержу, а подруги мои пусть пропадают, да?

— Ну, как себе хочешь... — притворно спокойно говорит Богушевич. — А я пойду к вашему директору, все ему расскажу.

— Кого ты накажешь? Себя самого! — кричит Стэфа. — Ну, донесешь ты директору, он меня из института выгонит! И останусь я необразованная!

— Все равно пойду! — упрямо повторяет Богушевич, наклоняя голову, как бык, собирающийся бодаться. — Вот сейчас надену пальто и пойду к директору!

— Татусь! — Стэфка с силой стучит в дверь. — Если ты донесешь директору, я повешусь! Як бога кохам, повешусь! Вот здесь, в моей комнате, сниму с крюка лампу и вместо нее повешусь!

Богушевич смотрит на меня огорченными глазами.

— Она может... — шепчет он мне. — Она всякое галга́нство (окаянство) может... А ваш папаша, паненка, он знает, куда вы идете?

— Конечно, папа знает!

— И пускает вас?

— А как же не пустить?

Минуту-другую Богушевич молчит. Потом вздыхает. Потом поворачивает ключ в замке запертой Стэфкиной двери.

Стэфка влетает в комнату такая заплаканная, что у нее не видно глаз. Она бросается на шею отцу — и оба плачут. (Они очень нежные, отец с дочкой, хотя с утра до вечера только и делают, что грызутся и наскакивают друг на друга, как кошка с собакой!)

— Но, но... То иди уже себе! — разрешает Богушевич, утирая большим клетчатым платком свои и Стэфкины слезы. — Иди, наказанье мое!

— Куда я пойду, татусю, старый ты галган (окаянец, разбойник)? Куда я пойду, ведь я два часа сидела запертая и вся распухла от слез! Видишь, татусю, Саша даже новые перчатки надела, чтоб к Горохову идти!

— Надень и ты, пожалуйста! Нет у тебя перчаток, что ли?

— Не могу я идти, когда я такое чупира́дло (чучело)! Нет уж, иди ты, Саша, иди с Люсей без меня!..

К Люсе я спешу почти бегом. Столько времени потеряно у Стэфы!

В саду, около круглого стола, Люси нет. Вхожу в дом. В углу длинной облезлой кушетки сидит Люся, поджимая под себя ноги в одних чулках. Мрачная — у-у-у! Сентябрь сентябрем!

— Люська, — пугаюсь я, — ты что?

— Ничего! — отвечает она с таким видом, словно я перед ней ужас как виновата.

— Почему ты такая?

— Какая еще — такая? Какая есть, такая есть...

— Брось глупости, уже без двадцати минут пять!

— А вам бы прежде думать. Раскричались, раскудахтались под окном! Думаете, кругом одни глухие? Нет уж, ступайте со Стэфкой без меня.

— Стэфка не может идти.

— Почему?

— По дороге расскажу, сейчас некогда. Идем!

— Да не могу я идти! — рыдает Люся.

И такое же эхо раздается из соседней комнаты. Голос Виктории Ивановны пытается запеть: «Он уехал, жених...» — и обрывается рыданием.

— Ага, теперь она плачет! — шепчет Люся. — Как я с тобой пойду, когда она мои туфли в шкаф заперла!

— И заперла! — отзывается из соседней комнаты Виктория Ивановна. — И еще запру, и всегда буду запирать! Ах, ах, «мы к Горохову пойдем! Задачу просить»! А вы своего Горохова знаете? А вдруг он полицию позовет, чтобы вас арестовали?

— Нет уж, Саша, — заявляет Люся нарочно громко, явно не для меня, а для Виктории Ивановны, — ступай уж ты одна... — И тут же шепотом: — Я босиком побегу, в одних чулках... Пропадай моя телега, все четыре колеса. Ну, простужусь! Ну, околею! Наплевать!

И Люся выпрыгивает в одних чулках через раскрытое окно прямо в сад. Мне остается только последовать за ней — уже без четверти пять.

Заворачиваем с Люськой за угол дома. И тут из другого раскрытого окна в нас летят две бомбы. Это Виктория Ивановна выбросила нам вслед Люсины туфли. Одна из них попадает Люсе прямо в голову, другая повисла, зацепившись за ветку, и раскачивается на кусте крыжовника.

— Фикторий Ифан! — кричит Люся, обуваясь. — Я фас фсю жизнь обожаль и буду обожать!

Мы бежим, но Люся вдруг останавливается.

— Фу ты, черт! Она мне одну мою туфлю выбросила, другую свою... Бестольковый Фикторий Ифан!

— Возвращайся, перемени!

— Ох, нет, дураков нет! Она меня уже не выпустит!

Нельзя описать, до чего комично выглядит Люся, култыхаясь по улице в чужой туфле!

Виктория Ивановна ростом ниже, чем Люся, ноги у нее тоже соответственно меньше, чем Люсины. Материнская туфля то соскальзывает с ноги и отлетает вперед, то Люська возит этой ногой, прижимая подошву к тротуару. Прохожие оглядываются на нас с удивлением: я в идиотски-желтых лайковых перчатках, Люся тащит ногой свою правую туфлю, как козу на веревке. Вероятно, это страшно смешно. Но нам с Люсей не до смеха: мы опаздываем к Горохову.

— Ох, чертобесие! Ох, чертобесие! — с отчаянием стонет Люся всякий раз, когда ее туфля отскакивает в сторону, как резвый жеребенок, играющий с матерью.

У Горохова мы ведем себя поначалу до невозможности глупо. Люся стоит перед ним на одной ноге. Я, конечно, забыла снять свои ненавистные перчатки и важно подала Горохову лапу в желтой лайке. Потом, спохватившись, стала стаскивать их с рук и положила на стул.

Мы стоим перед Гороховым и молчим. Понимаем, что наше поведение просто невежливо, но не можем себя заставить разомкнуть уста.

Горохов — милый, добрый человек! — хочет нас подбодрить. Он улыбается, подает нам стулья:

— Ну, выкладывайте!

Тут Люся вдруг выпаливает:

— Мы к вам пришли... Ну вы сами понимаете!

Горохов становится серьезным:

— Нет, не понимаю. В чем дело?

— Нас послали...

— Кто послал?

— Мы хотим вас просить... — вступаю я в разговор. — Вы уже раз давали нам...

— Что я вам давал? — хмурится Горохов. — Когда? Я вас вижу здесь в первый раз.

Мы гибнем! Не можем придумать, как, какими словами выразить свою просьбу.

В сказках тут полагалось бы случиться чуду. Но мы не в сказке, чудес не бывает. В довершение всех бед Люся вдруг видит в зеркале свое отражение. Пока мы бежали по улице, ей было не до отражения в витринах и зеркалах. Увидев себя, Люся приходит в ужас — она подхватывает в руки мешающую ей туфлю Виктории Ивановны, опрометью бежит к двери и, не простившись, убегает.

Здрасте! Я осталась совсем одна.

И тут — наконец! — случается чудо!

— Симочка... — слышится в дверях ласковый голос. — Ступай, Симочка, ляг. Я тут все скажу без тебя.

В комнату входит высокая красивая молодая женщина. Около нее, тесно прижимаясь к ее руке, стоит милая девочка в очках.

Серафим Григорьевич радуется их появлению, как утопающий спасательному кругу.

— Познакомьтесь: мои сестры. Юлия Григорьевна и младшая наша — Дося... А я, простите, в самом деле пойду лягу.

Оставшись с Юлией Григорьевной и Досей наедине, я немного прихожу в себя.

Для того чтобы окончательно «разговорить» меня, приободрить, Юлия Григорьевна задает мне несколько вопросов — посторонних, не относящихся к экзамену по алгебре. Я отвечаю. Становится уютно, как дома. Мы смеемся над тем, что смешно. Становится почти весело.

— Досенька, детка, уроки у тебя сделаны?.. Так ступай, девочка, ступай заниматься.

После ухода Доси Юлия Григорьевна говорит мне негромко:

— Вы напрасно заговорили с братом. Он об этом ничего не должен знать. И по геометрии задачи давала Мане я... — Она ненадолго замолкает, потом добавляет еще тише: — Сейчас дам вам алгебру.

Прижимая к груди драгоценную алгебру, спускаюсь бегом по лестнице. Вдруг за мной дробно-дробно бегут чьи-то шаги. В уме мелькает: «Раздумала! Бежит за мной, чтоб взять обратно!» И хотя эта мысль совершенно нелепая и я отлично сознаю это, но все-таки я припускаю рыси. Преследователь тоже ускоряет бег. Вылетаю из подъезда и мчусь галопом вниз, по Шопеновской улице. К счастью, из-за угла выезжает похоронная колесница, за нею — толпа провожающих ее людей. Это останавливает мой марафонский бег.

Меня догоняет раскрасневшаяся, запыхавшаяся младшая сестра Горохова Дося:

— Вы забыли у нас перчатки... — И она протягивает мне эти стократ проклятые орудия пытки из желтой лайки.

«Никогда! Никогда в жизни! — яростно обещаю я самой себе. — Умирать буду, а перчаток не надену!»

Глава двадцать третья
«ЗЕЛЕНАЯ УЛИЦА»

Идут экзамены. Волнения, сильнейшее напряжение всех сил, бессонные ночи. Одуряющая, отупляющая зубрежка. Иногда мне кажется, что я набиваю мозги колбасным фаршем из цифр, дат, имен, правил, законов природы!

Все это воздвигло какую-то стену между нами, учащимися, и окружающим миром. Что происходит по ту сторону стены, нам неизвестно. Мы не общаемся ни с кем, кроме наших друзей гимназистов, а они живут в такой же оторванности ото всего, в таком же отупении от зубрежки, как и мы.

Мои ученики, наборщики Азриэл Шнир и Степа Разин, временно перестали ходить ко мне на уроки: очень, говорят, заняты. Прервал занятия с нашим кружком и Александр Степанович. Как-то, встретив меня и Люсю случайно в Екатерининском сквере, он очень обрадовался нам. А уж как мы-то ему обрадовались! Мы садимся все трое на лавочку, чтобы немножко поговорить. Александр Степанович расспрашивает обо всех участниках кружка, о том, как идут у нас экзамены.

— Скоро, — говорит он, прощаясь с нами, — скоро, надеюсь, стану посвободнее. А сейчас — уж не сердитесь! — занят, ну, просто выше головы!

Пожав наши руки, он торопливо уходит. Как всегда, очень худой и бледный, он, быстро растаяв, исчезает в сумеречной сизи.

Вечерний туман сходит на землю, как «дымный занавес» в театре. От этого все вокруг кажется ненастоящим, как театральные декорации.

Люся вдруг говорит:

— Мне почему-то сейчас показалось: больше я Александра Степановича не увижу...

— Не болтай вздора! — сержусь я.

— Предчувствие у меня... — оправдывается Люся.

— Предчувствие у нее! С этими экзаменами мы понемногу превращаемся в настоящих психопаток!

У меня нет таких мрачных предчувствий, как у Люси, но мне вдруг становится грустно: почему мы с Люсей не сказали Александру Степановичу, что мы его часто вспоминаем, что нам скучно без занятий с ним? Ему это, наверное, было бы приятно.

Потом идем к Люсе и всю ночь готовимся к экзамену по истории. Уместились в Люсиной комнате на удивительно неудобной кушетке, облезлой и закругляющейся, как любимый кот Виктории Ивановны, Султан, когда он потягивается, выгибая спину в виде вопросительного знака. Лихорадочно листаем учебники, задаем друг другу вопросы.

— Теперь ты, Люся! — предлагаю я сонным голосом. — Кто был римским императором после Нервы?

Люся совсем спит.

— После императора Нервы... или Минервы? Нет, нет, Нервы... Он, наверное, очень нервный был, как ты думаешь, Ксанурка?

— Спроси об этом завтра экзаменаторов. А теперь отвечай на мой вопрос!

— После Нервы, — вздыхает Люся, — императором был этот... ну, вот... как его? Ага, Урлапий.

— Какой Урлапий? — смеюсь я.

— А, вспомнила, вспомнила! Его звали Ульпитрий.

— Ульпий Траян, а не Ульпитрий! Люська, не спи. Ведь провалимся!

— Так, господи, а я что говорю? Это самое... Вот именно — Пирлитрий!

— Ульпий Траян, а не Пирлитрий.

— Вот-вот, именно Траян! Откуда ты еще какую-то Ульпу взяла? Траян, просто Траян, и никаких. И он еще воевал с даками. А кто такие были даки? Что-то я запамятовала... А, знаю, они жили в Дакии!

В этой тяжелой борьбе со сном мы видим в окно, как небо побелело перед рассветом — «умывается молоком».

Мы в полном изнеможении. Так же как Люся называла Ульпия Траяна — Урлапием, так и я вдруг начинаю путать императора Каракаллу с кораблем-каравеллой, на котором Колумб плыл в Америку.

Солнца еще не видно, но оно уже близко, оно начинает золотить маленькие розоватые ноздри цветочков смородины. Мы закрываем учебники — можно поспать часа три-четыре. Спим в одежде — жалко тратить хоть минуту на раздевание.

Я засыпаю тотчас же. Но — вот несчастье! — на Люсю как раз в это время нападает охота говорить о своих сердечных делах.

— Как ты думаешь, Ксанурка?

— М-м-м...

— Ксанурка, ответь мне только на один вопрос!

— На один? Пожалуйста...

— Владя Свидерский сделает мне предложение этим летом? Как тебе кажется?

Ну что может мне казаться? Я никогда не видала Владика Свидерского. Он живет в другом городе. Порой у меня мелькает подозрение, что Владя Свидерский существует только в Люсином воображении. Ну могу я знать, сделает он Люсе предложение стать его женой? Но я так мучительно хочу спать, так мечтаю, чтобы Люся прекратила свои вопросы, что с жаром уверяю ее:

— Сделает, Люсенька! Непременно сделает!

— Что сделает? — строго допытывается Люся.

— Предложение.

— Кто сделает?

— А вот этот... Федя Бендерский.

— Не Федя Бендерский, а Владя Свидерский. А почему ты так уверена, что он сделает предложение?

Но я уже сплю таким каменным сном, что больше от меня ничего не добьешься. Сама Люся засыпает, вероятно, на одну только минуту позднее, чем я...

Назавтра мы сдаем историю на пятерку. Мы, оказывается, спотыкались и путали только ночью, со сна, а при дневном свете вспомнили все самым лучшим образом.

После экзамена всей компанией — Люся, Маня, Катюша, Варя, Стэфа, Лара Горбикова, я — позволяем себе роскошь пожить жизнью миллионеров! Встретив в Ботаническом саду Андрея-мороженщика, покупаем в складчину мороженое. Мы сидим на нашей любимой скамье — у подножия Замковой горы, под огромным каштановым деревом, похожим на каравеллу, распустившую паруса.

Здесь нас находят наши друзья мальчики — Леня, Гриша, Макс. Они тоже сдали сегодня очень трудный экзамен — греческий язык, — сдали хорошо, и потому они так же веселы и счастливы, как мы.

Наговорившись, нахохотавшись, нагулявшись, мы стихаем, приумолкаем. Сказываются усталость, бессонные ночи, волнение, пережитое на экзамене. Идем домой, вяло перекидываясь словами. Спать, спать, спать...

Поднимаясь по нашей лестнице, думаю с удивлением: «Странно... Из чего же это сделаны мои ноги, что их так трудно передвигать? Свинцом их налили, что ли?»

Еле добредаю до постели — и проваливаюсь в сон, успев только подумать: «Ох, как хорошо!»

Просыпаюсь уже в сумерки. Славно поспала! И все-таки, видно, еще не досыта; с удовольствием проспала бы еще столько же.

В самом веселом настроении выхожу в столовую.

И сразу чувствую: что-то не то. Об этом говорит и круглая совиная голова доктора Финна, появляющегося лишь в дни грозных событий, и встревоженные лица мамы, папы, Ивана Константиновича.

Леня уводит меня в соседнюю комнату.

— Знаешь, ведь сегодня Первое мая!

— Как — Первое мая? Сегодня восемнадцатое апреля!

И сразу вспоминаю, что это по новому стилю. И это уже было — давно, в детстве, когда в первомайскую демонстрацию, по выражению Юзефы, казаки людей, «як капусту покрошили», когда арестовали моего учителя Павла Григорьевича...

— Сегодня была рабочая демонстрация, — говорит Леня. — Короткая, но народу было много, пели «Рабочую Марсельезу», несли красное знамя, кричали «Долой самодержавие!», «Да здравствует революция», «Да здравствует социал-демократия!»...

Леня умолкает.

— А дальше что было?

— Ну, «что было»! — хмуро отвечает Леня. — Как всегда. Городовые, казаки, нагайки. Потом оцепили демонстрантов, увели их в полицию. Говорят, что...

Леня не успевает кончить фразу — в комнату быстро входит Варя Забелина, запыхавшаяся, встревоженная.

— Варя, ты откуда?

— Я с черного хода пришла. Шура, попроси своего папу выйти ко мне на минуту. Только скорее, пожалуйста, как можно скорее!

Привожу папу.

— Яков Ефимович, — просит Варя, — пойдемте со мной к нам! Пожалуйста, пожалуйста...

— С бабушкой что-нибудь?

— Нет, не с бабушкой. С Александром Степановичем.

Оказывается, Александр Степанович шел в шеренге демонстрации рабочих. Удар казацкой нагайкой сбил его с ног. Его подхватили шедшие рядом Шнир и Степа Разин. Они вывели его из толпы — ее уже стали оцеплять полицейские и казаки. Степан и Шнир вытащили Александра Степановича в переулок и довели, вернее — донесли до домика Забелиных. Бабушка Варвара Дмитриевна уложила Александра Степановича и послала Варю за папой.

— Пожалуйста, Яков Ефимович, дорогой! Пожалуйста...

— Да что ты меня умоляешь, чудачка? Разве я упираюсь? Сейчас пойдем, только инструменты захвачу.

Папа возвращается от Забелиных не скоро. Об Александре Степановиче говорит:

— Не знаю, не знаю... Очень нехорош!

Папа привел с собой Шнира и Разина. Они остаются у нас ночевать.

Ночь проходит тревожно. Никто не спит.

Утром выясняется — Шнир и Разин ушли так тихо, что никто не заметил. Папа страшно сердится: почему их не удержали?

— Как можно было их отпустить? В городе, наверное, идут аресты. Я хотел, чтобы они отсиделись у нас...

Юзефа приносит с базара новость: рано-раненько — еще не развидняло — в полицию погнали большие возы, груженные свежими розгами...

— Кто вам сказал, Юзефа, про эти возы?

— Люди говорят!

— Может, неправда?

— Люди всегда правду говорят!

...Сижу у себя, готовлюсь к экзамену по французскому языку. Повторяю неправильные глаголы: «иметь»... «быть»... «хотеть»... «знать»... А перед глазами все время одно: в мирном розовом утре плывут, покачиваясь, как лодки на реке, возы с тонкими весенними березовыми ветками, нежно-зелеными от первой листвы. Это и есть она — «зеленая улица», воспетая в солдатских песнях. Российская порка!

Ужасно думать: если сегодня схватили Шнира и Разина, то и их тоже...

Когда вырывают зуб — это больно. Очень. Но если удалять зуб с перерывами, в течение целого дня, рывками, а зуб все торчит невыдернутый, все сильнее болит, — это, наверное, невыносимая пытка! Когда внезапно узнаешь что-нибудь такое, от чего с трудом удерживаешься на ногах, это, вероятно, очень страшно. Но если пытка постепенного узнавания длится целый день, и вечер, и еще утро... Узнаешь о случившемся по клочкам и обрывкам слухов, склеиваешь эти обрывки в единую картину, от которой трудно дышать... Этого уже, верно, никогда не забудешь!

Вот так узнаем мы о «зеленой улице», по которой в полиции прогнали арестованных участников вчерашней рабочей демонстрации.

Экзекуция, как это называется в официальных донесениях, происходила в торжественной обстановке: в присутствии высокого начальства — губернатора фон Валя и полицеймейстера Назимова, — ну и, конечно, врача Михайлова (помилуйте, мы порем гуманно: под наблюдением врача!). Все эти люди — губернатор, полицеймейстер, прокурор и врач — выдержали трудный экзамен *на звание палача*. Они выдержали его отлично. Они присутствовали при экзекуции от начала до конца, с утра до самого вечера, — никто из них не ушел.

Кроме этих высоких гостей, при экзекуции присутствовали приставы, околоточные, городовые, казаки и восемь пожарных с брандмейстером.

Первого из арестованных участников демонстрации раздели и положили на скамью лицом вниз. Один казак сел ему на плечи, другой — на ноги. Два казака, вооружившись розгами, встали по обе стороны от наказуемого и приготовились хлестать его по обнаженной спине.

Спокойно и буднично губернатор фон Валь приказал:

— Сечь медленно!

Каждый из наказываемых получал, смотря по выносливости, от двадцати пяти до пятидесяти розог. Казаки били так сильно, что после десятого удара, нанесенного гибкой, упругой розгой, от нее оставался только голый прут — без листьев и без коры.

Многие истязуемые через некоторое время теряли сознание. Таких приводили в чувство, обливая водой, а затем продолжали порку. Один терял сознание дважды — после десятого и после семнадцатого удара!

При вторичном обмороке к нему подошел полицейский врач Михайлов. Пощупал пульс и сказал:

— Ничего, выдержит! Можно добавить ему до полной порции.

И истязаемому «додали» остальные восемь ударов: до двадцати пяти.

Некоторые под розгами кричали от боли. Большинство переносило истязание без криков. Были такие, что вынесли по пятидесяти розог, не издав и стона.

Один из высеченных, поляк-рабочий, погрозил фон Валю кулаком. Его избили снова. С трудом поднявшись после вторичной порки, он повернулся к фон Валю окровавленной спиной и сказал:

— Ты, волк!.. Хочешь крови? Нá, пей!

Его высекли в третий раз. Только тут он потерял сознание.

— Неужели это возможно? — спрашивает кто-то из находящихся у нас и слушающих рассказ о розгах в полиции. — Разве могут люди удержаться от крика под такой пыткой?

— Могут! — говорит папа. — Я вижу это часто при операциях. Есть люди, которые не кричат даже в самых страшных мучениях. Мне кажется, это бывает, когда какое-нибудь чувство пересиливает физическую боль... Мать не кричит, чтобы не испугать детей. Муж удерживается от криков — щадит жену. А тут, в полиции, избиваемым, наверное, помогала ненависть. «А, вы мучаете меня, вы хотите моего унижения перед вами, моих криков и слез, так вот нет, не дождетесь вы этого!..»

Когда экзекуция была закончена, фон Валь сказал истерзанным людям:

— Ну вот, вчера вы поздравили меня с Первым мая, а сегодня я поздравил вас.

Кто-то из арестованных крикнул фон Валю:

— Ты еще свое получишь!

Бросились искать крикнувшего, но не обнаружили.

Умер Александр Степанович.

Его больное сердце не выдержало удара нагайкой, падения на землю. Хоть и бережно несли его Шнир и Степа, но в иные минуты, когда вдали начинали маячить фигуры полицейских, приходилось прислонять Александра Степановича то к стене, то к дереву или забору. Пусть полицейские думают, будто три человека остановились на минуту, гуляя, беседуя.

Когда Александра Степановича внесли в домик Забелиных, он был еще жив. Он еще узнал папу, которого привела Варя. Он улыбнулся папе, даже попытался пожать ему руку.

После Александра Степановича не осталось никакого имущества. Потертый костюм был его единственным костюмом. Единственными были и пальто, и старая, измятая шляпа, и стоптанные ботинки. В кармане у него нашли кошелек — в нем было восемь рублей семьдесят копеек. Как профессиональный революционер, Александр Степанович жил на крохотную сумму, получаемую из партийной кассы.

В момент смерти у Александра Степановича не было постоянного жилья. Готовя первомайскую демонстрацию, ожидая возможного — даже вероятного — ареста, он съехал с квартиры, где жил. У него не было в эти дни даже имени: он перешел на нелегальное положение и жил по фальшивому паспорту. Странная случайность: паспорт этот был выдан на имя дворянина Семена Ивановича Забелина, приезжего из Калуги. Это обстоятельство облегчило положение Варвары Дмитриевны Забелиной. На вопросы полиции, кто был человек, скончавшийся в ее доме, и какое он имел отношение к ней, Варвара Дмитриевна показала, что умерший был якобы дальний родственник ее покойного мужа — Забелин. Он-де приехал из Калуги, но по дороге с вокзала натолкнулся на демонстрацию и в свалке был сшиблен с ног. Еле добравшись до ее дома, он слег и скончался.

Хоронили мы Александра Степановича в тихий весенний вечер. Только тут стало видно, что этот человек, добровольно обрекший себя на нищенское существование, был несказанно богат: его любило, уважало, горько оплакивало множество людей! Всю длинную дорогу от домика бабушки Варвары Дмитриевны до кладбища гроб несли на руках. Были, конечно, все члены нашего кружка, много незнакомых нам учащихся разных учебных заведений нашего города. Больше всего было рабочих.

Над свежей могилой поставили простой белоооструганный крест с надписью:

АЛЕКСАНДР СТЕПАНОВИЧ

Надпись сделали неправильно — слишком близко к правому концу перекрестия. Из-за этого у левого конца оказался пробел размером буквы на три. Тогда кто-то прибавил к надписи эти три недостающие буквы: НАШ.

Вся надпись получилась теперь такая:

НАШ АЛЕКСАНДР СТЕПАНОВИЧ

Для всех, кто шел за гробом Александра Степановича и стоял у свежей его могилы, — для всех нас он был именно НАШ.

Степу Разина и Азриэла Шнира несчастье с Александром Степановичем спасло от расправы в полиции. Пока они выносили Александра Степановича из толпы и доставили его к Варваре Дмитриевне Забелиной, толпу демонстрантов оцепили и увели.

Но Степан и Шнир пригодились для другого дела...

Через несколько дней социал-демократические группы — польская, литовская, русская, еврейская — выпустили прокламацию на четырех языках:

«Товарищи рабочие!

. . . .

В наш край, где живут презираемые правительством поляки, литовцы, евреи, оно посылает Муравьевых и фон Валей — извергов, которых нельзя послать в другие места. Удивительно ли, что у нас имели место те ужасы, какие мы пережили 18 и 19 апреля, что у нас применили такое отвратительное, позорное наказание, как розги?

Но опозорены не мы. Несмываемое пятно позора легло только на самодержавие и его гнусных слуг. Теперь общественное мнение за нас, и все возмущение направлено против фон Валя и его прислужников!

Мы выставляем к позорному столбу губернатора фон Валя, полицеймейстера Назимова, доктора Михай-

лова, давшего свое ученое благословение на экзекуцию, приставов Снитко и Кончинского, околоточного Мартынова, городовых Цыбулъского и Милушу...

Мы говорим этим людям: «Все вы равно виноваты, одинаково достойны вечного презрения. Каждого из вас настигнет месть! Ваши имена будут прокляты во веки веков!»

Комитет социал-демократической партии Польши.

Комитет Литовской социал-демократической партии.

Группа Российской социал-демократической рабочей партии.

Социал-демократический комитет бунда».

Эти прокламации набирали и печатали Степа и Шнир. В распространении их, разноске по лестницам и квартирам, расклейке на стенах и заборах помогали все мы.

Глава двадцать четвертая

ЧЕРНЯВЫЙ ХЛОПЧИК

Дни, наступившие после событий 18—19 апреля, какие-то странные. Внешне как бы полное успокоение. Город живет обычной жизнью. На улицах, как всегда, людно. Магазины и рынки торгуют. Работают фабрики. Все делают свое дело. В том числе и мы, учащиеся, — сдаем экзамены, зубрим, волнуемся.

Но во всем этом есть скрытое напряжение. Все словно ждут чего-то, что неизбежно должно случиться!

Первого мая, спустя тринадцать дней после событий 18—19 апреля, напряжение ощущается особенно сильно. Будет или нет новая первомайская демонстрация? Об этом с волнением думают и друзья революционеров, и их враги.

Будет — не будет? Будет — не будет?

Но день Первого мая проходит в полном спокойствии. В стане врагов это вызывает ликование. Не знаю, чем проявляют это ликование губернатор фон Валь и его соратники — его «совет нечестивых!» — но Юзефа слыхала, как дежурный городовой на рынке похвалялся открыто, вслух:

— Ишь как врагов царевых приструнили! Всыпали им жару на подхвостницу — они и носу на улицу не кажут! Спужались!

А люди все-таки ждут... Чего?

«Каждого из вас настигнет месть!» Эти слова из прокламации все читали, и этой угрозе всем хочется верить! Из уст в уста передается фраза: «Не пройдут фон Валю даром эти розги!» О полицейском враче Михайлове люди распускают всякие басни. Особенным успехом пользуется рассказ, будто революционеры напали на него ночью, в пустынном месте, сильно избили, причем один из них от времени до времени будто бы считал у Михайлова пульс и говорил остальным: «Ничего, выдержит! Добавьте ему до полной порции!» Все — и те, что рассказывают, и те, что слушают этот рассказ, — знают, что это выдумка, этого не было... Но какое удовольствие и рассказывать про это и слушать!

Упорно держится слух, будто в Петербург доложено о событиях и настроениях в нашем городе:

«Здесь создана группа из поляков и евреев — их человек 8—10, они вооружены револьверами и кинжалами, следят за фон Валем...»

Никто не знает, правда это или нет, но это может быть правдой, — это тоже радует людей!

Такая накаленная атмосфера выматывает душу хуже, чем болезнь, хуже, чем случившаяся уже беда. А нас, выпускных, это угнетает и отупляет больше, чем экзамены.

— Ну что вы все ходите, как в воду опущенные?! — сердится папа. — Сегодня воскресенье — ступайте куда-нибудь! Хотя бы в цирк, что ли. Эх, стыдно сказать — десять лет собираюсь я в цирк и не могу: больные не пускают!

Послушавшись папиного совета, Иван Константинович посылает Леню взять на вечер ложу в цирк. Ложу — это потому, что Иван Константинович надеется: а вдруг случится чудо — и его старый друг Яков Ефимович освободится раньше и придет вечером в цирк? Хоть попозднее, хоть в середине представления!

До начала циркового представления мы ходим по только что открытой ежегодной ярмарке. Новенькие ее ряды, пахнущие свежим тесом и краской, выстроены на базарной площади, рядом с цирком. Мы, дети, всегда радуемся ярмарке. В однообразной жизни провинциального города словно распахиваются окна в далекий мир, другие города, другие климаты и широты. Волга приветствует нас в лавке ярославца-мороженщика Шульгина. Из лавки Масюма Хабибуллина пахнет вкусным запахом казанского мыла всех цветов радуги: зеленого — хвойного, земляничного — розового, белого — из черемухи, лилового — из сирени. Еще торгует Масюм Хабибуллин яркими татарским халатами, пестрыми тюбетейками, шитыми золотом мягкими туфлями-чувяками. В другой лавчонке — хирургически чистенькой — две аккуратные остзейские немочки предлагают вниманию покупателей пряники из Митавы и мятные лепешечки «пепперминт-бомбон». В ташкентской лавке люди в чалмах предлагают изюм-сабзу, сушеные абрикосы, чернослив, шепталу́, а сам владелец лавки, маленький старичок-сморчок, сухонький, как предлагаемые им компоты, продает «ви́хель-хвост» и «пы́жмы от молей» (очень действенные и невыносимо вонючие средства против моли). Ласковый старичок-сморчок, увидев среди нас моего брата Сенечку, закивал седенькой головкой, зацокал языком:

— Ай, ай, ай! Беленький мальчик, волоса́ золотой, такой миленький, ки́санька-соловейчик! — И, подавая ему крупную черносливину, говорит словно поет: — Ку́ший, мальчик, ку́ший! Расти большой-большой!

Сенечка взял черносливину, шаркнул ножкой, поблагодарил:

— Мерси!

Но мысли Сенечки не здесь, и мечтает он не о черносливе, а о том, что́ он сегодня увидит — в первый раз в жизни! — в цирке. Больше всего Сенечка боится опоздать к началу циркового представления. Он поминутно смотрит на маму умоляющими глазами.

— Мамочка... а не опоздаем мы?

Из-за Сенечки мы приходим в цирк едва ли не первые. Но Сенечка счастлив. Не беда, что еще ничего не представляют, — тут и без представления масса интересного. Как удивительно зажигают цирковые лампы! Много десятков огромных — не таких, как дома! — круглых керосиновых ламп спускают на цепочках с потолка, зажигают и тем же путем поднимают обратно к потолку... Ну, где еще такое увидишь? В цирке и пахнет не так, как дома. Чем это пахнет?

Расширив ноздри, Сенечка шепотом определяет цирковые ароматы:

— Песком... Лошадками... Зверями...

Начинается представление. Оно прерывает знакомство Сенечки с цирковыми лампами и запахами.

Под бравурную музыку на арене появляются униформисты — цирковые служители — в одинаковых фраках, обшитых серебряным позументом. Униформисты выстраиваются двумя шпалерами. В раздвинутый на две стороны цирковой барьер выходит на арену владелец цирка — господин Чинизелли. Он снимает с головы ослепительно сверкающий цилиндр и, как хозяин, молчаливым поклоном приветствует собравшуюся в его цирке публику. По давным-давно заведенному обычаю публика отвечает ему аплодисментами, но...

Но сегодня торжественный выход на арену господина Чинизелли срывается... Внимание зрителей, начавших было аплодировать ему, переключается на другое: одновременно с выходом на арену хозяина цирка в губернаторской ложе появляется хозяин города — губернатор фон Валь. Аплодисменты, начавшиеся было в адрес господина Чинизелли, стихают, рассыпаясь брызгами, как пролитая вода.

Весь цирк, все глаза смотрят на губернатора фон Валя.

А на что тут смотреть? Смотреть-то, собственно, и не на что. Обыкновенный генерал в светло-серой жандармской шинели. Обыкновенное лицо, хорошо раскормленная ряшка «его высокопревосходительства» — ни мыслей, ни чувств. О, такой вполне мог с утра до вечера смотреть на кровавую расправу над безоружными рабочими! Наверное, он совершенно спокойно отдал жестокую команду: «Сечь медленно!» Глядя тяжелым взглядом каменных зрачков на истерзанных по его приказу людей, он мог тяжело и тупо острить: «Вчера вы поздравили меня с Первым мая, а сегодня я поздравил вас».

Представление на арене продолжается. Сенечка самозабвенно хохочет над остротами клоунов. Раскрыв рот, он смотрит на акробатов, наездников, канатоходца, на дрессированных лошадей и ученых собачек...

Но мы с Леней смотрим на фон Валя. Иногда мы переглядываемся и снова устремляем глаза на генерала в светло-серой шинели.

— Перестань... — шепчет мне мама. — Смотри на арену!

Глазами я показываю маме на круглый амфитеатр — большинство зрителей смотрит туда же, куда и мы с Леней.

Не знаю, о чем они думают. Может быть, иные из них восхищаются фон Валем как героем, подавляющим революцию. Но я уверена, что очень многие смотрят на него так же, как Леня и я: с ненавистью. Не знаю, не могу объяснить, почему меня так неудержимо тянет смотреть на губернатора. Когда я была маленькая, папа, идя к героическому летчику Древницкому, взял меня с собой. «Это надо видеть! Это надо видеть и запомнить!» — сказал тогда папа. Сейчас, когда я смотрю на фон Валя, у меня то же чувство: это надо видеть, надо запомнить! Это надо ненавидеть всегда, всю жизнь!

Так впервые входит в мою жизнь ненависть. Смутное представление о том, что такие люди — враги, их надо ненавидеть, с ними надо бороться.

В антракте Иван Константинович, переглянувшись с мамой, просит нас остаться в ложе, не выходить.

— А как же к лошадкам? — огорчается Сенечка.

Ему обещали, что в антракте его поведут за кулисы — смотреть красавцев цирковых коней.

Сенечке объясняют, что сегодня к лошадкам не пускают: у лошадок корь, это заразительно. Сенечка с грустью смиряется: он мнителен, а корь, он знает, «это очень вредно для здоровья»!

В середине представления в нашу ложу входит запоздалый гость: папа! Он освободился раньше и приехал.

— Папа, — шепчу я, — посмотри на ту ложу, самую большую, над входом...

— Знаю. Видел, — коротко бросает папа. И добавляет с детским огорчением: — Надо же такое! Десять лет собирался я в цирк — и вот... извольте радоваться!

Представление кончилось. Медленно вместе со всей толпой мы подвигаемся к выходу из цирка. Вот мы уже на площади.

Одновременно с нами, из особого выхода — прямо из губернаторской ложи — выходит фон Валь.

Мы приостанавливаемся. Папа переглядывается с мамой и Иваном Константиновичем. Мы с Леней перехватываем папин взгляд и понимаем его. «Подождем, — говорит он, — пусть сперва уедет тот!»

И тут, словно разрезая ножом вечерний сумрак на площади, раздаются один за другим два выстрела.

Стоящий впереди нас человек поворачивает к нам веселое лицо:

— Хтось губернатора стрелил! — И, энергично работая локтями, он пробирается к месту происшествия.

Наступившая было на секунду тишина внезапно взрывается шумом, криками, полицейскими свистками.

— Держи! Лови! — раздается в разных местах.

И все перекрывает звериный рев стоящего неподалеку от нас городового.

— Поймали-и-и! — торжествующе кричит он.

— Ох! — жалостливо кричит женщина, стоящая на ступеньках одной из лестниц, ведущих в цирк. Оттуда ей видно то, чего не видим мы. — Хлопчика чернявого... Он и стрелял... Ох и бьют они его! Ох и бьют! — Женщина на мгновение даже зажмуривается.

— Доктора! Доктора! Губернатор ранен! — кричат где-то очень близко от нас.

Подхватив на руки перепуганного Сенечку, папа кричит нам: «Ступайте за мной!» — и, резко повернув, идет по площади в противоположную от происшествия сторону.

Дома я спрашиваю:

— Папа, когда кричали: «Доктора! Доктора!» — может быть, это не губернатору надо было помочь, а тому, другому... Чернявому хлопчику... Тому, кто стрелял!

— Чернявому хлопчику!.. — говорит папа с горечью. — Ему уже никто помочь не может!

Назавтра утром газеты печатают экстренное сообщение «о злодейском покушении на жизнь губернатора фон Валя». «К счастью, — говорится в экстренном сообщении, — жизнь губернатора вне опасности: он лишь легко ранен в ногу и в руку...»

В ближайшие дни мы узнаем подробнее о чернявом хлопчике. Зовут его Гирш Лекерт. Ему двадцать два года. Он сапожник. Шнир и Разин знают Лекерта. Они говорят: хороший паренек. Умный, очень способный, хотя совсем неграмотный. Был членом подпольного профессионального союза сапожников. Товарищи Лекерта очень любят его за милый нрав, за смелость и находчивость, за всегдашнюю веселость.

Два года назад, рассказывают Шнир и Степа, в одном из маленьких городков нашего края арестовали троих молодых людей — они разбрасывали революционные прокламации. Арестованных заперли в квартире урядника, с тем чтобы на следующий день отвезти их в городскую тюрьму. Но рано утром на дом урядника напала большая группа молодежи под предводительством веселого чернявого юноши Лекерта. Они подвезли к дому две тележки, груженные камнями, и, ловко орудуя этим нехитрым оружием и отбиваясь от полиции, освободили арестованных товарищей и убежали вместе с ними. Один из участников этого дела, друг Лекерта, был ранен. Полиция его схватила. Его положили в госпиталь.

Казалось, помочь этому другу — арестованному, раненому — было невозможно: около его койки в госпитале день и ночь дежурил городовой. Через кого-то из персонала госпиталя Лекерт доставил раненому другу женское платье. Тот переоделся в уборной и спокойно вышел из госпиталя по черному ходу. На улице дожидалась телега, которая его и увезла.

За все это — нападение на полицию, освобождение арестованных товарищей, за устройство побега раненого революционера из госпиталя, за участие в забастовках — Лекерта арестовали, посадили в тюрьму, а потом выслали в Екатеринославскую губернию под надзор полиции. Лекерт бежал оттуда и возвратился в наш город.

— Сюда, — говорит Шнир многозначительно, — Лекерта притягивал очень сильный магнит: молодая жена!

— Совсем девочка! — добавляет Степа Разин. — Семнадцать лет... И до чего красавица! Посмотришь — ослепнешь!

Жили Лекерт и его молодая жена очень трудно. Работы у него не было, сколько он ни искал... Прямо сказать — голодно жили! Но веселые были, счастливые, словно и не они голодают.

Лица Шнира и Степы омрачаются.

— Она, бедная, ребеночка ожидает, скоро уже должна родить! Подрастет он, спросит: «Где мой папа?» А папы его и на свете нет...

— А вы думаете, что... — спрашиваю я со страхом.

— Думать нечего. Затем и передали дело в военный суд, чтоб его повесили! Гражданский суд этого не может — ведь Лекерт не убил фон Валя, он только легко ранил его!

Дядя Мирон подтверждает: передача дела Лекерта в военный суд обещает самый тяжкий приговор. Да Лекерт и сам не облегчает, а отягощает свое положение. Дядя Мирон читал в суде копию с показаний, данных Лекертом. Все его показания пронизаны одним желанием: представить дело так, будто он был один, у него не было ни единомышленников, ни сообщников, никто ему не помогал, не влиял на него... «Я один задумал убить губернатора за подлые розги, которыми он хотел опозорить моих товарищей. Для этого я купил револьвер с пятью боевыми патронами. Губернатора я в лицо не знал, поэтому и стал приходить каждый день в сквер и сидел на скамеечке против губернаторского дворца. Видел, как губернатор выезжает каждый день в своей пролетке и возвращается обратно. Поворачивая из ворот на улицу и обратно с улицы в ворота, пролетка всегда замедляет ход. Я хорошо рассмотрел лицо губернатора и запомнил его!» По словам дяди Мирона, от Лекерта все время добиваются признания, кто были его сообщники. Ему даже намекали, что, если он назовет их, это очень облегчит его участь. Но чернявый хлопчик упорно, твердо настаивает на том, что никаких сообщников у него не было. Даже если бы Лекерт показал, что он не хотел убивать губернатора, а хотел только ранить, напугать его, это бы изменило его положение, но он упрямо и настойчиво повторяет: «Нет, я хотел убить губернатора!»

Сообщники у него были, это известно. Их было человек семь-восемь, целая группа. Они были вооружены, следили за выездами фон Валя, изучали маршруты его поездок. Но Лекерт упорно скрывает это.

Суд происходит 15 мая. Заседание суда длится всего несколько часов. Ведь это не суд, это комедия суда! Не вызван ни один свидетель! Суд не ищет, он и не хочет найти какие-нибудь новые обстоятельства, позволяющие ну хотя бы сослать Лекерта на вечную каторгу, но сохранить ему жизнь. Нет, суд имеет заранее принятое решение: казнить Лекерта и этим терроризировать революционную молодежь во всей России. Суд выносит приговор: смертная казнь через повешение.

Однако с приведением приговора в исполнение почему-то медлят. Ходит слух, что заминка эта объясняется отсутствием палача. Вообще-то, оказывается, по указу 1742 года даже всякий небольшой уездный город должен иметь своего профессионального палача, а губернскому городу полагаются целых два палача. Палачей очень часто вербуют из числа наиболее тяжких уголовных преступников, осужденных, например, за особенно зверские убийства. Такой преступник, приговоренный к вечной каторге, берется исполнять обязанности палача — главным образом вешать — в расчете постепенно заработать себе смягчение участи. Повесит некоторое — точно обусловленное — количество осужденных, и вечная каторга заменяется для него каторгой «на срок». Повесит еще сколько-то осужденных (в большинстве — революционеров) — и срок каторги ему соответственно еще уменьшается. Кроме того, за каждого повешенного палач получает особо немалое денежное вознаграждение.

Так вот: исполнение приговора над Лекертом почему-то затягивается. Почему, никто не знает, но говорят, что причина заключается в том, что нет «хорошего палача»...

Как уже не раз случалось мне в этой книге, я сейчас забегу вперед. Через двадцать пять — тридцать лет после казни Лекерта, когда Советская власть нашла и раскрыла важнейшие, секретнейшие документы поверженного царского правительства, было найдено письмо одного из палачей-каторжников, А. Филипьева. Этот зверь, сидя в петербургской пересыльной тюрьме, пишет «Господину Начальнику Охранного Отделения» нахальное безграмотное письмо... Почему, обижается он, ему, верой и правдой вешавшему людей, не стали «давать работу»? «В настоящее время, — пишет палач Филипьев, — вот май, а я томлюсь в одиночном заключении, мне кажется, что я не заслужил такого наказания, а одиночное заключение влияет на каждого человека и его органцым»*. Обиженный палач-каторжник просит сообщить ему, «сколько времени еще я должен буду содержатца в одиночном заключении на каких данных. Прошу сообщить мне не в продолжительное время и успокоить меня, мое положение в настоящее время очень незавидное».

Это письмо палача А. Филипьева, изливающего свои обиды и претензии, писано 15 мая 1902 года. Палача поспешили «успокоить», как он требовал в своем письме: через три дня его отправили в наш город — повесить Лекерта...

Помедлим еще немного — в том будущем, в которое мы забежали, — чтобы узнать о последних часах чернявого хлоп-

---

* Сохраняю стиль и орфографию подлинника. — *А. Б.*

чика Лекерта... Когда в ночь с 27 на 28 мая его везли на место казни, с ним в карете были раввин, пристав Снитко и конвой.

— Куда вы меня везете? — спросил Лекерт.

— На вокзал, — внушительно ответил Снитко. — На каторгу отправляем тебя.

Это был жестокий ответ. Дерево растет из семени десятки лет. Но достаточно нескольких минут, чтобы из семечка надежды выросло в душе целое дерево радости, ожидания, жизни! Так было, наверное, и с Лекертом... Значит, не смерть? Значит, жить?

Это длилось всего минуту-другую. Лекерт увидел, что карета повернула не налево, не к вокзалу, как обещал пристав Снитко, а направо, к Военному Полю, где совершались казни.

— Вы меня обманули! — сказал Лекерт приставу.

— А конечно ж обманул! — подтвердил тот. — На виселицу везем. Куда же еще?

На Военном Поле уже был воздвигнут помост с виселицей. Прибытия Лекерта уже дожидались представители суда, тюремный врач и другие лица, а также два полка пехоты и две казачьи сотни.

Секретарь суда прочитал приговор.

Лекерт выслушал его совершенно спокойно, словно и не о нем шла речь.

После оглашения приговора раввин обратился к Лекерту с увещанием раскаяться:

— Сын мой, ты преступил заповедь Господа Бога нашего — на горе Синайской Он приказал нам: «Не убий!»

Лекерт посмотрел на раввина, — до этой минуты он слушал его равнодушно и ничего ему не отвечал.

— Раввин, почему вы говорите это мне, а не им? — Он кивнул на своих палачей. — Ведь они сейчас убьют меня!..

Товарищ прокурора предложил палачу Филипьеву привести приговор в исполнение.

Лекерту скрутили веревкой руки за спиной. Видимо, это причинило ему физическую боль — лицо его на миг исказилось, — но он ничего не сказал, не застонал. Со связанными руками он сам твердо взошел на помост.

Палач накинул петлю на его шею. Петля застряла на подбородке. Лекерт сделал движение головой, чтобы петля сползла на шею. Так стоял он несколько мгновений. Он казался совсем юным, чернявый мальчик... Солнце всходило. Лекерт улыбнулся ему почти радостно. Этой улыбкой он встретил смерть...

Палач вышиб у него из-под ног скамейку. С криком «Готово!» палач с силой вцепился в ноги закачавшегося в петле тела и повис на них.

По требованию врача тело оставалось в петле в течение двадцати минут. После этого тело было вынуто из петли, и врач констатировал смерть.

Труп потащили к заранее вырытой яме. Один из городовых сказал палачу Филипьеву — тот был очень оживлен, помогал зарывать труп, — что на труп надо надеть заранее приготовленный саван.

Палач весело подмигнул:

— Обойдется жидюга и без савана! — и спрятал саван к себе за пазуху...

По тому месту, где зарыли тело Лекерта, дважды пронеслись две казачьи сотни, — они сровняли это место с землей.

Могилу эту искали многие и много. Ее так и не удалось найти.

Лекерт был повешен 28 мая (по старому стилю) 1902 года, в 3 часа 40 минут утра.

Все это, сейчас рассказанное, раскрылось лишь спустя много лет.

Но тогда, в ночь с 27 на 28 мая, мы об этом и не догадываемся. Мы даже не знаем, что именно в эту ночь происходит казнь чернявого хлопчика Гирша Лекерта.

Под утро я просыпаюсь на большом диване за ширмой, у папы в кабинете. Сюда меня переселили, когда начались выпускные экзамены: папин кабинет помещается на отшибе, он отделен от остальных комнат, и мои ночные «зубрильные» бдения (иногда с Люсей Сущевской или другой подругой) не мешают спать остальным обитателям нашей квартиры.

В эту ночь мы тоже занимались с Люсей. По ее выражению, мы «погибали над географией»... Перед рассветом Люся побежала домой, а я легла спать.

Просыпаюсь внезапно оттого, что в кабинет вошел папа и за ним еще кто-то — чужой, незнакомый.

Очевидно, папу пришли звать к больному. Папа — сам же называет себя «рассеянная башка!» — забыл, что я сплю в кабинете, и привел посетителя туда.

Сейчас, вероятно, часов пять утра. В комнате уже совсем светло. Притаившись за своей ширмой, ясно вижу в просветы между ее створками папу и незнакомого человека. Папа, заспанный, видно только что разбуженный, в накинутом на плечи пиджаке, стоит перед незнакомцем, не предлагая ему сесть. Тот растерянно оглядывается по сторонам, словно сам толком не понимает: куда это он забрел и зачем он это сделал? У него лицо, в котором не на чем остановиться: ну, глаза, ну, нос, ну, ежик над узким лбом — в общем, как говорится, все, как у людей, — без особых примет. Это, видимо, очень нервный человек: в разговоре дергает плечом, иногда подбородком.

— Чем могу служить? — спрашивает папа неприязненно. — И почему, собственно, в такое неурочное время?..

Незнакомец опускается на стул и сидит с поникшей головой, как виноватый.

И вдруг, словно догадавшись, папа обеими руками берет незнакомца за плечи:

— Повесили?

— Повесили!.. Яков Ефимович, как он умер! Я ведь уже не раз видал...

— Да, — повторяет папа жестко, — вы уже, вероятно, не раз видали!

— Но этот... Как он умер! Как Христос на кресте!

Секунду папа и незнакомец молчат.

— И вы присутствовали при казни?

— По долгу службы, Яков Ефимович...

— Служба не нос, с ней не рождаются — ее берут или от нее отказываются!.. — строго говорит папа. — Вы осмотрели труп? Констатировали смерть?

Незнакомец кивает.

— Так уходите! — кричит папа. — Слышите, уходите!

Незнакомец встает.

— Я уйду, Яков Ефимович. Я и оттуда уйду, даю вам слово!

— Вот когда уйдете оттуда — тогда и приходите сюда... А сейчас вон из моего дома!

Заплетающимися, как у пьяного, ногами незнакомец долго, по-слепому, не попадает в дверь...

Потом слышно, как Юзефа выпускает его на лестницу и запирает входную дверь, громыхая цепочкой.

Я хочу выйти из-за ширмы, подойти к папе. Но он вдруг садится к письменному столу и — плачет. В первый раз в жизни я вижу, как плачет папа! И этот беспомощный, неумелый мужской плач, когда слезы стекают по носу и попадают в рот, поражает меня, как столбняком. Я стою за ширмой, я хочу к папе, все во мне рвется к нему, а ноги не слушаются.

Папа перестал плакать. Вздохнув, громко, как наплакавшийся ребенок, он вытирает глаза тыльной стороной обеих рук.

Тут только с меня спадает оцепенение. Я подхожу к папе и обнимаю его.

— Ты? — удивляется папа. — Что ты тут делаешь?

Ну что за человек! Ничего не помнит — я уже больше месяца ночую у него в кабинете...

— Папа, кто это был? Доктор Михайлов?

Папа безнадежно машет рукой:

— Нет, не Михайлов. Другая полицейская собака. Тюремный врач...

— А зачем он к тебе приходил?

— Спроси его! Я и руки ему не подаю. Уже давно...

Мы стоим с папой у раскрытого окна. В зелени больших деревьев на противоположном тротуаре громко перекликаются птицы — не то здороваются, не то ссорятся.

А солнце встает, такое сверкающее, такое новое, словно его сегодня в первый раз зажгли над землей!

— Пуговка... — Папа крепко обнимает меня. — Это надо помнить. Всегда, всю жизнь!

Глава двадцать пятая

ВЫПУСК

Говорят, в столичных институтах устраивают выпускные балы. Выпускницы могут приглашать на такой бал своих родных и знакомых. Институт сияет огнями. Под сверкающими люстрами актового зала, скользя по зеркальному паркету, кружатся в танцах пары.

А есть уже, говорят, в Петербурге и в Москве новые гимназии — не правительственные, а частные. Там выпуск справляют, как проводы которого-нибудь из членов доброй, дружной семьи. На выпуск приходят все учителя и учительницы, директор, начальница, приходят и родные выпускных. Вечер проходит весело, непринужденно. Танцуют учителя с ученицами, выпускницы с приглашенными и друг с другом. Все знают: связь бывших учениц с гимназией не оборвется. Куда бы их ни забросила судьба, но, приезжая в родной город, они будут приходить в свою гимназию, к своим старым учителям, как в отчий дом.

Хорошо, верно, учиться в такой школе!

У нас, в нашем институте, выпуск обставлен на редкость бездарно.

— Скажем прямо, — говорит Люся Сущевская, — это не «проводы в жизнь», а похороны по пятому разряду: без музыки! И правит погребальной колесницей сам покойник!

Торжественность только в том, что мы приходим в этот день в белых фартуках. Никого из наших учителей и учительниц нет.

Их, наверное, даже и не позвали. А возможно, у них самих не было желания проводить нас в жизнь.

Присутствует на выпуске одна только Мопся, и она очень взволнована. Ведь это ее выпуск, который она вела целых семь лет!

Мопся очень парадная: в новом синем платье, кружевное жабо заколото у ворота нарядной брошкой. На Мопсины глаза поминутно навертываются слезы. Я вдруг понимаю, как горько одиночество такой Мопси...

Церемония вручения нам аттестатов самая будничная. Ну вот как, например, нам всем, бывало, прививали в институте оспу, что ли...

Мы в последний раз строимся парами. Мопся в последний раз ведет нас в актовый зал.

Там, недалеко от входной двери, поставлен столик. На нем — стопка новеньких аттестатов. Около этого столика стоит наш директор — Федор Дмитриевич Миртов. Он у нас новый — всего с осени — и еще более чужой нам, чем прежний, ныне покойный директор Тупицын.

Федор Дмитриевич Миртов какой-то тускло-неуловимый. Глаза его на тебя не смотрят. Говорит он скучно. За весь учебный год никто не видел, чтобы он улыбнулся или хотя бы разозлился.

«Амеба!» — прозвал его кто-то из девочек, и это очень метко.

Но вот мы вошли в зал. Нас остановили в нескольких шагах от столика с аттестатами. Не громко, тягуче-серо (так, наверное, говорила бы амеба, если бы ей была дана способность говорить!) директор вызывает по списку:

— Фейгель Мария.

Подошедшей к столику Мане Фейгель директор сообщает, словно читает по написанному:

— По постановлению педагогического совета, воспитанница Фейгель Мария за благонравие и отличные успехи в науках награждается золотой медалью.

Среди выпускниц оживление. Маню мы все не просто любим, но *уважительно* любим, признаем ее превосходство над всеми нами.

Но директор уже сунул Мане аттестат и руку для пожатия:

— Поздравляю вас.

— Благодарю вас, — отвечает Маня, делает реверанс и отходит.

Становится уже скучно. Все одно и то же: выход каждой выпускницы к столику, вручение ей аттестата, рукопожатие директора, «поздравляю вас», «благодарю вас», реверанс и возвращение на место.

Жду своей очереди уже без всякого трепета — ведь все будет такое же, ничего нового...

А вот, оказывается, и нет! Когда директор вызывает меня и я подхожу к столику с аттестатом, меня все-таки ожидает новая подробность: рука директора оказывается холодной и слегка влажной — как большая сырая котлета!

Но вот аттестаты вручены. Директор слегка поднимает руку. Сейчас он скажет речь.

— Поздравляю вас с окончанием курса наук. Будьте счастливы. Помните, что Россия — отечество наше — стоит на трех вечных основах: это православие, самодержавие и народность. Веруйте в Бога, будьте хорошими семьянинками, избегайте зла. Да будет с вами мир и Божия благодать...

Церемония кончена. Директор уходит, не взглянув в нашу сторону.

Мы в последний раз обходим классы, коридоры. Особенно сердечно прощаемся с «Пингвином».

Тепло прощаемся с Мопсей. Она, бедняга, геройски борется со своим волнением. На лице ее пятна коричневого румянца; она поминутно подносит к губам нарядный кружевной платочек. Обнимает и целует каждую из нас — не только своих, из бывшего первого отделения, но и всех нас, из второго. Отбросив чопорное «вы», она говорит нам матерински:

— Ну, ну, Христос с тобой! Хорошая, хорошая девочка!.. Дай тебе, Боже...

Вот и все. Весь выпускной праздник.

Нет, праздник, оказывается, впереди!

Внизу, в вестибюле, толпа народу. Мамы, тети, родные, младшие братья и сестры. Все они полны гордости за нас — ведь мы победили все трудности и выдержали все испытания!

Тут и Варина бабушка Варвара Дмитриевна Забелина. И «тетечка» Мели Норейко, по обыкновению разряженная пестро, как попугай. Рядом с нею — Манина мама, Бэлла Михайловна, скромно одетая, приветливая, сияющая радостью за обеих своих дочек: Маню и Катеньку Кандаурову. Как васильки во ржи, цветут добротой наивные глаза «Фиктории Ифан», Люсиной мамы. Ей нелегко «выводить дочку в люди» — она, труженица, горбом и мозолями заработала сегодняшний светлый день!

Еще спускаясь по лестнице, я вижу в толпе родных мою маму. Давно ли, кажется, привела она сюда меня, десятилетнюю, экзаменоваться в первый класс? Я тогда поднималась вверх по этой лестнице и, оглядываясь на маму, оставшуюся среди других мам, видела, как в ее дрожащих от волнения руках трепыхаются ленточки моей детской шляпы... Сегодня рядом с мамой стоит Сенечка с громадным букетом поздней персидской сирени. Папы, конечно, нет — в этот час он в госпитале, — но вместо папы пришел дедушка, мой милый, несносный скандалист дедушка. Он разглаживает на обе стороны бороду и строго смотрит на всех окружающих: всем своим видом дедушка напоминает о том, что человек должен быть человеком, а не свиньей! Завидев меня издали, Сенечка машет мне букетом в знак приветствия.

И, наверное, дедушка делает ему строгое замечание:

— Букет у тебя не для того, чтобы ковырять им в чужих носах!

Толпа выпускниц с их родными выливается на улицу.

У подъезда института стоит вереница экипажей, колясок, пролеток, извозчичьих дрожек.

Снова объятия и поцелуи — это уже выпускницы прощаются друг с другом, обещают писать письма, обмениваются адресами, зовут друг друга в гости. Приглашений — тьма! Даже при желании невозможно поспеть всюду.

Хорошенькая Леля Семилейская садится со своей мамой в пароконную коляску. Очень элегантная и милая Маня Ярошинская — дочь владельца того шикарного ателье мод, где шили для мадам Бурдес бальный туалет, испакощенный потом кошками, — уезжает в красивой пролетке с английской упряжью.

— Звощик! — визгливо зовет Мелина «тетечка» и важно громоздится с Мелей на узкое сиденье извозчичьих дрожек.

Обе — и тетя и племянница — пухленькие, кругленькие, как сладкие пончики с вареньем. На сытеньких личиках, словно сахарная пудра, сияет горделивое самодовольство: «Мы из выжших! Пусть нищие плетутся пешком, на то они и нищие. А мы можем себе позволить...»

— Меля, — кричит вслед Люся, — приходи к нам! Я тебя угощу мексиканским блюдом тирли-тирли!

Меля, не отвечая, презрительно вскидывает голову. Извозчик трогается... Прощай, Меля!

Родные разошлись. Разошлись и все выпускницы, кроме нашей компании. Мы отсюда пойдем не домой, а с визитами.

— Прощай, институт! — шутливо кричит Катенька подъезду, откуда уже больше никто не выходит.

Но дверь подъезда снова открывается. И из нее робко выскальзывает на улицу Соня Павлихина с чемоданчиком в руке. Соня боязливо осматривается — ей непривычно очутиться на улице одной, без построенных парами девочек, без привычного конвоя: служителя Степы и классной дамы.

Увидев нас, Соня искренне радуется:

— Ох, хорошо, что вы здесь! А я уж горюю, что не простилась с вами!

— А там, в вестибюле, еще кто-нибудь остался?

Соня вдруг густо краснеет:

— Нет. Я последняя. Сейчас за мной моя мама придет. В Поневеж поедем...

Я понимаю — Соня нарочно выжидала, пока все уйдут. Тогда к подъезду подойдет Сонина мама. Она, наверное, дожидается где-нибудь за углом. Больше всего на свете Соня боится, как бы «они» не увидели ее маму.

Вдруг с лица Сони исчезает привычная маска пугливого зверька, в глазах зажигается радость.

— Мама! — И Соня бросается навстречу торопливо идущей к институту невысокой, худенькой женщине. — Мама!

Мать и дочь припали друг к другу, смотрят не насмотрятся одна на другую. Соня забыла обо всем: и о своем чемоданчике, который она поставила рядом с нами на тротуар, и о нас. Она забыла даже свой вечный страх, как бы кто, увидев ее маму, не понял, что они «бедные».

Нас Соня не стесняется — три года она дружила со мной, ходила с нами по коридору во время перемен.

— Мама, — знакомит нас Соня, — это мои подруги, я тебе говорила. Помнишь? — И Соня смеется беспричинным счастливым смехом.

— Как же, как же! — говорит Сонина мама, обнимая нас и тоже смеясь, как бы отражая радость Сони. — Спасибо, милые, хорошие!

Взявшись под руки, Соня и ее мама уходят.

Мы смотрим вслед им. Только я знаю, какую тайну, тяжелую, горькую, несут они в душе. Глядя вслед их удаляющимся фигурам, я думаю: «Пусть все будет хорошо! Соня, все, все будет хорошо, вот увидишь!»

У меня в голове толкаются неясные мысли: «А про Соню и ее маму папа сказал бы, что это «нужно помнить»? Вот про этот жестокий стыд за стоптанную обувь, за перелицованное платье?.. И про гордость Мели, тщеславящейся попугайным нарядом «тетечки», шикарным рестораном «папульки», возможностью не ходить пешком, а ездить хотя бы в измызганной извозчичьей пролетке?..» Да, да, это тоже надо запомнить! На всю жизнь!

Первый наш «визит» — на Шопеновскую улицу, к Гороховым. Со времени экзамена по алгебре сюда ходила только Маня — на свои ежедневные занятия с Досей Гороховой.

В подъезде, где живут Гороховы, Маня останавливает нас.

— Вот что! — заявляет она очень решительно. — Ни одного слова о том... Понимаете? Можете рассказывать, как кто сдал географию, как кто чуть не срезался по физике. Но ни геометрии, ни алгебры у вас не было. Понимаете? *Не было!* — еще раз подчеркивает Маня.

Совершенно замороженные этим предисловием, мы входим к Гороховым с такими лицами, словно мы пришли на похороны.

Но хозяева так радуются нашему приходу, что мы сразу оттаиваем и перестаем торжественно пыжиться.

Горохов с интересом всматривается в каждую из нас, узнает, вспоминает разные смешные случаи, происходившие на его уроках в нашем классе. Конечно, он заставляет меня покраснеть, припомнив, как я заявила ему как-то, что «Яновской сегодня в классе нет»!

— А я уж тогда всех помнил, а про вас еще Юле и Досе рассказывал: «Есть в классе этакая Жанна д'Арк — не то девочка, не то мальчик, Яновская...» — И Серафим Григорьевич вспоминает это так беззлобно и весело, что я снова обретаю равновесие и смеюсь вместе со всеми.

Но Люся Сущевская продолжает дичиться. Она и идти к Гороховым не хотела. А теперь сидит позади всех нас, словно прячется.

Но Горохов хитро сощуривается.

— Показалось мне это, — говорит он, обращаясь ко мне, — что вы тогда вдвоем приходили?.. Помните?

Еще бы не помнить! Умирать буду, вспомню, как Люська стояла тогда перед Гороховым на одной ноге, а я не знала, куда девать свои треклятые лайковые перчатки!

А Горохов продолжает вспоминать:

— Ваша спутница тогда меня даже испугала. Вдруг охнула, сорвала с ноги туфлю и убежала... Что это с ней было?

Все хохочут. А я говорю самым кротким и невинным голоском:

— Люсенька, это ведь ты тогда была со мной? Так объясни Серафиму Григорьевичу. Он интересуется...

Снова взрыв хохота, и обиженный голос Люси, спрятавшейся за спинами подруг:

— Да-а! Объясни ему, объясни ему... А вот я бы посмотрела, как бы он сам, если одна туфля своя, а другая — мамина!..

В общем, беседа течет весело, непринужденно.

Но вдруг Горохов говорит, посерьезнев:

— А я вам тоже хочу объяснить одну вещь... Я недавно совершил один поступок... ну, скажем, странный. Вы знаете, о чем я говорю...

Мы молчим. Ведь дело не в нашем ответе: мы ждем обещанного Гороховым объяснения.

— Если бы вы пришли к выпускным экзаменам с недостаточными знаниями и происходило это *по вашей собственной вине*, я бы для вас палец о палец не ударил! Ленились, голубушки, небрежничали? Так извольте, как говорится, и саночки возить: проваливайтесь на экзаменах — так вам и надо! Но *вы не были виноваты*, вот в чем дело! — Помолчав минуту, Серафим Григорьевич продолжает: — Да, вы были невиноваты. И почему-то это никого в вашем институте не беспокоило. Вы шли на скандальный провал, и никто не хотел вам помочь! Это — вот именно это! — и решило для меня все... Теперь вам понятно?

Мы молча киваем.

И тут же Юлия Григорьевна — она с тревогой следила за тем, как волнует Горохова этот разговор! — быстро и незаметно меняет тему. Она расспрашивает нас, где мы проведем лето, кто из нас собирается учиться дальше, чему и где.

Мы уходим от Гороховых совсем и окончательно обвороженные этими — мы это чувствуем! — чудесными людьми.

Уже в передней, прощаясь, Люся обещает, словно утешая хозяев:

— Мы к вам еще придем!

— Непременно! — подхватывает Катюша Кандаурова.

Около кладбища нас ждут наши друзья гимназисты: Леня, Гриша Ярчук, Макс Штейнберг. И Диночка с ними. У мальчиков сегодня тоже был выпуск. Макс и Гриша получили золотые медали.

Мы стоим все у могилы, у простого, успевшего уже потемнеть креста с простой надписью:

НАШ АЛЕКСАНДР СТЕПАНОВИЧ

Стоим и молчим. Не надо ничего говорить — у всех одни и те же мысли, одни и те же воспоминания.

Я смотрю на Люсю... «Помнишь, — думаю, — как мы повстречались с ним в последний раз, случайно, в Екатерининском сквере?..» — «Да, — отвечают мне Люсины глаза. — Я еще тогда почему-то подумала: больше я его не увижу...»

И еще я вспоминаю, как я тогда пожалела: почему мы не сказали ему ничего хорошего, приятного? Никогда, думаю, не нужно откладывать такие вещи! Вот не сказали мы Александру Степановичу ничего, а теперь уже поздно! И не узнает он никогда, как мы его любили...

Мы стоим над могилой Александра Степановича. И мне почему-то вспоминаются слова, сказанные как-то папой:

«Люди отличаются друг от друга тем, какая пустота образуется после них. Один умрет — все равно что стул сломался:

покупают новый. Другой умрет — никем его не заменишь, никогда не забудешь!»

Пора уходить. Но Маня останавливает нас.

— Вот, — тихо говорит Маня, — постояли, вспомнили Александра Степановича... Все равно как поговорили с ним самим. Все равно как на секунду услыхали его голос...

На улице Гриша Ярчук недовольно хмыкает:

— Мифтика это!

— Грифенька, фолныфко мое! — говорю я. — Это не мистика — это добрая память о человеке!

Ту же мысль читаю в глазах всех остальных. У девочек, у Лени... В глазах Макса Штейнберга, похожих на бархатные лепестки особенно темных анютиных глазок. Макс даже наморщил лоб, напряженно думая, — наверное, он слышит музыку, рождающуюся в его душе.

Последний визит делаем мы с Леней вдвоем: к «нашему камню» — над железной дорогой.

Только опустившись в это кресло, естественно выдолбленное, промытое в камне столетиями дождей и снежных заносов, мы чувствуем, как мы устали. Денек выдался бурный, пестрый. Выпуск в институте, прощание с подругами. Веселый часок у Гороховых. Печальные мысли на могиле Александра Степановича...

От всего этого я очень устала. Мне хочется сидеть тихо, закрыв глаза, слышать, как шумит соседний лесок, как поют далекие паровозные гудки.

— Взглянет кто на тебя и меня, — мечтательно говорит Леня, — непременно подумает: влюбленные!

— Ну и пусть думают! На здоровье!

— А мы, по-твоему, не влюбленные? Нет?

— По-моему, нет!

— Ты уверена?

— Уверена!

— Очень жаль... — вздыхает Леня.

Мы немножко помолчали. Потом Леня снова начинает:

— Хочешь, я тебе скажу, о чем ты сейчас думаешь? Ты

думаешь обо мне: «Такой чудесный наш Леня! Такой умный, красивый, талантливый!..»

— Ленечка, это не я о тебе думаю, это ты сам о себе думаешь! Разница?

— Не мешай, Шашура! Так вот, ты думаешь: «Какой этот Леня хороший...»

— И какой скромный! — подхватываю я.

— Так почему же ты в меня не влюблена? — недоумевает Леня.

— Не знаю, Ленечка... — отвечаю я тихо. — Давай помолчим, а?

Со всех сторон бесшумно ползут зеленоватые сумерки. Внизу, под нами, блестит рельсовый путь.

Мы сидим на камне. Леня берет меня за руку. Я приникаю щекой к его плечу. Хорошее, доброе плечо друга.

Издали доносится шум приближающегося поезда. «Иду-у-у!»

Из-за поворота показывается он — предвечерний поезд на Петербург! Большой черный паровоз солидно, хозяйственно топает по убегающим рельсам. За ним длинной змеей разворачиваются вагоны, весело постукивая: «Идем-идем-идем! В Петербург — в Петербург!»

Со своего камня мы провожаем поезд глазами. Вот он и ушел. Поманил и ушел. Под нами снова пустая рельсовая дорога.

— Скоро и мы, — говорю я. — Уедем-уедем-уедем! В Петербург — в Петербург — в Петербург! Учиться-учиться-учиться!

— Вместе-вместе-вместе! — добавляет Леня.

Очарованными глазами смотрим мы сверху на дорогу. Она убегает все вперед, все вперед, далеко, далеко...

Благословенны дороги, по которым мы уходим в даль!..

Москва, 1958—1959

Конец третьей книги

ОГЛАВЛЕНИЕ

Серия «Золотая классика — детям!»
Литературно-художественное издание
әдеби-көркемдік баспа
Для среднего школьного возраста

Бруштейн Александра Яковлевна

**ДОРОГА УХОДИТ В ДАЛЬ...
В РАССВЕТНЫЙ ЧАС. ВЕСНА**

Автобиографическая трилогия, повести

Разработка серии и дизайн обложки *Н. Сушковой*
Редактор *С. Младова*. Художественный редактор *Н. Фёдорова*
Технический редактор *Е. Кудиярова*
Компьютерная вёрстка *Н. Соколов*

Подписано в печать 06.07.2021. Формат 84x108/32
Дата изготовления: август 2021 г.
Бумага офсетная. Печать офсетная. Гарнитура Literaturnaya
Усл. печ. л. 45,36. Доп. тираж 3000 экз. Заказ № 6874.

Общероссийский классификатор продукции
ОК-034-2014 (КПЕС 2008) — 58.11.1 — книги, брошюры печатные

Книжная продукция ТР ТС 007/2011. Произведено в Российской Федерации

Изготовитель: ООО «Издательство АСТ»
129085, Российская Федерация, г. Москва,
Звёздный бульвар, дом 21, строение 1, комната 705, пом. I, 7 этаж
Наш электронный адрес: ask@ast.ru Home page: www.ast.ru

Адрес места осуществления деятельности по изготовлению продукции:
123112, Москва, Пресненская наб., д. 6, стр. 2, Деловой комплекс «Империя», 14,15 этаж

Мы в социальных сетях. Присоединяйтесь!
https://vk.com/ast.deti https://www.instagram.com/ast.deti
https://www.ok.ru/ast.deti https://www.facebook.com/ast.deti

«АСТ баспасы» ЖШҚ
129085, Мәскеу қ., Жұлдызды гүлзао, 21-үй, 1-құрылыс, 705-бөлме, I жай, 7-қабат.
Біздің электрондық мекенжаймыз : www.ast.ru E-mail: ask@ast.ru
Интернет-магазин: www.book24.kz Интернет-дүкен: www.book24.kz

Импортер в Республику Казахстан и Представитель по приему претензий в Республике Казахстан - ТОО РДЦ Алматы, г. Алматы.

Қазақстан Республикасына импорттаушы және Қазақстан Республикасында наразылықтарды қабылдау бойынша өкіл – «РДЦ-Алматы» ЖШС, Алматы қ., Домбровский көш., 3«а», Б литері, офис 1. Тел.: 8(727) 2 51 59 90,91, факс: 8 (727) 251 59 92 ішкі 107;

E-mail: RDC-Almaty@eksmo.kz , www.book24.kz
Тауар белгісі: «АСТ»
Өндірілген жылы: 2021
Өнімнің жарамдылық мерзімі шектелмеген.
Сертификаттау қарастырылған

Отпечатано с готовых файлов заказчика
в АО «Первая Образцовая типография»,
филиал «УЛЬЯНОВСКИЙ ДОМ ПЕЧАТИ»
432980, Россия, г. Ульяновск, ул. Гончарова, 14